1 MONTH OF
FREE
READING

at

www.ForgottenBooks.com

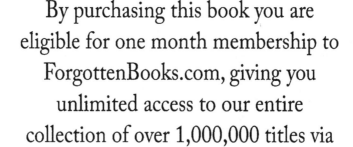

By purchasing this book you are eligible for one month membership to ForgottenBooks.com, giving you unlimited access to our entire collection of over 1,000,000 titles via our web site and mobile apps.

To claim your free month visit:

www.forgottenbooks.com/free991380

ISBN 978-0-260-94110-7
PIBN 10991380

Forgotten Books is a registered trademark of FB &c Ltd.
Copyright © 2018 FB &c Ltd.
FB &c Ltd, Dalton House, 60 Windsor Avenue, London, SW19 2RR.
Company number 08720141. Registered in England and Wales.

For support please visit www.forgottenbooks.com

t die mit der K. Societät in

nstitute, die Verzeichnisse d

chrichten zugleich als Emp

K. Societät gefälligst übers

u wollen.

1873

Nachrichten

von der

Gesellschaft der Wissenschaften

und der

Georg - Augusts - Universität

aus dem Jahre 1873.

———————

Göttingen.

Verlag der Dieterichschen Buchhandlung.

1873.

Göttingen,
Druck der Dieterichschen Univ.-Buchdruckerei.
W. Fr. Kästner.

Nachrichten

von der Königl. Gesellschaft der Wissenschaften und der G. A. Universität zu Göttingen.

8. Januar.   № 1.   1873.

Königliche Gesellschaft der Wissenschaften.

Sitzung am 4. Januar.

Marx, zur Beurtheilung des Arztes Chr. Franz Paullini. (Erscheint in den Abhandlungen.)

Ewald, über Erwerbung und Herausgabe Orientalischer Werke durch die K. Soc. d. Wiss.

Henle, Vorlage von Ihering, zur Entwicklungsgeschichte des menschlichen Stirnbeins.

Claus, Zur Kenntniss des Baues und der Entwicklung von Branchipus stagnalis und Apus cancriformis. (Erscheint in den Abhandlungen).

Schering, über Curven, Flächen und mehrfache Gebilde im verallgemeinerten Gaussischen und Riemannschen Raume.

Bethi, Ueber ein Dualitäts-Princip in der Geometrie des Raumes. Vorgelegt von Schering.

Erwerbung und Herausgabe Orientalischer Werke.

Die K. Gesellschaft der Wissenschaften hat in jüngster Zeit durch ihre besondere Theilnahme und Unterstützung die Verwerthung und Veröffentlichung einiger wichtiger morgenländischer Werke zu befördern beschlossen, von welchen wir hier eine vorläufige kurze Nachricht geben.

1. Schon im Sommer 1870 erhielt Herr Pro-

fessor Benfey in Folge vielfacher Nachforschungen von Herrn Dr. Albert Socin (jetzt Privatdocent in Basel) welcher sich auf einer wissenschaftlichen Reise im Morgenlande befand, zuverlässige Kunde dass eine alte Syrische Uebersetzung des (nach der Pahlavi-Aussprache so genannten) Indischen Buches Kalilag va Dam-
nag sich in der Bischöflichen Bibliothek zu
Mârdîn in Mesopotamien befinde. Dass es eine
solche alte Syrische Uebersetzung des berühmten
Buches gegeben habe, wusste man: sie schien
aber völlig verloren zu sein. Herrn Dr. Soci
gelang es von dieser Syrischen Handschrift i
Mârdîn, wahrscheinlich der einzigen jetzt noc
erhaltenen, eine zuverlässige Abschrift zu empfan
gen; und diese hat jetzt die K. Ges. der Wiss.
für sich und die K. Universitätsbibliothek erwor
ben. Sehr zu wünschen wäre dass diese mi
einer Uebersetzung von kundiger Hand bald ve
öffentlicht würde; und wir dürfen hoffen das
dieser Wuusch sich erfülle. — Von einer an
dern Syrischen Uebersetzung des berühmten In
dischen Werkes welche aber erst der spätere
Arabischen (einst von de Sacy herausgegebene
entlehnt ist, empfangen wir so eben eine genauer
Nachricht und ein hiureichendes Bild durch Herr
Professor William Wright, Corresp. der K. Ges
der Wiss.: und wir ergreifen die Gelegenhei
auf diese Veröffentlichung hinzuweisen [1]).

1) A Specimen of a Syriac translation of the Kali
wa-Dimnah, edited by W. Wright, LL. D., Profess
of Arabic in the University of Cambridge. Extracted fro
the Journal of the Royal Asiatic Society of Gr. Brit.
Ireland; new series, vol. VII, part II, 1873. Man find
hier das erste Hauptstück des Buches Syrisch mit Uebe
setzung und Anmerkungen, auch einer sehr unterrichte
den Beschreibung der Handschrift welche ausser dies
noch andere Syrische Werke enthält.

2. Die Herren Dr. Albert Socin und Dr. Prym (Privatdocent in Bonn) brachten von ihrer Morgenländischen Reise im Jahre 1871 eine reiche Sammlung Syrischer Volkser-zählungen heim, welche sie an Ort und Stelle aus dem Munde der Eingeborenen in der heuti-gen Syrischen Sprache niedergeschrieben hatten. Diese heutige Syrische Volkssprache ist uns jetzt zwar schon anderweitig vielfach näher be-kannt geworden, die Missionarien am Urumia-See haben sie zu einer Schriftsprache ausgebildet, und einzelne Gelehrte unter uns haben es nicht nutzlos gehalten sie auch im wissenschaftli- Wege genauer zu erforschen: während man vor einem Jahrhunderte kaum wusste dass uralte aber durch den Islam immer ärger ngte und zuletzt in ihrer alten Art voll- en ertödtete Syrische Sprache überhaupt irgendwo auf ihrem alten weiten Boden be. Sie hat sich aber auf eine denkwür- Weise sehr stark umgebildet und wie ganz gestaltet dennoch ausserhalb der grossen auf dem Lande in weiten Strecken erhal- wiewohl nach den verschiedenen Strecken sehr verschieden. Diese in der Gegend Tûr 'Abidîn gesammelten Volkserzählun- gewähren uns daher zwei Vortheile. Sie n uns die besondere Syrische Mundart welche ener Gegend herrscht; und sie lassen uns n Inhalte nach in eine volksthümliche Welt nblicken welche uns in Europa sehr wenig nt ist und die besonders für solche unter sehr unterrichtend sein wird welche das Morgenland wie es heute ist wenig genau m. Wie viele Erinnerungen aus dem alten nde und seinen Wundern sich trotz alles versengenden Luft des Islâms in die-

sen weit zurückliegenden Winkeln der dortigen
Erde noch erhalten haben, wird die Sammlung
dieser Erzählungen wenn sie veröffentlicht ist
ebenfalls lehren.

Man wird daher die durch Unterstützung
der K. Ges. der Wiss. ermöglichte Veröffentlichung dieser Syrischen Erzählungen gerne sehen:
es ist ein erstes Unternehmen der Art, und verdient auch deshalb alle Rücksicht. Die Veröffentlichung wird diese Erzählungen sowohl in
ihrer Ursprache jedoch mit Lateinischen Buchstaben als in deutscher Uebersetzung bringen,
zugleich mit einem nützlichen Anhange sprachlicher Bemerkungen. Der Druck hat schon be-
gonnen, und es lässt sich hoffen dass er bald
vollendet werde.

3. Das Buch der Jubiläen, von den
Hellenisten auch Leptogenesis, bei den Aethi-
open bloss nach dem Aethiopischen Anfangs-
worte Kûfâlae genannt, ein vorchristliches und
noch in den ersten Jahrhunderten nach Chr.
vielgelesenes, später aber in Europa und Asien
für verloren gehaltenes Werk, wurde vor beinahe
30 Jahren in einer damals nach Tübingen gekommenen äthiopischen Handschrift wieder-
erkannt, dann von Dillmann daraus ins Deutsche
übersetzt und später äthiopisch herausgegeben.
Vor einigen Jahren ist aber in einem Mailänder
Palimpsest fast das ganze Werk in der Altla-
teinischen Uebersetzung wiedergefunden und daraus in Ceriani's Monumenta sacra et pro-
fana abgedruckt. Diese lateinische Uebersezung
ist älter als die Aethiopische, und hat wie alle
Altlateinische Bibelübersezungen eine hohe Wichtigkeit. Es war daher zu wünschen dass diese
Altlateinische Uebersezung des Buches in einer
sorgfältig veranstalteten Ausgabe mit den nöthi-

gen Vergleichungen und Erläuterungen bekannt
gemacht würde; und da Herr Diaconus Hermann Rönsch in Lobenstein (Fstth. Reuss
j. L.), schon durch frühere Arbeiten in diesem
besonderen Fache rühmlichst bekannt, eine solche
Ausgabe zum Drucke vorbereitet hatte, so be-
schloss die K. Ges. der Wiss. dieselbe zu unter-
stüzen. Es ist nun sicher zu hoffen dass dieses
nützliche Werk nächstens erscheine. Man wird
in ihm auch neue Aufschlüsse über die Aethiopische Uebersetzung finden, welche Herr Dr.
Dillmann in Berlin aus neugefundenen Aethiopischen Handschriften mittheilen wird.

Ein Beitrag zur Entwicklungsgeschichte des menschlichen Stirnbeins.

Vorläufige Mittheilung
von Dr. H. v. Ihering.

Die Angaben über die Entwicklungsgeschichte
des menschlichen Stirnbeins, wonach dasselbe
aus zwei symmetrischen, durch die Sutura fron-
talis getrennten, und von den Stirnhöckern aus
ossificirenden Hälften sich bilde, sind nicht ganz
richtig. Es kommt nämlich jederseits für den
unteren seitlichen Theil des Stirnbeines noch
ein weiteres Bildungscentrum in Betracht. Es
entsteht hier ein, selten mehrere kleinere Kno-
chenstücke aus der fibrösen Substanz, welche die
vordere Seitenfontanelle ausfüllt. Die Verschmelzung dieses Theiles mit der Hauptmasse des
Stirnbeines ist zur Zeit der Geburt meist vollzogen, bis auf einen, ziemlich constant noch
vorhandenen, mit der Kronennaht zusammenliegenden Nahtrest. In nicht sehr seltenen

Fällen jedoch, ist der ganze Knochen am Schä-
del des Neugeborenen noch sichtbar, ja durch
Persistenz der Nähte kommt es sogar zuweilen
zur Bildung eines Schaltknochens.

Ueber ein Dualitäts-Princip in der Geometrie des Raumes.

Von

Moritz Réthy.
Professor aus Kremnitz.

I. Fasst man den Punkt als Element der
räumlichen Gebilde auf, so bezieht man ihn be-
hufs analytischer Behandlungsweise dieser Gebilde
auf ein beliebiges System von drei sich schei-
denden Geraden: irgend eine Combination der
Stücke jenes bekannten Paralellepipedons, welche
zur Bestimmung dieses Paralellepipedons erforderlich aber auch genügend ist, kann als ein
Coordinaten-System aufgefasst werden.

Ich will nun das Paralellepipedon durch die
Flächen von drei, eine körperliche Ecke desselben umschiessenden, Paralellogrammen bestimmt annehmen; so dass, wenn die drei Achsen
mit x, y, z, die durch denselben eingeschossenen
Winkel α, β, γ, bezeichnet werden, der Punkt als
Grundelement durch die Flächen-Coordinaten

$$\left. \begin{array}{l} X = yz \sin \alpha = a \\ Y = zx \sin \beta = b \\ Z = xy \sin \gamma = c \end{array} \right\} \quad (1)$$

bestimmt ist.

Durch das Gleichungs-System (1) ist freilich
der Punkt nicht eindeutig bestimmt. Die durch
die einzelnen Gleichungen dargestellten hyper

bolischen Cilinder schneiden sich in den unendlich fern gelegenen Punkten der Coordinaten-
Achsen in je einem Doppel-Punkte und ausser
dem in zwei zum Anfangspunkte des Coordinaten-
Systems symmetrisch liegenden Punkten. — Da
aber jene in der Unendlichkeit gelegenen Schnittpunkte bei beliebigen Werthen von $X, Y, Z,$
auftreten, so können wir von denselben ab-
strahiren, und den Satz aussprechen:

Durch das Gleichungs-System (1) ist
ein Zwillings-Punkt $X, Y, Z,$ eindeutig
bestimmt.

Man erhält reelle Zwillings-Punkte wenn von
$Y, Y, Z,$ eine gerade Anzahl negativ ist; sonst
imaginäre Zwillings-Punkte.

II. Discutirt man nun die lineare Gleichung
zwischen den Flächen Coordinaten $X, Y, Z,$

$$U X + V Y + W Z + 1 = 0 \quad (2)$$

so findet man, dass diese bei beliebigem $U, V, W,$
ein Hyperboloid mit einem Netze (und die
Abarten desselben) darstellt, welches mit den
Coordinaten-Achsen je einen unendlich fernen
Doppelpunkt gemein hat.

III. Zwei lineare Gleichungen zwischen den
Flächen-Coordinaten:

$$\left. \begin{array}{l} U' X + V' Y + W' Z + 1 = 0 \\ U'' X + V'' Y + W'' Z + 1 = 0 \end{array} \right\} \quad (3)$$

haben als geometrischen Ort das Gemeinschaftliche von zwei Hyperboloiden unseres Systemes:
also im Allgemeinen eine Curve dritten Grades.
Sämmtliche durch irgend ein System (3) dargestellten Curven haben die unendlich fernen Punkte
der Coordinaten-Achsen gemein. Eine Ausnahme
ergiebt sich aus den Gleichungen der Coordi-
naten-Ebenen-Paare

$$Y = 0 \text{ und } Z = 0$$
$$\text{oder } Z = 0 \text{ und } X = 0$$
$$\text{oder } X = 0 \text{ und } Y = 0$$

Das Gemeinschafliche von je zwei Ebenen-Paaren sind nämlich der Reihe nach die X, Y oder Z Coordinaten-Ebene, welche daher in dieser Geometrie an der Stelle von einer Curve auftreten.

IV. Die geometrische Bedeutung von drei linearen Gleichungen zwischen den Flächen-Coordinaten erwähne ich nur um die Bemerkung bei zu schliessen, dass eine jede in einer der Coordinaten-Ebenen gelegene zu den betreffenden Achsen asymptotische Hyperbel (folglich auch die Achsen-Paare) in dieser Geometrie als Zwillings-Punkte fungiren. Auch haben alle drei Achsen-Paare dieselben drei Gleichungen $X = o$ $Y = o$, $Z = o$ zu ihrem algebraischen Bilde, so dass sie alle in's Gesammt dem Anfangspunkte des Cartesischen Coordinaten-Systems entsprechen so wie auf anderer Seite die Coordinaten-Ebenen hier das Analogon der Cartesischen Achsen bilden.

V. Da unser Hyperboloid (2) die Coordinaten-Ebenen in den durch die Gleichungen

$$\left. \begin{array}{lll} X = -\dfrac{1}{U}, & X = 0, & X = 0 \\[2mm] Y = 0, & Y = \dfrac{1}{V}, & Y = 0 \\[2mm] Z = 0, & Z = 0, & Z = \dfrac{1}{W} \end{array} \right\} \quad (4)$$

dargestellten Hyperbeln schneidet, so können wir analog der Bestimmung der Ebene durch die Cartesischen Achsen-Abschnitte hier das Hyperboloid durch die Flächenstücke $-\dfrac{1}{U}$, $-\dfrac{1}{V}$ und

$-\dfrac{1}{W}$ bestimmen: oder mit andern Worten die

reciproken negativen Werthe derselben U, V, W als Coordinaten unseres Hyperboloides betrachten.

Thun wir aber das, so ist die lineare Gleichung zwischen den Hyperboloid-Coordinaten

$$X' U + Y' V + Z' W + 1 = 0 \ldots (5)$$

das algebraische Bild des Zwillings-Punktes X', Y', Z', welcher hier als Schnittpunkt des der Gleichung (5) entsprechenden Hyperboloiden-Systems auftritt.

Die geometrische Bedeutung der Gleichungen $U =$ Constante oder $V =$ Const. oder $W =$ Const. ergiebt sich als je eine zu den Coordinaten-Achsen-Paaren asymptotische Hyperbel, welche also wieder statt eines Punktes auftritt.

VI. Zwei lineare Gleichungen zwischen den Hyperboloiden-Coordinaten

$$\left.\begin{array}{l} X' U + Y' V + Z' W + 1 = 0 \\ X'' U + Y'' V + Z'' W + 1 = 0 \end{array}\right\} \ldots (6)$$

haben zum geometrischen Ort das Gemeinschaftliche der den einzelnen Gleichungen entsprechenden Hyperboloiden-Systeme, also im Allgemeinen eine Curve dritten Grades. Eine Ausnahme ergiebt sich aus den Gleichungen von zwei auf derselben Coordinaten-Ebene liegenden Hyperbeln

$$\left.\begin{array}{l} U = a \\ U = b_1 \end{array}\right\} \text{ oder } \left.\begin{array}{l} V = b \\ V = b_1 \end{array}\right\} \text{ oder } \left.\begin{array}{l} W = c \\ W = c_1 \end{array}\right\}$$

welchen simultan der Reihe nach die X, Y und Z Coordinaten-Ebenen entsprechen, die also wieder statt Curven auftreten.

VII. Dass drei lineare Gleichungen zwischen den Hyperboloiden-Coordinaten ein Hyperboloid unseres Systemes bestimmen, erwähne ich bloss der grössern Vollständigkeit halber.

———

In Folge und mit Berücksichtigung der von I — VII erläuterten Sätze lassen sich nun für Raumfiguren folgende zwei Dualitäts-Principien aufstellen:

1) Aus einem jeden rein auf Lage Bezug habenden Satze, welcher von einer durch Ebenen begrenzten Figur bewiesen ist, lässt sich ein neuer Satz ableiten, wenn man statt „Ebene" „Hyperboloid unseres Systems" und in Folge dessen statt der „Geraden" als Schnitt zweier Ebenen „unsere Curve dritter Ordnung" als das Gemeinsame zweier Hyperboloide, endlich anstatt des „Punktes" als Schnitt dreier Ebenen einen „Zwillings-Punkt" als das Gemeinsame dreier Hyperboloide unseres Systems setzt.

2) Aus einem jeden rein auf Lage Bezug habenden Satze, welcher von einem räumlichen Punkte-System bewiesen ist, lässt sich ein neuer Satz ableiten, wenn man statt „Punkt" „Zwilling-Punkt" statt der „Geraden" als Verbindungslinie zweier Punkte „unsere Curve dritter Ordnung" als die Verbindungs-Curve zweier Zwillings-Punkte endlich anstatt der „Ebene" als durch drei Punkte Bestimmtes „unser Hyperboloid" als durch drei Zwillingspunkte Bestimmtes setzt.

———

Dass man auf diesem Wege zu fernern Dualitäts-Principien gelangen kann, leuchtet wol von selbst ein. Ich will nur noch darauf aufmerksam machen, dass man durch Schnitt entsprechender Elemente der durch die Gleichungen

$$H' + \lambda H'' = 0, \quad H''' + \lambda H'''' = 0$$

dargestellten homographischen Hyperboloiden-
Büschel eine Fläche vierter Ordnung erhält,
welche zu unserem Hyperboloide sich gerade so
verhält, als die Fläche zweiter Ordnung zur
Ebene.

Die Resultate meiner Untersuchungen in der
Geometrie des Maasses bei Anwendung dieser
Flächen- und Hyperboloiden-Coordinaten werde
ich bei einer andern Gelegenheit mir erlauben
der Oeffentlichkeit vorzulegen.

Verzeichniss der bei der Königl. Gesellschaft der Wissenschaften eingegangenen Druckschriften.

August, September, October 1872.

(Fortsetzung.)

Report of the Commissioner of Agriculture on the
diseases of cattle. Ebd. 1871. 4.

Proceedings of the California Academy of Sciences.
Vol. IV. Part II. III. 1870. Part IV. 1871. San
Francisco 1870. 71. 72. 8.

Annual Report of the Board of Regents of the Smithonian Institution. Washington 1871. 8.

Preliminary Report of the United States Geological
Survey of Montana and portions of adjacent territories,
by F. V. Hayden. Ebd. 1872. 8.

Report of the Superintendent of the United States
Coast Survey. Ebd. 1871. 4.

Fifty-Second Annual Report of the Board of Public
Education; of the first Scool District of Pennsylvania.
Philadelphia 1871. 8.

Transactions of the Zoological Society of London.
Vol. VIII. Part 2. London 1872. 4.

Proceedings of the Scientific Meetings of the Zoological Society of London for the year 1872. Part I.
January-March. Ebd. 1872. 8.

Bevised List of the vertebrated animals now or lately living in the Gardens of the Zoological Society of London 1872. Ebd. 8.

Catalogue of the Library of the Zoological Society. Ebd. 1872. 8.

Proceedings of the American Pharmaceutical Association of the nineteenth Annual Meeting held at St. Louis, MO., September 1871. Philadelphia 1872. 8.

Transactions of the Linnean Society of London. Vol. 27. Part 4. Vol. 28. Part 1 u. 2. Vol. 29. Part 1. London 1871. 72. 4.

The Journal of the Linnean Society:
Zoology. Vol. XI. Nr. 53. 54.
Botany. Vol. XIII. Nr. 66. 67. Ebd. 1871. 72. 8.

Proceedings of the Linnean Society. Session 1871—1872. List of the Linnean Society. 1871. 8.

Tijdschrift voor Indische Taal - Land-en Volkenkunde uitgegeven door het Bataviaasch Genootschap van Kunsten en Wetenschappen. Deel XVIII. Zesde Serie. Deel 1. Aflev. 3. 4. Deel XX. Zevende Serie. Deel I. Aflev. 8.

Notulen van de algemeene en Bestuurs-Vergaderingen van het Bataviaasch Genootschap van Kunsten en Wetenschappen. Deel IX. 1871. Batavia 1872. 8.

Catalogus. Ebd. 1872. 8.

Mémoires de la Société des Sciences naturelles de Cherbourg. Tome XVI. (Deuxième Série. — Tome VI.) Paris; Cherbourg 1871. 72. gr. 8.

VIII und IX Jahresbericht des Vereins für Erdkunde zu Dresden. 1872. 8.

Flora Batava. 218, 219, 220, 221e Aflevering. Leyden. 4.

Archives Néerlandaises. Tome VII. Livr. 1. 2. 3. La Haye 1872. 8.

Nuove esperienze' sul modo di elettrizarsi dei corpi detti coibente. Nota del prof. Claudio Giordano presentata dal prof. Cantoni.

Sulla origine della elettricità dell' atmosfera indagini del prof. Claudio Giordano presentate del prof. Giovanni Cantoni. 8.

Nachrichten und gelehrte Denkschriften der Universität Kasan. 1869. Heft 5. 1870. Heft 1. 2. 1871. Heft 1. 2. 3. Kasan 1871. (In russischer Sprache.)

Nachrichten

von der Königl. Gesellschaft der Wissenschaften und der G. A. Universität zu
Göttingen.

22. Januar.   №. 2.   1873.

Königliche Gesellschaft der Wissenschaften.

Linien, Flächen und höhere Gebilde in mehrfach ausgedehnten Gaussischen und Riemannschen Räumen.

Von Ernst Schering.

In meinem Aufsatze über die Schwerkraft im Gaussischen Raume, diese Nachrichten vom 18. Juli 1870, habe ich aus der Theorie des Gaussischen Raumes einige Sätze mitgetheilt, welche zur Erläuterung des von mir für die Schwerkraft in solchem Raume aufgestellten Gesetzes dienen konnten.

Die Arbeiten von Gauss über diese Geometrie lasse ich im IV. Bande der von mir redigirten Gaussischen Werke abdrucken.

Lobatschewsky's erste Veröffentlichungen, welche auf diesen Gegenstand Bezug haben, sind: О началахъ Геометріи. Казанскій вѣстникъ 1829 и 1830 поль и августъ. стр. 571 .. 636. Новыя начала Геометріи. Ученыя записки. Казань. 1835, книжка. III. 1836, кн. II и III. 1837, кн. L

3

Für den allgemeinen homogenen *n*fach ausgedehnten Raum erlaube ich mir im Anschluss
an die Untersuchungen von Riemann »über die
Hypothesen, welche der Geometrie zu Grunde
liegen« 1854 geschrieben in unsern Abhandlungen Band 13. veröffentlicht, von Herrn Helmholz
»über die Thatsachen, die der Geometrie zu
Grunde liegen« in diesen Nachrichten 1868.
Juni. 3., von Herrn Beltrami »Theoria fondamentale degli spazii di curvatura costante« Bo-
logna agosto 1868 Annali di Matematica Serie II.
Tom. II. Milano, und von Herrn Christoffel
»über die Transformation ganzer homogener Differentialausdrücke« 1869, einige neue Lehrsätze
hier mitzutheilen.

Zur Abkürzung des Ausdrucks empfiehlt es
sich für die Gebilde in einem homogenen Raume
eine gemeinsame Bezeichnung einzuführen. Da
Gauss sich zuerst mit der Untersuchung eines
homogenen unbegrenzten Raumes beschäftigt und
sich auch mit dem Begriffe eines mehr als dreifach ausgedehnten Raumes vertraut gemacht hat,
so nenne ich einen solchen Raum einen Gaussischen Raum und die darin den Gebilden des
Euclidischen Raumes analogen die Gaussischen
und spreche von Gaussischen Ebenen, Ellipsen
von Steinerschen Kummerschen Flächen im Gaussischen Raume. Riemann hat zuerst die Eigenschaften der Räume untersucht, welche beliebig
vielfach im Allgemeinen stetig ausgedehnt sind
und in den kleinsten Theilen die dem Euclidischen Raume entsprechenden Eigenschaften besitzen. Nächst dem Euclidischen und Gaussischen Raume wird der homogene begrenzte Raum
wohl am meisten untersucht werden. Riemann
hat uns zuerst die Idee eines solchen verschafft,
es mag daher angemessen erscheinen solchen

und die darin vorhandenen Gebilde Rie-
he zu nennen. Gauss gebraucht für die
he in dem Euclidischen Raume auf welcher
die Gaussische Ebene abwickeln kann, also
Fläche unveränderlicher negativer Krümmung,
auch Herr Beltrami mehrfach untersucht
die Bezeichnung Gegenstück der Kugel.

Lehrsatz I. Im homogenen $n$fach ausgedehnten Raume bezeichne allgemein (a, b) die Entfernung zwischen den beiden Punkten a und b
gemessen mit der absoluten Längeneinheit des
betreffenden Raumes, dann ist in einem begrenzten homogenen Raume für $n + 2$ Punkte immer
die nach Jacobi's Bezeichnungsweise aus $(n + 2)^2$
Factoren gebildete Determinante

$$\Sigma \pm \cos(1,1) . \cos(2,2) . \cos(3,3) \ldots \cos(n+2, n+2)$$
$$= 0$$

dagegen für einen unbegrenzten homogenen
Raum ist, wenn i statt $\sqrt{-1}$ gesetzt wird

$$\Sigma \pm \cos i(1,1) . \cos i(2,2) . \cos i(3,3) \ldots \cos i(n+2, n+2)$$
$$= 0$$

Projection einer Linie auf eine zweite Linie
heisse derjenige Abschnitt auf der zweiten Linie,
welcher von den Fusspunkten der aus den Endpunkten der ersten Linie nach der zweiten Linien gezogenen kürzesten Linien begrenzt wird.

Lehrsatz II. Gehen von einem Punkte $n+1$
kürzeste Linien aus und bezeichnet allgemein
[a, b] die Projection der Linie a auf die Linie b
gemessen mit der absoluten Längeneinheit so ist
für einen begrenzten homogenen Raum

$$\Sigma \pm \operatorname{tg} [1,1] . \operatorname{tg} [2,2] \ldots \operatorname{tg} . [n+1, n+1] = 0$$

dagegen für einen unbegrenzten homogenen Ra

$$\Sigma \pm \operatorname{tg} i [1,1] . \operatorname{tg} i [2,2] \ldots \operatorname{tg} i [n+1, n+1] =$$

Das Verhältniss der analytischen Tangente
der in $\sqrt{-1}$ multiplicirten und mit der absoluten Einheit gemessenen Länge der Projection einer
dieser kürzesten Linien auf eine andere kürzeste
Linie zu der analytischen Tangente der in $\sqrt{-1}$
multiplicirten mit der absoluten Einheit gemessenen Länge der projicirten ersten kürzesten
Linie ist im homogenen unbegrenzten Raume
unabhängig von dieser Länge und bleibt ungeändert, wenn man die Linie, welche selbst und
diejenige auf welche projicirt wird mit einander
vertauscht, deshalb mag diejenige kleinste Grösse,
deren analytischer Cosinus diesem Verhältnisse
gleich wird, als das Maass des Winkels zwischen
den beiden kürzesten Linien angenommen werden.
Im homogenen begrenzten Raume gilt das Analoge, nur dass die Tangenten von den Längen
ohne den Factor $\sqrt{-1}$ zu nehmen sind.

Lehrsatz III. Gehen von einem Punkte
$n+1$ kürzeste Linien aus und bezeichnet allgemein $\{a, b\}$ den Winkel zwischen den beiden
kürzesten Linien a und b so ist sowohl für den
begrenzten als für den unbegrenzten Raum

$$\Sigma \pm \cos\{1,1\} . \cos\{2,2\} . \cos\{3,3\} .. \cos\{n+1, n+1\}$$
$$= 0.$$

Lehrsatz IV. Nimmt man als Coordinatenaxen n kürzeste Linien welche von einem Punkte 0
ausgehen und von denen jede mit allen übrigen
$n-1$ Linien rechte Winkel bildet, wird von dem

Anfangs-Punkte 0 der Coordinatenaxen, nach
einem Punkte P eine kürzeste Linie gezogen und
die erste Hälfte derselben von dem Punkte 0 bis
zum Halbirungspunkte der Linie auf die Coordinatenaxen projicirt, bezeichnen $\xi_1, \xi_2, \ldots \xi_n$
die mit der Längeneinheit gemessenen Projectio-
nen, haben $\xi'_1, \xi'_2, \ldots \xi'_n$ die analoge Bedeutung
für einen andern Punkt P' und bezeichnet (P, P')
die mit der absoluten Längeneinheit gemessene
Entfernung zwischen den Punkten P und P' so
ist für einen begrenzten homogenen Raum

$$\sin \tfrac{1}{2}(P, P')^2 = \frac{\Sigma (\operatorname{tang} \xi_\nu - \operatorname{tang} \xi'_\nu)^2}{(1 + \Sigma \operatorname{tang} \xi_\nu^2)(1 + \Sigma \operatorname{tang} \xi_\nu'^2.)}$$

dagegen für einen unbegrenzten homogenen
Raum

$$\sin \tfrac{1}{2} i (P, P')^2 = \frac{\Sigma (\operatorname{tang} i \xi_\nu - \operatorname{tang} i \xi'_\nu)^2}{(1 + \Sigma \operatorname{tang} i \xi_\nu^2)(1 + \Sigma \operatorname{tang} i \xi_\nu'^2)}$$

wenn alle Summationen Σ über den Index ν von
1, 2, 3 .. n ausgedehnt werden.

Lehrsatz V. Nimmt man als Coordinatenaxen
kürzeste Linien, welche von einem Punkte 0
ausgehen und von denen jede mit allen übrigen
$n-1$ Linien rechte Winkel bildet, bezeichnen
$x_1, x_2 \ldots x_n$ die mit der absoluten Längeneinheit gemessenen Projectionen der von dem
Punkte 0 nach dem allgemeinen Punkte P gezogenen kürzesten Linie auf die n Axen und bezeichnen $x'_1 \ldots x'_n$ die entsprechenden für eben
solche aber von einem andern Punkte ausge-
hende und in anderer Lage sich befindende Coo-

dinatenaxen und für denselben Punkt P geltenden Grössen, so sind die allgemeinen Transfor-
mationsgleichungen von der Form

$$\operatorname{tg} x'_\nu =$$

$$\frac{a_0^{(\nu)} + a_1^{(\nu)} \operatorname{tg} x_1 + a_2^{(\nu)} \operatorname{tg} x_2 + \cdots + a_n^{(\nu)} \operatorname{tg} x_n}{a_0^0 + a_1^0 \operatorname{tg} x_1 + a_2^0 \operatorname{tg} x_2 + \cdots + a_n^0 \operatorname{tg} x_n}$$

für einen begrenzten Raum, aber von der Form

$$\operatorname{tg} i\, x'_\nu =$$

$$\frac{a_0^{(\nu)} + a_1^{(\nu)} \operatorname{tg} i x_1 + a_2^{(\nu)} \operatorname{tg} i x_2 + \cdots + a_n^{(\nu)} \operatorname{tg} i x_n}{a_0^0 + a_1^0 \operatorname{tg} i x_1 + a_2^0 \operatorname{tg} i x_2 + \cdots + a_n^0 \operatorname{tg} i x_n}$$

für einen unbegrenzten Raum, worin die Nenner
der Ausdrücke für die verschiedenen Coordinaten
x'_ν einander gleich sind und die gesammten
$(n+1)^2$ Coefficienten durch $\frac{1}{2}n(n+1)$ von einander unabhängige Grössen bestimmt sind.

Wenn die gemeinsame Einheit der Coëfficien-
ten $\alpha_\mu^{(\nu)}$ auf angemessene Weise gewählt ist, so
kann man die Bedingungsgleichungen für diese
in die Form bringen:

$$\sum_{\nu=0}^{\nu=n} \alpha_\mu^{(\nu)} \alpha_\mu^{(\nu)} = 1, \quad \sum_{\nu=0}^{\nu=n} \alpha_\lambda^{(\nu)} \alpha_\mu^{(\nu)} = 0$$

$$\sum_{\nu=0}^{\nu=n} \alpha_\nu^{(\mu)} \alpha_\nu^{(\mu)} = 1, \quad \sum_{\nu=0}^{\nu=n} \alpha_\nu^{(\lambda)} \alpha_\nu^{(\mu)} = 0$$

für je zwei verschiedene Indices λ und μ aus der
Reihe 0, 1, 2, 3 .. n.

Unter diesen selben Voraussetzungen haben die Transformations-Gleichungen für die im Lehrsatz IV angewandten Coordinaten die Form

$$\frac{1}{i}\,\mathrm{tg}\,i\,\xi_\nu =$$

$$\frac{\alpha_0^{(\nu)}\,\varDelta + \alpha_1^{(\nu)}\,\mathrm{tg}\,i\,\xi_1 + \alpha_2^{(\nu)}\,\mathrm{tg}\,i\,\xi_2 + \cdot + \alpha_n^{(\nu)}\,\mathrm{tg}\,i\,\xi_n}{\alpha_0^0\,\varDelta + \alpha_1^0\,\mathrm{tg}\,i\,\xi_1 + \alpha_2^0\,\mathrm{tg}\,i\,\xi_2 + \cdot + \alpha_n^0\,\mathrm{tg}\,i\,\xi_n}$$

worin $2\varDelta$ für $1 - \Sigma\,\mathrm{tg}\,i\,\xi_\nu^2$ und $2\varDelta$ für $1 - \Sigma\,\mathrm{tg}\,i\,\xi_\nu^{!\,2}$ gesetzt ist. Im Gaussischen Raume hat man $\sqrt{-1}$ für i, im Riemannschen $+1$ für i zu nehmen.

Die Ordnungszahl einer algebraischen Linie Fläche oder einer mehrfach ausgedehnten räumlichen Gestalt wird durch den Grad der Gleichung in $\mathrm{tg}\,i\,x_\nu$ für den Gaussischen Raum oder in $\mathrm{tg}\,x_\nu$ für den Riemannschen Raum dargestellt bei irgend welcher Lage der Coordinatenaxen im Raume.

Diejenigen räumlichen Gestalten, welche durch Gleichungen $m$ten Grades in $\mathrm{tg}\,i\,\xi_\nu$ oder $\mathrm{tg}\,\xi_\nu$ bestimmt werden, sind im Allgemeinen von 2$m$ter Ordnung, und nur diejenigen Gestalten deren Gleichungen homogen in $\mathrm{tg}\,i\,\xi_\nu$ oder $\mathrm{tg}\,\xi_\nu$ dargestellt werden sind $m$ter Ordnung.

Die Lehrsätze für das gegenseitige Durchschneiden von räumlichen Gestalten, welche durch algebraische Gleichungen bestimmt werden, lauten für Euclidische Gaussische und Riemannsche Räume ganz übereinstimmend.

Lehrsatz VI. Ein homogenes Raumgebilde von $n - \nu$facher Ausdehnung wird in einem $n$fach ausgedehnten Raume durch ν lineare Gleichungen zwischen $\mathrm{tag}\,x_1, \ldots \mathrm{tag}\,x_n$ für begrenzte Raumgebilde im begrenzten Raume und durch ν lineare

Gleichungen zwischen $\tan i\, x_1, \ldots \tan i\, x_n$ für unbegrenzte Raumgebilde im unbegrenzten Raume bestimmt.

Eine Normale zu einem weniger als $n$fach ausgedehnten Raumgebilde soll die von einem nicht in diesem Raumgebilde liegenden Punkte nach dem Raumgebilde gezogene kürzeste Linie genannt werden. Der gemeinsame Punkt beider heisse der Fusspunkt von wo aus die Normale als errichtet betrachtet wird. Zwei Raumgebilde sollen in einem Punkte als zu einander rechtwinkelig genannt werden, wenn jedes Raumgebilde eine in dem gemeinsamen Punkte zu dem andern Raumgebilde errichtete beliebig kurze Normale enthält.

Lehrsatz VII. Die durch die Gleichung

$$\cot i\, a_1^2 \, \tan i\, x_1^2 + \cot i\, a_2^2 \, \tan i\, x_2^2 = 1$$

bestimmte Curve besitzt in den von dem Mittelpunkte gerechneten Entfernungen $\pm e$, wenn $\cos i\, a_1 = \cos i\, e \, \cos i\, a_2$ ist, auf der Hauptaxe x_1 Brennpunkte, für welche die von ihnen nach einem Punkte der Curve gezogenen Brennpunktsstrahlen eine unveränderliche Summe haben und gleiche Winkel mit der Normale zur Curve bilden. Diese Curven will ich Gaussische Ellipsen, wenn $\sqrt{-1}$ für i gesetzt wird, dagegen Riemannsche Ellipsen wenn $+1$ für i gesetzt wird, in den Ebenen der betreffenden Räume nennen.

Lehrsatz VIII. Die räumliche Gestalt

$$1 = \sum_{\nu=1}^{\nu=n} \cot i\, a_\nu^2 \, \tan i\, \xi_\nu^2$$

ergibt durch gleiche additive Aenderung der

eter $\mathrm{tg}\,i\,\alpha_\nu^2$ ein orthogonales System, wel-
den Gaussischen $n$fach ausgedehnten Raum
t. Für den Riemannschen Raum erhält
solches System, wenn man statt i die reelle
it setzt.

Lehrsatz IX. Die durch die Gleichung

$$i\alpha_1^2\,\mathrm{tg}\,i\,\xi_1^2 + \cot g\,i\,\alpha_2^2\,\mathrm{tg}\,i\,\xi_2^2 + \cot g\,i\,\alpha_3^2\,\mathrm{tg}\,i\,\xi_3^2$$
$$= 1$$

te Fläche lässt sich in den kleinsten
en ähnlich auf einer Euclidischen Ebene
 mit Hülfe der Gleichungen:

$$\mathrm{tg}\,i\,\alpha_1^2\,\cot g\,i\,\xi_1\,\cos\varphi = \mathrm{tg}\,i\,\alpha_2^2\,\cot g\,i\,\xi_2\,\sin\varphi\,\cos\psi$$
$$= \mathrm{tg}\,i\,\alpha_3^2\,\cot g\,i\,\xi_3\,\sin\varphi\sin\psi$$

$$k^{\frac{1}{2}}\cdot\sin\,\mathrm{am}\,(u+i\,v,\,k) = e^{i\psi}\,\mathrm{tg}\tfrac{1}{2}\,\varphi$$

. (Meine Preisschrift» über conforme Ab-
des Ellipsoids auf der Ebene«. Göttingen
. Für den Riemannschen Raum hat man
und ξ_ν statt $i\,\alpha_\nu$ und $i\,\xi_\nu$ in diesen Formeln
setzen.

Mit Hülfe dieser Lehrsätze ist es leicht die
tlichsten der für Kegelschnitte und Flächen
n Grades im Euclidischen Raum geltenden
haften auf den allgemeinen homogenen
zu übertragen.
e Mittheilung meiner Untersuchungen über
ihere Geometrie in einem homogenen Raume
 über die Kummerschen Flächen und
ensysteme in demselben behalte ich mir
eine andere Gelegenheit vor.
Göttingen 1873, Januar 4.

Ueber die Beugung des Lichtes
von G. Quincke,
correspondirendem Mitgliede der Kön. Gesellschaft.

Bei einer eingehenden Untersuchung der Erscheinungen, die bei der Beugung des Lichtes auftreten, bin ich zu Resultaten gekommen, welche von den bisherigen Vorstellungen in einigen, und wie ich glaube, wesentlichen Punkten abweichen.

Vor einiger Zeit habe ich (Pogg. Ann. 146. p. 1—65. 1872) die Erscheinungen theoretisch behandelt, welche man wahrnimmt sobald man auf einen Lichtpunkt oder eine Lichtlinie mit dem Fernrohr oder dem blossen Auge durch ein Gitter blickt, d. h. durch eine Combination gleichartiger und gleichgestalteter Oeffnungen in gleichen Abständen von einander. Die Theorie umfasst also sowohl Gitter mit undurchsichtigen oder durchsichtigen Stäben, als solche die mit einer Diamantspitze in einen ebenen Glas- oder Metallspiegel getheilt sind. Ausser der Gültigkeit des Huyghens'schen Princips wurde dabei vorausgesetzt, dass ein Furchengitter aus Thälern mit kleinen treppenförmigen Absätzen besteht, deren eine Fläche parallel der unverletzten Spiegelfläche liegt.

Die Formeln für Furchengitter sind viel complicirter als für Gitter mit undurchsichtigen Stäben. Sie zeigen in Uebereinstimmung mit den Versuchen, dass die Lichtintensität bei den Furchengittern, die vorzugsweise in der Praxis benutzt werden, sehr wesentlich von den Dimensionen der Furchen und der dieselben ausfüllenden Substanz abhängt, mag das Licht durch ein solches Gitter durchgegangen oder von demselben reflectirt worden sein.

Die Untersuchung des reflectirten Lichtes
gewährt den Vortheil, dass man den Versuch
mehr, als bei durchgehendem Licht, den Voraussetzungen der Rechnung anpassen kann. Symmetrisch gestaltete Furchen und Hügelgitter aus
demselben Material, die sich mit Hülfe einiger
experimentellen Kunstgriffe galvanoplastisch in
sehr vollkommener Weise herstellen lassen,
zeigen dieselben Eigenschaften, sobald man rechts
und links vertauscht.

Gewöhnlich benutzt man zur Bestimmung
der Wellenlängen des Lichtes die schon Fraunhofer[1]) bekannten sogenannten Maxima 2ter
Klasse. Dieselben haben um so grösseren Abstand von einander, je grösser die Wellenlänge
und je kleiner die Entfernung zweier benachbarten Oeffnungsgruppen des Gitters ist.

Neben diesen sogenannten Maximis 2ter
Klasse treten aber, wie der Versuch lehrt, noch
andere lichtschwächere Maxima auf, welche ich
secundäre genannt habe, und die die Theorie
nicht vorhersehen lässt. Bedeutet m eine ganze
Zahl, so liegen die secundären Maxima auf
$\frac{1}{m}$ $\frac{2}{m}$ etc. des Abstandes 2er benachbarten Maxima 2ter Klasse, oder an den Stellen, wo ein
Gitter mit 2 3 ... mMal grösserem Abstand der
Oeffnungen oder Furchen Maxima 2ter Klasse
zeigen würde. Die relative Lage derselben gegen
die Maxima 2ter Klasse ist bei demselben Gitter
dieselbe im durchgehenden oder reflectirten Licht
für Beugung in den verschiedensten Substanzen.
Die einfallenden Strahlen können dabei einen beliebigen Winkel mit der Normale der Gitterfläche
bilden. Unter sonst gleichen Umständen kann aber
der Werth von m mit der Farbe sich ändern.

1) Gilbert Ann. 74. p. 340. 1823.

Die Gitter selbst waren so verschieden wie
möglich gewählt. Der Abstand 2er benachbarten
Oeffnungsgruppen schwankte zwischen 0,2 mm
und 0,0025mm. Es wurden untersucht Gitter
mit undurchsichtigen Stäben in freier Luft oder
in Wasser, mit Oeffnungen in einer undurchsichtigen Schicht von Russ, Silbercollodinm,
Silber, Goldblatt, oder in Jodsilber auf einer Glasplatte, Furchen oder Hügelgitter in Glas oder
Metall getheilt.

Ich habe nun weiter die Beugung des polarisirten Lichtes durch diese Gitter untersucht.

Blickt man durch ein doppeltbrechendes
Prisma und ein Gitter mit vertikalen Oeffnungen
oder Furchen auf eine Natron-Flamme, so sieht
man übereinander 2 Reihen Flammenbilder $\neq$
und $\perp$ zur horizontalen Hauptbeugungsebne
polarisirt. Zwei übereinander liegende Flammenbilder, demselben Maximum 2ter Klasse entsprechend, erscheinen gewöhnlich gleich hell. Nur
an einzelnen Stellen, vorzugsweise solchen mit
schwacher Lichtintensität, zeigen sich Unterschiede. Geht man zu Flammenbildern höherer
Ordnung fort, so kann bald das Licht $\neq$, bald
das $\perp$ zur Hauptbeugungsebne polarisirt, über-
wiegen.

Aehnliche Verschiedenheiten beobachtet man
im reflectirten Licht, und zwar zeigen hier
wieder Furchen und Hügelgitter symmetrischer
Gestalt dieselben Erscheinungen, sobald man
rechts und links vertauscht.

Kleine Unterschiede in der Gestalt der Oeffnungen oder Furchen (Hügel) eines Gitters, haben
einen sehr bedeutenden Einfluss auf die Verschiedenheit der Lichtintensität $\neq$ und $\perp$ zur Hauptbeugungsebne polarisirt. Die Erscheinung ändert sich mit der Farbe der Lichtflamme, der

Substanz, in welcher die Beugung stattfindet
und dem Einfallswinkel der auffallenden Strahlen.

Ich habe ferner vor die Objectivlinsen eines
Collimators und eines astronomischen Fernrohrs
Nicol'sche Prismen gebracht, deren Azimuth an
vertikalen Kreisen, bis auf Minuten genau bestimmt werden konnte. Zwischen die Nicol'schen
Prismen wurden die Gitter gebracht. In einigen
Fällen wurde das astronomische Fernrohr fort-
gelassen und mit dem Auge direct durch das
analysirende Nicol'sche Prisma auf das Gitter
gesehen. Der Spalt des Collimators wurde
gewöhnlich mit Sonnenlicht erleuchtet.

Bei gekreuzten Nicol'schen Prismen erschien
der Lichtspalt im Ocular des Fernrohrs schwarz.
Beim Einschalten des Gitters erhellte sich derselbe und die Maxima oder Spectra 2ter Klasse
mit den Fraunhofer'schen Linien wurden sichtbar. Das centrale Bild des Spaltes erscheint je
nach der Stellung der Nicol'schen Prismen verschieden gefärbt. Mit einem Ocular-Prisma betrachtet, zeigt es meist einen dunklen Streifen
im Spectrum parallel den Fraunhofer'schen Linien,
der beim Drehen des analysirenden Nicol'schen
Prismas auf grössere Azimuthe bei einigen Gittern nach Roth, bei anderen nach Blau wandert.
Der letztere Fall, wo die parallel der Hauptbeugungsebne polarisirte Componente für Roth grösser
ist, als für Blau ist der häufigere.

Die Grösse der Drehung des analysirenden
Nicol'schen Prismas, welche den dunklen Streifen durch das ganze Spectrum des centralen
Bildes führte, änderte sich mit dem Einfallswinkel, der Natur des Materials der Gitterstäbe
oder Furchen, der Feinheit des Gitters und der
Substanz, in welcher die Beugung stattfand.

Sie schwankte zwischen einem Bruchtheil einer Minute bis zu etwa $3/4^0$ im durchgehenden Licht.

In den Seitenspectren treten ebenfalls dunkle Streifen parallel den Fraunhofer'schen Linien auf, die beim Drehen auf grössere Azimuthe, je nach dem Gitter und dem Spectrum, von Roth nach Blau oder von Blau nach Roth gehen. Diese Drehung ist bei den verschiedenen Gittern und bei den verschiedenen Seitenspectren desselben Gitters sehr verschieden und kann 5^0 und mehr betragen. Bei grösseren Beugungswinkeln stört die Uebereinander-Lagerung der Spectra verschiedener Ordnung die Beobachtung.

Schaltet man mehrere parallele Gitter hintereinander, so treten sehr complicirte Erscheinungen auf, die zum Theil schon von Brewster[1] und Crova[2] untersucht worden sind. Bei passender Anordnung der Gitter kann man die Drehung der Polarisationsebene für ein bestimmtes Maximum 2ter Klasse vermehren.

Oft erscheint der dunkle Streifen im Spectrum erst, wenn man gleichzeitig mit dem Gitter ein Glimmerblatt von $\frac{\lambda}{4}$ in einem passenden Azimuth zwischen die Nicol'schen Prismen bringt. Das gebeugte Licht ist dann elliptisch polarisirt. Für einzelne Gitter lässt sich der Phasenunterschied der Componenten $\neq$ und $\perp$ zur Hauptbeugungsebne polarisirt mit einem Babinet'schen Compensator bestimmen.

Noch auffallender als im durchgehenden Licht, sind die Erscheinungen, wenn man das im Azimuth $\pm 45^0$ linear polarisirte Licht von

[1] Phil. Mag. (4) XXXI. p. 22 und 98. 1866.
[2] C. R. LXXII. p. 855. 1871; LXXIV. p. 982. 1872.

einem Gitter reflectiren lässt, besonders bei versilberten Furchen- oder Hügelgittern.

Es treten dann in dem Spectrum des centralen Bildes oder den Seitenspectren 2ter Klasse bei einer bestimmten Stellung der Nicol'schen Prismen ein oder mehrere dunkle Streifen auf, die beim Drehen der Nicol'schen Prismen von einer Fraunhofer'schen Linie zur anderen rücken oder verschwinden. Ihre Lage ändert sich mit Gestalt, Abstand und Material der Furchen oder Hügel, dem Einfallswinkel und der Substanz, in welcher die Beugung stattfindet. Symmetrisch gestaltete Furchen und Hügelgitter zeigen wieder dieselben Erscheinungen. Abweichungen sind durch kleine Verschiedenheiten in der Gestalt der Furchen oder Hügel zu erklären, die die Erscheinung sehr bedeutend beeinflussen.

Zwischen gekreuzten Nicol'schen Prismen zeigt ein Gitter im durchgehenden oder reflectirten Licht secundäre Maxima mit Fraunhofer'schen Linien, die sich ohne dieselben der Wahrnehmung entziehen. Dieselben sind je nach dem Azimuth des analysirenden Nicol'schen Prismas verschieden gefärbt.

Verschiedene Gitter zeigen quantitative aber nicht qualitative Unterschiede, wie ich durch zahlreiche Messungen gefunden habe, die an einer anderen Stelle demnächst mitgetheilt werden sollen, wo man auch die Arbeiten anderer Beobachter aufgeführt finden wird.

Abgesehen von jeder theoretischen Betrachtung zeigten die Versuche:

1. Linear polarisirtes Licht giebt nach der Beugung im allgemeinen elliptisch polarisirtes Licht.

2. Phasenunterschied und Amplitudenverhält-

niss der Componenten $\neq$ und $\perp$ zur Hauptbeugungsebne polarisirt ändern sich bei demselben
Einfallswinkel mit der Ordnung des Spectrums,
so dass sie mit wachsendem Beugungswinkel zu
oder abnehmen können. Auf eine Zu- oder Abnahme kann wieder eine Ab- oder Zunahme
folgen u. s. f.

3. Die Zu- oder Abnahme ist für verschiedene Farben sehr verschieden und kann unter
sonst ähnlichen Bedingungen die eine Farbe
eine Zunahme, die andere eine Abnahme zeigen.

4. Ist der Phasenunterschied der beiden Componenten, $\neq$ und $\perp$ zur Hauptbeugungsebne
polarisirt, klein, so nimmt man an dem gebeugten
Licht eine Drehung der Polarisationsebne wahr,
die bei demselben Einfallswinkel und demselben
Spectrum 2ter Klasse für verschiedene Farben
verschieden gross ist, und deren absoluter Werth
mit steigender Wellenlänge zu oder abnehmen
kann. Einem Azimuth $+ \alpha$ oder $- \alpha$ des auffallenden Lichtes entspricht nach der Beugung
dasselbe Azimuth $+$ oder $- \beta$ des durchgegangenen oder reflectirten Lichtes. Die Drehung
der Polarisationsebne kann für die direct durchgegangenen oder reflectirten Strahlen (dem Beugungswinkel 0^0 entsprechend) wenige Minuten
oder mehrere Grade, bei den seitlichen Maximis
2ter Klasse 90^0 und mehr betragen. Der Fall
wo die Amplitude $\perp$ zur Hauptbeugungsebne
oder $\neq$ den Gitterstrichen (Furchen) polarisirt
für blaues Licht grösser ist, als für rothes, ist
der häufigere.

5. Ein Gitter zwischen Nicol'sche Prismen
oder polarisirende Vorrichtungen eingeschaltet,
ertheilt bei weissem auffallenden Lichte dem direct durchgegangenen oder reflectirten Lichte

ähnliche Farben, wie sie Krystallplatten zwischen polarisirenden Vorrichtungen zeigen.

6. Amplitudenverhältniss und Phasenunterschied ändern sich unter sonst gleichen Bedingungen mit der Neigung des Gitters gegen die einfallenden Strahlen.

7. Amplitudenverhältniss und Phasenunterschied ändern sich sowohl für normal als für schief auffallende Strahlen mit der Substanz, aus welcher bei durchgehendem Licht die Oberfläche der Gitterstäbe, bei reflectirtem Licht die Furchen oder Hügel des Gitters bestehen.

8. Amplitudenverhältniss und Phasenunterschied ändern sich mit der Breite der Oeffnungen oder mit der Gestalt der Furchen oder Hügel des Gitters.

9. Die durch die Beugung hervorgebrachte Aenderung des Amplitudenverhältnisses und des Phasenunterschiedes der $\parallel$ und $\perp$ zur Hauptbeugungsebene polarisirten Lichtwellen ist unter sonst gleichen Verhältnissen um so grösser, je feiner das Gitter ist, oder je mehr es gegen die einfallenden Strahlen geneigt wird.

10. Das von gefurchten Metallspiegeln in der Hauptbeugungsebene direct reflectirte Licht zeigt sehr nahe denselben Phasenunterschied, wie bei einem ungefurchten Spiegel aus demselben Material. Die Amplitude parallel der Reflexions- oder Hauptbeugungsebene polarisirt überwiegt noch mehr über die Amplitude $\perp$ zur Einfallsebene polarisirt, wie bei einem ungefurchten Metallspiegel. Das von gefurchten Metallspiegeln direct reflectirte Licht nähert sich also in seinen Eigenschaften mehr dem von durchsichtigen Substanzen reflectirten Licht als es bei dem von glatten ungefurchten Metallspiegeln reflectirten Lichte der Fall ist.

4

11. Die Erscheinungen ändern sich bei sonst gleichen Gittern mit der Substanz, in welcher die Beugung stattfindet.

12. Die von der Theorie der Beugung nicht erklärten secundären Maxima zeigen dasselbe merkwürdige Verhalten gegen das polarisirte Licht, wie die Maxima 2ter Klasse.

13. Symmetrisch gestaltete Furchen und Hügelgitter zeigen so nahe dasselbe Verhalten gegen polarisirtes Licht, wenn man rechts und links vertauscht, dass die Erscheinungen als identisch angesehen werden können.

Zur Erklärung dieser Erscheinungen glaube ich annehmen zu müssen, dass Phasenunterschied und Amplitudenverhältniss des ╪ und ⊥ zur Hauptbeugungsebene polarisirten Lichtes abhängen sowohl vom Beugungswinkel als auch von der Substanz und Grösse der Grenze zwischen den heterogenen Theilen eines Gitters, welche von der Querschnittseinheit der auffallenden Lichtstrahlen getroffen werden.

Es spricht dies für einen Einfluss der Körpermolecüle auf die Schwingungen der Aethertheilchen und die Unzulässigkeit des Huyghens'-schen Princips an den Rändern der Oeffnungen oder Furchen eines Gitters.

Die für Gitter mit gleichgestalteten Oeffnungsgruppen in gleichem Abstand von einander experimentell gefundenen Sätze müssen auch noch für Gitter mit gleichgestalteten Oeffnungsgruppen in ungleichem Abstand von einander oder für einzelne Oeffnungsgruppen gelten oder auch für heterogene Theilchen, die in einer homogenen Grundmasse vertheilt sind

Dabei kann Abstand und Grösse dieser Theilchen kleiner als eine Wellenlänge werden.

In der That zeigt polarisirtes Licht gegen einzelne Spalten und Furchen oder gegen Gitter mit gleichgestalteten Oeffnungsgruppen in ungleichem Abstand von einander ein ähnliches Verhalten wie gegen gewöhnliche Gitter nach den eingehenden Untersuchungen, die Fizeau [1]) darüber angestellt hat. Aehnlich sind ferner die Erscheinungen der Polarisation des Himmelslichtes, welche Arago [2]), Babinet [3]) und Brewster [4]) beobachtet haben; die Polarisation welche Govi [5]) und Tyndall [6]) an Wolken feiner Staub- und Dunsttheilchen nachgewiesen haben; die Polarisation des diffusen Lichtes, welches bei der Beugung durch sehr kleine heterogene Theilchen auftritt, die in Wasser oder anderen homogenen durchsichtigen Flüssigkeiten oder festen Körpern vertheilt sind, wie sie besonders von Soret [7]) und Lallemand [8]) beschrieben worden ist.

Alle diese Versuche zeigen, dass das Licht $\neq$ der Beugungsebne polarisirt grössere, kleinere oder dieselbe Intensität haben kann, als das Licht $\perp$ zur Beugungsebne polarisirt, dass also aus dem Verhalten des Lichts bei der Beugung die Lage der Aetherschwingungen gegen

1) C. R. LII. p. 267 u. 1221. 1861.
2) Arago Werke, deutsch von Hankel, VII, p. 327 u. 359. (1824).
3) C. R. XI. p. 619. 1840.
4) C. R. XX. p. 802. 1845. XXIII. p. 234. 1846.
5) C. R. LI. p. 360 u. 669. 1860.
6) Phil. trans. 1870. I. p. 348.
7) Arch. sc. phys. XXXV. p. 54. 1869; XXXVII. p. 143. XXXIX. p. 1. 1870.
8) C. R. LXIX. p. 189, 282, 917, 1294. 1869. LXX. p. 122. 1870. LXXV. p. 707. 1870.

die Polarisationsebne nicht bestimmt werden kann, wie dies die Theorien und theoretischen Betrachtungen von Stokes [1]), Holtzmann [2]), Lorenz [3]), Lallemand [4]) und Strutt [5]) versucht haben.

Würzburg, den 4ten Januar 1873.

1) Cambr. transact. IX. p. 85. 1851.
2) Pogg. Ann. 99. p. 446. 1856.
3) Pogg. Ann. 111. p. 821. 1860.
4) C. R. LXIX. p. 190. 1869.
5) Phil. Mag. (4). XLI. p. 450. 1871.

Verzeichniss der bei der Königl. Gesellschaft der Wissenschaften eingegangenen Druckschriften.

November 1872.

Nature. 157. 158. 159. 160. 161.

Mémoires de l'Académie des Sciences. etc. de Lyon. Classe des Sciences. T. 18. Classe des Lettres. T. 14. Lyon 1870. 71. 8.

Annales de la Société d'Agriculture etc. de Lyon. 4. serie. T. 1. 2. 1869. Ebd. 1870. 8.

Annales de la Société Linnéenne de Lyon. A. 1870—71. T. 18. Ebd. 1872. 8.

Schriften der naturforschenden Gesellschaft in Danzig. Neue Folge. Bd. III. Hft. 1. Danzig 1872. 8.

Vierteljahrsschrift der naturf. Gesellschaft in Zürich redigirt von Dr. Rudolph Wolf. Jahrg. XVI. Hft. 1. 2. 8. 4. Zürich 1871. 8.

Abhandlungen der naturhistorischen Gesellschaft zu Nürnberg. Bd. V. Nürnberg 1872. 8.

L. Kronecker zur algebraischen Theorie der quadratischen Formen. Berlin 1872. 8.

— Auseinandersetzung einiger Eigneschaften der Klassenzahl idealer complexer Zahlen. (Auszug aus dem Monatsbericht der Königl. Akad. der Wiss. zu Berlin.) 8.

(Fortsetzung folgt.)

Nachrichten

von der Königl. Gesellschaft der Wissenschaften und der G. A. Universität zu
Göttingen.

5. Februar.   № 3.   1873.

Königliche Gesellschaft der Wissenschaften.

Ueber unsere jetzige Kenntniss der Gestalt und Grösse der Erde.

Von

J. B. Listing.

Das auf dem Meter als Grundmass beru-
hende decimale System von Mass und Gewicht,
welches kurz vor Beginn dieses Jahrhunderts
geschaffen worden, hat anfänglich zwar eine
sehr langsame, in letzter Zeit dagegen eine desto
schleunigere Verbreitung in der civilisirten Welt
gefunden, und mit jedem Jahre gewinnt die
Hoffnung, dass dieses System sowohl in der Wissenschaft als auch im engeren und weiteren in-
dustriellen Verkehr dereinst das allgemeine und
ausschliessliche sein werde, eine festere Begründung. Man darf die Seelenzahl der Länder, in welchen das metrische System, sei es
vollständig, sei es mit Modificationen, legalisirt
ist, auf 440 Millionen schätzen. Die beiden
englisch redenden Nationen Grossbritanien und
die nordamerikanische Conföderation, bei welchen dasselbe vorerst durch gesetzliche Acte —

London, abhängig von der Beständigkeit der
Schwerkraft an dem genannten Orte, so wie der
Unveränderlichkeit des Sterntages, d. i. der Um-
drehungsgeschwindigkeit der Erde. Die Schwerkraft ist fortwährend kleinen und regelmässigen
in kurzen Perioden wiederkehrenden Veränderungen unterworfen. Ihr Einfluss ist, weil be-
rechenbar und von äusserst geringem Betrag,
ganz unschädlich, ähnlich wie die Veränderungen eines Massstabes in Folge von Temperatur-
veränderungen. Der Sterntag hat nachweislich
seit zwei Jahrtausenden keine merkliche Veränderung erlitten. Aber es könnten Aenderungen mit der Masse der Erde und ihrer Vertheilung eintreten, welche die physische Constanz
der Pendellänge wegen möglicher Einflüsse auf
die Intensität der Schwere am gedachten Orte
und auf die Tageslänge in Frage stellen würden. Gleicherweise ist Grösse und Figur der
Erde und somit ein davon entnommenes Naturmass in seiner Beständigkeit an den Behar-
rungsstand des Massenbetrags und der Massen-
vertheilung des Erdkörpers geknüpft, dessen
Dauer wir nicht für absolut verbürgt halten
dürfen. Vorgänge, welche allmälige oder plötzliche Eingriffe in diese physischen Bedingungen
der Constanz des Masses ausüben könnten, sind
je nach der Natur des Massobjectes dem Grade
ihrer Unwahrscheinlichkeit nach verschieden.
Als Beispiele, für welche diese Unwahrscheinlichkeit, nach jetzigem Stand unseres Wissens,
als unendlich gross, d. h. die physische Constanz als eine absolute angesehen werden darf,
bieten in der Astronomie die (in der Theoria
Motus) mit k bezeichnete Gravitationsconstante,
in der Electricitätslehre die (von Weber) mit c
bezeichnete Geschwindigkeit, in der Optik die

Geschwindigkeit des Lichts oder die Wellenlänge einer bestimmten Stelle des Spectrums im
kosmischen Raume dar. Ganz anders wiederum
verhalten sich die Naturmasse in der zweiten
Beziehung, nämlich rücksichtlich ihrer Bestimmt-
heit oder der Genauigkeit ihrer Auswerthung,
welche, fast ganz unabhängig von der physischen Beständigkeit, lediglich von dem jeweiligen Stand unserer Kenntnisse und dem derzeiti-
gen Grad der Vollkommenheit unserer Hülfsmittel und Methoden der Messung abhängt. Die
Pendellänge ist eines verhältnissmässig hohen
Grades von Schärfe der Messung fähig, etwa
$\frac{1}{50000}$. Wesentlich geringer ist diese Schärfe
hinsichtlich der Dimensionen der Erde und noch
weniger würden von dieser Seite die vier zuletzt
erwähnten Beispiele zur Benutzung als Naturmasse empfohlen werden dürfen, obschon sie von
Seiten ihrer physischen Constanz einen so hohen
Rang behaupten. Die Undulationslänge des
Lichtes ist in der That als einzuführendes Naturmass vorgeschlagen worden. Wollte man
den millionfachen Betrag der Wellenlänge im
Vacuo für gelbes Licht, welches der Mitte zwischen den beiden Fraunhofer'schen Linien D
des Spectrums entspricht zur linearen Masseinh-
heit wählen, eine Länge, welche sich auf 589.586
Millimeter herausstellen würde, so möchte ich
unter Zugrundlegung der neueren Messungen
von Stephan, Ditscheiner, Angström und van der
Willigen die wahrscheinliche Unsicherheit in
dieser Feststellung gegenwärtig für nicht geringer halten als $\frac{1}{4}$ Millimeter und die diesem entsprechende Genauigkeit von $\frac{1}{2800}$ würde somit
weit hinter der etwa 1000 mal grösseren Schärfe
zurückbleiben, deren heutzutage die Vergleichung der Massstäbe fähig ist. Es verdient er-

wähnt zu werden, dass sich ein Naturmass seit
Langem im Gebrauch eingebürgert hat, es ist
die sog. deutsche oder geographische Meile, nicht
zu verwechseln mit der erst neuerdings im deutschen Reich gesetzlich eingeführten Meile von
7500 Metern. Die geographische Meile ist der
5400te Theil des äquatoriellen Umfangs der Erde.
Ueber ihre physische Beständigkeit darf man
sich beruhigen. In ihrer Auswerthung aber spiegelt sich der jeweilige Stand unserer Kenntniss
der Erddimensionen, ihr Cours so zu sagen steigt
oder fällt mit dem Werthe, welchen wir zeitweilig dem äquatorialen Radius des terrestrischen Sphäroids beilegen, sie stand zu Anfang
dieses Jahrhunderts, als man den meridionalen
Umfang der Erde genau gleich 40 000 000 Meter
schätzte, auf 7418^{m}5, im Jahre 1819 auf 7419.5,
1830 auf 7419.9, 1841 auf 7420.4 und gegenwärtig noch ein volles Meter höher. Die Zeit
wird nicht ausbleiben, wo sie wieder auf 7420.4
Meter herabgeht.

Ganz ähnlichen Schwankungen würde die
Länge des Meters unterliegen, wenn es dem
zehnmillionten Theil des Meridianquadranten
gleichen, d. h. ein wirkliches Naturmass sein
sollte. Dasselbe ist aber in der That in Folge
des oben erwähnten Einführungsgesetzes ein
Linearmass von bestimmtem numerischen Verhältniss (443.296 : 864) der Toise du Pérou.
Sollte das in einem Platinstab verkörperte Original des Meters durch einen Unglücksfall, ähnlich dem Westminster-Brande im Jahr 1834,
welcher das englische Original-Yard vernichtete,
verloren gehen, so würde man zu seiner Wie-
derherstellung nicht auf eine neue Meridianmes-
sung, sondern auf die zahlreichen genauen und
authentischen Copien recurriren, die sich an den

verschiedensten Orten des civilisirten Theils der
Erde vorfinden. Der Vorzug des metrischen
Systems beruht nicht in der Eigenschaft des
Zusammenhangs mit einem Naturmass, sondern
vielmehr einerseits auf der durchgeführten deci-
malen Einrichtung und dem einfachen Zusammenhang der Einheiten für Flächen, Volumen
und Gewicht mit der Längeneinheit, sowie andrerseits auf seiner grossen, in fortwährender
Zunahme begriffenen Verbreitung.

Für die Wissenschaft aber hat, wenn auch
gewissermassen indirect, das metrische System
eben vermöge der mit ihm anfänglich verknüpft
gewesenen Idee eines Naturmasses einen nicht
zu unterschätzenden Erfolg bereitet, nämlich die
mit ungewöhnlichem Eifer betriebenen Veran-
staltungen zur Förderung unserer Kenntniss der
Gestalt und Grösse der Erde. Gradmessungen
und Messungen der Länge des Secundenpendels,
auf denen wesentlich diese Kenntniss beruht,
sind in verschiedenen zum Theil weit auseinander liegenden Gegenden der Erde zu sorgfältiger
Ausführung gekommen. Gleichwohl muss ihre
Vervielfältigung ins Künftige noch sehr viel weiter getrieben werden, um das Resultat mehr
und mehr von der Unsicherheit zu befreien, mit
der es heute noch behaftet ist.

Die Bestimmung der Erddimensionen ist von
so hervorragend wissenschaftlichem Interesse,
dass es wohl der Mühe lohnt, ganz abgesehen
von der vorhin berührten Frage über den Fehler des Meters als zehnmillionten Theils des
Meridianquadranten, einen Blick auf die zeitherigen Erwerbnisse unserer Kenntniss in dieser Richtung zu werfen. Das Nachstehende soll
in Kürze einen Ueberblick der bisherigen Resultate geben, wie sie vorzugsweise aus den

Gradmessungen gewonnen worden sind, mit Andeutungen über die in der Frage für die nächste
Zukunft sich darbietenden Aufgaben.

Bei der Bestimmung der Gestalt und Grösse
der Erde kommt zunächst in Betracht, was unter Oberfläche des Erdkörpers zu verstehen sei.
Der Begriff derselben, sofern man hier wie bei
anderen Vorkommnissen die Atmosphäre, obwohl
sie einen integrirenden Massenbestandtheil der
ganzen Erde ausmacht, als über der Erdoberfläche befindlich ansieht, wäre einfach, wenn die
Erde, statt theilweise, ganz mit Wasser bedeckt
wäre. Es wäre die Oberfläche des gesammten
Meeres in seinem Gleichgewichtszustande, welcher dann stattfinden würde, wenn das Wasser
lediglich unter der Wirkung erstlich der Total-
anziehung aller Theile der gesammten Erdmasse
und sodann der aus der Rotation der Erde um
ihre Axe hervorgehenden Centrifugalkraft stände.
Man sieht hierbei also ab von den verhältnissmässig kleinen Störungen dieses Gleichgewichtes,
wie sie in Ebbe und Fluth aus den Gravita-
tionswirkungen von Mond und Sonne, in den Veränderungen des Niveaustandes und im Wellen-
schlage aus Druckunterschieden und Bewegungen der Atmosphäre entspringen. Die Oberfläche des Wassers und somit die physische Begrenzung des Erdkörpers wäre alsdann eine sog.
Gleichgewichtsfläche, welche die Richtungen der
Lothlinie allerorten senkrecht schneidet. An
der nur zum Theil mit Wasser bedeckten Erde
aber erhebt sich die physische Oberfläche der
Continente und Inseln in den complicirtesten
Gestaltungen über die Meeresfläche. Letztere
lässt sich jedoch in Gedanken über die ganze Erde
erweitern, und in einem Netze von Canälen, die

man sich unter sich und mit dem Meere com-
municirend in den Continenten angelegt denken
könnte, würde der Stand des Wassers diesen
Theil der Meeresfläche versinnlichen. Die so
vervollständigte Meeresfläche, die man wohl als
mathematische Oberfläche der Erde bezeichnet
hat, ist es, auf welche sich die mathematisch
geographischen Untersuchungen über Gestalt und
Grösse der Erde beziehen. Man weiss längst,
dass diese mathematische Oberfläche mit manch-
fachen, in ihrer Gesammtheit durch keine Formel darstellbaren Unregelmässigkeiten begabt
ist, und die Untersuchung musste also auf den
Versuch gerichtet sein, eine ideale regelmässige
Fläche zu finden, welche durch einen einfachen
Ausdruck geometrisch bestimmbar, im Ganzen
und Grossen sich möglichst nahe an vorer-
wähnte mathematische Oberfläche der Erde anschliesst. Theoretische Betrachtungen, zu welchen bereits Huyghens und Newton den Grund gelegt haben, geben der Wahl eines abgeplatteten
Rotationsellipsoids den entschiedenen Vorzug, obwohl bereits öfter sphäroidische Rotationskörper
mit anders als elliptisch gestaltetem Meridian
sowie auch Ellipsoidformen von drei ungleichen
Axen zu diesem Versuch angewendet worden sind.

Es kommen also in unserer Frage zwei mathematische Flächen zur Sprache, beide im Allgemeinen von sphäroidischer Gestalt, die eine
jedoch vergleichungsweise mehr von physischer,
die andere mehr von abstract mathematischer
Bedeutung. Wir werden die vorhin definirte
mathematische Oberfläche der Erde, von welcher
die Oberfläche des Oceans einen Theil bildet,
die geoidische Fläche der Erde oder das
Geoid nennen, und für die zweite Fläche, die
durch einen einfachen mathematischen Ausdruck

darstellbar, in Form und Grösse sich möglichst
nahe an das Geoid anschliessen soll, die Benennung Sphäroid reserviren. Diese Namen dienen füglich Verwechselungen vorzubeugen, welche durch den Gebrauch des Ausdruckes »mathematische Oberfläche«, der nicht minder oft
auf die zweite als auf die erste Fläche angewendet worden, fast unvermeidlich sind.

Die Messungen auf der Erde, welche zur Bestimmung ihrer Gestalt und Grösse veranstaltet
werden, sind doppelter Art, nämlich sog. Gradmessungen und Messungen der Länge des einfachen Secundenpendels. Bei den ersteren wird
die Länge eines mehr oder weniger ausgedehnten Bogens des Meridians durch geodätische
Operationen, d. h. durch Triangulation, verbunden mit einer Basismessung, bestimmt und verglichen mit der astronomisch ermittelten Amplitude, d. i. dem Winkel zwischen den Richtungen der Schwere an den Endpunkten des
gemessenen Bogens, oder aber es wird die lineare Grösse eines Parallelbogens unter bestimmter geographischer Breite geodätisch ermittelt
und verglichen mit dem astronomisch bestimmten Längenunterschied der Endpunkte. Die
Pendelmessungen dienen unter Zuhülfenahme
des von Clairaut theoretisch entdeckten Zusam-
menhanges der Abplattung des Erdsphäroids mit
der Schwere und der Schwungkraft, aus einer
genauen Vergleichung der durch das Pendel gemessenen Beträge der Schwerkraft an verschiedenen Punkten der Erdoberfläche die Abplattung
zu ermitteln. Die Pendelmessungen, obwohl sie
nur einen Weg zur Bestimmung der Gestalt,
nicht der Grösse der Erde eröffnen, sind dennoch neben den Gradmessungen ein wichtiges
Hülfsmittel, welches man mit Recht einen Fühl-

hebel genannt hat, den man der Erde auch an
solchen Stellen anlegen kann, wo wie auf weit
von den Continenten entlegenen Inseln, das geodätische Verfahren seinen Dienst versagt.

Von den bis jetzt ausgeführten Gradmessungen, auf die wir das Hauptaugenmerk richten,
kommen zehn bis zwölf meist ältere Messungen,
sei es wegen später nachgewiesener Fehler, sei
es anderer Misstände wegen, nicht mehr in Betracht. Die gegenwärtig als brauchbare und
werthvolle Grundlage für die Untersuchungen
über Gestalt und Grösse der Erde geltenden
Breitengradmessungen gibt nachstehende Uebersicht, wo die eingeklammerte Jahrszahl die Zeit
der Vollendung oder Publication angibt, und in
den übrigen Columnen die geogr. Länge (östl.
von Greenwich), die geogr. Breite der Mitte des
Bogens, die Grösse des Bogens und die Zahl der
End- und Zwischenpunkte mit gemessenen Polhöhen enthalten sind.

Gradmessung.		Länge. (Greenw.)	Mittel- Breite.	Ampli- tude.	Statio- nen.
1. Russische	(1851)	26° 40'	58° 0'	25° 20'.1	13
2. Schwedische	(1803)	26 40	66 20	1 37.3	2
3. Franz. Engl.	(1858)	0 30	49 45	22 9.7	12
4. Zweite Ostind.	(1847)	77 40	18 50	21 21.3	8
5. Erste Ostind.	(1805)	79 20	12 32	1 35.0	2
6. Cap d. g. Hoffn.	(1852)	18 30	—32 3	4 36.8	5
7. Preussische	(1838)	20 30	54 58	1 30.5	8
8. Hannoversche	(1828)	9 56	52 32	2 1.0	2
9. Dänische	(1828)	10 33	54 8	1 31.9	2
10. Peruanische	(1744)	281 0	— 1 31	3 7.1	2

Die Summe der zehn Bogen beträgt 84° 50'.7,
der astronomisch bestimmten Punkte 51. Durch
die 31 Zwischenpunkte stellen diese zehn Breiten-

gradmessungen 41 geodätisch bestimmte, mit astronomisch festgelegten Endpunkten versehene Bogen dar von einer durchschnittlichen Grösse, von 2° 4′.

Um einen ungefähren Massstab für die relative Bedeutsamkeit dieser Messungen zu gewinnen, kann man das Product aus der Bogenlänge in die um 1 verminderte Zahl der Stationen als einen angenäherten Ausdruck des extensiven Werthes einer Messung betrachten. Es ergeben sich auf diese Weise der Reihe nach die zehn Zahlen 304.0, 1.6, 243.7, 149.4, 1.6, 18.4, 3.0, 2.0, 1.5, 3.1. Legen wir die zehn Messungen auf eine ungezwungene Weise zu sechs Gruppen zusammen, so dass wir die Schwedische Messung mit der Russischen, die ältere Indische mit der neueren, die Hannoversche und Dänische mit der Preussischen je zu einer Gruppe vereinigen und die Englisch-Französische, die Peruanische und die Messung am Cap als die drei übrigen betrachten, so können die relativen Gewichte aus den obigen Zahlen in folgender Vertheilung entnommen werden.

Osteuropäische	Gruppe	. . .	97
Westeuropäische	»	. . .	78
Ostindische	»	. . .	48
Südafrikanische		. . .	6
Mitteleuropäische	»	. . .	2
Peruanische	»	. . .	1

Diese, wenn auch ganz rohe, Auswerthung gibt ein Bild von dem gegenwärtigen Stimmverhältniss dieser Gruppen, wo sich die drei ersten als die weitaus vorwiegenden, unter sich im Verhältniss von 4 : 3 : 2 stehend, die drei letzten zusammengenommen nur als dem fünfundzwanzigsten Theil der drei ersten gleichkommend herausstellen, wobei natürlich von anderen als extensiven Werthverhältnissen abgesehen ist. Durch Zusammenlegen des Dänischen mit dem Hannoverschen Bogen (Amplitude 3° 21'4 mit 4 Stationen), was längst bei den zeitherigen Berechnungen hätte geschehen sollen, würde an die Stelle der achten und neunten der obigen zehn Werthe die Zahl 10.0 treten und die 6 Gruppen durch die Verhältnisszahlen 97, 78, 48, 6, 4, 1 dargestellt werden.

In nachstehender kurzer Darlegung der zeitherigen auf die Gradmessungen gegründeten Berechnungen des Erdsphäroids bezeichnen wir für das Rotationsellipsoid die grosse Halbaxe der Meridianellipse oder den Halbmesser des Aequators durch a, die kleine Halbaxe oder die halbe Polaraxe durch b, die Differenz $a—b$ durch c, die Abplattung $\dfrac{a—b}{a}$ durch $\dfrac{1}{\omega}$, den Quadranten des Aequators durch Q^0, die geographische Meile oder den 5400ten Theil des äquatorialen Umfangs durch M, den Meridianquadranten vom Aequator bis zum Pol durch Q, und durch G die mittlere Länge eines Breitengrades (gewöhnlich in Toisen ausgedrückt). Es ist alsdann

$$a = \omega c$$

$$b = (\omega—1)\, c$$

$$Q^0 = \frac{\pi}{2}\, a$$

$$M = \frac{\pi}{2700}\, a.$$

Die Länge s des vom Aequator bis zur geographischen Breite oder Polhöhe φ gerechneten

Bogens der Meridianellipse, deren Excentricität

$$s = \frac{1}{a} \sqrt{(aa-bb)}, \text{ ist bekanntlich}$$

$$s = a\,(1-ss)\int d\varphi\,(1-ss\sin\varphi^2)^{-\frac{3}{2}}$$

und mit Einführung der Abplattung $\frac{1}{\omega} = 1 - \frac{b}{a}$:

$$s = a\left(1 - \frac{2}{\omega} + \frac{1}{\omega\omega}\right)\int d\varphi\left(1 - \frac{2\omega-1}{\omega\omega}\sin\varphi^2\right)^{-\frac{3}{2}}$$

woraus sich (bis zum Quadrat der Abplattung) ergibt

$$Q = \frac{\pi}{2}a\left(1 - \frac{1}{2\omega} + \frac{1}{16\omega\omega}\right)$$

$$G = \frac{\pi}{180}a\left(1 - \frac{1}{2\omega} + \frac{1}{16\omega\omega}\right)$$

Für ein dreiaxiges Ellipsoid bezeichne a' den grössten, a'' den kleinsten Radius des Aequators, b die halbe Polaraxe, Q^0 den Quadranten des Aequators zwischen seinen extremen Halbmessern, Q' den kleinsten, Q'' den grössten Meridianquadranten. Setzen wir noch $a'-b = c'$, $a''-b = c''$, $a'-a'' = c^0$ und

$$\omega' = \frac{a'}{a'-b} = \frac{a'}{c'}$$

$$\omega'' = \frac{a''}{a''-b} = \frac{a''}{c''}$$

$$\omega^0 = \frac{a'}{a'-a''} = \frac{a'}{c^0}$$

welche drei Abplattungsnenner durch die Relation

$$(\omega^0-1)\,\omega'\,(\omega''-1) = \omega^0\,(\omega'-1)\,\omega''$$

zusammenhängen, so wird $a' = \omega'c' = \omega^0c^0$, $a'' = \omega''c''$, $b = (\omega'-1)c' = (\omega''-1)c''$ und

$$Q^0 = \frac{\pi}{2}\,a'\left(1-\frac{1}{2\omega^0}+\frac{1}{16\omega^0\omega^0}\right)$$

$$Q' = \frac{\pi}{2}\,a'\left(1-\frac{1}{2\omega'}+\frac{1}{16\omega'\omega'}\right)..$$

$$Q'' = \frac{\pi}{2}\,a''\left(1-\frac{1}{2\omega''}+\frac{1}{16\omega''\omega''}\right)$$

und

$$M=\frac{Q^0}{1350}.$$

Die Meridianquadranten haben ungleiche von ihrer geographischen Länge abhängige, zwischen den extremen Werthen Q' und Q'' liegende Grössen, ebenso also auch die den verschiedenen Meridianen zugehörigen mittleren Breitengrade. Schon hieraus ergibt sich, dass die den Parallelkreisen der Kugel oder des Rotationssphäroids entsprechenden Linien auf dem dreiaxigen Ellipsoid Curven doppelter Krümmung sind. Auch sind genau genommen die ebenen durch die Polaraxe gelegten Schnitte mit Ausnahme der beiden die Halbaxen a', b und a'', b enthaltenden Hauptschnitte keine Meridiane, indem sie aufhören geodätische Linien zu sein.

Für die Grösse allein, abgesehen von der durch ω oder durch ω', ω'' und ω^0 bestimmten Gestalt eines Ellipsoides, gibt der Radius einer Kugel, welche mit dem Sphäroid gleiches Volumen besitzt, den natürlichsten Massstab. Nennen wir diesen Kugelradius R, so ist bekanntlich für das Rotationssphäroid $R = \sqrt[3]{(aab)}$ und für das dreiaxige Ellipsoid $R = \sqrt[3]{(a'a''b)}$. Bei Unterschieden zwischen den drei Dimensionen des Sphäroids, die wie bei der Erde nur etwa $\frac{1}{300}$ betragen, weicht das arithmetische Mittel derselben nur unbedeutend von dem geometrischen Mittel und zwar in Plus ab. Wäre z. B. für ein Rotationsellipsoid $\omega = 290$ und in geogr. Meilen $c = 2.9635$, also $a = 859.4367$, $b = 856,4732$, so wäre $R = 858.4477$, während $\frac{1}{3}(2a + b) = 858.4489$, zwölf Zehntausendstel einer Meile oder kaum 9 Meter grösser. Der Radius einer Kugel von gleicher Oberfläche mit dem Sphäroid liegt zwischen beiden Werthen.

Aus der Zeit des Ursprungs des metrischen Systems heben wir unter den zahlreichen damals und in der nächsten Folgezeit angestellten Berechnungen des Erdsphäroids nur die Zahlen hervor, welche die Unterlage für die Feststellung und Einführung des Meters gebildet haben. Die Abplattung wurde aus der Peruanischen und der Französischen Messung $= \frac{1}{334}$ gefunden, Hiermit und aus dem zwischen Dünkirchen und Montjouy gemessenen Bogen des Pariser Meridians wurde dann die Länge des Meridianquadranten zu 5130740 Toisen berechnet *) und der zehnmillionte Theil hiervon, d. i. $0^{\text{T}}513074$ oder 443.295936 Linien, abgerundet

---

*) Base du Syst. Métr. III. p. 482.

auf 443.296 Linien der Toise Pérou in der Temperatur von 16°25 der hunderttheiligen Scale (13° Reaumur) im Jahre 1799 in Frankreich gesetzlich als Länge des Meters festgestellt *). Es ergibt sich hieraus in Metern

$$a = 6\,375653^m$$
$$b = 6\,356564 \qquad (1)\ \text{Delambre}$$
$$c = 19089 \qquad\qquad 1800$$
$$\omega = 334$$
$$Q^0 = 10\,014985^m, \quad M = 7418^m51$$
$$Q^1 = 10\,000000\ , \quad G = 57008^T23045$$
$$R = 6\,369284^m$$

Hierbei ist zu bemerken, dass man bereits während der Fortsetzung der Französischen Messung in Spanien die Abplattung 1 : 334 für zu klein hielt und unter Zuziehung der neuen Station Barcelona (welche später dem nah gelegenen Punkte Montjony substituirt worden) die Ziffer 308,64 als die definitive betrachtete **).

---

*) Wir bemerken bei dieser Gelegenheit, dass aus dem gesetzlichen Verhältnisse von 443296 : 864000 des Meters zur Toise sich die genauen Zahlen so ergeben

Meter = 0.513 074 074 074 . . . . . . Toise
Toise = 1.949 03 63098 24586 73211 6 Meter.

Hiernach muss in: Comparisons of the Standards of Length, Ordnance Survey, London 1866, in der Finaltabelle pag. 280 die vorletzte Zahl 1949.03631 heissen.

**) Base du Syst. Métr. III (1810) p. 134,135. Dem Sphäroid sind späterhin in Frankreich neben dieser Abplattung die Halbaxen $a = 6376986^m$ und $b = 6356323^m$ beigelegt worden und seitdem bis in die neueste Zeit in Frankreich für die officiellen topographischen Arbeiten (Nouvelle description géométrique de la France), sowie bei ähnlichen Publicationen in anderen Ländern, wie Belgien, Italien, Baden, zum Grund gelegt worden. Dieser Annahme entspricht $Q = 10000724^m$ und $G = 57012^T3576$, sowie $Q^0 = 10016793^m$ und M (der 5400te Theil des Ae-

Die vielen anderen vorzugsweise auf den vorhandenen Gradmessungen, zum Theil aber auch auf Pendelmessungen oder auf astronomischen Argumenten beruhenden Bestimmungen der ersten Jahrzehnte dieses Jahrhunderts geben Abplattungsziffern, die sich in sehr weiten Grenzen bewegen. Ihre Details haben gegenwärtig nur geringes Interesse.

Beachtenswerth dagegen ist die zuerst von Walbeck [*]) nach der Methode der kleinsten Quadrate unternommene Bestimmung des Rotationsellipsoides, welches die Gradmessungen in Peru, in Frankreich, in England, die neuere in Lappland (Schwedische), und die beiden in Ostindien (die zweite von Punnae bis Namthabad) so vereinigt, dass die Summe der Quadrate der Differenzen zwischen den gemessenen und berechneten Amplituden ein Kleinstes wird. Von den sechs Messungen sind die Polhöhen bloss der Endpunkte und von der Abplattung nur die erste Potenz in die Rechnung aufgenommen. Das Resultat ist $\omega = 302.781$, $G = 57009^T746$ und ergibt in Metern:

---

quators) $= 7419^m845$, wogegen man öfter unter der Benennung »lieue géographique« dem 5400ten Theil des Meridianumfangs $4Q$ im Betrag von 7407^m943 begegnet, wie er z. B. in den von Delcros im Annuaire météorologique de la France pour 1850 veröffentlichten Tafeln zur Areal-Berechnung untergelegt ist, durch welches Quid pro quo diese Tafeln, ganz abgesehen von den jetzt veralteten numerischen Werthen für ω und a, so gut wie ganz unbrauchbar geworden sind. Vollkommenen Ersatz dafür bieten die von H. Wagner im Geographischen Jahrbuch III (1870) mitgetheilten, auf das Besselsche Sphäroid basirten Tafeln.

[*]) De forma et magnitudine telluris ex dimensis arcubus meridiani definiendis. Aboae 1819.

$$a = 6\,376896^m$$
$$b = 6\,355833 \qquad (2)\ \text{Walbeck}$$
$$c = 21062 \qquad\qquad 1819$$
$$\omega = 302.781$$
$$Q^0 = 10\,016805^m, \quad M = 7419^m85$$
$$Q = 10\,000268, \quad G = 57009^T75$$
$$R = 6\,369868^m.$$

Ed. Schmidt hat auf Gauss' Veranlassung die Berechnung unter Benutzung derselben Gradmessungen wie Walbeck und Zuziehung der 1827 vollendeten Hannoverschen Gradmessung wiederholt, dabei von den 7 gemessenen Bogen die Polhöhen auch der Zwischenpunkte (zusammen 25 Oerter) und von der Abplattung auch das Quadrat in die Rechnung aufgenommen, dabei die Fehlerquadratsumme nicht der Amplituden, sondern der Polhöhen zum Minimum gemacht. Die erste Rechnung[*]) ergab $\omega = 298.39$, $G = 57010^T35$; die zweite[**]) — nach Verbesserung eines in die erste eingeschlichenen Rechnungsfehlers und Berücksichtigung kleiner inzwischen bekannt gewordener Modificationen in den Linearmassen der Englischen und Ostindischen Messung — $\omega = 297.479$, $G = 57008^T655$; die dritte[***]) — unter Hinzuziehung des zwischen Jacobstadt, Dorpat, Hochland gemessenen Bogens der Russischen Gradmessung (Summe der Bogen $39^0\ 12'$ mit 28 Oertern) und Rückkehr zu dem Walbeck'schen Princip, statt der Polhöhen

---

[*]) veröffentlicht in Gauss' Breitenunterschied zwischen Göttingen und Altona, Göttingen 1828, S. 82.

[**]) Lehrb. der math. u. phys. Geographie, Göttingen 1830, I. S. 197 und Vorrede V. — Astr. Nachr. VII. No. 161 (1829 Juni).

[***]) Harding u. Wiesen kl. astr. Ephemeriden für 1831, Göttingen 1830, S. 105.

die Differenzen derselben, d. h. die Amplituden in ihrer Fehlerquadratsumme auf ein Minimum zu bringen — $\omega = 297.648$, $G = 57008^T579$, $a = 3271844^T827$, $b = 3260852^T493$ oder in Metern

$$a = 6\,376945^m4$$
$$b = 6\,355520.9 \qquad \text{(3) Schmidt}$$
$$c = 21424.5 \qquad\qquad 1830$$
$$\omega = 297.648$$
$$Q^0 = 10\,016881^m, \quad M = 7419^m91$$
$$Q = 10\,000061\,, \quad G = 57008^T58$$
$$R = 6\,369796^m.$$

Airy fand [*]) aus der Discussion von 14 Breitengradmessungen und Hinzuziehung einiger gemessenen Längengrade $\omega = 299.33$, $a = 20923713$, $b = 20853810$ engl. Fuss somit in Metern [**])

---

[*]) in einem 1830 geschriebenen Artikel »Figure of the Earth« der Encyclopaedia Metropolitana, London 1845, p. 172.

[**]) Ohne hier auf minutiöse Schärfe in den Zahlenergebnissen Gewicht zu legen, mag nur bemerkt werden, dass für die vorgenommenen Reductionen zwischen französischen und englischen Massen statt der ältern Bestimmung

$$1 \text{ Toise} = 2.13153053 \text{ Yard}$$

und der neueren von 1858 (in Ordn. Survey: Principal Triangulation p. 745)

$$1 \text{ Toise} = 2.13151459 \text{ Yard}$$

die neueste von 1866 (in Ordn. Survey: Comparisons p. 280)

$$1 \text{ Toise} = 2.13151116 \text{ Yard}$$

und somit

$$1 \text{ Yard} = 0.914391801 \text{ Meter}$$

durchweg angewandt worden ist.

$$a = 6\,377490^m5$$
$$b = 6\,356184.3$$
$$c = 21306.0$$
$$\omega = 299.33$$

(4) Airy
1830

$$Q^0 = 10\,017741^m, \quad M = 7420^m55$$
$$Q = 10\,000976\,, \quad G = 57013^T73$$
$$R = 6\,370380^m4$$

Die wichtigste Arbeit vor Ablauf der ersten
Hälfte dieses Jahrhunderts hat Bessel geliefert. Er sichtete zunächst mit scharfsinniger
Kritik die bis dahin ausgeführten Gradmessungen, revidirte das numerische Material der adop-
tirten Messungen, wobei sich verschiedene Un-
genauigkeiten in den von Schmidt angewandten
Daten herausstellten, und brachte in ausführlicher Darlegung *) wesentliche Verbesserungen
an der zweiten Indischen und an der Englischen
Messung an. Bessel legte der Rechnung zum
Grunde folgende 10 Gradmessungen mit beige-
fügter Bogenlänge λ (Differenz der Polhöhen
der Endpunkte), der Mittelbreite μ (halbe Summe
der Polhöhen der Endpunkte) und der Zahl n
der astronomisch bestimmten Punkte des Bogens:

	λ	μ	n
1. Peruanische	3^0 $7'$	-1^0 $34'$	2
2. erste Ostindische	1 35	12 32	2
3. zweite Ostindische	15 58	16 8	7
4. Französische	12 22	44 51	7
5. Englische	2 50	52 2	5
6. Hannoversche	2 1	52 32	2
7. Dänische	1 32	54 8	2
8. Preussische	1 30	54 58	3
9. Russische	8 2	56 3	6
10. Schwedische	1 37	66 20	2

*) Astr. Nachr. XIV. (1837) No. 334, 335, 336.

Gesammtlänge der gemessenen Bogen 50° 34′, Zahl der Oerter 38. Die nach der Methode der kleinsten Quadrate geführte Rechnung erzielt das Minimum der Summe der Quadrate der Unterschiede zwischen den beobachteten und den für das Rotationsellipsoid berechneten Polhöhen. Die erste Berechnung *) ergab $\omega = 300.7047$, $G = 57011^T453$ und hieraus $R = 6370080^m$. Einige Jahre später wurde von Puissant ein erheblicher Fehler in der Berechnung der Französischen Messung nachgewiesen **), wonach die Entfernung der Parallelen von Montjouy und Mola statt 153605^T77 auf 153673^T61, also um 67.84 Toisen grösser zu setzen ist. Bessel wiederholte hierauf mit Verbesserung dieses Fehlers ***) die ganze Rechnung, und das Resultat dieser zweiten Arbeit ist $\omega = 299.1528$, $G = 57013^T109$, $a = 3272077^T14$, $b = 3261139^T33$, oder

$$
\begin{aligned}
a &= 6\,377397^m16 \\
b &= 6\,356078.96 \qquad \text{(5) Bessel} \\
c &= 21318.20 \qquad\quad\ 1841 \\
\omega &= 299.1528
\end{aligned}
$$

$$
\begin{aligned}
Q^0 &= 10\,017592^m0, \quad M = 7420^m44 \\
Q &= 10\,000855.8, \quad\ G = 57013^T11 \\
R &= 6\,370283^m2
\end{aligned}
$$

Die auffallend nahe Uebereinstimmung des Resultats zweier von einander uuabhängig angestellten Berechnungen von so hervorragenden Astronomen wie Airy und Bessel, ausgehend von sehr verschieden gearteten, sowohl im Detail als auch besonders im Umfange ungleichen nume-

---

*) Astr. Nachr. XIV (1837) No. 383.
**) Comptes Rendus 1841. Juni 21.
***) Astr. Nachr. XIX (1842) No. 438.

rischen Grundlagen, unter Anwendung nicht minder verschiedener Principien des Calcüls, konnte nicht verfehlen ein grosses Vertrauen in die Genauigkeit des Ergebnisses zu erzeugen. Die Gestalten der Ellipsoide von Airy und Bessel, wie sie sich in der Abplattungsziffer 299.33 und 299.15 aussprechen, sind so gut wie vollkommen übereinstimmend, wenn man bedenkt, dass die Bessel'sche Rechnung für die mittlere Unsicherheit in dieser Ziffer $\pm$ 4.7 Einheiten ergibt. Und die nach R bemessene Grösse der Sphäroide betreffend, so beträgt die Differenz von 97^{m}2, um welche das Bessel'sche kleiner ist als das Airy'sche, weniger als den 65000ten Theil von R, während die mittlere Unsicherheit in der Bestimmung dieser Grösse sich etwa auf $\pm$ 316^m, nahe auf den 20000ten Theil erstreckt. Das Airy'sche Sphäroid ist bei den officiellen topographischen und chartographischen Arbeiten in England bis in die neueste Zeit als Norm zum Grund gelegt worden, und obwohl man in den verschiedenen Staaten Deutschlands die mannigfaltigsten früheren Bestimmungen hierfür verwendet hat, so ist doch das Bessel'sche Resultat auf dem Gebiet der Wissenschaft als das zuverlässigste betrachtet und bei astronomischen wie geodätischen Arbeiten vorzugsweise zum Grund gelegt worden. Encke sagt *) »grosse Aenderungen wird diese (Bessel'sche) Bestimmung wohl auf keinen Fall mehr erfahren, und Tafeln, welche auf sie gegründet sind, werden noch für lange Zeit allen Anforderungen entsprechen«.

Gleichwohl darf die grosse Uebereinstimmung zwischen den beiden in Rede stehenden

*) Berliner astr. Jahrb. für 1852. S. 322.

Sphäroiden nur als ein Spiel des Zufalls betrachtet werden. Die beiden Bestimmungen
von Bessel, die erste vor, die zweite nach Verbesserung des Irrthums in der Berechnung der
Französischen Gradmessung (die übrigen Daten
sind übereinstimmend) zeigen den Einfluss dieses Irrthums in dem Complex der von Bessel
benutzten Messungen. Das verbesserte Sphäroid
ist um 203^m grösser geworden. Das Airy'sche,
welches jenen Fehler involvirt, würde somit
durch die Verbesserung um einen ähnlichen Betrag grösser werden müssen, und die Discordanz
also, schon von diesem Gesichtspunkte betrachtet, sich von 97 auf 580^m im Werthe von R
steigern.

Allgemeinere Erwägungen aber, die wir an
die weiterhin zu besprechenden Berechnungen
des Erdsphäroids werden zu knüpfen haben,
werden den Grad des Vertrauens in die Sicherheit der vorliegenden wie vieler späterer Bestimmungen merklich herabmindern und uns die
Ueberzeugung nahe legen, dass wir in der Annäherung an die Wahrheit auf dem fraglichen
Gebiet uns noch ziemlich weit unterhalb der
Stufe befinden, auf welcher wir bereits vor 30
Jahren zu stehen glaubten.

Oberst Everest gab in seinem letzten grossen Berichte über die Indische Vermessung *)
eine Berechnung der Gestalt und Grösse des
Erdsphäroids, bei welcher er einen eigenthümlichen Weg einschlug, ähnlich dem der bei manchen älteren Untersuchungen vor der allgemei-

---

*) an Account of the Measurement of two Sections
of the Meridional Arc of India, conducted under the Or-
ders of the Hon. East-India Company by Colonel Everest, London 1847, introd. CLXXIX und pag. 425.

nen Adoption der Methode der kleinsten Quadrate bei Berechnungen dieser Art betreten worden ist.

Er legte 10 Bogen *) zum Grunde, welche
der Indischen, Französischen, Russischen, Peruanischen, Englischen und Schwedischen Gradmessung entnommen sind. Der (neuere) Indische Bogen zwischen Punnae und Kaliana concurrirt ganz und in verschiedener Weise ge-
theilt fünfmal mit den Amplituden $5^{\circ}\,24'$, $6^{\circ}\,4'$,
$11^{\circ}\,28'$, $9^{\circ}\,54'$ und $21^{\circ}\,21'$, die übrigen einfach
und zwar der Russische von Jacobstadt bis Hoch-
land mit $3^{\circ}\,35'$, sodann Frankreich mit $12^{\circ}\,22'$,
Peru mit $3^{\circ}\,7'$, England, von Dunnose bis Clif-
ton, mit $2^{\circ}\,50'$ und Schweden mit $1^{\circ}\,37'$; alle
zehn Bogen also mit $77^{\circ}\,42'$, jeder mit seinen
beiden Endpunkten. Von den 14 verschiedenen
Stationen, unter denen 4 Indische, concurriren
Indische zwei 2mal, zwei 3mal, die übrigen zehn
jede 1mal. Diese zehn Bogen treten zu 42
Combinationen zu 2 zusammen, aus denen 42
verschiedene Sphäroide mit ihren Constanten (ss,
$\frac{1}{\omega}$, a, c und Q) hervorgehen. Die Abplattungsziffer ω bewegt sich zwischen den Extremen
191.6 und 390.2, a zwischen 3497543.25 und
3482538.66 fathoms, c zwischen 18253.74 und
8924.64 fath. Den zehn Bogen entsprechen 10
Gruppen dieser Combinationen, worin jeder Bogen mit einer Anzahl (5 bis 9) der übrigen
combinirt ist. Die Gruppen liefern für a und c

---

*) Die erste Aufstellung führt 12 Bogen auf, von
welchen die beiden letzten nur, ähnlich wie die vier
ersten der Indischen Messung, Theile des Russischen
Bogens sind, die aber im weiteren Verlauf der Rechnung nicht mitsprechen.

je zehn arithmetische Mittel, in welchen die Abplattungsziffer noch zwischen 315.6 und 283.1, die grosse Halbaxe *a* zwischen 6381176 und 6376170 Meter variirt. Aus ihnen geht unter Hinzuziehung gewisser mit dem Gewicht der 10 Werthe zusammenhängender Grössen nach der Regel von Cotes das Endresultat hervor. Bei dieser Bestimmung, deren Berechnungsmethode übrigens viel Arbiträres enthält und der Indischen Messung, welche mit 54^0 11′ in der Amplitudensumme von 77^0 52′, also in der Rate von 70 Procent concurrirt, eine grosse Prävalenz einräumt, ging die Absicht vorzugsweise dahin, ein plausibeles Sphäroid als Grundlage für den Indischen Atlas zu gewinnen.

Das Resultat ist $a = 20920902.48$, $b = 20853642.00$ feet, also

$$a = 6\,376633^m8$$
$$b = 6\,356133.0 \qquad \text{(6) Everest}$$
$$c = 20500.8 \qquad\qquad 1847$$
$$\omega = 311.043$$
$$Q^0 = 10\,016394^m, \quad M = 7419^m55$$
$$Q = 10\,000299 , \quad G = 57008^T45$$
$$R = 6\,369794^m.$$

Die wichtigsten numerischen Arbeiten in unserer Frage sind in jüngster Zeit aus dem Königl. Grossbritanischen Vermessungsamte zu Southampton unter der Oberaufsicht des Obristen des K. Ingenieurcorps Sir Henry James hervorgegangen. Die hier in Betracht kommenden Rechnungen sind sämmtlich von Capt. Alexander Ross Clarke ausgeführt.

In einem kurzen von James an die K. Societät zu London mitgetheilten Bericht*) über

---

. *) Philos. Trans. for 1856 Vol. 146. p. 607: On the

Stand und Gang der Arbeiten des Vermessungs-
Amtes findet sich das Resultat der ersten Berechnung von Capt. Clarke. Ausgehend von
dem oben mitgetheilten Airy'schen Sphäroid
wird zunächst unter Beibehaltung des Werthes
$\omega = 299.33$ die Grösse desjenigen Rotationsellipsoides bestimmt, welches sich der ganzen in
England ausgeführten Triangulation innerhalb
des Breitenunterschiedes von $10°56'$ zwischen
Saint Agnes und Saxavord am genauesten und
so anschliesst, dass die Summe der Quadrate der
übrigbleibenden Polhöhe-Abweichungen ein Kleinstes wird. Es findet sich $a = 20926249^f =$
6378263^m5, $b = 20856337^f = 6356954^m5$, ω
$= 299.33$. Sodann wird auf Grund von 10
Gradmessungen, nämlich der Peruanischen, der
ersten und zweiten Ostindischen (letztere in der
Ausdehnung von $21°21'$ mit 4 Stationen), der
Französischen, der Englischen (von Dunnose bis
Saxavord, $10°13'$ mit 8 Stationen), der Hannoverschen, der Dänischen, der Preussischen, der
Russischen (von Belin bis Hochland, $8°2'$ mit 6
Stationen) und der Schwedischen, deren Bogen-
summe $63°20'$, Zahl der Stationen 38 ist, ganz
der Bessel'schen Rechnungsmethode folgend, für
das Erdsphäroid gefunden: $\omega = 298.07$, $a =$
20924933^f, $b = 20854731^f$, oder

$$a = 6\,377862^m4$$
$$b = 6\,356465.0 \qquad \text{(7) Clarke}$$
$$c = 21397.4 \qquad \phantom{\text{(7)}} 1856$$
$$\omega = 298.07$$

Figure, Dimensions and mean Specific gravity of the Earth,
as derived from the Ordnance Trigonometrical Survey of
Great Britain and Ireland. Communicated by Lieut. Colonel James, Superintendant of the Ordnance Survey,
— und: Proceedings of the Royal Society of London.
Vol. VIII (1857) pag. 111.

$$Q^0 = 1\,0018313^m, \quad M = 7420^m99$$
$$Q = 1\,0001515, \quad G = 57016^T8$$
$$R = 6370728.$$

An der 2°40′ südlich von Paris liegenden Station Evaux des Französischen Meridianbogens findet eine auffallende Localablenkung des Lothes nach Süden Statt, welche bereits von Schmidt = 5″88, von Bessel, erste Rechnung 6″897, zweite Rechnung 6″447 gefunden worden. Clarke findet jetzt 6″848 und bemerkt, dass durch Ausschliessung dieser Station aus der Rechnung die Halbaxen a und b etwa um 200 Fuss grösser, die Abplattung um ein Geringes stärker ausgefallen wäre, nämlich $\omega = 297.72$, $a = 20925174^f$, $b = 20854914^f$ oder

$$a = 6\,377935^m8$$
$$b = 6\,356521.0 \qquad \text{(8) Clarke}$$
$$c = 21413.8 \qquad\qquad 1856$$
$$\omega = 297.72$$

$$Q^0 = 10\,018438, \quad M = 7421^m.06$$
$$Q = 10\,001620, \quad G = 57017^T.5$$
$$R = 6\,370790$$

und auf diesem Sphäroid stellt sich die Polhöhendifferenz für Evaux nunmehr auf 8″059, während alle übrigen im Ganzen etwas geringer ausfallen. Es wird deshalb auch Evaux bei späteren Berechnungen meistens weggelassen.

Die erwähnte Mittheilung in der Royal Society bildete einen Vorläufer zu der zwei Jahre darauf aus der Ordnance Survey publicirten grossen Arbeit »Principal Triangulation«, einer ausführlichen Darlegung der bis Saxavord, dem nördlichsten Punkte der Shetlands-Inseln ausgedehnten Vermessung Grossbritaniens*). A. R. Clarke widmet darin der Sphäroidfläche, welche die Gesammtheit der beobachteten Polhöhen, Längen und Azimute des gesammten Netzes der Grossbritanischen Vermessung am genauesten darstellt, eine umfassende Untersuchung, bei welcher auch die Lothablenkungen, wie sie sich aus den Terrainverhältnissen angenähert berechnen lassen, berücksichtigt werden. Die verschiedenen Rechnungsprincipien führen zu einer Reihe verschiedener Sphäroide mit zum Theil sehr ungleichen Abplattungsziffern, wie 281.08, 269.15 297.88, 282.94 und Werthe von a bezw. 20926181, 20926228, 20926840, 20927170, von welchen die beiden letzten durch arithmetische Mittel aus gewissen Rechnungselementen auf das Sphäroid führen, bei welchem Clarke als dem plausibelsten stehen bleibt. Hier ist $a = 20927005^f = 6378493^m9$, $b = 20852372^f = 6355746^m0$, $c = 74633^f = 22747^m9$ und $\omega = 280.4$.

Bei der hierauf vorgenommenen Bestimmung des allgemein, für die ganze Erde gültigen Sphäroids werden zwei erhebliche in der Zwischenzeit gemachte Vervollstäudigungen der bisherigen Gradmessungen in die Ausgangsdata der Rechnung aufgenommen, nämlich die geodätische Verbindung zwischen der Französischen

<hr />

*) Der vollständige Titel ist: Ordnance Trigonometrical Survey of Great Britain and Ireland. Account of the Observations and Calculations of the *Principal Triangulation* and of the Figure, Dimensions and mean Specific gravity of the Earth as derived therefrom. Published by Order of the Master-General and Board of Ordnance. Drawn up by Captain Alexander Ross Clarke, R.E. F.R.A.S. under the direction of Colonel H. James, R.E. F.R.S. M.R.I.A. etc. Superintendent of the Ordnance Survey. London 1858.

und Grossbritanischen Vermessung und die Vollendung des Russischen Bogens im Süden bis Staronekrassofka bei Ismail (lat. 45°20') und im Norden bis Fuglenaes auf der im Eismeer gelegenen Insel Kvalö (unter lat. 70°40'). Die 9 Breitengradmessungen, welche Capt. Clarke zum Grunde legt, sind die Englische von Saint Agnes an der Südwestspitze von Cornwall unter 49°54' bis Saxavord auf der nördlichsten der Shetlands Inseln unter 60°50', Breitendifferenz 10°56' mit 28 Stationen, die Französische von Formentera bis Dünkirchen mit der Amplitude 12°22' und (unter Auslassung von Evaux) mit 6 Stationen und diese beiden grossen Messungen sind durch die geodätisch ermittelte Entfernung zwischen den Parallelen von Dünkirchen und Greenwich mit einander verknüpft, ferner die Russische in der Ausdehnung von 25°20' mit 13 Stationen, die neuere Indische von 21°21' mit 8 Stationen, die ältere Indische 1°35' mit 2, die Preussische von 1°30' mit 3, die Peruanische von 3°7' mit 3, die Hannoversche von 2°1' und die Dänische von 1°32, mit je 2 Stationen. Die Schwedische Messung ist durch die nördliche Vervollständigung des Russischen Bogens entbehrlich geworden. Die Summe dieser 9 Bogen, sofern die Englisch-Französische Messung als Eine von der Amplitude 22°10' betrachtet wird, beträgt 78°36'. Die Zahl der concurrirenden Polhöhen ist 66, wobei für England, statt der sonstigen 8, diesmal 28 eingeführt sind. Es werden zwei Rotations-Sphäroide berechnet nach dem Bessel'schen Modus, nämlich der Anwendung der Methode der kleinsten Quadrate auf die Polhöhen-Differenzen. Das erste nicht elliptische, dessen Meridiancurve von der auf denselben Halbaxen beschriebenen Elliopse im Ganzen unbedeutend,

am merklichsten unter 45° Breite abweicht, berührt das auf denselben Halbaxen beschriebene
Ellipsoid in den beiden Polen und längs des
Aequators. Bei ihm kommen statt zweier, wie
bei dem Rotations-Ellipsoid, drei Parameter in
Betracht, von welchen es abhängt ob seine Fläche ausser den Berührungsstellen gegen das Ellipsoid nach innen oder nach aussen abweicht,
und zwischen welchen sich eine Relation aufstellen lässt, welche diese Abweichung tilgt, d. h.
die Fläche in ein Ellipsoid überführt. Das zweite
ist das gebräuchliche Ellipsoid, welches nach
Einführung der eben erwähnten Relation aus
dem nicht elliptischen Sphäroid, versteht sich
unter gleichzeitiger Abänderung seiner Halbaxen
und ihres Verhältnisses, hervorgeht.

Nach kritischer Revision des numerischen
Details ergibt nun die Berechnung für

das nichtelliptische Sphäroid $a =$
20927197^f, $b = 20855493^f$ und $\omega = 291,86$.
Die Fläche weicht von dem osculirenden Ellipsoid nach aussen ab, so dass sie sich unter
lat. 45° um 177^{f}5 oder 53^{m}95 darüber erhebt.
Es ist also

$$
\begin{aligned}
a &= 6\,378552^m1 \\
b &= 6\,356697.3 \qquad \text{(9) Clarke} \\
c &= \quad\;\; 21854.8 \qquad\qquad 1858 \\
\omega &= 291.86
\end{aligned}
$$

$$
\begin{aligned}
Q^0 &= 10\,019406^m, \quad M = \quad 7421^m78 \\
Q &= 10\,002300\,, \quad\;\; G = 57021^T33 \\
R\,&(\text{nahe}) = 6\,171270^m.
\end{aligned}
$$

Mittelst der betreffenden Relation ergibt sich
aus diesem nichtelliptischen für

das elliptische Rotationsellipsoid $a =$
20926348^f, $b = 20855233^f$, $\omega = 294.26$, oder

$$a = 6\,378293^{\mathrm{m}}7$$
$$b = 6\,356618.0 \qquad \text{(10) Clarke}$$
$$c = 21675.7 \qquad\qquad 1858$$
$$\omega = 294.26$$

$$Q^0 = 10\,019000^{\mathrm{m}}, \quad M = 7421^{\mathrm{m}}49$$
$$Q = 10\,001984\ , \quad G = 57019^{\mathrm{T}}3$$
$$R = 6\,371060^{\mathrm{m}}.$$

Wir bemerken noch, dass bei dieser Bestimmung durch die Aufnahme von 28 englischen Stationen, deren Polhöhen und Distanzen ihrer Parallelen allerdings aus der Trigulation der Ordnance Survey aufs Sorgfältigste festgelegt sind, die Westeuropäische Gruppe von Gradmessungen, und zwar speciell zu Gunsten des Britischen Areals, durch ein hervorragendes Stimmrecht begünstigt ist, wodurch die oben für diese Gruppe aufgeführte Zahl 78 auf 168 gesteigert wird.

Den ersten Versuch, die Erde durch ein Ellipsoid von drei ungleichen Axen darzustellen, hat General von Schubert gemacht[*]. Nach Aufstellung elliptischer Formeln, die bis zur dritten Potenz der Abplattung (sechste Potenz der Excentricität) gehen, werden der Rechnung folgende Gradmessungen zum Grund gelegt:

1. Russische, Amplitude $\lambda = 25^0 20'$, Mittelbreite $\mu = 58^0 0'$, Länge ψ (von Ferro) $= 44^0 23'$.
2. zweite Ostind. $\lambda = 21^0 21'$, $\mu = 18^0 50'$, $\psi = 95^0 20'$.
3. Französische, $\lambda = 12^0 22'$, $\mu = 44^0 51'$, $\psi = 20^0 0'$.
4. Cap, $\lambda = 4^0 37'$, $\mu = -32^0 3'$, $\psi = 36^0 9'$.

---

[*] Mém. de l'Acad. Petersbourg, VII. Serie, T. I. 1859 Nr. 6. Essai d'une détermination de la veritable figure de la terre. — Monthly Notices of the Roy. Astr. Soc. vol. XX (1859) p. 104. (Anzeige von Airy).

5. Peru, $\lambda = 3^0 7'$, $\mu = -1^0 31'$, $\psi = 298^0 44'$.
6. Preussische, $\lambda = 1^0 30'$, $\mu = 54^0 58'$, $\psi = 38^0 10'$.
7. Englische, $\lambda = 2^0 50'$, $\mu = 52^0 2'$, $\psi = 17^0 40'$.
8. Pensylvanien, $\lambda = 1^0 29'$, $\mu = 39^0 12'$, $\psi = 300^0 10'$.

Diese acht Bogen, jeder bloss mit seinen beiden Endpunkten, werden — ähnlich wie bei der besprochenen Rechnung von Everest — zu zweien combinirt und dadurch 28 Ellipsoide gefunden, deren Elemente a, b, ω und Quadrat der Excentricität grosse Abweichungen unter einander darbieten. Ausser zwei ganz extrem kleinen Abplattungen, nämlich $\omega = 14501$ (Combination des Preussischen mit dem Russischen Bogen) und 12668 (Pensylv. mit Cap) variirt ω zwischen 116 (Engl. mit Preuss.) und 527 (Pensylv. mit Ostind.). Die Werthe von a variiren zwischen 1279419^T (Pensylv. mit Frankr.) und 3259832 (Pensylv. mit Cap), die Werthe von b zwischen 3273905 (Preuss. mit Russl.) und 3245754 (Engl. mit Preuss.).

Die Voraussetzung elliptischer Meridiane von gemeinsamer kleiner Axe wird nun gegenüber der offen gehaltenen Frage in Betreff ihrer Gleichheit festgehalten und zunächst, da die vorstehenden Combinationen sehr verschiedene Werthe für b geben, zur Bestimmung der Polaraxe nur die Vergleichung von Bogen desselben Meridians benutzt. Es werden zu diesem Zwecke die drei grösseren Bogen, der Russische, der Indische und der Französische, je in zwei nahezu gleiche Theile getheilt, bez. in den Stationen Dorpat, Damargida und Carcassonne, und alsdann für jeden aus drei Combinationen, nämlich der beiden Stücke unter sich und jedes Stückes mit dem Ganzen durch das arithmetische Mittel a, b

7

und ω bestimmt. Die drei Ergebnisse sind für den Bogen von

Russland	$a=3272610,$	$b=3261429,$	$\omega=292.674.$
Ostindien	$3272650,$	$3261547,$	$294.725.$
Frankreich	$3273448,$	$3260365,$	$250.199.$

Die dritte Ellipse würde von der grossen Abweichung, die sie gegenüber der ersten und zweiten zeigt, durch die Annahme befreit, dass die Polhöhe des Theilungspunktes Carcassonne nahe 2 Secunden grösser sei, als sie die Messung ergibt. Dieser Abweichung wegen aber wird b nur aus den beiden ersten Ellipsen bestimmt, wobei v. Schubert Russland das doppelte Gewicht gibt. So findet er $b = 3261467^{T}9$, wonach sich die Länge des ganzen Russischen Bogens um $17^{T}62$ zu klein, des Indischen um 25.81 zu gross herausstellt, Grössen, welche geringfügig erscheinen, wenn sie in die entsprechenden Abweichungen der Amplitude, nämlich $-1''$ und $+1''5$, übersetzt werden. Mit dem so erhaltenen Werthe von b erhält man nun für den Meridian von Dorpat $a = 3272650,1$ und $\omega = 292.674$, so wie von Kaliana $a = 3272581.3$ und $\omega = 294725$. Zur Bestimmung des als elliptisch vorausgesetzten Aequators wird nun noch die Peruanische Messung zu Hülfe genommen, und für diesen Meridian aus derselben kleinen Axe gefunden $a = 3272382.8$, $\omega = 299.81$. Die so gefundenen, den geographischen Längen $44^{0}23'$, $95^{0}20'$ und $298^{0}44'$ entsprechenden Radien der äquatorialen Ellipse führen dann zur Kenntniss ihrer beiden Halbaxen a', a'' und der Zahl ω^{0}, welche die Annäherung an die Kreisform ausdrückt. Es findet sich $a' = 3272671.5$, $a'' = 3272303.2$ und die geogr. Länge der grossen Axe des Aequators 58°44', welche Längenbestimmung übrigens bei der geringen Ellipticität ziemlich unsicher ist. Es würde hiernach Archangel, Erzerum, der südliche Theil des Rothen Meeres und Mozambique, so wie der östliche Theil von Russisch Amerika nahezu auf dem grössten Meridian liegen, während der kleinste, zur Länge 148°44' gehörig, durch das Lena-Delta, und Ostsibirien, durch die Mandschurei, das Japanische Meer und fast mitten durch Neuholland, so wie über Brasilien durch die Mündung des Amazonenstroms und die Westküste von Grönland über Godhaab verläuft. Wir finden also für dies Schubert'sche Ellipsoid

$$
\begin{aligned}
a' &= 6\,378555^\mathrm{m}6 \\
a'' &= 6\,377837.4 \\
b &= 6\,356719.4 \\
c^0 &= 718.2 \\
c' &= 21836.2 \\
c'' &= 21118.0 \\
\omega^0 &= 8881.3 \\
\omega' &= 292.109 \\
\omega'' &= 302.004
\end{aligned}
\qquad
\begin{aligned}
&(11) \\
&\text{v. Schubert} \\
&1859
\end{aligned}
$$

$$
\begin{aligned}
Q^0 &= 10\,018849^\mathrm{m}, \quad M = 7421^\mathrm{m}37 \\
Q' &= 10\,002263 \\
Q'' &= 10\,001707 \\
R &= 6\,371031^\mathrm{m}.
\end{aligned}
$$

Gegen die Annahme eines dreiaxigen Ellipsoides wie gegen den hier eingeschlagenen Weg des Calculs sind bereits mit Recht erhebliche Einwendungen gemacht worden[*]. Zudem kam

---

[*] Vgl. namentlich die ausführliche Kritik des Schubert'schen Verfahrens in der sehr beachtenswerthen Schrift von Ph. Fischer: Untersuchungen über die Gestalt der Erde. Darmstadt 1868. S. 186.

v. Schubert nach zwei Jahren selbst wieder von der Idee eines Sphäroids von elliptischem Aequator zurück.

Gleichwohl hat dieser Versuch den Capt. Clarke *) veranlasst ein dreiaxiges Ellipsoid in vorwurfsfreierem Wege der Berechnung, nämlich ganz dem auf die Methode der kleinsten Quadrate gegründeten Verfahren entsprechend, welches er bei der Bestimmung der bereits besprochenen Rotations-Sphäroide eingeschlagen hat.

Clarke benutzt, wie v. Schubert, die drei grossen Bogen, den Russischen von Staronekrassofka bis Fuglenaes, Ampl. 25⁰20′ und 13 Stationen, den Französisch-Englischen und zwar in seiner ganzen Ausdehnung von Formentera bis Saxavord, 22⁰10′ mit 12 Stationen, und den Indischen von Punnae bis Kaliana, 21⁰21′ mit 8 Stationen, ferner den Bogen am Cap, 4⁰37′ mit 5 Stationen und den Peruanischen mit 3⁰7′ Amplitude und 2 Stationen, lässt aber die Preussische Messung wegen der Kürze des Bogens und die Pensylvanische wegen notorischer Mängel weg, die sich auch in v. Schubert's Zahlen offenbart haben. Die Berücksichtigung der dritten Potenz der Abplattung (oder einer kleinen Grösse gleicher Ordnung) erscheint völlig überflüssig, insofern in dem Ausdruck für den elliptischen Bogen das von der dritten Potenz abhängige Glied bei dem Russischen Bogen, dem grössten von allen, sich nur auf etwa 1½ Zoll beläuft, während der wahrscheinliche Fehler in der Länge von 1447787 Toisen ± 7 Toisen beträgt.

---

*) On the Figure of the Earth, by Capt. A. R. Clarke, read April 8. 1860, in Memoirs of the Royal Astronomical Society, vol. XXIV. London 1861 p. 2, und Monthly Notices of the R. Astr. Soc. vol. XX. p. 264.

Die Rechnung ergibt nun für die drei Halbaxen $a' = 20926485'$, $a'' = 20921177'$, $b =$
20853768', so dass der grösste Radius des Aequators auf die geogr. Länge 13°58' östl. von
Greenwich, der kleinste also auf 103°58' fällt,
mithin 27° weiter nach Westen als nach dem
Schubert'schen Resultat, was indess bei der geringen Ellipticität des Aequators nicht befremden darf. Wir finden also für dieses Ellipsoid

$$
\begin{aligned}
a' &= 6\,378335^{m}4 \\
a'' &= 6\,376717.6 \\
b &= 6\,356171.5 \\
c^{0} &= 1617.8 \qquad \text{(12) Clarke} \\
c' &= 22163.9 \qquad\qquad 1861 \\
c'' &= 20546.1 \\
\omega^{0} &= 3942.6 \\
\omega' &= 287.779 \\
\omega'' &= 310.364 \\
Q^{0} &= 10\,017791^{m}, \quad M = 7420^{m}59 \\
Q' &= 10\,001663 \\
Q'' &= 10\,000391 \\
R &= 6\,370400^{m}.
\end{aligned}
$$

Der grösste Meridian liefe hiernach über
Spitzbergen durch Skandinavien über Kopenha-
gen, durch Deutschland über Leipzig, durch Italien über Venedig und Rom, durch das mittel-
ländische Meer, über Tripolis durch Afrika, 7
Grad westlich vom Cap in das Südpolarmeer, sodann durch den pacifischen Ocean über die Schif-
fer- und Fuchsinseln durch die Beringsstrasse,
der kleinste durch das Asiatische Nordcap, durch
Sibirien über Irkutzk, durch die Mongolei, zwischen Tübet und China durch Hinterindien, über
Malacca und Sumatra durch den Indischen Ocean,
sodann durch den Pacific in der Nähe und längs

der Westküste Südamerikas über Ecuador, Panama, Jamaica, Cuba, durch Nordamerika über Washington, durch Canada und die Baffinsbay.

Die Umgestaltung in ein Sphäroid mit kreisförmigem Aequator ergibt $\omega = 294.754$ und $a = 20926217^f$, $b = 20855221$, oder

$$
\begin{aligned}
a &= 6\,378253^m6 \\
b &= 6\,356614.4 \qquad &&\text{(13) Clarke} \\
c &= 21639.2 \qquad &&\text{1861} \\
\omega &= 294.754
\end{aligned}
$$

$$Q^0 = 10018936^m, \quad M = 7421^m43$$
$$Q = 10001949, \quad G = 57018^T97$$
$$R = 6\,371032^m.$$

Dieses Sphäroid kommt nahe mit dem von Clarke berechneten Rotations-Ellipsoid überein, welches in »Principal Triangulation« p. 773 mitgetheilt und oben bereits unter (10) aufgeführt ist. Es beruht nahe auf denselben Gradmessungen wie jenes, nur dass hier die englische nicht wie dort mit 28, sondern mit 6 Stationen neben 6 Stationen des Französischen Antheils des Französisch-Englischen Bogens eingeführt ist.

v. Schubert, wie bereits erwähnt, kam im Jahr 1861 selbst wieder von der Idee eines dreiaxigen Sphäroids zurück, und berechnet[*]) ein neues Ellipsoid wiederum mit kreisförmigem Aequator. Es werden zu diesem Behuf nur drei grosse Gradmessungen zum Grunde gelegt, nämlich die Russische, erstlich ganz und sodann getheilt bei der Station Dorpat, so dass diese Messung mit den drei Amplituden 25°20′, 12°1′ und 13°3′ also mit grossem Uebergewicht concurrirt, dabei wird an der Polhöhe des nördlic

---

[*]) Astr. Nachr. Bd. 55 (1861) Nr. 1303.

sten Punktes Fuglenaes wegen Localattraction eine Correction von — 3″ angebracht nach einer sehr arbiträren Schätzung. Ferner wird der ganze Englische Bogen von Dunnose bis Saxavord, mit 10°13′ und den bekannten 6 Stationen, sowie die Französische Messung von Formentera bis Dünkirchen mit 12°22′ und 5 Stationen (Barcelona und Evaux bei Seite lassend) hinzugenommen. Bei letzterer werden noch einige Verbesserungen nach der 3. Ausgabe der Géodésie von Puissant vorgenommen. Nach unsern obigen Modus der Schätzung der Stimmenvertheilung würde jetzt der Russischen Messung das Gewicht von 455.3 (statt 304.0) und der Französisch-Englischen Messung durch ihre Trennung in die beiden ehemaligen Antheile die Gewichte 51.0 und 49.5 zusammen 100.5 (statt 149.4) zufallen, so dass nach dem oben aufgestellten Massstab auf Osteuropa jetzt 147 statt 102, auf Westeuropa jetzt 33 statt 78 fallen würde, und somit Russland mit $4\frac{1}{2}$fachem Gewichte von England-Frankreich ausgestattet erscheint. Dies Verhältniss äussert sich jedoch nur in modificirter Weise in Folge des auch diesmal eingeschlagenen Weges der Combinationen zu Zwei, welcher eine Mitwirkung der 28 Zwischenpunkte der fünf bei den Combinationen betheiligten Bogen ausschliesst. Nach der nur an der einzigen Station Fuglenaes vorgenommenen Abänderung der Polhöhe aber sind die Elemente ω, a, b, welche die zehn Combinationen ergeben, in überraschender Weise harmonirend, so dass ω nur zwischen 282.697 und 283.237, a zwischen 3272665.5 und 3272668.6, b zwischen 3261089.2 und 3261112.9 variirt. Das einfache Mittel ergibt $\omega = 283.032$, $a = 3272667^{\text{T}}1$, $b = 3261104^{\text{T}}3$, oder

$$a = 6\,378547^{\mathrm{m}}0 \qquad (14)$$
$$b = 6\,356010.7 \qquad \text{v. Schubert}$$
$$c = 22536.3 \qquad 1861$$
$$\omega = 283.032$$
$$Q^0 = 10\,019400^{\mathrm{m}}, \quad M = 7421^{\mathrm{m}}78$$
$$Q = 10\,001708\phantom{^{\mathrm{m}}}, \quad G = 57018^{\mathrm{T}}0$$
$$R = 6\,371026^{\mathrm{m}}.$$

Wäre gegen den Modus der Vertheilung in der Beitrags-Rate der beiden Europäischen Hauptmessungen so wie gegen die Handhabung der Zahlen nicht auch hier manches Triftige einzuwenden*), so würde dies Ellipsoid, welches unter Ausschluss der ganzen Ostindischen Messung berechnet worden, einen lehrreichen Beitrag zu der Einsicht in die Wirkung liefern, welche wenigstens nach zeitheriger Berechnungsmethode die Messung in Indien, einem Terrain von so eigenthümlicher Natur, auf die gewonnenen Resultate ausübt. Wir halten dies Sphäroid für einen angenäherten Ausdruck der Gestaltung der Meeresfläche oder des Geoids vorzugsweise in der östlichen Region von Europa.

Kleine Verbesserungen in den Polhöhen der Russischen Stationen, die nach der Publication der »Principal Triangulation« bekannt geworden sind, wurden von Capt. Clarke benutzt, das oben unter (10) aufgeführte Sphäroid zu berichtigen**). Die Aenderungen sind nur gering; es

---

*) Vgl. Fischer a. a. O.

**) Extension of the Triangulation of the Ordnance Survey into France and Belgium, by Colonel Sir Henry James. London 1863. — Die oben aufgeführten ersten Werthe von a und b finden sich als Ergebniss der Rechnung auf p. 52, die um 1 engl. Fuss grösseren abgerundeten in der Introduction pag. III, und von den letzteren wird nachgehends noch weiterer Gebrauch gemacht.

fand sich $a = 20926329$ oder abgerundet 20926330 und $b = 20855239$ oder rund 20855240', $\omega = 294.36$. Es ist also

$$a = 6\,378288^m2$$
$$b = 6\,356620.1 \qquad \text{(15) Clarke}$$
$$c = 21668.1 \qquad\qquad 1863$$
$$\omega = 294.36$$
$$Q^0 = 10018913^m, \quad M = 7421^m47$$
$$Q = 10001902\ , \quad G = 57019^T1$$
$$R = 6\,371057^m.$$

Dies Sphäroid ist also sehr nahe dem obigen (10) gleich und theilt mit ihm das der Englisch-Französischen Messung, in welcher England mit 28 Stationen aufgenommen ist, eingeräumte, im Verhältniss von 168 : 78 erhöhte Stimmrecht.

John Henry Pratt, Archidiaconus zu Calcutta, hat sich seit einer Reihe von Jahren mit ausführlichen Untersuchungen über die sogenannten Deflexionen oder Ablenkungen der Lothlinie beschäftigt und dieselben in den Philosophical Transactions*) mitgetheilt. Er berechnet namentlich für die 4 Hauptstationen Punnae, Damargida, Kalianpur und Kaliana der grossen Indischen Messung Ablenkungen nach Norden von bezw. 22"21, 17"23, 21"06 und 34"16, freilich nicht ohne öftere Aenderung in den Unterstellungen der Rechnung. Die daraus hervorgehenden Aenderungen in den Amplituden der von jenen Stationen begrenzten 3 Bogen

---

*) Phil. Tr. for 1855 p. 53, for 1856 p. 31, for 1858 p. 787, for 1859 p. 745, 779, for 1861 p. 579, sowie die betreffenden Notizen in den Proceedings of the Roy. Society, und J. H. Pratt a treatise on attractions, Laplace's functions, and the figure of the Earth. 3. edit. Cambridge and London 1865.

sind $+ 4''98, - 3''82$ und $- 13''11$. Sie sind
das Ergebniss der Berechnung einerseits der At-
tractionswirkung der Gebirgsmassen des Hima-
laya und des daran stossenden Tafellandes, andererseits der negativen Wirkung des indischen
Oceans. Es ist dies der Anfang zur Beseitigung
erheblicher Zweifel und Schwierigkeiten, welche
die grosse Ostindische Messung zeither durch
die aus der hervorgehenden Rechnung sogenannten Fehler der Polhöhen veranlasste, die gegenüber den zuerwartenden Anomalien in der Richtung der Schwere unbedeutend waren.

Um die Gestalt der Erde unter Berücksichtigung der Deflexionen der Lothlinie zu bestimmen, nimmt Pratt die drei grossen Messungen,
die Englisch-Französische, die Russische und die
Indische so in Rechnung, dass der Betrag der
Ablenkung im ganzen Bogen jeder der drei
Messungen als eine unbekannte Grösse betrachtet wird, welche so zu bestimmen ist, dass
die 3 mit ihr behafteten Bogen möglichst
nahe derselben Meridian - Ellipse entsprechen.
Die Forderung der Gleichheit der Halbaxen der
3 Ellipsen führt auf 4 Bedingungsgleichungen
der 3 Deflexionen, woraus nach der Methode
der kleinsten Quadrate diese Deflexionen bestimmt werden: für den Englisch-Französischen
Bogen $- 1''37$, für den Russischen $- 2''22$
und für den indischen $- 0''033$, welche nach
Einführung in die Ausdrücke für die jedem Bogen entsprechenden Halbaxen, folgende Werthe
der Reihe nach ergeben *)

---

*) Die Rechnung ist mitgetheilt in Proceed. Roy.
Soc. vol. XIII p. 255 und im Resumé in dem angeführr-
ten treatise art. 134.

$$a_1 = 20\,926029^{f} \quad b_1 = 20\,855264^{f}$$
$$a_2 = 20\,926468 \quad b_2 = 20\,855332$$
$$a_3 = 20\,926072 \quad b_3 = 20\,855352$$

Die Annäherung wird für hinreichend gehalten, um das arithmetische Mittel als den wahren Werth der Halbaxen des Erdsphäroids betrachten zu dürfen. So findet sich $a = 20926189^{f}$, $b = 20855316^{f}$, $\omega = 295.3$, also

$$a = 6\,378245^{m}2 \qquad \text{(16) Pratt}$$
$$b = 6\,356643.3 \qquad\qquad 1863$$
$$c = \quad\;\; 21601.9$$
$$\omega = 295.263$$
$$Q^0 = 10018922^{m}, \quad M = 7421^{m}42$$
$$Q = 10001924\,, \quad G = 57018^{T}5$$
$$R = 6\,371036^{m}.$$

So bedeutsam im gegenwärtigen Stadium der Untersuchungen über die Gestalt der Erde die Anomalien der Schwere sind, so möchte doch der hier von Pratt betretene Weg wenig Beifall finden. Durch keine Rechnung dürfen fortan diese Anomalien, welche mit dem wesentlichen Unterschied zwischen Geoid und Sphäroid in engem Zusammenhang stehen, Beobachtungsfehlern gleich, auf ein Minimum gebracht werden, vielmehr müssen sie unter Zugrundlegung eines plausibelen, vorerst nothwendigerweise als provisorisch zu betrachtenden Sphäroids, nach Vorschriften, wie sie gegenwärtig bereits mehrfach in Anwendung gebracht sind, an der Hand topographischer und geologischer Daten so weit bestimmt werden, als sichtbare Ursachen, wie Terrainbeschaffenheit und Seetiefen, gestatten, um vorläufige Amplitud-Correctionen zu gewinnen, durch welche wir schrittweise von der geoidischen Fläche zu dem bei jedem Schritte von neuem genauer bestimmbaren Sphäroide überzugehen vermögen.

Die sorgfältigsten Vergleichungen der wichtigsten bei geodätischen Arbeiten benutzten Masse sind neuerdings im K. Grossbritanischen Vermessungsamte vorgenommen und ihre Resultate so wie deren Ableitungen aus den Beobachtungen veröffentlicht*). Auf Grund dieser sorgfältigen Massvergleichungen sind die Bogenlängen der Gradmessungen auf Englische Standard Feet reducirt und von Clarke**) einer neuen Berechnung des Erdsphäroids zum Grunde gelegt worden, für welches er noch einmal die eventuell elliptische Gestalt des Aequators einführte, um auch diesmal von dem dreiaxigen Ellipsoid nachgehends das aus ihm ableitbare plausibelste Rotationsellipsoid zu bestimmen. Die Berechnungsmethode ist die bisherige Besselsche. Bei der Wahl der Messungen sind nur Bögen über 3 Grad Länge aufgenommen, und folgeweise die Schwedische, die ältere Ostindische, und die drei mitteleuropäischen Messungen nicht hinzugezogen. Die aufgenommenen Gradmessungen sind also 1. die Englisch-Französische mit $12^0 10'$ und 12 Stationen (von Fermentera bis Saxavord unter Beseitigung von Evaux), 2. die Indische mit $21^0 21'$ und 8 Stationen (von Punnae bis Kaliana), 3. die Russische mit $25^0 20'$ und 13 Stationen (von Staro Nekrassofka bis Fuglenaes),

---

*) Comparisons of the Standards of Length of England, France, Belgium, Prussia, India, Australia, made at the Ordnance Survey Office, Southampton, by Captain A. R. Clarke under the direction of Colonel Sir Henry James. London 1866.

**) In einem Appendix zu dem angeführten Werke »Comparisons« pag. 281—287.

4. vom Cap mit 4°37′ und 5 Stationen (Nord End bis Cape Point). 5. Die Peruanische mit 3°7′ und 2 Stationen (Tarqui und Cotchesqui). Das Stimmverhältniss, nach unseren früheren Zahlen bemessen, wird hier durch 78, 47, 201, 6 und 4 ausgedrückt und den weggelassenen kleinen Bogen entspricht in Summa die Ziffer 5. Man vermisst ungern die mitteleuropäische Gruppe mit vereinigtem Hannoversch-Dänischem Bogen.

Das Ergebniss ist folgendes dreiaxige Ellipsoid *) $a' = 20926350'$, a'' 20919972, $b = 20853429$ und somit

$$a' = 6\,378294^{m}0$$
$$a'' = 6\,376350.4$$
$$b = 6\,356068.1$$
$$c^0 = 1943.6$$
$$c' = 22225.9$$
$$c'' = 20282.3$$
$$\omega^0 = 3281.2$$
$$\omega' = 286.976$$
$$\omega'' = 314.385$$

(17) Clarke 1866

---

*) Die in »Comparisons« p. 285 aufgeführten Werthe der drei Abplattungsbeträge sind in der Form gegeben

$$\frac{a-c}{c} = \frac{1}{285.97}, \quad \frac{b-c}{c} = \frac{1}{313.38}, \quad \frac{a-b}{c} = \frac{1}{3269.5}$$

wo a, b, c die von uns mit a', a'', b bezeichneten Halbaxen sind, während die Reciproken unserer Abplattungsziffern, wie gewöhnlich, die Ellipticität nach der grösseren Halbaxe bemessen. Setzt man die Reciproke der durch die halbe Polaraxe dividirten Differenzen der Halbaxen $= \theta'$, θ'', θ^0 (wo also im vorliegenden Fall $\theta' = 285.97$, $\theta'' = 313.38$, $\theta^0 = 3269.5$), so findet man

$$\omega^0 = \theta^0 + \frac{\theta''}{\theta'' - \theta'}, \quad \omega' = \theta' + 1, \quad \omega'' = \theta'' + 1.$$

$$Q^0 = 10\,017475^m, \quad M = 7420^m35$$
$$Q' = 10\,001553$$
$$Q'' = 10\,000013$$
$$R = 6\,370228^m.$$

Der Aequator dieses Ellipsoids ist noch merklicher elliptisch als bei Clarke's Ellipsoid (12) vom Jahre 1861, während bei dem ersten derartigen Sphäroid (11) v. Schubert's die Ellipticität des Aequators sehr gering war. Der grösste Meridian fällt jetzt in die Länge 15° 34′ östlich von Greenwich, der kleinste 105° 34′. Diese Extreme liegen also nur 1½ Grad östlicher als in (12), haben also noch im Wesentlichen den dort näher bezeichneten Verlauf über Meer und Continente.

Die Beseitigung der von der geogr. Länge abhängigen Ungleichheit der Ellipticität der Meridiane führt auf das den untergelegten Daten am genauesten entsprechende Rotations-Ellipsoid. Der sog. wahrscheinliche Polhöhen-Fehler (im Sinne der Methode der kleinsten Quadrate) zeigt sich durch die Forderung, dass alle Meridiane gleich ausfallen sollen, gegenüber dem vorigen Ellipsoid, wo die Ungleichheit derselben nach Massgabe eines elliptischen Aequators zulässig war, nur im Verhältniss etwa von 15 zu 14 vergrössert, und beträgt in beiden Fällen weniger als 1″5. Die Dimensionen dieses Sphäroids sind $a = 20\,926062^t$, $b = 20\,855121$, $\omega = 294.98$ oder

$$a = 6\,378206^m4$$
$$b = 6\,356583.8 \qquad \text{(18) Clarke}$$
$$c = 21622.6 \qquad\qquad 1866$$
$$\omega = 294.979$$
$$Q^0 = 10\,018862^m, \quad M = 7421^m37$$

$$Q = 10\,001887^{m}, \quad G = 5701970$$
$$R = 6\,370990^{m}.$$

Den letzten in unserer Reihe, aber nicht
minder bedeutsamen Beitrag zur Bestimmung
des Sphäroids hat Ph. Fischer in seinen wichtigen »Untersuchungen über die Gestalt der Erde,
1868« geliefert. Der eingeschlagene Weg ist
dem bisher betretenen gegenüber gewissermassen
ein synthetischer, der mit dem Stadium, in welches unsere Frage erst gegenwärtig mit kaum
hinreichend klarem Bewusstsein überzugehen im
Begriff steht, auf's engste zusammenhängt. Wir
werden in den Schlussbemerkungen dieser kurzen Darlegung auf diesen Punkt umständlicher
zurückkommen und deuten hier nur kurz die
Hauptschritte an, durch welche Fischer zu den
numerischen Elementen seines Sphäroids gelangt.

Die Abplattungsziffer ω wird aus den um-
ständlich discutirten Ergebnissen der Pendelmessungen entnommen und für ihren Werth 288.5
angesetzt, indem unter den verschiedenen durch
Berechnung der bisherigen Pendelbeobachtungen
von Ed. Schmidt, Baily, Borenius und Paucker
gefundenen Abplattungen dem Paucker'schen Resultat der Vorzug gegeben wird. Ausser der
Ziffer ω, welche nur die Gestalt des gesuchten
Sphäroids feststellt, ist noch ein die Grösse desselben bestimmendes Element erforderlich, das
nur an der Hand der Gradmessungen gefunden
werden kann. Es wird hierzu die Englisch-
Französische Messung in ihrer jetzigen Ausdehnung von Formentera bis Saxavord gewählt, um
unter Benutzung der 6 französischen und 12,
aus den früher erwähnten 28 passend ausgewähl-
ten englischen Stationen durch Combination zu
zwei 31 Bogen, sämmtlich über 10 Grad Länge,

zu bilden. Diese Zahl hätte grösser ausfallen können, wenn die Französische Messung mehr astronomisch bestimmte Zwischenpunkte besässe, zudem musste auf Evaux verzichtet werden. Diese Bogen mit ihrer Mitte nur wenig von 45° lat. entfernt liefern für G Werthe, welche nach ihrer Grösse geordnet eine gegen die Mitte der Reihe grössere Frequenz kleinerer Differenzen zeigt, welche angenähert den Habitus von Beobachtungsfehlern[*]) bekunden. Diese Mitte stellt mit hinreichender Deutlichkeit den gesuchten Werth heraus, nämlich $G = 57017.8$ oder abgerundet $= 57018^T$.

Aus $\omega = 288.5$ und $G = 57018^T$ findet sich nun $a = 3\,272560^T$ und $b = 3\,261320^T$, oder

---

. [*]) Diese Differenzen sind ihrer Natur nach zum einen Theil Beobachtungsfehler, zum andern Theil Abweichungen die aus den im Meridian wirksamen Abweichungen der Amplituden erwachsen, welche selbst aus den Differenzen der betreffenden Polhöhen der Endpunkte jedes Bogens hervorgehen, sofern diese Polhöhen mit den localen Deflexionen der Lothlinie behaftet sind. — Den gesuchten Werth von G betreffend könnte man versuchsweise aus der (nach der Grösse geordneten) Reihe für die untergelegte Abplattungsziffer 288.5 einen mittleren Theil von Nummer 8 bis 28, in welchen G nur zwischen 16 und 20 variirt (hierunter den Zusatz zu 57000 im Betrag von G verstanden) herausheben. Unter diesen 21 sind 4 enthalten, Nummer 10, 15, 26 und 27, in deren Bogen die Mittelbreite sich über 5 Grad nördlich von 45° lat. entfernt. Die 17 übrigen geben im arithmetischen Mittel 17.60, die 21 (incl. der besagten vier) geben 17.68, alle 41 endlich 18.07, so dass sich auch auf diese Weise der von Fischer gewählte runde Werth 18.0 hinreichend rechtfertigt. Gleichwohl dürfte die in Zukunft genauer zu berücksichtigende Höhe der Meeresfläche über dem Sphäroid in der continentalen Region zwischen den Balearen und den Shetlands-Inseln diesen Werth noch um 8 bis 9 Toisen verringern.

$$a = 6\,378338^m3$$
$$b = 6\,356229.6 \qquad (19)\ \text{Fischer}$$
$$c = 22108.7 \qquad\qquad 1868$$
$$\omega = 288.50$$
$$Q^0 = 10\,019069^m7, \quad M = 7421^m53$$
$$Q = 10\,001713.7, \quad G = 57018^T0$$
$$R = 6\,370960^m.$$

Bevor wir eine Auslese aus den im Vorherigen besprochenen Gestalten des terrestrischen Sphäroids in übersichtlicher Zusammenstellung vorführen, möge in letzter Stelle dieser Reihe noch diejenige Gestalt des Sphäroids einen Platz finden, welche wir in bloss conjectureller Weise als »Typus« zur Vergleichung der zeitherigen wie der künftigen Sphäroidformen empfehlen möchten — selbst auf die Gefahr hin, dass der erste Eindruck eines als Bild der regelmässigen allgemeinen Gestalt der Erde aufgestellten Rotationsellipsoides, welches zwar weniger in seiner Form, viel mehr dagegen in seiner Grösse von den seit etwa vierzig Jahren durch sorgsame Rechnungen ermittelten Sphäroiden so wesentlich abweicht, gegenwärtig noch erhebliche Bedenken hervorrufen sollte.

Wir stellen für dieses typische Sphäroid folgende Elemente auf:

$$a = 6\,377365^m0$$
$$b = 6\,355298.0 \qquad\qquad (20)$$
$$c = 22067.0$$

$$Q^0 = 10\,017542^m, \quad M = 7420^m40$$
$$Q = 10\,000218, \quad G = 57009^T47$$
$$R = 6\,370000^m.$$

dem

geometrischen Mittel der drei Halbaxen, gegen
das Bessel'sche Ellipsoid (5) um $\dfrac{1}{22509}$ gegen

das Clarke'sche (10) um $\dfrac{1}{6009}$, gegen das Clarke'-

sche (18) um $\dfrac{1}{6434}$, und gegen das von Fischer

(19) um $\dfrac{1}{6635}$ in Minus ab.

In der nachstehenden Uebersicht stellen wir
eine Anzahl der wichtigeren Bestimmungen des
Erd-Sphäroids zusammen, wobei wir aus unserer im Bisherigen enthaltenen Aufzählung die
von Everest (6), die beiden von Schubert (11)
und (14), sowie die vier von Clarke (7), (9), (12)
und (17) aus Gründen, die aus dem Bisherigen
unschwer zu entnehmen sind, füglich übergehen
können.

Kürze halber führen wir ausser den beiden
Halbaxen a und b der Sphäroide und der Abplattungsziffer ω nur die lineare Abplattung $c =$
$a - b$, den mittleren Radius $R = \sqrt[3]{(aab)}$, den
Werth M der geographischen Meile, sowie den
in Toisen gemessenen 90ten Theil G des Meridianquadranten Q auf.

Uebersicht der wichtigeren seitherigen Bestimmungen des Erd-Sphäroids.

	a	b	c	ω	R	M	G
1800 Delambre (1)	6 375653ᵐ	6 356564ᵐ	19089ᵐ	334	6 369284ᵐ	7418ᵐ51	57008ᵀ28
1819 Walbeck (2)	6 376896	6 355838.	21062	302.781	6 369868	7419.85	57009.75
1830 Schmidt (3)	6 376945.4	6 355520.9	21424.5	297.648	6 369796	7419.91	57008.58
1830 Airy (4)	6 377490.5	6 356184.3	21306.0	299.83	6 370380	7420.56	57018.78
1841 Bessel (5)	6 377897.16	6 356078.96	21318.20	299.153	6 370283	7420.44	57013.11
1856 Clarke (8)	6 877935.8	6 356521.0	21413.8	297.72	6 370790	7421.06	57017.5
1858 Clarke (10)	6 378293.7	6 356618.0	21675.7	294.26	6 371060	7421.49	57019.8
1861 Clarke (18)	6 378253.6	6 356614.4	21639.2	294.754	6 371082	7421.43	57018.97
1868 Clarke (15)	6 378288.2	6 356620.1	21668.1	294.86	6 371057	7421.47	57019.1
1868 Pratt (16)	6 378245.2	6 356648.8	21601.9	295.26	6 371086	7421.42	57018.5
1866 Clarke (18)	6 378206.4	6 356583.8	21622.6	294.979	6 370990	7421.87	57019.0
1866 Fischer (19)	6 378388.8	6 356229.6	22108.7	288.50	6 370960	7421.53	57018.00
1872 (L.) (20)	(6 877865.0)	(6 355298.0)	(22067.0)	(289.00)	(6 870000)	(7420.40)	(57009.47)

Ein Blick auf diese Ziffern genügt wahrzu-
nehmen, wie wir im Verlauf unserer Kenntniss
der Gestalt und Grösse des Erdkörpers binnen
etwa 60 Jahren im Ganzen der Erde allmälig
eine stärkere Abplattung und allmälig grössere
Dimensionen beimassen.

Die Abplattung betreffend, so dürfen wir für
1810 etwa die von Delambre (Base du Syst.
Métr. III. p. 286) berechnete Ziffer 308.6 annehmen, welche, wie bereits früher gelegentlich
erwähnt, seitdem in Frankreich und einigen andern Ländern officielle Aufnahme gefunden, während die obige für 1800 angeführte Zahl 334,
welche schon damals als zu gross galt, nur durch
ihre Verknüpfung mit demjenigen Sphäroid, aus
dessen Meridian das Meter abgeleitet worden,
eine gewisse Geltung behält. Andererseits kann
aus den Clarke'schen Bestimmungen (13) und
(15) für 1862 etwa die Ziffer 294.5 entnommen
werden, wonach in der That binnen einem halben Jahrhundert ω um 14 Einheiten abgenommen, und somit die Abplattung nahe 5 Procent
zugenommen, sofern die Abplattungen für die
Ziffern 308.6, 294.5 und 189.0 sich verhalten
wie 93.5 : 98.1 : 100. Der Ziffer 334 würde hiernach 86.5 entsprechen, und die volle Aenderung
zwischen den auf 1800 und 1870 fallenden Extremen würde somit in ω sich auf 45 Einheiten, in der Abplattung auf 14 Procent herausstellen.

Die Grösse des Erdkörpers aber, wie sich
aus den allmälig steigenden Werthen von R ergibt, hat gleichzeitig einen erheblichen Zuwachs
erfahren. Der mittlere Radius hat von Beginn
des Jahrhunderts bis zum Jahre 1860 etwa $1\frac{1}{4}$
Kilometer zugenommen, also nahe um den 3600ten
Theil, welches einer Volumvergrösserung um

$\dfrac{1}{1200}$ des Ganzen, d. i. mindestens $2\frac{1}{3}$ Millionen Cubik-Meilen entspricht*). Was die beiden Halbaxen a und b betrifft, so zeigen sie wegen der gleichzeitigen Zunahme von Grösse und Abplattung wesentlich ungleiche Veränderungen. Man darf den Zuwachs von a binnen 50 Jahren auf rund 2 Kilometer, von b auf 425 Meter, jenen also auf den 3190ten Theil des Ganzen, diesen auf den 15000ten Theil schätzen. In den vier Bestimmungen (10), (13), (15), (16) aus der Zeit 1858 bis 1863 gibt sich eine Art stationären Werthes von a, b, ω und R zu erkennen, der sich auch in c sowohl als in M und G kund gibt, und von hier ab stellen die beiden neueren (18), (19) den Beginn einer Umkehr dar, die sich indess nur auf die Veränderung der Grösse des Sphäroids erstreckt, welche eine geringe Abnahme erfährt. Die Abplattung aber, bei (18) noch wesentlich dem vorigen Stadium angehörig, setzt bei (19) die zeitherige Zunahme und zwar um einen grossen Schritt fort. Die Wirkung hiervon auf a und b ist nunmehr, dass beide in (18) ebenmässig eine geringe Abnahme, in (19) dagegen entgegengesetzte Veränderungen erfahren, indem a wiederum ein Geringes zu-

---

*) Die Wassermasse, welche durch Ebbe und Fluth binnen 24 Stunden von Ost nach West um die Erde durch alle Meridiane bewegt wird, kann auf 850 Cubik-Meilen veranschlagt werden, ein Volumen, welches man überraschend gross finden mag in Betracht der Kleinheit der Ursache, welche die Bewegung hervorbringt. Und doch wäre dies Quantum erst der 6300te Theil jener $2\frac{1}{3}$ Millionen Cubikmeilen. Eine Wassermenge von diesem Volumen als gleichförmig bedeckende Schicht zur Erde hinzugefügt, würde Berge von der Höhe etwa des Rigi unter Wasser setzen.

nimmt, b dagegen eine desto erheblichere Verringerung erleidet.

Fast möchte man sich bei diesem Stand der Dinge zu der Frage aufgefordert fühlen: hat sich die Erde in diesem kurzen Zeitraum, in welchem wir ihre Gestalt und Grösse mit allmälig vollkommneren Mitteln zu erforschen uns bemüht haben, vielleicht physisch in ähnlichem Sinne verändert? Und dennoch möchte heutzutage schwerlich Jemand wagen, die wenn auch an sich berechtigte Frage zu bejahen; vielmehr müssen wir aus den Wandlungen in den numerischen Ausdrücken für die regelmässige allgemeine Form des Erdkörpers entnehmen, dass unsere Feststellungen leider noch der angestrebten Sicherheit[*]) ermangeln und des Vertrauens

---

*) Hält man sich aus der Zeit von 1840 bis 1870 an die Bestimmungen (5) von Bessel, (10) und (18) von Clarke, nebst (19) von Fischer, so stellt sich in Bezug lediglich auf die Grösse des Sphäroids der Durchschnitt von R auf $6\,370823^m$ und die wahrscheinliche Unsicherheit in dieser Bestimmung (nämlich die mit 0.6745 multiplicirte Quadratwurzel aus der durch 3 dividirten Summe der Quadrate der 4 Abweichungen von dem Mittel) auf $\pm\,242^m$, während der Calcül bei einzelnen Bestimmungen z. B. von (5) $\pm\,214^m$, von (9) $\pm\,104^m$, von (10) $\pm\,61^m$ ergeben hatte. Wie labil aber diese Abwägungen je nach der Wahl der dabei zu Rath gezogenen Sphäroide sind, kann daraus abgenommen werden, dass unter Benutzung der 8 Ellipsoide (5), (8), (10), (13), (15), (16), (18), (19) statt der vorigen 4 die wahrscheinliche Unsicherheit sich zwar auf $\pm\,178^m$, das Mittel dagegen auf $6\,370901^m$, also um 78^m höher stellt. Und im Hinblick auf den von uns aufgestellten Typus (20) dürfen wir kaum behaupten, den mittleren Halbmesser der Erde bis auf den 7000ten Theil, d. h. bis auf etwa 910^m genau zu kennen! Die Aenderung von R um 1 Meter ändert die Erdoberfläche um 2,9 Quadratmeilen (etwa die Grösse des Fürstenthums Liechtenstein). Die Unsicherheit in unserer Kenntniss des Areals der Oberfläche der Erde

entbehren, welches wir einzelnen aus der Reihe
dieser Bestimmungen mitunter geraume Zeit hindurch geschenkt haben.

Die zeither vorzugsweise auf diese Ermitte-
lungen angewandte Methode der kleinsten Quadrate hat die Discordanzen zwischen Polhöhen
oder Amplituden, wie sie auf der Meeres- oder
Geoidfläche gemessen und für das Ellipsoid berechnet wurden, nach Art blosser Beobachtungsfehler behandelt und durch das Ausgleichungs-
geschäft Anomalien in der Richtung der Schwere
von wesentlich physischer Natur häufig auf unbedeutende Beträge herabgemindert. Jetzt wo
für die Einsicht in die Bedeutsamkeit der freilich längst als vorhanden erkannten Localab-
lenkungen der Lothlinie, namentlich durch die
Arbeiten von Pratt und durch Fischer's kritische Untersuchung, neue Grundlagen erworben
sind, ist es an der Zeit, jene Discordanzen als
in die Kategorie constanter Fehler fallend zu
betrachten, über welche die Methode der kleinsten Quadrate nicht verfügen kann, während sie
hinsichtlich der daneben übrigbleibenden unver-
meidlichen Beobachtungsfehler ihre volle An-
wendbarkeit behält. Die Untersuchung muss in
dem neuen Stadium, zu welchem unsere Frage
gediehen, neue Wege betreten.

Die geoidische oder Meeresfläche ist es, welcher die Messungen auf der Erde folgen, in dem
wir sie, wie auch die Pendelmessungen, auf dieselbe beziehen oder zurückführen; auf ihr also
fussen zunächst die aus den Messungen hervorgehenden Daten. Aus diesen Daten soll nun
das regelmässige Sphäroid hergeleitet werden,

---

beläuft sich zur Zeit noch auf den fünffachen Flächenin-
halt der Insel Sicilien.

welches sich am genauesten der geoidischen Fläche anschliesst. Die Unregelmässigkeiten des
Geoids, durch welche dasselbe in kleinen sowohl
als weitausgedehnten Erstreckungen von einer
Ellipsoidfläche in wellenförmigen Erhöhungen
und Einsenkungen abweicht, erschweren diesen
Uebergang zu dem gesuchten Sphäroid dadurch,
dass man dabei von den Besonderheiten jener
Ungleichförmigkeiten in den Gegenden der Erde
abhängig ist, in welchen die Messungen angestellt sind. Zur Erfüllung der idealen Forderung, ein Rotationsellipsoid zu finden der Art,
dass

> erstens die geoidischen Erhöhungen über
> und die Vertiefungen unter die El-
> lipsoidfläche gleiche Beträge, oder
> dass Sphäroid und Geoid gleiches
> Volumen erhalten, und dass
>
> zweitens die Summe der Beträge von Er-
> höhungen und Vertiefungen ein Mi-
> nimum sei

werden unsere Messungen wie bisher so auch
noch in sehr fernen Zeiten unzureichend sein.
Nichts desto weniger wird es sich empfehlen,
diese Forderung, deren erster Theil sich auf die
Grösse des Sphäroids, und zweiter Theil auf
dessen Abplattung bezieht, in Zukunft im Auge
zu behalten, um ihr mit derjenigen Annäherung
zu genügen, welche die jeweiligen Hülfsmittel
und Methoden ermöglichen werden.

So weit wir gegenwärtig die Abweichungen
des Geoids von dem regelmässigen Sphäroid in
ihren allgemeinen Zügen über die Gesammtober-
fläche der Erde mit ihren continentalen Erhebungen und oceanischen Eintiefungen*) zu über-

---

*) Man wird sich den Verlauf des Geoids über und

blicken vermögen, kann vorerst nur ein roher
Ueberschlag ihres Betrags versucht werden.

Rechnen wir von 33 Arealtheilen der ganzen
Erdoberfläche 8 auf die gesammten Continente
einschliesslich nahe liegender grösserer Inseln
und 25 auf die oceanische Fläche sammt kleineren Inseln und legen in Gedanken ein erstes (li-
torales) Sphäroid so, dass es möglichst nahe die
gesammte Meeresküste der Continente enthält,
so dürfte das Geoid im Grossen und Ganzen auf
dem continentalen Areal eine Erhöhung über,

---

unter dem Ellipsoid z. B. in einem bestimmten Meridian
durch eine langgestreckte Curve versinnlichen, welche
den durch eine horizontale gerade Linie dargestellten
Meridian begleitet. Die Erhebungen des Geoids stellen
sich alsdann durch Convexitäten, die Eintiefungen aber
durch Concavitäten dar. Es mag nicht überflüssig sein,
hervorzuheben, dass auf dem elliptischen Meridian und
überhaupt in jedem Azimut das, was wir bisher Vertiefung oder Einsenkung genannt, nur Strecken des Geoids
sind, bei welchen die convexe Krümmung vermindert ist,
ohne in Concavität überzugehen. Ich bezweifle ob die
Amplitude eines wenn auch ganz kurzen Bogens auf der
Geoidfläche sich irgendwo auf der Erde negativ herausstellen mag. Selbst an der Westküste von Südamerika
dürfte sich schwerlich eine Strecke von 100^m finden, wo
der Unterschied der west-östlichen Ablenkungen im Sinne
der Amplitud-Verminderung über 8"2 hinausgeht. Auch
ist der merkwürdige 2 Meilen südlich von Moskau wahr-
genommene Fall noch weit entfernt negative Amplituden
zu ergeben. Wir haben uns also die Meeresfläche trotz
ihres beschleunigten Ansteigens gegen die Continental-
küsten und ebenso ihre geoidische Fortsetzung unter den
Continenten ausnahmslos convex vorzustellen. Einen nicht
unähnlichen, nur viel einfacheren und regelmässigen Fall
bietet die trochoidische Mondbahn dar, in welcher unser
Satellit die Erde auf ihrer elliptischen Bahn um die Sonne
begleitet, indem die nähere Untersuchung zeigt, dass diese
Trochoide durchweg gegen die Sonne concav ist und nur
in der Nähe des Neumondes schwächer, in der Nähe des
Vollmondes stärker gekrümmt als die Erdbahn.

auf dem oceanischen Areal eine Vertiefung unter diesem Litoral-Niveau besitzen. Die Erhebung folgt in gewissermassen verjüngtem Massstabe dem Relief des Festlandes, die Eintiefung
in ähnlicher Weise der Gestaltung des Meeres-
bodens, jene wahrscheinlich mit merklicheren
Unregelmässigkeiten als diese. Die Höhe der
Erhebungen mag sich auf Continenten mit hohen Gebirgsmassen, wie Centralasien und das
tropische America, mit einem Relief bis 7 und
8tausend Meter über der Geoidfläche, leicht auf
5 bis 6 hundert Meter über dem litoralen Sphäroid erstrecken, und die Tiefe der Einsenkung
an ausgedehnten, weit vom Continent entlegenen
Theilen der Oceane gleichfalls auf 500 Meter
reichen. Um nun eine wenn auch noch so rohe
Vorstellung von dem Rauminhalte der Erhöhung
und Vertiefung zu gewinnen, nehmen wir die
mittlere Höhe der Erhöhung über den 8 Flächen-
theilen der Continente zu etwa 100^m, die mittlere Tiefe der Einsenkung über den 25 Theilen
des Meeres zu etwa 400^m an, so dass wir für die
Volumina die cubischen Beträge von 800 über,
10000 unter dem Küstenniveau erhalten. Sollen
nun diese Beträge, die sich wie $1:12\frac{1}{2}$ verhalten, für das Erdsphäroid gleich ausfallen, so
müssen wir dasselbe um eine gewisse Strecke x
tiefer legen als das Küstenniveau, so dass die
Scheidelinie zwischen Erhöhung und Eintiefung
von den Küsten meerwärts 10 bis 20 Grade verlegt wird. Rechnen wir 2 Arealtheile auf die
Gesammtfläche, welche als ein in seiner Breite
wechselndes Band die Continente umsäumend
zwischen der Meeresküste und der Durchschnitts-
linie des Geoids mit dem Sphäroid auf der Ein-
tiefungsböschung der Meeresfläche enthalten ist,
so ergibt sich aus den Zahlen $800 + 9x$ für die

Erhöhung und 10000 — 24x für die Vertiefung, indem wir sie gleich setzen, $x=279^m$ oder rund 280^m und somit für den cubischen Werth sowohl von Erhöhung als von Eintiefung rund 3300. Den 33ten Theil der Erdoberfläche zu 280600 Quadrat-Meilen gerechnet, wird der Werth der vorhin gebrauchten Einheiten 37,8 Cubik-Meilen, so dass sich das Volum der Gesammt-Erhöhung des Geoids über die Sphäroidfläche, wie der Eintiefung oceanischer Flächen unter das Sphäroid, $=$ 124740 Cubik-Meilen ergibt, welches dem Rauminhalt eines Würfels von 50 geogr. Meilen Seite nahe kommt, und $\dfrac{1}{21244}$ des Rauminhalts der Erde (rund zu 2650 Millionen Cubik-Meilen gerechnet) entspricht. Das Bergrelief würde nach dieser ganz rohen und rundzahligen Abschätzung bis auf 9000 Meter über, die Eintiefung der Meeresfläche auf 220 Meter und der Meeresboden auf etwa 5000, stellenweise auf 10000 Meter unter die Sphäroidfläche reichen, und somit die auf die regelmässige Oberfläche der Erde bezogenen Relief-Unterschiede des Festen der linearen Abplattung c des Ellipsoids selbst (bis zu etwa $\frac{1}{12}$) nahe kommen.

So unvollkommen auch vorerst dieser Versuch sein mag, so reicht er doch hin, unsere frühere übliche Meinung von den kleinen wellenförmigen Abweichungen der mathematischen Oberfläche von der Sphäroidfläche dahin zu modificiren, dass es sich hierbei um weit grössere Beträge *) handelt, als man bisher geglaubt.

---

*) Diese Beträge würden sich leicht noch bedeutend grösser herausgestellt haben, wenn man die mitunter 50 bis 100 Procent höheren Zahlen von Fischer angewendet

92

Die Gradmessungen, sofern sie nur auf dem Continente ausführbar, gehören mehr oder weniger prominenten Theilen der Continental-Erhöhungen an und dieser Umstand wird zu einer Vergrösserung der Dimensionen des Sphäroids desto mehr beitragen, je mehr hochgelegene Messungen oder Bogentheile derselben nach und nach in die Berechnung des Sphäroids aufgenommen werden. Namentlich ist in dieser Richtung die grosse Indische Messung wirksam gewesen. Zur Verkleinerung der Abplattung scheint nicht zum geringen Theil die Peruanische Messung beigetragen zu haben, deren Meeresfläche vielleicht 600 bis 700^m über dem wahren Sphäroid gelegen, abgesehen von dem Einfluss der Ablenkung auf die Amplitude, eine Vergrösserung der Bogenlänge unter dem Aequator bewirkte, welche erst später durch das Hinzukommen anderer Messungen mehr und mehr redressirt wurde. Einen ähnlichen Einfluss übte wiederum die Indische Messung deren nördliche Bogen zum Theil eine Amplitud-Verminderung durch Local-Ablenkung erleiden. Offenbar aber machen sich diese Verhältnisse in der zum Theil grossen Verschiedenheit der Ellipsoide geltend, welche aus verschiedenen Combinationen zweier Gradmessungen oder zweier

---

hätte. Bei einer vorläufig auf so precären Grundlagen zu versuchenden Bestimmung der Körperräume der Erhebungs- und Vertiefungswellen glaubte ich möglichst gemässigte Ziffern unterlegen zu müssen. — Ob der nach vorliegendem Ueberschlag auf rund $\frac{1}{10600}$ des Körperinhalts der Erde sich belaufende Betrag, welcher im zweiten Theil der obigen Forderung in Betracht kommt, den künftigen genaueren Feststellungen als Minimum genügen werde, entzieht sich gegenwärtig noch ganz der Beurtheilung.

Stücke einer Messung hervorgehen, wovon die oben besprochenen Berechnungen sowohl von Everest als von Schubert sprechende Beispiele geliefert haben.

Unseres Erachtens müssen künftig die Ablenkungen der Lothlinie, soweit sie aus sichtbaren Ursachen hervorgehen, durch topographische Erforschung des continentalen Reliefs, durch geologische Ermittelung der Dichtigkeit seiner Bestandtheile und durch planmässige Sondirung der Oceane, nach den bereits schon angewandten, erfolgverheissenden Methoden der Berechnung numerisch ermittelt werden. Aus den gewonnenen Ablenkungen sind genäherte Bestimmungen der Höhe des Geoids über dem Sphäroid abzuleiten. Die meridionale Componente der Ablenkungen ist als Correction der beobachteten Polhöhen, die Höhendifferenz zwischen Geoid und Ellipsoid zur Reduction der bereits auf die Meeresfläche reducirten Bogenlängen auf das Ellipsoid zu verwenden. Jene Correction der Polhöhen und somit der Amplituden, sowie diese Reduction der Bogenlänge können vorerst nur unter Benutzung eines provisorischen plausibelen Sphäroids effectuirt werden. Durch Behandlung der so gewonnenen Daten in bisheriger Weise nach der Methode der kleinsten Quadrate findet man ein verbessertes Ellipsoid, mit welchem jene Operationen zu widerholen sind, um eine neue Verbesserung in zweiter Approximation zu gewinnen. Und so wird man sich schrittweise durch successive Approximationen dem finalen Ellipsoid allmälig nähern.

Daneben ist, wie dies bereits von Fischer in vollem Masse geschehen, die Wiederaufnahme der Pendelmessungen oder überhaupt solcher

Versuche*), welche auf Messung der Intensität
der Schwere gerichtet sind, dringend zu empfehlen, weil ohne sie nahe ½ der Erdoberfläche in
Betreff der Abplattung würden unbefragt bleiben. Die oben besprochene allmälige Verstär-
kung der Abplattung, welche sich in unserer
seitherigen Reihe gewonnener Sphäroidgestalten
kund gegeben, ist nicht wenig geeignet, den
Pendelmessungen die Gunst wieder zuzuwenden,
die man ihnen früher geraume Zeit hindurch
unverdienterweise entzogen. Auch ist in dem
Sphäroid (19) der Werth der Abplattung, wie
oben hervorgehoben, lediglich den mit dem Pendel gewonnenen Erfahrungen entnommen.

Dem angedeuteten, im Vergleich zu dem
bisherigen Rechnungsmodus allerdings dornen-
vollen Wege wird sich anfänglich erst langsam
der Beifall zuwenden, dessen er bedarf, um zu
neuen Erfolgen zu führen. Man darf sich nicht
verhehlen, dass eine Art Fusion der sehr genauen Daten heutiger Gradmessungen mit den
ihrer Natur nach gewissermassen precären Werthen der Ablenkungen Bedenken hervorrufen
wird, deren Ueberwindung durch fehlschlagende
Erfolge sehr in Frage gestellt werden dürften.
Jedenfalls wird eine richtigere Würdigung der
mehr physischen Bedeutung der Geoidfläche und
ihrer erheblichen Verschiedenheit von dem idealen Sphäroid mehr und mehr Platz greifen müssen, wenn die zeitherigen und die künftig neu

---

*) Der Gedanke J. W. Herschel's, die Schwere durch
eine Federwage zu messen (Outlines of Astronomy, 1849.
art. 284) verdient nicht unbeachtet zu bleiben. Die Anwendung dieses Princips würde mit entschiedenen Vor-
theilen lohnen, sobald es dahin gebracht werden könnte,
hinsichtlich der Genauigkeit mit den Pendelmessungen
gleichen Rang zu erreichen.

hinzukommenden Breitengradmessungen so wie
Messungen von Längengraden und Triangulatio-
nen über ausgedehnte Areale, wie namentlich
die vielversprechende Europäische Vermessung
von Portugal bis zum Ural, zu einer von Täu-
schung freien Deduction des Ellipsoides aus den
zunächst dem Geoid angehörigen Beobachtungen
nutzbar werden sollen. Aus dem richtigen Ueberblick über diese vitalen Verhältnisse werden
die geeigneten Methoden der Berechnung von
selbst ihre Formulirung finden. Missverhältnisse,
wie sie sich nach bisheriger Anschauungsweise
in singulären Fällen *) öfter darboten, werden auf
dem neu betretenen Wege der Untersuchung
nicht als unwillkommene Abnormitäten bei Seite
geschoben werden, sondern vielmehr als wesentliche Beihülfe in der Ausmittelung geoidischer
Unregelmässigkeiten ihre Verwendung finden.
Ist ja, wie bereits früher erwähnt, das Sphäroid
nicht das letzte Object der geometrischen Untersuchungen des Erdkörpers, sondern das Geoid
mit seinen verwickelten Gestaltungen vorerst in
allgemeinen Zügen und nachgehends bis in die
localen Einzelnheiten.

---

*) Wir erinnern an die Station Evaux der Französi-
schen Gradmessung, welche wegen ihrer, je nach den
zum Grunde gelegten Sphäroid 6″ bis 8″ betragenden
Abweichung der Polhöhe bei neuern Berechnungen ausser
Acht gelassen wird. Aehnlich verhält es sich mit dem
englischen Dreieckspunkte Cowbythe, welcher eine De-
flexion von 9″ bis 10″ ergibt (Principal Triangulation
P. 662, 698, 699, 704, 710, 711, 713). Noch einen Fall
der Art bietet der Brocken dar (Gauss' Breitenunterschied
S. 72), durch dessen auffallende südliche Ablenkung die
Amplitude von 1¼ Grad bis Altona eine Verringerung um
nahe 16 Secunden, die Amplitude von ¼ Grad bis Göttingen eine Vergrösserung um nahe 10 Secunden erleidet.

Für das oben vorgeschlagene typische Sphäroid (20) wurden möglichst plausibele, zugleich
aber rund- oder ganzzahlige Elemente gewählt,
für die Abplattung die den Pendelmessungen
vorzugsweise Rechnung tragende Ziffer 289 und
für den mittleren Radius R die runde Zahl
6370000ᵐ, auf welche mehrfache Reductionen
nach Art obiger Ueberschläge der Continental-
erhöhungen des Geoids so nahe hinführten, dass
dadurch ihre Wahl indicirt war. Die scharfen
Zahlen 6377365.00566, 6355297.99872 und
22067.00694 für a, b und c, welchen die ganzzahligen Werthe in unserem Typus (20) innerhalb 7 Millimeter nahe liegen, entsprechen der
runden Zahl für R hinreichend genau. Die Zukunft wird lehren, ob dieser Werth von R, welcher angesichts der seit 30 bis 40 Jahren aufgestellten Sphäroidformen entschieden zu klein
scheinen dürfte, der Wahrheit hinreichend nahe
komme, oder ob er nicht vielmehr gleichfalls
noch zu gross sei.

Um nun schliesslich noch einmal auf den im
Eingange zur Sprache gebrachten sogenannten
Fehler des Meters, .sofern es der anfänglichen
Meinung nach dem vierzigmillionten Theil des
Meridiauumfangs der Erde gleichkommen sollte,
zurückzublicken, so geben die für die besprochenen Sphäroide im Bisherigen mitgetheilten
Werthe von Q Auskunft über die jeweiligen
Werthe des idealen Meters ausgedrückt in wirklichen Metern oder in $\dfrac{443296}{864000}$ der Toise du Pérou. Der Ueberschuss des 10000ten Theils von
Q über 1000 stellt in Millimeter-Decimalen den
sog. Fehler des Meters dar, um welchen das
wirkliche Meter k l e i n e r ist als der 10millionte

Theil des Meridianquadranten des terrestrischen Sphäroids.

Delambre selbst gelangt bereits 1810[*]) nach Vollendung der Französischen Gradmessung bis Formentera zu folgenden Werthen des 10millionten Theils von Q in par. Linien, abgeleitet aus

Montjouy, Barcelona, Greenwich 443.3255
Montjouy, Barcelona, Dünkirchen 443.328
Formentera, Greenwich (51° 28′ 39″5) 443.31788
Formentera, Greenwich (51 28 40. 0) 443.31188

welche er in dem Mittel 443.322 zusammenfasst, wonach sich schon damals das Meter als um 0.0587 Millimeter zu klein herausstellte.

Das Platin-Meter der Pariser Archive stellt das gesetzliche Meter dar, wenn es sich in der Temperatur 0° befindet. Aus dem für Platin von Borda bestimmten Ausdehnungs-Coefficienten 0.00000856457 für 1° der hunderttheiligen Scale lässt sich die Temperatur t ableiten, bei welcher das Platin-Meter ein gegebenes ideales Meter darstellt, dessen Ueberschuss über das gesetzliche Meter q Millimeter beträgt, wie dies bereits von Delambre für die zweite der angeführten Bestimmungen[**]) geschehen, wo $q =$ 0.07233 Millim. und somit $t = 8°445$ C. Die fragliche Temperatur t findet sich durch Division von q durch 0.00856457.

Den vermeintlichen Fehler des Meters auch für Diejenigen, welche geneigt sind auf diesen Punkt noch immer Gewicht zu legen, zu veran-

---

[*]) Base du Syst. Métr. III. p. 299 und: avertissement p. 9.
[**]) Base du Syst. Métr. III. p. 186.

schaulichen ist in nachstehender Uebersicht dieser Fehler ausser in Millim. auch in Haarbreiten aufgeführt, die mittlere Dicke eines Menschenhaares *) zu $\frac{1}{15}$ Millimeter angenommen. Hinzugefügt ist die Temperatur t in Graden Celsius, bei welcher das Original-Platinmeter dem jeweiligen idealen Meter (oder dem 10millionten Theil von Q) gleichkommen würde.

Der sogenannte Fehler des Meters beträgt

			Millim.	Haar-breiten.	t
1800	Delambre	(1)	0.0000	0.00	0⁰ C.
1810	Delambre		0.0587	0.88	6.85
1819	Walbeck	(2)	0.0268	0.40	3.13
1830	Schmidt	(3)	0.0061	0.09	0.71
1830	Airy	(4)	0.0976	1.46	11.39
1841	Bessel	(5)	0.0856	1.28	9.99
1856	Clarke	(8)	0.1620	2.43	18.91
1858	Clarke	(10)	0.1984	2.98	23.17
1861	Clarke	(13)	0.1949	2.92	22.75
1863	Clarke	(15)	0.1902	2.85	22.21
1863	Pratt	(16)	0.1924	2.89	22.46
1866	Clarke	(18)	0.1887	2.83	22.03
1868	Fischer	(19)	0.1714	2.57	20.05
1872	(L.)	(20)	0.0218	0.33	2.51

*) Vgl. Bessel's popul. Vorles. S. 322.

Göttingen im December 1872.

Verzeichniss der bei der Königl. Gesellschaft der Wissenschaften eingegangenen Druckschriften.

November 1872.

(Fortsetzung.)

Monatsbericht der königl. preuss. Akad. der Wiss. zu Berlin. Juli 1872. Berlin 1872. 8.

Abhandlungen der königl. preuss. Akad. der Wiss. zu Berlin. 1871. Ebd. 1872. 4.

Bulletin de l'Académie R. des Sciences etc. de Belgique. 41e année, 2e serie, tome 34. No. 9 et 10. Bruxelles. 1872. 8.

F. A. T. Winnecke, Bestimmung der Parallaxe des zweiten Angelander'schen Sternes aus Messungen am Heliometer der Sternwarte zu Bonn in den Jahren 1857—1858. Publication der Astron. Gesellsch. XI. Leipzig 1872. 4.

Dr. A. Weller, Grundzüge einer neuen Störungstheorie und deren Anwendung auf die Theorie des Mondes. Publication der Astron. Gesellsch. XII. Ebd. 1872. 4.

II. Jahresbericht der Akademischen Lesehalle in Wien über das Vereinsjahr 1872. Wien 1872. 8.

Annales de l'Observatoire R. de Bruxelles. (Bogen 10).

A. Scacchi, contribuzioni mineralogiche. Napoli. 1872. 4.

— notizie preliminari di alcune specie mineralogiche. 4.

— sulla origine della cenere vulcanica. 4.

— cristalli di alcuni composti di Toluene. Ebd. 1870. 4.

Annalen des physikalischen Centralobservatoriums, herausg. von H. Wild. Jahrg. 1870. St. Petersburg 1872. 4.

War Department. Three copies of Tri-daily Weather Map. Three copies of Tri-daily Bulletin.

Abhandlungen der mathem.-physikal. Classe der königl. bayer. Akad. der Wiss. Bd. XI. Abth. 1. München 1871. 4.

Abhandlungen der philosoph.-philolog. Classe. Bd. XII. Abth. 3. Ebd. 1871. 4.

Annalen der Sterwarte. Suppl. XII. Ebd. 1872. 8.

Festreden von Erlenmeyer und Friedrich. Ebd. 1871. 72. 4.

Nederlandsch kruidkundig Archief. Verslagen en Mededeelingen der Nederlandsche Botanische Vereeniging. Tweede serie. 1e deel. 2e stuk. Nijmegen. 1872. 8.

Carte géologique de la Suède. Livr. 42—45.
Coupe géognostique de la châine centrale de la Scan-
dinavie par A. E. Tômebohm.
Die Einweihung der Strassburger Universität am 1. Mai
1872. Strassburg 1872. 8.
Zur Geschichte der Universität Strassburg. Ebd. 1872. 8.
Statut der königl. sächsischen Bergakademie zu Freiberg. 4.
Special-Regulative der königl. sächs. Bergakademie zu
Freiberg. 8.

December 1872.

Nature. 162. 163. 164.
Mémoires de la Société de Physique et d'Histoire naturelle
de Genéve. J. XXI. Seconde partie. Paris et Bale.
1872. 4.
Annals of the Lyceum of Natural History of New York.
Vol. IX. December 1870. No. 13. Vol. X. February,
March 1871. Nos. 1—3. July-November 1871. Nos. 4—5.
March-May 1872. Nos. 6—7. New-York 1870—72. 8.
Proceedings of the Lyceum of Natural History of New-
York. Vol. I.
Acta Universitatis Lundensis. 1869—70. Lund. 1869—71. 4.
Verhandlingen der Kon. Akademie van Wetenschappen.
Afdeeling Letterkunde. Deel VII. Amsterdam 1872. 4.
Verslagen en Mededelingen der Kon. Akademie. Afdee-
ling Natuurkunde. 2e Reeks. Deel VI. Afd. Letter-
kunde. 2e Reeks. Deel II. Ebd. 1872. 8.
Jaarboek 1871. Amsterdam. 8.
Petri Esseiva ad Junenem satira. Ebd. 1872. 8.
Processen-Verbaal. 1871—72.
W. Wright, fragments of the Curetonian Gospels.
London. 4.
— a specimen of a Syriac translation of the Kaliseh
Wa-Dimnah. Ebd. 8.
Dr. Augustus Dillmann, veteris Testamenti Aethiopici.
Lipsiae. 1871. 4.
Kleine Schriften der Naturf. Gesellsch. in Emden. XVI.
Die Winde in ihrer Beziehung zur Salubrität u. Mor-
bilität, von Prof. Dr. Prestel. Emden 1872. 8.
Bulletin de l'Acad. R. des Sciences, des Lettres et des
Beaux-Arts de Belgique. 41e année, 2e série, t. 34.
No. 11. Bruxelles. 1872. 8.
Luigi Cremona, commemorazione di Alfredo Clebsch.

(Fortsetzung folgt.)

Nachrichten

von der Königl. Gesellschaft der Wissenschaften und der G. A. Universität zu
Göttingen.

12. Februar.   № 4.   1873.

Königliche Gesellschaft der Wissenschaften.

Sitzung am 1. Februar.

Wieseler, Beiträge zur Symbolik der Griechen und
Römer.
Wöhler legt eine Mittheilung der Hrn. Dr. Tollens
und Wagner, über ein Parabansäurehydrat vor, desgl.
eine Notiz von Tollens, über Schwefelreaction vorm
Löthrohr.
Stern, Mittheilung der Hrn. Dr. Nöther und Prof.
Brill.
Claus, Mittheilung des Hrn. Prof. Dr. Grenacher in
Münden, »zur Entwicklungsgeschichte und Morphologie
der Cephalopoden«.
Schering, die Schwerkraft in mehrfach ausgedehnten
Gaussischen und Riemannschen Räumen.

Ueber Parabansäurehydrat*).

Von B. Tollens und Rich. Wagner.

Mit Parabansäure ist seit Liebig und Wöhler's
klassischer Untersuchung der Harnsäurederivate

---

*) Diese Versuche sind ausgeführt bei Gelegenheit
anderer, welche bezweckten, Parabansäure synthetisch
mittelst Harnstoff und Cyan zu erhalten, leider aber negative Resultate lieferten.

mehrfach gearbeitet worden, und alle Beobachter scheinen sie ohne Schwierigkeit erhalten zu haben*). Erstaunt waren wir deshalb, als wir zuweilen, nach der gegebenen Vorschrift (mit Salpetersäure) arbeitend, nicht die schönen breiten Nadeln der Parabansäure erhielten, sondern grosse Krystalle, welche mit Alloxan gleichen Habitus zeigten aber durch ihre Resistenz gegen ziemlich starke erwärmte Salpetersäure sich sehr davon unterschieden.

Sie liessen sich aus Wasser umkrystallisiren und bildeten dann schöne, compacte, farblose, wie es schien, dem rhombischen System angehörige Krystalle. Diese Krystalle färbten sich beim Erhitzen, sowie bei längerem Stehen an der Luft roth. Ihre Lösung gab mit Silberlösung einen weissen Niederschlag. Nach dem Lösen in Ammoniak und gelindem Erwärmen bildete sich in der wieder erkalteten Flüssigkeit ein dichtes Haufwerk weisser Nädelchen und ebenso in der selbst sehr verdünnten ammoniakalischen Lösung auf Zusatz von Salzsäure.

Alle diese Reactionen sind diejenigen der Parabansäure, und die Analyse zeigte die Ursache der abweichenden Form nämlich, dass wir es mit einem Hydrate der Parabansäure zu thun hatten von der Formel $C^3H^2N^2O^3 + H^2O$

	Berechnet.	Gefunden.
C^3	27. 27	27. 41
H^4	3. 03	2. 80
N^2	21. 21	20. 69
O^4	—	—

Das Parabansäurehydrat ist sehr beständig,

---

*) Wheeler (Zeitschrift für Chemie 1866 S. 746) hat aus Harnsäure mit Schwefelsäure und Mangansuperoxyd ziemlich grosse Krystalle bekommen, welche er jedoch für gewöhnliches Parabansäureanhydrid hält.

trocken auf 100° erhitzt, verliert es kaum an
Gewicht, nach 12 stündigem Erhitzen auf 150—
160° dagegen zeigte sich ein Gewichtsverlust
von 11.73 p. C. während obige Formel 13.63
p. c. H^2O verlangt. Die trockne Masse löste
sich leicht in Wasser und gab nicht mehr grosse
Krystalle, sondern die bekannten breiten Blätter
des Anhydrids, während ein kleiner Theil sich
unter Rothfärbung zersetzt hatte.

Das Hydrat löst sich leichter in Wasser
als Parabansäureanhydrid; während von letzterem 1 Theil in 21.2 Theilen Wasser von 8°
sich löste, brauchte das Hydrat 7.4 Theile
Wasser von derselben Temperatur. In war-
mem Wasser löst es sich ausserordentlich
leicht und die erkaltende sirupdicke Lösung
giebt vor dem Krystallisiren Anzeichen von
Uebersättigung. Diese Leichtlöslichkeit des
Hydrates unterscheidet es aufs bestimmteste
von der isomeren fast unlöslichen Oxalur-
säure.

In einigen Darstellungen hatten wir nur
Hydrat erhalten, in anderen dagegen Gemenge
desselben mit den breiten Blättern des gewöhnlichen Anhydrides, und es ist uns nach einigen
Versuchen gelungen, die Bedingungen zur beliebigen Erhaltung sowohl des Hydrates als des
Anhydrides zu präcisiren. Es bildet sich nämlich das Hydrat bei gelinder Einwirkung von
nicht zu verdünnter Salpetersäure auf Harnsäure und nicht zu starkem Eindampfen, während eine heftig verlaufende Reaction und län-
geres Eindampfen wasserfreie Parabansäure
liefert.

Wenn man in 3 Theile in einem abgekühl-
ten Becherglase befindliche Salpetersäure von
1.3 spec. Gew. 1 Theil Harnsäure so allmälig

einträgt, dass die Temperatur nicht auf 50⁰
steigt, so enthält die Flüssigkeit bald zahllose
mikroscopische Hydratkryställchen suspendirt.
Beim Erwärmen auf 70⁰ oder bei gelindem Abdampfen im Wasserbade lösen sie sich und bilden
beim Erkalten grössere Individuen, die sich
durch Abgiessen der Mutterlauge und Umkrystallisiren aus Wasser leicht reinigen lassen.

Steigt die Temperatur höher, wie es z. B.
bei der durch Uebergiessen von 20 grm. Harnsäure mit 60 grm. Salpetersäure eintretenden
sehr heftigen Reaction nicht zu vermeiden ist,
so erhält man stets Gemenge von Hydrat und
Anhydrid, dampft man diese Gemenge 1—2
Stunden im Wasserbade ab, so vermindern sich
bei mikroscopischer Untersuchung herausgenom-
mener Tropfen die grossen Hydratkrystalle und
zuletzt sieht man in einer solchen Probe nur
zahlreiche Anhydridblättchen entstehen.

Dieser Punkt ist jedenfalls erreicht, wenn
die am Rande der Schale befindlichen rothen
Parthien beim Einrühren in den mittleren Theil
der Schale nicht mehr augenblicklich entfärbt
werden, doch ist bei so langem Erhitzen schon
ein Theil zersetzt und die Ausbeute geschmälert.
Man bringt die abgedampfte und erkaltete Masse
auf einen porösen Stein und erhält nach dem
Abtrocknen durch Krystallisiren aus Wasser
prächtige flache Nadeln, welche bei einer von
Herrn J. dos Santos e Silva angestellten Bestimmung 24. 45 p. c. Stickstoff ergaben (statt
24. 56 p. c.).

Was die Constitution des Parabansäurehy-
drates anbetrifft, möchten wir folgendes bemerken. Seltsam ist, dass diese Verbindung,
einmal entwässert, nicht wieder mit Krystall-
wasser sondern wasserfrei aus ihrer Lösung an-

schiesst. Schwer ist es deshalb, sie als einfaches Hydrat zu betrachten und man kann vielleicht eine Gruppe $C(OH)^2$ in derselben annehmen, welche durch Erhitzen auf $150—160^0$ sich in $CO + H^2O$ zersetzt und so **Parabansäure-anhydrid** oder

$$\begin{matrix} CO - NH \\ | \\ CO - NH \end{matrix} > CO \text{ liefert.}$$

Wir möchten also die Formel

$$\begin{matrix} C(OH)^2 - NH \\ | \\ CO \quad - NH \end{matrix} > CO$$

für das **Parabansäurehydrat** vorschlagen.

Ein Theil der obigen Resultate wurde von dem Einen von uns auf der Naturforscherversammlung in Leipzig[*] mitgetheilt, ohne Kenntniss davon zu haben, dass ganz kurz vorher (August 1872) Ponomareff[**] synthetisch, also ohne wie wir von der Harnsäure auszugehen, zu einer Substanz gelangt ist, welche er als Parabansäurehydrat anspricht, und deren Eigenschaften den von uns beobachteten ähnlich sind. Seine Arbeit und unsere ergänzen sich gegenseitig.

---

[*] Tageblatt der Naturf. Vers. S. 57. Bericht der deutsch. chem Ges. 1872. S. 801.

[**] Bulletin de la Société chimique (2) 18 p. 97.

Notiz zur Auffindung von Schwefelverbindungen mittelst des Löthrohres.

Von B. Tollens.

Vielfach wird empfohlen, zur Prüfung auf Schwefelverbindung die zu analysirende Substanz mit Soda gemengt auf Kohle in der inneren Löthrohrflamme zu erhitzen und das gebildete Schwefelnatrium mittelst Schwärzung einer Silbermünze nachzuweisen. Merkwürdigerweise ist nirgends darauf aufmerksam gemacht, dass man zu dieser Probe sich der Gasflamme nicht bedienen darf, sondern eine Oel- oder Kerzenflamme anwenden muss, wenn man nicht in die gröbsten Irrthümer verfallen will, denn Steinkohlengas enthält zuweilen so viel Schwefel, dass schon nach nur eine Minute dauerndem Blasen auf Soda diese Silber stark schwärzt, während es mir bei Anwendung einer Kerzenflamme nie gelang, eine Bräunung hervorzubringen.

Obiges war übrigens zu vermuthen, da Wartha*) eine an einem Platindrath geschmolzene Sodaprobe als Mittel benutzt, den Schwefel des Gases zum Zweck der Nachweisung zu fixiren.

Universitäts-Laboratorium in Göttingen.

Bericht der deutschen chemischen Gesellschaft 1871. S. 529.

Zur Entwickelungsgeschichte und Morphologie der Cephalopoden.

Von Dr. H. Grenacher,

Prof. der Zoologie an der Forstakademie in Hann. Münden.

(Vorläufige Mittheilung).

Die Untersuchungen, deren wichtigste Resultate hier den Fachgenossen mitgetheilt werden sollen, habe ich vor Jahresfrist auf der Cap-Verdischen Insel San Vincent angestellt, wohin ich auf meiner Reise für die Rüppel-Stiftung in Frankfurt a. M. gelangte. Ich werde mich hier darauf beschränken, die Hauptzüge einer interessanten Entwickelungsform zu skizziren, ohne mich auf literarische Nachweise und Controversen einzulassen, welche für die ausführliche, illustrirte Arbeit reservirt bleiben mögen, die ich vorbereite.

Die Form, deren Entwickelung ich verfolgte, konnte leider nicht bestimmt werden, da der Laich pelagisch gefischt wurde und die Embryonen nicht bis zum Ende des Embryonallebens gezogen werden konnten. Hoffentlich führt die Radula, von der ich Abbildungen zu geben im Stande bin, später noch zur Bestimmung wenigstens der Gattung. Es steht nur soviel fest, dass es ein zehnfüssiger Cephalopode ist, obschon während der Beobachtungszeit nur acht Arme zur Entwickelung kamen.

Der Laich war wurstförmig, 75 Cm. lang, 15—16 Cm. dick, und bestand aus einer durchsichtigen Gallerte. Die Eier, mehrere Tausend an Zahl, waren auf seiner Oberfläche eingelagert, und umzogen in zwei einander genäherten Spiralen den Gallertkörper von einem Ende bis zum andern. Die kugeligen Eier hatten einen Durchmesser von 1,25 Mm. und bestanden aus einem Chorion, und einer schön purpurviolett gefärbten, 1 Mm. messenden Dotterkugel, welche in einer farblosen Flüssigkeit suspendirt war. Eine Dotterhaut wurde nicht beobachtet.

Von der rasch verlaufenden Blostodermbildung kamen blos einzelne Stadien zur Beobachtung; sie scheint indessen nichts Abweichendes zu bieten. Sie beginnt an einem Eipole, und schreitet von da aus nach dem entgegengesetzten Pole hin fort. Die völlige Umschliessung des Dotters findet jedoch erst statt, wenn der Embryo seine Form geändert, und schon einige Organanlagen gebildet hat. Der freie Blastodermrand bekleidet sich frühzeitig mit Cilien.

Am Ausgangspole der Blastodermbildung hebt sich das Blastoderm blasenartig vom Dotter ab. Zugleich treten hier sternförmige, carminrothe Zellen auf, welche zu den Chromatophoren werden, die sich bekanntlich bei andern Cephalopoden erst gegen Ende des Embryonallebens bilden. Sie verändern weiterhin Form und Farbe, indem sie erst rothbraun, dann dunkelbraun werden.

Darauf streckt sich der Embryo etwas in die Länge. Die Blastodermabhebung dehnt sich unterdessen auf das hintere Drittel des Körpers aus, und grenzt sich durch eine Ringfalte ab. Damit ist die Bildung des Mantels gegeben. Ungefähr in der Mitte des Körpers machen sich Differenzirungen des Blastoderms bemerklich. Einmal sind dies rundliche Blastodermverdickungen, die Anlagen der Augen, deren Entwickelung wir nachher im Zusammenhang kennen lernen werden; dann zwei symmetrisch gelagerte Faltenpaare, aus welchen der Trichter hervorgeht. Die innern Trichterfalten entspringen beiderseits unweit der Medianlinie des Bauches, und ziehen nach aussen und hinten; die äussern Trichterfalten bilden die Fortsetzung der innern gegen den Rücken hin; sie sind von den innern durch einen schmalen Zwischenraum getrennt. Bei andern Cephalopoden ist bekanntlich blos ein Faltenpaar beobachtet worden.

Am Vorderende des Körpers, wo noch die Blastodermöffnung persistirt, haben sich die Armanlagen bemerkbar gemacht. Sie treten in Form von drei Paaren niedriger faltenartiger Wülste auf, welche das Vorderende des Körpers umziehen.

Bei weiterer Entwicklung bildet sich die Mantelhöhle aus, und es treten in ihr die Anlagen der Kiemen als paarige, die Anlage des Afters als unpaariger Höcker auf. Die Augen, hier blasenförmig, treten beiderseits stark hervor; unter ihnen liegt das Ganglion opticum, neben diesem der sogenannte weisse Körper. Die Abstammung beider letztgenannten Gebilde ist mir verborgen geblieben. Die Trichterfalten haben sich vergrössert; an der Grenze zwischen innerer und äusserer Trichterfalte ist das Gehörorgan aufgetreten, das auch später für sich besprochen werden wird. Am Vorderende des Körpers macht sich eine stirnartige Vorwulstung des Dotters zwischen den Armanlagen bemerklich; die frühere Blastodermöffnung ist fast völlig geschlossen, aber auf die Rückenseite geschoben. Die Armanlagen haben sich erhoben, und beginnen eine eigenthümliche Drehung, die hier nicht näher beschrieben werden kann, deren Endresultat jedoch das ist, dass ihre Basis, die früher senkrecht auf der Längsaxe des Körpers stand, allmählig derselben parallel wird, dann aber bei weiterer Fortsetzung der Drehung wieder senkrecht auf die Längsaxe zu stehen kommt. Auf der Rückenseite dicht hinter der Oeffnung des Blastoderms macht sich eine breite, taschenartige Einstülpung des Blastoderms bemerklich, welche nach hinten gerichtet ist, und welche als primäre Vorderdarmhöhle bezeichnet werden könnte, da von ihr die Bildung der Mundmasse mit Zungentasche und Speicheldrüsen, sowie des Vorderdarmes ausgeht.

Ich habe vorhin der stirnartigen Dottervorwulstung am vorderen Leibesende gedacht. Dieselbe erweckt den Gedanken, dass wir es hier mit der Anlage des äussern Dottersackes zu thun hätten, wodurch sich die Cephalopoden so scharf von den übrigen Weichthieren scheiden. Dies ist aber nicht der Fall, da es hier nie zur Abschnürung eines äussern Dottersackes kommt. Eine vergleichende Betrachtung späterer Stadien mit dem von andern Cephalopoden her Bekannten belehrt uns, dass diese Dotteransammlung nur verglichen werden kann mit dem Kopftheil des innern Dottersackes (von Argonauta z. B. nach Kölliker); dass, mit andern Worten, es hier nicht zur Differenzirung eines innern und äussern Dottersackes kommt, sondern nur der innere vorhanden ist, der dann wieder in Kopf-, Hals- und Manteltheil zerfällt.

Bei weiterer Entwickelung verschmelzen die innern und äussern Trichterfalten jederseits zu einer Falte; an der Vereinigungsstelle bildet sich ein Muskel, der Herabzieher des Trichters. Nun beginnen die Trichterfalten in der bekannten Weise sich gegeneinander zu neigen, und sich zu einem Rohr zu schliessen. Besonders bemerkbar macht sich die Erhöhung, in welche das Auge eingebettet liegt; sie wird immer stärker und stärker, und ragt endlich als dicker Stiel, in welchem ausser dem Auge noch das Ganglion opticum und der »weisse Körper« eingeschlossen liegen, jederseits über den Mantelrand hervor. Die Gehörorgane, die erst an den Seiten des Körpers gelegen waren, rücken nach der Bauchseite zu, und treten, wenn der Trichter sich geschlossen hat, dort bald mit einander in Berührung. Die Mundöffnung verschiebt sich nach vorn, und gelangt so allmählig zwischen die Arme, von denen sie ursprünglich ziemlich weit entfernt war. Die Arme nehmen an Grösse zu; es kommt ein 4tes Armpaar hinzu, das aber nicht selbständig entsteht, sondern als ohrförmiges Gebilde am ersten Armpaare (von der Bauchseite aus gerechnet) sich entwickelt. Es treten die Saugnäpfe auf, zuerst als solide Knöpfe, die dann hohl werden, Saugstempel und Cuticula erhalten etc. Am Mantel tritt jederseits eine kleine Flosse auf.

Von weitern Veränderungen in der Leibesform will ich nur noch anführen, dass der Augenstiel bald wieder in das Niveau der übrigen Körperoberfläche zurücktritt, und dass damit die typische Cephalopodenform erreicht ist.

Von einzelnen Organen habe ich besonders die Entwicklung des Auges und des Gehörorganes verfolgt, und kann mancherlei Daten darüber beibringen.

Das Auge tritt zuerst als eine elliptische Vertiefung im Blastoderm mit verdicktem und völlig gestreiftem Boden auf. Durch Ueberwölbung der Ränder und darauf folgende Verwach-

sung kommt die primäre Augenblase zu Stande
deren vordere dünne Wand der darüber hin-
ziehenden Haut dicht anliegt. Die hintere
Wand ist dick, das Lumen zuerst sehr klein,
erweitert sich aber später beträchtlich. Das
sehr früh auftretende Pigment lagert sich auf
der Vorderfläche der Hinterwand ab, von wo
aus auch später die Stäbchenbildung ausgeht.
Sehr eigenthümlich ist die Entstehung der
Linse, deren Bau bis jetzt noch keine Erklärung ihrer Entwickelung zugelassen hat. Die
erste Spur, die ich davon sah, bestand in einem
dünnen, gebogenen Stäbchen, das mit einem
Ende dem Mittelpunkte der Vorderwand der
Augenblase aufsass, mit dem andern frei in die
Höhlung derselben hineinragte. Später wurde
sein Volumen grösser, die Gestalt mehr ovoid,
und endlich kugelig. Gleichzeitig verdickte sich
die der vordern Augenwand aufliegende äussere
Haut, mit Ausnahme des Centrums, der Ansatz-
stelle der Linsenanlage entsprechend; durch
diese ringförmige Aufwulstung kommt schliesslich eine sanduhrförmig gestaltete Grube, die
Kölliker'sche Linsengrube, zu Stande, in welcher
der eben genannte Forscher die ganze Linse
sich bilden liess. Die innere Erweiterung der
Linsengrube dehnt sich weiterhin über die Vorderfläche der Augenblase aus, und bekleidet sich
mit einer besondern Epithellage, die am ehesten
mit der Conjunctiva des Säugethierauges verglichen werden kann. Soweit reichten meine
Beobachtungen an Ort und Stelle. Nachträglich habe ich in Göttingen noch einen einzigen,
in den letzten Tagen meines Aufenthaltes auf
San Vincent pelagisch gefischten, viel älteren
Embryo derselben Art untersucht, und habe dabei Folgendes gefunden. Die Linse war schon

ehr gross geworden; sie bestand schon aus
ihren zwei Segmenten, die ich durch Druck
auseinandersprengen konnte. Getrennt waren
die beiden Segmente durch eine doppelte
Membran; im Innern des hinteren, grösseren
Segmentes war deutlich die Linse in ihrer zuletzt zur Beobachtung gekommenen Form zu erkennen. Die innere der beiden Lamellen der
Scheidewand, in deren Nähe der kugelige Lin-
senkern lag, muss deshalb nothwendig die Vorderwand der primären Augenblase sein; die äussere Lamelle aber kann nichts ander's sein, als
derjenige Theil der äusseren Haut, welcher den
Boden der Linsengrube bildete.

Die Entstehung der Segmente der Linse ist
demnach die: das hintere Segment entsteht früher als das vordere, und zwar
im Innern der Augenblase; das vordere aber leitet seine Entstehung von
der äussern Haut ab, welche zu diesem
Zwecke über dem Auge eine besondere
Tasche bildet. Welches freilich die histolo-
gischen Vorgänge dabei sind, muss erst noch
erforscht werden.

Auch das Gehörorgan ist eine Einstülpung
des Blastoderms. Als ich es zum ersten Mal
sah, war es eine kleine, dickwandige Blase, deren unregelmässig geformtes Lumen durch eine
feine Oeffnung mit der Aussenwelt communi-
cirte, und deren Wandung continuirlich in das
Blastoderm überging. Dann schliesst sich die
Oeffnung im Blastoderm; der Ausführungsgang
der Gehörblase aber verlängert sich, trennt sich
vom Blastoderm los, seine distale Oeffnung
schliesst sich, und er nimmt einen gebogenen
Verlauf an. Dann kommen noch Wimpern in
seinem Lumen hinzu, und wir haben nun den

bekannten, von Kölliker entdeckten Gang,
der auch noch bei ausgebildeten Cephalopoden
persistirt. Die rundliche Gestalt der Gehörblase
wird dann rundlich viereckig; die Crista acustica legt sich in Form einer flachen Leiste an;
der Otolith erscheint an der vordern medialen
Ecke der Blase. Sind die beiden Gehörblasen
in der Medianebene unter dem Trichter in Berührung getreten, so lassen sich auf der Crista
acustica an 3 Stellen modificirte Sinnesepithe-
lien wahrnehmen, die schon sehr an die von
Owsjannikow und Kowalevsky beschriebenen erinnern.

Die primäre Vorderdarmhöhle lässt
auf ihrem, dem Dotter zugewandten, inneren
Blatte zuerst eine weitere Einstülpung entstehen; weiter nach hinten zu folgt dann eine
zweite. Aus der ersten geht ein dünner, langer
Canal hervor, der sich dann am Ende in zwei
Aeste spaltet. An diesen Aesten verdicken sich
die Wandungen, das Lumen wird vielfach buch-
tig, und es bilden sich daraus die untern oder
grossen Speicheldrüsen. Aus der zweiten Einstülpung geht die Zungentasche hervor.
Vom Ende der Vorderdarmhöhle aus geht der
eigentliche Darm weiter als dünnes Rohr; er
verläuft deutlich zwischen Blastoderm und Dotter,
bis er unter dem Mantel verschwindet. — Weitere
Angaben hierüber verspare ich auf die ausführliche Arbeit. Ueber die Bildung von Magen,
Leber etc. fehlen mir alle Beobachtungen.

After und Tintenbeutel gehen von derselben Anlage aus. Der Afterdarm ist eine
Blastodermeinstülpung, die dem Vorderdarm ent-
gegenwächst.

In Bezug auf die morphologische Auffassung

des Cephalopodenleibes, und die Reduction seiner einzelnen Theile auf homologe Theile anderer Mollnskentypen habe ich mir vielfach abweichende Ansichten gebildet, deren vollständige
Darlegung und Vergleichung mit den Ansichten
anderer Forscher erst in der ausführlichen Arbeit
gegeben werden kann. Hier nur soviel: ich
kann weder in den Armen der Cephalopoden,
noch im Trichter irgend etwas dem Fusse der
Gasteropoden und Heteropoden Homologes entdecken; ich muss den Fuss mit seinen Unter-
abtheilungen als ein Gebilde sui generis erklären, das bei Pteropoden wohl schon angedeutet ist, aber erst bei Gasteropoden und Heteropoden seine volle Ausbildung erreicht. Nach
dem, was ich über die Entwickelung der Arme
bei unserm Cephalopoden gesehen habe, stehe
ich nicht an, mit Lovén dieselben für ein Homologon des Velum der Larven anzusprechen;
in den hier beobachteten äussern Trichterfalten sehe ich Homologa der Pteropodenflossen,
deren Zugehörigkeit in die Categorie der Fuss-
Bildungen mir in hohem Grade zweifelhaft ist.
Als Homologon der innern Trichterfalten
fasse ich den sogenannten »Halskragen« der
Clione borealis, und ähnliche Bildungen anderer
Pteropoden auf, deren paarige Anlage zur
typischen Fussform auch nicht stimmen will.
Als erste Andeutung des Fusses bei Pteropoden
spreche ich dagegen den unpaaren »Halskragen-
zipfel« der Clione borealis an, von wo aus sich
dann leichter der Uebergang zu den so vielfach
durch Anpassung modificirten Formen des Fusses bei Heteropoden und Gasteropoden finden
lässt.

Ueber die algebraischen Functionen und ihre Anwendung in der Geometrie.

Von

A. Brill und M. Noether.

Vorgelegt von M. A. Stern.

Die Riemann'sche Theorie der Abel'schen Functionen und das Werk von Clebsch und Gordan über dieselbe Disciplin bieten eine reiche und für die Geometrie theilweise noch unbenutzte Quelle für werthvolle algebraische Sätze und Begriffe. Es muss die Aufgabe der Algebra sein, diese interessanten Beziehungen zwischen algebraischen Gebilden, deren wesentliche Eigenschaft ihre Unabhängigkeit von rationalen Transformationen ist, direct und ohne die in den genannten Theorien angewandte Beihülfe transcendenter Sätze zu beweisen, um dieselben einerseits für ihr eignes Gebiet zu erwerben, andrerseits auch der Geometrie leichter zugänglich zu machen. Im Folgenden sollen daher die algebraischen Beweise für die Hauptsätze einer Theorie der algebraischen Functionen, unter jenem Gesichtspunkte betrachtet, gegeben werden.

Im § 1 wird die Anwendung des Abel'schen Theorems, wie sie in dem Clebsch-Gordan'schen Werke, ferner für die bei den Flächenabbildungen auftretenden speciellen Punktsysteme von Clebsch[*]) und nach dessen Vorgange von Noether[**]) häufig zur Untersuchung des Zusammenhangs zwischen verschiedenen Punktsystemen einer Curve gemacht worden ist, durch einen einfachen geometrischen Satz ersetzt, vermöge

---

[*]) S. z. B. Math. Ann. II, p. 459.
[**]) Math. Annal. III.

dessen einzelne Theile eines Schnittpunktsystems
auf einer gegebenen Curve als für sich bestehende und von der speciellen Schnittcurve unabhängige Punktgruppen aufgefasst werden können. Mit Hülfe dieses Satzes wird auch (§ 3)
der Weg für die Betrachtung der besondern
Punktsysteme in der E b e n e überhaupt offen
gelegt. Eine Anwendung dieses Satzes liefert sodann (in § 2) die Sätze über die Schnittpunkte einer gegebenen Curve mit den von Riemann durch φ bezeichneten *) Curven, deren
Invarianteneigenschaft bei rationaler Transformation nachgewiesen wird, wobei sich denn zugleich der, übrigens schon in dem Clebsch-Gordan'schen Werke algebraisch bewiesene, Ge-
schlechtssatz ergibt. Die Aufstellung besonderer Systeme φ bei einer Curve mit a l l g e m e i -
n e n Moduln, für welche die Aufgabe theilweise
in dem genannten Werke, § 61, gestellt und
von Brill**) für mehrere Fälle gelöst und auf
die Aufsuchung der Normalcurven angewandt
worden ist, wird in § 5 der Note weiter behandelt Endlich liefert § 4 zwei Beweise für den
von Riemann gefundenen, von Roch †) explicite
gegebenen Satz von der Constautenanzahl in
algebraischen Functionen.

Wir bemerken noch, dass die hier in §§ 1
bis 4 benutzte Methode sich nur auf den in
diesen Nachrichten, 1872, Nr. 25 von Noether
bewiesenen Satz stützt, daher der wesentlichen
Forderung genügt, völlig unabhängig von Con-
stantenzählung zu sein und somit auch für Cur-

---

*) Riemann, Abelsche Functionen, § 9 und 16.
**) Mathematische Annalen, Bd. II, p. 471; Bd. VI.
p. 33.
†) Borchardt's Journal, 64, p. 372.

ven mit beliebig speciellen Moduln gültig
bleibt. Ausführungen im Einzelnen und Erweiterungen werden an einem andern Orte gegeben
werden.

§ 1
Der Aequivalenzsatz.

Die folgenden Betrachtungen beziehen sich
auf eine algebraische, irreducible Curve $n$ter
Ordnung, $S = 0$, welche eine Reihe von 2-fachen, ..., i-fachen, ... Punkten besitzen möge,
so dass, über alle mehrfachen Punkte ausgedehnt:

$$\Sigma \frac{i(i-1)}{2} = \frac{(n-1)(n-2)}{2} - p \; .$$

Die Curven $(n-3)$ter Ordnung, welche jeden i-fachen Punkt von S zum $(i-1)$-fachen Punkt
besitzen, werden wir als Curven φ bezeichnen;
die Curven höherer Ordnung, welche sich in den
mehrfachen Punkten von S ebenso verhalten,
als Curven vom Charakter der φ.

Wir beweisen den Aequivalenzsatz:

„Wenn auf S ein System von Gruppen von
je N beweglichen Punkten, ausgeschnitten durch
ein System von Curven C_s, $s$ter Ordnung und
vom Charakter der φ, welche durch M feste
Punkte von S gehen, bekannt ist, so kann man
jenes Punktsystem noch durch unendlich viel
andere, den C_s also äquivalente, Curvensysteme
aus S ausschneiden". Diese werden auf folgende
Weise construirt:

Sei C_s' eine beliebige der Curven C_s, welche
S noch in einer Gruppe N' von N beweglichen

Punkten schneide. Durch diese N Punkte möge man eine beliebige Curve C_t', von der Ordnung t und vom Charakter der φ, legen können, welche S weiter in μ Punkten treffe. Alsdann bilden die durch diese μ Punkte gehenden Curven C_t, $t$ter Ordnung und vom Charakter der φ, eine Schaar, welche ebenso viele Parameter enthält, als die der C_s und S in denselben beweglichen Punktgruppen schneidet.

Denn man hat eine identische Relation:

$$C_s \cdot C_t' \equiv A \cdot C_s' + B \cdot S,$$

da $C_s C_t'$ durch den vollständigen Schnitt von C_s' mit S hindurchgeht und jeden i-fachen Punkt von S, der zugleich $(i-1)$-facher Punkt von C_s' ist, noch zum $(2i-2)$-fachen Punkt hat *). Die hierdurch sich ergebenden Curven $A = 0$ sind aber die bezeichneten C_t.

Bilden daher die Gruppen von je N Schnittpunkten, also auch das System der C_s und das der C_t eine q-fach unendliche Schaar, und kann man durch die Gruppe N' eine r-fach unendliche Schaar von Curven C_t' legen, so erhält man auf S auch eine r-fach unendliche Schaar von Gruppen von je μ Punkten, und zwar dieselbe, von welcher Gruppe von N Punkten man auch ausgegangen sein mag.

---

*) Siehe die oben citirte Note, diese Nachr. 1872, Nr. 25.

§ 2.

Besondere Punktgruppen. Invariantencharakter der Curven φ. Geschlechtssatz.

Während im Allgemeinen p der Schnittpunkte einer Curve C_s ($s \geq n-2$) mit S durch die übrigen bestimmt sind, also ein System von Gruppen von je N Punkten ein $(N-p)$-fach unendliches ist, wobei denn die N Punkte in eine r der Gruppen ganz willkürlich gewählt werden können, bildet ein solches System, wenn es von Curven φ ausgeschnitten wird, wenigstens eine $(N-p+1)$-fach unendliche Schaar (∞^{N-p+1}). Wir werden umgekehrt zeigen, dass jedes System von ∞^{N-p+1} Gruppen von je N Punkten, um so mehr also von je $N'(<N)$ Punkten, von Curven φ ausgeschnitten werden kann.

Dieser Satz braucht nur für eine einfach unendliche Schaar in diesem System, mit $N-p$ beliebigen weiteren festen Punkten, bewiesen zu werden. Denn hat man eine solche Schaar ersetzt durch ein Büschel von Curven φ, so enthält dasselbe noch, wegen der $N-p$ willkürlichen festen Punkte, $N-p$ weitere Constante, die, beliebig angenommen, zu allen Büscheln des Systems führen, also das Büschel dem gegebenen Curvensystem äquivalent machen.

Man kann nun zunächst die ∞^1 Gruppen von p Punkten nach dem Aequivalenzsatz ausschneiden durch ein Büschel von Curven C, $(n-2)$ter Ordnung und vom Charakter der φ, das noch weiter auf S $n-2+p$ feste Basispunkte hat, von denen wenigstens $n-2$ Punkte beliebig

angenommen werden können. Nimmt man diese
$n-2$ Punkte auf dem Schnitt einer Geraden mit
S an, so fällt noch ein weiterer der festen Basispunkte in diesen Schnitt; denn diese Punkte
sind dieselben, von welcher der ∞^1 Gruppen
man auch ausgegangen sein mag, und bei der
speciellen Gruppe, bei welcher ein Punkt in einen der beiden übrigen Schnittpunkte der Geraden mit S fällt, zerfällt die Curve C in die
Gerade und eine Curve φ, so dass auch der
letzte Schnittpunkt fest wird.

Die Curven C müssen hier also sämmtlich in
die feste Gerade und ein Büschel von Curven
φ zerfallen, wodurch die gesuchte Schaar construirt ist.

Wir setzen nun voraus, dass es, wenn S ir-
reducibel ist, nur ∞^{p-1} Curven φ gibt
(ein Satz, der sich als Corollar des ersten Beweises in § 4 ergeben wird) und werden beweisen, dass bei einer eindeutigen Transformation der Curve S in eine Curve S'
immer die Curven φ in Bezug auf S und
die analogen Curven φ' in Bezug auf S'
als einander entsprechend angesehen
werden können, und dass daher die
Zahl p bei der Transformation erhalten bleibt.

Sei für S' diese Zahl p', und sei $p \geqq p'$. Dem
Schnitt von S' mit den Curven φ' entsprechen
auf S $\infty^{p'-1}$ Gruppen von je $2p'-2$ Punkten,
die nach dem ersten Satze dieses § von Curven φ
ausgeschnitten werden. Umgekehrt muss jedem
Büschel φ, das S in ∞^1 Gruppen von je p Punkten schneidet, auch der Schnitt von S' mit ei-
nem Büschel φ' entsprechen. Denn für Büschel

höherer Ordnung, als die der φ' ist, sind die p Punkte irgend einer der ∞^1 Gruppen von je p Punkten auf S' ganz willkührlich zu nehmen, wenn $p > p'$; daher müssen auch auf $S \infty^1$ Gruppen von je p Punkten, von denen irgend eine der Gruppen ganz willkürlich genommen werden könnte, existiren, was nach der Voraussetzung nicht der Fall ist. Da ebensowenig $p' > p$ sein kann, so ist der Satz bewiesen.

§ 3.

Specielle Punktsysteme in der Ebene.

Die hier bewiesenen Sätze erlauben eine Anwendung auf die allgemeine Aufstellung der Curvenschaaren, deren Basispunkte, welche im Allgemeinen zum Theil vielfache sein sollen, ein specielles Punktsystem der Ebene bilden. Diese werden folgendermassen construirt:

Irgend eine der Curven der Schaar, oder vielmehr ein irreducibler Theil einer solchen, wird als Curve S angenommen. Kann man nun die ∞^q Punktgruppen, in welchen S von den übrigen Curven C_s der Schaar geschnitten wird, einfach definiren (und das geschieht immer, wenn die Gruppen nicht allgemein sind, durch Systeme von Curven φ), so ergibt der Aequivalenzsatz die Curven C_s, wenn diese vom Character der φ sein sollen, und die Schaar selbst ist dann

$$C_s + S \cdot R = 0,$$

wo, wenn S von der $n$ten Ordnung, C_s von der $s$ten Ordnung ($s \geq n$), R eine beliebige Curve

$(s{-}n)$ter Ordnung ist. Die Anzahl der in dieser Schaar linear enthaltenen Parameter ist

$$q + \frac{(s{-}n{+}1)(s{-}n{+}2)}{2}.$$

Soll die ganze Schaar einen i-fachen Punkt von S zum k-fachen Punkt besitzen ($k \geqq i$), so müssen $ki{-}(i{-}1)i$ der festen einfachen Schnittpunkte der C_s mit S in den i-fachen Punkt rücken, die Anzahl der Bedingungen erhöht sich aber um $\frac{k(k{+}1)}{2} - \frac{(i{-}1)i}{2}$, so dass für die Schaar

$$\varrho = \frac{k(k{+}1)}{2} - \frac{(i{-}1)i}{2} - i(k{-}i{+}1) = \frac{(k{-}i)(k{-}i{+}1)}{2}$$

äussere, von dem Schnitt mit S unabhängige, Bedingungen hinzutreten. $\Sigma\varrho$ sei so, für alle vielfachen Punkte genommen, die Gesammtzahl der äusseren Bedingungen. Alsdann erniedrigt sich die Anzahl der in

$$C_s + SR = 0$$

linear vorhandenen Parameter um $\Sigma\varrho$. Wenn aber die Anzahl $\sigma = \frac{(s{-}n{+}1)(s{-}n{+}2)}{2}$ der Constanten von R grösser oder gleich $\Sigma\varrho$ ist, so specialisirt sich durch die hinzugefügten Bedingungen nur R, ohne dass sich die festen einfachen Schnittpunkte der C_s mit S ändern. Für $\sigma < \Sigma\varrho$ dagegen vermindert sich die Willkürlichkeit in der Annahme dieser Schnittpunkte um $\Sigma\varrho-\sigma$; während jene ∞^q Gruppen von beweglichen Punkten immer unverändert bleiben.

§ 4.

Der Riemann-Roch'sche Satz.

In Bezug auf die Anzahl willkürlicher Constanten in algebraischen Functionen kann man allgemein den folgenden, bisher für die Geometrie noch nicht verwertheten, Satz aussprechen:

Wenn auf S ein linear q-fach unendliches System von Gruppen von je N Punkten existirt, wobei $q \geq N-p+1$, so kann man durch die N Punkte irgend einer solchen Gruppe noch ∞^r Curven φ legen, wo

$$r = q - (N-p+1) \equiv (p-1) - (N-q);$$

d. h. jede Curve φ, welche durch $N-q$ der Punkte einer Gruppe gelegt wird, geht auch durch die übrigen q Punkte der Gruppe.

Dieser Satz, von Riemann in § 5 seiner Abel'schen Functionen für den Fall $q = 1$ gegeben, ist in Borchardt's J. 64 von Roch auf dem von Riemann eingeschlagenen Wege allgemein bewiesen worden. Riemann hat, in Nr. 3 seiner Abhandlung „Ueber das Verschwinden der Thetafunctionen" *), einen zweiten Beweis des Satzes, ebenfalls für einen speciellen Fall, $N=p$, $p-1$ und $p-2$, gegeben, der sich indess ohne wesentliche Aenderung auf den allgemeinen Fall ausdehnen lässt. Ausserdem kann man den Satz

---

*) Borchardt's Journal, 66.

b ∞

$$-1) \ - \ (N-q);$$

ch $N-q$ der Punkte

ebt auch durch die

pe.

in § 5 seiner Abe-

all $q = 1$ gegeben

Roch auf dem ru

Wege allgemein be

hat, in Nr. 3 seine

erschwinden der Th

eiten Beweis des Satzes

llen Fall, $N=p$, $p-1$

er sich indess ohne

if den allgemeinen

rdem kann man den

66.

auch gelegt haben mag. Wir behaupten, dass
zu diesen p übrigen Schnittpunkten von C'_{n-2}
mit S die Punkte $x_1, x_2, \ldots x_q, x$ gehören.

Betrachten wir nämlich diejenige Gruppe von
N' Punkten, in welcher S von einer zerfal-
lenden Curve der Schaar der C_{n-2}, z.B. von
der durch die M Punkte y_i und die q Punkte
$x_1 \ldots x_q$ zu legenden Curve C_{n-3} (einer Curve φ)
und einer beliebigen durch den Punkt x gehen-
den Geraden G geschnitten wird. Die Gruppe
besteht dann aus den $N-q$ Punkten $\xi_1, \xi_2 \ldots \xi_{N-q}$,
in welchen C_{n-3}, und aus den $n-1$ Punkten,
in welchen G noch schneidet.

Legt man die Curve C'_{n-2} durch diese
Gruppe und durch die willkürlichen Punkte a_i
von S, so zerfällt auch diese Curve in die Gerade G, und in eine durch die ξ_i, a_i gehende
Curve C'_{n-3}. Und da G noch durch x geht, so
wird somit der Punkt x einer der festen Schnittpunkte der Schaar der C'_{n-2} mit S.

Ebenso folgt, dass auch die Punkte $x_1, x_2 \ldots x_q$
solche feste Punkte für die Schaar der C'_{n-2}
sind.

Da nun die Curve C'_{n-3}, welche durch die
ξ_i und a_i geht, verbunden mit einer beliebigen
Geraden durch x, zu der Schaar der C'_{n-2} gehört, so muss auch die Curve φ, C'_{n-3}, durch

die Punkte $x_1, \ldots x_q$ gehen, welches auch die $(p-1) - (N-q)$ Punkte a_i seien; w. z. b. w.

Es ist dabei zu bemerken, dass in Folge dieses Satzes auch r nicht grösser sein kann, als $(p-1)-(N-q)$; da der Satz auch umgekehrt q aus dem gegebenen r liefern muss. Für die obige Relation kann man auch schreiben:

$$M + N = 2(p-1)$$
$$M - N = 2(r-q).$$

Corollar. Der specielle Fall $M = 0$ ergibt, dass es nur ∞^{p-1} Curven φ gibt. Denn wäre hier $q > p-1$, so wäre es möglich, durch die $2p-2$ Punkte, in welchen S von einer Curve φ geschnitten wird, wenigstens eine einfach unendliche Schaar von Curven φ zu legen, denen man sodann noch weitere Schnittpunkte mit S zutheilen könnte, wobei S aber zerfallen muss.

Zweiter Beweis. Wir deuten, wegen seiner Beziehungen zu weitern Punktsystemen der Ebene, einen zweiten Beweis an, der indess von beiden Sätzen des § 2 Gebrauch macht.

Zunächst möge die zu Grunde gelegte Curve eindeutig in eine Curve S, von genügend hoher Ordnung n, nur mit Doppelpunkten behaftet, vom Geschlecht p, transformirt werden. Durch M Punkte y_i (wobei $M \geq p-1$ sei) mögen wieder

$$\infty^q \text{ Curven } \varphi \text{ gehen}, \quad C'_{n-3} - \lambda C_{n-3} = 0,$$

welche die ∞^q Gruppen von je N Punkten ausschneiden.

Sei Γ_{n-3} eine zweite der ∞^r Curven φ, welche durch die Gruppe, in der C_{n-3} schneidet, hindurchgehen. So folgt, wie in § 1:

$$(1) \ldots C'_{n-3} \Gamma_{n-3} - C_{n-3} \Gamma'_{n-3} \equiv S . \Gamma^{\prime}_{n-6},$$

wo die $r-1$ willkürlichen Parameter, welche noch in der durch jene Gruppe gehenden Curve Γ_{n-3} der Schaar

$$\Gamma^{\prime}_{n-3} - \mu C_{n-3} = 0$$

enthalten sind, auch ebenso in $\Gamma^{\prime}_{n-6}$ auftreten. Umgekehrt muss $\Gamma^{\prime}_{n-3}$ noch $r^{(1)}$ Parameter enthalten, wenn $\Gamma^{\prime}_{n-6}$ $r^{(1)}$ willkürliche Constanten besitzt.

Die Curve $\Gamma^{\prime}_{n-6}$ hat aber, damit man die Gleichung (1) aufstellen kann, nur der Bedingung zu genügen, durch die ausserhalb S liegenden Schnittpunkte von einer Curve C'_{n-3} mit C_{n-3} hindurchzugehen. Dieses sind

$$\frac{(n-6)(n-3)}{2} - 1 + p - M$$

Punkte $x^{(1)}$, welche eine der ∞^{q-1} Gruppen bilden, in welchen C_{n-3} von den C'_{n-3} geschnitten wird. Da diese Gruppen nun weiter aus C_{n-3} auch von ∞^{q-1} Curven C_{n-6} ausgeschnitten werden können, welche auf C_{n-3} noch

$$\frac{(n-6)(n-3)}{2}+1-p+M$$

feste Puncte $y^{(1)}$ haben, so hat man hier wieder das ursprüngliche Problem, nur in vereinfachter Gestalt.

Dieses wird nun in derselben Weise auf das folgende Problem reducirt: Wenn auf einer Curve C_{n-6} ∞^{q-2} Gruppen von je

$$\frac{(n-9)(n-6)}{2}-1+p-M$$

Punkten $x^{(2)}$ gegeben sind, die Anzahl der durch eine solche Gruppe gehenden Curven $\Gamma^{\bullet}_{n-9}$ zu bestimmen, Hat man $\infty^{r(2)}$ solcher Curven, so ist $r=r^{(1)}+1=r^{(2)}+2$. Indem man so fortfährt, erhält man endlich eine Curve C_{n-3q}, auf welcher eine einzige Punktgruppe von

$$\frac{(n-3q-3)(n-3q)}{2}-1+p-M$$

Punkten $x^{(q)}$ gegeben ist, durch welche noch ∞^{M-p+1} Curven $\Gamma^{\bullet}_{n-3q-3}$ gelegt werden können; d. h. es ist

$$r^{(q)}=M-p+1$$

$$r=r^{(q)}+q=q+M-p+1, \quad \text{w. z. b. w.}$$

§ 5.

Anwendung auf die Reduction der Curven mit allgemeinen Moduln auf Normalformen.

Diese Reductionen hängen von der Lösung der algebraischen Aufgabe ab, für die allgemeine Curve S (Geschlecht p) specielle Curvensysteme φ zu construiren. Sollen M Punkte auf S von der Art gefunden werden, dass ∞^q Curven φ hindurchzulegen sind, so kann man von diesen Punkten

$$M - (q+1)(M-p+q+1)$$

willkürlich annehmen, wodurch die übrigen im Allgemeinen auf eine endliche Anzahl von Arten bestimmt sind. Da jene Zahl nach dem Satze des § 4 $\geq r$ sein muss, so ergiebt sich die Grenze

$$p \geqq (q+1)(r+1),$$

oder ∞^r Gruppen auf S bestehen aus wenigstens je

$$\frac{r(r+p+1)}{r+1}$$

Punkten.

So bestehen ∞^1 Gruppen auf S aus mindestens je

$$\frac{p}{2} + 1 \text{ Punkten für gerades } p;$$

$$\frac{p+3}{2} \qquad \text{,, ,, unger. } p.$$

Die Aufstellung dieser von Riemann gegebenen Gruppen kann auf zwei verschiedene algebraische Probleme zurückgeführt werden, die für gerade p einander völlig ersetzen können.

Für gerade p kann man einmal zu $\frac{p}{2}-1$ gegebenen Punkten $p-2$ weitere von der Art suchen, dass durch diese $3\left(\frac{p}{2}-1\right)$ Punkte N noch ∞^1 Curven φ gehen.

Oder man kann zu einem gegebenen Punkte $\frac{p}{2}$ weitere von der Art suchen, dass durch diese $\frac{p}{2}+1$ Punkte M noch $\infty^{\frac{p}{2}-1}$ Curven φ gehen.

Der Riemann-Roch'sche Satz zeigt, dass jeder Lösung der einen Aufgabe eine solche der andern eindeutig entspricht. Beträgt diese Anzahl der Lösungen ϱ, so hat man auf $S\varrho$ Doppelsysteme von ∞^1 Gruppen M und $\infty^{\frac{p}{2}-1}$ Gruppen N, welche durch Lösung einer Gleichung ϱten Grades gefunden werden, so dass zwischen den ϱ Systemen kein Uebergang stattfindet. Dagegen kann man jede Gruppe M auf $\varrho-1$ Arten zu einer, von dem System, dem M angehört, verschiedenen Gruppe N erweitern.

In Bezug auf die Curven niedrigster Ordnung, auf welche man die Curve mit allgemeinen Moduln zurückführen kann, sprechen wir hier nur die folgenden Sätze als specielle Fälle aus:

Ebenso, wie für $p = 6$ [*]) und $p = 8$ ist auch für $p = 7$ der *Normalcurve* niedrigster Ordnung eine Curve *p*ter Ordnung.

Für $3(i+2) > p \geq 3(i+1)$ ist die Normalcurve die Curve $(p - i + 1)$ter Ordnung mit

$$\frac{(p - i)(p - i - 1)}{2} - p \text{ Doppelpunkten.}$$

Diese Curve hat dann noch, für $p = 3(i+1)$, $3p - 3$ Constanten, dagegen für $p = 3i + 4$ und $3i + 5$ eine, resp. zwei Constanten mehr, welche durch specielle Transformationen beseitigt werden müssen.

---

[*]) S. Cremona und Casorati, „osservazioni" etc. Rend. Jst. Lomb. 13. Mai 1869; Brill „2. Note etc." Math. Ann. II.

Darmstadt, Heidelberg, 1873, Jan. 29.

Nachrichten

von der Königl. Gesellschaft der Wissenschaften und der G. A. Universität zu Göttingen.

26. Februar.	№ 5.	1873.

Universität.

Verzeichniss der Vorlesungen auf der Georg-Augusts-Universität zu Göttingen während des Sommerhalbjahrs 1873. Die Vorlesungen beginnen den 15. April und enden den 15. August.

Theologie.

Erklärung der Genesis und ausgewählter Stücke aus den übrigen Büchern des Pentateuchs: Professor *Bertheau* sechsstündig um 10 Uhr.

Erklärung der Psalmen: Professor *de Lagarde* fünfstündig um 10 Uhr.

Einleitung in das Neue Testament: Prof. *Lünemann* fünfmal wöchentlich um 12 Uhr.

Theologie des Neuen Testaments: Prof. *Wiesinger* fünfmal um 12 Uhr.

Erklärung des Evangeliums Matthaei unter vergleichender Berücksichtigung der andern Synoptiker: Prof. *Zahn* fünfmal um 9 Uhr.

Erklärung des Evangeliums Johannis: Prof. *Lünemann* fünfmal um 9 Uhr.

Erklärung des Römerbriefs: Prof. *Wiesinger* fünfmal um 9 Uhr.

Erklärung des Briefs an die Hebräer: Prof. *Zahn* fünfstündig um 10 Uhr.

Kirchengeschichte: I. Hälfte: Prof. *Wagenmann* sechsständig um 8 Uhr.

Kirchengeschichte II. Hälfte: Prof. *Duncker* sechsmal um 8 Uhr und zweimal (Dienst. und Freit.) um 7 Uhr.

Kirchengeschichte der neuesten Zeit: Professor *Wagenmann* vierständig um 7 Uhr, öffentlich.

Reformationsgeschichte: Prof. *Duncker* zweimal, Mittwochs und Sonnabends um 7 Uhr, öffentlich.

Apologie oder Darstellung der Hauptlehren über Religion und Christenthum für Zuhörer aller Facultäten: Prof. *Ehrenfeuchter* viermal um 8 Uhr.

Dogmatik II. Theil: Prof. *Ritschl* fünfmal um 11 Uhr.

Theologische Ethik: Prof. *Schöberlein* sechsmal um 12 Uhr.

Praktische Theologie II. Theil (Liturgik, Homiletik, Theorie der Seelsorge und Kirchenverfassung): Prof. *Ehrenfeuchter* fünfmal von 3—4 Uhr.

Katechetik und Homiletik: Professor *Schöberlein* Mont. und Dienst. um 5 Uhr.

Liturgik: *Derselbe* Donnerst. u. Freit. um 5 Uhr.

Kirchenrecht: s. unter Rechtswissenschaft.

Die Uebungen des Königl. Homiletischen Seminars leiten abwechslungsweise Prof. *Ehrenfeuchter* und Prof. *Wiesinger* Sonnabends 9—12 Uhr öffentlich.

Katechetische Uebungen: Prof. *Wiesinger* Mittwochs 5—6 Uhr; Prof. *Wagenmann* Sonnabends 3—4 Uhr öffentlich.

Die liturgischen Uebungen der Mitglieder des praktisch-theologischen Seminars leitet Professor *Schöberlein* Sonnabends 9—11 Uhr und Mittwochs 6—7 Uhr öffentlich.

Eine theologische Societät leitet Prof. *Duncker*: eine dogmatische Societät Prof. *Schöberlein* Dienst. um 6 Uhr; eine exegetische Prof. *Wiesinger*; eine historisch-theologische Prof. *Wagenmann* Freit. 6 Uhr.

Die exegetischen, kirchenhistorischen und systematischen Conversatorien im theologischen Stift werden in gewöhnlicher Weise Montag Abends 6 Uhr von den Repetenten geleitet werden.

Repetent Lic. *Dorner* wird über Leben und Lehre Schleiermachers zweimal wöchentlich, Dienst. u. Donnerst., um 12 Uhr, unentgeltlich vortragen. — Repetent

Lesuvis wird zweimal wöchentlich um 4 Uhr das Buch der Richter, dreimal um 5 Uhr die Offenbarung Johannis cursorisch und unentgeltlich erklären. Derselbe erbietet sich zu einem dogmatischen Repetitorium.

Rechtswissenschaft.

Institutionen des römischen Rechts: Prof. Francke von 11—12 Uhr; Institutionen und Geschichte des römischen Rechts: Prof. v. Jhering täglich von 9—11 Uhr.

Pandekten mit Ausnahme der Lehren vom Eigenthum und den Jura in re, welche Prof. Ribbentrop vortragen wird: Prof. Hartmann täglich von 10—11 und von 11—12 Uhr.

Die Lehre vom Eigenthum und den übrigen dinglichen Rechten, als Theil der Pandekten: Prof. Ribbentrop sechsmal wöch. von 12—1 Uhr.

Erbrecht: Prof. Francke von 8—9 Uhr.

Ein Pandecten-Examinatorium verbunden mit exegetischen Uebungen hält Prof. Ribbentrop viermal wöchentlich von 5—6 Uhr.

———

Deutsche Rechtsgeschichte: Prof. Dove täglich von 8—9 Uhr.

Deutsches Privatrecht mit Lehn- und Handelsrecht: Prof. Wolff täglich von 7—9 Uhr; Deutsches Privatrecht einschliesslich des Lehnrechts: Prof. Frensdorff fünfmal wöch. von 8—10 Uhr.

Handelsrecht: Prof. Thül fünfmal wöch. von 7—8 Uhr.

Preussisches Privatrecht: Prof. Ziebarth vierstündig um 5 Uhr.

———

Gemeines deutsches Criminalrecht: Prof. Zachariae sechsstündig um 11 Uhr.

———

Gemeines deutsches Staatsrecht: Professor Zachariae sechsstündig um 12 Uhr.

———

Kirchenrecht mit Einschluss des Eherechts: Dr. Bierling täglich von 10—11 Uhr.

———

Theorie des Civilprocesses: Prof. Hartmann täglich von 12—1 Uhr und in zwei andern passenden Stunden.

Geschichte des Strafprozesses: Prof. *Ziebarth* Sonnabends um 11 Uhr öffentlich.

Deutscher Strafprocess: Prof. *Ziebarth* vierstündig um 11 Uhr.

Civilprocess-Practicum: Prof. *Briegleb* vierstündig.

Criminalistische Uebungen: Prof. *Ziebarth* Mittwoch von 4—6 Uhr oder zu anderer passender Stunde, privatissime, aber unentgeltlich.

Medicin.

Zoologie, Botanik, Chemie s. unter Naturwissenschaften.

Systematische Anatomie II. Theil (Gefäss- und Nervenlehre): Prof. *Henle*, täglich von 12—1 Uhr.

Allgemeine Anatomie: Prof. *Henle*, Montag, Mittwoch, Freitag von 11—12 Uhr.

Mikroskopische Curse im pathologischen Institut hält Prof. *Krause* wie bisher in der normalen Gewebelehre um 11 Uhr, in der pathologischen um 12 Uhr oder um 2 Uhr.

Allgemeine und besondere Physiologie mit Erläuterungen durch Experimente und mikroskopische Demonstrationen: Prof. *Herbst* sechsmal wöchentlich um 10 Uhr.

Experimentalphysiologie I. Theil (Physiologie der Ernährung): Prof. *Meissner* täglich von 10—11 Uhr.

Physiologie der Zeugung nebst allgemeiner und specieller Entwicklungsgeschichte: Prof. *Meissner*, Freitag von 5—7 Uhr.

Physiologische Optik s. S. 141.'

Arbeiten im physiologischen Institut leitet Prof. *Meissner* täglich in passenden Stunden.

Allgemeine Pathologie: Prof. *Krause*, Montag und Donnerstag von 4—5 Uhr.

Pathologisch-anatomische Demonstrationen hält Prof. *Krause* Dienstag, Mittwoch und Freitag von 4—5 Uhr.

Physikalische Diagnostik verbunden mit praktischen Uebungen an Gesunden und Kranken trägt Dr. *Wiese* viermal wöchentlich in später näher zu bezeichnenden Stunden vor.

Pharmakologie oder Lehre von den Wirkungen und der Anwendungsweise der Arzneimittel so wie Anleitung zum Receptschreiben: Prof. *Marx* Montag, Dienstag, Donnerstag und Freitag von 3—4 Uhr.

Arzneimittellehre und Receptirkunde verbunden mit pharmakognostischen Demonstrationen und Versuchen an Thieren trägt Prof. *Husemann* fünfmal wöchentlich um 3 Uhr oder zu gelegenerer Zeit vor.

Arzneimittellehre und Receptirkunst in Verbindung mit pharmakognostischen Demonstrationen und pharmakodynamischen Experimenten lehrt Prof. *Marmé* fünfmal wöchentlich von 5—6 Uhr.

Pharmakognosie lehrt Prof. *Wiggers* fünfmal wöchentlich von 2—3 Uhr nach seinem Handbuche der Pharmakognosie, 5. Aufl. Göttingen 1864.

Pharmacie lehrt Prof. *Wiggers* sechsmal wöchentlich von 6—7 Uhr Morgens; Dasselbe lehrt Dr. *Stromeyer* privatissime.

Pharmaceutische Chemie und organische Chemie für Mediciner: Vgl. Naturwissenschaften S. 142.

Ein pharmakologisches Repetitorium hält Professor *Marmé* in passenden Stunden privatissime und gratis.

Ausgewählte Capitel der Toxikologie für Mediciner und Pharmaceuten trägt Prof. *Husemann* Freitag von 4—5 Uhr öffentlich vor.

Pharmokologische und toxikologische Untersuchungen leitet Prof. *Marmé* im physiologischen Institut zu passenden Stunden.

Praktische Uebungen in Bezug auf Toxikologie und Pharmakologie leitet Prof. *Husemann* privatissime und gratis in später zu bestimmenden Stunden.

Elektrotherapeutische Curse hält Prof. *Marmé* im Ernst-August-Hospital Dienstag und Donnerstag von 2—3 Uhr.

———

Specielle Pathologie und Therapie: Prof. *Hasse* Dienstag, Mittwoch, Donnerstag und Freitag von 7—8 Uhr.

Die medicinische Klinik und Poliklinik leitet Prof. *Hasse* täglich von 10½—12 Uhr.

Chirurgie I. Theil: Prof. *Baum* fünfmal wöchentlich von 4—5 Uhr, Sonnabend von 3—4 Uhr.

Specielle Chirurgie trägt Prof. *Lohmeyer* täglich von 7—8 Uhr vor.

Ueber Knochenbrüche und Verrenkungen trägt Prof.

Baum Mittwoch und Sonnabend von 2—8 Uhr publice
vor.

Ueber Wundkrankheiten, verbunden mit mikroskopischen Demonstrationen, liest Dr. *Rosenbach* publice.

Verbandlehre mit praktischen Uebungen trägt Dr.
Rosenbach zweimal wöchentlich vor.

Augenheilkunde lehrt Prof. *Leber* vier Mal wöchentlich von 8—4 Uhr.

Die chirurgische Klinik und Poliklinik im Ernst-
August-Hospitale hält Prof. *Baum* täglich um 9 Uhr.

Chirurgische Klinik hält Prof. *Lohmeyer* von 9—10
Uhr.

Die Klinik der Augenkrankheiten hält Prof. *Leber*
Montag, Dienstag, Donnerstag u. Freitag von 12—1 Uhr.

Uebungen in chirurgischen Operationen an der Lei-
che leitet Prof. *Baum* im Anatomiegebäude so oft Lei-
chen vorhanden von 5 Uhr Nachm. an.

Augenspiegelcursus hält Prof. *Leber* Mittwoch und
Sonnabend von 12—1 Uhr.

Gynaekologie trägt Prof. *Schwartz* Montag, Dienstag,
Donnerstag, Freitag um 3 Uhr vor.

Ueber die Krankheiten der Wöchnerinnen trägt Dr.
Hartwig Dienstag und Freitag von 4—5 Uhr vor.

Geburtshülflichen Operationscursus am Phantom hält
Dr. *Hartwig* Mittwoch und Sonnabend um 8 Uhr.

Gynaekologische Klinik leitet Prof. *Schwartz* Montag, Dienstag, Donnerstag, Freitag um 8 Uhr.

Ein geburtshülfliches Repetitorium hält Dr. *Hartwig*
in näher zu verabredenden Stunden.

Pathologie und Therapie der Geisteskrankheiten lehrt
Prof. *Meyer* Mittwoch und Sonnabend von 3—4 Uhr.

Psychiatrische Klinik hält Prof. *Meyer* Montag und
Donnerstag von 4—6 Uhr.

Sanitätspolizei lehrt Prof. *Lohmeyer* fünfmal wöchentlich von 11—12 Uhr.

Gerichtliche pathologische Anatomie lehrt Professor
Krause öffentlich Dienstag von 5—6 Uhr.

Die Lehre von den Krankheiten der Hausthiere in
Verbindung mit klinischen Demonstrationen im Thier-
hospitale trägt Dr. *Luelfing* wöchentlich sechsmal von
7—8 Uhr vor.

Philosophie.

Geschichte der alten Philosophie Prof. *Baumann*, Mont. Dienst. Donnerst. Freit. 5 Uhr.

Logik verbunden mit Erklärung von Trendelenburgs elementa logices aristoteleae: Prof. *Baumann*, Montag, Dienst. Donnerst. Freit. 8 Uhr.

Logik: Prof. *Peip*, Dienst. Mittw. Donnerst. Freit. 7 Uhr.

Inductive Logik, mit besonderer Anwendung auf die Probleme der Naturwissenschaft: Dr. *Stumpf*, Montag, Dienst. Donnerst. 9 Uhr.

Metaphysik: Prof. *Lotze* 4 St. 10 Uhr.

Psychologie: Prof. *Bohtz*, Mont. Dienst. u. Freit. 4 Uhr.

Religionsphilosophie: Prof. *Lotze*, 4 St., 4 Uhr.

Ueber die Hauptsysteme der philosophischen Ethik: Prof. *Peip*, Donnerstag 6—8 Uhr Abends (privatissime, aber unentgeltlich).

Grundlinien der Rhetorik: Prof. *Krüger* (privatissime).

Prof. *Baumann* wird in einer philosophischen Societät, Dienst. 6 Uhr, Kants Kritik der praktischen Vernunft behandeln, und in einer andern, Freit. 6 Uhr, das zweite Buch von Aristoteles Physik.

Prof. *Peip* wird in seinen philosophischen Societäten Nachm. 5—6 Uhr am Dienstag Kants »Prolegomena zu einer jeden künftigen Metaphysik«, am Freitag Desselben »Grundlegung zur Metaphysik der Sitten« behandeln.

Dr. *Peipers* wird in seiner philosophisch-philologischen Societät Abschnitte aus Ritters und Prellers historia philosophiae graecae et romanae Mittw. um 6 Uhr behandeln.

Dr. *Stumpf* wird in seiner philosophischen Societät ausgewählte Kapitel der aristotelischen Metaphysik erklären, Freitag 6 Uhr.

Geschichte der Erziehung: Prof. *Krüger*, 2 St., 4 Uhr.

Die Uebungen des K. pädagogischen Seminars leitet Prof. *Sauppe*, Donnerst. und Freit. 11 Uhr.

Mathematik und Astronomie.

Praktische Geometrie mit Uebungen im Felde: Prof. *Ulrich* 4 mal wöch., von 5—7 Uhr.

Theorie der Zahlengleichungen: Prof. *Stern*, 4 St., 8 Uhr.

Differential- und Integralrechnung: Prof. *Stern*, 5 St. 7 Uhr.

Theorie der elliptischen Functionen: Prof. *Enneper*, Mont. bis Freit. 10 Uhr.

Partielle Differentialgleichungen zweiter Ordnung und deren Anwendung auf die Lehre vom Schall, von der Wärme und von den galvanischen Strömen: Prof. *Schering*, Mont. Dienst. Donnerst. Freit., 9 Uhr.

Variationsrechnung und deren Anwendung auf analytische Geometrie, auf analytische Mechanik und partielle Differentialgleichungen erster Ordnung: Prof. *Schering*, Mont. Dienst. Donnerst. Freit. 12 Uhr.

Theorie der Determinanten: Prof. *Enneper*, Mittw. u. Freit. 11 Uhr.

Wahrscheinlichkeitsrechnung: Prof. *Schering*, für die Mitglieder des math. physikalischen Seminars.

Theorie der Kräfte, welche nach dem Newtonschen Gesetz wirken: Dr. *Minnigerode*, 4 St.

Hydrostatik: Prof. *Ulrich*, 4 St., 10 Uhr.

Sphärische Astronomie: Prof. *Klinkerfues*, Mont. Dienst. Donnerst. und Freit. um 12 Uhr.

———

Zur Leitung einer mathematischen Societät in geeigneten Stunden erbietet sich Prof. *Schering*.

———

In dem mathematisch-physikalischen Seminar trägt Prof. *Stern* über die Anziehung eines Ellipsoids vor und giebt Professor *Klinkerfues* einmal wöch. Anleitung zu astronomischen Beobachtungen. — Vgl. Naturwissenschaften S. 141.

Naturwissenschaften.

Zoologie in allgemeiner übersichtlicher Behandlung: Prof. *Claus*, täglich (mit Ausnahme des Sonnabends), 8 Uhr.

Vergleichende Anatomie des Urogenitalapparats der Vertebraten: *Derselbe* öffentlich Sonnabend um 8 Uhr.

Vergleichende Entwicklungsgeschichte der Wirbelthiere und wirbellosen Thiere: *Derselbe*, in 4 zu verabredenden Stunden.

Zoologische Uebungen: *Derselbe* privatissime.

Allgemeine und specielle Botanik: Prof. *Bartling*, 6 St. 7 Uhr. — Ueber die einheimischen Gewächse mit besonderer Berücksichtigung der nutzbaren und schädlichen Arten: *Derselbe*, 5 St. 8 Uhr. — Botanische Excursionen veranstaltet *Derselbe* in bisheriger Weise, Demonstrationen im botanischen Garten hält er in passenden Stunden.

Allgemeine und specielle Botanik: Prof. *Grisebach*, 6 St., 7 Uhr, in Verbindung mit Excursionen. — Ueber Arzneipflanzen: *Derselbe*, Mont. Dienst. Donnerst. und Freit., 8 Uhr. — Praktische Uebungen in der systematischen Botanik: *Derselbe*, Mittw. 10 Uhr.

Mineralogie: Prof. *Sartorius von Waltershausen*, 5 St., 11 Uhr. — Das mineralogische Practicum hält *Derselbe* wie bisher Donnerst. Nachmittag 2—4 Uhr und Sonnabend Vormittag 9—12 Uhr.

Geognosie: Prof. *von Seebach*, 5 St., 8 Uhr, verbunden mit Excursionen.

Praktische Uebungen leitet *Derselbe* privatissime, aber unentgeltlich, in gewohnter Weise.

Physik, ersten Theil, trägt Prof. *Weber* vor, Montag, Dienstag, Donnerstag und Freitag, 5—6 Uhr.

Optik, einschliesslich der Krystalloptik: Prof. *Listing*, 4 St. um 12 Uhr.

Ueber das Auge und das Mikroskop: Prof. *Listing*, privatissime in 2 bequemen Stunden.

Physikalisches Colloquium: Prof. *Listing*, Sonnabend 11—1 Uhr.

Praktische Uebungen im Physikalischen Laboratorium in Gemeinschaft mit Dr. *Neesen* leitet wie bisher Dr. *Riecke*.

In dem mathematisch-physikalischen Seminar leitet

physikalische Uebungen Prof. *Listing*, Mittwoch 11 Uhr.
Vgl. Mathematik S. 189.

Mathematische Physik: vgl. Mathematik S. 139.

Chemie: Prof. *Wöhler*, 6 St. 9 Uhr.

Allgemeine organische Chemie: Prof. *Hübner*, Montag bis Freitag 12 Uhr. — Organische Chemie, für Mediciner: Prof. *von Uslar*, in später zu bestimmenden Stunden. — Organische Chemie, speciell für Mediciner: Dr. *Tollens*, 2 St. 6 Uhr Abends.

Organisch-technische Chemie: *Derselbe*, 2 St., 8 Uhr.

Einzelne Zweige der theoretischen Chemie: Dr. *Stromeyer*, privatissime.

Die Grundlehren der neueren Chemie: Prof. *Hübner*, Sonnabend 12 Uhr.

Pharmaceutische Chemie: Prof. *von Uslar*, 4 St., 4 Uhr.

Die Vorlesungen über Pharmacie und Pharmacognosie s. unter Medicin S. 137.

Die praktisch-chemischen Uebungen und Untersuchungen im akademischen Laboratorium leitet Prof. *Wöhler* in Gemeinschaft mit den Assistenten Prof. *von Uslar*, Prof. *Hübner*, Dr. *Tollens* und Dr. *Jannasch*.

Prof. *Boedeker* leitet die praktisch-chemischen Uebungen im physiologisch-chemischen Laboratorium, täglich (ausser Sonnabend) 8—12 und 3—5 Uhr.

Ueber die Leitung des chemischen Praktikums im agriculturchemischen Laboratorium wird später Anzeige erfolgen.

Historische Wissenschaften.

Einleitung in das Studium der allgemeinen Erdkunde: Prof. *Wappäus*, 10 Uhr.

Diplomatik, Fortsetzung des besondern Theils: Dr. *Steindorff*, einmal, 5—7 Uhr, unentgeltlich.

Allgemeine Geschichte des Mittelalters: Prof. *Pauli*, 4 St., 10 Uhr.

Geschichte des Zeitalters der Reformation: Dr. *Alfred Stern*, Mont. Dienst. Donnerst. Freit. 12 Uhr.

Deutsche Geschichte seit dem Jahre 1806: Prof. *Waitz*, 4 St., 4 Uhr.

Geschichte der Wiedergeburt Preussens (1807—1813):
Dr. *Alfred Stern*, 1 St., unentgeltlich.

Geschichte Grossbritanniens seit 1688: Prof. *Pauli*,
4 St., 5 Uhr.

Geschichte der Normannen, insbesondere der unteritalischen: Dr. *Steindorff*, 2 St., 12 Uhr.

Historische Uebungen leitet Prof. *Waitz*, Freitag 6
Uhr, öffentlich. Historische Uebungen leitet Prof. *Pauli*
Mittw. 6 Uhr, öffentlich. Historische Uebungen über
Deutsche Geschichtsquellen des 16. Jahrhunderts leitet
Dr. *Stern*, einmal, unentgeltlich.

Uebungen in der alten Geschichte leitet Professor
Wachsmuth, 1 St., öffentlich.

Kirchengeschichte: s. unter Theologie S. 138 f.

Staatswissenschaft und Landwirthschaft.

Politik: Prof. *Waitz*, 4 St., 8 Uhr.

Nationalökonomie (Volkswirthschaftslehre): Prof.
Hanssen, 5 St., 9 Uhr.

Ueber öffentliche Armenpflege: Prof. *Hanssen*, Sonnabend 9 Uhr, öffentlich.

Polizeiwissenschaft: Dr. *Dede*, Dienst. Donnerst.
Freit. 12 Uhr, privatissime.

Der Thee, als Lebensmittel und Consumtionsartikel:
Dr. *Dede*, Mittw. 12 Uhr, unentgeltlich.

Kameralistische Disputationen und Excursionen: Prof.
Hanssen, in noch zu bestimmenden Stunden, privatissime, aber unentgeltlich.

Kameralistische Uebungen: Prof. *Soetbeer*, privatissime, aber unentgeltlich, in später zu bestimmenden
Stunden.

Einleitung in das landwirthschaftliche Studium: Prof.
Drechsler, 1 St.

Ackerbaulehre, allgemeiner und specieller Theil:
Derselbe, Mont. Dienst. Donnerst. Freit. 12 Uhr.

Die Theorie der Organisation der Landgüter: Prof.
Grispenkerl, Mont. Dienst. Donnerst. Freit. 8 Uhr.

Die landwirthschaftliche Thierproductionslehre (Lehre
von den Racen, der Züchtung, Ernährung und Pflege
des Pferdes, Rindes, Schafes und Schweines): *Derselbe*,
Mont. Dienst. Donnerst. Freit. 10 Uhr.

Die Ackerbausysteme: *Derselbe*, in 2 passenden Stunden, öffentlich.

Im Anschluss an diese Vorlesungen werden Demonstrationen auf benachbarten Landgütern und in Fabriken, sowie praktische Uebungen gehalten werden.

Ueber Heuwerth und Futtermischung: Prof. *Henneberg*, Mittw. 11—1 Uhr, öffentlich.

Landwirthschaftliches Practicum (Uebungen im Anfertigen landwirthsch. Berechnungen; im Gebrauch des Mikroskops): Prof. *Drechsler*, in noch zu bestimmenden Stunden.

Excursionen auf benachbarte Güter: *Derselbe*, Mittwoch Nachmittag.

Krankheiten der Hausthiere: s. Medicin S. 138.

Chemisches Practicum: s. Naturwiss. S. 142.

Literärgeschichte.

Literaturgeschichte: Prof. *Hoeck*.

Geschichte der Philosophie: vgl. Philosophie S. 7.

Geschichte der Prosa der Griechen: Prof. *v. Leutsch*, 4 St., 4 Uhr.

Geschichte der deutschen Nationalliteratur von Lessings Zeit bis zur Gegenwart: Prof. *Bohtz*, Mont. Dienst. Donnerst. Freit. 11 Uhr.

Geschichte der deutschen Dichtung, Theil I: Assessor *Tittmann*, 5 St., 9 Uhr.

Uebersicht der Geschichte der deutschen Dichtung von Hans Sachs bis Opitz: Dr. *Wilken*, 2 St., unentgeltlich.

Vgl. Griech. und Lat. Sprache S. 145.

Alterthumskunde.

Griechische Alterthümer: Prof. *Wachsmuth*, 4 St., 12 Uhr.

Griechische und römische Kunstarchäologie: Prof. *Wieseler*, 4 oder 5 St., 8 Uhr.

Archäologische Kritik und Hermeneutik: Prof. *Wieseler*, Mittw. 8 Uhr und Sonnabends 10 Uhr.

Geschichte der alten Kunst nach Alexander dem Grossen: Dr. *Matz*.

Im K. archäologischen Seminar wird Prof. *Wieseler* öffentlich ausgewählte Kunstwerke erklären lassen, Sonnab. 12 Uhr.

Die Abhandlungen der Mitglieder wird *Derselbe* privatissime beurtheilen, wie bisher.

Zur Leitung einer archäologischen Societät erbietet sich Dr. *Matz.*

Orientalische Sprachen.

Die Vorlesungen über das A. und N. Testament s. unter Theologie S. 133. 135.

In der arabischen und äthiopischen Sprache ertheilt Unterricht Prof. *Bertheau* 2 Uhr, öffentlich.

Ausgewählte Stücke aus arabischen Schriftstellern erklärt Prof. *Wüstenfeld*, privatissime.

Seine Vorlesung über syrische Sprache setzt Prof. *de Lagarde* Dienst. und Freit. 9 Uhr fort.

Vergleichende Grammatik der vier indogermanischen Hauptsprachen: Sanskrit, Griechisch, Lateinisch und Deutsch: Prof. *Benfey*, 5 St., 4 Uhr.

Erklärung von Sanskritgedichten: Prof. *Benfey*, Mont. Dienst. Donnerst. 5 Uhr.

Griechische und lateinische Sprache.

Geschichte der Prosa der Griechen: s. Literärgeschichte S. 144.

Platons Theaetet: Dr. *Peipers*, 'Mont. Dienst. Donnerst. Freit. 8 Uhr.

Demosthenes Rede für den Kranz: Prof. *Sauppe*, Mont. Dienst. Donnerst. Freit. 9 Uhr.

Aristoteles Physik, u. Metaphysik: vgl. Philos. S. 139.

Lehre vom lateinischen Stil, mit praktischen Uebungen: Prof. *Sauppe*, Mont. Dienst. Donnnerst. Freit., 7 Uhr früh.

Erklärung der Historien des Tacitus: Prof. *von Leutsch*, 4 St., 10 Uhr.

Iuvenals Satiren: Dr. *Matz.*

Im K. philologischen Seminar leitet die schriftlichen Arbeiten und Disputationen Prof. *von Leutsch*, Mittw. 11 Uhr, lässt ausgewählte Reden des Lysias erklären Prof. *Sauppe*, Mont. und Dienst., 11 Uhr, lässt Statius'

Silven Prof. *Wachsmuth* erklären, Donnerst. u. Freit
11 Uhr, alles öffentlich.

Im philologischen Proseminar leiten die schriftliche
Arbeiten und Disputationen die Proff. *von Leutsch*
Sauppe und *Wachsmuth*, Mittwoch 2 und 3 Uhr, Sonn
abend 11 Uhr; liest ausgewählte Reden des Lysias Pro
Sauppe Mittw. 2 Uhr, Statius Silven Prof. *Wachsmuth*
Sonnabend 11 Uhr, erklären, alles öffentlich.

Deutsche Sprache.

Historische Grammatik der deutschen Sprache: Pro
Wilh. Müller, 5 St. 3 Uhr.

Die Gedichte Walthers von der Vogelweide erklä
Prof. *Wilh. Müller*, Dienst. Mittw. Freit. 5 Uhr.

Die Grundzüge der altsächsischen Sprache lehrt un
den Heliand erklärt *W. Müller*, Mont. und Donners
10 Uhr.

Die Gudrun erläutert, mit literarischer und metr
scher Einleitung, Dr. *Wilken*, Mittwoch und Sonnaben
10 Uhr.

Geschichte der deutschen Literatur: vgl. Literärg
schichte S. 11.

Die Uebungen der deutschen Gesellschaft leitet Pro
Wilh. Müller.

Altdeutsche Gesellschaft: Dr. *Wilken*, Freitag
Uhr.

Neuere Sprachen.

Prof. *Th. Müller* wird privatim Shakespeare
König Laar erklären, Mont. Dienst. u. Donnerst.
Uhr;

Uebungen in der französischen und englischen Spr
che veranstaltet *Derselbe*, die ersteren Mont. Dienst.
Mittwoch 12 Uhr, die letzteren Donnerstag Freitag
Sonnab. 12 Uhr.

Oeffentlich wird er in der romanischen Societät d
provenzalische Sprache lehren.

Schöne Künste. — Fertigkeiten.

Ausgewählte Kunstdenkmäler des Mittelalters erklärt Prof. *Unger* in einer noch zu bestimmenden Stunde.

Unterricht im Zeichnen, wie im Malen, ertheilen Zeichenmeister *Grape*, und, mit besonderer Rücksicht auf naturhistorische und anatomische Gegenstände, Zeichenlehrer *Peters*.

———

Geschichte der Musik von Palestrina bis Beethoven: Prof. *Krüger*, zwei Stunden, 12 Uhr.

Harmonie- und Kompositionslehre, verbunden mit praktischen Uebungen: Musikdirector *Hille*, in passenden Stunden.

Zur Theilnahme an den Uebungen der Singakademie und des Orchesterspielvereins ladet *Derselbe* ein.

———

Reitunterricht ertheilt in der K. Universitäts-Reitbahn der Univ.-Stallmeister *Schweppe*, Mont., Dienst., Donnerst., Freit., Sonnab., Morgens von 7—11 und Nachm. (ausser Sonnab.) von 4—5 Uhr.

———

Fechtkunst lehrt der Universitätsfechtmeister *Grüneklee*, Tanzkunst der Universitätstanzmeister *Hültzke*.

Oeffentliche Sammlungen.

Die *Universitätsbibliothek* ist geöffnet Montag, Dienstag, Donnerstag und Freitag von 2 bis 3, Mittwoch und Sonnabend von 2 bis 4 Uhr. Zur Ansicht auf der Bibliothek erhält man jedes Werk, das man in gesetzlicher Weise verlangt; über Bücher, die man geliehen zu bekommen wünscht, giebt man einen Schein, der von einem hiesigen Professor als Bürgen unterschrieben ist.

Das *zoologische* und *ethnographische Museum* ist Dienstag und Freitag von 3—5 Uhr geöffnet.

Die *geognostisch-paläontologische Sammlung* ist Mittw. von 3—5 Uhr geöffnet.

Die *Gemäldesammlung* ist Donnerstag von 11—1 Uhr geöffnet.

Der *botanische Garten* ist, die Sonn- und Festtage ausgenommen, täglich von 5—7 Uhr geöffnet.

Ueber den Besuch und die Benutzung des *Theatrum anatomicum*, des *physiologischen Instituts*, der *pathologischen Sammlung*, der *Sammlung von Maschinen und Modellen*, des *zoologischen* und *ethnographischen Museums*, des *botanischen Gartens*, der *Sternwarte*, des *physikalischen Cabinets*, der *mineralogischen* und der *geognostisch-paläontologischen Sammlung*, der *chemischen Laboratorien*, des *archäologischen Museums*, der *Gemäldesammlung*, der *Bibliothek des k. philologischen Seminars*, des *diplomatischen Apparats*, bestimmen besondere Reglements das Nähere.

―――――

Bei dem Logiscommissär, Pedell *Fischer* (Burgstr. 42), können die, welche Wohnungen suchen, sowohl über die Preise, als andere Umstände Auskunft erhalten, und auch im voraus Bestellungen machen.

Nachrichten

von der Königl. Gesellschaft der Wissenschaften und der G. A. Universität zu Göttingen.

| 26. Februar. | № 6. | 1873. |

Königliche Gesellschaft der Wissenschaften.

Die Schwerkraft in mehrfach ausgedehnten Gaussischen und Riemannschen Räumen.

Ernst Schering.

Für die Schwerkraft im dreifach ausgedehnten Gaussischen Raume habe ich in diesen Nachrichten vom 13. Juli 1870 das Fundamentalgesetz und einige Lehrsätze über ihre wesentlichsten Eigenschaften aufgestellt. Mit diesem Gegenstande hat auch Dirichlet, wie ich jetzt erfahren, in der letzten Zeit seines Aufenthalts in Berlin sich beschäftigt; er hat darüber mit seinen Freunden gesprochen ohne von den Resultaten seiner Untersuchungen Mittheilung zu machen.

Die Aufstellung der Gesetze für fingirte Kräfte in solchen Räumen, von welchen der uns umgebende nur ein specieller Fall ist, hat für uns einmal die Bedeutung, dass wir uns von der naturgemässen Form der Gesetze für die uns bekannten Kräfte ein besseres Urtheil verschaffen, denn aber auch die Bedeutung, dass die Untersuchung solcher allgemeinerer Gesetze uns Aussicht bietet, das Gebiet der reinen Ana-

lysis durch neue Hülfsmittel ähnlich zu erweitern, wie es durch die Untersuchung der bekannten Naturkräfte so vielfach geschehen ist.
Diese Hoffnung hat sich schon bei einem Falle
erfüllt durch Herrn Kroneckers Arbeiten »Ueber
Systeme von Funktionen mehrer Variabeln«.
Die Eigenschaft der Schwerkraft im mehrfach
ausgedehnten ebenen Raume hat dort Veranlassung zur Einführung des in der Analysis so
fruchtbaren Begriffes der »Charakteristik eines
Systems von Functionen« gegeben. Zu den
dort aufgestellten Lehrsätzen will ich hier noch
den folgenden hinzufügen:

Lehrsatz I. Sind $\mathfrak{R}_n R_n$ und P_n Raumtheile
die sich in beliebiger Weise decken, durchdringen,
können, sind $x_1 . x_\nu .. x_n$ die n geradliniger
rechtwinkligen Coordinaten von einem Punkte
des Raumelements dR_n in einem $n$fach ausgedehnten ebenen Raume, $\xi_1 .. \xi_\nu .. \xi_n$ die Coordinaten von einem Punkte des Raumelements
dP_n, $a_1 .. a_\nu .. a_n$ die Coordinaten eines Punktes
des Raumelementes dR_n oder auch eines Punktes
im Elemente $d\mathfrak{R}_{n-1}$, welches einer den Raumtheil $\mathfrak{R}_n$ vollständig begrenzenden $n-1$ fach
ausgedehnten räumlichen Gestalt $\mathfrak{R}_{n-1}$ angehört, sind $m(.. x_\nu ..)$ und $\mu(.. \xi_\nu ..)$ Functionen
der Coordinaten für Punkte innerhalb der Raumtheile R_n und P_n, bezeichnet r den positiven Werth
von $\sqrt{\Sigma (x_\nu - a_\nu - \xi_\nu)^2}$, $d\mathfrak{R}$ die Normale zur räumlichen Gestalt $d\mathfrak{R}_{n-1}$ im Punkte $.. a_\nu ..$ nach

derjenigen Seite, wo sich der Raumtheil $\Re_n$ befindet hat die $\varPi$ Function die bei Gauss gebräuchliche Bedeutung, ist

$$K(n) = 2\,(4\pi)^{\frac{n-1}{2}} \cdot \frac{\varPi \frac{n-1}{2}}{\varPi(n-1)} \quad \text{für ein ungerades } n$$

$$K(n) = 2\,\pi^{\frac{n}{2}} \cdot \frac{1}{\varPi \frac{n-2}{2}} \quad \text{für ein gerades } n$$

und setzt man

$$\iint m\,(x_1,\, x_2)\,\mu\,(\xi_1,\, \xi_2)\, \log\frac{1}{r} \cdot dR_2\, dP_2 = \varPhi$$

für $n = 2$, dagegen

$$\iint \frac{m\,(..\,x_\nu\,..) \cdot \mu\,(..\,\xi_\nu\,..)}{(n-2)\,r^{n-2}}\, dR_n\, dP_n = \varPhi$$

für $n > 2$ so ist:

$$\int \frac{\partial \varPhi}{\partial \Re}\,d\Re_{n-1} = K(n) \iint m\,(..\,x_v\,..)\,\mu\,(...\,\xi_v\,..)\,dR'_n\, dP'_n$$

worin das Integral in Bezug auf $d\Re_{n-1}$ über
die ganze den Raumtheil $\Re_n$ begrenzende Raumgestalt $\Re_{n-1}$ auszudehnen ist.

Die Integrale in Bezug dR_n und dP_n erstrecken sich über die ganzen Raumtheile R'_n und P_n aber die Integrale in Bezug auf dR'_n und dP'_n nur über alle solche Elementenpaare dR'_n mit dem Punkte $x_1 \ldots x_\nu \ldots x_n$ und dP'_n mit dem Punkte $\xi_1 \ldots \xi_\nu \ldots \xi_n$, welche beziehungsweise in den Raumtheilen R_n und P_n liegen und durch $x_1 - \xi_1, \ldots x_\nu - \xi_\nu \ldots x_n - \xi_n$ die Coordinaten eines im Raumtheile $\Re_n$ liegenden Punktes ergeben. Sind die Massen m und μ nicht in Raumtheilen R_n und P_n stetig verbreitet, sondern in weniger vielfach ausgedehnten räumlichen Gestalten $R_{n-n'}$ und $P_{n-\nu'}$ oder in Punkten enthalten, so treten an die Stelle der Integrale, in Bezug auf dR_n, dR'_n und dP_n, dP'_n Integrale in Bezug auf $dR_{n-n'}$, $dR'_{n-n'}$ und $dP_{n-\nu'}$, $dP'_{n-\nu'}$ oder auch endliche Summen.

Für die mehrfach ausgedehnten nicht ebenen Räume hat Herr Lipschitz in seinen Abhandlungen, welche die homogene Formen von Differentialen zum Gegenstande haben, Untersuchungen auch über die Lehre von der Bewegung angestellt.

Mein in der vorigen Nummer dieser Nachrichten abgedruckte Aufsatz über die mehrfach ausgedehnten Gaussischen und Riemannschen Räume enthält die Hülfsmittel zum Beweise der folgenden Lehrsätze für die Schwerkraft in solchen Räumen.

Lehrsatz II. Bedeutet r die mit einer beliebigen Längeneinheit gemessene Entfernung zwischen den Massentheilchen m und μ, bezeichnet $\dfrac{\sqrt{-1}}{s}$ für einen Gaussischen und $\dfrac{1}{s}$ für einen Riemannschen Raum die von der Beschaffenheit des besonderen Raumes abhängige und mit der bei der Bestimmung der übrigen Längen zu Grunde gelegten Einheit gemessene Länge, welche als die dem Raume eigenthümliche absolute Längeneinheit betrachten werden kann, haben Π und $K(n)$ dieselbe Bedeutung wie oben und setzt man:

$$\sum_{\nu=0}^{\mu=\frac{n-3}{2}} 2^{n-2\,\nu-3} \frac{\Pi 2\nu}{\Pi(n-2)} \cdot \frac{\Pi\frac{n-3}{2}}{\Pi\nu} \cdot \frac{\Pi\frac{n-3}{3}}{\Pi\nu} \cdot s^{n-2} \cos sr \cdot \sin sr^{-2\nu-1}$$

$= w_n(r)$ für ein ungerades n, dagegen

$$2^{3-n} \frac{\Pi(n-2)}{\Pi\frac{n-2}{2} \cdot \Pi\frac{n-2}{2}} s^{n-2} \log\left(\tfrac{1}{2}\, s \cot \tfrac{1}{2}\, sr\right)$$

$$+ \sum_{\nu=0}^{\nu=\frac{n-4}{2}} 2^{2\nu-n+2} \cdot \frac{\Pi(n-2)}{\Pi(4\nu+1)} \frac{\Pi\nu}{\Pi\frac{n-2}{2}} \frac{\Pi\nu}{\Pi\frac{n-2}{2}} s^{n-2} \cos sr \cdot \sin sr^{-2\nu-2}$$

$= w_n(r)$ für ein gerades n

so ist

$$m\,\mu\, w_n(r)$$

die Potential-Function für die zwischen den positiv genommenen Massentheilchen m und μ in $n$fach ausgedehnten homogenen Räumen stattfindende Anziehung.

Lehrsatz III. Bedeutet V die Potential-Function der auf eine in einem Punkte befindliche Masseneinheit ausgeübten Wirkung, welche als von einer positiven oder negativen irgend wie im Raume vertheilten Masse ausgehend betrachtet werden soll, je nachdem die Wirkung eine Anziehung oder Abstossung ist, so wird also

$$V = \underset{m}{\Sigma} m \cdot w_n(r)$$

wenn r die Entfernung des Massentheilchen m von dem veränderlichen die Function V bestimmenden Punkte bezeichnet. Die in irgend einem von der $n-1$fach ausgedehnten räumlichen Gestalt R_{n-1} vollständig aber nur einfach begrenzten Raumtheile R_n befindliche Gesammtmasse wird durch

$$\frac{1}{K(n)} \int \frac{\partial V}{\partial N} \, dR_{n-1}$$

dargestellt, worin $K(n)$ die oben angegebene Bedeutung hat, dN die zu dem Elemente dR_{n-1} der $n-1$fach ausgedehnten räumlichen Gestalt R_{n-1} nach der Seite des von ihr begrenzten Raumtheiles R_n errichtete Normale bedeutet und das Integral über die ganze Grenze des Raumtheiles R_n ausgedehnt wird.

Lehrsatz III. Bestimmt man die Lage eines Punktes durch irgend welche rechtwinkelige krummlinige Coordinaten $\eta_1 .. \eta_\nu .. \eta_n$ bezeichnet mit $d\eta_1 .. d\eta_\nu .. d\eta_n$ und $\delta\eta_1 .. \delta\eta_\nu$ $.. \delta\eta_n$ irgend welche zwei unendlich kleine Ortsänderungen dieses Punktes so wird das Product der Längen der von dem ersten Orte dieses Punktes nach jenen beiden benachbarten Orten gezogenen kürzesten Linien in einander und in den Cosinus des von diesen Linien eingeschlossenen Winkels multiplicirt die Form

$$\sum_{\nu=1}^{\nu=n} \eta'_\nu \, \eta'_\nu \, d\eta_\nu \, \delta\eta_\nu$$

haben, worin $\eta'_1 .. \eta'_\nu .. \eta'_n$ positive Functionen allein von $\eta_1 .. \eta_\nu .. \eta_n$ sind.

Lehrsatz IV. Befindet sich die Masseneinheit, auf welche sich das Potential V bezieht, in dem nach dem vorigen Lehrsatze durch die Coordinaten $\eta_1 .. \eta_\nu .. \eta_n$ bestimmten Punkte und ist die einwirkende Masse an dieser Stelle im $n$fach ausgedehnten Raume stetig vertheilt, so ist daselbst die Dichtigkeit der Masse gleich

$$-\frac{1}{K(n)} \frac{1}{\eta'} \sum_{\nu=1}^{\nu=n} \frac{\partial}{\partial\eta_\nu} \left(\frac{\eta'}{\eta'_\nu \eta'_\nu} \frac{\partial V}{\partial\eta_\nu} \right)$$

worin η' für das Product $\eta'_1 \cdot \eta'_2 .. \eta'_n$ gesetzt ist.

Lehrsatz VI. Ist die Masse in einer $n-1$ fach ausgedehnten räumlichen Gestalt R_{n-1} condensirt und ändert sie sich darin stetig so wird

$$\cdot \frac{1}{K(n)}\left(\frac{\partial V}{\partial N}\right)_1 + \frac{1}{K(n)}\left(\frac{\partial V}{\partial N}\right)_2$$

die Dichtigkeit an derjenigen Stelle der Gestalt R_{n-1} gegen welche hin von beiden Seiten die Normale dN_1 und dN_2 zu der räumlichen Gestalt dR_{n-1} gefällt sind.

Lehrsatz VII. Ist die Masse in einer $n-\nu$ fach ausgedehnten räumlichen Gestalt $R_{n-\nu}$ verdichtet und ändert sie sich darin stetig so wird für bis zur Null abnehmende n der Grenzwerth von

$$\frac{2\pi}{K(n)} \cdot \frac{V}{\lg\frac{1}{N}} \quad \text{für} \quad n-\nu = n-2$$

von

$$\frac{K(\nu)}{K(n)}(\nu-2)N^{\nu-2}V \quad \text{für} \quad n-\nu < n-2$$

die Dichtigkeit an derjenigen Stelle der Gestalt $R_{n-\nu}$ gegen welche hin von einem unendlich nahen ausserhalb der Gestalt liegenden und die Potentialfunction V bestimmenden Punkte die Normale N zu $dR_{n-\nu}$ gezogen ist.

Lehrsatz VIII. Bezeichnet R_n einen bestimmten Raumtheil, dR_n dessen Raumelement, welches den Punkt $\eta_1 \cdot \eta_\nu \cdot \cdot \eta_n$ enthält, ferner R_{n-1} die $n-1$fache Raumgestalt, welche den Raumtheil dR_n gegrenzt, dR_{n-1} ein Element davon, dN eine nach dem begrenzten Raumtheile R_n zu dR_{n-1} errichtete Normale so ist

$$\int \sum_{\nu=1}^{\nu=n} \frac{1}{\eta'_\nu \eta'_\nu} \frac{\partial U}{\partial \eta_\nu} \frac{\partial V}{\partial \eta_\nu} \cdot dR_n$$

$$= -\int U \frac{\partial V}{\partial N} dR_{n-1} - \int U \frac{1}{\eta'} \sum_{\nu=1}^{\nu=n} \frac{\partial}{\partial \eta_\nu} \left(\frac{\eta'}{\eta'_\nu \eta'_\nu} \frac{\partial V}{\partial \eta_\nu} \right) . dR_n$$

$$= -\int V \frac{\partial U}{\partial N} dR_{n-1} - \int V \frac{1}{\eta'} \sum_{\nu=1}^{\nu=n} \frac{\partial}{\partial \eta_\nu} \left(\frac{\eta'}{\eta'_\nu \eta'_\nu} \frac{\partial U}{\partial \eta_\nu} \right) . dR_n$$

wenn U und V solche Functionen der Coordinaten sind, welche sich in dem Raume R_n stetig ändern und welche die auf dR_n und dR_{n-1} sich beziehenden Integrale endliche Werthe annehmen lassen.

Gehen von einem Punkte n kürzeste Linien aus, von denen jede zu allen übrigen $n-1$ normal ist und welche Coordinatenaxen heissen sollen, wird von jenem Punkte 0 nach einem Punkte n eine kürzeste Linie gezogen, wird der von dem Punkte 0 bis zu dem Halbirungspunkte der kürzesten Linie gehende Abschnitt auf die Coordinatenaxen projicirt und die Längen dieser Projectionen mit $\frac{1}{2}x_1 \cdot \frac{1}{2}x_\nu \cdot \cdot \frac{1}{2}x_n$, bezeichnet so sollen $x_1 \cdot \cdot x_\nu \cdot \cdot x_n$ die rechtwinkeligen symmetrischen Coordinaten des Punktes x heissen.

Lehrsatz IX. Sind $\Re_n$, R_n und P_n Raumtheile, die sich in beliebiger Weise decken, durchdringen, können, sind $\alpha_1 \cdot \cdot \alpha_\nu \cdot \cdot \alpha_n$ und $x_1 \cdot \cdot x_\nu \cdot \cdot x_n$ und $\xi_1 \cdot \cdot \xi_\nu \cdot \cdot \xi_n$ die rechtwinkeligen symmetrischen Coordinaten von drei Punkten, welche je in einem der drei den Raumtheilen $\Re_n$, R_n und P_n sich befinden, sind $m(..x_\nu..)$ und $\mu(..\xi_\nu..)$ stetige Functionen innerhalb der Raumtheile R_n und P_n, ist $d\Re$ die Normale zur räumlichen Gestalt $d\Re_{n-1}$ im Punkte $\alpha_1 \cdot \cdot \alpha_\nu \cdot \cdot \alpha_n$ nach derjenigen Seite, wo sich der von ihr begrenzte Raumtheil $\Re_n$ befindet und setzt man:

$$\frac{\Sigma(\mathrm{tg}\,\tfrac{1}{2}\varepsilon x_\nu - \mathrm{tg}\,\tfrac{1}{2}\,\varepsilon\alpha_\nu - \mathrm{tg}\,\tfrac{1}{2}\,\varepsilon\xi_\nu)^2}{\{1 + \Sigma(\mathrm{tg}\tfrac{1}{2}\varepsilon\alpha_\nu)^2\}\{1 + \Sigma(\mathrm{tg}\tfrac{1}{2}\varepsilon x_\nu - \mathrm{tg}\tfrac{1}{2}\varepsilon\xi_\nu)^2\}}$$
$$= (\sin\tfrac{1}{2}\varepsilon r)^2$$

worin die Summationen Σ sich über die Zahlen $\nu = 1, 2, 3 .. n$ erstreckt, setzt man endlich

$$\iint m(..x_\nu..)\mu(...\xi_\nu..)\,w_n\,(r)\,dR_n\,dP_n = W_n(..\alpha_\nu..)$$

so besteht die Fundamentalgleichung :

$$\int \frac{\partial}{\partial \Re} \, W_n (.. \, \alpha_n ..) \, d\Re_{n-1}$$

$$= K(n) \iint m(.. \, x_\nu ..) \, \mu(.. \, \xi_\nu ..) \, dR'_n \, dP'_n$$

worin das Integral in Bezug auf das Element $d\Re_{n-1}$ mit dem durch die rechtwinkeligen symmetrischen Coordinaten $\alpha_1 .. \alpha_\nu .. \alpha_n$ bestimmten Punkte sich über die ganze den Raumtheil $\Re_n$ einfach begrenzende Raumgestalt $\Re_{n-1}$ erstreckt, die Integrale in Bezug auf dR_n und dP_n über die ganzen Raumtheile R_n und P_n aber die Integrale in Bezug auf dR'_n und dP'_n nur über alle solche Elementenpaare dR'_n mit dem Punkte $x_1 .. x_\nu .. x_n$ und dP'_n mit dem Punkte $\xi_1 .. \xi_\nu .. \xi_n$ welche beziehungsweise in den Raumtheilen R_n und P_n liegen und durch

$$\text{tg} \, \tfrac{1}{2} \varepsilon x_\nu - \text{tg} \, \tfrac{1}{2} \varepsilon \xi_\nu = \text{tg} \, \tfrac{1}{2} \varepsilon \alpha_\nu$$

für $\nu = 1, 2 .. n$ die rechtwinkeligen symmetrischen Coordinaten $\alpha_1 .. \alpha_\nu .. \alpha_n$ irgend eines im Raumtheile $\Re_n$ liegenden Punktes ergeben. An die Stelle der auf dR_n, dR'_n und dP_n, dP'_n bezüglichen Integrale können nach Beschaffenheit der m und μ auch Integrale, welche über weniger vielfach ausgedehnte räumliche Gestalten sich erstrecken, oder auch endliche Summen treten.

Göttingen 1873 Februar 1.

Ueber die Vertheilung der quadratischen Formen mit complexen Coeefficienten und Veränderlichen in Geschlechter.

Von

Dr. B. Minnigerode.

Vorgelegt von Prof. Schering.

Dirichlet hat im Eingange seiner Abhandlung über die quadratischen Formen in der Theorie der complexen Zahlen für den zweiten Theil seiner Untersuchungen unter Anderem Betrachtungen über die Vertheilung der quadratischen Formen in Geschlechter in Aussicht gestellt. Dieser zweite Theil ist nicht erschienen; die Vertheilung der quadratischen Formen in Geschlechter soll im Folgenden untersucht werden.

Wir betrachten quadratische Formen von der Determinante D, von der wir nur voraussetzen, dass sie kein Quadrat ist. Ist (a, b, c) eine solche Form, so heisst sie ursprünglich, wenn die Zahlen a, b, c keinen gemeinschaftlichen Theiler haben. Es können dann die Zahlen a, $2b$, c entweder den grössten gemeinschaftlichen Theiler 1 oder $1 + i$ oder 2 haben und die Form heisst diesen drei Fällen gemäss von der 1ten, 2ten oder 3ten Art. Wir beschränken die Untersuchung im Folgenden auf ursprüngliche Formen der 1ten Art, indem die andern Fälle eine ganz ähnliche Behandlung zulassen.

Die Eintheilung der quadratischen Formen in Geschlechter beruht nun auf Folgendem.

Es seien x und x' irgend zwei durch eine quadratische Form darstellbare Zahlen, so kann nach einem sehr bekannten Satz das Produkt

nn' durch die Hauptform $x^2 - Dy^2$ dargestellt werden.

Bezeichnet l irgend eine ungerade in D aufgehende Primzahl, n und n' zwei durch l nicht theilbare, durch die Form (a, b, c) darstellbare Zahlen, so folgt aus der Gleichung

1)
$$nn' = x^2 - Dy^2,$$

dass nn' quadratischer Rest von l ist, also mit Benutzung des von Dirichlet gebrauchten Zeichens

$$\left[\frac{nn'}{l}\right] = 1.$$

Hieraus folgt, dass $\left[\frac{n}{l}\right]$ für alle Zahlen n denselben Werth hat, die durch dieselbe Form darstellbar und nicht durch l theilbar sind.

Ist D durch die vierte Potenz von $1 + i$ theilbar, und bezeichnen n und n' zwei ungerade durch die Form (a, b, c) darstellbare Zahlen, so liefert die Gleichung 1) die Congruenz

$$nn' \equiv x^2 \; (\text{mod. } 4).$$

x ist hier ungerade, also $x^2 \equiv \pm 1 \; (\text{mod. } 4)$, also nn' von der Form $\pm 1 + 4h \mp 4h^2 i$. Folglich ist

$$(-1)^{\frac{N(nn')-1}{4}} = 1.$$

Aus dieser Gleichung folgt, dass, wenn $n = \lambda + \nu i$ gesetzt wird,

1a)
$$(-1)^{\frac{\lambda^2+\nu^2-1}{4}}$$

für alle durch die Form (a, b, c) darstellbaren ungeraden Zahlen n denselben Werth hat.

Wird die eben gebrauchte Bezeichnung beibehalten und vorausgesetzt, dass D durch die 5te Potenz von $1+i$ theilbar ist, so folgt aus 1)

$$nn^1 \equiv x^2 \,(\mathrm{mod.}\,4+4i).$$

Da x ungerade ist, so wird, wenn $x^2 = A + Bi$ gesetzt wird, $A + B \equiv \pm 1 \,(\mathrm{mod.}\,8)$, also auch, wenn $nn^1 = L + Ni$ ist, $L + N \equiv \pm 1 \,(\mathrm{mod.}\,4+4i)$. Hieraus aber folgt, wenn berücksichtigt wird, dass $L + N$ nicht complex ist,

$$L + N \equiv \pm 1 \,(\mathrm{mod.}\,8)$$

oder:
$$(-1)^{\frac{(L+N)^2-1}{8}} = 1.$$

Hieraus schliesst man, dass

1b)
$$(-1)^{\frac{(\lambda+\nu)^2-1}{8}}$$

für alle ungeraden Zahlen $\lambda + \nu i$, welche durch eine bestimmte Form dargestellt werden können, deren Determinante durch $4 + 4i$ theilbar ist, denselben Werth hat.

Betrachten wir irgend eine (ursprüngliche) Form (der 1ten Art) (a, b, c), so kann man den unbestimmten Veränderlichen in derselben immer solche Werthe beilegen, dass die dargestellte Zahl n die Form $2k + 1 + 2ih$ erhält. Die Determinante D ist nun quadratischer Rest jeder durch die Form dargestellten Zahl. Also besteht die Gleichung

2) $$\left[\frac{D}{n}\right] = 1.$$

Zur weiteren Entwicklung dieser Gleichung unterscheiden wir einige Fälle bezüglich der Determinante D. Vereinigen wir alle doppelten Factoren von D in ein einziges Quadrat, so können wir schreiben

$$D = XPR^2,$$

wo X einen der vier Werthe

$$X=1, \; X=i, \; X=1+i, \; X=i(1+i)$$

besitzt, P oder $-P$ ein Produkt von lauter verschiedenen ungeraden primären[*]) Primzahlen darstellt. Der Fall $P=\pm1$ ist nicht ausgeschlossen, kann aber nur vorkommen, wenn X von 1 verschieden ist, gemäss unserer Voraussetzung, dass D kein Quadrat ist. Die Zahlen X, P, R sind, sobald D gegeben ist, vollständig bestimmt, abgesehen davon, dass man statt P und R^2 gleichzeitig $-P$ und $(Ri)^2$ setzen kann.

Wir formen nun die Gleichung 2) mit Hülfe des Reciprocitätsgesetzes und der Ergänzungssätze um (Dirichlet Recherches etc., Crelle J. Bd. 24. §. 8. Gl. f). Nach diesen ist:

---

[*]) Eine ungerade Zahl $\lambda + \nu i$ heisst primär, wenn $\lambda \equiv 1$ (mod. 4) und $\nu \equiv 0$ (mod. 2) ist.

$$\left[\frac{i}{A+Bi}\right]=(-1)^{\frac{P-1}{4}}, \left[\frac{1+i}{A+Bi}\right]=(-1)^{\frac{(A+B)^2-1}{8}},$$

$$\left[\frac{\alpha+\beta i}{A+Bi}\right]=\left[\frac{A+Bi}{\alpha+\beta i}\right];$$

in diesen Gleichungen sind $A+Bi$ und $\alpha+\beta i$ zwei ungerade Zahlen ohne gemeinschaftlichen Theiler, für die B und β gerade sind; $P=A^2+B^2$. Zunächst folgt daraus

$$\left[\frac{D}{n}\right]=\left[\frac{XPR^2}{n}\right]=\left[\frac{X}{n}\right]\left[\frac{P}{n}\right]=\left[\frac{X}{n}\right]\left[\frac{n}{P}\right].$$

Für die vier unterschiedenen Fälle ist nun beziehungsweise wenn $n=\lambda+\nu i$ gesetzt und beachtet wird, dass ν gerade ist:

$$\left[\frac{X}{n}\right]=1, \left[\frac{X}{n}\right]=(-1)^{\frac{\lambda^2+\nu^2-1}{4}}, \left[\frac{X}{n}\right]=(-1)^{\frac{(\lambda+\nu)^2-1}{8}},$$

$$\left[\frac{X}{n}\right]=(-1)^{\frac{\lambda^2+\nu^2-1}{4}+\frac{(\lambda+\nu)^2-1}{8}}.$$

Man kann die vier sich ergebenden Fälle in eine einzige Formel vereinigen, wenn man zwei Zahlen δ und s einführt, die entsprechend den vier Fällen die Werthe besitzen:

$$\delta=1, s=1; \delta=-1, s=1; \delta=1, s=-1;$$

$$\delta=-1, s=-1.$$

Es ist nämlich alsdann

$$\left[\frac{X}{n}\right] = \delta^{\frac{\lambda^2+\nu^2-1}{4}} \, \varepsilon^{\frac{(\lambda+\nu)^2-1}{8}}.$$

Die Gleichung 2) liefert hiernach

$$\delta^{\frac{\lambda^2+\nu^2-1}{4}} \, \varepsilon^{\frac{(\lambda+\nu)^2-1}{8}} \cdot \left[\frac{n}{P}\right] = 1,$$

oder wenn P gleich dem Produkt der Primzahlen p, p^1, ... ist:

$$2\text{a}) \; \delta^{\frac{\lambda^2+\nu^2-1}{4}} \, \varepsilon^{\frac{(\lambda+\nu)^2-1}{8}} \left[\frac{n}{p}\right]\left[\frac{n}{p^1}\right] \ldots = 1.$$

Ist nun die zu Grunde gelegte Form, durch welche die Zahl n dargestellt wird, die Hauptform, so ist nach dem oben Bewiesenen

$$\left[\frac{n}{p}\right] = 1, \quad \left[\frac{n}{p_1}\right] = 1, \ldots,$$

also

$$3) \quad \delta^{\frac{\lambda^2+\nu^2-1}{4}} \, \varepsilon^{\frac{(\lambda+\nu)^2-1}{8}} = 1.$$

Sind n^1 und n^{11} zwei durch eine quadratische Form der Determinante D darstellbare ungerade Zahlen, deren in i multiplicirter Theil gerade ist, so liefert die Gleichung 3), wenn man bemerkt, dass $n^1 n^{11}$ durch die Hauptform darstellbar ist, das Ergebniss, dass für alle durch eine bestimmte Form der Determinante D darstellbaren ungeraden Zahlen $n = \lambda + \nu i$, für die ν gerade ist,

14

$$\frac{\lambda^2+\nu^2-1}{\delta \quad 4} \quad \frac{(\lambda+\nu)^2-1}{\varepsilon \quad 8}$$

denselben Werth hat. Für den ersten der 4 unterschiedenen Fälle ist dies kein Satz, da hier $\delta=\varepsilon=1$ ist; für die 3 anderen Fälle aber sieht man, dass beziehungsweise
3a)

$$(-1^{\frac{\lambda^2+\nu^2-1}{4}} ,(-1)^{\frac{(\lambda+\nu)^2-1}{8}} ,(-1)^{\frac{\lambda^2+\nu^2-1}{4}+\frac{(\lambda+\nu)^2-1}{8}}$$

denselben Werth hat.

Aus dem Gesagten ergiebt sich Folgendes. Es bezeichne $n=\lambda+\nu i$ eine ungerade Zahl, bei der ν gerade und die durch eine quadratische Form der Determinante D darstellbar ist. Sind $p, p^1, \ldots$ die ungeraden in D aufgehenden Primzahlen, so hat für alle Zahlen n der angegebenen Beschaffenheit

4) $\qquad \left[\frac{n}{p}\right], \left[\frac{n}{p^1}\right], \ldots$

den nämlichen Werth. In besonderen Fällen haben auch eine oder zwei der Zahlen
5)

$$(-1)^{\frac{\lambda^2+\nu^2-1}{4}} ,(-1)^{\frac{(\lambda+\nu)^2-1}{8}} ,(-1)^{\frac{\lambda^2+\nu^2-1}{4}+\frac{(\lambda+\nu)^2-1}{8}}$$

für alle jene Zahlen n denselben Werth.

Die Zahlen 4) und 5) haben für jede Form bestimmte Werthe und heissen die Charaktere C der Form. Das System dieser Werthe ± 1 für eine bestimmte Form heisst ihr Totalcharakter. Hierauf beruht die Eintheilung der Formen in Geschlechter. Man rechnet nämlich zu demselben Geschlecht oder zu zwei verschiedenen Geschlechtern zwei Formen, je nachdem ihre Totalcharaktere identisch sind oder nicht. Es leuchtet unmittelbar ein, dass alle äquivalenten Formen in dasselbe Geschlecht gehören, so dass ein Geschlecht als der Inbegriff von bestimmten Formenclassen anzusehen ist.

Bezeichnet man die Anzahl der Charaktere 4) und 5) durch λ und bemerkt, dass jeder Charakter den Werth $+1$ oder -1 annehmen kann, so erkannt man, dass höchstens 2^{λ} verschiedene Geschlechter vorhanden sein können.

Mit Hülfe des Reciprocitätsgesetzes lässt sich nun nachweisen, dass von diesen a priori als möglich angebbaren Geschlechtern nur höchstens die Hälfte wirklich vorhanden sein kann. Aus diesem Gesetz ergab sich nämlich die Gleichung 2a), die in allen Fällen eine Gleichung zwischen den Charakteren angibt. Diese Gleichung ist nicht illusorisch, sondern giebt eine wirkliche Beziehung, weil, wie schon oben bemerkt, nicht gleichzeitig $\delta = 1$, $\varepsilon = 1$, $P = \pm 1$ sein kann. Giebt man nun den sämmtlichen Charakteren C die Werthe $+1$ und -1, so erhält für die Hälfte der 2^{λ} Combinationen das Produkt der in der Gleichung 2a) vorkommenden Charaktere den Werth $+1$, für die andere den Werth -1. Da nun dieses Produkt immer den Werth $+1$ haben muss, so ergiebt sich ohne Weiteres die Richtigkeit unserer Behauptung.

Für alle Determinanten sind die durch eine Form darstellbaren primären ungeraden Zahlen für jeden ungeraden Theiler der Determinante entweder gleichzeitig quadratische Reste oder Nichtreste. Diejenigen Determinanten, für wel-

che ausserdem einer oder zwei der Zahlen 5)
einen bestimmten Werth haben, ergeben sich
durch Combination der Beziehungen 1a), 1b), 3a).
Man kann dann leicht folgende Uebersicht aufstellen.

Erster Fall. $D = PR^2$.

$P \equiv 1 \,(\text{mod. } 2)$ $R^2 \equiv 0 \,(\text{mod. } 8)$ $D \equiv 0 \,(\text{mod. } 8)$ ε, δ.
$\qquad\qquad\quad R^2 \equiv 4 \qquad\quad D \equiv 4 \qquad\qquad \varepsilon$.
$\qquad\qquad\quad R^2 \equiv 4i \qquad\quad D \equiv 4i \qquad\qquad \varepsilon$.
$\qquad\qquad\quad R^2 \equiv 4+4i \qquad D \equiv 4+4i \qquad \varepsilon, \delta$.

$P \equiv 1 \,(\text{mod. } 4)$ $R^2 \equiv \overline{+1} \,(\text{mod. } 4)$ $D \equiv \overline{+1} \,(\text{mod. } 4)$
$\qquad\qquad\quad R^2 \equiv \overline{2i} \qquad\qquad\quad D \equiv \overline{2i}$

$P \equiv 1+2i \,(\text{mod. } 4)$ $R^2 \equiv \overline{+1} \,(\text{mod. } 4)$ $D \equiv \overline{+1} \,(\text{mod. } 4)$
$\qquad\qquad\quad R^2 \equiv \overline{2i} \qquad\qquad\quad D \equiv \overline{2i}$

Zweiter Fall. $D = i P R^2$.

$P \equiv 1 \,(\text{mod. } 2)$ $R^2 \equiv 0 \,(\text{mod. } 8)$ $D \equiv 0 \,(\text{mod. } 8)$ ε, δ.
$\qquad\qquad\quad R^2 \equiv 4 \qquad\quad D \equiv 4i \qquad\qquad \varepsilon$.
$\qquad\qquad\quad R^2 \equiv 4i \qquad\quad D \equiv 4 \qquad\qquad \varepsilon$.
$\qquad\qquad\quad R^2 \equiv 4+4i \qquad D \equiv 4+4i \qquad \varepsilon, \delta$.

$P \equiv 1 \,(\text{mod. } 4)$ $R^2 \equiv \overline{+1} \,(\text{mod. } 4)$ $D \equiv \overline{+1} \,(\text{mod. } 4)$ ε.
$\qquad\qquad\quad R^2 \equiv \overline{2i} \qquad\qquad\quad D \equiv \overline{2} \qquad\qquad\qquad \varepsilon$.

$P \equiv 1+2i \,(\text{mod. } 4)$ $R^2 \equiv \overline{+1} \,(\text{mod. } 4)$ $D \equiv 2 \overline{+} i \,(\text{mod. } 4)$ ε.
$\qquad\qquad\quad R^2 \equiv \overline{2i} \qquad\qquad\quad D \equiv \overline{2} \qquad\qquad\qquad \varepsilon$.

Dritter Fall. $D = (1+i) P R^2$.

$P \equiv 1 \,(\text{mod. } 2)$ $R^2 \equiv 0 \,(\text{mod. } 8)$ $D \equiv 0 \,(\text{mod. } 8)$ ε, δ-
$\qquad\qquad\quad R^2 \equiv 4 \qquad\quad D \equiv 4+4i \qquad \varepsilon, \delta$.
$\qquad\qquad\quad R^2 \equiv 4i \qquad\quad D \equiv 4+4i \qquad \varepsilon, \delta$.
$\qquad\qquad\quad R^2 \equiv 4+4i \qquad D \equiv 0 \qquad\qquad \varepsilon, \delta$.

$P \equiv 1 \,(\text{mod. } 4)$ $R^2 \equiv \overline{+1} \,(\text{mod. } 4)$ $D \equiv \overline{+}(1+i) \,(\text{mod. } 4)$ δ.
$\qquad\qquad\quad R^2 \equiv \overline{2i} \qquad\qquad\quad D \equiv 2-2i \,(\text{mod. } 8)$ δ.

$$P \equiv 1 + 2i (\text{mod. } 4) \; R^2 \equiv \pm 1 (\text{mod. } 4) \; D \equiv \mp (1 + i)$$
$$(\text{mod. } 4) \; \delta.$$
$$R^2 \equiv 2i \qquad\qquad D \equiv -(2 - 2i)$$
$$(\text{mod. } 8) \; \delta.$$

Vierter Fall. $D = i (1 + i) P R^2$

$$P \equiv 1 (\text{mod. } 2) \; R^2 \equiv 0 (\text{mod. } 8) \; D \equiv 0 (\text{mod. } 8) \; \varepsilon, \delta.$$
$$R^2 \equiv 4 \qquad\qquad D \equiv 4 + 4i \qquad \varepsilon, \delta.$$
$$R^2 \equiv 4i \qquad\qquad D \equiv 4 + 4i \qquad \varepsilon, \delta.$$
$$R^2 \equiv 4 + 4i \qquad D \equiv 0 \qquad\qquad \varepsilon, \delta.$$

$$P \equiv 1 (\text{mod. } 4) \; R^2 \equiv \pm 1 (\text{mod. } 4) \; D \equiv \mp (1 - i) (\text{mod. } 4) \varepsilon \delta,$$
$$R^2 \equiv 2i \qquad\qquad D \equiv 2 + 2i (\text{mod. } 8) \; \varepsilon \delta.$$

$$P \equiv 1 + 2i (\text{mod. } 4) \; R^2 \equiv \pm 1 (\text{mod. } 4) \; D \equiv \pm (1 - i)$$
$$(\text{mod. } 4) \; \varepsilon \delta.$$
$$R^2 \equiv 2i \qquad\qquad D \equiv -(2 + 2i)$$
$$(\text{mod. } 8) \varepsilon \delta.$$

Man erhält diese Uebersicht, wenn man beachtet, dass den Congruenzen

$$R \equiv 0, \quad R \equiv 1, \quad R \equiv i, \quad R \equiv 1 + i \, (\text{mod. } 2)$$

die folgenden entsprechen

$$R^2 \equiv 0, \quad R^2 \equiv 1, \quad R^2 \equiv -1, \quad R^2 \equiv 2i \, (\text{mod. } 4)$$

und dass, wenn

$$R^2 \equiv 0 \; (\text{mod. } 4)$$

ist, R^2 nach dem Modul 8 einer der Zahlen 0, 4, 4i, 4 + 4i congruent ist. In den Fällen, wo der Charakter $(-1)^{\frac{\lambda^2 + \nu^2 - 1}{4}}$ vorhanden ist, ist rechts s, wo der Charakter $(-1)^{\frac{(\lambda+\nu)^2-1}{8}}$ vorhanden ist, ist rechts δ, wo der Charakter $(-1)^{\frac{\lambda^2+\nu^2-1}{4}+\frac{(\lambda+\nu)^2-1}{8}}$ vorhanden ist, ist rechts $s\delta$ verzeichnet.

Aus dieser Zusammenstellung ergiebt sich folgende Uebersicht für die bei verschiedenen Determinanten vorkommenden Charaktere.

$1) \left[\dfrac{n}{p}\right]$, $D \equiv \pm 1, 2i, \pm 1 + 2i \,(\text{mod. } 4)$

$2) \left[\dfrac{n}{p}\right], (-1)^{\frac{\lambda^2+\nu^2-1}{4}}$ $D \equiv \pm i, 2, 2 \pm i \,(\text{mod. } 4)$

$D \equiv 4, 4i \,(\text{mod. } 8)$

$3) \left[\dfrac{n}{p}\right], (-1)^{\frac{(\lambda+\nu)^2-1}{8}}$ $D \equiv \pm(1 + i) \,(\text{mod. } 4)$

$D \equiv \pm(2 - 2i) \,(\text{mod. } 8)$

$4) \left[\dfrac{n}{p}\right], (-1)^{\frac{\lambda^2+\nu^2-1}{4} + \frac{(\lambda+\nu)^2-1}{8}}$

$D \equiv \pm(1 - i) \,(\text{mod. } 4)$ $D \equiv \pm(2 + 2i) \,(\text{mod. } 8)$

$5) \left[\dfrac{n}{p}\right], (-1)^{\frac{\lambda^2+\nu^2-1}{4}}, (-1)^{\frac{(\lambda+\nu)^2-1}{8}}$

$D \equiv 0, 4 + 4i \,(\text{mod. } 8)$.

Bezeichnet $\varkappa$ die Anzahl der verschiedenen ungeraden Primzahlen, die in D aufgehen, so

ergiebt sich im 1ten Fall $\lambda = \varkappa$, im 2ten, 3ten
und 4ten $\lambda = \varkappa + 1$, im 5ten $\lambda = \varkappa + 2$.

Durch das Bisherige ist gezeigt, dass in den
angegebenen Fällen die durch eine bestimmte
Form dargestellten Zahlen bestimmte Charaktere
besitzen. An sich denkbar wäre es, dass auch
für andere als die in D vorhandenen ungeraden
Primzahlen, sowie für andere als in den angegebenen Fällen Charaktere 5) vorhanden wären.
Eine genauere Betrachtung zeigt, dass dies nicht
der Fall ist. Da aber eine Darstellung dieser
Untersuchung nicht ohne Weitläufigkeit möglich
und das Ergebniss ein negatives ist, so soll hier
nicht darauf eingegangen werden.

Wir gehen hier nun zu dem Nachweis über,
dass jedes der a priori als möglich erkannten
$2^{\lambda-1}$ Geschlechter wirklich vorhanden ist und
alle gleichviel Formenclassen unter sich enthalten. Es soll das geschehen im Anschluss an die
Untersuchungen von Dirichlet (Recherches
etc.).

Im §. 17 seiner Abhandlung hat Dirichlet
folgende Formel aufgestellt:

$$\Sigma 2^{\mu+1} F(m) =$$

$$\Sigma F(ax^2 + 2bxy + cy^2) + \Sigma F(a^1 x^2 + 2b^1 xy + c^1 y^2)\text{etc.}$$

Die Bedeutung der vorkommenden Zeichen ist
folgende. Die Summation auf der linken Seite
ist zu erstrecken über alle diejenigen ganzen
Zahlen m, die relativ prim zu $(1 + i) D$ sind, und
deren sämmtliche Primfactoren f die Gleichung

6)
$$\left[\frac{D}{f}\right] = 1$$

erfüllen, während μ für jede Zahl m die Anzahl der in ihr enthaltenen verschiedenen primären Primfactoren bezeichnet. Die Zahl der Summen auf der rechten Seite ist gleich der Anzahl nicht äquivalenter ursprünglicher Formen der 1ten Art der Determinante D und jede Summe gehört zu einer bestimmten Classe. In jeder Summe bezieht sich das Zeichen Σ auf alle Werthpaare x und y, die der dreifachen Bedingung genügen, 1) keinen gemeinschaftlichen Theiler zu haben, 2) der Form in die sie eingesetzt werden, einen Werth zu geben, der relativ prim gegen $(1+i)D$ ist und 3) einer Bedingung zu genügen, die für die 1te Summe folgende ist:

6a) $N(ax+(b-\sqrt{D})y) < N(ax+(b+\sqrt{D})y) \leqq \sigma^2$

$$N(ax+(b-\sqrt{D})y),$$

wo $\sigma = N(T+U\sqrt{D})$ und T, U die Fundamentallösung der Gleichung $T^2 - DU^2 = 1$ ist, während für die übrigen Summen diese Bedingung sich ganz entsprechend gestaltet. Die Function F ist beliebig bis auf die Beschränkung, dass die in der Gleichung vorkommenden Reihen convergent und deren Summen unabhängig von der Anordnung der Glieder sind.

Da vier associirte Zahlen immer gleichzeitig in der auf m bezüglichen Summe vorkommen oder nicht vorkommen, so können wir den der Zahl m auferlegten Bedingungen noch die zufügen, dass m primär ist, d. h. dass, wenn $m = \alpha + \beta i$ ist, $\alpha \equiv 1 \pmod{4}$, $\beta \equiv 0 \pmod{2}$ sei, wenn wir nur die Summe vervierfachen. Es ergiebt sich so:

7) $8 \Sigma 2^\mu F(m) = \Sigma F(ax^2 + 2bxy + cy^2) + $ etc.

Diese Gleichung soll nun umgeformt werden unter der Voraussetzung, dass die Function F der Gleichung

8) $$F(m\,m^1) = F(m)\,F(m^1)$$

genügt. Sind f_1, f_2, ... von einander verschiedene primäre Primzahlen, so kann man immer nur auf Eine Weise $m = f_1^{h_1}\,f_2^{h_2}\,\ldots$ setzen. Die Zahlen f_1, f_2, ... genügen alle der Gleichung 6) und man erhält ganz ebenso wie bei Dirichlet §. 17 die Gleichung

9) $$\Sigma 2^{\mu}\,F(m) = \Pi\,\frac{1+F(f)}{1-F(f)}$$

in der links die Bezeichnung dieselbe ist, wie in Gleichung 7), während rechts das Produktenzeichen sich auf alle ungeraden primären Primzahlen bezieht, die nicht in D aufgehen und der Gl. 6) genügen; wie unmittelbar aus der Bemerkung folgt, dass mit Hülfe von Gl. 8) sich

$$\frac{1+F(f)}{1-F(f)} = 1 + 2F(f) + 2F(f^2) + 2F(f^3)'$$

ergiebt. Bezeichnet man allgemein mit q alle ungeraden primären Primzahlen, die nicht in D aufgehen, mit n alle ungeraden zu D relativ primen Zahlen, so ergiebt sich

10) $$\Pi\,\frac{1}{1-F(q)} = \Sigma F(n),$$

wo das Π und Σ Zeichen sich auf alle eben bestimmten Zahlen beziehen. Mit Beibehaltung derselben Bezeichnung erhält man auch

11) $\qquad \Pi \dfrac{1}{1-\left[\dfrac{D}{q}\right]F(q)} = \Sigma\left[\dfrac{D}{n}\right]F(n),$

wenn die bekannten Eigenschaften von $\left[\dfrac{D}{q}\right]$ benutzt werden. Ebenso wie Gl. 10) erhält man auch folgende:

12) $\qquad \Pi\dfrac{1}{1-F(q^2)} = \Sigma F(n^2).$

Durch Multiplication je der beiden Seiten der Gl. 10) und 11) und Division mit 12) erhält man rechts

$$\dfrac{\Sigma F(n).\Sigma\left[\dfrac{D}{n}\right]F(n)}{\Sigma F(n^2)}$$

und links als allgemeinen Factor

$$\dfrac{1-F(q^2)}{(1-F(q))(1-\left[\dfrac{D}{q}\right]F(q))} = \dfrac{1+F(q)}{1-\left[\dfrac{D}{q}\right]F(q)},$$

der den Werth 1 erhält für alle die Zahlen q, welche die Bedingung $\left[\dfrac{D}{q}\right] = -1$ erfüllen und den Werth

$$\dfrac{1+F(q)}{1-F(q)}$$

für alle diejenigen, für welche $\left[\dfrac{D}{q}\right] = 1$ ist; das ist aber die den Zahlen f auferlegte Bedingung 6) und man findet so nach Gl. 9):

$$\Sigma 2^{\mu} F(m) = \frac{\Sigma F(n) \cdot \Sigma \left[\dfrac{D}{n}\right] F(n)}{\Sigma F(n^2)}.$$

Hiernach kann man Gl. 7) durch folgende ersetzen

$$8 \Sigma F(n) \cdot \Sigma \left[\frac{D}{n}\right] F(n) = \Sigma F(n^2) \cdot \Sigma F(ax^2 + 2bxy + cy^2)$$

13) $\qquad\qquad + \text{ etc.}$

Führt man das Produkt der beiden Summen zur rechten Seite dieser Gleichung aus, so erhält man als allgemeines Glied

$$F(n^2)\, F(ax^2 + 2bxy + cy^2)$$

oder wenn $nx = x^1$, $ny = y^1$ gesetzt wird

$$F(ax^1x^1 + 2bx^1y^1 + cy^1y^1).$$

Es ist nun zu summiren über ein gewisses System zusammengehöriger Werthe von x^1, y^1 das durch folgende Bedingungen charakterisirt ist[1] 1) Für jede zulässige Combination von x^1, y. muss $ax^1x^1 + 2bx^1y^1 + cy^1y^1$ relativ prim gegen $(1 + i)D$ sein. 2) Jedes Werthpaar x^1, y^1 genügt der Bedingung

$$N(ax^1(b - \sqrt{D})y^1) < N(ax^1 + (b + \sqrt{D})y^1)$$
$$\leqq \sigma^2 N(ax^1 + (b - \sqrt{D})\, y^1).$$

Auch umgekehrt ist leicht zu zeigen, dass jede Combination der Zahlen x^1, y^1 die diesen beiden Bedingungen genügt, zulässig ist; dies beruht darauf, dass die zu jedem System x^1, y^1 gehörigen Zahlen n, x, y stets angebbar und vollständig bestimmt sind. Schreibt man statt x^1, y^1 einfach x, y, so kann nun die Gleichung 13) folgendermassen geschrieben werden

$$14)\ 8 \Sigma F(n) . \Sigma \left[\frac{D}{n} \right] F(n) = \Sigma F(ax^2 + 2b\,xy + cy^2)$$
$$+ \text{ etc.}$$

Die Summation auf der rechten Seite erstreckt sich im 1ten Glied auf alle Zahlen x, y für welche $ax^2 + 2bxy + cy^2$ relativ prim gegen $(1 + i)D$ ist und die den Bedingungen 6a) genügen. Für die folgenden nur angedeuteten Glieder gilt Entsprechendes.

Die Function F soll nun in passender Weise specialisirt werden. Die einzelnen Charaktere einer Form bezeichnen wir allgemein durch C, die in der Gl. 2a) vorkommenden, deren Produkt den Werth 1 hat, durch C^1. Ferner setzen wir

$$F(n) = \frac{\Phi(n)}{(N(n))^s}$$

wo $\Phi(n)$ irgend eines der Glieder des entwickelten Produktes

$$\Pi(1 + C)$$

verstellt, das Π Zeichen über sämmtliche Charaktere C ausgedehnt, während s eine positive, die

Einheit übersteigende Grösse bedeutet. Der Gleichung 8) wird durch diese Voraussetzung genügt; berücksichtigt man ferner, dass $\Phi(n) = \pm 1$ ist, so erkennt man auch, dass die benutzten Reihen und Produkte unabhängig von der Anordnung der Glieder convergiren, was für die Gültigkeit der Gleichung 8) nothwendig ist.

Die Formenclassen der Determinante D zerfallen nun für jede Wahl der Function Φ in 2 Gruppen. Für alle zu $(1+i)D$ primen Zahlen n welche durch Formen der einen Gruppe dargestellt werden, hat $\Phi(n)$ den Werth $+1$, für die der andern den Werth -1. Die Anzahl der beiden Gruppen angehörigen Formenclassen sei h und h^1; Formen derselben mögen allgemein beziehungsweise durch (a, b, c) und (a^1, b^1, c^1) dargestellt werden. Dann wird die Gleichung 14) zu

$$8 \Sigma \frac{\Phi(n)}{(N(n))_s} \cdot \Sigma \left[\frac{D}{n}\right] \frac{\Phi(n)}{(N(n))_s} =$$

15) $\qquad \Sigma \dfrac{1}{(N(ax^2 + 2bxy + cy^2))^s} + \text{etc.}$

$$\qquad - \Sigma \frac{1}{(N(a^1 x^2 + 2b^1 xy + c^1 y^2))^s} - \text{etc.}$$

Auf der rechten Seite dieser Gleichung ist die Anzahl der Summen mit positivem Vorzeichen $= h$, der mit negativem $= h^1$.

Multipliciren wir nun mit $s-1$ und lassen s sich unbegrenzt dem Werth 1 nähern, so nähert sich jede der auf der rechten Seite der Gl. 15) vorkommenden Summen einem bestimmten von Null verschiedenen für alle gleichen Grenzwerth, den Dirichlet näher bestimmt hat und der mit W bezeichnet werden soll. Wir erhalten so

$$16)\quad 8(s-1)\,\Sigma\frac{\Phi(n)}{(N(n))^s}\cdot\Sigma\left[\frac{D}{n}\right]\frac{\Phi(n)}{(N(n))^s}=(h-h^1)\,W.$$

In den beiden Fällen, wo $\Phi(n)$ gleich dem Anfangsglied in der Entwicklung von $\Pi(1+C)$ oder gleich ΠC^1 ist, ist $h^1=0$ und die Gleichung 16) ist gerade diejenige, welche Dirichlet zur Bestimmung der Classenzahl der quadratischen Formen benutzt hat. In den andern Fällen besitzen die beiden Summen zur linken Seite von Gl. 16) endliche Werthe, wie sogleich nachgewiesen werden soll. Ihr Produkt mit $s-1$ multiplicirt nähert sich also, wenn s sich seinem Grenzwerth 1 nähert, unendlich dem Wert Null und es ergiebt sich

$$h = h^1.$$

Dies findet also in $2^\lambda-2$ Fällen statt und in jedem derselben zerfällt das Formensystem in zwei Gruppen, die beide gleichviel Formenclassen enthalten. Die in einem bestimmten Geschlecht enthaltenen Classen gehören dabei jedesmal zur selben Gruppe. Dieses Ergebniss unserer Untersuchung ist ganz analog demjenigen, zu dem Dirichlet für die quadratischen Formen in der Theorie der nichtcomplexen Zahlen gelangt ist; die weiteren Schlüsse können daher aus diesen Untersuchungen wörtlich auf den vorliegenden Fall übertragen werdon und es ergiebt sich daraus unmittelbar, dass die Anzahl der wirklich vorhandenen Geschlechter gleich $2^{\lambda-1}$ ist und alle gleichviel Formenclassen enthalten.

Der noch fehlende Nachweis der Endlichkeit der beiden in Gl. 16) vorkommenden Reihensummen kann folgendermassen geführt werden.

Wendet man auf das Zeichen $\left[\dfrac{D}{n}\right]$ das Reciprocitätsgesetz und die Ergänzungssätze desselben an, so erkennt man, dass in allen Fällen die in Betracht kommenden Reihen folgende Gestalt haben

$$17)\quad \lim.\ \Sigma\, \eta^{\tfrac{\lambda^2+\nu^2-1}{4}}\ \theta^{\tfrac{(\lambda+\nu)^2-1}{8}}\left[\frac{n}{L}\right]\frac{1}{(N(n))^s};$$

hier ist $n = \lambda + \nu i$ gesetzt, L ist das Produkt von ungeraden in D aufgehenden primären Primzahlen und kann als keinen quadratischen Factor enthaltend vorausgesetzt werden, da solche den Werth von $\left[\dfrac{n}{L}\right]$ nicht ändern würden; η und θ besitzen die Werthe ± 1. Zu bemerken ist noch, dass $\varPhi(n)$ — wie aus unseren Voraussetzungen unmittelbar folgt — weder $= 1$ noch $= \left[\dfrac{D}{n}\right]$ sein kann, woraus sich ergiebt, dass nicht gleichzeitig $\eta = 1$, $\theta = 1$, $L = 1$ sein können. Bezeichnet nun M das Produkt aller in D aufgehenden ungeraden primären Primzahlen, die nicht in L vorkommen, so folgt aus den Untersuchungen von Dirichlet §. 18 (Formel 18), dass bis auf einen endlichen Factor die Reihe 17) die Classenzahl der quadratischen Formen der Determinante

$$XLM^2$$

darstellt; X hat hier einen der vier Werthe

$$1,\ i,\ 1+i,\ i(1+i),$$

entsprechend den folgenden 4 Fällen

$$\eta=1,\ \theta=1;\ \eta=-1,\ \theta=1;\ \eta=1,\ \theta=-1;$$

$$\eta=-1,\ \theta=-1.$$

Aus der Endlichkeit der Classenzahl ergiebt sich aber sofort die Richtigkeit unserer Behauptung (vgl. Dirichlet, Untersuchungen über die Theorie der complexen Zahlen. Abhandl. der Acad. d. Wissensch. zu Berlin v. J. 1841. §. 6).

Nachrichten

von der Königl. Gesellschaft der Wissenschaften und der G. A. Universität zu Göttingen.

12. März.   № 7.   1873.

Königliche Gesellschaft der Wissenschaften.

Oeffentliche Sitzung am 1. März.

Enneper, über die Enveloppe einer Kugelfläche.
Klinkerfues, über einen glänzenden Sternschnuppenfall aus dem Jahre 524 n. Chr.
Benfey, Mittheilung des Herrn Dr. Richard Pischel in London über eine südindische Recension des Çâkuntalam.
Stern, Mittheilung des Herrn Dr. Nöther über algebraische Funktionen.
Benfey, Indogermanisches Ptcp. Pf. Pass. auf *tua* oder *tva*.
— Dionysos: Etymologie des Namens.

Indogermanisches Particip Perfecti Passivi auf *tua* oder *tva*.

Von

Th. Benfey.

Bopp hat bekanntlich das Sanskritische Absolutivum oder Gerundium auf *tvâ* für den Instrumentalis Singularis desselben Suffixes *tu* erklärt, aus welchem nach ihm der Infinitiv auf *-m* entstanden ist. So deutlich in der Gram-

15

matica critica linguae Sanscritae 1832, 630, S. 246,
wo es heisst: *tvâ* proprie Instrumentalis est suffixi
feminini *tu*, cujus Accusativus *tum*, cum Roma-
norum Accusativo supini conveniens, Infinitivum
exprimit.

Gegen diese unmittelbare Verbindung dieser
beiden Bildungen, ihre Aufstellung als Casus
eines und desselben Nominalthemas, hat Aug.
Wilh. v. Schlegel (Indische Bibliothek I. p.
125 ff.) unter andern die in ihnen fast durch-
greifend verschiedene Gestalt des radikalen Elements geltend gemacht. Während im Absolutivum ein gunirbarer Vokal des radikalen Elements fast nie gunirt wird, findet im Infinitiv die Gunirung ausnahmslos Statt (vgl. z. B.
ji-tvâ mit *jé-tum*); während im Absolutiv schwäch-
bare radikale Elemente in den meisten Fällen
geschwächt werden, tritt im Infinitiv nie Schwächung ein (vgl. z. B. von *prach, prish-tvâ* mit
prásh-tum, von *han, ha-tvâ* mit *hán-tum*); so
dass im Allgemeinen im Absolutiv und Infinitiv
die radikalen Elemente nur dann identisch sind,
wenn sie weder dem Guna noch der Schwächung unterliegen (wie z. B., von *pac, pak-tvâ,
pák-tum*), oder wenn auch im Absolutivum der
radikale Theil gunirt wird (wie z. B., von *çî,
çay-i-tvâ, çáy-i-tum*). Aber bezüglich des letzteren Falls treten für das Absolutivum so viele
Verbote oder Doppelformen (mit oder ohne Gunirung) ein, dass man, wenn man das Verhältniss des Absolutiv zum Infinitiv im einzelnen
verfolgt, findet, dass beide in den radikalen
Theilen nur in den seltensten Fällen übereinstimmen.

Man könnte nun zwar den Versuch machen,
diese Differenz aus phonetischen Verhältnissen
zu erklären und dieses ist auch von Bopp noch

in der letzten Ausgabe seiner 'kritischen Grammatik der Sanskrita-Sprache in kürzerer Fassung' 1863 § 562 S. 370 geschehen. Er glaubt, sie beruhe auf der Verschiedenheit des Gewichts der Endungen: *tvâ* sei schwerer als *tum*. Ueber diese, von Bopp so oft geltend gemachte Erklärungsweise hat die Kritik wohl schon gerichtet und wenn manche auch noch zweifeln mögen, ob Gunirung sich aus ursprünglicher Accentuirung des zu Grunde liegenden Vokals deuten lasse (wie z. B. von *i* 'gehen' grundsprachlich *áimi* sskr. *émi* gr. *εἶμι*), so wird doch schwerlich irgend Jemand Bedenken tragen Schwächungen, wie *ha-tvâ*, *ha-tá*, *ha-thás* aus *han* + *tvâ* oder *tá* oder *thás*, dem Accent auf der folgenden Silbe zuzuschreiben.

Allein, wenn man auch im Stande wäre, die Differenzen in dem radicalen Theile vermittelst der Differenz der Accentuation zu erklären, so bildet doch gerade diese selbst — zumal da sie eine vollständig durchgreifende ist, indem das Absolutiv stets oxytonirt ist, während der Infinitiv eben so stetig den Accent auf der ersten Silbe hat — einen noch viel einschneidenderen Gegensatz.

Ich will nun keinesweges in Abrede stellen, dass, wenn man mit Gewalt die thematische Identität des Absolutivs und Infinitivs festhalten will, man auch diesen Gegensatz als einen nicht ursprünglichen wegzuerklären versuchen könnte. Doch zweifle ich, ob es gelingen würde, die Bopp'sche Auffassung dadurch festzustellen. Im Gegentheil möchte ich fast überzeugt sein, dass mit jedem Versuche, diese grossen Differenzen wegzudeuten, die Bedenken des Lesers und selbst die eigenen gegen die Richtigkeit der Bopp'schen Auffassung immer zunehmen würden.

Ich glaube daher, dass man — wenigstens
zunächst — gut thut beide Bildungen aus einander zu halten und dafür könnte man auch
die Differenz der Bedeutung gelten machen,
was ebenfalls schon von A. W. v. Schlegel und
Lassen geschehen ist (vgl. jedoch Bopp Vgl.
Gramm. § 849. 2te Ausg. Bd. III. S. 250 ff. n.).

Die Bedeutung des Absolutivs ist in der über-
wiegend grössten Mehrzahl auf eine, einer andern vorhergegangene, Handlung beschränkt;
selten drückt es eine ihr gleichzeitige aus, die
sich stets als eine eben vorhergegangene fassen
lässt und wo die Inder, in ihrer rein logischen
Auffassung der Sprache, die der besonderen psychischen Anschauung des Darstellers fast gar
keinen Raum gewährt, gar eine später vollzo-
gene dadurch bezeichnet finden, ist wesentlich
ebenfalls eine eben vorhergegangene oder eng
mit der anderen verbundene gemeint (z B. *netre
nimîlya hasati* 'er lacht so, dass ihm die Augen dabei zugehen'; übrigens sind Beispiele dieser Art so selten, dass ich nur die beiden in
der Grammatik angeführten kenne).

Der Gebrauch in der weit überwiegenden
Majorität der Fälle führt demgemäss auf die
Vermuthung, dass der Casus, durch welchen das
Absolutiv ausgedrückt ist — denn dass es, so
gut wie alle nominalen Formen, ursprünglich
ein Casus sei, bezweifelt Niemand, der die Geschichte der indogermanischen Sprachen kennt
— zu einem Nomiualthema gehören werde, welches vergangene Zeit bezeichnete.

In dieser Vermuthung wird man einigermassen bestärkt durch die Accentgleichheit mit den
Participien des Perfect Passivi. Sowohl das Affix *ta*, durch welches derartige Participia gebildet werden, als *na*, *va* und nach Pân. (8. 2. 53)

auch *ma,* welche ebenfalls zu diesem Zweck dienen, sind, mit ganz wenigen Ausnahmen, gerade
wie die Absolutive auf *tvá,* oxytonirt.

Selbst die Gestalt des radikalen Theiles
stimmt im Absolutivum und in den Ptcp. Perf.
Pass. auf *ta* in der weit überwiegenden Majorität vollständig überein; sogar in vielen der
Fälle, wo das Absolutivum ausnahmsweise den
Verbalvokal verstärkt, z. B., von *mid, med-i-tvá*
gerade wie Ptcp. Perf. Pass. *med-i-tá,* so dass
es höchst wahrscheinlich wird, dass in den Bildungen, wo der radicale Theil des Absolutivs
mit den Infinitiven, was hier der Fall ist (Inf.
méd-i-tum), stimmt, die Uebereinstimmung eine
zufällige ist und vielmehr auf dem Zusammenhange mit einem Ptcp. Pf. Pass. beruht.

Ein solches Ptcp. Pf. Pass. tritt uns aber
mit voller Entschiedenheit im Lateinischen *mor-tuo*
von *morior* entgegen; zwei andre sehr wahrscheinlich in *mŭ-tuo* wohl für *moi-tuo,* von einem
Verbum, welches dem sskr. *me* = grdspr. *mai*
'tauschen, wechseln' entspricht, und *fa-tuo* (Vb.
dunkel); noch zwei andre bilden die Basis von
sta-tua, sta-tuere, und *fu-tuere.*

Im Sskr. würden ihnen solche auf *tva* entsprechen, z. B. dem lateinischen *mor-tuo,* für
grdsprachlich *mar-tua,* oder *mar-tva,* sskr., mit
Schwächung von *ar* zu *ri* vor der accentuirten
Silbe (vgl. Orient u. Occident III. S. 32 ff.),
mri-tvá. Davon ist das Absolutiv *mri-tvá* der
regelrechte alte, in den Veden noch vielfach
repräsentirte, bloss durch Antritt von *á,* ohne
n, gebildete Instr. Sing. msc. oder ntr.

Dass ein Ptcp. Pf. Pass. bis auf diesen Rest
im Sskr. aussterben konnte, davon wird man
sich leicht überzeugen, wenn man sieht, dass
selbst das auf *na* fast ausgestorben ist, ebenso

das ebenfalls indogermanische auf *ra*; dass im
Lat. und Griech. das auf *na* und *ra* sich nur
als Adj. erhalten hat; im Griech. selbst das
auf *ta* seinen ursprünglichen Werth einbüsste;
dass überhaupt der ausserordentlich grosse Reichthum an Formen, welchen das Indogermanische
vor der Trennung für verwandte Categorien besass, nach derselben, durch das allmälige Zusammenfallen der Bedeutungen derselben, immer mehr verschwand.

Formell könnte *tvâ* eben so gut der Inst.
Sing. msc. als ntr. sein; da wir aber wissen,
dass im Sskr. — und das Absolutiv ist eine bloss
auf das Sskrit beschränkte Formation — das
Neutrum des Ptcp. Pf. Pass. auch die Bed.
eines Abstracts haben kann, so werden wir es
als Instr. des Ntr. betrachten; es bedeutet also
z. B. *mri-tvâ* den Instrum. von 'Gestorben sein';
und da der Instrumental ursprünglich zugleich
ja vorwaltend ein Sociativus ist, so werden wir
z. B. *mritvâ svargam agacchat* etymologisch
übersetzen dürfen 'mit dem Vollzogenhaben der
Handlung des Sterbens, vollzog er die Handlung des Gehens in das Paradies, d. h. 'nachdem
er gestorben war, gelangte er in das Paradies'.

Schliesslich bemerke ich, dass die Spuren
dieses Ptcps. keinesweges auf das Latein und
Sanskrit beschränkt sind; eben so, dass das
Affix mit andern verwandten zusammenhängt.
Darauf, sowie auch auf die Frage, ob es in der
Indogermanischen Grundsprache *tua* oder *tva*
lautete, näher einzugehen, ist aber nur in einer
den Gegenstand erschöpfenden Abhandlung möglich, und, da ich für lange Zeit von andern Aufgaben in Anspruch genommen bin, bin ich nicht
im Stande, eine solche — wenigstens so bald
— in Aussicht zu stellen.

Dionysos: Etymologie des Namens.

Von

Th. Benfey.

Aus dem am Schlusse des vorhergehenden
Aufsatzes bemerkten Grunde wird es mir auch
lange, vielleicht überhaupt unmöglich sein eine
Abhandlung über den Dionysos auszuarbeiten,
welche ich vorbereitet hatte. Ich beschränke
mich daher für jetzt darauf, eine Etymologie
des Namens mitzutheilen, von welcher ich in
der Abhandlung versucht haben würde, zu zeigen, dass sie mit dem Wesen des Gottes zusam-
menpasst und dessen Verständniss erleichtert.

Vergleichen wir die lesbische Form des Namens Ζόννυξος mit Διόνυσος, so erkennen wir
zunächst, dass letztrer nicht ein sondern zwei ν
enthielt; dafür entscheidet auch die Nebenform
Διώνυσος, in welcher der lange Vokal ω die
einst folgende Doppelconsonanz bestätigt.

Wir erkennen damit als ersten Theil des
Namens Διον, welcher auch in Διώνη für Διω-
νια (vgl. Or. u. Occ. I, 279 ff.) zu Grunde liegt,
und werden wohl unbedenklich in Διον und Ζον
den Reflex von grdspchl. divan erblicken dürfen, welches, einmal mit Bewahrung des a, das
andre Mal mit Umwandlung desselben in e, auch
in Ζάν Ζήν reflectirt wird (vgl. 'Ueber die Entstehung des Indogerm. Vokativs in Bd. XVII
der Abhandlungen S. 46).

Die Bedeutung von divan = ΔιϜον, Ζον und
dem daraus hervorgegangenen diu ist 'Helle,
Himmel, Gott des Himmels, Tag' (s. ebds.).

Der zweite Theil von Ζόν-νυξος enthält statt
des σ in Διόνυσος ein ξ; diess ist bekanntlich
nicht selten dialektischer Vertreter von ge-

wöhnlichem *σσ* (vgl. z. B. *διξός* für gew. *διο-
σός*); von ursprünglichem *σσ* wird aber mehrfach das eine *σ* eingebüsst (vgl. homer. *μέσσος*
[für *μέθιο* = sskr. *mádhya*, lat. *medio*], gew.
μέσο). Dafür aber, dass auch hier ein *σσ* ursprünglicher gewesen und eines derselben erst
später eingebüsst sei, spricht wiederum die
Länge des vorhergehenden *v*.

Ferner ist es bekannt, dass im Griechischen
σσ für *κτ* eintritt, z. B. in *ἄνασσα* für *ἄνακτ-ια*
von *ἄνακτ*. Dadurch werden wir dahin geführt
in dem zweiten Theil des Namens: *νυξο, νῦσο*
für *νυσσο,* als Grundform *νυκτιο* zu erkennen,
also eine Ableitung von *νυκτ* 'Nacht' und dass
diess auch wirklich richtig sei, wird wenigstens
höchst wahrscheinlich durch die Bed. des ersten
Theils *ΔιϜον* 'Tag' u. s. w.

Das Suffix *ιο* bildet bekanntlieh Patrony-
mika, z. B. *Τελαμών-ιο* 'Sohn des Telamon',
gerade wie das im Sskr. entsprechende *ya*, für
ursprüngliches *ia*, z. B. *Kaurav-ya* für *Kau-
rav-ia,* 'Spross des *Kuru*'.

Danach ist die Grundform von *Διόννυσο Δι-
Ϝοννυκτιο* und bedeutet 'Sohn des Tages und der
Nacht', oder 'Sohn der Helle und der Nacht'
oder 'Sohn des Himmels und der Nacht' oder
endlich 'Sohn des Gottes des Himmels (des Zeus)
und der Nacht'. Die Basis, *ΔιϜον-νυκτ*, ist ein
Copulativ-Compositum, wie *νυχθήμερο*.

Welche Bedeutung vorzuziehen sei, kann nur
durch Behandlung des Wesens des Gottes bestimmt werden, wozu es mir, wie gesagt, jetzt
und für lange an Zeit gebricht. Ich muss es
daher den Mythologen überlassen, ob sie von
dieser Etymologie Gebrauch machen können.

In einem Excurs zu der beabsichtigten Abhandlung sollte auch das Suffix *ιο* besprochen

werden. Hier bemerke ich nur, dass, nach meinen Untersuchungen, seine Bed. 'angehörig,
eigen' ist und dass es keinesweges mit dem Pro-
nomen relativum *ya* zusammenhängt. Diese
Untersuchung hoffe ich später veröffentlichen
zu können.

Ueber eine südindische Recension des Çâkuntalam.

Von

Dr. Richard Pischel in London.

Stenzler hatte gleich beim Erscheinen der
Ausgabe des Çâkuntalam von Böhtlingk gegen
die allgemeine Annahme, dass dieselbe einen ur-
sprünglicheren Text enthalte, Einspruch erhoben und sich mit grosser Entschiedenheit für
die bengalische Recension erklärt. Auck Rü-
ckert war bei eingehenderer Beschäftigung mit
den Texten wenigstens zweifelhaft geworden.
In meiner Dissertation »de Kâlidâsae Çâkuntali
recensionibus« Breslau 1870 bin ich Stenzler gefolgt und habe nachzuweisen gesucht, dass die
Dev. Rec. einen grossen Theil ihrer Lesarten
Glossen verdankt, die ursprünglich vom Rande
in den Text geraten, später diesen selbst verdrängt haben. Diese von Stenzler aufgestellte
und von mir vertheidigte Ansicht bin ich nunmehr im Stande auch handschriftlich nachzuweisen und gestützt auf ein sehr umfassendes,
sich täglich vermehrendes Material, kann ich
jetzt fast Zeile für Zeile den Nachweis führen,
dass die bengal. Rec. dem Original weit näher
steht als jede andere. Neben den bis jetzt bekannten drei Recensionen des Çâk. erhebt näm-

lich noch eine vierte den Anspruch von Kâlidâsa herzurühren. Man kann sie, da sie sich
hauptsächlich, keineswegs aber ausschliesslich in
südindischen Handschriften vorfindet, mit dem
Namen der südindischen bezeichnen, obwohl dieser Name ebenso falsch ist, wie der der bengal.
und Dev. Rec. Die ersten umfassenderen Nachrichten über diese Rec. verdanke ich Herrn Professor Eggeling, der mir sein darüber gesam-
meltes Material bereitwilligst zur Verfügung
stellte, wofür ich ihm meinen herzlichsten Dank
sage. Von dieser Recension nun befinden sich
hier in London 4 Handschriften und ein neuer
Commentar des Abhirâma. Zwei der Handschriften sind in Telugu, eine in Grantha und
eine in Malayâlam geschrieben. Ueber die letztere, sowie über den in schlechtem Grantha geschriebenen Commentar des Abhirâma beruht
meine Kenntnis bis jetzt nur auf den Mittheilungen von Herrn Professor Eggeling; die drei
ersten habe ich bereits selbst vollständig verglichen und ich ziehe nur sie hier bei Angabe
des Textes heran. Die Buchstaben für die Handschriften wähle ich mit Rücksicht auf die von
Böhtlingk gebrauchten; im übrigen behalte ich
die in meiner Dissertation angewendeten Buchstaben bei und verweise der Kürze wegen beständig auf jene. .F = Teluguhandschrift des
East-India-Office mit der Aufschrift Nâtakas XI.
Papierhandschrift. Auf Burnell's Veranlassung
1864 gemachte sorgfältige Abschrift einer guten
Handschrift. Hat viele aus der Aussprache der
Draviden herstammende Eigenthümlichkeiten im
Prakrit. 144 pp.

L = Granthahandschrift der Royal Asiatic
Society. 86 Palmblätter. Zierliche und gute
Granthaschrift. Sehr correkt. P = Teluguhand-

schrift des East-India-Office Mackenzie Collection
Nr. 108. 68 Palmblätter. Oft sehr schwer zu
lesen. Aelteste Handschrift dieser Recension.
An den Rändern oft sehr stark beschädigt.

Dazu kommt;

H. = Handschrift der Kopenhagener Bibliothek, deren Lesarten von Burkhard in seiner
Ausgabe der Çakuntalâ bekannt gemacht worden sind. Da der Herausgeber jedoch nur eine
sehr ungenaue Abschrift in lateinischen Lettern
benutzt hat, ist diese Quelle nur vorsichtig zu
gebrauchen. Ferner habe ich von bengal. Handschriften die älteste und in vieler Hinsicht auch
beste Handschrift von allen Handschriften des
Çak. 8 nunmehr selbst vollständig verglichen.
Ebenso:

N = Bengâlîhandschrift der Bodleyana in
Oxford. Wilson 40. R. = Bengalihandschrift des
East-India-Office Nr. 1491. Ich habe ebenso
vollständig Ç = Çankara Bodley. Wilson 40 copirt und bemerke hier, dass die bei Böhtlingk
Çak. p. VIII gemachten Angaben nicht richtig
sind. Die Handschrift ist in sehr leserlichem
guten Bengâli geschrieben und der 7. Akt wird
vollständig erklärt. Aber von p. 126, 8 Chézy
bis beinahe zum Ende des Dramas gehört der
Commentar wörtlich dem Candraçekhara zu.
Dass es nicht Çankara sein konnte, hätte man
schon daraus ersehen können, dass er fast auf
jeder Seite citirt wird. Der Schluss des ganzen ist wieder dem Çankara gehörig. Cd. =
Candraçekhara East-India-Office Nr. 77 u. 1398.
Ferner habe ich sämmtliche von Böhtl. benutzte
Handschriften mit Ausnahme des in Oxford befindlichen W. und die Handschrift des Kâtavema
genau untersucht und sind sie mir immer zur
Hand. Auch die zweite Berliner Handschrift

Chambers 272 habe ich durchgesehen. Ich bezeichne sie mit E. Es ist mir die Bewältigung eines so gewaltigen Materiales bei anderen Arbeiten und in verhältnismässig sehr kurzer Zeit nur durch die ungemeine mich tief verpflichtende Liberalität der Bibliothekare des East-India-Office Herrn Dr. Rost, der Bodleiana Rev. H. O. Coxe, der Asiatic Society Herrn Prof. Eggeling möglich gewesen. Dies sind die Quellen, auf denen die folgende Abhandlung beruht. — Die südindische Rec. stimmt in allen Haupteigentümlichkeiten (3. 5. 6. Akt) mit der Dev. Rec. überein, ist aber besonders im ersten Akte noch kürzer als diese. Die Handschriften sind aber ebensowenig wie die Dev. Handschriften irgendwie consequent; die eine lässt Verse aus, welche die andere hat und in der einen findet sich mehrfach der Inhalt eines Satzes in wenige Worte zusammengezogen, während die andere ihn in wörtlicher Uebereinstimmung mit den Bengâlîhandschriften giebt. So lassen z. B. L. P von 1. Hand, die Malayâlam-Handschrift und Kâṭavema, über den unten mehr, p. 6, 20 —23 (dist. 10) ed. Böhtl. aus; F. P von 2. Hand, H dagegen haben es. p. 7, 7 liest H nach Burkhards Angaben: itarau bâhum udyamya sarvadâ cakravartinam âpnuhi iti vyâharataḥ. F liest itarau api bâhum udyamya cakra⁰ âpnuhîti vyâbarataḥ. Diese setzen also noch etwas zu dem Texte der Bengâlîrecension hinzu. P ist schon kürzer; er liest: itarau ca bâhum ud⁰ cakra⁰ âp⁰; L lässt die ganze Zeile aus. Ueberhaupt bilden die 3 Teluguhandschriften wieder eine Gruppe für sich gegenüber der Granthahandschrift, die den kürzesten Text giebt und mit der, wie es scheint. die Malayâlamhandschrift übereinstimmt. p. 7, 8 liest die bengal. Rec. râjâ / sapranâmam / pratigrhîtam brâhmanavacah; NÇD haben grhîtam statt prati°. Von den südindischen liest P pratigrhîtam brâhmanavacanam, F. H. grhîtam brâhmanavacanam, sie haben also ganz dieselben Varianten wie die bengalischen. Von den Dev. Handschriften lesen CTWME râjâ / sapranâmam / pratigrhîtam; G hat grhîtam; L hat nur noch râjâ sapranâmam pratigrhnâti und Kâtavema lässt schliesslich die ganze Zeile aus.

p. 60, 4 ed. Böhtl. lesen die bengal. Handschriften ohne v. l. kim nu khalu gîtam evamvidham àkarnya etc. So hat wörtlich auch P. Glossirt man diese Lesart, so entsteht gîtam evamvidhârtham und so lesen L und H. Diese Glosse konnte nun in verschiedener Weise abgekürzt werden. Die Dev. Handschriften haben noch gîtârtham àkarnya; F blos tam evârtham. Schliesslich bleibt also blos die Glosse übrig. Solche Fälle sind keineswegs vereinzelt, sondern sehr zahlreich, und eben dadurch setzt mich die südindische Rec. in den Stand zu zeigen, dass das Çâk. keine Erweiterung, sondern eine planmässige Verkürzung erfahren hat. Wenn man von den Phrasen von Monier Williams absieht, von denen ich die auf den Stil Kâlidâsa's bezügliche bereits in meiner Dissertation als auf die Dev. Rec. anwendbar nachgewiesen habe, so hat noch niemand einen anderen triftigen Grund für die grössere Ursprünglichkeit der Dev. Rec. anzuführen gewusst, als ihre grössere Kürze. Es ist dagegen Thatsache, dass es noch keinem der Herausgeber möglich gewesen ist, einen lesbaren Text herzustellen, ohne zu der bengal. Rec. seine Zuflucht zu nehmen. Vor dem Irrthum aber halte ich mich für verpflichtet zu warnen, als ob die bei Böhtlingk und ganz be-

sonders bei Williams gegebenen Varianten ein
Bild der Dev. Handschriften geben. Nicht die
Hälfte der Fehler und Eigentümlichkeiten dieser Handschriften sind angegeben und welcher
Art die neue Collation des Herrn Williams gewesen ist, davon werde ich bald genügende Beispiele geben. Geht man auf dem bisher betretenen Wege weiter und dies müssen die Vertheidiger der Dev. Rec., so folgt, dass die südindische Rec., weil sie noch kürzer ist, auch
noch älter sein muss; denn sie giebt ja sonst
ein ganz treues Bild dieser »schöneren« Recension. In der That sprechen auch sehr gewich-
tige Beweise dafür, dass die südindische Rec.
älter ist als die Dev. Rec. Bei einem flüchtigen
Ueberblick freilich scheint gar keine grosse Verschiedenheit zwischen der südindischen und der
Dev. Rec. zu sein. Nur im 6. Akte (dist. 129
ed. Böhtl.) enthält die südindische ein ihr völlig eigentümliches Distichon und in allen Handschriften fehlen nur p. 10, 1—6; p. 12, 1—5;
p. 18, 19—21; an anderen Stellen schwanken
die Handschriften. Ueberaus häufig aber sind
die Fälle, wo eine oder zwei Zeilen ganz fehlen
oder in wenige Worte zusammengezogen sind.
Prüft man aber den Text im einzelnen, so ergiebt sich allerdings eine sehr bedeutende Abweichung. Ganz neue Lesarten finden sich in
dieser Recension vor; aber auch sie sind verschwindend wenig im Vergleich mit der grossen
Zahl der Lesarten, in denen die südindische mit
der bengalischen Rec. übereinstimmt, oft in
so überraschender Weise, dass ganze Sätze die
bisher nur in bengal. Handschriften vorlagen,
sich auch hier mit ganz denselben Worten finden. Einige Beispiele habe ich schon angeführt; andere zahlreiche gebe ich im Laufe der

Abhandlung. Gegenüber dieser Zerfahrenheit der Dev. und südindischen Handschriften bilden die bengal. Handschriften eine einheitliche festgeschlossene Gruppe nur mit Schwankungen, wie sie sich bei allen Werken finden und hier ganz besonders natürlich sind. Denn dass auch die bengal. Rec. interpolirt ist, hat noch niemand geleugnet, und was ich diss. p. 9. 10 keineswegs jemals in Abrede gestellt habe, dass die Dev. Rec. zuweilen einen besseren Text hat, leugne ich auch jetzt nicht völlig. Gewöhnlich hat aber eine der bengal. Handschriften dann ganz dieselbe Lesart, so dass uns dies auf eine Zeit hinweist, die der unserer Handschriften weit vorausgeht. Höchst bemerkenswerth ist, dass die älteste Handschrift der bengal. Rec. S nur Anasûyâ liest, an zwei Stellen aus Anusûyâ corrigirt; die älteste Handschrift der südindischen dagegen, P an zwei Stellen des ersten Aktes p. 9, 21 und p. 10, 21 ed. Böhtl. ganz unzweifelhaft Anusûyâ liest. S hat nie dushmantah, einmal duhsmantah, sonst immer wie N duhshvantah; die südindischen schwanken zwischen dushshantah und dushyantah. Burkhard giebt duççantah und duçyantah aus H an. Ferner hat P am Anfange des dritten Aktes gegenüber den übrigen südindischen Handschriften p. 44, 1—4. ed. Chézy. Schon Böhtlingk hatte vermuthet, dass eine dritte Recension des Çâk. in M vorliege, und ich habe diese Vermuthung durch eine berliner Handschrift D bestätigt (diss. p. 12 ff.). Die Angaben über letztere halte ich in jeder Hinsicht aufrecht; sie gehört nicht der bengal. Rec. durchgängig an. Dieser in M und D vorliegenden Recension nun steht die südindische sehr nahe, wenn man die Textesgestalt im einzelnen berücksichtigt; als Gan-

zes aufgefasst, ist sie am nächsten verwandt mit
C, den ich bereits diss. 21 als Hauptrepräsen-
tanten (G ist unvollständig) der Dev. Rec. bezeichnet habe. Identificiren kann man aber die
südindische Rec. mit keiner der bekannten Rec.,
da sie, wie bemerkt, noch kürzér ist und manche ihr eigenthümliche Lesarten enthält. Was
ist also die südindische Recension, und wie kann
man aus diesem Labyrinth von Lesarten und
Recensionen den rettenden Faden finden? Nur
dadurch, dass man nachweist, dass die südindische Recension älter ist als die Dev. Recension.
Dann klärt sich plötzlich alles auf und die
Schwierigkeiten in der Recensionenfrage verschwinden eine nach der anderen.

1) Die südindische Recension bietet einen
von Interpolationen freieren, viel correcteren
Text dar als die Dev. Recension. Um nicht
wieder misverstanden zu werden, bemerke ich
hier, dass der Ausdruck »alle Handschriften«
nur der Kürze wegen gebraucht wird und sich
selbstverständlich nur auf alle mir bekannten
Handschriften beziehen kann (diss. p. 12 nondum sat multi codices noti). p. 9, 23 ed. Böhtl.
fügen alle Dev. Hdsch. hinzu mam kim uvâlam-
bhesi: Die südindischen und bengalischen Hdsch.
kennen diese Glosse ebensowenig ats Kâtavema.
diss. p. 39.

p. 14, 21 fügen die Dev. Hdsch. godamî-
tîre hinzu. Die südindischen Hdsch., Kât. und
die bengal. kennen es nicht. diss. p. 40.

p. 17, 5. 6. Die Dev. Hdsch. fügen hinzu
iti râjapurusham mâm avagacchatha. F. H. L.
Kât. die bengal. haben es nicht.

Nur P hat râjâpurusham avagaccha (sic) diss.
p. 41.

p. 20, 5. Die Dev. Hdsch. fügen hinzu

adavîdo adavim. Sämmtliche südind., Kâtav. und bengal. lassen es fort. diss. p. 43.

p. 22, 12. Die Dev. Hdsch. fügen me vor suhrdvâkyam hinzu, was das Sprichwort völlig verdirbt. Die südind. und bengal. lassen es fort.

p. 22, 19. 20. Die Dev. Hdsch. fügen hinzu: tena hi sugahîdo aam jano (E. bamhano). Die südind. und bengal. lassen es aus. diss. p. 46.

p. 34, 21 liegt wieder ein Sprichwort vor. Sprichwörter aber werden in der Dev. Rec. immer verstümmelt und unkenntlich gemacht. So p. 22, 11 durch Zufügung von âsi, so p. 22, 12 durch Zufügung von me, so hier durch siniddhajana, das sämmtliche südindische, Kâtav. und bengal. fortlassen, so auch p. 67, 23 durch Zufügung von iti yad ucyate (diss. p. 61). L hat vorher gar noch: idam tad apy abhicâri vacah, was aus p. 81, 8 stammt, wo dies und yad ucyate ganz am Platze sind, da sie sich gegenseitig ergänzen. Es gehört diese Verstümmlung zu den vielen Schönheiten der schöneren Recension.

p. 35, 13. Dev. samçayacchedi vacanam. Südind. bengal. Kâtav. vimarçachedi. diss. p. 50. Kâtav. erklärt vimarça° mit samçayâpanodi.

p. 57, 14. 15. In der Dev. Rec. kann diese Stelle nicht handschriftlich hergestellt werden. Die südind. u. Kât. lesen, um kleinere v. l. zu übergehen: bhûo vi tavaccaranapîdidam tâdassa sarîram adimettam mama kide ukkamthidam bhavissadi (om. P.)

Die diss. p. 58 aufgestellte von Weber mit Recht verworfene Vermuthung nehme ich hiermit zurück.

p. 69, 9. Die Dev. Hdsch. attasacchanda°. Die südind. bengal. Kât. lassen atta fort. Böhtlingks Vermuthung, die Burkhard gar in den

Text aufnimmt, dass atta = attha sei, fällt hiermit, zumal auch p. 99, 6 die südind. mit den
bengal. Handschriften übereinstimmen. diss. p. 61.

p. 70, 10. Die Dev. Rec. fügt paridevin*im*
hinzu; die südind. bengal. Kâ*t*. haben es nicht.
diss. p. 62.

Ich kann hier unmöglich auf solche Lesarten eingehen, in denen die südind. Rec. die Dev.
Rec. übertrifft, ohne dass eine handgreifliche
Interpolation vorliegt. Ich habe gerade diese
Beispiele ausgewählt, um zugleich den Zusammenhang der südind. Rec. mit Kâ*t*avema einerseits und der bengal. Rec. andrerseits darzulegen und zu zeigen, dass die von Stenzler und
mir als Glossen bezeichneten Lesarten der Dev.
Rec. nun auch handschriftlich als solche erwiesen sind. In zahlreichen anderen Fällen hat
diese Rec., wie auch noch einige Handschriften
der Dev. Rec., die ursprüngliche Gestalt der
Glossen erhalten. So findet sich die von mir
diss. p. 65 als Glosse betrachtete Lesart p. 91,
13. 17, mamâpy ante puruvam*ç*a*ç*rîr akâla ivopta-
bîjâ bhûr evam*v*rttâ in der That in P gar
nicht. P liest: mamâpy ante puruvam*ç*a*ç*riyo
s py evamavasthâ. In F fehlt p. 88, 10 — 92,
6. und H geht nicht so weit. In L aber steht
die Glosse in folgender Gestalt: ⁰ *ç*riyo *s* py
evamavasthâ*h* / akâla ivoptabîjabhû*h* / esha eva
me v*r*ttânta*h*. Deutlicher kann man die Glosse
nicht wünschen. p. 51, 3 lesen L. P. H. E.
T M C kan*t*hastambhita⁰ (diss. p. 55 ff.), so
dass auch diese Glosse als erwiesen anzusehen
ist. Verbindet man damit das diss. p. 35 beigebrachte Beispiel, das durch die südindische
Rec. nicht geändert wird, so gehört, da zwei
Verse der Dev. und südindischen Rec. als aus
Glossen der bengal. Rec. entstanden nachgewie-

sen sind, ein bisher in der Wissenschaft unerhörter Glaube dazu, um die Dev. Rec. für älter zu halten, als die bengal. Die eigenthümliche Beschaffenheit der südindischen Handschriften erklärt ganz natürlich das Entstehen solcher Lesarten, und auch dies trägt dazu bei, der südindischen Rec. die Priorität vor der Dev. Rec. zuzuerkennen. In allen südindischen Handschriften des Çâk. befindet sich nämlich eine meist sehr correkte und gute Sanskritübersetzung der Prakritstellen unmittelbar hinter dem Prakrittexte selbst, derart, dass bei längeren Stellen, die Prakritrede von der Sanskritübersetzung unterbrochen wird und Prakrit und Sanskrit beständig wechseln. Ebenso aber stehen auch Varianten und erklärende Glossen mitten im Texte, oft nicht einmal durch zwei Striche angedeutet, und man wird bei Lesung des Textes plötzlich von einem iti ca pâthah oder ity·arthah überrascht, welche Worte aber gewöhnlich fehlen. So steht p. 17, 12 hinter der Sanskritübersetzung der Prakritworte in P mitten im Texte ohne jede Andeutung kâryasyeti çeshah, p. 20, 5 in P mitten in der Sanskritübersetzung im Texte zu âhindyate die Glosse paryatyata iti arthah; p. 23, 20 in F hinter der Sanskritübersetzung: jîrnarxasya naramâmsalolupasyeti ca pâthah; p. 89, 5 steht in L mitten im Texte purobhâgidoshaikadarçitasya karma paurobhâgyam. Man hat also um die Lesarten der Dev. Rec. zu erklären, gar nicht einmal bis zum Rande zu gehen; der laufende Text lieferte dem Verfertiger der Dev. Rec. reichlichen Stoff, der ursprünglich gar nicht zu diesem Zwecke bestimmt war. Zugleich zeigt diese Gestalt der südind. Handschriften, dass einer der Lieblingsgedanken der Vertheidiger der Dev. Rec., nämlich die Dummheit und Unwissenheit der Abschreiber wiederum nur ein Glaube war, der vor der Macht der Thatsachen nicht mehr Recht hat, wie jeder andere Glaube.

2) Die südindische Recension hat, wie die bengalische, zwei Commentatoren gefunden: Abhirâma und Kâtavema; die Dev. Rec. hat keinen einzigen Commentator. Bereits diss. p. 24 ff. hatte ich bezweifelt, dass Kâtavema die Dev. Rec. erkläre; die südindische Rec. zeigt, dass dieser Zweifel berechtigt war. Alle Abweichungen Kâtavema's von Böhtl. Text finden sich in der südindischen Rec., auch dist. 129. So erklärt sich, dass ich aus ihm 64 Lesarten hatte, in denen er mit der bengal. Rec. übereinstimmt, eine Zahl, die ich jetzt noch bedeutend vermehren kann. So erklärt sich ferner, dass sein Prakrittext oft von der Sanskritübersetzung verschieden ist; auch dies ist in der südindischen Rec. der Fall. So erklären sich ferner die unzähligen Schreibfehler der Handschrift, deren Titelblatt ausser in Devanâgarî auch in Telugu geschrieben ist: sie haben ihren Grund in den südindischen Schriftzeichen und die Handschrift ist aus einer südindischen Handschrift umgeschrieben. Ihre ganze innere Einrichtung ist dieselbe, wie die der südindischen, worüber unter Nr. 5 mehr. Wenn auch Kâtavema somit vieles nicht zu erklären vorfand, so bleibt der Vorwurf der Trägheit oder wenigstens grosser Ungenauigkeit doch auf ihm lasten, zumal er in seinem Commentar zur Mâlavikâ nicht viel besser zu Werke geht. Dieser Commentar gehört dem East-India-Office an und ist in sehr schlechtem Grantha geschrieben, aber, sobald es gelungen ist, die Schriftzeichen zu enträthseln, meist sehr correct. Auch hier folgt

Kâ*t*avema der südindischen Recension. Er erwähnt im Anfange seinen Commentar zum Çâkuntala*m*. Uebrigens steht der Name des Scholiasten nicht über allen Zweifel erhaben da. Allerdings scheint aus den mir nicht ganz verständlichen Versen im Anfange des Commentares zum Çâkuntala*m*: kavînâm âçrayo ma*m*trî kâ*t*abhûpatanûdbhava*h* / so s ya*m* vemavibhu*h* kumâragirinâ (sic) râjñâ niyukta*h* k*r*tî / u. s. w. sich die Namensform Kâ*t*avema zu ergeben. Ich verstehe vemavibhu*h* nicht und der plötzliche Uebergang vom epischen Çloka zu Çârdûlavikrî*d*ita*m* erregt Bedenken. Dagegen heisst der Scholiast in der ganz vorzüglich correcten Handschrift in Grantha, die seinen Commentar zur Mâlavikâ enthält, alle fünf Male ohne die geringste Variante: Kâ*t*ayavemabhûpa. In der über alle Massen verdorbenen Handschrift des Commentares zum Çâk. (E. J. O. 2697) gestaltet sich die Sache folgendermassen. Am Ende des ersten Aktes steht: kâ*t*avîyavemabhûpâla, des zweiten: kâ*t*avemabhûpâla, des dritten: kâ*t*aveyavemabhûpâla, des vierten: kâ*t*aveyavemabhûpâla, wie eben; des fünften; kâ*t*ayavemabhûpâla, also wie die Granthahandschrift, des 6. und 7.: kâ*t*avemabhûpâla. Bei der bekannten Spielerei mit Eigennamen in Versen kann der Vers nicht als entscheidend angesehen werden. Der Scholiast heisst drei Mal Kâ*t*avema, sechs Mal Kâ*t*ayavema, und die Namensform in den übrigen drei Stellen weist ebenfalls nur auf Kâ*t*ayavema, gewiss nicht auf Kâ*t*avema. Aus den tamulischen und sonstigen Wörterbüchern der dravidischen Sprachen kann ich weder für Kâ*t*avema noch für Kâ*t*ayavema eine Erklärung finden. Nach den Regeln der Kritik scheint mir daher vorläufig nur die Namensform: Kâ-

*t*ayavema oder richtiger: Kâ*t*ayavema Bhûpâla diplomatisch verbürgt zu sein.

3) Keine der von den Rhetorikern citirten Stellen nöthigt uns die Dev. Rec anzuerkennen. Die Citate bei Dhanika zum Daçarûpa sind sämmtlich auch in der südindischen ohne Varianten; die im Kâvyaprakâça und Sâhityadarpana gehören der bengalischen Recension an. Einige Citate im Sâhitya⁰ sind nur verdorben nicht verschieden. Dagegen kennen die Rhetoriker Dan*d*in Kâvyâdarça I, 40—101. Viçvanâtha Sâhityadarpana § 625 ff. Pratâparudrîya p. 55 ff. meiner Telugu-Ausgabe. Madras 1868. Vâmana bei Aufrecht Catalog 207 α, besonders der ältere und genauere Dan*d*in vorzüglich nur zwei dramatische Stilgattungen: die Gau*d*î und die Vaidarbhî oder Dâxinâtyâ rîti*h* d. h. also die bengalische und die südindische. Die anderen — Bhojadeva bei Aufrecht Catalog 208α kennt schon sechs — treten gegen diese beiden entschieden zurück; Dan*d*in bezeichnet sie I, 101 als bhedâs dieser beiden pratikavi sthitâs. Ich muss mich hier darauf beschränken, dieses Faktum hinzustellen; eine eingehende Behandlung, wie sie diese ganze Frage erheischt, kann ich hier nicht geben. Uebrigens waren mir die Citate bei den Rhetorikern nicht unbekannt, als ich meine Dissertation schrieb; sie lagen mir bereits damals vollständig gesammelt vor, waren aber ebenso wie jetzt für meinen Zweck völlig nutzlos.

4) Ein ganz ähnliches Verhältnis wie zwischen den Handschriften des Çâk. findet, wenn auch in geringerem Grade zwischen denen der Mâlavikâ Statt. Ich habe bereits 2 Devanâgarî-Handschriften Tullbergs A u. B., die Bengâlî-handschrift D und eine Teluguhandschrift des

East-India-Office, die mit F des Çâk. zusammengebunden ist, verglichen, auch einen Theil des Commentares des Kâtayavema copirt, so dass ich mir wohl, wenn mir auch C noch nicht zu Gesicht gekommen ist und mir andere Handschriften nicht vorliegen, ein Urtheil über die Handschriften erlauben darf. Haag kommt in seiner sorgsamen Abhandlung: Zur Texteskritik und Erklärung von Kâlidâsa's Mâlavikâgnimitram. I. Theil. Frauenfeld 1872 p. 5 zu dem Resultate, dass von den von Shankar Pandit benutzten Handschriften G dem Archetypus am nächsten steht. G ist aber eine Teluguhandschrift. Ich trete Haag hierin unbedingt bei; kann aber nicht dasselbe in Bezug auf C sagen, vorausgesetzt, dass die Angaben Tullbergs hier nicht ebenso ungenau sind wie in Bezug auf A B D. Es scheint mir als ob C F und die Teluguhandschrift des E.-J.-O. eine Art gemischte Recension der Mâlavikâ bilden. Den schlechtesten und jüngsten Text geben ohne allen Zweifel A und B, von denen A nur Abschrift von B ist, und ihnen reihen sich die übrigen Handschriften Shankar Pandits an. Das Faktum ergiebt sich mit Sicherheit auch hier, dass die Teluguhandschriften einen besseren und älteren Text enthalten, als die meisten Dev. Handschriften, von denen A und B aber ebenso, wie alle Dev. Handschriften Shankar Pandits und des Çâk. auf ursprünglich südindische Quellen zurückgehen (Nr. 5). Ganz anders würde sich freilich der Text noch gestalten, wenn wir noch andere bengalische Handschriften der Mâlavikâ hätten. D (E. J. O. 833) ist leider sehr verdorben und offenbar einer der schlechtesten seiner Gattung. Trotzdem ist sein Werth von Haag (l. l. p. 3) und mir (diss. p. 35) nicht

überschätzt worden, da er manche ganz vorzüg-
liche Lesarten enthält. Die bisher, so viel ich
weiss, unbeachtete Lesart des Sâhityad. p. 28
ed. Roer: chando narttayitur yathaiva manasa*h*
srsh*tam* tathâsyâ vapu*h*, die alle anderen weit
übertrifft, gehört D an. Mit grösserer Gewissheit als bei der Mâlavikâ kann ich bereits jetzt
vom Ve*n*isamhâra sagen, dass hier die bengal.
Rec. den besten und ältesten Text enthält. Das
Verhältniss der Recensionen ist hier viel klarer
als bei dem Çâk., und es ist mir völlig unbegreiflich, wie Grill bei einem so umfassenden
Material wie das seinige ist, keinen besseren
Text hat geben können. Unverantwortlich ist
die Vernachlässigung des Scholiasten und der
hiesigen südindischen Handschrift, um so mehr
zu bedauern, als sich auch in den hiesigen Dev.
Hdsch. des Ve*n*isamhâra gar nicht zu verken-
nende Spuren südindischen Einflusses finden, die
Grill im Apparatus criticus zwar nicht angiebt,
die aber nichtsdestoweniger darin sind. Das
schlagendste Beispiel zu dem Verhältniss zwischen bengalischen und südindischen Handschriften liefert Vararuci. Nach den übereinstimmenden Angaben von Lassen, Delius und Cowell ist das beste MS. A aus einer bengalischen
Handschrift abgeschrieben. W dagegen die
schönste und am meisten interpolirte, oft allen
anderen Handschriften gegenüberstehende Handschrift, die ich selbst eingesehen habe, hat alle
Kennzeichen südindischer Handschriften in sich.
Es kann keinem Zweifel unterliegen, dass sie
aus einer südindischen Quelle stammt. Man
sehe Nr. 5 und Cowell Vararuci p. 97. anm. 3.

Eine weitere Analogie liefern die Handschriften des Saptaçatakam des Hâla. Gewiss mit
Recht nimmt Weber (Zeitschrift DMG. 26, p.

737) an, dass die im Sâhityad. § 565 erwähnte Muktâvalî sich auf den Commentar des Sâdhâraṇadeva bezieht, da auch Harinâtha zu Kâvyâdarça I, 13 zu kosho erklärend hinzufügt yathâ Saptaçaty âdi. Aufrecht Catalog p. 203b. Anm. 1. 2. Ebenso unbedingt richtig schliesst Weber aus den Worten Viçvanâtha's, dass die Vrajyârecension die jüngere sein muss. Wie Viçvanâtha diese als atimanoramah bezeichnet, so wird auch der Vaidarbhîstil von den Rhetorikern bevorzugt; ein entartetes Geschlecht verlangt leichte und bequeme Lectüre. Die Vrajyârecension aber liegt in einer Dev. Handschrift vor. Dass auch eine Teluguhandschrift eine Anordnung nach dem Inhalt zeigt, ist nicht zu verwundern, da ja alles darauf hinweist, dass das ganze Werk in Südindien entstanden ist. Da nähere Angaben über diese Recension noch nicht vorliegen, kann sie vorläufig hier nicht in Betracht kommen. Gegenüber der Vrajyârecension bildet aber die entschieden ältere die Recension, die uns in der Teluguhandschrift des E. J. O. 2796 vorliegt, mit der die Handschrift, aus der Weber zuerst den Hâla bekannt gemacht hat und ebenso wesentlich Gaṅgâdhara übereinstimmt (Weber l. l. p. 736). Dass aber die Vermuthung Webers, dass die südindischen Handschriften aus Devanâgarîhandschriften umgeschrieben seien (l. l. p. 743) unhaltbar ist, und dass vielmehr das umgekehrte anzunehmen ist, glaube ich mit Sicherheit nachweisen zu können, und damit komme ich zu dem entscheidendsten und wichtigsten Beweise für die grössere Ursprünglichkeit der südindischen Rec. vor der Dev. Rec.

5) Die orthographischen Eigentümlichkeiten der Handschriften. Eine der

auffallendsten Erscheinungen in südindischen
Handschriften ist der Gebrauch eines in der
Zeile stehenden Punktes in den Prakritstellen,
um dadurch anzudeuten, dass der folgende Buch-
stabe verdoppelt werden soll. Dies geschieht
nun vor Aspiraten ebensowohl wie vor allen
anderen Buchstaben, und daher hat Shankar
Pandit in seiner Ausgabe der Mâlavikâ gemeint,
von Vararuci III, 51 abweichen zu müssen. Ich
habe bisher diese Eigenthümlichkeit nur in Prakritstellen gefunden; nach Mittheilungen eines
der ausgezeichnetsten Kenner südindischer Handschriften und Sprachen Herrn Dr. Rost, dem ich
für viele mündliche Belehrung zu danken habe,
findet sie sich in anderen südindischen Handschriften auch im Sanskrit, sogar so, dass selbst
dh und ch vollständig doppelt ausgeschrieben
sind. Benfey hat diese Schreibweise bei dh und
dh auch in Vedahandschriften gefunden (Sâmav.
Einl. XXXIV. Ausführl. Gr. § 14. Bem.) und
auch Prakritgelehrte wie Lassen (Inst. Pracr.
p. 232) und Höfer (Zeitschrift für die Wissenschaft der Sprache Bd. II, p. 465) haben bereits
in Dev. Handschriften wiederholt diese Schreibweise bemerkt, aber ebenso wie Bollensen zur
Urv. p. 176 darin nur Schreibfehler gesehen.
Der erste, der mehr darin sah, ist Weber, der
in der hochwichtigen Einleitung zum Hâla p.
26 bemerkt, dass diese und andere Eigenthümlichkeiten der Handschriften wohl mehr oder
weniger auf lautlicher Grundlage beruhen möchten. Das ist nun ganz unzweifelhaft der Fall.
Die Dravidischen Sprachen haben ursprünglich
gar keine Aspiraten gehabt; sie sind sämmtlich
erst durch das Sanskrit in diese Sprachen gekommen, ja das Tamil hat sich so völlig frei
von ihnen erhalten, dass es nicht einmal ein h

hat. Aspiraten sind also für Draviden eigentlich ganz unaussprechbar, ebenso wie viele andere Consonantenverbindungen des Sanskrit. Caldwell: A Comparative Grammar of the Dravidian or South India Family of Languages. London 1856 p. 138 fasst das hierher gehörige am besten und übersichtlichsten zusammen. Danach können im Tamil ausser den Nasalen der respektiven Classen und den Halbvokalen nur folgende Gruppen zusammentreten: kk, cc, *tt*, tt, pp, *ll*, RR, *t*k, *t*p, Rk, Rc und Rp. Tamilian laws of sound allow only the above mentioned consonants to stand together in the middle of words without the intervention of a vowel. Cfr. auch Graul: Tamil Grammar p. 8 ff. Caldwell fährt sodann fort: All other consonants must be assimilated, that is the first must be made the same as the second or else a vowel must be inserted between them to render each capable of being pronounced by Tamilian organs. Das ist der Schlüssel zu dem Räthsel der Aspiratenverdopplung in den südindischen Handschriften. Die Tamulen übertrugen, um die ihnen fremden Aspiraten wenigstens einigermassen aussprechbar zu machen, ihre Lautgesetze auf das Prakrit; Sanskrit war längst eine todte Sprache zu der Zeit, aus der unsere Handschriften stammen, aber Prakrit wurde noch gesprochen und verstanden. Es folgt daraus, dass alle Dev. Handschriften, in denen sich eine derartige Aspiratenverdopplung vorfindet, mögen sie einer Literaturgattung angehören, welcher sie wollen, aus Südindien stammen oder aus südindischen Handschriften abgeschrieben sind. Dafür noch folgende Beweise. Shankar Pandit Mâlav. critical notice p. IX bemerkt, dass sogar in den von ihm benutzten

Devanâgarî - Handschriften im Prakrit the pre-
sence of the first component of every conjunct
letter is merely indicated by a dot placed be-
fore it, und ganz dasselbe ist in der Dev. Handschrift des Kâ*t*ayavema der Fall, so dass nicht
bloss sämmtliche Aspiraten, sondern alle anderen Consonanten ganz wie in den südindischen
Handschriften statt verdoppelt geschrieben zu
werden einen O vor sich haben, so dass Wörter
wie abbhatthanâ hier aObhaOthanâ geschrieben
sind. Dadurch verschwinden viele Schreibfehler der Handschrift. Shankar Pa*n*dit notirt ferner aus seinen Devanâgarîhandschriften die
Schreibweise aOa für das aus ârya entstandene
ajja. Auch dies ist die ausschliessliche mir anfangs ganz unerklärliche Schreibweise der südindischen Palmblätterhandschriften. Ganz dieselbe findet sich in der Dev. Hdsch. des Kâ*t*a-
yavema, so dass man für ajjanttassa hier liest:
aOauOtaOsa, wie in den südindischen. Der
Grund ist der, dass dem Tamil der Laut ja
ganz fehlt; nur im Vulgärtamil wird ca zuweilen gleich ja gesprochen. Man wird also wohl
nicht zweifeln, dass die Dev. Hdschr. Shankar
Pa*n*dits und die des Kâtayavema aus südindischen abgeschrieben sind. Dieselbe Eigenthümlichkeit wie die Handschrift des Kâ*t*ayavema
aber zeigt auch die Hâlahandschrift des Kulla-
nâtha. So nämlich sind v. 1. wie v. 3 ma*m*-
jhaârammi, wie v. 5 vi*m*bhama*m*, wie v. 7 la*m*-
*d*ahavilaâ u. s. w. zu erklären; sie waren in der
Teluguhandschrift maOjhaâraOmi etc. geschrieben. Daher hat diese Handschrift fast durchgängig die Schreibung khkh, *t*h*t*h, jhjh etc. für
kkh, *t*th, jjh, daher findet man so oft in den
v. 1. ein *m* eingeschoben, wo es gar keine Erklärung hat. Auch dies aber ist in den süd-

indischen Handschriften sehr oft der Fall und hat seinen Grund in der Eigenthümlichkeit der dravidischen Sprachen die Caldwell p. 126 ff. als euphonic nunnation behandelt. Der von Weber p. 29 erwähnte Einschub eines v und y zur Vermeidung des Hiatus ist das allen dravidischen Sprachen eigenthümliche Mittel. Caldwell p. 130 ff. Es liegen hier also gar nicht Eigenthümlichkeiten des Prakrit, sondern dravidische Einflüsse vor, die einfach ausgeschieden werden müssen. Dieselbe Aspiratenverdopplung, die in den dravidischen Lautgesetzen ihren Ursprung hat, findet sich nun mehr oder weniger in sämmtlichen Dev. Hdsch. des Çâkuntalam, obwohl Böhtlingk und Williams sie nie anmerken. Böhtlingk ist ja ganz ausser Schuld, aber Williams hat ja sämmtliche Handschriften „sorgfältig" collationirt. C und G verdoppeln thth und khkh und schreiben ch und jh fast ausschliesslich einfach; W verdoppelt; T verdoppelt th, kh, jh, schreibt ch und zuweilen th einfach; M verdoppelt th, kh, jh, gh, bh. Je näher also eine Handschrift der südindischen Rec. steht, desto häufiger ist die Aspiratenverdopplung, je weiter schon entfernt, desto seltener. Dieselbe Schreibweise findet sich in allen Dev. Handschriften aller Dramen, die ich bis jetzt Gelegenheit hatte zu prüfen. Sie ist fast ausschliesslich in A und B der Mâlavikâ; hier wird kh, th, bh, jh, dh verdoppelt geschrieben; sie findet sich bei th und kh sehr häufig in den Handschriften des Venisamhâra, bei th, kh, dh in A der Mrcchakatikâ, bei th in B desselben Dramas. Es ist selbst bei th unmöglich Schreibfehler anzunehmen; die Buchstaben sind so klar und deutlich, dass auch nicht der geringste Zweifel daran aufkommen kann. Alle

diese Handschriften verrathen daher südindischen
Einfluss. Es erklärt sich daraus auch die constante Schreibweise anderer am häufigsten gebrauchten und daher auch am leichtesten veränderten Wörter. Auf dasselbe Assimilations-
gesetz des Tamil gehen die Schreibweisen der
Dev. Hdsch. des Çâk. und der Mâl. attabhava*m*
und tattabhava*m* zurück, über die ich diss. p.
34 f. gehandelt habe. Der Tamule konnte nur
atta oder aththa schreiben; letzteres scheint aber
ebenso wie phph und dhdh für den Tamulen
ganz besonders unaussprechbar gewesen zu sein,
da ich mich nicht erinnern kann, in irgend
einer Handschrift diese Buchstaben doppelt ausgeschrieben gefunden zu haben. (cf. Weber Hâla
p. 26). So setzten sie denn dafür tt. In ganz
vereinzelten Fällen erscheint diese Schreibweise
auch in den bengalischen Handschriften (diss.
p. 35). Es ist dabei keineswegs südindischer
Einfluss anzunehmen, da auch in den modernen
arischen Sprachen Indiens tra meist in tta übergeht (cfr. Beames: Comparative grammar of
the modern Aryan languages I, p. 337. Eine
Aspiratenverdopplung kennen aber die bengal.
Handschriften des Çâk. mit einer höchst interessanten, gleich zu besprechenden Ausnahme
nicht. Ich würde die Schreibung atta und tatta
in den Dev. Hdsch. ebenfalls auf Rechnung der
Schreiber setzen, wenn sie sich nicht auch durchgängig in den südindischen Hdsch. fände. Denn
ausser den in Südindien erhaltenen Veränderungen strotzt die Dev. Rec. auch noch von ganz
anderen modernen Fehlern. So schreiben z. B.
p. 102, 2 C T sim*gha statt sim*ha wie die südind. bengal. M und Kâ*t.* lesen, d. h. sie passen
das Wort der heutigen modernen Aussprache
an (Beames p. 262). Die Bengalen sprachen

auch sí*m*gha; die bengal. Handschriften aber
kennen diese Form nicht. Hier waren eben
sorgsame treue Hände thätig, keine Interpola-
toren, keine Dummköpfe, keine Fälscher. Alle
diese haben fleissig in der Dev. Rec. gearbeitet.
Wenn also der neuste Herausgeber der Çakuntalâ — er musste mit allen südindischen, mit
E T M C und Kâ*t*. çâkuntala*m* schreiben — wieder ganz unbekümmert sí*m*gha als Prakritform
lehrt, so zeigt dies von neuem die Leichtfertig-
keit, mit der diese für Anfänger bestimmte
Ausgabe gearbeitet ist. Endlich, um nur noch
dies eine Beispiel anzuführen, erklärt sich aus
den Lautgesetzen der Dravi*d*ischen Sprachen
die Schreibung saundalâ und dussanda, die für
das Dramenprakrit grundfalsch ist. Es muss
mit der bengal. Rec. sauntalâ und dussanta gelesen werden. Im Tamil wird t, wenn es in
der Mitte eines Wortes mit seinem Nasal verbunden wird = d ausgesprochen. (Caldwell p.
103. 107). Fälle wie sa*m*dâpa gehören nicht
hierher. Für den Dravi*d*en war es also vollständig gleich, ob er sauntalâ oder saundalâ
schrieb; er sprach immer nur saundalâ; daher
findet sich denn im Sanskrit in den südind.
Handschriften, um diese Aussprache zu verhindern, häufig çakunttalâ geschrieben. Es ist ganz
natürlich, dass die Dravi*d*en die Namen der
Hauptpersonen des Dramas ihrer Aussprache an-
passten; sie schreiben auch stets saunda*l*a mit
cerebralem *l*, (worüber cfr. Graul Tamil Grammar p. 5. Caldwell p. 97 u. oft. Beames p. 244 ff.)
und so schreiben auch T, M, Kâ*t*. zu wiederholten Malen. Die Schreibung von nd für nt
findet sich auch in anderen Wörtern in C öfter
als bei Böhtl. angegeben und von Monier Williams aufgenommen; z. B. auch p. 4, 10: oda*m*-

saandi, p. 27, 16 bhabbhava*m*dâ (sic) u. s. w.
Ich muss mir hier versagen, auf einzelne Fälle
einzugehen, wo sich Schreibweisen der Dev.
Hdsch. ganz einfach aus den südindischen
Schriftzeichen erklären. Ich hoffe das hier feh-
lende gelegentlich nachzuholen.

6) Nach Sâhityadarpa*n*a p. 173, 5 ed. Roer:
yodhanâgarikâdînâm dâxinâtyâ hi dîvyatâm (lege:
dîyatâ*m* Lassen Inst. Pracr. p. 35) soll der Po-
lizeimeister im Drama die dâxinâtyâ bhâshâ
sprechen. Wie sonst bei den Rhetorikern die
dâxinâtyâ rîti*h* mit der vaidarbhî als identisch
erklärt wird, so erklärt auch der Scholiast zu
dieser Stelle bei Lassen Inst. Pracr. p. 36 dâxi-
*n*âtyâ mit vaidarbhî. Man hat nun bisher vergebens nach einem Merkmal der dâxi*n*âtyâ bhâshâ gesucht; was Lassen l. l. p. 414 ff. aus
einigen verderbten Formen verderbter Dev. Hdsch.
als solches folgern wollte, hat bereits Böhtl. z.
Çâk. p. 240 mit Recht verworfen. Lassen kommt
p. 435 zu dem Resultate, dass die dâxinâtyâ
bhâshâ dem Hauptdialekt sehr nahe stehe und
sich nur in wenigen Punkten von ihm unter-
scheide. Dies bezeugt denn auch wirklich Mâr-
ka*n*deyakavîndra in dem Prâk*r*itasarvasva, indem er gegen eine Eintheilung in 8 bhâshâs
polemisirend, bemerkt, dass die dâxinâtyâ nicht
als besondere Gattung betrachtet werden könne
laxa*n*âkara*n*ât, d. h. weil sie kein besonderes
Kennzeichen habe. Aufrecht Catalog p. 1§1a.
Das ist nun entschieden unrichtig, da gewiss
niemand sie in diesem Falle abgesondert haben
würde. Ihr Kennzeichen ist nun nichts anderes,
als die uns nun wohlbekannte Aspiratenverdopplung und selbstverständlich die damit verbundene Aussprache. Die betreffenden Stellen in
der Mâlavikâ und M*r*cchaka*t*ikâ beweisen frei-

matische Literatur Indiens die in Devanâgarî
geschriebenen Handschriften erst in letzter Reihe
kommen und das Südindien der Ort war, wo
die Verfälschung der Originale vor sich ging.
War ja doch Südindien lange Zeit allein die
Blüthe- und Pflegestätte der Literatur (Weber
Ind. Literat. p. 247), und waren doch die südindischen Brahmanen stets gute Kenner des Sanskrit (Caldwell p. 2). Nach Graul: »Reise
durch Ostindien« IV. Anmerkung 96 gehört das
Çâkuntalam, wie zu erwarten, zu den in Südindien beliebtesten Stücken. Im Westen und
Süden von Indien wird bis heutigen Tages mehr
als irgendwo das Drama gepflegt (Wilson Hindu
Theatre I, XVI. 3. Aufl.) und eine ganze Zahl
Dramen sind nur in Südindien bekannt. Wilson Hindu Theatre I, p. LXX f. 3. Aufl. kennt
nur drei, aber nach einer Mittheilung von Herrn
Dr. Rost ist diese Zahl weit grösser. Man beachte auch Hâla v. 346, der eine allgemeine
Bekanntschaft mit dem Drama im Süden voraussetzt. Die südindische und Dev. Recension
sind aber sehr jung, viel jünger als wir jetzt
beweisen können; die handschriftliche Ueberlie-
ferung des Prakrit wird dies einst zur Gewissheit erheben. —

Schliesslich bemerke ich noch, dass die in
Trübner's Catalogue of Sanskrit Works ange-
zeigte Çakuntalâ in Telugu characters mit der
südindischen Recensron, wie überhaupt mit dem
Drama nichts zu thun hat. Es ist die in Telu-
gusprache übersetzte Episode des Mahâbhârata.

London, den 2. Januar 1873.

sighgham sighgha*m*. Die Verdopplung des gh ist aber significanter als die irgend einer anderen Aspirata, da sie sich nur in den den südind. Handsch. am nächsten stehenden Dev. Handschriften findet. Auch dies zeigt, dass die Südindier ihre Aussprache auf das ganze Prakrit übertragen haben, dass wir aber deswegen nicht mit Shankar Pa*n*d*i*t von Vararuci III, 51 abweichen brauchen. Es zeigt ferner von neuem, dass wohin man auch in der bengal. Rec. seine Blicke richtet, sie überall und immer das Gepräge der Echtheit und Ursprünglichkeit trägt.

Mehrjähriges Studium der Werke Kâlidâsa's und Collation oder genaue Prüfung fast sämmtlicher in Europa befindlicher bengalischer, südindischer und Devanâgarî-Handschriften des Çâkuntala*m*, sowie der in Indien erschienenen Ausgaben haben mir folgendes Resultat ergeben:

1) Dem Original am nächsten steht die bengalische Recension. Sie ist nur durch Interpolationen entstellt, die sich mit den gewöhnlichen Mitteln der Kritik entfernen lassen und in den besten Handschriften dieser Recension zum grossen Theil fehlen.

2) Eine planmässige Verkürzung und Verfälschung erfuhr das Original in Südindien. Sie liegt uns in der südindischen Recension vor.

3) Ein Vermittlungsversuch, beide Recensionen zu vereinigen, ist die gemischte Recension.

4) Die letzte, schlechteste, am meisten interpolirte Bearbeitung bildet die Devanâgarî-Recension. Ihre Heimat ist das westliche Indien, und sie tritt aus der Reihe der in Frage kommenden Recensionen völlig heraus.

5) Das Hauptmaterial zu 2. 3. 4 bilden ursprüngliche Glossen.

Es wird sich herausstellen, dass für die dra-

matische Literatur Indiens die in Devanâgarî
geschriebenen Handschriften erst in letzter Reihe
kommen und das Südindien der Ort war, wo
die Verfälschung der Originale vor sich ging.
War ja doch Südindien lange Zeit allein die
Blüthe- und Pflegestätte der Literatur (Weber
Ind. Literat. p. 247), und waren doch die südindischen Brahmanen stets gute Kenner des Sanskrit (Caldwell p. 2). Nach Graul: »Reise
durch Ostindien« IV. Anmerkung 96 gehört das
Çâkuntalam, wie zu erwarten, zu den in Südindien beliebtesten Stücken. Im Westen und
Süden von Indien wird bis heutigen Tages mehr
als irgendwo das Drama gepflegt (Wilson Hindu
Theatre I, XVI. 3. Aufl.) und eine ganze Zahl
Dramen sind nur in Südindien bekannt. Wilson Hindu Theatre I, p. LXX f. 3. Aufl. kennt
nur drei, aber nach einer Mittheilung von Herrn
Dr. Rost ist diese Zahl weit grösser. Man beachte auch Hâla v. 346, der eine allgemeine
Bekanntschaft mit dem Drama im Süden voraussetzt. Die südindische und Dev. Recension
sind aber sehr jung, viel jünger als wir jetzt
beweisen können; die handschriftliche Ueberlie-
ferung des Prakrit wird dies einst zur Gewissheit erheben. —

Schliesslich bemerke ich noch, dass die in
Trübner's Catalogue of Sanskrit Works ange-
zeigte Çakuntalâ in Telugu characters mit der
südindischen Recensron, wie überhaupt mit dem
Drama nichts zu thun hat. Es ist die in Telu-
gusprache übersetzte Episode des Mahâbhârata.

London, den 2. Januar 1873.

Verzeichniss der bei der Königl. Gesellschaft der Wissenschaften eingegangenen Druckschriften.

December 1872.

(Fortsetzung).

Friedrich Hessenberg mineralogische Notizen. No. 11. (10. Fortsetzung.) Frankfurt a. M. 1873. 4.

Schriften der Kön. physikal.-ökonomischen Gesellschaft zu Königsberg. Jahrg. XII. 1871, Abth. 1. 2. Jahrg. XIII. Abth. 1. Königsberg 1871—72, 4.

Jahrbuch über die Fortschritte der Mathematik, in Verein mit andern Mathematikern herausg. von Carl Ohrtmann, Felix Müller, Albert Wangerin. Bd. 2. Jahrg. 1869 u. 1870. Hft. 2. Berlin 1872. 8.

Mémoires de la Société des Sciences phys. et naturelles de Bordeaux. T. VIII. 4me cahier, Paris et Bordeaux. 1872. 8.

Notice sur la vie de Jean-Auguste Grunert. Extrait du Bulletin des Sc. mathem. et astronomiques. 8.

Monatsbericht der königl. preuss. Akad. der Wiss. zu Berlin. August 1872. Berlin 1872, 8.

Januar 1873.

Nature 166. 167. 168. 169.

Vidensk. Selsk. Skr., 5 Baekke, historisk og philosophisk Afd. 4de, Bd. VII.

— — — — naturvidenskabelig og mathematisk Afd., IX. Bd. 6. 7. Kjobenhavn 1871. 72, 4.

Oversigt over det Kong. Danske Videnskabernes Selskabs Forhandlinger og dets Medlemmers Arbeider i Aaret 1871. Nr. 3 u. 1872 Nr. 1. Ebd. 1871. 72. 8.

Jahrbuch der K. K. Geologischen Reichsanstalt. Jahrg. 1872. Bd. XXII. Nr. 3. Juli. August. September, Wien 1872. gr. 8.

Verhandlungen der K. K. Geologischen Reichsanstalt. Nr. 11. 12. 13. 1872.

49. Jahresbericht der Schlesischen Gesellschaft für vaterländische Cultur. 1871. Breslau 1872. 8.

(Fortsetzung folgt).

Nachrichten

von der Königl. Gesellschaft der Wissenschaften und der G. A. Universität zu
Göttingen.

26. März.   № 8.   1873.

Königliche Gesellschaft der Wissenschaften.

Bemerkungen über die Enveloppe einer Kugelfläche.

Von

A. Enneper.

Unter den Flächen, welche allgemein durch
einen Kreis von veränderlichem Radius erzeugt
werden können [1]), zeichnen sich die einhüllenden
Flächen einer Kugelfläche von variabelem Radius,
deren Mittelpunkt eine beliebige Raumcurve beschreibt, in Beziehung auf analytische Untersuchung ähnlich durch einfache Verhältnisse aus,
wie die developpabeln Flächen unter den windschiefen Flächen. Es erscheint daher nicht un-
gerechtfertigt, einige allgemeine Formeln mitzutheilen, welche die genannten Flächen betreffen
und sich bei der Lösung einiger Probleme mit
Vortheil anwenden lassen. Zu der sehr gerin-

---

[1]) Einige Betrachtungen über diese Flächen sind
in den Nachrichten d. K. Gesellsch. d. W. vom Jahre
1866 p. 243 enthalten, eine ausführlichere Abhandlung
befindet sich in der Zeitschrift für Mathem. Band XIV
unter dem Titel: Die cyklischen Flächen.

gen Anzahl von Beispielen, welche über einige
Puncte aus der allgemeinen Theorie der Flächen
existiren, wie z. B. die isometrischen Coordinaten, Deformation von Flächen, sollen einige neue
Resultate mitgetheilt werden, die vielleicht nicht
ohne Interesse sind.

I.

Was die im Folgenden angewandten Bezeichnungen betrifft, so sind dieselben übereinstimmend mit denjenigen einiger früheren Mittheilungen. Es bedeutet (ξ, η, ζ) ein Punct einer
Raumcurve, α, β, γ sind die Winkel, welche die
Tangente, λ, μ, ν die Winkel, welche der Krümmungshalbmesser, l, m, n die Winkel, welche
die Normale zur Krümmungsebene im angegebenen Puncte der Curve respective mit den Axen
der x, y und z bilden. Es ist ferner durch ϱ
der Krümmungshalbmesser, durch r der Torsionsradius, endlich durch ds das Bogenelement bezeichnet. Sieht man den Punct (ξ, η, ζ) als
Mittelpunkt einer Kugelfläche von dem variabeln
Radius R an, wo R eine beliebige Function von
s bedeutet, so ist die Enveloppe der Kugelfläche
durch das System der beiden folgenden Gleichungen bestimmt:

$$(x - \xi)^2 + (y - \eta)^2 + (z - \zeta)^2 = R^2,$$

$$(x - \xi)\cos\alpha + (y - \eta)\cos\beta + (z - \zeta)\cos\gamma = -R\frac{dR}{ds}.$$

Setzt man:

1) $$\frac{dR}{ds} = \cos t,$$

bezeichnet durch w einen beliebigen Winkel,

so lassen sich die obigen Gleichungen durch folgende ersetzen:

$$2)$$

$$(x-\xi)\cos\alpha+(y-\eta)\cos\beta+(z-\zeta)\cos\gamma=-R\cos t,$$

$$(x-\xi)\cos\lambda+(y-\eta)\cos\mu+(z-\zeta)\cos\nu=R\sin t\sin w,$$

$$(x-\xi)\cos l+(y-\eta)\cos m+(z-\zeta)\cos n=-R\sin t\cos w.$$

Es ist also:

$$3)\; x=\xi-R\cos t\cos\alpha+R\sin t(\cos\lambda\sin w-\cos l\cos w)$$

und analog y und z. Sieht man nun w als Function von s und einer zweiten Variabeln v an, so folgt aus 3):

$$4)\qquad \frac{1}{R}\frac{dx}{ds}=$$

$$(\frac{dt}{ds}\frac{\sin w}{\varrho}+\frac{\sin t}{R})[\cos\alpha\sin t+(\cos\lambda\sin w-\cos l\cos w)\cos t]$$

$$+[(\frac{dw}{ds}-\frac{1}{r})\sin t-\frac{\cos w\cos t}{\varrho}]\,(\cos\lambda\cos w+\cos l\sin w),$$

$$5)\quad \frac{1}{R}\frac{dx}{dv}=\sin t\frac{dw}{dv}(\cos\lambda\cos w+\cos l\sin w).$$

Die beiden Hauptkrümmungshalbmesser im Puncte (x, y, z) sind respective R und:

$$R\frac{\dfrac{dt}{ds}-\dfrac{\sin w}{\varrho}+\dfrac{\sin t}{R}}{\dfrac{dt}{ds}-\dfrac{\sin w}{\varrho}}.$$

Die Differentialgleichung der Krümmungslinien zerfällt in die beiden folgenden:

$$ds = 0$$

$$[(\frac{dw}{ds} - \frac{1}{r}) \sin t - \frac{\cos t \cos w}{\varrho}] \, ds + \sin t \frac{dw}{dv} \, dv = 0.$$

Die Krümmungslinien sind durch s constant
und v constant bestimmt, wenn w durch die
Gleichung bestimmt ist:

6) $\qquad (\frac{dw}{ds} - \frac{1}{r}) \sin t - \frac{\cos t \cos w}{\varrho} = 0.$

Die willkührliche Constante, welche die Integration dieser Differentialgleichung involvirt,
ist gleich einer arbiträren Function von v zu
setzen.

Ist die Curve, welche der Mittelpunkt der
eingehüllten Kugelfläche beschreibt plan, so hat
man $r = \infty$. Nimmt man:

$$\cos \alpha = \cos s, \quad \cos \beta = \sin s, \quad \cos \gamma = 0,$$

$$\cos \lambda = - \sin s, \quad \cos \mu = \cos s, \quad \cos \nu = 0,$$

$$\cos l = 0, \quad \cos m = 0, \quad \cos n = -1,$$

so treten an Stelle der Gleichungen 2) und 6)
die folgenden:

$$x = \xi - R \cos t \cos s - R \sin t \sin s \sin w,$$

7) $\quad y = \eta - R \cos t \sin s + R \sin t \cos s \sin w,$

$$z = \qquad\qquad\qquad R \sin t \cos w.$$

8)
$$\frac{dw}{ds} = \frac{\cos w}{\varrho} \cotang l.$$

Da:

$$\frac{ds}{\varrho} = d\mathit{s},$$

so ist auch:

9)
$$\frac{dw}{ds} = \cos w \cotang l.$$

Nimmt man s als Function von s, oder einfacher ϱ als Function von s an, so sind ξ und η bestimmt durch:

10)
$$\xi = \int \cos \mathit{s}\, d\mathit{s} = \int \varrho \cos \mathit{s}\, d\mathit{s},$$

$$\eta = \int \sin \mathit{s}\, d\mathit{s} = \int \varrho \sin \mathit{s}\, d\mathit{s}.$$

Nimmt man zur Vereinfachung:

$$\begin{vmatrix} \cos \alpha, & \cos \beta, & \cos \gamma \\ \cos \lambda, & \cos \mu, & \cos \nu \\ \cos l, & \cos m, & \cos n \end{vmatrix} = \delta,$$

$$H = \left(\frac{dl}{ds} - \frac{\sin w}{\varrho} + \frac{\sin l}{R} \right) R^2 \sin l \frac{dw}{do},$$

so finden die folgenden Gleichungen statt:

$$\begin{vmatrix} \dfrac{d^2x}{ds^2}, & \dfrac{d^2y}{ds^2}, & \dfrac{d^2z}{ds^3} \\[2mm] \dfrac{dx}{ds}, & \dfrac{dy}{ds}, & \dfrac{dz}{ds} \\[2mm] \dfrac{dx}{do}, & \dfrac{dy}{do}, & \dfrac{dz}{do} \end{vmatrix} \frac{\delta}{H} =$$

$$R\left(\frac{dt}{ds} - \frac{\sin w}{\varrho} + \frac{\sin t}{R}\right)\left(\frac{dt}{ds} - \frac{\sin w}{R}\right)$$

$$+ R\left[\sin t\left(\frac{dw}{ds} - \frac{1}{r}\right) - \frac{\cos t \cos w}{\varrho}\right]^2,$$

$$\begin{vmatrix} \dfrac{d^2x}{dv^2}, & \dfrac{d^2y}{dv^2}, & \dfrac{d^2s}{dv^2} \\[2ex] \dfrac{dx}{ds}, & \dfrac{dy}{ds}, & \dfrac{ds}{ds} \\[2ex] \dfrac{dx}{dv}, & \dfrac{dy}{dv}, & \dfrac{ds}{dv} \end{vmatrix} \frac{\delta}{H} = R\left(\sin t \frac{dw}{dv}\right)^2.$$

$$\begin{vmatrix} \dfrac{d^2x}{dv\,ds}, & \dfrac{d^2y}{dv\,ds}, & \dfrac{d^2s}{dv\,ds} \\[2ex] \dfrac{dx}{ds}, & \dfrac{dy}{ds}, & \dfrac{ds}{ds} \\[2ex] \dfrac{dx}{dv}, & \dfrac{dy}{dv}, & \dfrac{ds}{dv} \end{vmatrix} \frac{\delta}{H} =$$

$$R\sin t \frac{dw}{dv}\left[\sin t\left(\frac{dw}{ds} - \frac{1}{r}\right) - \frac{\cos t \cos w}{\varrho}\right].$$

Die Folgereihe der Puncte in welchen sich die successiven characteristischen Linien der Fläche schneiden, d. h. die Wendecurve, ist durch folgende Gleichung bestimmt:

$$\frac{dt}{ds} - \frac{\sin w}{\varrho} + \frac{\sin t}{R} = 0.$$

In den Gleichungen 2) ist für einen Punct der Wendecurve der Winkel w durch die vorstehende Gleichung in Function von s bestimmt.

II.

Sind u und v die Argumente der Krümmungslinien, so heissen diese Quantitäten isometrische Coordinaten in Beziehung auf eine Fläche, wenn das Quadrat des Bogenelements einer beliebigen Curve auf der Fläche sich auf die Form:

$$\sigma(du^2 + dv^2)$$

bringen lässt. Es finden dann die Gleichungen statt:

$$\left(\frac{dx}{du}\right)^2 + \left(\frac{dy}{du}\right)^2 + \left(\frac{ds}{du}\right)^2 = \left(\frac{dx}{dv}\right)^2 + \left(\frac{dy}{dv}\right)^2 + \left(\frac{ds}{dv}\right)^2,$$

$$\frac{dx}{du}\frac{dx}{dv} + \frac{dy}{du}\frac{dy}{dv} + \frac{ds}{du}\frac{ds}{dv} = 0.$$

Sieht man in den Gleichungen von I. s als Function von u an, so giebt die Gleichung 6):

1) $$\frac{dw}{du} = \left(\frac{1}{r} + \frac{\cotang t}{\varrho}\cos w\right)\frac{ds}{du}.$$

Die Bedingung für isometrische Coordinaten wird hierdurch:

$$\left(\frac{dt}{ds} - \frac{\sin w}{\varrho} + \frac{\sin t}{R}\right)^2 \left(R\frac{ds}{du}\right)^2 = \left(R\sin t\,\frac{dw}{dv}\right)^2,$$

oder:

$$\pm\frac{dw}{dv} = \frac{1}{\sin t}\frac{dt}{du} + \frac{1}{R}\frac{ds}{du} - \frac{\sin w}{\sin t}\frac{1}{\varrho}\frac{ds}{du}.$$

Setzt man in der vorstehenden Gleichung und der Gleichung 1)

1)
$$\frac{1}{\varrho}\frac{ds}{du} = \frac{ds}{du},$$

so ist:

$$\pm\frac{dw}{dv} = \frac{1}{\sin t}\frac{dt}{du} + \frac{1}{R}\frac{ds}{du} - \frac{\sin w}{\sin t}\frac{ds}{du},$$

2)
$$\frac{dw}{du} = \frac{1}{r}\frac{ds}{du} + \operatorname{cotang} t \cos w \frac{ds}{du}.$$

Die erste der vorstehenden Gleichungen differentiire man nach u und substituire rechts für $\frac{dw}{du}$ seinen Werth aus der zweiten Gleichung. Die zweite Gleichung 2) differentiire man nach v und substituire rechts für $\frac{dw}{dv}$ seinen Werth aus der ersten Gleichung. Setzt man die so erhaltenen Werthe von $\frac{d^2w}{du\,dv}$ einander gleich, so erhält man eine Gleichung von der Form:

$$p + p_1 \sin w + p_2 \cos w = 0,$$

wo p, p_1, p_2 Functionen von s oder u sind. Da nun w nicht von v abhängig sein kann, so muss die angeführte Gleichung identisch bestehen, d. h. es müssen p, p_1 und p_2 gleichzeitig verschwinden. Die Ausführung der angedeuteten Rechnung giebt:

$$
3)\begin{cases}
\dfrac{d}{du}\left(\dfrac{1}{\sin t}\dfrac{dt}{du} + \dfrac{1}{R}\dfrac{ds}{du}\right) = \dfrac{\cos t}{\sin^2 t}\left(\dfrac{ds}{du}\right)^2 \\[2ex]
\dfrac{d}{du}\left(\dfrac{1}{\sin t}\dfrac{ds}{du}\right) = \dfrac{\cos t}{\sin t}\dfrac{ds}{du}\cdot\left(\dfrac{1}{\sin t}\dfrac{dt}{du} + \dfrac{1}{R}\dfrac{ds}{du}\right),
\end{cases}
$$

$$
\frac{1}{r} = 0.
$$

Die Bedingung, dass der Torsionsradius keinen endlichen Werth hat führt auf folgendes Theorem:

Sind die Krümmungslinien der Enveloppe einer Kugelfläche isometrische Coordinaten, so beschreibt der Mittelpunct der eingehüllten Kugelfläche eine plane Curve.

Für den besondern Fall, dass R constant ist, also $\cos t = 0$, ist $\dfrac{ds}{du}$ constant, nimmt man $s = u$, so ist in Folge der zweiten Gleichung 3) $\dfrac{ds}{ds}$ $= \dfrac{1}{R}$ constant, welcher Annahme der Torus entspricht. Hieraus folgt:

Die Fläche des Torus ist die einzige Fläche unter den Enveloppen einer Kugelfläche von constantem Radius, deren Krümmungslinien isometrische Coordinaten sind.

Es muss hierbei bemerkt werden, dass die Fläche des Kreiscylinders in dem Vorstehenden einbegriffen ist, indem der Kreiscylinder als Grenzfall eines Torus angesehen werden kann, wenn der Radius des Kreises, welchen der Mittelpunct der eingehüllten Kugelfläche beschreibt, unbegrenzt zunimmt. Für eine Rotationsfläche ist $\varrho = \infty$ also $ds = 0$ d. h. s ist constant. Die zweite Gleichung 3) ist in diesem Falle identisch erfüllt. Die erste Gleichung 3) giebt:

4) $$\frac{1}{\sin t}\frac{dt}{du} + \frac{1}{R}\frac{ds}{du} = a,$$

wo a eine Constante bedeutet. Sieht man t zunächst als Function von s an, so lässt sich die letzte Gleichung schreiben:

$$\left[\frac{1}{\sin t}\frac{dt}{ds} + \frac{1}{R}\right]\frac{ds}{du} = a,$$

oder:

$$\cos t = \frac{dR}{ds} - R', \quad \frac{d^2R}{ds^2} = R''$$

gesetzt:

5) $$\left(\frac{1}{R} - \frac{R''^2}{1 - R'^2}\right)\frac{ds}{du} = a.$$

Durch diese Gleichung ist die Relation zwischen u und s bestimmt. Wegen $ds = 0$ und der Gleichung 4) giebt die erste Gleichung 2):

$$\pm \frac{dw}{dv} = a.$$

Nimmt man das obere Zeichen, so kann man, mit Weglassung einer unnöthigen Constanten, einfach $w = \pm av$ setzen. Wird die Axe der x zur Rotationsaxe genommen, so hat man in den Gleichungen 7) von I. zu setzen: $s = 0$, $\xi = s$, $\eta = 0$. Nimmt man ferner $w = av$ und wieder $\cos t = R$, also $\sin t = \sqrt{1 - R^2}$, so erhält man für einen Punct einer Rotationsfläche auf isometrische Coordinaten bezogen die folgenden Gleichungen:

$$x = s - RR',$$

6)
$$y = R \sin av \sqrt{1 - R^2},$$

$$z = R \cos av \sqrt{1 - R^2}.$$

Es ist selbstverständlich, dass die vorstehenden Gleichungen für eine Kugelfläche keine Anwendung finden können, da in diesem, leicht direct zu behandelnden Falle, R nicht als Function von s angesehen werden kann. Für ein constantes R geben die Gleichungen 6) die Fläche des Kreiscylinders. Im Folgenden sollen die Rotationsflächen ausgeschlossen sein. Aus den Gleichungen 3) leitet man die folgende ab, in welcher h eine Constante bedeutet:

7)
$$\left(\frac{1}{\sin t}\frac{dt}{dw} + \frac{1}{R}\frac{ds}{dw}\right)^2 = \left(\frac{1}{\sin t}\frac{ds}{dw}\right)^2 + h.$$

$$\vdots$$

Die zweite Gleichung 8) lässt sich schreiben:

8)
$$\frac{\dfrac{d}{dw}\left(\dfrac{1}{\sin t}\dfrac{ds}{dw}\right)}{\dfrac{1}{\sin t}\dfrac{ds}{dw}} = \frac{\cos t}{\sin t}\frac{dt}{dw} + \frac{\cos t}{R}\frac{ds}{dw}.$$

Setzt man rechts im letzten Terme $\cos t = \dfrac{dR}{ds}$, also:

$$\frac{\cos t}{R}\frac{ds}{du} = \frac{1}{R}\frac{dR}{ds}\frac{ds}{du} = \frac{1}{R}\frac{dR}{du},$$

so giebt die Gleichung 8) durch Integration:

9) $$\frac{1}{\sin t}\frac{ds}{du} = \frac{R\sin t}{g},$$

wo g eine Constante bedeutet. Führt man in die Gleichung 7) mittelst der Gleichung 9) s statt u als unabhängige Variabele ein, so folgt:

10) $$\left(R\frac{dt}{ds} + \sin t\,\frac{ds}{ds}\right)^2 \sin^2 t = (R\sin t)^2 + hg^2.$$

Nun ist:

$$R\cos t\,\frac{dt}{ds} + \sin t \cos t\,\frac{ds}{ds} = R\frac{d\sin t}{ds}$$

$$+ \sin t\,\frac{dR}{ds}\frac{ds}{ds} = \frac{dR\sin t}{ds}.$$

Multiplicirt man die Gleichung 10) auf beiden Seiten mit $\cos^2 t$, setzt zur Vereinfachung $fg^2 = c$, so folgt:

11) $$\frac{\left(\sin t\,\dfrac{dR\sin t}{ds}\right)^2}{(R\sin t)^2 + c} = \cos^2 t,$$

was die Bedingungsgleichung zwischen R und den Elementen der Curve ist, welche der Mit-

telpunct der eingehüllten Kugelfläche beschreibt.
Die Gleichung 11) multiplicire man auf beiden
Seiten mit R^2, ziehe die Quadratwurzel aus und
setze rechts:

$$R \cos t = R \frac{dR}{ds} = \frac{R}{\varrho} \frac{dR}{ds}$$

dann ist:

$$12) \qquad \pm \frac{R \sin t - \dfrac{d R \sin t}{ds}}{\sqrt{(R \sin t)^2 + c}} = \frac{R}{\varrho} \frac{dR}{ds}.$$

Bedeutet f eine Constante, so folgt durch Integration:

$$13) \qquad \pm \sqrt{(R \sin t)^2 + c} = f + \int \frac{R\, dR}{\varrho}.$$

Ist ϱ in Function von R gegeben, so lässt
sich das Problem der isometrischen Coordinaten
für die in Rede stehenden Flächen vollständig
lösen. Mittelst der Gleichung 13) erhält man
dann $\sin t$, also auch $\cos t$ in Function von R.
Nun ist $\cos t = \dfrac{dR}{ds} = \varrho \dfrac{dR}{ds}$, folglich ist, s als
Function von R angesehen mittelst der Glei-
chung bestimmt:

$$14) \qquad \frac{ds}{dR} = \frac{1}{\varrho \cos t}.$$

Die beiden Gleichungen 10) in I. werden dann

$$15) \qquad \xi = \int \frac{\cos \varepsilon}{\cos t}\, dR, \; : \; \eta = \int \frac{\sin \varepsilon}{\cos t}\, dR.$$

Es lässt sich umgekehrt nicht allgemein R explicite durch s oder ε für ein gegebenes ϱ mittelst der Gleichung 10) ausdrücken.

Als bemerkenswerthe Fälle sind die folgenden hervorzuheben. Der Mittelpunkt (ξ, η) der eingehüllten Kugelfläche beschreibe einen Kreis mit dem Radius a. In 13) ist dann $\varrho = a$. Man findet:

$$(R \sin i)^2 = \left(f + \frac{R^2}{2a} \right)^2 - c.$$

Die Gleichung 14) wird:

$$\frac{ds}{dR} = \frac{\pm 1}{a} \frac{R}{\sqrt{R^2 + \varrho - \left(f + \frac{R^2}{2a} \right)^2}}.$$

Nimmt man zur Vereinfachung $c - 2af + a^2 = b^2$, bedeutet ε_0 eine Constante, so ist:

$$\frac{R^2}{2a} + f - a = \pm b \sin (\varepsilon + \varepsilon_0).$$

Mittelst der vorstehenden Gleichungen und der Gleichung 9) lässt sich u durch s in Form elliptischer Integrale darstellen, welche sich nach den bekannten Gleichungen für die Integrale dritter Gattung nach der von Jacobi gegebenen Darstellung behandeln lassen.

Sei zweitens $s = u$. In der Gleichung 9) $\dfrac{ds}{du}$ $= \dfrac{ds}{ds} = \dfrac{1}{\varrho}$ gesetzt giebt:

16)
$$\frac{1}{\varrho} = \frac{R \sin^2 t}{g}.$$

Die Gleichung 12) wird hierdurch:

$$\pm \frac{1}{R \sin t} \frac{\dfrac{d\,R \sin t}{ds}}{\sqrt{(R \sin t)^2 + c}} = \frac{1}{g} \frac{dR}{ds}.$$

Bedeutet R_0 eine Constante, nimmt man $c = a^2$ und in der vorstehenden Gleichung das untere Zeichen, so folgt:

17)
$$R \sin t = \frac{2a}{e^{\frac{a}{g}(R - R_0)} = e^{-\frac{a}{g}(R - R_0)}}.$$

Aehnlich erhält man für $c = -a^2$:

18)
$$R \sin t = \frac{a}{\sin \frac{a}{g}(R - R_0)}.$$

Die Gleichung 14) wird nach 16):

$$\frac{ds}{dR} = \frac{1}{g} \frac{R \sin^2 t}{\cos t} = \frac{1}{g} \frac{(R \sin t)^2}{\sqrt{R^2 - (R \sin t)^2}}.$$

In diese Gleichung ist für $R \sin t$ der Werth aus 17) oder 18) zu substituiren. Wenn $a = 0$, so fallen die beiden Werthe von $R \sin t$ aus 17) und 18) zusammen. Es ist dann:

$$R \sin t = \frac{g}{R - R_0},$$

folglich:

$$\frac{ds}{dR} = \frac{g}{R - R_0} \frac{1}{\sqrt{R^2 (R - R_0)^2 - g^2}}.$$

In dem besondern Falle, dass $R_0 = 0$, folgt für $g = b^2$:

19) $$\left(\frac{b}{R}\right)^2 = \cos 2(s - s_0),$$

wo s_0 eine Constante bedeutet. Setzt man in der Gleichung 16) $R \sin i = \frac{g}{R}$, so ist, da $g = b^2$:

$$\frac{1}{\varrho} = \frac{1}{b} \left(\frac{b}{R}\right)^3$$

also nach 19):

$$\varrho = \frac{b}{(\cos 2 (s - s_0))^{\frac{3}{2}}}.$$

Man kann unbeschadet der Allgemeinheit $s_0 = 0$ nehmen. Mittelst des vorstehenden Werthes von ϱ geben die Gleichung 10) von I.:

$$\frac{\xi}{b} = \int \frac{\cos s}{(\cos 2 s)^{\frac{3}{2}}} ds = \frac{\sin s}{\sqrt{\cos 2 s}},$$

$$\frac{\eta}{b} = \int \frac{\sin s}{(\cos 2 s)^{\frac{3}{2}}} ds = \frac{\cos s}{\sqrt{\cos 2 s}}.$$

Hieraus folgt unmittelbar:

$$\eta^2 - \xi^2 = b^2.$$

Der Mittelpunct der eingehüllten Kugelfläche beschreibt also eine gleichseitige Hyperbel.

Sei drittens $s = u$. Die Gleichung 9) giebt dann:

20)
$$g = R \sin^2 t.$$

Setzt man hieraus den Werth von R in die Gleichung 11), so wird dieselbe:

21)
$$\frac{g \left(\frac{dt}{du}\right)^2}{g^2 + c \sin^2 t} = 1.$$

Es ist:
$$\frac{dR}{du} = \frac{dR}{ds} \frac{ds}{du} = \cos t \cdot \varrho.$$

Setzt man hierin aus 20) für R seinen Werth, so folgt:

22)
$$\varrho = - \frac{2g}{\sin^3 t} \frac{dt}{du},$$

wo $\frac{dt}{du}$ durch die Gleichung 21) bestimmt ist. Für $c = 0$ ist die Curve, welche der Mittelpunct der eingehüllten Kugelfläche beschreibt eine Hyperbel. Nimmt man $c = -g^2$, so erhält man aus 21) $\frac{dt}{du} = \cos t$, also, mit Weglassung einer Constanten, welche sich nur auf eine Drehung des Coordinatensystems bezieht:

$$\sin t = \frac{e^u - e^{-u}}{e^u + e^{-u}}, \quad \cos t = \frac{2}{e^u + e^{-u}}.$$

19

Nach 22) folgt dann:

$$\varrho = 2g \left(e^u + e^{-u}\right) \frac{d}{du} \frac{1}{\left(e^u - e^{-u}\right)^2}.$$

Setzt man diesen Werth von ϱ in die Gleichungen 10) von I., ferner $s = u$, so ergeben sich für ξ und η die folgenden Gleichungen:

$$\frac{\xi}{2g} = \frac{e^u + e^{-u}}{\left(e^u - e^{-u}\right)^2} \cos u - \frac{1}{e^u - e^{-u}} \sin u,$$

$$\frac{\eta}{2g} = \frac{e^u + e^{-u}}{\left(e^u - e^{-u}\right)^2} \sin u + \frac{1}{e^u - e^{-u}} \cos u.$$

Weitere Ausführungen der gefundenen Resultate mögen hier unterbleiben. Ein anderes Beispiel von isometrischen Coordinaten bei der Parallelfläche zu der nach Dupin benannten Cyclide findet sich in den Nachrichten d. K. Gesellschaft d. W. aus d. J. 1867 pag. 262 angemerkt.

III.

Seien wieder, wie im Vorhergehenden u und v die Argumente der Krümmungslinien. Sieht man die Coordinaten x, y, z eines Punctes einer Fläche als Functionen von u und v an, also auch die Winkel a, b, c, welche die Normale des Punctes (x, y, z) mit den Coordinatenaxen bildet, so enthält die Gleichung:

$$\left(\frac{d\cos a}{du}\right)^2 + \left(\frac{d\cos b}{du}\right)^2 + \left(\frac{d\cos c}{du}\right)^2 =$$

$$\left(\frac{d\cos a}{dv}\right)^2 + \left(\frac{d\cos b}{dv}\right)^2 + \left(\frac{d\cos c}{dv}\right)^2 \pm 1,$$

die Bedingung, dass die in Rede stehende Fläche, sich ohne Faltung und Zerreissung nur auf eine Art so biegen lässt, dass den Krümmungslinien der primitiven Fläche wieder Krümmungslinien der deformirten Fläche entsprechen. Man hat so zwei Flächen, die auf einander abwickelbar sind und deren Krümmungslinien sich gegenseitig entsprechen. Für die in I. betrachtete Enveloppe ist die Normale gleichzeitig Verbindungslinie eines Punctes der einhüllenden Fläche mit dem entsprechenden Mittelpunct der eingehüllten Kugelfläche. Man hat also:

$$\pm \cos a = \frac{x-\xi}{R}, \quad \pm \cos b = \frac{y-\eta}{R}, \quad \pm \cos c = \frac{z-\zeta}{R}.$$

Mit Rücksicht auf die Gleichungen 1) und 2) von I. und die Gleichung:

2) $$\qquad \frac{dw}{du} = \left(\frac{1}{r} + \frac{\cotang t}{\varrho} \cos w\right)\frac{ds}{du}$$

erhält man leicht:

$$\pm \frac{d\cos a}{du} = \left(\frac{dt}{du} - \frac{\sin w}{\varrho}\frac{ds}{du}\right) \times$$

$$(\cos a \sin t + (\cos \lambda \sin w - \cos l \cos w)\cos t)$$

19*

$$\pm \frac{d \cos a}{do} = (\cos \lambda \cos w + \cos l \sin w) \sin t \frac{dw}{do}.$$

Mit Hülfe dieser Gleichungen und einiger ähnlichen Gleichungen nimmt die Gleichung 1) folgende Form an:

3) $\qquad (\sin t \frac{dw}{do})^2 - (\frac{dt}{du} - \frac{\sin w}{\varrho} \frac{ds}{du})^2 = \mp 1.$

Genauer genommen müssen in der Gleichung 1), wenn x, y, s bestimmte Functionen von u und o sind, die drei Quadrate links mit einer beliebigen Function von u multiplicirt werden und ebenso die drei Quadrate rechts mit einer beliebigen Function von o. In dem vorliegenden Falle ist dieses von selbst erfüllt, da s eine beliebige Function von u ist und ferner die Constante, welche die Integration der Gleichung 2) involvirt eine arbiträre Function von o ist. Die Gleichung 2) nach o differentiirt giebt:

4) $\qquad \frac{d^2 w}{du\, do} = - \frac{\cotang t}{\varrho} \sin w \frac{dw}{do} \frac{ds}{du}.$

Die Gleichung 3) dividire man durch $\sin t$, differentiire darauf in Beziehung auf u und substituire für $\frac{d^2 w}{du\, do}$ seinen Werth aus 4). Setzt man wieder zur Vereinfachung:

5) $\qquad \frac{1}{\varrho} \frac{ds}{du} = \frac{ds}{du},$

so folgt:

$$\operatorname{cotang} t \cdot \frac{ds}{du} \sin w \left(\frac{dw}{dv}\right)^2 +$$

$$\left(\frac{1}{\sin t}\frac{dt}{du} - \frac{\sin w}{\sin t}\frac{ds}{du}\right) \left[\frac{d}{du}\left(\frac{1}{\sin t}\frac{dt}{du}\right)\right.$$

$$\left. - \sin w \frac{d}{du}\left(\frac{1}{\sin t}\frac{ds}{du}\right) - \frac{\cos w}{\sin t}\frac{ds}{du}\frac{dw}{du}\right] =$$

$$\overset{+}{\mp}\frac{\cos t}{\sin^3 t}\frac{dt}{du}.$$

Setzt man links für $\frac{dw}{du}$ und $\left(\frac{dw}{dv}\right)^2$ ihre Werthe aus 2) und 3), so ergiebt sich eine Gleichung von der Form:

$$P + P_1 \sin w + P_2 \cos w = 0,$$

wo P, P_1 und P_2 nur von u abhängen. Da w nicht von v unabhängig sein kann, so folgt $P = 0$, $P_1 = 0$ und $P_2 = 0$. Die Ausführung der angedeuteten Rechnung führt zu folgenden Resultaten, wobei wieder ϱ durch die Gleichung 5) ersetzt ist:

6) $\quad \dfrac{d}{du}\left(\dfrac{1}{\sin t}\dfrac{dt}{du}\right) - \dfrac{\cos t}{\sin^3 t}\left(\dfrac{ds}{du}\right)^2 = \mp\dfrac{\cos t}{\sin^3 t},$

7) $\quad \dfrac{\cos t}{\sin t}\dfrac{dt}{du}\dfrac{1}{\sin t}\dfrac{ds}{du} = \dfrac{d}{du}\left(\dfrac{1}{\sin t}\dfrac{ds}{du}\right),$

$$\frac{1}{r} = 0.$$

Die Curve, welche der Mittelpunct der eingehüllten Kugelfläche beschreibt ist also plan.
Ist f eine Constante, so folgt aus 7):

8)
$$\frac{1}{\sin t}\frac{ds}{du} = \frac{\sin t}{f}.$$

Die Gleichung 6) wird hierdurch:

$$\frac{d}{du}\left(\frac{1}{\sin t}\frac{dt}{du}\right) = \frac{\cos t \sin^2 t}{f^2} + \frac{\cos t}{\sin^2 t}.$$

Ist f_0 eine weitere Constante, so folgt:

$$\left(\frac{1}{\sin t}\frac{dt}{du}\right)^2 = \frac{\sin^2 t}{f^2} \pm \frac{1}{\sin^2 t} + \frac{2f_0}{f^2}.$$

oder:

9)
$$\left(f\frac{dt}{du}\right)^2 = (\sin^2 t + f_0) - f_0{}^2 \pm f^2.$$

Die Relation zwischen t und u lässt sich
immer durch elliptische Functionen darstellen.
Es ergiebt sich dann aus der Gleichung 8), dass
allgemein s ein elliptisches Integral dritter Gattung in Beziehung auf u ist. Man kann zu den
vorstehenden Gleichungen auch noch auf andere
Weise wie mittelst der Gleichung 1) gelangen.
Ist nämlich:

$$E\,du^2 + 2F\,du\,dv + G\,dv^2$$

der allgemeine Ausdruck für das Quadrat des
Bogenelementes einer Curve auf einer Fläche,
sind u und v die Argumente der Krümmungslinien, also $F = 0$, so erhält man die Hauptkrümmungshalbmesser, welche gegebenen Werthen

von E und G entsprechen, einfach durch Bestimmung der Wurzeln einer quadratischen Gleichung, deren Coefficienten abhängig sind von E, G und den Differentialquotienten dieser Quantitäten nach u und v. Eine dieser Wurzeln genügt immer zwei bestimmten Differentialgleichungen, ist dieses auch mit der andern Wurzel der Fall, so lässt sich die Fläche derartig biegen, wie zu Anfang dieser Nummer bemerkt ist. Die vorzunehmenden Rechnungen zur Aufstellung der Bedingung, dass beide Wurzeln der quadratischen Gleichung zwei Differentialgleichungen genügen sind indessen sehr mühsam und führen auf einem ziemlichen Umwege zu den Gleichungen 8) und 9). Was die weitere Behandlung dieser Gleichungen betrifft, so würde eine Deduction der Resultate, welche sich aus ihnen herleiten lassen, hier zu weit führen. Es sollen ohne weitere Begründung hier die betreffenden Resultate angemerkt werden, wie sie sich, mit leichter Aenderung der Bezeichnung aus einem allgemeinen Probleme herleiten lassen, dessen Lösung sich in den »Mathemat. Annalen« (t. II, p. 610) befindet. Um nicht die Anzahl der Bezeichnungen zu sehr zu häufen, mögen in den nachfolgenden Gleichungen die Buchstaben l und n in anderer Bedeutung wie in I. gebraucht werden. Es sei k der Modul der elliptischen Functionen mit dem Argumente nu, ferner l der Modul der elliptischen Functionen mit dem Argumente nv. Die Complementärmoduli sind durch k' und l' bezeichnet. Zwischen den Quantitäten k, l und n findet folgende Relation statt:

$$1 = n^2 (1 - k^2 - l^2).$$

Es bedeuten g und h beliebige Constanten.

Es ist ferner Ω eine beliebige Function von s, wo s durch die Gleichung:

$$\frac{ds}{du} = \frac{ll'}{\varrho'^2 - k^2 \sin^2 am\, nu}$$

bestimmt ist. Zur Abkürzung ist weiter gesetzt:

$$l'^2 - k^2 \sin^2 am\, nu = p^2,$$

$$P = \int_1 \frac{\varDelta\, am\, nu}{p} \left(\frac{d^2\Omega}{ds^2} + \Omega\right) ds,$$

$$P_1 = \int \frac{\sin am\, nu}{p} \left(\frac{d^2\Omega}{ds^2} + \Omega\right) ds,$$

$$D = -\frac{d\Omega}{ds} + \frac{h + l'P}{p} l' \varDelta\, am\, nu$$

$$+ \frac{g - ll'P_1}{l'p} k^2 l \sin am\, nu.$$

Die letzten Gleichungen geben noch:

$$\frac{dD}{ds} = \Omega + \frac{nk^2 \cos am\, nu}{p}\,[$$

$$(h + l'P)\, l \sin am\, nu + (g - ll'P_1)\, \varDelta\, am\, nu].$$

Mit Beziehung auf die vorstehenden Bezeichnungen hat man für einen Punct (x, y, s) der einhüllende Fläche folgende Gleichungen:

$$x \cos s + y \sin s = \Omega,$$

$$x \sin s - y \cos s = - \frac{d\Omega}{ds}$$

$$\frac{p}{l'} \cdot \frac{(h+l'P)\, \varDelta\, am\, nu - (g - ll'P_1)\, k \sin am\, nu}{\varDelta\, am\, nu\, \varDelta\, am\, nv + kl \sin am\, nu \sin am\, nv},$$

$$s \frac{l'}{k \cos am\, nv} =$$

$$\frac{(h+l'P)\, l \sin am\, nu + (g - ll'P_1)\, \varDelta\, am\, nu}{\varDelta\, am\, nu\, \varDelta\, am\, nv + kl \sin am\, nu \sin am\, nv}.$$

Setzt man nun, mit Rücksicht auf den obigen Werth von D:

$$\xi = \frac{dD}{ds} \cos s + D \sin s,$$

$$\eta = \frac{dD}{ds} \sin s - D \cos s.$$

$$\frac{R}{\pi} = (h+l'P)\, kl \sin am\, nu$$

$$+ (g - ll'P_1)\, k\, \varDelta\, am\, nu,$$

so findet man:

$$\frac{d\xi}{ds} = (\frac{d^2 D}{ds^2} + D) \cos s,$$

$$\frac{d\eta}{ds} = (\frac{d^2 D}{ds^2} + D) \sin s,$$

$$\frac{d^2 D}{ds^2} + D = \frac{\pi^2 p^3}{ll'} \left[(h+l'P)\, l\, \varDelta\, am\, nu \right.$$

$$- (g - ll' P_1) k^2 \sin am\, nu]$$

$$\frac{dR}{ds} = n^2 k \cos am\, nu \, [(h + l' P) l \, \varDelta \, am\, nu$$

$$- (g - ll' P_1) k^2 \sin am\, nu] \frac{p^2}{ll'}.$$

Die Gleichungen für x, y, z lassen sich ersetzen durch:

$$(x - \xi)^2 + (y - \eta)^2 + z^2 = R^2,$$

$$(x - \xi) \frac{d\xi}{ds} + (y - \eta) \frac{d\eta}{ds} = - R \frac{dR}{ds}.$$

Dem Puncte (x, y, z) der primitiven Fläche möge der Punct (x_1, y_1, z_1) der deformirten Fläche entsprechen. Wird der Winkel θ durch die Gleichung bestimmt:

$$\frac{d\theta}{do} = \frac{kk'}{k'^2 - l^2 \sin^2 am\, no},$$

so hat man für x_1, y_1, z_1 die folgenden Gleichungen:

$$x_1 \sin \theta + y_1 \cos \theta = 0,$$

$$(x_1 \cos \theta - y_1 \sin \theta) \frac{k'}{\sqrt{k'^2 - l^2 \sin^2 am\, no}} =$$

$$\frac{l \cdot (h + l' P) \sin am\, nu + (g - ll' P_1) \varDelta \, am\, nu}{\varDelta \, am\, nu \, \varDelta \, am\, no + kl \sin am\, nu \sin am\, no},$$

$$\mathfrak{z}_1 \frac{h'}{l \cos am\, n\mathfrak{u}} =$$

$$\frac{(h+l'\,P)\,\varDelta\, am\, n\mathfrak{v} - (g - ll'\,P_1)\,k \sin am\, n\mathfrak{v}}{\varDelta\, am\, n\mathfrak{u}\, \varDelta\, am\, n\mathfrak{v} + kl \sin am\, n\mathfrak{u} \sin am\, n\mathfrak{v}} \cdot$$

$$+ \frac{l'}{\cos am\, n\mathfrak{u}} \int \frac{\cos am\, n\mathfrak{u}}{p} \left(\frac{d^2\varOmega}{ds^2} + \varOmega \right) ds.$$

Es braucht kaum hervorgehoben zu werden, dass die deformirte Fläche nicht wieder die Enveloppe einer Kugelfläche ist, dieser Umstand findet nur statt wenn P und P_1 verschwinden, also:

$$\frac{d^2\varOmega}{ds^2} + \varOmega = 0$$

ist. Sind x_0 und y_0 Constanten, so ist $\varOmega = x_0 \cos s + y_0 \sin s$. Die Gleichungen für x, y zeigen, dass sich x_0, y_0 nur auf eine Verschiebung des Anfangspuncts der Coordinaten beziehen, statt der obigen Gleichung kann man also einfach $\varOmega = 0$ setzen. In diesem Falle sei R_1 der Radius der Kugelfläche, (ξ_1, η_1) der Punct der planen Curve, welche ihr Mittelpunct beschreibt. Die einhüllende Fläche, welcher der Punct (x_1, y_1, z_1) angehört, ist dann durch folgende Gleichungen bestimmt:

$$(x_1 - \xi_1)^2 + (y_1 - \eta_1)^2 + z_1^2 = R_1^2,$$

$$(x_1 - \xi_1)\frac{d\xi_1}{d\theta} + (y_1 - \eta_1)\frac{d\eta_1}{d\theta} = - R_1 \frac{dR_1}{d\theta}.$$

Setzt man zur Vereinfachung:

$$p_1{}^2 = k'^2 - l^2 \sin^2 am\,no,$$

$$D_1 = g\,\frac{k'\,\varDelta\,am\,no}{p_1} - h\,\frac{k l^2}{k'}\,\frac{\sin am\,no}{p_1}$$

also:

$$\frac{dD_1}{d\theta} = \frac{n l^2 \cos am\,no}{p_1}\,[\,g\,k \sin am\,no - h\varDelta\,am\,no\,],$$

so hat man:

$$R_1 = \quad ln\,[\,h\varDelta\,am\,no - g\,k \sin am\,no\,].$$

$$\xi_1 = \quad D_1 \cos\theta - \frac{dD_1}{d\theta}\,\sin\theta,$$

$$\eta_1 = -D_1 \sin\theta - \frac{dD_1}{d\theta}\,\cos\theta.$$

Eine genauere Darlegung der ziemlich mühsamen und beschwerlichen analytischen Rechnungen zur Herstellung der vorstehenden Gleichungen kann an diesem Orte nicht füglich weiter ausgeführt werden.

IV.

Für eine beliebige Curve auf der Enveloppe sei $(\xi_1,\ \eta_1,\ \zeta_1)$ ein Punct derselben. Setzt man in den Gleichungen 3) und 4) von L $x = \xi_1$, so ist:

1) $\xi_1 = \xi - R\cos t \cos\alpha + R\sin t(\cos\lambda \sin\omega - \cos l \cos\omega)$

2) $\qquad\qquad \dfrac{1}{R}\,\dfrac{d\xi_1}{ds} =$

$$\left(\frac{dt}{ds}\frac{\sin w}{\varrho}+\frac{\sin t}{R}\right)[\cos\alpha\sin t+(\cos\lambda\sin w-\cos l\cos w)\cos t]$$

$$+[(\frac{dw}{ds}-\frac{1}{r})\sin t-\frac{\cos w\cos t}{\varrho}](\cos\lambda\cos w+\cos l\sin w).$$

Für jede besondere Curve kann w als Function von s angesehen werden. Die Gleichungen der Tangente zur Characteristik im Puncte (ξ_1, η_1, ζ_1) sind:

$$\frac{X-\xi_1}{(\zeta_1-\zeta)\cos\beta-(\eta_1-\eta)\cos\gamma}=\frac{Y-\eta_1}{(\xi_1-\xi)\cos\gamma-(\zeta_1-\zeta)\cos\alpha}=$$

$$\frac{Z-\zeta_1}{(\eta_1-\eta)\cos\alpha-(\xi_1-\xi)\cos\beta},$$

oder:

$$\frac{X-\xi_1}{\cos\lambda\cos w+\cos l\sin w}=\frac{Y-\eta_1}{\cos\mu\cos w+\cos m\sin w}$$

$$\frac{Z-\zeta_1}{\cos\nu\cos w+\cos n\sin w}.$$

Der Winkel, welchen die Tangente zur Curve mit der Tangente zur Characteristik im Puncte (ξ_1, η_1, ζ_1) einschliesst sei ψ. Man bezeichne den Krümmungshalbmesser der Curve in diesem Puncte durch ϱ_1 und durch r_1 den Torsionsradius. Ist ds_1 das Bogenelement, so finden folgende Gleichungen statt:

$$3)\qquad \frac{\cos\psi}{R}\frac{ds_1}{ds}=\sin t(\frac{dw}{ds}-\frac{1}{r})-\frac{\cos t\cos w}{\varrho},$$

4) $$\frac{\sin\psi}{R}\frac{ds_1}{ds} = \frac{dt}{ds} + \frac{\sin t}{R}\cdot\frac{\sin w}{\varrho}.$$

Bezeichnet man durch θ den Winkel, welchen die Normale zur Krümmungsebene der Curve im Puncte (ξ_1, η_1, ζ_1) mit der Normalen zur Fläche in demselben Puncte bildet, so ist:

5) $$\frac{\cos\theta}{\varrho_1}\frac{ds_1}{ds} = \frac{d\psi}{ds} - \frac{\sin t\cos w}{\varrho} - \cos t\left(\frac{dw}{ds} - \frac{1}{r}\right),$$

6) $$\frac{\sin\theta}{\varrho_1}\frac{ds_1}{ds} = \sin t\cos\psi\left(\frac{dw}{ds} - \frac{1}{r}\right)\frac{\cos t\cos w\cos\psi}{\varrho}$$

$$+ \sin\psi\left(\frac{dt}{ds} - \frac{\sin w}{\varrho}\right).$$

$$\frac{1}{r_1}\frac{ds_1}{ds} = \frac{d\theta}{ds} + \left(\frac{dt}{ds} - \frac{\sin w}{\varrho}\right)\cos\psi$$

$$- \left[\left(\frac{dw}{ds} - \frac{1}{r}\right)\sin t - \frac{\cos t\cos w}{\varrho}\right]\sin\psi.$$

Wegen der Gleichungen 3) und 4) lässt sich die letzte der vorstehenden Gleichungen einfacher schreiben:

7) $$\frac{1}{r_1}\frac{ds_1}{ds} = \frac{d\theta}{ds} - \frac{\sin t\cos\psi}{R}.$$

Die Gleichungen 3) bis 7) enthalten die wesentlichsten Elemente, welche bei Betrachtungen von Curven auf Enveloppen von Kugelflächen vorkommen. Die Gleichung 6) lässt sich mittelst der Gleichungen 8) und 4) auf folgende etwas einfachere Form bringen:

8)
$$\frac{\sin\theta}{\varrho_1}\frac{ds_1}{ds} = \frac{1}{R}\frac{ds_1}{ds} - \frac{\sin t \sin\psi}{R}.$$

Es ist $\dfrac{\sin\theta}{\varrho_1}\dfrac{ds_1}{ds}$ der reciproke Krümmungs-halbmesser des Normalschnitts der Fläche, wel-cher durch die Tangente der Curve im Puncte (ξ_1, η_1, ζ_1) geht. Existirt auf der Fläche eine Wendecurve, so ist dieselbe nach 4) durch $\psi = 0$ bestimmt. Die Gleichung 8) giebt dann unmit-telbar das Theorem:

Der Krümmungsradius der Wendecurve ist die Projection des Radius der eingehüllten Kugel-fläche auf die Krümmungsebene der Wende-curve.

Ist $R = k$, also $\cos t = 0$, so folgt aus 1), $\sin t = 1$ gesetzt:

$$(\xi_1 - \xi)\cos\lambda + (\eta_1 - \eta)\cos\mu + (\zeta_1 - \zeta)\cos\nu = k\sin\omega.$$

In diesem Falle giebt die Gleichung 4) $\varrho = k\sin\omega$, also:

$$(\xi_1 - \xi)\cos\lambda + (\eta_1 - \eta)\cos\mu + (\zeta_1 - \zeta)\cos\nu = \varrho.$$
Hieraus folgt:

Für die Enveloppe einer Kugelfläche von con-stantem Radius ist die Projection der Verbin-dungslinie eines Punctes der Wendecurve mit dem entsprechenden Puncte P der Directrix auf die Hauptnormale der Directrix in P gleich dem Krümmungshalbmesser der Directrix in P.

Unter Directrix ist die Curve verstanden, welche der Mittelpunct der eingehüllten Kugelfläche beschreibt.

Ueber die algebraischen Functionen.

Fünfte Note [1]).

Zwei neue Criterien des eindeutigen Entsprechens algebraischer Flächen.

Von

M. Noether.

In der ersten der unten citirten Noten habe ich ein, von Clebsch für einen specielleren Fall angegebenes, Criterium für das eindeutige Entsprechen zweier algebraischer Flächen, die Gleichheit ihres Flächengeschlechtes p, für den allgemeinen Fall erweitert, und dasselbe in Math. Annal., Bd. II, bewiesen. Während ich in jener Note nur für den dort als $p = 0$ definirten Fall ein weiteres Criterium aufstellen konnte, ist es mir jetzt gelungen, zwei weitere Criterien von einer dem p analogen Bedeutung, die Gleichheit zweier weiterer durch die Singularitäten der Flächen ausdrückbaren Zahlen p_1 und p_2, allgemein für jedes $p > 1$, aufzufinden.

Diese beiden Zahlen sind jedoch, wie ich nachweisen werde, nicht von einander unabhängig, so dass ich nur die erstere besonders als

1) S. diese »Nachr.« 1869, Nr. 15; 1871, Nr. 9 1872, Nr. 25; und die von Herrn Brill und mir gemeinschaftlich verfasste Note 1873, Nr. 4.

das Curvengeschlecht der Fläche $(p > 1)$
bezeichnet werde. Die Existenz der linearen
Relation zwischen p_1 und p_2 bildet eine merkwürdige, für alle, auch beliebig specielle, algebraische Flächen gültige Eigenschaft.

In Bezug auf eine algebraische Fläche F,
von der $n$ten Ordnung, mögen die Flächen
$(n — 4)$ter Ordnung, welche jede i-fache Curve
von F als $(i — 1)$-fache Curve, jeden i-fachen conischen Knotenpunkt von F als $(i — 2)$-fachen
Punkt besitzen, als Flächen φ bezeichnet
werden.

Dieselben haben in Bezug auf F eine ausgezeichnete Bedeutung, welche derjenigen analog
ist, die in der letzten der vorher citirten Noten
für die Curven φ algebraisch nachgewiesen
worden ist: sie haben ebenfalls für jede rationale Transformation von $F = 0$ in eine Fläche
$F' = 0$ Invarianteneigenschaft. D. h. bei
einer solchen Transformation gehen die Flächen
φ über in Flächen φ', die in Bezug auf $F' = 0$
der für die φ gegebenen Definition entsprechen.
Denn nach meinem Math. Ann. II für den
Satz des Flächengeschlechtes geführten Beweise
gibt eine solche Transformation:

$$\varphi = A\varphi' + BF',$$

wo A eine rationale Function ist, welche die
Transformationsconstanten, dagegen nicht die in
φ vorhandenen willkürlichen Constanten enthält.
Die Relationen

$$\varrho\varphi_i = \varphi'_i \; (i = 1, 2, .. p),$$

wo sich der Index i auf die p linear von einander unabhängigen Functionen φ bezieht, ersetzen für $p > 3$ vollständig, für $p = 3$ und $p = 2$
wenigstens theilweise, die Transformationsrela-
tionen zwischen $F = 0$ und $F' = 0$.

Somit ist nicht nur diese Zahl p der φ, das
Flächengeschlecht, gleich der Anzahl p' der φ';
sondern es ist auch das Geschlecht p_1 der
beweglichen Schnittcurve von F mit
irgend einer der φ, und ferner die Anzahl p_2 der beweglichen Punkte, in welchen F von irgend zweien der φ geschnitten wird, für die Transformation invariant.

Die Formeln für diese beiden Criterien lassen sich mit den Hülfsmitteln, welche in Sal-
mon's Raumgeometrie und in meiner Abhandlung »Sulle curve multiple di superficie algebri-
che« (Annali di matem., Ser. II, t. 5) geliefert
sind, allgemein aufstellen. So ergibt sich für
den speciellen Fall, in dem F besitzen möge:

eine Doppelcurve der Ordnung b, der Klasse
q, mit t dreifachen Punkten;

eine Rückkehrcurve der Ordnung c, der
Klasse r, welche beide Curven sich in i einfachen Punkten treffen;

einen isolirten l-fachen conischen Punkt,

und unter der Voraussetzung[1]), dass die

---

1) Andernfalls würde der numerische Ausdruck
für p_1 angebbare Modificationen erleiden, und die davon herrührenden Glieder der Formel $p_1 = p'_1$ liessen
sich dann auch als von der Transformation abhängig
betrachten. In diesem Sinne hat Herr Zeuthen in
Comptes Rendus, t. 70 und Math. Ann. IV, p. 37, II
eine die Summe der einfachen Fundamentalpunkte der
Transformation enthaltende Gleichung gegeben, welche,

φ nicht eine weitere einfache feste Curve von F gemein haben, die Anzahl p_2:

$$p_2 = n(n-4)^2 - 5(n-4)(b+c) + 2(q+r) +$$
$$+ 4i + 9t - l(l-2)^2,$$

während für p die Formel gilt [1]):

$$p = \tfrac{1}{6}(n-1)(n-2)(n-3) - (n-3)(b+c) +$$
$$+ \tfrac{1}{2}(q+r) + i + 2t - \tfrac{1}{6}l(l-1)(l-2).$$

Für p_1 aber ergibt sich:

1) $$p_1 = p_2 + 1.$$

Hieraus schliesst man nun, dass der in dieser Relation 1) ausgedrückte Satz allgemein für alle Flächen gilt, (eine einzige noch zu erwähnende Flächenfamilie ausgenommen, bei der die Definition von p_1 ihre Bedeutung verliert). Denn man kann jede Fläche durch eindeutige Transformation, wobei p_1 und p_2 sich nicht ändern, in eine Fläche der bezeichneten Art, oder sogar in eine solche, welche nur eine Doppelcurve enthält, überführen.

Die beiden neuen Criterien, die sich auf zwei verschiedene geometrische Eigenschaften beziehen, werden durch diesen Satz auf nur eines zurückgeführt, und man erhält innerhalb einer jeden durch einen Werth von p characterisirten

von diesen Gliedern abgesehen, mit der Formel für $12p = p_1$ übereinstimmt.

1) S. Cayley, Philos. Transactions, vol. 159, p. 227.

Flächenclasse **eine weitere** Eintheilung nach dem Curvengeschlecht p_1.

Für die Reihe der Werthe, welche p_1 bei gegebenem p annehmen kann, existirt eine **un-tere** und eine **obere** Grenze. Ich werde zeigen, dass

$$\frac{15}{2} p > p_1 \geqq 2p - 3.$$

Auf der **beweglichen** Schnittcurve $(F\varphi)$ von F mit einem der φ existiren nach der Relation 1) ∞^{p-2} Gruppen von je p_1-1 Punkten, aus-geschnitten von den übrigen Flächen φ. Die Curve, die vom Geschlecht p_1 ist, könnte nur dann eine solche mit allgemeinen Moduln sein, wenn (s. die Note, d. Nachr. 1873, Nr. 4 §. 5):

$$p_1 - 1 \geqq \frac{(p-2)(p+p_1-1)}{p-1},$$

oder

$$p_1 \geqq p(p-2) + 1$$

wäre. Wird p_1 kleiner, so muss die Curve $(F\varphi)$ eine specielle sein. Die speciellste, nicht zerfal-lende Curve ist aber die hyperelliptische, welche ihre sämmtlichen **Curven** φ nur in **Punkte-paaren** schneiden, welche also ∞^{p-2} Gruppen von je $p-2$ Punktepaaren enthält, und für wel-che somit $p_1 = 2p-3$ sein kann. Man kann leicht direct zeigen, dass eine Curve vom Ge-schlecht p_1 zerfallen muss, wenn sie $\infty^{\frac{p_1}{2}}$ Grup-pen von je p_1-1 Punkten besitzen soll. Denn

da die Curven φ durch eine solche Gruppe wieder (s. d. o. c. Note, §. 4) an der Zahl $\infty^{\frac{p_1}{2}}$
wären und in den erstern conjugirten Gruppen
von je p_1-1 Punkten schneiden würden, so er-
hielte man Curven φ mit p_1 willkürlichen Pa-
rametern, was nicht existirt.

Die obere Grenze kann man dadurch erhalten, dass man die Ungleichung aufstellt, welche
ausdrückt, dass eine Fläche $n$ter Ordnung, welche eine Doppelcurve von gegebener Ordnung
enthalten soll, überhaupt existirt. Man hat
diese Ungleichung nur mit den Ausdrücken für
p und p_1 zu verbinden und n beliebig gross anzunehmen.

Die hier gegebenen Betrachtungen sind nicht
mehr anwendbar, wenn $p=0$ und $p=1$, wo p_1
und p_2 ihre Bedeutung verlieren; und ferner, bei
jedem p, für den Fall, dass die bewegliche Schnittcurve von F mit den φ immer in mehrere Curven zerfällt. Diese Flächen bilden eine besondere Flächenfamilie mit $p_2=0$, deren Typus in den Flächen $n$ter Ordnung mit $(n-3)$-
facher Geraden gegeben ist, Flächen, die von
ihren φ je in $p-1$ Curven vom Geschlecht 1
geschnitten werden (eine Eigenschaft, die also
der oben angeführten der hyperelliptischen Curven analog ist). Die Relation 1) gilt hier, wenn
man p_1 auf jede einzelne der $p-1$ Curven bezieht.

Zu bemerken ist noch, dass der Fall $p_1=2$
überhaupt nicht stattfindet, da für $p=2$, wobei
nur ∞^1 Flächen φ vorhanden sind, immer $p_2=0$
ist, für $p>2$ aber $p_1>2$ wird.

 Ich deute noch die Erweiterungen an, welche diese Betrachtungen auf Gebilde von mehr als 2 Dimensionen erfahren können.

Für eine algebraische Mannigfaltigkeit R, von 3 Dimensionen, gelegen in einem ebenen Raume von 4 Dimensionen, bilde man die Functionen φ, deren Anzahl in der ersten der o. c. Noten durch p bezeichnet ist. Für eine Schnittfläche $(R\varphi)$ mögen die im Vorhergehenden als Flächen- und Curvengeschlecht definirten Zahlen hier mit $p_{(1)}$ und $p_{(2)}$ bezeichnet sein; ferner das Geschlecht einer beweglichen Schnittcurve (R, φ, φ) mit $p_{(3)}$; die Zahl der beweglichen Punkte $(R, \varphi, \varphi, \varphi)$ mit $p_{(4)}$. Diese 5 Zahlen sind für jede eindeutige Transformation von R invariant.

Der Nachweis von Relationen zwischen diesen 5 Zahlen scheint für den allgemeinen Fall eine noch zu complicirte Aufgabe. Die speciellen Fälle, welche von mir bisher untersucht werden konnten, genügen den Relationen:

$$p_{(1)} - 2p = p_{(3)} - p_{(4)} - 4,$$

$$p_{(2)} = 4p_{(3)} - 2p_{(4)} - 3,$$

Heidelberg, 1873, Febr. 11.

Verzeichniss der bei der Königl. Gesellschaft der Wissenschaften eingegangenen Druckschriften.

Januar 1873.

(Fortsetzung).

Abhandlungen der Schles. Gesellschaft für vaterl. Cultur
Abth. für Naturwiss. und Medicin 1869—72. Philos.
histor. Abth. 1871. Breslau 1871. 72. 8.

Jahrbücher des Nassauischen Vereins für Naturkunde.
Jahrg. XXV und XXVI. Wiesbaden 1871. 72. 8.

Beilage Nr. 2 zu den Abhandlungen des Naturwiss. Vereins zu Bremen. Bremen 1872. gr. 8.

Sitzungsberichte der mathem.-physik. Classe der k. bair.
Akademie d. Wiss. zu München. 1872. Heft II.

Bulletin de l'Acad. Royale des Sciences etc. de Belgique.
41e année. 2e série, t. 34. Nr. 12. Bruxelles 1872. 8.

Indbydelsesskrift til Kjobenhavns Universitets Aarsfest til
Erindring om Kirkens Reformation, of Dr. H. d'Arrest. Kjobenhavn 1872. 4.

Vierteljahrsschrift der Astron. Gesellsch. Jahrg. VII.
Heft 4. (October 1872). Leipzig 1872. 8.

A. Kölliker, Kritische Bemerkungen zur Geschichte
der Untersuchungen über die Scheiden der Chorda dorsalis. 8.

Bulletin de la Société Imp. des Naturalistes de Moscou.
Année 1872. Nr. 2. Moscou 1872. 8.

5. Jahresbericht des akademischen Lesevereins in Graz.
1872. Graz. 8.

Monatsbericht der Kgl. Preuss. Akad. der Wissensch. zu
Berlin Sept. u. Oct. 1872. Berlin 1872. 8.

Dr. Arnold Luschin. Die Entstehungszeit des österr.
Landesrechtes. Graz 1872. 4.

Verhandlungen des naturhistor.-medicin. Vereins zu Heidelberg. Bd. VI. 1871. Dec. bis 1872. Nov.

Rede, gehalten von dem stellvertretenden Vorsitzer der
Aufsicht über die Olympischen Spiele und die Preisvertheilungen D. Chrestides am 14. März 1871.

Entscheidung des von Boutsinos eingesetzten dichterischen Wettkampfs, verkündigt am 10. Mai in der grossen Halle der Nat.-Universität, von Theod. G. Orphanides. Athen 1870.

— Dasselbe von Georg Mistriotes. 1871.

Euthymios Kastorches. Ueber die alte Verbindung der Griechen mit den Italern und Römern und ihre Einwirkung in Folge dessen auf die Entwicklung dieser. Athen 1872.

Nicephor. Kalogeras. Rede im Auftrage des acad. Senats, gesprochen im heil. Tempel der Metropolis am 80. Jan. 1872. Athen 1872.

Konstantin Busa. Rede, gespr. am 26. Nov. 1871, am Tage der Einsetzung der neuen Vorstände der Nat.-Univers. Athen 1872.

Bericht über die bisherigen Ausgaben des Baues des National Archäolog. Museums. Athen 1871.

Catalog der alten Münzen des Numismatischen National-Museums, angeordnet und beschrieben von Achill. Postolakas. Herausgegeb. auf Kosten der Nation.-Univers Bd. 1. Athen 1872.

Nachrichten und gelehrte Denkschriften der Univers. Kasan. 1869. Heft 6. Kasan 1871. — 1870. Heft 8 u. 4. Daselbst 1872. — 1871. Heft 4. Das. 1872*).

Februar 1873.

Nature 170. 171. 172. 178.

Zeitschrift der Deutsch. Morgenländ. Gesellschaft. Register zu Bd. XI—XX. Leipzig 1872. 8. — Bd. XXVI. Heft 8 u. 4. Mit 9 Tafeln. Ebd. 1872. 8.

Dr. F. Kaiser, Annalen der Sternwarte zu Leiden. Bd. III. Haag 1872. 4.

Annales de l'Observatoire Royal de Bruxelles. Bogen 11.

Bulletin de l'Académie R. des Sciences etc. de Belgique, 42e année, 2e sér., t. 85. Nr. 1. Bruxelles 1878. 8.

Capitaine Bazerque. La caravane universelle. Voyage autour du Monde. Paris. 8.

---

*) Die Werke aus Athen und Kasan sind in griechischer und in russischer Sprache.

(Fortsetzung folgt).

Nachrichten

von der Königl. Gesellschaft der Wissenschaften und der G. A. Universität zu Göttingen.

9. April.   № 9.   1873.

Königliche Gesellschaft der Wissenschaften,

Ueber die Abstammung der Diplophysen und über eine neue Gruppe von
Diphyiden.

Von

C. Claus.

Unter der Fülle kleiner Scheibenquallen,
welche an den sommerwarmen Märztagen die
Meeresoberfläche im Golf von Neapel bevölkern,
finden sich eigenthümliche, glashelle, fast kug-
lige Körper, die man bei oberflächlicher Betrachtung leicht für Medusen halten wird. Dieselben sind indessen kleine Siphonophorenstöckchen, bestehend aus einer Schwimmglocke und
einem Stamme, welcher mit seinen zahlreichen,
nach dem Typus der Diphyiden angeordneten
Knospen und Anhängen in einen langgezogenen,
fast trichterförmigen Canal des Schwimmglo-
ckenschirmes zurückgezogen liegt. Man fühlt
sich anfangs zu der Vermuthung gedrängt, unsere Siphonophorenstöckchen für verstümmelt
zu halten und den Ausfall der zweiten Schwimm-

glocke anzunehmen, da ja so häufig die bekannten Diphyiden ihre untere Schwimmglocke verlieren und mit der zurückgebliebenen obern
Schwimmglocke noch Tage lang munter umher-
schwimmen. Wenn indessen schon der canal-
artige, enge und lang gezogene Raum des Gal-
lertschirmes, in welchen Stamm und Anhänge
vollständig zurückgezogen werden können, a
priori diese Möglichkeit ausschliesst, so wird
dieselbe weiter durch die direkte Beobachtung
widerlegt. Ich habe Hunderte unserer kleinen
Monophyiden, wie ich die Formen im Ge-
gensatze zu den Diphyiden nennen will, in
verschiedenen Grössen und Entwicklungsstufen
von 2 bis 8 Mm. Schwimmglocken-Durchmesser
beobachtet und nie eine zweite Schwimmglocke,
auch nicht eine Spur, die auf ihr früheres Vorhandensein oder ihre nicht zur Ausbildung gelangte Anlage hingewiesen hätte, entdecken können. Diese Monophyidenstöckchen sind nun,
wie wir sehen werden, die Erzeuger der Diplophysen, die sich zu jenen verhalten, wie
die Eudoxien zu Diphyes und Abyla.

Man unterscheidet leicht zwei verschiedene
Formen. Die eine, *Monophyes gracilis*, besitzt
einen nicht sehr hohen, glockenförmigen Schwimm-
sack, an welchen nicht weit vom obern Ende
der Axe das Centralgefäss herantritt. Der sog.
Saftbehälter ist lang gestreckt und gekrümmt,
und liegt dem langen, über die Kuppel des
Schwimmsackes hinaus nach der andern Seite
des Schirmes gelagerten Canal, welcher Stamm
und Anhänge in sich aufnimmt, gegenüber. Die
letzteren beginnen am oberen Stammesende als
dicht gedrängte Knospen und bestehen je aus
einem Polypen nebst Fangfadenanlage. Sämmtlich an der gleichen Seite (Bauchseite) des Stam-

mes entspringend, erscheinen sie bereits in einiger Entfernung vom Stammesende durch kurze Zwischenräume getrennt und sitzen hier nicht unmittelbar, sondern mittelst eines Stieles auf, der mit der Entfernung vom obern Ende des Stammes an Länge zunimmt. An der Ursprungsstelle des sehr contraktilen, zu bedeutender Verlängerung befähigten Stieles findet sich stets eine Auftreibung, welche an jüngeren Anhängen, deren Stiel noch nicht zur Ausbildung gekommen ist, unmittelbar über der Fangfadenknospe liegt. Es ist diese Auftreibung die Anlage einer Doppelknospe, aus der sich später Deckstück und Specialschwimmglocke nebst Genitalklöpfel der Eudoxien-ähnlichen Anhangsgruppe entwickelt. Die Nesselknöpfe, welche als Seitenanhänge des Langfadens auftreten, bleiben nach Art der Diphyiden klein und enthalten nur 2 Paar grosse, stabförmige Nesselkapseln zur Seiten des Angelbandes. Diese zeigen ebenso wie die quer gestellten, kleinen Nesselkapseln eine gelbe Färbung. Charakteristisch sind ferner zwei Gruppen birnförmiger, ebenfalls gelb tingirter Nesselkapseln, von denen die eine am Ende des Angelbandes, die zweite an der äussersten Spitze des zusammengeballten Endfadens liegt und durch den Besitz borstenförmiger Fortsätze der die Nesselkapseln bergenden Zellen ausgezeichnet erscheint.

Die zweite Art, die als *Monophyes irregularis* bezeichnet werden mag, unterscheidet sich von der ersteren auf den ersten Blick durch die viel bedeutendere Tiefe des Schwimmsacks und die Ungleichheit der Schwimmsackgefässe. Der kürzere und gedrungenere Saftbehälter lässt ohne Vermittlung eines besondern Stielgefässes an der Seite des Schwimmsacks die 4 Radialgefässe hervorgehen, von denen die beiden grösseren über die Kuppe des Schwimmsacks verlaufend die kleineren mehr als um das doppelte an Länge übertreffen. Der trichterförmige Canal, in welchen Stamm und Anhänge eingezogen werden, liegt auf der gleichen Seite des Saftbehälters und ist viel kürzer und weiter als der entsprechende Raum der erstbeschriebenen Art. Stamm und Anhänge unterscheiden sich sodann durch die bedeutendere Gedrungenheit und durch die Kürze des Stieles der Einzelpolypen. Es scheinen die beiden Knospenanlagen des Deckstückes und der Specialschwimmglocke nebst Genitalklöpfel unmittelbar über der Knospengruppe des Fangfadens und seiner Nesselknöpfe zu entspringen. Die letzteren sind den beschriebenen von *M. gracilis* sehr ähnlich, doch sind die beiden seitlichen Nesselkapseln von etwas geringerem Umfang, andererseits vermisst man die Gruppe gelber, birnförmiger Nesselkapseln an der Spitze des Endfadens.

Natürlich war meine besondere Aufmerksamkeit darauf gerichtet, die Entwicklung beziehungsweise Lostrennung der Individuengruppen, d. h. des Polypen nebst Fangfadens und der beiden Knospen seiner Basis zu verfolgen. Soviel konnte ich auch mit Sicherheit feststellen, dass sich die eine der letzteren zu einem Deckstück, die andere zu einer Specialschwimmglocke ausbildet, dass es sich also wie bei den Diphyiden um Erzeugung Eudoxien-ähnlicher Individuengruppen handelt. Dass ich dieselben in vorgeschrittenerer Form im Zusammenhang mit dem Stamme nicht mehr nachzuweisen vermochte, wird nicht auffallen können, wenn man die Art des pelagischen Fanges dieser Thiere mit dem feinen Netze in Erwägung zieht, bei dessen Berührung wahrscheinlich sehr energische Contraktionen des Stammes eintreten werden, in deren Folge sich die Endglieder schon vor gewonnener Reife, früher als unter normalen Lebensverhältnissen ablösen müssen. Dafür aber fand ich die jungen und auch vorgeschrittenere geschlechtsreife Eudoxien unserer Monophyiden in grosser Zahl frei umher schwimmend und erkannte dieselben als die bereits von Gegenbaur beschriebenen Diplophysen. Dass diese in der That die zu *Monophyes* zugehörigen Eudoxienzustände sind, ergiebt sich mit positiver Sicherheit auch ohne direkte Beobachtung der Loslösung der Individuengruppen vom Stamme aus der Uebereinstimmung ihrer Polypen und Nesselknöpfe mit denen der beschriebenen beiden Monophyes-Arten. In der That unterscheidet man auch unter den Diplophysen zweierlei Formen, von denen die eine den Polypen auf einem mächtigen, überaus dehnbaren Stiel, wie auf einem besonderen Stamme, trägt und in der Form ihrer Nesselknöpfe mit *M. gracilis* übereinstimmt, die andere dagegen die entsprechenden Charaktere der zweiten Art wiederholt. Die erstere Diplophysa bietet zwar nach dem Alter und Entwicklungszustand des Geschlechtsklöpfels abweichende Grössenverhältnisse zwischen Deckstück und Specialschwimmglocke, doch übertrifft diese selbst im Stadium der Reife das Deckstück nur um weniges. Die zweite Diplophysenform dagegen trägt eine verhältnissmässig viel umfangreichere Specialschwimmglocke.

Neapel den 16. März 1873.

Ueber das elektrochemische Aequivalent des Wassers;

von

F. Kohlrausch in Darmstadt,

correspondirendem Mitgliede.

Am Schlusse des »Berichtes über die Beobachtungen im magnetischen Observatorium aus dem Jahre 1869«[1]) habe ich eine ebendort ausgeführte Untersuchung über das elektrochemische Aequivalent des Wassers erwähnt, welche durch einen unglücklichen Zufall (nämlich durch den zu spät bemerkten Localeinfluss eines Dämpfers auf die Nadel der Tangentenbussole) nicht das erstrebte einwurfsfreie Resultat für diese wichtige Naturconstante geliefert hat. Trotzdem glaube ich, dass das Ergebniss der Arbeit reichlich so viel Vertrauen beanspruchen kann, wie die früheren Bestimmungen der fraglichen Grösse, welche sämmtlich vor etwa 30 Jahren und in Folge dessen mit unvollkommneren Hülfsmitteln ausgeführt worden sind, als sie jetzt zur Verfügung stehen. Ferner hat sich bei genauerer Durchsicht dieser Arbeiten gezeigt, dass sie zum Theil einer Correctur bedürfen. Ich will die so corrigirten Werthe und den von mir neuerdings erhaltenen zusammenstellen, woraus dann folgen wird, dass der bisher angenommene Werth 0,00933 für das elektrochemische Aequivalent des Wassers nach den jetzigen Kenntnissen in

$$0,009421$$

verwandelt werden muss.

1) Nachrichten 1870, S. 528.

Zur Messung benutzte ich als Elektrolyten eine Lösung von salpetersaurem Silber, da die Menge eines Silberniederschlages mit grösserer Genauigkeit bestimmt werden kann als eine zersetzte Wassermenge. Die nachfolgenden Zahlen, welche um höchstens $\frac{1}{40}$ Procent von einander abweichen, bestätigen diese Voraussetzung.

Die drei ausgeführten Beobachtungsreihen ergaben

Stromstärke in magn. Einheiten	5,0482	4,1767	4,1377
In 1 Sec. ausgeschiedenes Silber	0,57359	0,47469	0,47017
Elektrochem. Aequiv. des Silbers	0,11362	0,11365	0,11363.

Multiplicirt man den Mittelwerth 0,11363 der letzteren Zahlen mit $\frac{9}{107,93}$, d. h. mit dem Verhältniss des chemischen Aequivalentgewichtes vom Wasser zu dem des Silbers, so erhält man das elektrochemische Aequivalent des Wassers gleich

$$0,009476.$$

Diese Zahl ist um 1,5 Procent grösser, als die bisher angenommene 0,00933. Indessen sind die früheren Beobachtungen in der That etwas anders zu berechnen, theilweise um mit der Correction in Uebereinstimmung gebracht zu werden, welche Hr. Weber (im 5ten Bande der Abhandlungen, S. 29) aus den von der Lage abhängigen Aenderungen des Nadelmagnetismus

für die früheren Göttinger Bestimmungen der
erdmagnetischen Intensität entwickelt hat. Diese
Correction betrifft die Resultate von Weber und
von Casselmann und beträgt + 0,21 Procent.
Das Resultat Bunsen's muss, da in ihm die erd-
magnetische Intensität für Marburg um 3,8 Procent zu gross angenommen worden ist, um eben
diesen Betrag vergrössert werden.

So ergibt sich:

	bisher an- genommen	berichtigt
nach Weber	0,009376	0,009396
— Casselmann	0,009371	0,009391
— Bunsen	0,009266	0,009624
— Joule	0,009222	0,009222
— Kohlrausch		0,009476
Mittel	0,000331	0,009421

Den Resultaten Bunsen's und Joule's ist bei
der Mittelnahme das Gewicht ¼ beigelegt worden, weil beide Beobachter keine eigenen Messungen der erdmagnetischen Intensität für ihren
Beobachtungsort angestellt, sondern die Zahl
dafür aus Karten entnommen haben.

Darmstadt, Januar 1873.

Preisaufgaben

der

Wedekindschen Preisstiftung

für Deutsche Geschichte.

Der Verwaltungsrath der Wedekindschen Preisstiftung für Deutsche Geschichte macht hiermit wiederholt die Aufgaben bekannt, welche für den dritten Verwaltungszeitraum, d. h. für die Zeit vom 14. März 1866 bis zum 14. März 1876, von ihm ingemäss der Ordnungen der Stiftung gestellt worden sind.

Für den ersten Preis.

Der Verwaltungsrath verlangt

eine Ausgabe der verschiedenen Texte der lateinischen Chronik des Hermann Korner.

Für den letzten Verwaltungszeitraum war eine Ausgabe der verschiedenen Texte und Bearbeitungen der Chronik des Hermann Korner verlangt und dabei sowohl an die handschriftlich vorhandenen deutschen wie die lateinischen Texte gedacht. Seit dem ersten Ausschreiben dieser Preisaufgabe hat sich aber die Kenntnis des zu benutzenden Materials in überraschender Weise vermehrt: zu der von der bisherigen Ausgabe der Chronica novella stark abweichenden Wolfenbütteler Handschrift sind zwei andere in Danzig und Linköping gekommen, die jenes Werk in wieder anderer Gestalt darbieten (vgl. Waitz, Ueber Hermann Korner und die

Lübecker Chroniken, Abhandlungen der Königlichen Gesellschaft der Wissenschaften zu Göttingen Bd. V, und einzeln Göttingen 1851. 4., Nachrichten 1859 Nr. 5 S. 57 ff. und 1867 Nr. 8 S. 113); ausserdem ist in Wien ein Codex der deutschen Bearbeitung gefunden, der den Korner auch als Verfasser dieser bestimmt erkennen lässt (Pfeiffer, Germania IX, S. 257 ff.).

Auch jetzt noch würde eine zusammenfassende Bearbeitung aller dieser Texte das Wünschenswertheste sein. Da aber eine solche nicht geringe Schwierigkeiten darbietet, so hat der Verwaltungsrath geglaubt, bei der für den neuen Verwaltungszeitraum beschlossenen Wiederholung die Aufgabe theilen und zunächst eine kritische Edition der verschiedenen Texte der lateinischen Chronik fordern zu sollen.

Hier wird es darauf ankommen zu geben:

1) den in der Wolfenbütteler Handschrift, Helmstad. Nr. 408, enthaltenen Text einer ohne Zweifel dem Korner angehörigen Chronik, als die älteste bekannte Form seiner Arbeit;

2) alles was die Danziger und Linköpinger Handschrift Eigenthümliches darbieten und ausserdem eine Nachweisung ihrer Abweichungen von den andern Texten und unter einander, so dass die allmähliche Entstehung und Bearbeitung des Werkes erhellt;

3) aus der letzten und vollständigsten Bearbeitung der Chronica novella, die bei Eccard (Corpus historicum medii aevi II) gedruckt ist, wenigstens von der Zeit Karl des Grossen an, alles das was nicht aus Heinrich von Herford entlehnt und in der Ausgabe desselben von Potthast bezeichnet ist, unter Benutzung der

vorhandenen Handschriften, namentlich der Lübecker und Lüneburger.

Es wird bemerkt, dass von dem Wolfenbütteler, Danziger und Linköpinger Codex sich genaue Abschriften auf der Göttinger Universitäts-Bibliothek befinden, die von den Bearbeitern werden benutzt werden können, jedoch so dass wenigstens bei der Wolfenbütteler Handschrift auch auf das Original selbst zurückzugehen ist.

In allen Theilen ist besonders auf die von Korner benutzten Quellen Rücksicht zu nehmen, ein genauer Nachweis derselben und der von dem Verfasser vorgenommenen Veränderungen sowohl in der Bezeichnung derselben wie in den Auszügen selbst zu geben. Den Abschnitten von selbständigem Werth sind die nöthigen erläuternden Bemerkungen und ein Hinweis auf andere Darstellungen, namentlich in den verschiedenen Lübecker Chroniken, beizufügen.

Eine Einleitung hat sich näher über die Person des Korner, seine Leistungen als Historiker, seine eigenthümliche Art der Benutzung und Anführung älterer Quellen, den Werth der ihm selbständig angehörigen Nachrichten, sodann über die verschiedenen Bearbeitungen der Chronik, die Handschriften und die bei der Ausgabe befolgten Grundsätze zu verbreiten.

Ein Glossar wird die ungewöhnlichen, dem Verfasser oder seiner Zeit eigenthümlichen Ausdrücke zusammenstellen und erläutern, ein Sachregister später beim Druck hinzuzufügen sein.

Für den zweiten Preis.

Wie viel auch in älterer und neuerer Zeit für die Geschichte der Welfen und namentlich des mächtigsten und bedeutendsten aus dem jün-

geren Hause, Heinrich des Löwen, gethan ist,
doch fehlt es an einer vollständigen, kritischen,
das Einzelne genau feststellenden und zugleich
die allgemeine Bedeutung ihrer Wirksamkeit
für Deutschland überhaupt und die Gebiete, auf
welche sich ihre Herrschaft zunächst bezog, insbesondere in Zusammenhang darlegenden Bearbeitung.

Indem der Verwaltungsrath

**eine Geschichte des jüngeren Hauses der
Welfen von 1055—1235 (von dem ersten
Auftreten Welf IV. in Deutschland bis
zur Errichtung des Herzogthums Braun-
schweig-Lüneburg)**

ausschreibt, verlangt er sowohl eine ausführliche
aus den Quellen geschöpfte Lebensgeschichte der
einzelnen Mitglieder der Familie, namentlich der
Herzoge, als auch eine genaue Darstellung der
Verfassung und der sonstigen Zustände in den
Herzogthümern Baiern und Sachsen unter denselben, eine möglichst vollständige Angabe der
Besitzungen des Hauses im südlichen wie im
nördlichen Deutschland und der Zeit und Weise
ihrer Erwerbung, eine Entwicklung aller Verhältnisse, welche zur Vereinigung des zuletzt
zum Herzogthum erhobenen Welfischen Terri-
toriums in Niedersachsen geführt haben. Beizu-
geben sind Regesten der erhaltenen Urkunden,
jedenfalls aller durch den Druck bekannt gemachten, so viel es möglich auch solcher die
noch nicht veröffentlicht worden sind.

In Beziehung auf die Bewerbung um diese
Preise, die Ertheilung des dritten Preises und

die Rechte der Preisgewinnenden ist zugleich Folgendes aus den Ordnungen der Stiftung hier zu wiederholen.

1. **Ueber die zwei ersten Preise.** Die Arbeiten können in deutscher und lateinischer Sprache abgefasst sein.

Jeder dieser Preise beträgt 1000 Thaler in Gold, und muss jedesmal ganz, oder kann gar nicht zuerkannt werden.

2. **Ueber den dritten Preis.** Für den dritten Preis wird keine bestimmte Aufgabe ausgeschrieben, sondern die Wahl des Stoffs bleibt den Bewerbern nach Massgabe der folgenden Bestimmungen überlassen.

Vorzugsweise verlangt der Stifter für denselben ein deutsch geschriebenes Geschichtsbuch, für welches sorgfältige und geprüfte Zusammenstellung der Thatsachen zur ersten, und Kunst der Darstellung zur zweiten Hauptbedingung gemacht wird. Es ist aber damit nicht bloss eine gut geschriebene historische Abhandlung, sondern ein umfassendes historisches Werk gemeint. Speciallandesgeschichten sind nicht ausgeschlossen, doch werden vorzugsweise nur diejenigen der grösseren (15) deutschen Staaten berücksichtigt.

Zur Erlangung dieses Preises sind die zu diesem Zwecke handschriftlich eingeschickten Arbeiten, und die von dem Einsendungstage des vorigen Verwaltungszeitraums bis zu demselben Tage des laufenden Zeitraums (dem 14. März des zehnten Jahres) gedruckt erschienenen Werke dieser Art gleichmässig berechtigt. Dabei findet indessen der Unterschied statt, dass die ersteren, sofern sie in das Eigenthum der Stiftung übergehen, den vollen Preis von 1000 Thalern in

Golde, die bereits gedruckten aber, welche Eigenthum des Verfassers bleiben, oder über welche als sein Eigenthum er bereits verfügt hat, die Hälfte des Preises mit 500 Thalern Gold empfangen.

Wenn keine preiswürdigen Schriften der bezeichneten Art vorhanden sind, so darf der dritte Preis angewendet werden, um die Verfasser solcher Schriften zu belohnen, welche durch Entdeckung und zweckmässige Bearbeitung unbekannter oder unbenutzter historischer Quellen, Denkmäler und Urkundensammlungen sich um die deutsche Geschichte verdient gemacht haben. Solchen Schriften darf aber nur die Hälfte des Preises zuerkannt werden.

Es steht Jedem frei, für diesen zweiten Fall Werke der bezeichneten Art auch handschriftlich einzusenden. Mit denselben sind aber ebenfalls alle gleichartigen Werke, welche vor dem Einsendungstage des laufenden Zeitraums gedruckt erschienen sind, für diesen Preis gleich berechtigt. Wird ein handschriftliches Werk gekrönt, so erhält dasselbe einen Preis von 500 Thalern in Gold; gedruckt erschienenen Schriften können nach dem Grade ihrer Bedeutung Preise von 250 Thlr. oder 500 Thlr. Gold zuerkannt werden.

Aus dem Vorstehenden ergiebt sich von selbst, dass der dritte Preis auch Mehreren zugleich zu Theil werden kann.

3. **Rechte der Erben der gekrönten Schriftsteller.** Sämmtliche Preise fallen, wenn die Verfasser der Preisschriften bereits gestorben sein sollten, deren Erben zu. Der dritte Preis kann auch gedruckten Schriften zuerkannt werden, deren Verfasser schon gestorben sind, und fällt alsdann den Erben zu.

4. Form der Preisschriften und ihrer Einsendung. Bei den handschriftlichen Werken, welche sich um die beiden ersten Preise bewerben, müssen alle äusseren Zeichen vermieden werden, an welchen die Verfasser erkannt werden können. Wird ein Verfasser durch eigene Schuld erkannt, so ist seine Schrift zur Preisbewerbung nicht mehr zulässig. Daher wird ein Jeder, der nicht gewiss sein kann, dass seine Handschrift den Preisrichtern unbekannt ist, wohl thun, sein Werk von fremder Hand abschreiben zu lassen. Jede Schrift ist mit einem Sinnspruche zu versehen, und es ist derselben ein versiegelter Zettel beizulegen, auf dessen Aussenseite derselbe Sinnspruch sich findet, während inwendig Name, Stand und Wohnort des Verfassers angegeben sind.

Die handschriftlichen Werke, welche sich um den dritten Preis bewerben, können mit dem Namen des Verfassers versehen, oder ohne denselben eingesandt werden.

Alle diese Schriften müssen im Laufe des neunten Jahres vor dem 14. März, mit welchem das zehnte beginnt (also diesmal bis zum 14. März 1875), dem Director zugesendet sein, welcher auf Verlangen an die Vermittler der Uebersendung Empfangsbescheinigungen auszustellen hat.

5. Ueber Zulässigkeit der Preisbewerbung. Die Mitglieder der Königlichen Societät, welche nicht zum Preisgerichte gehören, dürfen sich, wie jeder Andere, um alle Preise bewerben. Dagegen leisten die Mitglieder des Preisgerichts auf jede Preisbewerbung Verzicht.

6. Verkündigung der Preise. An dem 14. März, mit welchem der neue Verwaltungszeitraum beginnt, werden in einer Sitzung der

Societät die Berichte über die Preisarbeiten vorgetragen, die Zettel, welche zu den gekrönten Schriften gehören, eröffnet, und die Namen der Sieger verkündet, die übrigen Zettel aber verbrannt. Jene Berichte werden in den Nachrichten über die Königliche Societät, dem Beiblatte der Göttingenschen gelehrten Anzeigen, abgedruckt. Die Verfasser der gekrönten Schriften oder deren Erben werden noch besonders durch den Director von den ihnen zugefallenen Preisen benachrichtigt, und können dieselben bei dem letztern gegen Quittung sogleich in Empfang nehmen.

7. Zurückforderung der nicht gekrönten Preisschriften. Die Verfasser der nicht gekrönten Schriften können dieselben unter Angabe ihres Sinnspruches und Einsendung des etwa erhaltenen Empfangsscheines innerhalb eines halben Jahres zurückfordern oder zurückfordern lassen. Sofern sich innerhalb dieses halben Jahres kein Anstand ergiebt, werden dieselben am 14. October von dem Director den zur Empfangnahme bezeichneten Personen portofrei zugesendet. Nach Ablauf dieser Frist ist das Recht zur Zurückforderung erloschen.

8. Druck der Preisschriften. Die handschriftlichen Werke, welche den Preis erhalten haben, gehen in das Eigenthum der Stiftung für diejenige Zeit über, in welcher dasselbe den Verfassern und deren Erben gesetzlich zustehen würde. Der Verwaltungsrath wird dieselben einem Verleger gegen einen Ehrensold überlassen, oder wenn sich ein solcher nicht findet, auf Kosten der Stiftung drucken lassen, und in diesem letzteren Falle den Vertrieb einer zuverlässigen und thätigen Buchhandlung übertragen.

Die Aufsicht über Verlag und Verkauf führt der Director.

Der Ertrag der ersten Auflage, welche ausschliesslich der Freiexemplare höchstens 1000 Exemplare stark sein darf, fällt dem verfügbaren Capitale zu, da der Verfasser den erhaltenen Preis als sein Honorar zu betrachten hat. Wenn indessen jener Ertrag ungewöhnlich gross ist, d. h. wenn derselbe die Druckkosten um das Doppelte übersteigt, so wird die Königliche Societät auf den Vortrag des Verwaltungsrathes erwägen, ob dem Verfasser nicht eine ausserordentliche Vergeltung zuzubilligen sei.

Findet die Königliche Societät fernere Auflagen erforderlich, so wird sie den Verfasser, oder falls derselbe nicht mehr leben sollte, einen anderen dazu geeigneten Gelehrten zur Bearbeitung derselben veranlassen. Der reine Ertrag der neuen Auflagen soll sodann zu ausserordentlichen Bewilligungen für den Verfasser, oder falls derselbe verstorben ist, für dessen Erben, und den neuen Bearbeiter nach einem von der Königlichen Societät festzustellenden Verhältnisse bestimmt werden.

9. Bemerkung auf dem Titel derselben. Jede von der Stiftung gekrönte und herausgegebene Schrift wird auf dem Titel die Bemerkung haben:

> von der Königlichen Societät der Wissenschaften in Göttingen mit einem Wedekindschen Preise gekrönt und herausgegeben.

10. Freiexemplare. Von den Preisschriften, welche die Stiftung herausgiebt, erhalten die Verfasser je 10 Freiexemplare.

Göttingen, den 14. März 1873.

Verzeichniss der bei der Königl. Gesellschaft der Wissenschaften eingegangenen Druckschriften.

Februar 1873.

(Fortsetzung).

G. V. Schiaparelli e P. F. Denza. Sulla grande pioggia di stelle cadenti prodotta dalla cometa periodica di Biela, osservata la sera d. 27. nov. 1872. Milano 1872. 8.

Anzeiger für Kunde der deutschen Vorzeit. Neue Folge Jahrg. XIX. 1872. Nr. 1—12. Nürnberg. 4.

Dr. A. de Bary, Rede geh. zum Antritt des Rectorats der Univers. Strassburg am 2. Nov. 1872. Ebd. 8.

Dr. R. Wolf, Astronom. Mittheilungen. Nr. XXXI.

Mittheilungen aus dem naturwissenschaftl. Vereine von Neu-Vorpommern u. Rügen. Jahrg. IV. Berlin 1872. 8.

Memoirs of the R Astronom. Society. Part II. Vol. XXXIX. 1871—72. With one plate. London 1872. 4.

Catalogue of Scientific Papers. Compiled and published by the R. Society of London. Vol. VI. Ebd. 1872. 4.

Proceedings of the Academy of Natural Sciences of Philadelphia. Part I—III. 1871. Ebd. 1871 u. 72. 8.

G. W. Hill, Tables of Venus, prepared for the use of the American Ephemeris and Nautical Almanac. Washington 1872. 4.

Memoirs of the Boston Society of Natural History. Vol. II. Part I. Nr. II—III. — P. II. Nr. I. Boston 1872. 4.

Proceedings of the Boston Soc. of Nat. History. (incomplet).

Giulio Minervini, La Biblioteca Universitaria di Napoli. Relazione. Ebd. 1873. 8.

Monatsbericht der k. preuss. Akad. d. Wissenschaften zu Berlin. Nov. 1872. Mit 1 Taf. Ebd. 1873. 8.

Rob. Grassmann, Die Erdgeschichte oder Geologie. Stettin 1873. 8.

Der Zoologische Garten. Jahrg. XIII. 1872. Nr. 7—12. Frankfurt a. M. 1872. 8.

(Fortsetzung folgt).

Nachrichten

von der Königl. Gesellschaft der Wissenschaften und der G. A. Universität zu
Göttingen.

30. April.	№ **10.**	1873.

Königliche Gesellschaft der Wissenschaften.

**Ueber einen grossen Sternschnuppen-
fall aus dem Jahre 524 n. Chr. und seinen muthmasslichen Zusammenhang
mit dem Cometen von Biela und dem
des Jahres 1162.**

Von

W. Klinkerfues.

Den Anstoss zu den hier mitzutheilenden
Untersuchungen gab Herr Professor Unger, in-
dem er mir am 8ten Februar d. J. folgendes
Billet schrieb:

(»Theophanes chronographia ad a. 524, pag.
286 der Bonner Ausgabe der Scriptt. hist.
Byzant.). In diesem Jahre (524 nach Chr.
Geb.) aber geschah auch viel Laufen der Sterne
($\dot\alpha\sigma\tau\dot\epsilon\varrho\omega\nu\ \delta\varrho\acute{o}\mu\sigma\varsigma\ \pi\sigma\lambda\acute{v}\varsigma$) vom Abend bis zum
Tagesanbruch, so dass Alle erschracken, und
wir wissen von keinem solchen Ereigniss weiter«.

»Aehnlich steht dasselbe, wenn ich mich
recht erinnere, (fährt Herr Professor Unger
fort) im Chronicon paschale. Ich weiss nicht,

ob diese Stellen schon beachtet sind. Mir
scheinen sie charakteristisch für eine Erscheinung, wie die kürzlich erlebte‹.

Dass hier von einem aussergewöhnlich glänzenden Sternschnuppenfall die Rede sei, konnte,
da auch andere Berichte von dem Phänomen als
von etwas ganz Ausserordentlichem sprechen,
kaum in Zweifel gezogen werden. So trat denn
von Neuem die Versuchung an mich heran, den
besonders reichen Sternschnuppenfall der besonderen Nähe eines Cometen zuzuschreiben, zumal
im October genannten Jahres wirklich ein solcher gesehen worden ist. Freilich existiren keine
Beobachtungen des Cometen von 524, eben so
wenig eine Bestimmung des Radiationspunktes
der Sternschnuppen, aber eine Art von Prüfung
der Hypothese schien nicht mehr unmöglich,
wenn wenigstens Etwas über die Jahreszeit des
Sternschnuppenfalls in Erfahrung zu bringen
war. Diesem Verlangen kam nun ein zweites
Billet des Herrn Professor Unger entgegen,
worin mitgetheilt wird:

›Michael Glycas, Annal. Pars 4, pag. 500 der
Bonner Ausgabe: Es erschien auch ein Comet 20 Tage lang, und nach einiger Zeit begab sich ein Laufen der Sterne vom Abend
bis früh, so dass man sagte, dass alle Sterne
fielen‹.

Einige Zeit bedeutet in solcher Verbindung
wahrscheinlich: Einige Tage oder wenige Wochen, und deutet also unter Berücksichtigung
des Umstandes, dass der Comet während mehrerer Wochen des October gesehen worden ist,
auf einen Sternschnuppenfall ganz am Ende des
October oder auch in den ersten Wochen des
November. Im ersten Augenblick kann man
deshalb denken, eine ausgezeichnete Erscheinung

der bekannten Novemberfälle mit Radiationspunkt bei γ Leonis vor sich zu haben, bis man
sich überzeugt, dass letztere im sechsten Jahrhundert ganz in den Anfang des October stattgefunden haben müssen, auch immer sehr nahe
die Jahrhunderte in Drittel getheilt haben.
Zwanglos dagegen fügt sich der Fall in eine
andere Reihe älterer ausgezeichneter Meteor-
schauer, welche man von Klein in seinem Handbuche der allgemeinen Himmelsbeschreibung,
I. Theil pag. 328 mit anderen gemischt erwähnt
findet. Diese sind, mit Hinzufügung des auf
den n. Stil reducirten Datums

585 n. Chr. den 12. Nov.
837 » » » 12. » (beobachtet in China).
899 » » » 18. » (» » Egypt.)

In den nächsten Jahrhunderten fehlt es mir
an hinreichend zuverlässigen Angaben. Bei dem
Suchen nach einer Fortsetzung der Reihe darf
man nicht vergessen, dass wegen des durch die
Präcession veranlassten Unterschiedes zwischen
dem tropischen Jahre und dem siderischen Jahre
die Epochen sich um nahe 1,4 Tage in jedem
Jahrhundert verspäten. Gegen Ende des achten
Jahrhunderts fiel nach obigen Zahlen das mittlere, d. h. das von dem Einfluss der Störungen
und Unregelmässigkeiten durch Ausgleichung
befreite, Datum des Falles auf den 14. Nov. n.
St.; gegen Ende des 16ten Jahrhunderts haben
wir also einen Tag nahe dem 25. Nov. zu suchen. Mit Rücksicht auf die in die Augen sprin-
gende Periode von nahe 62,6 Jahren erkennen
wir in den Fällen vom 28. Nov. 1584 und 25.
Nov. 1586 eine Fortsetzung der obigen Reihe
wieder. Endlich ist noch als hierher gehörig

der Fall vom 6. bis 8. Dec. 1838 zu notiren.
Dieser letztere gehört nun wieder zu einer Reihe,
auf welche (meines Wissens zuerst) d'Arrest,
Astron. Nachr. Nr. 1633, aufmerksam gemacht
hat, und die, ohne Zweifel mit Recht zu dem
Biela'schen Cometen in Beziehung gebracht wird.
Es sind dies die **Meteorfälle** vom

5. Dec. 1741 (Beobachter: **Krafft** in Petersburg)
6. » 1798 (**Brandes** beobachtet zu Bremen
2000 Sternschnuppen)
7. » 1830 (Beobachter: **Raillard**, Comtes. Rendus VII, pag. 177)
6. » 1838 (**Flauguergues** zu Toulon)
7. » 1838 (Edw. **Herrick** zu New-Haven:
»d'un point du ciel près de la
chaise de Cassiopée«).

Letztere Bezeichnung passt auf den **Heis'-**
schen Radiationspunkt $AR = 21^0$, Decl. $= +54^0$.
Hier muss ich nun einige dem Resultate späterer Rechnungen vorgreifende Bemerkungen machen. Der von Professor **Weiss** ausgesproche-
nen Ansicht mich anschliessend, dass die letzte
Theilung des Cometen von **Biela** aus dem December 1845 nicht seine einzige gewesen sei,
halte ich es für nothwendig, bei der Untersuchung alter Sternschnuppenfälle einen alten und
einen modernen Biela'schen Cometen zu unterscheiden und entsprechend zwischen den beiden
Radiationspunkten in der Andromeda und der
Cassiopeja, welche Ende des November und Anfang des December bemerkt werden. Die Bahn
des modernen Biela'schen Cometen war nun aber
schon vor dem Jahre 1838 so, dass ihr der Radiationspunkt in der Andromeda

$$AR = 25^0, \quad Decl. = +40^0$$

(nach der Heis'schen Bestimmung des Jahres 1847) oder

$$AR = 26^0, \quad Decl. = + 37^0$$

(nach meiner neulichen Bestimmung, welche zur Auffindung des Sternschnuppenschwarms vom 27. November 1872 in Madras geführt hat) in Betreff der Zeit und in Allem ungleich besser entspricht, als der vorhin genannte. Dies und Anderes erwogen, erscheint es genügend motivirt, den Radiationspunkt vom 7. Dec. 1838 und der ganzen offenbar dazu gehörigen Reihe eine besondere Untersuchung zu widmen. Diese wird uns auf einem Wege, der Willkür am meisten ausschliesst, auf einen vom gewöhnlichen Biela'schen verschiedenen Cometen führen.

Ein Blick auf die obigen Zusammenstellungen zeigt, dass die Sternschnuppenfälle der Jahre 524, 585, 837, 899, 1584—1586, und auch noch 1838 sich einer Periode von 62,6 Jahren mit befriedigender Genauigkeit fügen. Mit Rücksicht auf die neuere Reihe jedoch, in welcher auch weniger hervorragende Fälle Beachtung gefunden haben, während die älteren Berichte nur Das zu erwähnen pflegen, was Staunen und allgemeine Aufmerksamkeit erregte, wird man zu der Annahme geführt, dass jene 62,6 Jahre ein Vielfaches der eigentlichen Periode, und zwar das Neunfache, sind. Warum das Neunfache hier eine so hervorragende Rolle spielt, darüber wird der weitere Verlauf der Untersuchung einen Aufschluss geben. Unter Voraussetzung einer Periode von 6,947 und unter Zugrundelegung der Formel:

$$I = 524,4 + 6,947 \, n$$

wobei I, auf Ganze abgerundet, die Jahreszahl der Epoche, n die Anzahl der seit dem Jahre 524 verflossenen Perioden vorstellt, wird man auf folgende, mit dem Material vergleichbare Jahreszahlen geführt:

$$
\begin{aligned}
&524 \text{ n. Chr.}\\
&586 \text{ » »}\\
&837 \text{ » »}\\
&899 \text{ » »}\\
&1587 \text{ » »}\\
&1740 \text{ » »}\\
&1796 \text{ » »}\\
&1830 \text{ » »}\\
&1837 \text{ » »}
\end{aligned}
$$

Die Unterschiede gegen die wirklich beobachteten Jahre überschreiten nicht die Grenze des Zulässigen, da die Zahl 6,947 der Periode nur als ein Mittelwerth betrachtet werden darf, welcher länger andauernde Störungen erleidet; aus kürzeren Intervallen findet sich die Periode

von 524	bis 585	6,778
» 585	» 837	7,000
» 837	» 899	6,889
» 899	» 1585	6,921
» 1585	» 1741	7,091
» 1741	» 1838	6,929

Die Gestalt der Bahnen der Cometen und Meteore begünstigt das Zustandekommen von grossen Störungsgleichungen mit langen Perioden, indem die entwickelt gedachte Störungs-Function auch für Glieder mit sehr hohen Indices noch beträchtliche Coefficienten haben wird, und darunter auch für solche, deren Indices ausserst nahe im Verhältniss der Umlaufszeiten von störendem und gestörtem Körper stehen. Man darf deshalb auch nicht erwarten, die Bewegung der Knotenlinie mit der Secularstörung derselben in Uebereinstimmung zu finden. Für den bekannten Meteorstrom der Leoniden oder den Cometen 1866 I. z. B., welcher retrograde Bewegung in der Bahn hat, also directe Secularbewegung der Knotenlinie, und zwar nach Adams von 2100'' haben müsste, wird eine directe Bewegung der Knotenlinie von 5240'' im Jahrhundert beobachtet. Der hier zu untersuchende Meteorstrom, leicht als von directer Bewegung in der Bahn zu erkennen, sollte deshalb bloss nach den zu berechnenden Secularstörungen beurtheilt, eine **retrograde** Bewegung der Knotenlinie haben, welche dem Effecte der Präcession entgegengesetzt wirkt; statt dessen ist eine directe Bewegung von jährlich nahezu 16'',4 vorhanden und der Sternschnuppenfall tritt **im Mittel** für jedes spätere Jahrhundert um 1,88 Tage später ein, wie das Resultat einer Ausgleichungsrechnung ergibt. Ich stelle nun die Epochen der Sternschnuppenfälle nach Jahr und Datum, wie sie unter Abwesenheit der Störungen und anderer Unregelmässigkeiten nach der zu verfolgenden Hypothese stattgefunden haben würden, zusammen, daneben die Epochen der wirklichen Beobachtungen

Rechn.	Beob.
524 Nov. 9	524 Nov. ?
586 » 10	585 » 12
837 » 15	837 » 12
899 » 16	899 » 18
1587 » 30	{ 1584 » 28
	1586 » 25

Rechn.			Beob.		
1740	Dec.	3	1741	»	5
1796	»	4	1798	»	6
1830	»	5	1830	»	7
1837	»	5	1838	»	7

Der im letzten Jahrhundert constant gebliebene Unterschied im Datum, 2 Tage betragend,
wird wahrscheinlich durch lang andauernde Störungen verursacht. Bei der Berechnung der
Bahn des Meteorstroms wird das ausgeglichene
Datum vor dem beobachteten den Vorzug verdienen, da in dieser Beziehung die neueren Beobachtungen einen Vorrang vor den übrigen der
Reihe nicht zu beanspruchen haben. Ich berechne demnach jetzt die Bahn des Meteorstroms
oder entsprechenden Cometen aus dem Radiationspunkt $AR = 21^0$, Decl. $= + 54^0$ (d. h.
Länge $= 43^012'$, Breite $= + 41^010$) so, als
wenn der Sternschnuppenfall am 5. December
1838, 8 Uhr Abends stattgefunden hätte. Es
erscheint mir das als eine Consequenz aus der
Ausgleichung des Datums, die im Uebrigen von
geringfügiger Bedeutung erscheint. Diese Grundlage der Rechnung führt nun auf folgendes System von Elementen

Perihel . . . 1838, . . . Dec. 24.508 Berl. Zt.

$$\left. \begin{array}{rl} \Omega = & 352^0 \ 16' \\ i = & 16 \quad 53 \\ \pi = & 99 \quad 46 \end{array} \right\} \text{Aequ. von 1838,0}$$

$$e = 0,74157$$
$$\log a = 0,56120$$
$$U = 6,947 \qquad \log q = 9,97354.$$

Diese Elemente haben wegen ihrer Herleitung aus den doch höchst wahrscheinlich zu-

sammengehörigen Sternschnuppenfällen alter und
neuer Zeit vorläufig am Meisten Anwartschaft
darauf, für die des alten, vielleicht noch ganz
ungetheilten, Biela-Cometen gehalten zu werden,
wie sie denn auch mit den Elementen der beiden muthmasslichen Trümmer desselben, den
Pogson'schen des Cometen 1818 I und denen
des gewöhnlichen Biela'schen Cometen, fast gleich
grosse Aehnlichkeit verrathen. Zur bequemeren
Vergleichung mögen auch diese Elemente hier
stehen, beziehungsweise bezogen auf die Aequi-
noctien von 1818,0 und 1832,0:

$$
\begin{array}{lcc}
 & \text{Comet 1818 I.} & \text{Comet von Biela.} \\
\Omega = & 250^0\,4' & 248^0\,14' \\
i = & 20\ \ 2 & 13\ \ 10 \\
\pi = & 97\ \ 7 & 108\ \ 53 \\
\log q = & 9,86526 & 9,94416 \\
e = & & 0,75138 \\
U = & & 6,652\ \text{Jahre.}
\end{array}
$$

Die obige Bahn des alten Biela-Cometen hat
die zur Erklärung der Sonderstellung, welche die
Reste desselben noch jetzt unter den Cometen
einnehmen, sehr in Betrachtung kommende Eigenschaft einer ganz ungewöhnlichen Annäherung
an die Bahn des Jupiter. Der Abstand des Cometen vom Jupiter findet sich nämlich, wenn
die wahre Anomalie des Cometen $158^0 13'$, die
des Planeten $246^0 1'$, gleich 0,089, d. h. nur $3\frac{1}{4}$
mal so gross, als der Abstand des vierten Sa-
telliten vom Jupiter. Es ist mir ausser dem
berühmten Cometen 1770 I kein anderes Beispiel einer so grossen Annäherung der Bahn an
die des Jupiter bis jetzt bekannt.

Mit den durch Jupiter zu erleidenden grossen Störungen des Cometen scheint es im Zu-

sammenhang zu stehen, dass die älteren und gewiss auch auffallendsten Sternschnuppenfälle nur in Intervallen von etwa 62,6 Jahren oder einem Vielfachen davon wiederkehren; denn es lässt sich nicht annehmen, dass das Wetter zufällig immer nur in solchen Intervallen günstig gewesen sei. Näherungsweise wenigstens sind 9 Umläufe des Cometen gleich 5 Umläufen des Jupiter. Man darf übrigens auch hier nicht ausser Acht lassen, dass die gefundene Umlaufszeit von 6,947 nur einen Mittelwerth vorstellen kann, der merklichen Variationen unterliegt, wozu auch die Erde nicht wenig beiträgt.

Die Cometen-Erscheinung des Jahres 524 n. Chr., die von dem Zeitgenossen so auffallenderweise in Zusammenhang mit dem einige Tage oder Wochen später erfolgten ausserordentlich reichen Sternschnuppenfall gebracht wird, erweckt die Hoffnung, in alten Cometen-Erscheinungen solche des Biela'schen wiederzuerkennen. Nach Wahrscheinlichkeitsgründen zu urtheilen würde unter $\frac{365}{2}$ Wiederkehren des Cometen durchschnittlich eine sich finden, bei welcher Erde und Comet weniger als 24 Stunden nach einander den Durchschnittspunkt ihrer Bahnen passiren, d. h. die Sichtbarkeitsverhältnisse so günstig sich gestalten könnten, dass selbst der so sehr geschwächte Biela-Comet unserer Tage dem unbewaffneten Auge recht gut wahrnehmbar sein würde. In den einen viel grösseren Zeitraum als 183 Umlaufe umfassenden Berichten über ältere Cometen-Erscheinungen zeichnen sich bekanntlich die chinesischen durch ihre Zuverlässigkeit, auch in der Angabe von Daten und Oertern vortheilhaft aus. Von dem obigen Cometen des Jahres 524 n. Chr. existirt leider eine solche Angabe nicht; er entzieht sich daher der Vergleichung, obwohl er sehr nützlich war, zu constatiren, dass der betreffende Sternschnuppenfall von dem der Leoniden verschieden sei. Ist jener Comet selbst der Biela'sche gewesen, was ich wegen seiner zu langen Sichtbarkeit nicht glaube, so werden sich unter den Cometen-Erscheinungen aus den Monaten October, November und December der Pingré'schen Cometographie manche hierher gehörige verbergen.

Es fehlen aber eben bei den kleineren Erscheinungen meistens alle Ortsangaben zur weiteren Prüfung, daher man sich auf eine kleine Auslese etwas auffallenderer Erscheinungen beschränken muss. Mit grösserem Glanze wird der Biela'sche Comet auch in alter Zeit wohl nur dann aufgetreten sein können, wenn derselbe sehr wenige Tage vor oder nach der Erde durch die Linie seines niedersteigenden Knotens gegangen ist; oben haben wir gesehen, dass wir Aussicht haben mindestens auf eine solche Erscheinung des Cometen bei unseren Nachforschungen zu stossen. Unter bewandten Umständen können wir uns aber dieses Geschäft durch die Aufstellung gewisser sehr leicht und sicher zu handhabender Kriterien ungemein erleichtern. Durch die im Folgenden entwickelten Eigenschaften des geocentrischen Laufes werden wir nicht nur davon dispensirt, bei jeder hier in Betracht kommenden Erscheinung die Perihelzeit zu berechnen, oder doch wenigstens zu versuchen, ob der bei der Beobachtungsrichtung gelegene Punkt der Bahnebene auch ein Punkt der vom Cometen beschriebenen Ellipse ist; vielmehr sind wir im Stande, die Darstellbarkeit der Beobachtungen fast ohne alle Rechnung zu erkennen und die Wahrscheinlichkeit der Identität mit dem Biela'-

schen Cometen anzugeben. Der Nutzen der folgenden Betrachtungen bleibt aber nicht auf diesen concreten Fall beschränkt, sondern tritt namentlich hervor, wenn ein Sternschnuppenfall von einiger Bedeutung Veranlassung bietet, die zu einem kometenartigen Gebilde gesammelten Körper am Fixsternenhimmel aufzusuchen; es wird sich zeigen, wie man die Aussicht auf Erfolg so erheblich steigern kann, dass in Zukunft auch etwas weniger reiche Fälle, welche nur die Nachbarschaft einer starken Verdichtung andeuten, in das Bereich solcher Nachforschungen gezogen werden können*).

Die Wegstücke des Cometen und der Erde, hier sich schneidend, können während weniger Tage als Elemente, d. h. als geradlinig mit con-

---

*) Schon der 2. Januar dieses Jahres würde wieder zu einer solchen Verfolgung Gelegenheit geboten haben; es wurde nämlich Freiherr v. Bönigk, am Morgen dieses Tages (astronimisch am 1. Januar, 18 Uhr mittl. Zeit), im Wagen von Schloss Berlepsch nach hier zurückkehrend, von einem Sternschnuppenfall überrascht, den er als an Glanz dem von ihm gesehenen des 27. Nov. vor. Jahres wenig nachstehend mir schilderte, und bei welchem die Meteore aus dem tiefen Südwesten oder Westen zu kommen schienen. Wahrscheinlich hat demnach der Neumayer'sche Radiationspunkt im Grossen Hund ($AR = 105^0$, Decl. $= -27^0$) in besonderer Stärke gespielt. Diese Mittheilung wurde mir jedoch erst acht Tage später; dagegen wurde ich schon am Neujahrs-Abend durch den Castellan Heidorn auf die aussergewöhnliche Helligkeit des Himmelsgrundes aufmerksam. Eine derartige Helligkeit, vor, während oder nach einem reichen Sternschnuppenfall ist nun von den verschiedensten Beobachtern so häufig bemerkt worden, dass ich nach dieser letzten Erfahrung darüber dieses Phänomen immer als eine Aufforderung, eines Meteorregens gewärtig zu sein, auffassen werde, besonders zu denjenigen Zeiten des Jahres, die sich durch Sternschnuppenfälle hervorthun, wie der 2. Januar, 20. April u. a.

stanter Geschwindigkeit durchlaufen, angesehen
werden. Es sind nun folgende drei Fälle zu
unterscheiden: entweder die Erde geht gleichzeitig mit dem Cometen durch den Schnittpunkt,
oder vorher, oder nachher. Den ersten Fall
versinnlicht die Figur I, in welcher die sich entsprechenden Oerter von Comet und Erde auf
den beiden Wegstücken C_0C_6 und T_0T_6 von Comet und Erde mit gleichen Ziffern bezeichnet
sind.

Die Verbindungslinie C_0T_0, C_1T_1, C_2T_2 zielen
nach dem Radiationspunkt der Divergenz, die
Linien T_4C_4, T_5C_5, T_6C_6 nach dem Convergenzpunkte; alle diese Richtungen sind offenbar parallel, und man sieht also, dass der Comet vor
dem Zusammentreffen mit der Erde in C_3 und
T_3 im Radiationspunkt der Divergenz, nach dem
Zusammentreffen im Convergenzpunkte stationär
ist. Ferner: jene Verbindungslinien liegen mit
C_0C_6 und T_0T_6 in einer Ebene, folglich liegen
die beiden Radiationspunkte auf einem grössten
Kreise der Himmelskugel, welcher durch die
Zielpunkte der beiden Bewegungsrichtungen von
Comet und Erde an dieser Stelle zu legen ist.

Figur II soll den Fall versinnlichen, in welchem die Erde v o r dem Cometen den Durchschnittspunkt der Bahnen erreicht. Die Lage
der Verbindungslinien T_0C_0, T_1C_1 u. s. w. zeigt,
dass hier nicht, wie bei'm vorhergehenden Falle,
die ganze geocentrische Bewegung von Diver-
genz- nach dem Convergenzpunkte in einem
Sprunge gemacht wird, sondern allmälig, und
zwar so, dass der geocentrische Ort zuerst in
den Bogen eines grössten Kreises zwischen dem
Divergenzpunkt und dem Gegenpunkt von der
Richtung der Erdbewegung am Himmel fällt.
Während des Durchgangs der Erde durch den

Schnittpunkt T_2, d. h. nach Schiaparelli's Theorie, während des Sternschnuppenfalls, würde der Comet oder Meteorschwarm im Gegenpunkt der Richtung seines Elements, den wir einen Antiapex nennen wollen, erscheinen. Bei günstiger Lage und Tageszeit würde also an diesem Orte, zugleich mit dem Sternschnuppenfall, der Comet beobachtet werden können. Immer in demselben grössten Kreise fortschreitend, welcher durch den Radiationspunkt und den Zielpunkt und Gegenzielpunkt des Elements der Erdbewegung geht, überschreitet der geocentrische Ort in letzterem Punkte die Ekliptik, um, zuletzt gewissermassen asymptotisch, sich dem Convergenzpunkte zu nähern, bis die Fehler unserer Annahme merklich werden.

Der dritte Fall, in welchem die Erde n a c h dem Cometen den Durchschnittspunkt passirt, unterscheidet sich vom vorhergehenden dadurch, dass der geocentrische Ort in dem genannten grössten Kreise vom Divergenzpunkte aus in der entgegengesetzten Richtung sich bewegt, nämlich die Ekliptik im Zielpunkt der Erdbewegung, dann seinen Apex überschreitet (wobei unter günstigen Umständen ein Sternschnuppenfall zu beobachten ist) und von da, in bald langsamer werdendem Laufe, zum Convergenzpunkte geht.

Uebrigens äussert sich der Fehler der Annahme, dass Erdbahn und Cometenbahn einen wirklichen Schnittpunkt haben, während nur von einem sehr kleinen Minimal-Abstand die Rede sein kann, in Abweichungen von dem beschriebenen geocentrischen Laufe. Diese Abweichungen sind Grössen von der Ordnung des Verhältnisses:

$$\frac{\text{Minimalabstand der Bahnen}}{\text{Distanz von der Erde}} \cdot$$

Den Minimalabstand betrachten wir als eine kleine Grösse der zweiten Ordnung, die Distanz von der Erde aber im Allgemeinen als von der Ordnung der durchlaufenen Wege, folglich von der ersten Ordnung. Die Abweichungen von der Bewegung in jenem grössten Kreise sind in Allgemeinen kleine Grössen der ersten Ordnung und können nur dadurch, dass die Distanz von der zweiten Ordnung würde, zu Grössen der 0ten Ordnung werden.

Wenn ich bei diesen Betrachtungen vielleicht etwas zu weitläufig geworden bin, so scheint mir das wegen der nicht unwichtigen Folgerungen für die Praxis entschuldbar. Dass wir mit einem Cometen oder dem entsprechenden Meteorschwarm selbst in fast unmittelbare Berührung gerathen, der Art, dass ein Nachsuchen bei dem Convergenzpunkte sogleich Erfolg hat, wird aller Wahrscheinlichkeit nach recht selten vorkommen. Viel häufiger kann der Fall eintreten, dass wir in einem Sternschnuppenfall, dessen Glanz sich über das Mittel erhebt, die nahen Vorläufer oder Nachzügler eines solchen Gebildes treffen, die im Convergenzpunkt vereinigt doch nicht hinreichendes reflectirtes Sonnenlicht haben, um gesehen werden zu können; ein wahrnehmbares Object könnte dessenungeachtet gefunden werden, wenn das Nachsuchen auf Streifen jenes grössten Kreises ausgedehnt würde, welcher den Radiationspunkt mit einem von der Sonne nahezu 90° entfernten Ort der Ekliptik verbindet. Wenn man, wie gewöhnlich bei Nachforschungen solcher Art, eine bestimmte Vermuthung über die Bahn hat, ist es nützlich daran zu denken, dass während des Sternschnuppenfalls selbst der Comet entweder in seinem Apex oder in seinem Antiapex zu suchen ist. Der Comet geht durch den Apex oder durch den Antiapex, niemals aber durch beide dieser Punkte, und man kann von vornherein nicht wissen, durch welchen derselben der Weg genommen wird. Desgleichen nähert sich der Comet einige Zeit nach dem Sternschnuppenfall dem Convergenzpunkte, nur kann man nicht wissen, von welcher Seite her in genanntem grösstem Kreise dies geschieht. Bei telegraphischen Aufforderungen zu Nachforschungen dieser Art könnte es sich in Zukunft von selbst verstehen, dass eventuell einige Nächte zu beiden Seiten des Convergenzpunktes gesucht wird, weil es das Object schliesslich in dieses Revier eintreten muss. Ob es hell genug sein wird, kann freilich erst der Enderfolg des Suchens lehren.

Ich wende mich jetzt zu dem Versuche, eine alte Erscheinung des Bielaschen Cometen aufzufinden, zurück und werde zu dem Zwecke die Kriterien anführen, die wenn sie in ihrer Gesammtheit zutreffen, zu der Behauptung berechtigen, die Erscheinung habe wirklich jenem Cometen angehört, oder der Zufall habe in höchst unwahrscheinlicher Weise sein Spiel getrieben. Nach dem Vorhergenden wird nämlich gefordert:

1) dass der geocentrische Lauf in einem durch den Radiationspunkt zu legenden grössten Kreise vor sich gehe,

davon unabhängig:

2) dass die Bewegung die Ekliptik in einem Punkte treffe, der 90° von der Sonne absteht,

3) soll die Bewegung in dem Sinne, vom Divergenz- nach dem Convergenzpunkte, stattfinden.

4) dass zu der Zeit der Beobachtung die

Erde wirklich dem Schnittpunkte der Bahnen sehr nahe gewesen sei.

5) dass auch der Comet diesem Schnittpunkte nahe gewesen sein könne, d. h. das Jahr eine Wiederkehr enthalten haben könne.

Kriterium 5) hat hier, bei einer Umlaufszeit von nur 7 Jahren keinen Werth, da das Maximum einer möglichen Abweichung von der mittleren Epoche ja überhaupt kaum $3\frac{1}{2}$ Jahr betragen kann.

Kriterium 1) und 2) dagegen werden, schon jedes für sich, nicht leicht durch blossen Zufall erfüllt sein, noch ungleich seltener ihre Combition.

Offenbar ist aber auch die Forderung 4) von grosser Bedeutung. Denn es können ja 1) und 2) beide erfüllt sein, aber dies zu einer Jahreszeit, wo die Erde weit von dem Durchschnittspunkte entfernt ist, und es ist sehr unwahrscheinlich, dass der Zufall sich unter allen Zeiten des Jahres gerade die wenigen Tage aussuchen sollte, die hier allein in Betracht kommen.

1) und 2) in ihrer Combination lassen sich in die eine Forderung zusammenziehen, dass der Pol des geocentrischen Laufes mit dem Pole des den Radiationspunkt treffenden und die Ekliptik unter der Länge $90^0 + \Omega$ schneidenden Kreises zusammenfallen muss. Wird der gegenseitige Abstand dieser Pole, unter Berücksichtigung der wahrscheinlichen Beobachtungsfehler gleich ε gefunden, so ist die Wahrscheinlichkeit, dass dies durch Zufall geschehen, gleich dem Quotienten: Oberfläche einer Kugel-Calotte von der Höhe $1 - \cos \varepsilon$, dividirt durch die Kugelfläche, d. h. gleich

$$2 \sin \tfrac{1}{2} \varepsilon^2.$$

Die Wahrscheinlichkeit aber, dass **zugleich** die Bewegung in genanntem grössten Kreise durch Zufall vom Divergenz- nach dem Convergenzpunkte und nicht umgekehrt gerichtet gewesen sei, reducirt sich auf die Hälfte dieses Ausdrucks, also auf

$$\sin \tfrac{1}{2} s^2.$$

Die Wahrscheinlichkeit, dass durch Zufall ein Comet die Ekliptik nur n Tage vor oder nach dem Durchgange der Erde durch den Durchschnittspunkt passiren werde, wird gleich

$$\frac{2n}{365,25}$$

folglich die Wahrscheinlichkeit endlich, dass ein Comet, der alle obigen Bedingungen bis auf den Fehler s erfüllt, der gesuchte sei, gleich:

$$w \left(1 - \frac{2\,n \sin \tfrac{1}{2} s^2}{365,25} \right)$$

wobei der Factor w die Wahrscheinlichkeit vorstellt, dass nach der Natur der Beobachtungen ein Fehler bis zur Grösse von s überhaupt vorgekommen sein könne. Die Wahrscheinlichkeit, dass der beobachtete Comet der gesuchte sei, wird gleich Null, wenn der Fehler s als unmöglich erscheint.

Hiernach soll nun die Wahrscheinlichkeit geschätzt werden, dass der in China beobachtete Comet des Jahres 1162 n. Chr. der alte Biela'sche gewesen sei. Von dieser Erscheinung heisst es in Pingre's Cometographie:

Au jour Vou-tchin, dixième Lune (13 No-
vembre) ou vit en Chine une grande Etoile
entre les constellations Che (α, β de Pégase),
et Toung-pi (γ de Pégase, α d'Andromède):
elle alla jusqu'aux Étoiles Yu-lin (entre le
Verseau et la Baleine au sud de l'écliptique).
La trace de sa queue excédoit 10 degrés.

Das Datum ist alten Styls, also der 20. November des neuen, auf welchen ich oben alle Daten
reducirt habe. Die Sterne Yu-lin sind die Gruppe
bei χ und ψ Aquarii. Nach unserer Nomencla-
tur ging der geocentrische Lauf von 352⁰ der
Länge und 21⁰ nördlicher Breite nach 334⁰ der
Länge und 3⁰ südlicher Breite.

Der niedersteigende Knoten des Biela-Cometen musste damals, nach den obigen Rechnungen, am 21. November neuen Styls von der
Erde passirt werden, wobei $\odot = \Omega = 239^0$. Der
Antiapex der Erdbewegung hat die Länge 329⁰,
oder besser 330⁰; die Länge des Radiationspunktes in der Cassiopeja für jene Zeit wird 34⁰, die
Breite $+ 41^0$. Der Pol des grössten Kreises,
in welchen die geocentrische Bewegung fallen
sollte, bekommt hiernach die Lage

$$\text{Länge} = 240^0, \quad \text{Breite} = + 46^0$$

der Pol der beobachteten geocentrischen Bewegung aber folgende:

$$\text{Länge} = 246^0, \quad \text{Breite} = + 35^0,5.$$

Der gegenseitige Abstand beider Punkte, ε, findet sich danach gleich 11⁰,5. Diese Abweichung
ist offenbar möglich; wir dürfen uns zum Zweck
einer Schätzung erlauben, dieselbe als denjenigen Fehler zu betrachten, der eben so häufig

erreicht, als überschritten wird, für welchen also die Wahrscheinlichkeit bei der einzelnen Beobachtung = $\frac{1}{2}$ wird, sonach die Wahrscheinlichkeit w, dass er überhaupt vorkommen könne, zur Gewissheit d. h = 1*). Es ist ebenso grosse Wahrscheinlichkeit dafür vorhanden, dass grössere Genauigkeit der Beobachtungen ihn verringern würde, als für seine Steigerung. — Wir haben nun noch n zu schätzen. Die chinesischen Beobachtungen, welche Pingré dem Gaubil'schen Manuscripte entnommen, befolgen in der Regel die löbliche Gewohnheit, zu einem zweiten oder dritten Orte auch das zweite oder dritte Datum anzugeben, falls die Zeit-Intervalle auch nur einige Bedeutung haben; wenigstens wird die Dauer der Erscheinung, wenn sie einigermassen erheblich war, bemerkt. In der obigen Notiz nun wird die Erscheinung des Cometen 1162 beinahe wie für ein einziges Datum geltend behandelt, was eine Sichtbarkeit von sehr kurzer Dauer andeutet. Die Vermuthung würde mir nicht ganz unbegründet erscheinen, dass der Comet am Abend des 20. November gegen 5 oder 6 Uhr über dem Antiapex seiner Bahn, mit der oben geschätzten Breite zuerst gesehen wurde, dass am darauf folgenden Vormittage die Erde durch Knotenlinie und Meteorstrom ging, wobei dann der Comet den Antiapex, dessen nördliche Breite etwa 16° ist, überschritten hat, und dass am Abend des 21. der Comet schon die Ekliptik erreichte. Dieser sehr plausiblen

---

*) Man kann, um den Anschein eines logischen Zirkels zu vermeiden, auch so schliessen: sind instrumentelle Gründe zur Begrenzung des Fehlers nicht vorhanden, so ist die Wahrscheinlichkeit der Identität, wie sie sich aus den andern Gründen findet, allein massgebend.

Annahme würde der Werth $n < 1$ entsprechen.
Statt dessen nehme ich, sehr zu Ungunsten meiner Hypothese, $n = 7$; denn es lässt sich in der
That nicht annehmen, dass bei solcher Dauer
der Bericht nicht noch ein zweites Datum, etwa
das des letzten Gesehenwerdens, erwähnen sollte.

Mit diesem Werthe von n wird nun die Wahrscheinlichkeit der Identität des Cometen von
1162 mit dem alten Biela'schen gleich

$$\frac{2598}{2599}$$

gefunden, d. h. unter je 2599 Fällen eines gleich
guten Zusammentreffens, wird die untersuchte
Erscheinung durchschnittlich nur ein einziges Mal
ein anderer als der Biela'sche Comet sein. In der
benutzten Notiz wird die Bezeichnung »grande
Étoile« auf den Cometen angewandt; nach dem
Sprachgebrauch kann das heissen »hell«, es kann
aber auch heissen »gross«, d. h. von bedeutendem Durchmesser. Schreibt man dem Biela'schen Cometen einen Durchmesser von 5000
geogr. Meilen zu, so kann derselbe bei einer Distanz von $\frac{1}{4}$ Million Meilen, den scheinbaren
Durchmesser der Mondscheibe erlangen, so dass
die Bezeichnung als »grande« im eigentlichen
Sinne des Wortes sehr passend erscheinen würde.
Bei ähnlicher Annäherung könnte uns noch jetzt
der Biela'sche Comet als Stern 3. bis 4. Grösse
mit merklichem Schweife erscheinen.

Die Herrn Professoren Waitz und Wüstenfeld hatten die Freundlichkeit, mir ebenfalls Notizen aus alten Quellen zu geben. Es hat sich
darunter zwar ebensowenig, wie sonst noch bei
Pingré, etwas auf den Biela'schen Cometen Bezügliches gefunden, welches Stoff zu einer Be-

handlung in obiger Art lieferte, dagegen andere
sehr interessante Notizen, darunter eine über ein
Maximum des April-Sternschnuppenfalles, welche
die Kenntnisse über diesen Fall und den Urhe-
ber desselben, den Cometen 1861 I, sehr zu fördern verspricht.

Göttingen am 1. März 1873.

Universität.

Philosophische Fakultät.

Preisaufgabe der Beneke'schen Stiftung für das Jahr 1875—76.

Da die von deutschen Sprachforschern in den
letzten fünf und zwanzig Jahren veröffentlichten
Untersuchungen über die Entstehung der Sprache
zu sehr verschiedenen Ergebnissen gelangt sind
und auf die Schwierigkeiten der Aufgabe mehr
hinweisen als sie überwinden, so erscheint es
wünschenswerth die Frage einer sorgsamen Erwägung zu unterziehen: ob die Sprachwissenschaft für Untersuchungen dieser Art einen festen Ausgangspunkt und einen gesicherten Boden darbietet.

Die philosophische Fakultät der Georgia-Au-
gusta verlangt daher als Lösung der von ihr für
das Jahr 1873 zu stellenden Preisaufgabe der
Beneke'schen Stiftung eine übersichtliche Darstellung der neueren auf die Entstehung der
Sprache sich beziehenden Untersuchungen und

zugleich eine Nachweisung und Beurtheilung der sprachwissenschaftlichen Begründung ihrer Ergebnisse in der Richtung und zu dem Zwecke, dass eine Antwort auf folgende Fragen gesucht wird:

1) Vermag die Sprachwissenschaft allgemeine Gesetze nachzuweisen, nach denen die Entstehung der inneren Sprachform, d. h. derjenigen Formirung der Vorstellungsinhalte und ihrer Verknüpfungsweisen erfolgt, durch welche dieselben fähig werden, durch Worte, Flexionen der Worte und ihre Verbindungen ausgedrückt zu werden? Und wenn solche Gesetze nachgewiesen werden können, sind sie identisch für die menschliche Natur überhaupt oder variiren sie innerhalb gewisser Grenzen nach Anlage und geschichtlicher Entwickelung?

2) Lässt sich durch Vergleichung des sprachwissenschaftlichen Materials auf gewisse Gesetze zurückschliessen, nach denen zu der inneren Sprachform die äussere Lautform tritt, so dass bestimmten Vorstellungsinhalten und der Art, wie sie innerlich gefasst sind, bestimmte lautliche Ausdrücke, und bestimmten Verknüpfungsweisen der Vorstellungsinhalte bestimmte Kombinationen der Laute entsprechen? Wenn solche Gesetze aufgefunden werden können, ändern sich in Uebereinstimmung mit ihnen diese lautlichen Formen in den einmal bestehenden Sprachen, sobald diese in Dialekte auseinandergehen oder die Grundlage für neue Sprachgestaltungen darbieten, und lässt sich der Einfluss erkennen und nachweisen, den äussere Bedingungen der Organisation, des Klima u. s. w. auf diese Veränderung ausüben?

———

Die Bearbeitungen dieser Aufgabe sind bis

zum 31. August 1875 dem Dekan der philosophischen Fakultät zu Göttingen in deutscher, lateinischer, französischer oder englischer Sprache einzureichen. Jede eingesandte Arbeit muss mit einem Motto und mit einem versiegelten den Namen und die Adresse des Verfassers enthaltenden Couvert, welches dasselbe Motto trägt, versehen sein.

Der erste Preis wird mit 500 Thlr. Gold in Friedrichsd'or, der zweite mit 200 Thlr. Gold in Friedrichsd'or honorirt.

Die Verleihung der Preise findet im Jahr 1876 am 11. März, dem Geburtstage des Stifters, in öffentlicher Sitzung der Fakultät statt.

Gekrönte Arbeiten bleiben unbeschränktes Eigenthum ihrer Verfasser.

Göttingen, 2. April 1873.

F. Bartling, d. z. Dekan.

Divergenzpkt.

Antiapex

Antiapex

Divergzpkt.

Antiapex

Antiapex

Nachrichten

von der Königl. Gesellschaft der Wissenschaften und der G. A. Universität zu Göttingen.

7. Mai.   №. 11.   1873.

Königliche Gesellschaft der Wissenschaften.

Zur Integration der partiellen Diffetialgleichungen erster Ordnung.

Von

Prof. **A. Mayer** in Leipzig, corresp. Mitgliede.

Die folgende Mittheilung bezweckt, zwei für die Integration der partiellen Differentialgleichungen 1. O. sehr wichtige Bemerkungen, die beide von Herrn Lie herrühren, näher zu begründen, resp. zu formuliren. Die erste betrifft die Ausdehnung, die der Cauchy'schen Integrationsmethode durch Lie gegeben worden ist, und findet sich in diesen Nachrichten 1872, p. 488. Die zweite, welche einen, den neueren Integrationsmethoden zur Zeit noch anhaftenden Mangel beseitigt, verdanke ich einer brieflichen Mittheilung von Lie. Wegen der Sätze und Definitionen, die im Folgenden zu Grunde gelegt werden, muss ich auf meinen Aufsatz »Die Lie'sche Integrationsmethode der partiellen Differentialgleichungen 1. O.«, Math. Annal. Bd. VI verweisen, dessen Druck nur durch den inzwischen eingetretenen Strike unterbrochen worden ist. —

I. Lie's Erweiterung der Cauchy'schen Methode.

Man kann dieser Ausdehnung der Cauchy'schen Methode, für die bisher die algebraischen Formeln noch fehlten, den folgenden Ausdruck geben:

Die simultane Integration des Jacobi'schen Systems von $m-1$ partiellen Differentialgleichungen:

$$\frac{dV}{dq_1} = F_1, \quad \frac{dV}{dq_2} = F_2, \quad \cdots \quad \frac{dV}{dq_{m-1}} = F_{m-1},$$

deren rechte Seiten gegebene Functionen von $q_1 q_2 \cdots q_n$,

$$p_m = \frac{dV}{dq_m}, \quad \cdots \quad p_n = \frac{dV}{dq_n}$$

sind, (zwischen denen bekannte identische Relationen bestehen) lässt sich zurückführen auf die Ermittelung aller $2(n-m+1)$ gemeinsamen Lösungen der $m-1$ linearen Gleichungen:

$$\frac{df}{dq_i} + \sum_{h=m}^{h=n} \left(\frac{dF_i}{dq_h} \frac{df}{dp_h} - \frac{dF_i}{dq_h} \frac{df}{dp_h} \right) = 0.$$

Sind nämlich:

$$f = f_1, \; f_2, \; \cdots \cdots f_{2(n-m+1)}$$

diese gemeinsamen Lösungen, $a_1 \ldots$ a_{m-1} unbestimmte Constante und wird durch den oberen Index a angezeigt, dass gleichzeitig

$$q_1 = a_1, \ldots q_{m-1} = a_{m-1}$$

$$q_m = \alpha_m, \ldots q_n = \alpha_n, \; p_m = \beta_m, \ldots p_n = \beta_n$$

gesetzt werden soll, so drücke man aus den $2(n-m+1)$ Gleichungen:

$$f_1 = f_1^\beta, \ldots \ldots f_{2(n-m+1)} = f_{2(n-m+1)}^\beta$$

die Variabeln $q_m \ldots q_n \, p_m \ldots p_n$ durch $q_1 \ldots q_{m-1}$ und die willkürlichen Constanten $\alpha_m \ldots \alpha_n \, \beta_m \ldots \beta_n$ aus, wodurch man erhalten möge:

$$q_h = [q_h], \; p_h = [p_h].$$

Man berechne hierauf durch Ausführung der Quadraturen:

$$V = \sum_{h=m}^{h=n} \alpha_h \beta_h + \sum_{i=1}^{i=m-1} \int_{a_i}^{q_i} Q_i^{i-1} \, dq_i$$

als Function derselben Grössen. Unter Q_i^{i-1} wird der Ausdruck verstanden, der aus .

$$Q_i = [F_i - \sum_{h=m}^{h=n} p_\lambda \frac{dF_i}{dp_h}]$$

— die [ ] soll die Substitution der obigen Werthe von $q_m \ldots q_n \, p_m \ldots p_n$ andeuten — durch die Substitutionen

$$q_1 = a_1, \; q_2 = a_2, \; \ldots \; q_{i-1} = a_{i-1}$$

hervorgeht. Eliminirt man endlich aus dem erhaltenen Werthe von V die Grössen $\alpha_m \ldots \alpha_n$ mit Hülfe der $n-m+1$ Gleichungen $[q_\lambda] = q_\lambda$, so ist die resultirende Function V von $q_1 \ldots q_n \, \beta_m \ldots \beta_n$ eine gemeinsame vollständige Lösung des vorgelegten Jacobi'schen Systems.

Ich habe diesen Satz hier in derjenigen Form ausgesprochen, in der er sich sofort als direkte Ausdehnung der Cauchy'schen Integrationsregel in ihrer einfachsten Gestalt, wie ich sie Mathem. Annal. Bd. III, p. 444 angegeben habe, zu erkennen giebt. Beide Sätze fallen zusammen, wenn man im vorliegenden $m = 2$ setzt. und die Betrachtungen, durch welche derselbe bewiesen wird, sind so vollkommen analog dem dort benutzten Raisonnement, dass es wohl unnöthig sein dürfte, näher auf dieselben einzugehen. Es wird genügen, darauf hinzuweisen, dass die im vorstehenden Satze erhaltenen Werthe von $q_m \ldots q_n \, p_m \ldots p_n$ vollständige Lösungen sind für jedes der $m-1$ Systeme von $2(n-m+1)$ gewöhnlichen Differentialgleichungen:

$$\frac{dq_h}{dq_i} = -\frac{dF_i}{dp_h}, \quad \frac{dp_h}{dq_i} = \frac{dF_i}{dq_h}.$$

Der einzige Punkt, der ein wesentlich neues Moment bildet, ist der Beweis, dass der Ausdruck

$$Q_1\, dq_1 + Q_2\, dq_2 \ldots Q_{m-1}\, dq_{m-1}$$

ein vollständiges Differential ist. Die Integrabilitätsbedingungen

$$\frac{dQ_k}{dq_i} - \frac{dQ_i}{dq_h} = 0$$

lassen sich aber sogleich als Folgen der Identitäten erkennen, die zwischen je zwei der Functionen $F_1 \ldots F_{m-1}$ bestehen müssen, damit das gegebene System partieller Differentialgleichungen ein Jacobisches sei.

Zur Integration dieses Differentiales ist im Satze selbst die alte Cauchy'sche Formel benutzt worden, weil diese das Integral unmittelbar in derjenigen Form giebt, die sich für die am Beweis erforderlichen Rechnungen am bequemsten eignet. Es versteht sich aber von selbst, dass man statt derselben auch die Dubois-Reymond'sche Formel anwenden kann, und wenn man dies thut, so weist die hierdurch erhaltene Form des Satzes ganz von selbst darauf hin, dass derselbe auch noch eines anderen, ungleich interessanteren Ausdruckes fähig ist. Diese andere Fassung des Satzes, die ich im Nachtrage zu der oben citirten Abhandlung ab-

leite, ist das allgemeine Lie'sche Fundamental-
theorem.

II. Ueber eine Unvollkommenheit der neueren Integrationsmethoden und deren Abhülfe.

Bei der neuen Jacobi'schen Integrationsmethode der partiellen Differentialgleichungen 1.
O. sucht man zuerst die gegebene Gleichung zurückzuführen auf ein Jacobi'sches System von
2 partiellen Differentialgleichungen, dieses wieder auf ein Jacobi'sches System von 3 Gleichungen u. s. w., bis schliesslich, nachdem man zu
einem Jacobischen System von ebensoviel Gleichungen gelangt ist, als die gegebene Gleichung
partielle Differentialquotienten der unbekannten
Function enthält, das ganze Integrationsgeschäft
beendet ist und eine einfache Quadratur die gesuchte vollständige Lösung liefert. Man kann
es daher als die Fundamentalaufgabe der Jacobi'schen Methode betrachten, ein gegebenes Jacobi'sches System von $m-1$ partiellen Differentialgleichungen zurückzuführen auf ein Jacobi'-
sches System von m Gleichungen. Diese Zu-
rückführung wird bekanntlich vermittelt durch
ein Jacobisches System von $m-1$ linearen Gleichungen, von denen man nur eine gemeinsame
Lösung zu kennen braucht. Allein nicht jede
beliebige Lösung dieses linearen Systems konnte
bisher zu diesem Zwecke verwendet werden. Es
musste vielmehr, um die geforderte Reduction
damit bewirken zu können, die Lösung wenigstens eine derjenigen Variabeln p enthalten,
welche ursprünglich die partiellen Differentialquotienten der unbekannten Function darstellen.

Welche Methode man aber auch zur Auffindung
der gemeinsamen Lösung eines solchen linearen
Jacobi'schen Systems anwenden mag, bei keiner
ist man a priori sicher, dass die Lösung, zu der
man schliesslich gelangt, nicht gerade jener
unbrauchbaren Classe von Lösungen angehört.

Es war daher diese Forderung einer Lösung,
in welcher die Variabeln p nicht gänzlich fehlen,
noch eine empfindliche Unvollkommenheit der
Methode, und wenn man auch im Allgemeinen
die Anzahl von Integralen angeben konnte, auf
deren Ermittelung die vollständige Integration
einer gegebenen partiellen Differentialgleichung
zurückkommt, so galt diese Angabe doch immer
nur unter der stillschweigenden Voraussetzung,
dass man nicht irgendwo unterwegs auf eine
solche Ausnahmelösung stiesse.

Dieselbe Unvollkommenheit haftet auch meiner Darstellung der Lie'schen Methode noch
an, nur dass sie bei der verhältnissmässig weit
grösseren Einfachheit der Operationen dort nicht
so störend hervortritt, wie bei der Jacobi'schen
Methode. Man führt dort die gegebene partielle
Differentialgleichung mit n unabhängigen Variabeln vermöge der Lösung einer einzigen linearen Gleichung zurück auf eine partielle Differentialgleichung mit nur noch $n-1$ unabhängigen Variabeln, diese in ganz derselben Weise
wieder auf eine solche mit nur noch $n-2$ Variabeln u. s. f., so dass man an Stelle der linearen Jacobischen Systeme der Jacobischen Methode stets nur einzelne lineare Gleichungen zu
betrachten hat. Immer aber braucht man von
den auftretenden linearen Gleichungen eine Lösung, die nicht frei ist von sämmtlichen Variabeln p.

Es ist daher eine Bemerkung von nicht zu

unterschätzender Wichtigkeit, dass man sich von
dieser lästigen Beschränkung ganz befreien und
aus einer Lösung der in Rede stehenden linearen Systeme oder Gleichungen, in der keiner
der partiellen Differentialquotienten vorkommt,
denselben Nutzen ziehen kann, wie aus einer,
welche die p enthält. Herr Lie ist durch seine
Erweiterung des Begriffes der vollständigen Lösung *) auf diese Entdeckung geführt worden,
die — nach brieflicher Mittheilung — sich bei
seiner Betrachtungsweise als eine nothwendige
und naturgemässe Folge dieser Erweiterung ergiebt **). Der Satz lässt sich aber — und dies
soll eben im Folgenden angezeigt werden —
auch unter Beibehaltung der alten, engeren Definition der vollständigen Lösung auf einfachem
Wege beweisen.

Sobald nämlich ein Jacobisches System von
m—1 partiellen Differentialgleichungen vorliegt:

$$1) \quad \frac{V}{dq_i} = F_i\left(q_1 \cdots q_{m-1} \, q_m \cdots q_n \, p_m \cdots p_n\right),$$

wo $i = 1, 2, \ldots m$—1 und allgemein $p_\lambda = \dfrac{dV}{dq_\lambda}$

ist, und man kennt von den m—1 linearen Gleichungen:

*) Diese Nachrichten 1872 p. 481.
**) Eine von Christiania aus bereits angekündigte grö-
ssere Abhandlung, die neben einer sehr interessanten
Reihe von neuen Untersuchungen namentlich auch eine
eingehende Darstellung der ganzen Lie'schen Betrachtungsweise bringen soll, wird jedenfalls auch diesen wichtigen Punkt näher erörtern.

2) $\quad \dfrac{df}{dq_i} + \sum\limits_{h=m}^{h=n} \left(\dfrac{dF_i}{dq_h}\dfrac{df}{dp_h} - \dfrac{dF_i}{dp_h}\dfrac{df}{dq_h} \right) = 0$

irgend eine gemeinsame Lösung, in der die Variabeln $p_m \ldots p_n$ nicht gänzlich fehlen, so ist — nach der Jacobi'schen Theorie — damit das System 1) zurückgeführt auf ein Jacobisches System von m Gleichungen, welches man erhält, wenn man die Gleichung $f = $ const. nach irgend einer der Grössen $p_m \ldots p_n$ auflöst und diese Auflösung in die Gleichungen 1) substituirt.

Nun ergiebt sich aber aus Satz II*) der Abhandlung, auf die ich oben verwiesen habe, wenn man dort

$$\varphi = c_m q_m + \ldots c_n q_n$$

nimmt, dass das Jacobische System 1) äquivalent ist dem folgenden:

3) $\quad \dfrac{dW}{dq_i} = - F_i(q_1 \ldots q_{m-1} \dfrac{dW}{dc_m} \ldots \dfrac{dW}{dc_n} c_m \ldots c_n)$,

in der Art, dass man aus einer beliebigen vollständigen Lösung des Systems 3) durch blosse algebraische Operationen eine vollständige Lösung des Systems 1) erhalten kann.

Man hat, wenn

$$W = \vartheta(q_1 \ldots q_{m-1} c_m \ldots c_n \beta_m \ldots \beta_n)$$

*) Dieser Satz ist im Grunde selbst wieder nur eine andere Fassung des Satzes 4), in meiner Mittheilung vom 21. Aug. 1872, mit dem er für $m = 2$ zusammenfällt.

irgend eine, in Bezug auf $c_m \ldots c_n$ vollständige Lösung des Jacobischen Sysiems 3) ist und unter ϑ_a der Ausdruck

$$\vartheta_a = \vartheta\,(a_1 \ldots a_{m-1}\,a_m \ldots a_n\,\beta_m \ldots \beta_n)$$

verstanden wird, nur

$$V = \vartheta_a - \vartheta + c_m\,q_m + \ldots c_n\,q_n$$

zu setzen und hieraus die Variabeln $c_m \ldots c_n$, sowie die willkürlichen Constanten $\beta_m \ldots \beta_n$ mit Hülfe der $2(n-m+1)$ Gleichungen zu eliminiren:

$$\frac{d\vartheta}{d\beta_k} = \frac{d\vartheta_a}{d\beta_k}, \quad \frac{d\vartheta}{dc_k} = q_k.$$

Man kann daher das Jacobi'sche System 1) ersetzen durch das transformirte 3). Dies letztere stellt sich aber, wenn man allgemein:

$$\frac{dW}{dc_h} = \gamma_h, \quad F_i = -\Phi_i$$

setzt, also dar:

4) $\dfrac{dW}{dq_i} = \Phi_i\,(q_1 \ldots q_{m-1}\,\gamma_m \ldots \gamma_n\,c_m \ldots c_n)$

Die rechten Seiten seiner Gleichungen entstehen somit aus den rechten Seiten der entsprechenden Gleichungen 1), wenn man resp.

$$q_m \cdots q_n \; p_m \cdots p_n \; \text{und} \; F_i$$

mit

$$\gamma_m \cdots \gamma_n \; c_m \cdots c_n \; \text{und} \; -\Phi_i$$

vertauscht.

Durch dieselbe Vertauschung verwandeln sich aber die Gleichungen 2) in die folgenden:

$$5) \quad \frac{df}{dq_i} + \sum_{h=m}^{n=h} \left(\frac{d\Phi_i}{dc_h} \frac{df}{d\gamma_h} - \frac{d\Phi_i}{d\gamma_h} \frac{df}{dc_h} \right) = 0,$$

welche für das transformirte Jacobi'sche System 4) dieselbe Rolle spielen, wie die Gleichungen 2) für das gegebene 1).

Damit ist aber der Lie'sche Satz bewiesen, d. h. gezeigt, dass das Jacobische System 1) sich immer zurückführen lässt auf ein Jacobisches System von m Gleichungen, sobald man nur irgend eine gemeinsame Lösung f der $m-1$ Gleichungen 2) kennt, gleichviel ob diese Lösung die Variabeln p enthält oder nicht. Denn keine gemeinsame Lösung der Gleichungen 2) kann eine blosse Function von $q_1 \, q_2 \cdots q_{m-1}$ sein.

Hat man daher gerade eine solche Lösung dieser Gleichungen erhalten, in der kein p vorkommt, so entsteht doch aus derselben durch die obige Vertauschung eine gemeinsame Lösung der $m-1$ Gleichungen 5), die nothwendig wenigstens einen der Differentialquotienten $\gamma_m \cdots \gamma_n$ enthalten muss. Durch eine solche Lösung der Gleichungen 5) aber wird das transformirte Jacobische System 4) und damit also auch das gegebene 1) zurückgeführt auf ein Jacobisches System von m Gleichungen. —

Um das Vorhergehende speciell auf die Lie'-
sche Methode anzuwenden, braucht man nur
$m = 2$ zu nehmen. —

Leipzig, 28. März 1873.

Verzeichniss der bei der Königl. Gesell-
schaft der Wissenschaften eingegangenen
Druckschriften.

Februar 1873.

(Fortsetzung).

Sitzungsberichte der physical.-medicin. Societät zu Erlangen. Heft 4. Nov. 1871 bis Aug. 1872. Ebd. 1872. 8.

Proceedings of the american pharmaceut. Association at
the 20th annual meeting held in Cleveland, Ohio. Also
the constitution and roll of members. Philadelphia
1873. 8.

Pubblicazioni del reale osservatorio di brera in Milano
Nr. I: G. Celoria, Sul grande commovimento atmos-
ferico av. il I. di Agosto 1872 nella Bassa Lombardia
e nella Lomelina. Con una tav. lit. Milano 1873. 4.

Jahrbuch der k. k. geolog. Reichsanstalt. Jahrg. 1872.
Bd. XXII. Nr. 4. Oct. Nov. Dec. Mit Taf. XVI—XVII.
Wien. gr. 8.

Verhandlungen der k. k. geolog. Reichsanstalt. Nr. 14.
1872. gr. 8.

A. Senoner, Generalregister der Bände XI—XX des
Jahrbuches u. der Jahrgänge 1860—1870 der Verhandlungen der geolog. Reichsanstalt. Wien 1872. gr. 8.

'Berichte über die Verhandlungen der Königl. Sächsischen
Gesellschaft der Wissenschaften zu Leipzig. Philolo-
gisch-Historische Classe. 22. Band. 1870. I. II. III.
23. Band. 1871.

Bulletin de la société mathématique de France. Tome I.
Nr. 1. Paris 1873.

(Fortsetzung folgt).

Nachrichten

von der Königl. Gesellschaft der Wissenschaften und der G. A. Universität zu Göttingen.

21. Mai.	№ 12.	1873.

Königliche Gesellschaft der Wissenschaften.

Sitzung am 3. Mai.

Marx, Kasper Hofmann, ein deutscher Kämpfer für den Humanismus in der Medicin. (Erscheint in den Abhandlungen).

Wüstenfeld, zur Geographie des Gebietes von Medina. (Ersch. in den Abh.).

Stern, Mittheilung des Hrn. Prof. Sturm über das Problem der räumlichen Projectivität.

Klinkerfues, über Fixstern-Systeme, Parallaxen und Bewegungen. (Ersch. in den Abh.).

Wöhler legt drei von Dr. Tollens eingereichte Aufsätze vor (über Monobromacrylsäure, Bibrompropionsäure und Diallyl).

Das Problem der räumlichen Projectivität.

Von

Prof. Rud. Sturm in Darmstadt.

Unter dem genannten Probleme ist folgendes zu verstehen: Gegeben sind im Raume zwei Gruppen von gleich vielen

Punkten, welche einander entsprechend (homolog) zugeordnet sind; solche
entsprechende (correspondirende) Geraden zu finden, welche bez. mit den
Punkten der einen und der andern
Gruppe verbunden projectivische Ebenenwürfe liefern, in denen die nach homologen Punkten gehenden Ebenen
entsprechend sind, und die Vertheilung dieser Geraden im Raume zu dis-
cutiren.

1. Es bestehen die beiden Gruppen
A^4 und B^4 aus je 4 Punkten: A_1, A_2, A_3,
A_4; B_1, B_2, B_3, B_4; so correspondirt jeder
Geraden a, die der ersteren Gruppe zugeordnet
ist[1]), ein Complex 2. Grades $\mathfrak{B}$, zu dem die
Strahlenbündel der 4 Punkte B_i (Hauptpunkte)
und die Geradenfelder der 4 Ebenen β_{ikl}, welche je 3 der Hauptpunkte B verbinden, (Hauptebenen) ganz gehören † [2]). Die Gerade a gehört
selbst zu einem Complexe 2. Grades $\mathfrak{A}$ (der ihr
»adjungirt« ist), von welchem jede Gerade an Stelle
von a treten kann, ohne an $\mathfrak{B}$ etwas zu ändern.
Beide Complexe mögen analog heissen. Diese
Complexe sind Reyesche[3]) Complexe, die auch,
weil ihre Singularitätenfläche ein Tetraeder ist,
tetraedrale genannt werden.

---

1) Alles der ersteren Gruppe zugeordnete, im ersteren Raume befindliche soll durch a in verschiedenen Al-
phabeten, alles der zweiten Gruppe zugeordnete, im zweiten Raume befindliche durch b bezeichnet werden. Es
ist ersichtlich, dass die beiden Buchstaben stets vertauscht
werden können.

2) Die vier mit † bezeichneten Sätze sind schon durch
Herrn H. Müller Math. Ann. Bd. 1 S. 413 gefunden.

3) Reye, Geom. der Lage, II, S. 117 und Journ. für
Math. Bd. 74' S. 10.

Alle Geraden $(c)_4$ des Raumes, welche mit A^4 und B^4 projectivische Ebenenwürfe erzeugen, bilden einen Complex 4. Grades; derselbe enthält die Bündel der 8 Hauptpunkte, die Felder der 8 Hauptebenen und die 12 linearen Congruenzen, wie $[a_{12}, b_{12}]$, $[a_{12}, b_{34}]$, $[a_{34}, b_{12}]$, $[a_{34}, b_{34}]$ u. s. f., wo z. B. $[a_{12}, b_{12}]$ die Congruenz der Geraden ist, die sich auf die beiden Verbindungslinien von Hauptpunkten (Hauptlinien) $a_{12} = A_1 A_2$ und $b_{12} = B_1 B_2$ stützen.

2. **In Bezug auf 2 Gruppen A^5, B^5 aus je 5 Punkten** entspricht jeder Geraden a das Sehnensystem einer cubischen Raumcurve, welche durch die 5 Hauptpunkte B^5 geht †, und es sind ihr alle Sehnen einer durch die A^5 gehenden cubischen Raumcurve adjungirt (zu denen sie selbst gehört); beide Curven (oder Sehnensysteme) heissen einander analog.

Die Geraden $(c)_5$ des Raumes, bei denen der nach A^5 gesandte Ebenenwurf mit dem nach B^5 gesandten projectivisch ist, erzeugen eine Congruenz (ein System) 7. Ordnung 11. Klasse oder kurz (7, 11) d. h. von welcher im Allgemeinen 7 Gerade durch einen Punkt, 11 Gerade in einer Ebene liegen. Jeder der 10 Hauptpunkte aber schickt zu dieser Congruenz einen Kegel 4. Ordnung, welcher durch die 4 andern Hauptpunkte desselben Raumes geht. Von den $(c)_5$ ist in jeder Hauptebene ein Büschel enthalten, das z. B. in a_{123} seinen Scheitel in der Spur von b_{45} hat. Die Geraden $(c)_5$, welche sich in einer Congruenz $[a_{ik}, b_{ik}]$ befinden, bilden eine Linienfläche 6. Grades, für welche a_{ik} und b_{ik} dreifache Leitgeraden, die 6 ausserhalb liegenden Hauptpunkte einfache Punkte sind.

Sind A und B zwei Scheitel von Bündeln,

so entspricht jeder a in A im Allgemeinen eine und nur eine b in B.

Die Sehnensysteme, welche den Strahlen s eines ebenen Strahlbüschels (A, α), d. i. in α um A, correspondiren, bilden einen Complex 5. Grades. Derselbe enthält die Bündel der 5 Punkte B^5 und das Sehnensystem derjenigen cubischen Raumcurve, welche der durch A und die A^5 gelegten analog ist, doppelt, die Felder der 10 Hauptebenen einfach.

Die den Strahlen des Büschels (A, α) adjungirten Sehnensysteme bilden ebenfalls einen Complex 5. Grades.

Die cubischen Raumcurven, deren Sehnensysteme den Strahlen von (A, α) correspondiren, erzeugen eine Fläche 5. Ordnung.

Durchwandert A eine Gerade $\bar{a}$ und wird zu der durch A und A^5 gelegten cubischen Raumcurve stets die analoge gesucht, so erfüllt deren Sehnensystem einen Complex 5. Grades.

3. In Bezug auf zwei Gruppen $A^6 B^6$ von je 6 Punkten entspricht jeder Geraden a die eine Schaar einer durch B^6 gehenden Fläche 2. Grades, »Regelschaar«, $\mathfrak{B}^2\dagger$ und ist eine solche Regelschaar $\mathfrak{A}^2$ adjungirt; die beiden Regelschaaren heissen einander analog.

Die Geraden $(c)_6$ des Raums, welche nach A^6 und B^6 projectivische Würfe senden, erzeugen eine Linienfläche 28. Grades, für welche die 12 Hauptpunkte 7fache Punkte sind. Dieselbe liefert zu jeder der 15 Congruenzen $[a_{ik}, b_{ik}]$ 10 Gerade und enthält die 20 Geraden, wie $(\alpha_{123}, \beta_{456})$.

Einer Geraden a, die durch einen Hauptpunkt geht, entspricht jederzeit dasjenige Gebilde, das ihr in Bezug auf die beiden Gruppen correspon-

dirt, aus denen der betreffende Hauptpunkt und
sein homologer ausgeschieden ist, also hier das
ganze Sehnensystem einer cubischen Raumcurve.
Einer Hauptlinie entspricht ebenso dasjenige
Gebilde, das ihr in Bezug auf diejenigen Gruppen correspondirt, aus denen die beiden durch
sie verbundenen Hauptpunkte und ihre homologen ausgeschieden sind, hier mithin ein Complex 2. Grades. Aehnliches galt schon für $A^5 B^5$
und wird bei den umfangreicheren Gruppen nicht
mehr besonders erwähnt werden.

Es gibt eine Regelschaar $\overline{\mathfrak{A}}^2$ ($\overline{\mathfrak{B}}_2$), der nicht
blos eine Regelschaar, sondern ein ganzes Seh-
nensystem analog ist, das der cubischen Raum-
curve $\mathfrak{B}o^3$ ($\mathfrak{A}o^3$), welche durch B^6 (A^6) geht.

Die Regelschaaren, welche den sämmtlichen
Strahlen eines Bündels A correspondiren, erzeugen
einen Complex 3. Grades; in demselben befindet
sich stets die Regelschaar $\overline{\mathfrak{B}}^2$, alle 6 Bündel um
die B^6 und die Sehnensysteme der 6 cubi-
schen Raumcurven, welche den cubischen Raumcurven, die durch A und je 5 Punkte A^6 gelegt
sind, in Bezug auf die Gruppen aus diesen 5
und die ihnen homologen analog sind. Die Regelschaaren, welche den Strahlen des Bündels A
adjungirt sind, bilden ebenfalls einen Complex
3. Grades, nämlich den Complex der Geraden des
Flächennetzes 2. Ordnung, welches A und die
A^6 zu Grundpunkten hat.

Unter den Regelschaaren, welche den Strahlen eines Bündels adjungirt sind, und ebenso
unter denen, welche ihnen correspondiren, befinden sich je ∞^1 Kegelschaaren; die Spitzen der
Kegel erzeugen in jenem Falle eine Curve 6.
Ordnung (die bekannte Kegelspitzencurve des
Netzes), in diesem eine Curve 9. Ordnung.

Die Regelschaaren, welche den Geraden eines ebenen Feldes α entsprechen, erzeugen einen Complex 9. Grades. Zu demselben gehört die Regelschaar $\overline{\mathfrak{B}}^2$ und jedes der 6 Bündel um die B^6 dreifach, ferner die 20 Geradenfelder der Hauptebenen β_{ikl} einfach; ausserdem sind in ihm ∞^1 doppelte Regelschaaren enthalten, deren Inbegriff eine Congruenz (9, 17) ist, unter ihnen 4 cuspidale. Die Curve der Spitzen der Kegelschaaren, welche sich in diesem Complexe befinden, ist 17. Ordnung.

In je zwei homologen Hauptebenen giebt es ∞^1 analoge Strahlbüschel — degenerirte Regelschaaren —; ihre Scheitel erfüllen z. B. in α_{123} und β_{123} bezüglich die Geraden (α_{123}, α_{456}) und (β_{123}, β_{456}).

Die Regelschaaren, welche den Strahlen eines ebenen Büschels (A, α) entsprechen, bilden eine Congruenz (3, 9), welche aus jedem der B^6 einen Kegel 5. Ordnung erhält.

Geht die Gerade $\bar{a}$ durch einen der Hauptpunkte A^6, so ist sie Leitgerade von ∞^1 Regelschaaren durch A^6; deren analoge erzeugen eine Congruenz (2, 6), zu welcher aus dem homologen des auf $\bar{a}$ gelegenen Hauptpunktes ein Kegel 5. Ordnung, aus jedem der 5 andern B^6 ein Kegel 3. Ordnung kommt.

4. In Bezug auf zwei Gruppen $A^7 B^7$ von je 7 Punkten correspondirt jeder Geraden a eine und im Allgemeinen nur eine Gerade b und keine ist ihr adjungirt.† Die beiden Räume sind also hinsichtlich ihrer Geraden eindeutig auf einander bezogen.

Ausser den Geraden durch die Hauptpunkte giebt es noch ∞^2 Gerade a_0, denen je ∞^1 Gerade correspondiren, welche eine durch alle 7

Punkte B^7 gehende Regelschaar bilden. Diese Geraden a_0 erzeugen eine Congruenz (3, 6), zu welcher jeder der A^7 einen durch die 6 andern A^7 gehenden Kegel 3. Ordnung sendet; in dieser Congruenz befinden sich auch die 7 Regelschaaren $\overline{\mathfrak{A}}^2$, welche den 7 sechsgliedrigen Gruppenpaaren, die in $A^7 B^7$ enthalten sind, zugehören.

Es giebt 3 Regelschaaren $\mathfrak{A}^2_{0,0}$ durch A^7, denen wieder Regelschaaren $\mathfrak{B}^2_{0,0}$ durch B^7 analog sind, d. h. jeder Geraden einer der ersteren entsprechen alle Geraden der analogen. Die ersteren befinden sich in der Congruenz (3, 6) der a_0. Es gibt natürlich eine ebensolche Congruenz (3, 6) von Geraden b_0, welche die 3 analogen Regelschaaren $\mathfrak{B}^2_{0,0}$ und die 7 Schaaren $\overline{\mathfrak{B}}^2$ enthält.

Gerade $(c)_7$, bei denen der nach A^7 gehende Ebenenwurf mit dem nach B^7 gehenden projectivisch ist, sind 38 vorhanden.

Die Geraden b, welche den Strahlen eines Bündels A entsprechen, erzeugen eine Congruenz (3, 6), zu der aus jedem der 7 Punkte B^7 ein Kegel 3. Ordnung kommt.

Die Congruenz der Geraden aber, welche den Geraden eines (ebenen) Feldes α correspondiren, ist (6, 19) und erhält aus jedem der B^7 einen Kegel 9. Ordnung.

Dem linearen Complexe $[\bar{a}]$, welcher durch die ∞^3 Geraden gebildet wird, die der Geraden $\bar{a}$ begegnen, entspricht ein Complex 7. Grades; derselbe enthält die 7 Bündel B^7 und die Congruenz (3, 6) der Geraden b_0 doppelt.

Einem ebenen Strahlbüschel (A, α) correspondirt eine Linienfläche 7. Grades, für welche jeder der B^7 ein dreifacher Punkt ist.

5. **In Bezug auf zwei Gruppen** $A^8 B^8$

von je 8 Punkten correspondirt nicht mehr
jeder Geraden a eine Gerade b; es giebt aber
∞^3 Gerade (a)s, welche entsprechende (b)s haben. Die Geraden (a)s bilden einen Complex 4.
Grades und ihre entsprechenden (b)s ebenfalls.
Jeder dieser beiden Complexe enthält die Bündel der Hauptpunkte seines Raums, die 8 Congruenzen $(3, 6)$ der Geraden a_0 bez. b_0 für die 8
siebengliedrigen Gruppen, welche in $A^8 B^8$ enthalten sind, und die 8 Congruenzen, ebenfalls
$(3, 6)$, welche den Bündeln der Hauptpunkte des
andern Raumes entsprechen.

Im Complexe der (a)s befinden sich natürlich
auch die 3 Regelschaaren $\mathfrak{A}^2_{0,0}$ und in dem der
(b)s ihre analogen $\mathfrak{B}^2_{0,0}$; während (a)s eine $\mathfrak{A}^2_{0,0}$
durchläuft, durchläuft (b)s die analoge $\mathfrak{B}^2_{0,0}$.

Es giebt je 4 Regelschaaren (2. Grades) $(\mathfrak{A}^2)$s
bez. $(\mathfrak{B}^2)$s, deren sämmtliche Gerade je einer und
derselben Geraden $(b)^0$s bez. $(a)^0$s correspondiren.

In jeder Hauptebene liegt, abgesehen von
den Geraden durch die Hauptpunkte, ein Büschel von Geraden (a)s, dem in der homologen.
Hauptebene ein Büschel von Geraden (b)s correspondirt.

Der Congruenz $(4, 4)$ von Geraden (a)s, welche dem linearen Complexe $[\bar{a}]$ angehören, entspricht eine Congruenz $(8, 16)$, zu welcher aus
jedem der 8 Punkte B^8 ein Kegel 7. Ordnung
kommt, für den die nach den 7 andern Punkten
B^8 gehenden Hauptlinien Doppelkanten sind.

Die Geraden (a)s, welche in einem Bündel
A sich befinden, erzeugen einen Kegel 4. Ordnung; die ihnen entsprechenden Geraden (b)s
eine Linienfläche 8. Grades, für die jeder der
Punkte B^8 ein dreifacher Punkt ist.

Der Curve 4. Klasse von Geraden (a)s, welche in einer Ebene α liegen, entspricht eine

Linienfläche 16. Grades, auf welcher jeder der
B^8 ein 6facher Punkt ist.

6. Die ∞^2 Geraden $(a)_9$, welche in Bezug
auf zwei Gruppen $A^9 B^9$ von je 9 Punkten
correspondirende Gerade $(b)_9$ haben, bilden eine
Congruenz (6, 10); die $(b)_9$ eine ebensolche. Zu
jeder derselben schicken die 9 Hauptpunkte ihres Raums je einen Kegel 4. Ordnung, der durch
die 8 andern Hauptpunkte desselben Raums einfach geht.

Die ∞^1 Geraden $(a)_9$, die in dem Complexe
[ā] sich befinden, bilden eine Linienfläche 16.
Grades, für welche ā sechsfache Leitgerade ist;
ihre correspondirenden Geraden $(b)_9$ erzeugen
eine Linienfläche 24. Grades, welche jeden der
Punkte B^9 zum 8fachen Punkte hat.

Während die ∞^2 Geraden a_0, deren jeder ∞^1
Gerade in Bezug auf $A^7 B^7$ entsprechen, noch
alle in dem Complexe der $(a)_8$ in Bezug auf A^6
B^6 enthalten sind [1]), befinden sich nur noch ∞^1
unter den $(a)_9$ in Bezug auf $A^9 B^9$; dieselben
erzeugen eine Linienfläche 16. Grades, auf welcher jeder der 7 Punkte B^7 6fach ist und der
die Hauptlinien nicht angehören. Die ∞^1 Geraden der Regelschaar $\bar{\mathfrak{A}}^2$, deren jeder in Bezug
auf $A^6 B^6$ ∞^2 Geraden entsprechen, nämlich die
Sehnen der durch B^6 gehenden cubischen Raumcurve, befinden sich, weil sie Gerade a_0 in Bezug auf $A^7 B^7$ sind, alle unter den $(a)_8$; 3 von
ihnen sind noch unter den $(a)_9$ enthalten.

7. Die ∞^1 Geraden $(a)_{10}$, welche correspondirende $(b)_{10}$ in Bezug auf zwei Gruppen
$A^{10} B^{10}$ von je 10 Punkten haben, bilden
eine Linienfläche 20. Grades $\mathfrak{A}^{20}$, welche die 10

---

[1]) Wobei als selbstverständlich gilt, dass $A^6 B^6$ und
$A^5 B^5$ u. s. f. aus $A^7 B^7$ hervorgegangen sind.

Punkte A^{10} zu 6fachen Punkten hat (die Hauptlinien im Allgemeinen nicht enthält); die $(b)_{10}$
erzeugen eine ebensolche Fläche $\mathfrak{B}^{10}$. Beide sind
offenbar eindeutig auf einander bezogen.

Von den ∞^3 Geraden a_0 in Bezug auf A^7
B^7 befinden sich noch 18 unter den $(a)_{10}$.

8. Es giebt 20 Gerade $(a)_{11}$, welche je eine
entsprechende Gerade $(b)_{11}$ in Bezug auf zwei
Gruppen $A^{11}B^{11}$ von je 11 Punkten haben [1]).

Darmstadt, Anf. April 1873.

Ueber die aus βBibrompropionsäure zu erhaltende Monobromacrylsäure.

Von

Rich. Wagner und **B. Tollens.**

Die von G. Münder und dem Einen von uns [2])
durch Oxydation des Bibrompropylalkoholes (d. h.
des Additionsproductes von Allylalkohol und
Brom oder $C^3H^6Br^2O$) erhaltene Säure C^3H^4
Br^2O^3 oder die βBibrompropionsäure bietet in
mehrfacher Hinsicht Gelegenheit zu interessanten
Untersuchungen. Einerseits kann sie analog
der 2fach gebromten Bernsteinsäure durch Verlust von Bromwasserstoff eine Säure $C^3H^3BrO^3$
oder Monobromacrylsäure liefern und ferner
vielleicht eine $C^3H^2O^3$ zusammengesetzte Säure,
welche merkwürdige Eigenschaften darbieten
muss, die sie den Proparpylderivaten nähern
werden. Andererseits ist diese Bibrompropionsäure deshalb wichtig, weil ihre Structur analog

---

1) Eine ausführlichere Abhandlung, welche die synthe-
tischen Beweise der im Vorhergehenden mitgetheilten
Sätze bringt, ist der Redaction der Math. Annalen über-
sandt worden.

2) Nachrichten von der G. A. 1872. S. 428

derjenigen der von einzelnen Chemikern immer noch nicht als

$$CH_2$$
$$\parallel$$
$$CH$$
$$\mid$$
$$COOH$$

anerkannten Acrylsäure ist, da sie in letztere durch nascirenden Wasserstoff übergeht und aus derselben durch Addition von Br_2 sich regenerirt und deshalb war es von Wichtigkeit, ihre Constitution noch genauer als

$$CH_2Br$$
$$CHBr$$
$$COOH$$

oder eine wirklich Carboxyl haltende Säure völlig festzustellen, indem besonders Existenz von Carboxyl in der Acrylsäure von einem hervorragenden Chemiker bestritten wird [1]).

Um uns diesen Zielen zu nähern, haben wir βBibrompropionsäure mit Kali behandelt und in der That die Säure $C_3H_3BrO_2$ oder Monobromacrylsäure erhalten. Hierzu haben wir 40 grm βBibrompropionsäure mit 2 Mol. (23 grm) Kalihydrat in alkoholischer Lösung gekocht, worauf sich bald beträchtliche Mengen Bromkalium abschieden, und beim Erkalten einer Probe die Flüssigkeit zu schönen Krystallen erstarrte. Ehe dies erfolgt war, haben wir von dem in Alkohol schwer löslichen und deshalb z. gr. Th. ausgeschiedenen Bromkalium abgegossen und nach erfolgtem Erkalten die dann entstandenen Krystalle herausgenommen und durch Eindampfen der Mutterlauge noch mehr derselben gewonnen. Dies Kaliumsalz liess sich von Resten des in Wasser viel leichter löslichen KBr durch einige Krystallisationen so vollständig befreien, dass Silbersolution keine Trübung mehr in seiner verdünnten Lösung hervorbrachte.

---

[1]) Annalen d. Chem. u. Pharm. 166 Heft 1.

Die Analyse bestätigte die Zusammensetzung $C^3 H^2 Br O^2 . K$. Es sind prächtige Blätter, welche sich unter dem Mikroscop als aus Nadeln bestehend erwiesen [1]).

Das erhaltene Salz (27 grm) wurde in Wasser gelöst, mit etwas mehr als der berechneten Menge Schwefelsäure versetzt und dann mit Aether ausgeschüttelt. Dieser hinterliess beim Verdampfen eine feste krystallinische Masse (12 grm) welche nach 2maligem Schmelzen mit wenig Wasser und Pressen völlig rein und weiss zurückblieb und aus schön rechtwinkligen mikroscopischen Säulen bestand. Sie riecht propionsäureartig und besitzt die Haut reizende Wirkung. Den Schmelzpunkt fanden wir bei 69—70°. Den Siedepunkt konnten wir nicht bestimmen, weil sie beim Versuch der Destillation sich völlig zersetzte, denn unter H Br Entwickelung verdickte sie sich plötzlich, es hörte das Destilliren auf, der Inhalt des Retörtchens verkohlte theilweise und nach dem Erkalten war der weiss gebliebene Antheil in eine in Wasser unlösliche Gallerte verwandelt. Dies Verhalten erinnert sehr an das bei anderen ungesättigten Verbindungen speciell dem Acrylsäure-Allyläther beobachtete [2]).

Die Reaction, welche von der βBibrompropionsäure zur Monobromacrylsäure führt, wird durch folgende Gleichung ausgedrückt:

$$C^3H^4Br^2O^2 + 2KOH = C^3H^2BrO^2 . K + KBr + 2H^2O$$
βBibrompropionsäure   Monobromacrylsaures Kali

---

[1] Dies Salz scheint nach dem Resultate der Analyse in unreinem Zustande schon von G. Münder und dem Einen von uns erhalten worden zu sein bei dem Versuche, das Kalisalz der βBibrompropionsäure durch Sättigen dieser Säure mit Kalihydrat zu gewinnen (G. Münder Inaug.-Dissert. Göttingen 1872).

[2] Caspary. Inaug.-Dissert. Göttingen 1873.

und wir glauben,. dass die folgenden Structur-
formeln sich durch die weiteren Untersuchungen
bestätigen werden:

$$\begin{matrix} CH^2Br \\ CHBr \\ COOH \end{matrix} + 2\,KOH = \begin{matrix} CH^2 \\ CBr \\ COOK \end{matrix} + KBr + 2\,H^2O$$

denn es giebt αBibrompropionsäure, wie in der
folgenden Abhandlung näher ausgeführt ist, mit
Kali ebenfalls eine bei 69—70° schmelzende
Säure, was, wenn die Identität der beiden
Säuren sich weiter bestätigt, die angeführte
Formel der Monobromacrylsäure zur Gewissheit
erhebt, indem dann zwischen den Bibrompro-
pionsäuren Propylenbromür und Methylbroma-
cetoleinerseits und Monobromacrylsäure und
Brompropylen anderseits völliger Parallelismus
herrscht.

Ferner aber wären alle diese so evidenten
Beziehungen unmöglich, wenn nicht die Carboxylgruppe in der βBibrompropionsäure und folglich der Acrylsäure existirte und demnach würde
hierdurch die Existenz dieser Gruppe in der
Acrylsäure von neuem bewiesen.

Die Monobromacrylsäure verbindet sich mit
H Br beim Erhitzen derselben im zugegeschmol-
zenen Rohr auf 100° mit rauchender Bromwasserstoffsäure und die entstehende Säure ist nach
Krystallform [1]) und Schmelzpunkt (63—64°) identisch mit der Säure, von der wir ausgegangen
sind, so dass die umgekehrte Reaction oder

1) Die Winkel der rhombischen Täfelchen erwiesen
sich beim Messen unter dem Mikroscop als identisch
mit denen, welche wir an einer Probe ursprünglicher
βBibrompropionsäure beobachteten, nämlich 66—67° und
112—113°.

$$C^3 H^3 Br\, O^2 + H\, Br = C^3 H^4 Br^2 O^2$$

Monobromacrylsäure βBibrompropionsäure

stattgefunden hat.

Universitäts-Laboratorium in Göttingen.

Ueber die α Bibrompropionsäure aus Propionsäure.

Von

O. Philippi und B. Tollens.

Ein grosser Theil der in letzter Zeit er-schienenen chemischen Arbeiten beschäftigt sich mit dem Studium der zahlreichen und interes-santen Fälle von isomeren d. h. procentisch gleich zusammengesetzten Körper, deren Eigen-schaften verschieden sind, und sucht diese Ver-schiedenheiten auf Differenzen in der Anordnung der kleineren darin vorhandenen Gruppen sowie der einzelnen sie bildenden Atome zurückzu-führen.

Einige Gebiete sind in dieser Hinsicht gut durchforscht andere dagegen viel weniger und zu diesen gehören die sich von den fetten Säuren ableitenden Substitutionsproducte, von denen, be-sonders bei gleichzeitiger Substitution mehrerer Wasserstoffatome die Theorie stets mehrere vor-aussicht.

Von der Propionsäure leiten sich so 3 zwei-fach gebromte Derivate

	I	II	III
$C^3 H^4 Br^2 O^2$ ab,	$CH\,Br^2$	CH^3	$CH^2\,Br$
	CH^2	$C\,Br^2$	$CH\,Br$
	$COO\,H$	$COO\,H$	$COO\,H$

doch war nur eine Bibrompropionsäure aus der
Propionsäure erhalten worden, nämlich die von
Friedel und Machuca[1]) hergestellte Bibrompropionsäure und zu entscheiden welche dieser
Formeln ihr gehört, war unmöglich, da nähere
Angaben über Zersetzungserscheinungen derselben
fehlten. Nur war die Formel I ausgeschlossen,
weil Bibrompropionsäure aus Monobrompropionsäure durch weitere Substitution entsteht, und
in letzterer das Bromatom mit dem der Carboxylgruppe nächsten C Atom verbunden ist, folglich auch in der Bibrompropionsäure wenigstens
1 Br an diesem C Atom befindlich sein muss.

Andererseits ist von dem Einen von uns in
Gemeinschaft mit G. Münder[2]) durch Oxydation
des Additionsproductes von Allylalkohol und
Brom eine Säure von der Zusammensetzung der
von Fr. u. M. hergestellten erhalten worden,
ohne dass nach den vorhandenen Daten ein
sicherer Ausspruch über Identität oder Isomerie
möglich war, doch haben M. u. T. die Säure
als Allylalkohol als β Bibrompropionsäure von
der α Säure von Friedel und Machuca unterschieden.

Da die β Säure, wie näher angegeben l. c.
die Formel III besitzt, so ist die α Säure falls
sie als nicht identisch mit der β Säure sich erweist, nach II constituirt oder die beiden Brom-
atome sind mit demselben C Atome verbunden
und zwar mit dem der Carboxylgruppe nächsten.

Zur Entscheidung der Richtigkeit dieser
Schlüsse haben wir grössere Mengen Bibrompropionsäure nach den Angaben von Fr. und M.
dargestellt, indem wir Propionsäure mit 2 Atomen Brom erst in Monobrompropionsäure und

1) Annalen der Chemie u. Pharm. Suppl. 2 S. 70.
2) Nachrichten von der G. A. 1872. S. 423.

diese dann in Bibrompropionsäure verwandelten.
welche beim Oeffnen der Röhren erstarrte. Zur Entfernung der HBr wurde die Säure im Wasserbade erhitzt und nach dem Erkalten wiederholt
abgepresst. Die reine Säure ist wenig hygro-
scopisch, dagegen die rohe ungemein, so dass
wir die Reinigung wohl auch durch einige Zeit
dauerndes Exponiren der Säure auf einem Trichter an feuchter Luft ausführten, indem dann die
Verunreinigungen Wasser anzogen und von der
rein und weiss auf dem Trichter zurückbleiben-
den Säure abflossen. Durch die Analyse wurde
die Formel $C^3 H^4 Br^2 O^2$ bestätigt

Die reine α Säure bildet bei langsamem Erstarren sehr schöne mikroscopische Tafeln welche
durch Abstumpfung quadratischer Octaeder entstanden sind, denn man findet zuweilen letztere
sowie alle Zwischenstufen.

Diese von Münder und T. schon beobachtete
Krystallform unterscheidet die α Säure sehr bestimmt von der β Säure und noch mehr der
Umstand, dass während in einer geschmolzenen
Probe einer der beiden Säuren ein Stäubchen
derselben Substanz ein sehr rasches Krystallisiren
veranlasst, im Gegentheil auf Zusatz eines Stäub-
chens der Säure von anderem Ursprunge nicht
nur keine Krystallisation eintritt, sondern sich
die hinzugebrachte Säure verflüssigt und auch
nach erfolgtem Erstarren der übrigen Portion
der Säure an ihrer Stelle ein Tröpfchen Flüssigkeit hinterlässt.

Den Schmelzpunkt der α Säure fanden wir bei
58—61°, während Münder und T. 61° und Friedel
und Machuca 65° angeben. Er unterscheidet sich
demnach nur sehr wenig von dem der β Säure
(63—64°). Ein Gemenge gleicher Gewichte beider
Säuren blieb flüssig und bildete erst nach meh-

reren Wochen schöne mikroscopische Würfel,
welche im Gegensatz zu den reinen Säuren so
zerfliesslich waren, dass wir ihren Schmelzpunkt
nicht haben bestimmen können.

Die α Bibrompropionsäure siedet etwas niedriger als die β Säure, denn sie beginnt bei
200° unter geringer Zersetzung zu sieden und
bei 220°—221 bleibt der Siedepunkt bis zu Ende
constant während bei Destillation der β Säure
das Thermometer auf 240° steigt und bedeutendere Zersetzung eintritt. Aehnliche Siedepunktsdif-
ferenzen zeigen die Aether der beiden Säuren (s. u.).

Aufs schärfste unterscheiden sich jedoch die
beiden Säuren durch ihr Verhalten gegen nascirenden Wasserstoff, denn, während die β Bibrompropionsäure beim Behandeln mit Zink und
Schwefelsäure Acrylsäure liefert [1]) entsteht aus
α Bibrompropionsäure bei 12stündigem Behandeln mit Zink und Schwefelsäure Propionsäure.
Nach beendeter Reaction haben wir diese durch
Destillation abgeschieden und durch Behandeln
mit Bleiglätte und nachheriges Durchleiten von
Kohlensäure, Abdampfen und Verdunsten über
Schwefelsäure in propionsaures Bleioxyd übergeführt, welches genau passende Zahlen ergeben
hat. Es bildete Nadeln, welche dem acrylsauren
Bleioxyd ähnlich, jedoch breiter waren. Da dieses
Salz als Gummi beschrieben wird (s. z. B. Lin-
nemann [2]), so haben wir durch Behandeln von
Propionsäure mit Bleioxyd dasselbe dargestellt,
und auch hier gefunden dass es zwar schwierig
aber doch vollständig krystallisirt.

Neue Unterschiede der beiden Bibrompropi-
onsäuren haben sich bei Vergleich der Salze ergeben. Während diejenigen der β Säure zwar

1) Deutsche chem. Gesellsch. 1871. S. 806.
2) Annalen d. Chem. u. Pharm. 160. S. 222.

gut krystalliren aber sich durch die geringste
Temperaturerhöhung zersetzen, so dass das Baryumsalz von Münder und T. gar nicht, das
Strontiumsalz kaum und nur das Calciumsalz in
zur vollständigen Analyse genügender Menge
hatte erhalten werden können, lassen sich die
entsprechenden Salze der α Säure mit grosser
Leichtigkeit durch Sättigen einer weingeistigen
Säurelösung mit den betreffenden Carbonaten
oder Hydraten darstellen. So haben wir das
Calcium- und das Baryumsalz dargestellt. Ferner
den Aethyläther welche alle analysirt worden
sind.

Das Calciumsalz $(C^3H^3Br^2O^2)^2 Ca + 2$
H^2O bildet schöne seidenglänzende Nadeln
welche bei 90° alles Wasser verlieren.

Das Baryumsalz $(C^3H^3Br^2O)^2 Ba +$
$9H^2O$ bildet ähnliche Nadeln, welche an der
Luft verwittern und bei 90° alles Wasser
verlieren.

Der Aethyläther $C^3H^3Br^2O^2C^2H^5$ wurde
auf gewöhnliche Weise durch Einleiten von
Salzsäure in eine Lösung von 15 grm. α Säure
in 8 grm. Alkohol erhalten, und bildet ein
campferartig riechendes Liquidum von 190—
191° Siedepunkt und 1,7536 spec. Gew. bei
12°. Er siedet also 23° niedriger als der entsprechende Aether der β Säure (210—214°).

Dies entspricht fast der Differenz welche
zwischen den Siedepunkten des Propylenbromürs
und das Methylbromacetols liegt und bestätigt
die diesen Verbindungen analoge Structur der
beiden Säuren

CH^2Br	CH^3
$CHBr$	CBr^2
CH^3	CH^3

Propylenbromür	Methylbromacetol
Siedp. 142°— Diff. 27°	Siedp. 115°
CH^2Br	CH^3
$CHBr$	CBr^2
COO^2H^5	COO^2H^5

β Bibrompropionsäure-	α Bibrompropionsäure
Aether	Aether
Siedp. 210—214°— Diff. 22°	Siedp. 190 — 191°

Der Zusammenhang beider Säuren würde noch evidenter werden, wenn es gelänge, von der β Säure zur α Säure zu gelangen oder umgekehrt, oder nur aus beiden dieselbe einfachere Verbindung zu erhalten, wie z. B. aus Propylenbromür und Methylbromacetol durch Verlust von HBr dasselbe Brompropylen oder C^3H^5Br entsteht. In der That haben wir durch Kochen der α Bibrompropionsäure mit Kali in alkoholischer Lösung ein krystallisirtes Kaliumsalz erhalten, aus welchem durch Ausschütteln der mit Schwefelsäure versetzten Lösung mit Aether eine bei 69—70° schmelzende Säure gewonnen wurde, welche voraussichtlich identisch mit der aus β Säure bereiteten sein wird (s. vor Abh.) Es geht die Reaction bei der α Säure jedoch viel schwieriger von Statten als bei der β Säure, so dass wir uns ein bestimmtes Urtheil bis zur Gewinnung grösserer Mengen Monobromacrylsäure vorbehalten.

Universitäts-Laboratorium in Göttingen

Ueber Diallyl und Versuche zur Gewinnung von Allylbenzol.

Von

Rich. Wagner und B. Tollens.

Nachdem von Fittig und dem Einen von uns durch Einführung von Alkoholradicalen statt eines Atoms Wasserstoff des Benzols das Tolool hergestellt und als Methyl-Benzol characterisirt, sowie von Fittig mit Glinzer, Stelling und Anderen ähnliche Kohlenwasserstoffe erhalten waren, lag der Versuch nahe, auch andere Radicale in den Benzol einzuführen und hier bot besonders das Radical Allyl Interesse, indem man auf diese Weise einen ungesättigten Kohlenwasserstoff, das Allyl-Benzol erhalten muss, welcher homolog dem Styrol ist

Da von Fittig und Bigot[1]) die Reaction von Natrium auf ein Gemenge von Brombenzol und Allyljodür ohne Erfolg schon versucht war, wandten wir zu gleichem Zwecke statt des Allyljodürs das Allylbromür an, welches sich leicht rein und in jeder Menge erhalten lässt.

Bei Anwendung von 48 grm. Allylbromür, 56 grm. Brombenzol, 102 grm. Benzol und 23 grm. Natrium trat die Reaction beim Erwärmen auf gegen 60° lebhaft ein, so dass Abkühlung erforderlich war. Nach beendeter Zersetzung destillirten wir wie gewöhnlich über freiem Feuer ab, wobei sich zeigte, dass unter sehr starker Verkohlung das wahrscheinlich entstandene Product sich zersetzt hatte, denn im Destillat schien ausser Benzol und Diallyl kaum etwas nennenswerthes vorhanden zu sein.

1) Zeitschrift f. Chemie 1867 S. 134.

In der Meinung, das Natrium habe die Zersetzung des vielleicht gebildeten Productes dadurch veranlasst, das es mit demselben in der beobachteten blauen Masse verbunden geblieben war, welche dann bei der trockenen Destillation völlig sich zersetzt hat, suchten wir diese Natriumverbindung dadurch zu zerlegen, dass wir nach dem Abdestiliren des Benzols und der flüchtigsten Producte vorsichtig Alkohol auf die zersetzte Masse tröpfelten, welcher heftig einwirkte. Darauf wurde Wasser hinzugesetzt, welches das Bromnatrium löste und sich als schwere Schicht unter einer oberen öligen leichteren ablagerte. Letztere versuchten wir durch Destillation mit Wasserdampf zu reinigen, erhielten jedoch wenig Destillat, während ein dicker wenig einladender Rückstand blieb, aus dem nach langer Zeit etwas Diphenyl zu krystallisiren schien. Da das Allylbenzol jedenfalls einen nicht weit von dem des Propylbenzol entfernten Siedepunkt (150—160°) besitzt, so musste es, falls es vorhanden war, jedenfalls sich in den Destillaten befinden, diese wurden deshalb fractionirt wobei sich jedoch herausstellte, dass zwischen 100 und 200° fast nichts überdestilirte, also das gemischte Allylbenzol nicht vorhanden war. Hieraus zu schliessen, dass es sich überhaupt nicht gebildet hat, wäre voreilig; wir glauben im Gegentheil, dass es oder vielmehr die daraus durch Polymerisation entstandenen Producte in jenem dicken öligen Destillationsrückstande enthalten waren. Hierauf deutete, dass jene Oele von Brom ohne Entwickelung von viel HBr stark angegriffen wurden, dass sie also ungesättigte Gruppen enthalten mussten. Die Bromproducte waren jedoch ebensowenig wie die Producte selbst der Art, dass eine nähere Untersuchung irgend Aussicht auf Erfolg geboten hätte.

Das beim Destilliren unter 100⁰ überdestillirte enthielt ausser Benzol einen mit Brom verbindbaren Kohlenwasserstoff, der sich als Di allyl erwiesen hat. Wir haben seine Identificirung durch Untersuchung des Tetrabromürs ausgeführt, sind hierbei jedoch auf Differenzen in den Eigenschaften gestossen, welche uns zu Ausdehnung unserer Arbeit veranlasst haben. Die durch Versetzen des unter 100⁰ erhaltenen mit Brom und Abdestillren des Benzols gebildete krystallinische Masse schmolz nämlich nach einmaligem Umkrystallisiren bei 46⁰ und bei sorgfältigem, lange fortgesetzten Umkrystallisiren erhöhte sich der Schmelzpunkt immer mehr, bis er endlich bei 63 — 63.5⁰ constant blieb.

Die Analyse zeigte, dass der von uns erhaltene Körper wirklich die Zusammensetzung des Diallyltetrabromür $C^6 H^{10} Br^4$ besass. Er bildet 4 seitige Säulen von etwas campherartigem Geruch. Im Gegensatz zu dieser Beobachtung wird dem Diallyltetrabromür der Schmelzpunkt 37⁰ beigelegt, und es war von Interesse zu erfahren, ob das aus Allylbromür erhaltene sich von dem mittelst Allyljodür zu bereitenden wirklich unterscheidet, oder ob die Differenz auf nicht genügender Befreiung des mittelst Allyljodür erhaltenen von anderen den Schmelzpunkt erniedrigenden öligen Produkten beruht.

Um zu erfahren, ob Allylbromür ohne Beimengung von Brombenzol ebenfalls Diallyl liefert, dessen Tetrabromür bei 63⁰ schmilzt, haben wir 43 grm. desselben mit 25 grm. Benzol und 9 grm. Natrium zusammengebracht. Hierbei bemerkten wir weder in der Kälte noch in der Wärme die geringste Reaction, auch ein Zusatz von etwas Wasser, der Silva [1]) in seinen ähnlichen mit Aether hergestellten Mischungen einen guten Erfolg gab, war ganz ohne Wirkung, bis es uns endlich gelang, auf Zusatz eines Tröpfchens Alkohol eine regelmässige Reaction hervorzurufen, welche sich normal fortsetzte, bis das Natrium in die wohlbekannte blaue Masse verwandelt war.

Die bis 70° siedenden Producte, welche wir durch Fractioniren aus dem im Wasserbade abdestillirten erhielten, haben wir mit Brom versetzt und auch hier nach sehr häufig wiederholter Krystallisation bei 63° schmelzende Krystalle erhalten, welche den Bromgehalt des Diallyltetrabromürs zeigten.

Hierauf haben wir mittelst Allyljodürs Diallyltetrabromür hergestellt, um es mit unserem Product zu vergleichen.

Wir wählten die von Oppenheim [2]) angegebene Methode des Erhitzens von Mercurallyljodür mit Cyankaliumlösung und erhielten constant bei 58—60° siedendes Diallyl [3]) welches in der That beim Versetzen mit Brom ein Product lieferte, welches sich dem von uns mittelst des Allylbromürs erhaltenen ganz gleich verhielt. Der in Anfang etwas niedrigere Schmelzpunkt erhöhte sich nämlich nach längerer Krystallisation auf 63—63,5°, welches sonach der wahre Schmelzpunkt des Diallyltetrabromürs ist.

1) Bull. Soc. chim. [2] 18 p. 530. Es scheint also als ob vollkommen Alkoholfreie Materialien in ähnlichen Reactionen nicht auf einander wirken und dass in Friedel und Silva's Versuch der Wassertropfen auch nur die Bildung einer Spur Alkohol in ihrem reinen Aether veranlasst habe.

2) Ber. d. deutsch chem. Ges. 1871 S. 672.

3) Leider erhielten wir nicht die von O. angegebene sehr günstige Ausbeute, sondern beträchlich weniger.

Aus theoretischen Gründen (s. u.) suchten wir bei der Bereitung des Diallyls aus Allylbromür das Natrium zu vermeiden und deshalb die von Oppenheim für das Allyljodür gegebene Methode womöglich auch auf das Allylbromür anzuwenden. Zu diesem Zwecke erhitzten wir 10 grm. Allylbromür, 7 grm. Cyankalium, 10 grm. Quecksilber und 10—20 grm. Wasser im zugeschmolzenen Rohr im Wasserbade. Das Quecksilber veränderte sich hierbei anscheinend nicht, wohl aber färbte sich der Inhalt des Rohres tief braun. Beim Destilliren mit Wasser ging eine nicht unbedeutende Menge eines farblosen Oeles über, welches für sich fast ganz zwischen 110 und 120° destillirte, also, wie auch der Geruch zeigte, nicht aus Diallyl sondern aus Allylcyanür bestand (Siedp. 118°). Die Reaction ist also mit Umgehung des Quecksilbers auf die Weise erfolgt, dass sich einfach aus Allylbromür und Cyankalium Allylcyanür und Bromkalium gebildet haben, und zwar entsteht aus Allylbromür derselbe Allycyanür wie aus Allyljodür.

Nachdem gefunden war, dass bei Anwendung von Natrium aus Allylbromür derselbe Diallyl entsteht, wie aus Allyljodür, blieb noch die Möglichkeit, dass bei Anwendung des von Wislicenus eingeführten Entbromungsmittels nämlich des feinvertheilten Silbers ein anderes Product sich aus dem Allylbromür bilde. Um dies zu prüfen, brachten wir 7 grm. Allylbromür und 8 grm. Silberpulver zusammen. Im ersten Augenblick war die Reaction ziemlich heftig, so dass Abkühlung nöthig wurde, doch verlangsamte sie sich bald. Nach 12stündigem Erhitzen auf 100° im zugeschmolzenen Rohr wurde abdestillirt und ein genau bei 58—60° siedendes Product

erhalten, welches übrigens nach den Analysen
noch etwas Brom enthielt, das erst durch wiederholtes Erhitzen mit Silber und zuletzt etwas
Natrium entfernt werden konnte, wobei sich der
Siedepunkt nicht änderte.

Auch in diesem Versuche ist also bei 58—60°
siedendes Diallyl erhalten worden, und aus allen
ergiebt sich, dass Allylbromür und = Jodür
immer dasselbe Product liefern, sie folglich analog constituirt sind, nämlich die folgende Structur
besitzen

$$CH^2 \qquad\qquad CH^2$$
$$CH \qquad\qquad CH$$
$$CH^2Br \qquad\qquad CH^2J$$

Allylbromür Allyljodür.

In sehr vielen verschiedenen Fällen hat sich
gezeigt, dass die correspondirenden Allyl- und
normalen Propylverbindung denselben Siedepunkt
besitzen, und den Beweggrund zum genaueren
Studium des Diallyls bildete die auffallende
Thatsache, dass dasselbe bei 58—60° siedet,
während normales Dipropyl bei 68—70° übergeht. Bei 58—60° siedet dagegen das von
Schorlemmer wie von Silva untersuchte Diisopropyl. Es liegt folglich nahe, dem Diallyl
eine dem Diisopropyl analoge Structur, nämlich

denn Körper von dieser Lagerung werden wahr-

scheinlich niedriger sieden als das Dipropyl.
Sie können natürlich nur entstehen, wenn in
dem Momente des Herausnehmens von Br und
J eine Umlagerung stattfindet, die man sich
auf die Weise denken kann, dass das Natrium
H Br abtrennt, dies unter H Abspaltung zersetzt
und der Wasserstoff sich an die vorher von Br
eingenommene Stelle bewegt (s. Kekulé l. c.)
während die freigebliebenen Affinitäten zur
Bindung zweier Molecüle verwandt werden.
Eine ähnliche Anomalie der Siedepunkte, nämlich die Thatsache, dass Methylallylbromür 10^0
niedriger siedet als das Aethylvinylbromür,
folglich die beiden Kohlenwasserstoffe nicht
identisch sind, worauf Wurtz und kürzlich Lin-
nemann[1]) aufmerksam gemacht haben, würde
bei Zulassung der zweiten oben angegebenen
Formeln für das Diallyl verschwinden, denn wenn
sich aus Allyljodür vorübergehend die Gruppe

$$
\begin{array}{ll}
CH^3 & \qquad\qquad CH^3 \\
\ \ | & \qquad\qquad\ \ | \\
CH & \text{bildet, so wird das Methylallyl zu} \qquad CH \\
\ \ \| & \qquad\qquad\ \ \| \\
CH \ \text{———} & \qquad\qquad\ \ CH \\
& \qquad\qquad\ \ | \\
& \qquad\qquad CH^3
\end{array}
$$

und natürlich verschieden vom Aethylvinyl oder

$$
\begin{array}{l}
CH^3 \\
\ \ | \\
CH^2 \quad \text{(s. Linnemann l. c.)} \\
\ \ | \\
CH \\
\ \ \| \\
CH^2
\end{array}
$$

Gegen die Annahme der oben beschriebenen
Umlagerung sträubten wir uns anfangs, weil wir
sie für unwahrscheinlich hielten, nachdem jedoch

1) Ann. Chem. Pharm. 161 S. 200.

Kekulé in einer nach Einreichung dieser Abhandlung erschienenen Arbeit [1]) die gleiche Umwandlung der Gruppe

$$\begin{array}{ccc} CH^2 & & CH^3 \\ \| & & | \\ CH & in & CH \\ | & & \| \\ CH^2 & & CH \end{array}$$

nachgewiesen hat, und zwar in einem a priori ebenso unwahrscheinlichen Falle nämlich der Umwandlung von Allyljodür in Allylcyanür, liegt gegen unsere alle Wiedersprüche beseitigende Auffassung kein Bedenken vor.

Göttingen, 26. April 1873.

Verzeichniss der bei der Königl. Gesellschaft der Wissenschaften eingegangenen Druckschriften.
April 1873.

Nature 174—180.

M. A. F. Prestel, der Boden, das Klima und die Witterung von Ostfriesland etc. Emden. 1872. 8.

Verhandlungen des naturf. Vereins zu Brünn. Bd. X. 1871. Brünn. 1872. 8.

Moritz Voigt, über den Bedeutungswechsel gewisser die Zurechnung und den ökonomischen Erfolg einer That bezeichnender technischer lateinischer Ausdrücke. Nr. 1. Leipzig. 1872. gr. 8.

Georg Voigt, Zug Karls V. gegen Tunis. 1515. Ebds. 1872. gr. 8.

A. Philippi, über die Römischen Triumphalreliefe. Nr. III. Ebds. 1872. gr. 8.

L. Lange, der Homerische Gebrauch der Partikel Ei. Ebds. 1872. gr. 8.

C. Bruhns, Längendifferenz zwischen Leipzig und Wien. Ebds. 1872. gr. 8.

W. G. Hankel, elektrische Untersuchungen. IX und X. Abth.

Berichte der mathem.-phys. Classe der Königl. Sächs. Akademie der Wiss. zu Leipzig. 1871. IV. V. VI. VII.— 1872. I und II. Leipzig. 1872. 8.

Illustrated Catalogue of the Museum of Comparative Zoölogy at Harvard College Cambridge, Mass ; Nr. VII Parts I—II. With forty-nine plates. Cambridge. 1872. 4.

Bulletin of the Museum of Comparative Zoölogy at Harvard College. Vol. III. Nr. 5. 6:

Alpheus Hyatt, Embryology.

J. A. Allen, notes of an ornithological Reconnoissance of Portions of Kansas, Colorado, Wyoming and Utah. Cambridge. 8.

Actenstücke über die im Jahre 1874 projectirte englische Polarexpedition via Smithsund. 8.

A. Kölliker, dritter Beitrag zur Lehre von der Entwicklung der Knochen. 8.

M. C. Marignac, notices chimiques et cristallographiques. 8.

Bulletin de la Société Imp. de Moscou. Année 1872. Nr. 8. Moscou. 1872. 8.

Bulletin de l'Académie R. des Sciences etc. de Belgique. 42e année, 2e série, tome 35. Nr. 2. 3. Bruxelles. 1873. 8.

Neues Lausitzisches Magazin, herausgeg. von E. E. Struve. Bd. 49. Zweite Hälfte. Görlitz. 1872. 8.

Vierteljahrsschrift der Astronomischen Gesellschaft. Jahrg. VIII. Hft. 1. Leipzig. 1873. 8.

Monatsbericht der königl. preuss. Akademie zu Berlin. December 1872. Berlin. 1873. 8.

Tijdschrift von Indische Taal-Land- en Volkenkunde. Deel XVIII. Aflevering. 5. 6.

Notalen. Deel X. 1872. Nr. 1. 2. 8. Batavia. 1872. 8.

Verhandelingen van het Bataviaasch Genootschap van Kunsten en Wetenschappen. Deel XXXVI. Ebds. 1872. gr. 8.

Sitzungsberichte der königl. böhmischen Gesellschaft der Wissenschaften in Prag. Nr. 1. 1873. 8.

Sitzungsberichte der physikalisch-medicinischen Gesellschaft in Würzburg für 1872. 8.

(Fortsetzung folgt).

Nachrichten

von der Königl. Gesellschaft der Wissenschaften und der G. A. Universität zu Göttingen.

11. Juni.   № 13.   1873.

Königliche Gesellschaft der Wissenschaften.

Ueber Fixstern-Systeme, Parallaxen und Bewegungen.

(Vorläufige Mittheilung).

Von

W. Klinkerfues.

Es ist eine schon vor beinahe hundert Jahren von John Michell und von William Herschel ausgesprochene Ansicht, dass die Fixsterne in Gruppen ziehen. Adoptirt ist dieselbe allgemein für solche Gruppen wie die Plejaden, Hyaden, Praesepe und andere, welche am Himmel einander benachbart erscheinen. Erst in neuester Zeit hat Proctor auf Gruppen von grösserer Ausdehnung mit gemeinschaftlicher Eigenbewegung aufmerksam gemacht, deren interessanteste durch die Sterne β, γ, δ, ε, ζ im grossen Bären gebildet wird. Die beiden äussersten Sterne dieser Gruppe, β und ζ, schliessen einen Bogen von etwa 20 Grad am Himmel ein. Darüber hinaus geht auch Proctor nicht; Huggins, welcher in dem Ergebniss seiner spectral-analytischen Untersuchungen an genannten Sternen eine Bestätigung der Proctor'schen Entdeckung findet, spricht sogar ausdrücklich aus, dass ihm die Sterne α und η des grossen Bären nicht mehr benachbart genug erscheinen, um diese unter sich zu einem System rechnen zu können. Und doch beträgt der Bogen zwischen letzteren nur etwa 25^0, d. h. nur 5^0 mehr als in der obigen Gruppe.

Es bedarf kaum einer Erörterung, dass die scheinbare Nähe kein untrügliches Merkmal für die Möglichkeit abgeben kann, dass Sterne zu einem Systeme gehören; ich habe mir daher bei den Untersuchungen, deren Erstlingsresultate ich hier geben will, und die in einer bald vorzulegenden Schrift ausführlicher behandelt werden, keine Beschränkung solcher Art auferlegt, halte vielmehr die Ansicht für zulässig, dass Fixstern-Systeme sich durcheinander hindurch schieben, ähnlich wie dies bei Meteorströmen der Fall ist. Demgemäss ist denn auch meine Methode des Suchens nach gemeinschaftlicher Eigenbewegung eine andere, als die von Proctor befolgte, rein chartographische, bei welcher Richtung und Grösse der Eigenbewegung durch Richtung und Länge eines Pfeils angegeben werden. Ich berechne dagegen den Pol des grössten Kreises, in welchen die Eigenbewegung fällt, um zu sehen, ob eine Reihe von solchen Polen selbst wieder in auffallender Weise einem grössten Kreise nahe kommt. Der Pol des letzteren Kreises ist eventuell sehr nahe gemeinschaftlicher Schnittpunkt der Convergenz odor Divergenz.

In genauer Copie derjenigen Betrachtungen, welche man zur Berechnung der Wahrscheinlichkeit anstellt, dass einer auffallenden Anhäufung von Sternen auf der Sphäre ein physisches

System entspreche, Betrachtungen, welche bekanntlich bei William Herschel's Entdeckung der wahren Bedeutung der Doppelsterne eine wichtige Rolle gespielt haben, wird hier aus der Anhäufung von Durchschnittspunkten die Wahrscheinlichkeit beurtheilt, dass letztere nicht rein zufällig sei, sondern dem Radiations-Punkte eines partiellen Systems entspreche. Es werden eben hier für die Sterne und ihre Vertheilung auf der Sphäre die Durchschnittspunkte der Eigenbewegungen und ihre Vertheilung, für das physische System der Radiationspunkt substituirt.

Der Radiationspunkt der Convergenz ist derjenige Punkt der Sphäre, welchem sich der scheinbare Ort zu einem Systeme gehörigen Sterne unausgesetzt und asymptotisch nähert, so lange nicht die Wirkung der beschleunigenden Kräfte merklich hervortritt. Dadurch unterscheidet sich der Radiationspunkt von einem einfachen Durchschnittspunkte der Convergenz, dass er die äusserste Grenze scheinbaren Bewegung vorstellt, welche niemals überschritten werden kann. Der Radiationspunkt der Convergenz ist aber zugleich der Zielpunkt derjenigen Richtung, in welche das Maximum der die Sonne fliehenden räumlichen Bewegung eines Sterns fällt, oder kurzweg das Maximum der relativen Geschwindigkeit, wenn man einer die Entfernung vergrössernden das positive Vorzeichen giebt. Gemeinschaftlicher Radiationspunkt bedeutet hier zwar Parallelismus, aber nicht Gleichheit der Bewegungen, indem die Radianten zweier oder mehrerer Systeme bloss optisch verbunden sein könnten. In der Praxis ist dies aber ebenso selten zu erwarten, als optisch verbundene Sternhaufen und Nebelflecke.

Der bedeutendste Unterschied zwischen den

Untersuchungen Proctor's und den meinigen
zeigt sich aber darin, dass bei der ersteren das
Aufsuchen gemeinschaftlicher Bewegungen, wenigstens bis jetzt noch als Ziel erscheint, bei
welchem stehen geblieben wird, während mir
die Bestimmung von Parallaxen und Geschwindigkeiten den Zweck der Untersuchungen ausmacht. Es lässt sich nämlich leicht zeigen, dass,
wenn in einem Systeme eine einzige Geschwindigkeit, gleichgiltig, ob in der Gesichtslinie oder
senkrecht dazu, oder eine Parallaxe, bekannt geworden ist, daraus die Parallaxen und die Geschwindigkeiten a l l e r Sterne desselben Systems
nach jeder beliebigen Richtung zerlegt, folgen.

Nach dem Grundsatze, dass alle Geschwindigkeiten nur als relative zu betrachten sind,
dass aber durch diesen Umstand nicht unstatt-
haft wird, dass wir sie wie absolute projiciren
und zerlegen, ist es erlaubt, die Bewegung der
Sonne auf die Sterne zu übertragen, indem man
erstere in Ruhe denkt. Die Erscheinungen der
Eigenbewegungen gestalten sich dann genau eben
so, als wenn die Sonne in absoluter Ruhe wäre,
und die Sterne eine absolute Bewegung in der
Richtung, in welcher wir den Radiationspunkt
der Convergenz sehen, besässen. Die Erscheinungen im wirklichen und fingirten Falle decken sich in jeder Beziehung so vollständig, dass
ein Schluss auf das wirkliche Verhalten nur mit
Wahrscheinlichkeitsgründen zu führen ist. Es
sei nun V die totale relative Geschwindigkeit
zur Sonne, welche der Schwerpunkt eines Systems von Sternen besitzt, Q und Q' seine beziehungsweise die Winkelabstände zweier Sterne
des Systems vom Convergenzpunkte, π und π'
deren Parallaxen, R und R' die Geschwindigkei-

ten im Vislousradius, E und E' die Eigenbewegungen, so hat man:

1) $$\frac{\pi'}{\pi} = \frac{E'}{E} \cdot \frac{\sin Q}{\sin Q'}$$

2) $$\frac{R'}{R} = \frac{\cos Q'}{\cos Q}$$

3) $$R \tang R = \frac{E}{\pi}, \quad R' \tang Q' = \frac{E'}{\pi'}$$

u. s. w.

In den Gleichungen 1) und 3) eröffnen sich
zwei neue Wege zur Parallaxenbestimmung, wenn
ein System vorliegt; der erste davon setzt die
Kenntniss einer Parallaxe in dem System voraus, der zweite die Messung eines Werthes von
R mittelst Spectral-Analyse, unter Anwendung
des Doppler'schen Princips. Eine bemerkenswerthe Eigenthümlichkeit beider Bestimmungs-
arten ist es, dass die Kleinheit der Parallaxe
kein so grosses und directes Hinderniss für deren Bestimmung mehr abgiebt, als sonst der
Fall; dies giebt besonders von der spectral-analytischen Methode. Die letztere hat aber noch
den besonderen Vorzug, dass sie absolute Parallaxen liefert, die man sonst bekanntlich nur
sehr schwer erhalten kann.

Es hat sich mir, wie man später sehen wird,
eine Gelegenheit geboten, Geschwindigkeiten, die
aus Parallaxenwerthen sich ergaben, mit den
Resultaten Huggins'scher Spectral-Untersuchun-
gen zu vergleichen. Die Uebereinstimmung ist,
die Schwierigkeiten der Messungen in Betracht
gezogen, schon ziemlich befriedigend und ermu-
thigt zu der Hoffnung, auf diesem Wege bald
durchaus schätzenswerthe Bestimmungen, auch
von Parallaxen, gewinnen zu können.

Bei diesen Vergleichungen mit Huggins ist
mir nun ein Umstand besonders aufgefallen, wie
übrigens wohl Jedem, der auf das Tableau von
Stern-Bewegungen in den Monthly Notices, Vol.
32, pag. 361 und 362 einen Blick geworfen hat;
es sind nämlich darin durchschnittlich die fliehenden Bewegungen bedeutend kleiner als die
Annäherungsbewegungen zur Sonne. Die selbst-
ständige Bewegung dieser letzteren kann einen
Unterschied dieser Art nicht hervorbringen, weil
sie eben so oft die einen als die andern Bewegungen vergrössern wird, es sei denn, dass auch
die Bewegungen der Fixsterne eine Tendenz zu
einer bestimmten Richtung hätten. Ich möchte
diesen Unterschied bis jetzt aber nicht für reell
halten, bin vielmehr geneigt zu glauben, dass
Huggins alle fliehenden Bewegungen zu klein,
alle Annäherungs-Bewegungen zu gross gefunden hat, und zwar aus folgender Veranlassung.
Seit Anwendung seines grösseren Fernrohrs von
15 Fuss Brennweite hat Huggins die Geissler'-
sche Röhre (vacuum tube), welche zur Vergleichung dient, so gestellt, dass ihre Axe mit der
des Fernrohrs, also mit der Gesichtslinie, zusammenfällt[1]). Zum ersten Male vielleicht, seit
Geissler'sche Röhren und der electrische Funken
für Spectral-Analyse benutzt worden sind, bietet
sich hier Gelegenheit zu der Frage, ob die Geschwindigkeit des electrischen Funkens so gering

---

1) In dem Berichte der Monthly Notices Vol. 32,
heisst es wenigstens: He has therefore had holes drilled
in the telescope tube, 30 inches from the focus, and
causes a holder containing a vacuum tube to be placed
exactly in the optical axis of the telescope. Es ist das
gewiss etwas Anderes, als wenn gesagt wäre, dass der
vacuum tube die optische Axe des Fernrohrs genau in
der Mitte treffe.

ist, dass das Spectrum der Röhre ohne Bedenken als ein einem ruhenden Objecte entsprechendes angesehen werden darf. Das irdische Spectrum rührt hier ganz vorwiegend von dem metallischen Kernfunken her, der, wenn die *H*-Linie verglichen wird, an seinem jeweiligen Orte von einer sehr kleinen glühenden Wasserstoff-Atmosphäre umgeben ist. Alles, was wir bis jetzt vom Blitz und seiner Nachahmung in kleinstem Massstabe, dem electrischen Funken, wissen, lässt der Vermuthung Raum, dass die Ortsveränderung des Kernfunkens in einer Geissler'schen Röhre mit einer keineswegs ganz zu vernachlässigenden Geschwindigkeit vor sich geht; wenn jedoch, wie wohl fast immer bisher geschehen, der Funken nahezu senkrecht zur Gesichtslinie steht, kommt dieser Umstand nicht in Betracht, und es hätte daher nichts Auffallendes, wenn ein merklicher Unterschied dieses Ursprungs bisher unbemerkt geblieben wäre. Mittelst Commutators würde sich die in Rede stehende Correction eliminiren oder nachträglich auch vielleicht bestimmen lassen. Meine Versuche über diese Frage sind noch im Stadium der Vorbereitung. Dass die Huggins'schen Zahlen des neueren Arrangements einer Verbesserung der genannten Art bedürftig seien, machen auch andere Betrachtungen wahrscheinlich; dieselben gestatten zugleich die Grösse derselben, wenn auch nicht frei von allem Einwande, zu schätzen. Zuerst kann man Huggins frühere Messungen am Sirius, bei welchen die Vermuthung obiger Fehlerquelle nicht vorliegt, mit seinen späteren vergleichen. Es fand sich bei ersteren die Geschwindigkeit, mit welcher sich dieser Stern von der Sonne entfernt, 29,4 englische Meilen, bei den spätern dagegen, 18 bis

22, im Mittel also 20 englische Meilen. Hiernach würde auf eine Correction von $x = + 9{,}4$ englische Meilen zu schliessen sein; doch ist zu bedenken, dass die zufälligen Fehler der Huggins'schen Messungen ebenfalls eine solche Grösse erreichen. Bei der folgenden Herleitungsweise der fraglichen Correction geht man ein wenig sicherer, und es wird eine Schätzung des wahrscheinlichen Fehlers des abgeleiteten Werthes möglich.

Bei der Bestimmung der Richtung der Sonnenbewegung ist man von der Annahme ausgegangen, dass die individuellen Sternbewegungen sich in ihrem Einflusse vernichten, wie es Beobachtungsfehler thun, was an sich wahrscheinlich, nachträgliche Bestätigung in der Uebereinstimmung der aus nördlichen und südlichen Sternen gezogenen Resultate gefunden hat. Bezeichnet man nun den Betrag der Sonnenbewegung mit g, und multiplicirt dieselbe mit dem Cosinus des Winkelabstandes eines Sterns von dem mittleren Convergenzpunkte, welcher dem Zielpunkte der Sonnenbewegung im Hercules gegenüber liegt, so wird die Geschwindigkeit des Sterns in der Gesichtslinie, bis auf eine dem Sterne zukommende individuelle Abweichung v, dargestellt werden. Nach der eben erwähnten Annahme würde nun aber die Summe der für eine hinreichend grosse Zahl von Sternen gebildeten Producte $gv \cos Q$, d. h.:

$$\Sigma g v \cos Q$$

gleich null werden, und der wahrscheinlichste Werth von g würde daher derjenige sein, welcher die Summe der Quadrate der anzunehmenden individuellen Geschwindigkeiten, d. h. Σv^2,

zu einem Minimum macht. Diesen Grundsatz
kann man nun auf die Huggins'schen Messungen, unter Vorbehalt einer daran anzubringen-
den Verbesserung x, zur Anwendung bringen.
Ausgeschlossen werden dürfen aber dabei solche
Sterne, deren Eigenbewegung sie von dem mittleren Convergenzpunkte entfernt, bei welchen
daher von vornherein sicher ist, dass sie eine
Ausnahmestellung einnehmen. Es gilt dies hier
von der Gruppe β, γ, δ, ϵ, ζ Ursae maj.

Indem ich den mittleren Convergenzpunkt
der Mädler'schen Bestimmung gemäss annahm
und die Abstände der Sterne von demselben,
den Umständen gemäss, auf dem Globus mecha-
nisch bestimmte, erhielt ich für x und g aus
Huggins Messungen die folgenden 10 Bedingungsgleichungen, welchen hier ein verschiedenes Gewicht nicht beigelegt ist:

Sirius	$0{,}893\,g =$	20	$+\,x$
α Orion	$0{,}659\,g =$	22	$+\,x$
Rigel	$0{,}857\,g =$	15	$+\,x$
Castor	$0{,}259\,g =$	$25{,}5$	$+\,x$
Regulus	$0{,}156\,g =$	$14{,}5$	$+\,x$
Arcturus	$-\,0{,}701\,g =$	$-\,55$	$+\,x$
Wega	$-\,0{,}978\,g =$	$-\,49$	$+\,x$
α Cygni	$-\,0{,}839\,g =$	$-\,39$	$+\,x$
Pollux	$+\,0{,}301\,g =$	$-\,49$	$+\,x$
α Urs. maj.	$-\,0{,}530\,g =$	$-\,53{,}5$	$+\,x$

Die Zahlen der ersten Seiten sind die Bewegungen in der Secunde und in englischen Meilen. Σv^2 wird nun zu einem Mimimum gemacht,
wenn

$$x = 15{,}31$$
$$g = 40{,}92$$

gesetzt wird. Eine Schätzung der wahrscheinlichen Fehler ist, trotz der geringen Anzahl der
untersuchten Sterne doch wohl nicht gänzlich
werthlos; diese Fehler werden beziehungsweise
für x und g

$$\pm 5,57$$
$$\pm 6,61$$

also die Geschwindigkeit unserer Sonne im Fix-
sternraume gleich

$40,92 \pm 6,61$ engl. oder $8,89 \pm 1,44$ geogr. Meilen.

In den Normalgleichungen obiger 10 Bedingungen erscheinen die Unbekannten x und g,
wie es in der Construction jener Gleichungen
begründet ist, beinahe getrennt, so dass eine
Aenderung der Annahme über x für g nahezu
gleichgültig ist, und umgekehrt; nur dass die
wahrscheinlichen Fehler ohne die Voraussetzung
jener Verbesserung x grösser ausfallen würden.
Will man nicht annehmen, dass die individuellen Sternbewegungen zu einer bestimmten Richtung hinneigen, was wenig zu den bisher auf
diesem Gebiete gemachten Erfahrungen stimmen
würde, so ist eine Verbesserung der Huggins'-
schen Messungen, nahezu von der obigen Grösse,
nicht gut abzuweisen. Mit dieser wirklichen
oder vermeintlichen Verbesserung würden nun
aus Huggins Messungen folgende Werthe von R,
der Geschwindigkeit in der Gesichtslinie erhalten:

Sirius	$+ 33,3$	bis	$+ 37,3$	engl.	Meilen
α Orionis		$+ 37,3$		»	»
Rigel		$+ 30,3$		»	»

Castor	$+38{,}3$	bis	$+43{,}3$	engl.	Meilen
Regulus	$+27{,}3$	»	$+32{,}3$	»	»
β Urs. maj.					
γ » »					
δ » »	$+32{,}3$	»	$+36{,}3$	»	
ε » »					
ζ » »					
Arcturus	$-39{,}7$				
Wega	$-28{,}7$	bis	$-38{,}7$	»	
α Cygni	$-23{,}7$				
Pollux	$-33{,}7$				
α Urs. maj.	$-30{,}7$	bis	$-45{,}7$	»	

Man sieht auf den ersten Blick, dass in diesem corrigirten Tableau ein Uebergewicht der positiven über die negativen Werthe nicht mehr in auffallender Weise vorhanden ist. Ich werde diese Zahlen nun zur Illustration der Anwendungen der Gleichungen 1) und 3) benutzen.

Zuerst wandte ich meine Methode, gemeinschaftliche Durchschnittspunkte der Eigenbewegungen zu suchen, auf diejenigen der Bessel'schen Fundamentalsterne an, deren jährliche Eigenbewegung nach dem Mädler'schen Katalog Bradley'scher Sterne $0''{,}15$ erreicht. Andere Neubestimmungen waren mir nicht zur Hand; auch gilt diese Quelle für die Eigenbewegungen als so zuverlässig, dass ich mich vorläufig ganz darauf beschränken durfte. Es zeigte sich nun sofort, dass die Eigenbewegungen von vier der hellsten Sterne des uns sichtbaren Himmels, nämlich von

Wega
Capella
Sirius
Fomalhaut

sehr nahe sich in einem Punkte der Kugel schneiden.

Der Durchschnittspunkt der Convergenz liegt
unter:

$$AR. = 92°32'4,. \quad Decl. = -32°24',0$$

Ich stelle die daraus berechneten Positionswinkel der Eigenbewegungen und die beobachteten des Katalogs zur Vergleichung neben einander, unter Hinzufügung des Betrags der jährlichen Eigenbewegung:

	Ber. Pos. Winkl.	Beob. Pos. Winkl.	Eigenbeweg.
Wega	36°56',5	37°6'	0'',349
Capella	166 11 ,8	166 0	0 ,438
Sirius	200 43 ,5	200 42	1 ,329
Fomalhaut	127 42 ,1	126 12	0 ,396

Um vollständige Uebereinstimmung der Positionswinkel zu haben, müssten an die Eigenbewegungen in den Coordinaten folgende Cor-
rectionen angebracht werden, deren Einheit, wie
vorhin, die Bogensecunde ist:

Bei Wega	$\Delta\alpha = -0'',0015$	$\Delta\delta = +0'',0009$
» Capella	$-0 ,0011$	$\pm 0 ,0000$
» Sirius	$\pm 0 ,0000$	$\pm 0 ,0000$
» Fomalhaut	$-0 ,0083$	$-0 ,0092$

Es kommt nun darauf an, eine in der Praxis
nicht allzuschwer zu handhabende Schätzung der
Wahrscheinlichkeit zu gewinnen, dass die Uebereinstimmung kein Werk des Zufalls sei. Für
diese Wahtscheinlichkeit nun kann die andere
substituirt werden, dass der wahrscheinliche Fehler der Lage des Radiationspunktes, in einem
grössten Kreise genommen, an Grösse den mitt-

leren gegenseitigen Abstand von Durchschnittspunkten der Convergenz in der Gegend des Radiationspunktes erreicht. Es ist klar, dass diese
Convergenzpunkte näher an einander rücken
werden, wenn die Entfernung vom mittleren Radiationspunkt kleiner wird; die Function, welche diese Verdichtung ausdrückt, kann freilich
nur durch eine sehr langwierige Untersuchung
der Vertheilung der Convergenzpunkte auf der
Sphäre mit hinreichender Sicherheit ermittelt
werden. Man kann hier von der letzteren Forderung aber deswegen absehen, weil es vorzüglich darauf ankommt, dass nicht Zufall, sondern
Causal-Nexus die besondere Anhäufung bewirkt,
und weil, wenn aus einem besonders kleinen
wahrscheinlichen Fehler auf Causal-Nexus zu
schliessen ist, kaum noch ein Zweifel obwalten
kann, worin derselbe besteht. Es ist nun hier
nicht zu übersehen, dass der wahrscheinliche
Fehler eine analytische und numerische angebbare Grösse vorstellt, welche als Maass für die
Verdichtung in gleichem Grade brauchbar ist,
ob viele oder ob wenige Durchschnittspunkte in
Frage kommen, also z. B. auch dann, wenn nur
drei Sterne *a*, *b* und *c* untersucht werden; bei
bloss zwei Sternen wird nach der Natur der
Sache jener Fehler unbestimmbar. Die Zuläss-
sigkeit aber, den wahrscheinlichen Fehler in der
eben angegebenen Weise zu gebrauchen, ist unabhängig von der Frage nach der Realität des
betreffenden Systems; denn man kann sagen:
ein derartiges System existirt gewiss, aber mit
welchen individuellen Unterschieden in den Bewegungen der einzelnen Sterne, das ist die Frage.
Dem sachlichen Inhalte nach drückt es dasselbe
aus, ob angenommen wird Existenz des Systems,
aber mit sehr starken Individualitäten, d. h. gro-

ssen Beobachtungsfehlern, oder ob dieselbe geleugnet wird, der Unterschied zwischen System und Nicht-System, kann immer, statt als ein spezifischer, als ein gradativer aufgefasst werden. Die Sicherheit von Folgerungen für Parallaxen und Geschwindigkeit hängt aber stets von der Grösse des wahrscheinlichen Fehlers ab; je kleiner derselbe wird, desto seltener wird man durchschnittlich einen Irrthum begehen. Von der Wahrscheinlichkeit des Systems selbst ist natürlich die, dass ein bestimmter Stern dazu gehöre, wohl zu unterscheiden; letztere ist nach der Stärke der Individualität zu beurtheilen, welche sich in der Eigenbewegung desselben äussert.

Bei obigen vier Sternen ergiebt sich der wahrscheinliche Fehler in der Lage des Radianten mit Rücksicht auf die verschiedene Grösse der Eigenbewegungen nahezu $^1/_6$ Grad. Unter den Bessel'schen Fundamentalsternen erreichen nun überhaupt nur 21 eine Eigenbewegung über $0'',15$ jährlich; es entsprechen denselben 210 Durchschnittspunkte der Convergenz, so dass bei gleichmässiger Vertheilung derselben auf je 62,53 Quadratgrade der Kugel ein einziger Durchschnittspunkt fallen würde. Diese Vergleichung ist zu Gunsten der Wahrscheinlichkeit, dass Wega, Capella, Sirius und Fomalhaut entweder zu einem System gehören, oder doch ihre Bewegungen so beschaffen sind, als wenn dies der Fall wäre. Für die praktischen Folgerungen, die ich ziehe, kommt Beides auf das Nämliche hinaus.

Die Abstände der Sterne von ihrem Radiationspunkt der Convergenz unter $92°32',4$ der AR und $32°24',0$ südlicher Declinat. (Aeq. von 1850,0) sind nun

bei Wega 127°21',0
» Capella ,79 35 ,4
» Sirius 17 8 ,1
» Fomalhaut 90 57, 7,

daher ergiebt die Gleichung 1)

Parallaxe von Capella = 0,16987 mal Parallaxe von Wega.
Parallaxe von Sirius = 1,7205 mal Parallaxe
von Wega.
Parallaxe von Fomalhaut = 0,15107 mal Parallaxe von Wega.

Die Parallaxe von Wega ist von mehreren
der ausgezeichnetsten Beobachter fast ganz übereinstimmend gemessen worden, so dass die Annahme

Parallaxe von Wega = 0'',180 w. F. = $\pm$ 0'',008

grosses Vertrauen verdient. Hieraus ergiebt sich
dann

Parallaxe von Capella = 0'',0306 $\pm$ 0'',0014
» » Sirius = 0 ,3097 $\pm$ 0 ,0138
» » Fomalhaut = 0 ,0272 $\pm$ 0 ,0012

Die Bestimmung dieser letztern wahrscheinlichen Fehler ist nicht ganz streng, aber doch
hinreichend genähert. Die Werthe für Capella
und Fomalhaut bedeuten so viel, als dass diese
Parallaxen für die gewöhnliche directe Bestimmung unmerklich sind, was mit der bisherigen
Erfahrung im Einklange ist. Der für Sirius
erhaltene Werth unterscheidet sich von demjenigen, welchen Gyldén aus Reduction der Ma-

clear'schen Beobachtungen abgeleitet hat, nämlich:

$$0'',193 \pm 0'',087$$

bis auf nahezu die Summe der beiderseitigen
wahrscheinlichen Fehler. Es ist also hier wenigstens kein Widerspruch vorhanden. Im Uebrigen scheinen mir aber Gründe, welche ausserhalb der Gyldén'schen Rechnung liegen, für einen wirklich wohl etwas grösseren Werth der
Sirius-Parallaxe, als der letzerwähnte, zu sprechen. Abgesehen davon, dass Maclear selbst
früher 0'',23 gefunden hat, liegt es auch ziemlich nahe zu vermuthen, dass die Bestimmung
der Masse des lichtschwachen Begleiters des
Sirius vorzüglich deshalb auf die ungewöhn-
liche und bis jetzt nicht gerade wahrscheinliche
Grösse von 6,71 Sonnen-Massen geführt hat,
weil eben eine zu kleine Parallaxe zu Grunde
gelegt ist. Legt man der Massenbestimmung
den Werth 0'',3097 für die Parallaxe zu Grunde,
so erhält man die nach meiner Meinung wahr-
scheinlicheren Werthe:

Masse des Sirius   = 3,3165 Sonnen-Massen.
  »   »   Begleiters = 1,6240   »   »

Ich gehe nun zu der Bestimmung der Geschwindigkeiten der Sterne und ihre Vergleichung mit Huggins'schen Messungen über.

Es sei P die zum Gesichtsradius senkrechte
Geschwindigkeit in englischen Meilen, E die jährliche Eigenbewegung, so ist unter Zugrundelegung des Werthes von

91,520000 engl. oder 19,884000 geogr. Meilen

für den Halbmesser der Erdbahn:

$$\log. \; P = 0{,}46242 + \log. \frac{E}{\pi}.$$

Bei Wega ergiebt sich

$$P = 5{,}6231$$

die nach dem Convergenzpunkte gerichtete Geschwindigkeit

$$V = 42{,}241$$

die Geschwindigkeit im Visionsradius

$$R = V \cos. \; Q = -41{,}856.$$

Bei dem Sirius ergiebt sich die Geschwindigkeit im Visions-Radius, da sein Werth von Q = $17^{\circ}8'{,}1$ ist, gleich

$$+ 40{,}366 \text{ engl. Meilen.}$$

Aus den Huggins'schen Messungen fand ich oben diese Geschwindigkeiten im Visions-Radius

bei Wega — 28,7 bis — 38,7 engl. Meilen
» Sirius + 33,3 » + 37,3 » »

Die Uebereinstimmung ist gut, kann aber allerdings, da letztere Zahlen nicht die unmittelbare Angabe von Huggins sind, sondern erst durch eine Correction erhalten wurden, auch leicht als eine künstliche, gemachte, erscheinen.

Um auch ein Beispiel der Anwendung von Gleichung 3) zur Bestimmung von absoluten Parallaxen aus der Spectral-Analyse zu geben, behandele ich das System β, γ; δ, ε, ζ Urs. maj. Grosse Sicherheit kann hier vorläufig aus nahe liegenden Gründen nicht gewonnen werden, besonders deshalb, weil vier von diesen Sternen, nämlich β, δ, ϵ, ζ sehr nahe in der Richtung ihrer Eigenbewegungen gruppirt sind, die Eigenbewegungen sich demnach unter sehr spitzen Winkeln schneiden, und noch dazu diese Bewegungen ziemlich klein sind. Dies Alles erschwert die Bestimmung des Radiationspunktes und macht dieselbe unsicher; ein paar Combinationen führen sogar auf Lagen des Radianten, die mit der Zusammengehörigkeit zu einem System sich durchaus nicht vertragen würden, indem einige Sterne des Systems sich ihm näherten, während andere sich entfernen.

Nach Mädler's Katalog sind die jährlichen Eigenbewegungen und Positionswinkel

bei	β Urs. maj.			0'',084	90° 0'
»	γ	»	»	0 ,110	87 24
»	δ	»	»	0 ,150	99 36
»	ϵ	»	»	0 ,149	107 18
»	ζ	»	»	0 ,171	109 6

Die Lage des Radianten der Convergenz ergiebt sich im Mittel aus den Combinationen γ und β, γ und δ, γ und ϵ, γ und ζ wie folgt:

Rectascension $= 218°53'$. Decl. $= + 44°29'$

und die einzelnen Abstände von diesem Punkte, oder die Werthe von Q:

für	β	$Q =$	36°13'
»	γ	»	28 48
»	δ	»	26 15
»	ϵ	»	20 53
»	ζ	»	16 40

Die **totalen** Geschwindigkeiten, relativ zur Sonne, ergeben sich aus Huggins Messungen, wieder mit Anbringung der hypothetischen Verbesserung, der Reihe nach zu:

$$
\left.\begin{array}{l}
40{,}04 \quad \text{bis} \quad 44{,}99 \\
36{,}86 \quad \text{»} \quad 41{,}42 \\
36{,}01 \quad \text{»} \quad 40{,}47 \\
34{,}57 \quad \text{»} \quad 38{,}85 \\
33{,}72 \quad \text{»} \quad 37{,}89
\end{array}\right\} \text{ engl. Meilen,}
$$

im Mittel zu 36,24 bis 40,27 engl. Meilen. Als Werthe von *P*, d. h. der transversalen Geschwindigkeiten, ergeben sich hieraus:

$$
\left.\begin{array}{l}
21{,}41 \quad \text{bis} \quad 23{,}79 \\
17{,}46 \quad \text{»} \quad 19{,}40 \\
16{,}03 \quad \text{»} \quad 17{,}81 \\
12{,}92 \quad \text{»} \quad 14{,}35 \\
10{;}39 \quad \text{»} \quad 11{,}55
\end{array}\right\} \text{ engl. Meilen.}
$$

Es ist nun:

$$
\log. \frac{\pi}{E} = 0{,}46242 - \log. P
$$

und es ergeben sich daher folgende absolute Parallaxen:

$$
\begin{array}{llllll}
\text{für } \beta \text{ Urs. maj.} & \dots & 0''{,}0102 & \text{bis} & 0''{,}0114 \\
\text{» } \gamma \text{ » » } & \dots & 0\ {,}0164 & \text{» } & 0\ {,}0183 \\
\text{» } \delta \text{ » » } & \dots & 0\ {,}0244 & \text{» } & 0\ {,}0271 \\
\text{» } \varepsilon \text{ » » } & \dots & 0\ {,}0301 & \text{» } & 0\ {,}0334 \\
\text{» } \zeta \text{ » » } & \dots & 0\ {,}0429 & \text{» } & 0\ {,}0477
\end{array}
$$

An dem Verhältniss dieser Parallaxen zu einander lässt sich nicht wesentlich ändern, wenigstens nicht in gleichmachendem Sinne, sollen

nicht die Huggins'schen Messungen gleichsam
cassirt werden. Der Radiationspunkt der Convergenz liegt vielleicht der Gruppe näher, muss
aber im Osten derselben bleiben, weil er nicht
innerhalb und nicht westlich derselben liegen
kann; in letzterm Falle würde er nicht mehr der
Convergenzpunkt bleiben können, die Werthe
von Q würden, einige oder alle, in den zweiten
Quadranten fallen, und die Bewegungen im Gesichtsradius könnten nicht mehr sämmtlich flie-
hende sein. Würden aber die Werthe von Q
näher gleich 90^0, wobei dann die Parallaxen ungefähr im Verhältniss der Eigenbewegung stehen würden, so könnten die Bewegungen im
Gesichtsradius von Huggins nicht mehr nahe
gleich gefunden 'worden sein. Weil nun aber
die obigen Parallaxen dem System eine sehr bedeutende Ausdehnung im Raum geben würden,
halte ich dafür, dass der Radiationspunkt der
Convergenz in Wirklichkeit der Gruppe etwas
näher liegen dürfte, als der oben angenommene.
Hierbei würden dann die Parallaxen grösser
werden, besonders die von ζ Urs. maj., die vielleicht, trotz der nicht starken Eigenbewegung
eine durchaus merkliche ist[1]). Auch die bekanntlich sehr langsame Umlaufsbewegung des
nächsten Begleiters von ζ Urs. maj. kann nicht
als entscheidendes Argument für die Kleinheit
der Parallaxe geltend gemacht werden, weil der
Projectionswinkel zwischen dem Radius Vector
und der Distanz (14'') uns ja gänzlich unbe-

1) Nur die relativen Parallaxen von Mizar und Alcor
zu einander sind gemessen und zum Beweise, dass das
Instrument (das Königsberger Heliometer) richtige Resultate liefert', gleich Null gefunden worden. Bekanntlich
sind genannte Sterne physisch verbunden, auch hat Mizar noch einen andern Begleiter von 14'' Distanz.

kannt ist, der Radius Vector also recht gut sehr
viel grösser sein kann. Es könnte daher leicht
sein, dass der Versuch, die Parallaxe direct zu
messen, sei es nun am Hauptstern, oder am nächsten Begleiter, oder an Alcor, sich als lohnend
erweise.

Da bei diesen Sternen das Zusammenrücken
der Durchschnittspunkte keineswegs so sehr auffallend wird, so musste die Spectral-Analyse als
eine wesentliche Stütze für die Zusammengehörigkeit herangezogen werden, jedoch in noch
etwas anderer Weise, als ich dies bisher gefunden habe. Nach den oben angestellten Betrachtungen ist durchaus nicht erforderlich, dass die
Geschwindigkeiten im Visions-Radius gleich
werden; sie können sogar bei einigen Sternen
des Systems das positive, bei andern das negative Vorzeichen haben, je nachdem dieselben dem
Convergenzpunkte oder dem Divergenzpunkte
näher stehen. Es ist deshalb vor allen Dingen,
bei Fällen wie der vorliegende, zu untersuchen,
ob sich der Convergenzpunkt nicht wenigstens
annäherungsweise bestimmen lässt, und wenn
dies, wie hier, möglich ist, ob die Bewegungen
das richtige Vorzeichen haben. Die Wahrscheinlichkeit, dass bei n Sternen das Vorzeichen durch
Zufall so gefunden wird, wie es die Hypothese
verlangt, ist gleich $\left(\frac{1}{2}\right)^n$, daher die Wahrscheinlichkeit der Hypothese, nach dem Ergebniss der
Spectral-Analyse bei blosser Berücksichtigung
des Vorzeichens beurtheilt, gleich $1-\left(\frac{1}{2}\right)^n$. Letztere Wahrscheinlichkeit wird daher im gegen-
wärtigen Falle gleich $\frac{31}{32}$, wenn man für gewiss
ansieht, dass alle Sterne vom Convergenzpunkt
weniger als 90° entfernt sind. Kann man über
die Lage der beiden Radianten aber nicht ein-

mal so viel ermitteln, so sieht es mit der Hypothese überhaupt misslich aus.

Mit Recht legt Huggins Gewicht auf den Umstand, dass die Spectra von β, γ, δ, ε, ζ Urs. maj. einem und demselben Typus angehören; als Vorbedingung der Zusammengehörigkeit möchte ich jedoch die Uebereinstimmung dieser Art nicht betrachten, angesichts der oft so bedeutenden Farben-Unterschiede der Doppelstern-Componenten.

Schliesslich habe ich noch Einiges über Anwendungen der Gleichung 1) zu sagen. Wie schon bemerkt, ist die Wahrscheinlichkeit, dass ein bestimmter Stern zu einem bestimmten Radianten gehört, von der Wahrscheinlichkeit, dass ein partielles System vorliege, zu unterscheiden. Ist doch auch z. B. die Wahrscheinlichkeit, dass Aldebaran ein Glied des Hyadensystems sei, verschwindend klein gegen die Wahrscheinlichkeit, dass letzteres System überhaupt existire. Die Wahrscheinlichkeit, dass ein Stern zu einem gegebenen Radianten der Convergenz gehöre, ist abhängig von der Fläche des Kugelzweiecks, welches zwischen dem berechneten und dem beobachteten Positionswinkel liegt, (wobei jedoch der wahrscheinliche Fehler der Beobachtung berücksichtigt werden muss, um nicht auf absurde Resultate geführt zu werden) specieller von dem Inhalte an Radianten, welcher im Mittel einem solchen Streifen zukommt, für eine bestimmte Kategorie genommen.

Die vollständige Durchführung dieser ganzen Wahrscheinlichkeitsberechnung wird aber sehr mühsam, wenn nicht vorher die Untersuchung über die Vertheilung der Durchschnittspunkte ihre Erledigung gefunden hat. Am besten würde dies durch einen Catalog von Durchschnittspunkten der gut bekannten Eigenbewegungen geschehen.

Vorläufig kann nur als Princip für die Berechnung der gesuchten Wahrscheinlichkeit, dass ein Stern zu einem bestimmten Systeme gehöre, ausgesprochen werden. Diese Grösse ist proportional der Wahrscheinlichkeit, dass die übrigen Sterne des Systems in dem Kugelstreifen ihren Radianten haben und dass nicht noch zufällig ein anderer voller Radiant in diese Fläche falle.

Dieses Princip lässt nun auch eine Anwendung auf diejenigen Sterne zu, deren starke Eigenbewegung nach dem mittleren Convergenzpunkte unter

$$AR = 81^{\circ}39' \quad Decl. = -39^{\circ}54'$$

gerichtet ist. Von solchen Sternen wird es wahrscheinlich, dass sie zu denen von schwächster individueller Bewegung unter den Fixsternen gehören und dass ihre Eigenbewegung ganz oder zum allergrössten Theile von der Bewegung der Sonne herrührt. Man kann auch in einem solchen System nach Gleichung 1) Parallaxen-Verhältnisse schätzen, oder auch nach 3) Messungen aus der Spectral-Analyse benutzen, letztere aber auch durch eine Annahme über die Geschwindigkeit der Sonne ersetzen. Ein heuristischer Werth dürfte dieser letzteren Art des Schätzens von Parallaxen wohl nicht abzusprechen sein, und ich werde sie daher ebenfalls durch ein Beispiel illustriren.

Die Eigenbewegungen von 54 Cassiop., ω Drac., p Ophiuchi und 61 Virgin. haben unter anderen die genannte Eigenschaft. Die Abstände vom mittleren Convergenzpunkte finde ich beziehungsweise

116°56' bei der Eigenbewegung 0″,387
151 3   »   »   »   0 ,295

141°59 bei der Eigenbewegung 1″,108

97 22 » » » 1 ,449

Setzen wir nun die Sonnenbewegung, um consequent zu bleiben, wie oben, gleich 40,92 $\pm$ 6,61 engl. Meilen, so kommen wir auf folgende Werthe der Transversalgeschwindigkeiten P:

18,53 $\pm$ 2,99 engl. Meilen

19,81 $\pm$ 3,20 » »

25,20 $\pm$ 4,07 » ~

40,58 $\pm$ 6,56 » ·»

wornach die Parallaxen wahrscheinlich liegen würden:

für 54 Cassiop. zwischen 0″,0522 und 0″,0722

» ω Drac. » 0 ,0412 » 0 ,0571

» p Ophiuchi » 0 ,1098 » 0 ,1521

» 61 Virgin. » 0 ,0891 » 0 ,1235

Vortreffliche, sehr sichere Messungen der Parallaxe von p. Ophiuchi hat Krüger am Heliometer der Bonner Sternwarte ausgeführt und als Werth derselben

0″,162 mit dem wahrscheinlichen Fehler $\pm$ 0″,0071 abgeleitet. Sollte die vorhergehende Rechnung ebenfalls diesen Werth geben, so musste die angenommene Sonnenbewegung um nahe $1/5$ ihres Betrages vermindert und zu

32,21 engl. oder 6,997 geogr. Meilen angenommen werden. Diese Vergleichung macht es wahrscheinlich, dass auch die Parallaxe von 61 Virginis merklich ist und nahezu $1/8$ Secunde erreicht. Es wäre sehr verdienstlich, wenn auf südlichen Sternwarten genannter Stern in letzterer Hinsicht untersucht würde; für Mittel-Europa ist seine Declination einem solchen Unternehmen wenig günstig.

Göttingen, den 3. Mai 1873.

Nachrichten

von der Königl. Gesellschaft der Wissenschaften und der G. A. Universität zu Göttingen.

18. Juni.   № 14.   1873.

Königliche Gesellschaft der Wissenschaften.

Beiträge zur Symbolik der Griechen und Römer.

Von

Friedrich Wieseler.

I.

Ein eigenthümliches Sühnopfer.

Bei Laurentius Lydus de mens. IV, 45 steht geschrieben: ἐν δὲ τῇ Κύπρῳ πρόβατον κωδίῳ ἐσκεπασμένον συνέθυον τῇ Ἀφροδίτῃ· ὁ δὲ τρόπος τῆς ἱερατείας ἐν τῇ Κύπρῳ ἀπὸ τῆς Κορίνθου παρῆλθέ ποτε. Es ist auffallend, dass Niemand an diesen Worten Anstoss genommen hat, weder einer der Herausgeber, noch W. Engel Kypros II, S. 263 fg., noch Adam Flasch Angebliche Argonautenbilder, München 1870, S. 7 fg., der seltsamerweise dieselben anführt, um die Beziehung bildlicher Darstellungen einer auf einem Widder sitzenden Frau auf Aphrodite zu bestätigen. Was soll denn συνέθυον bedeuten? Fasste man es etwa in der Bedeutung »sie opferten zugleich mit der Hera« oder »ebenso wie der Hera«? Unmittelbar vorher heisst es: *ἐπμάω δὲ ἡ Ἀφροδίτη τοῖς αὐτοῖς, οἷς καὶ ἡ Ἥρα.* Aber es liegt ja — um Anderes zu geschweigen — klar zu Tage, dass die obigen Worte einen Gegensatz zu diesen bilden sollen. Was hat es ferner für eine Bewandtniss mit dem Ausdruck *πρόβατον κωδίῳ ἐσκεπασμένον*? Kann damit gesagt sein sollen, »dass man der Aphrodite auf Kypros gern ein Schaaf mit einem wolligen Fliess opfere« (Engel a. a. O. S. 155)? Die Worte können doch nur bedeuten, dass das Schaf mit einem anderen Schaf- oder einem Widderfelle bedeckt gewesen sei; und das wäre mehr als auffallend. Ohne Zweifel ist die Stelle verderbt und zu lesen: *προβάτου κωδίῳ ἐσκεπασμένον σῦν ἔθνον.* Ueber Schweineopfer an Aphrodite, namentlich auf Kypros, genügt es auf Engel a. a. O. S. 155 fg. zu verweisen. Das Bedecken des zu opfernden Ebers mit einem Fell jener Art ist sehr merkwürdig. Man erinnert sich unwillkürlich daran, dass bei einem feierlichen Bittgang zu Zeus Aktaios auf dem Pelion *τῶν πολιτῶν οἱ ἐπιφανέστατοι καὶ ταῖς ἡλικίαις ἀκμάζοντες* erschienen *ἐνεζωσμένοι κώδια τρίποχα καινά* (Dicaearch. p. 408 ed. Fuhr, Fragm. histor. ed. C. Müller II, p. 262). Vgl. auch Engel a. a. O. S. 264. Dass der Eber sich auf den beziehe, durch welchen Adonis gefallen sein sollte, bemerkte schon Engel a. a. O. S. 156.

II.

Ueber den Schmuck am Gewande des Pheidias'schen Zeus.

Bei Pausanias V, 11, 1 wird in Beziehung auf Pheidias' goldelfenbeinernes Bild des Zeus zu Olympia gesagt: *τῷ δὲ ἱματίῳ ζῴδια τε καὶ τῶν ἀνθέων τὰ κρίνα ἐστὶν ἐμπεποιημένα.* Man beruhigt sich jetzt bei der handschriftlichen Lesart *κρίνα,* auch Overbeck, zuletzt in der Griech. Kunstmyth. I, S. 561 fg., Anm. 46. Aber galten denn die Lilien absolut als die schönsten und prächtigsten aller Blumen?[1]). Und wenn dem keineswegs so ist, lässt sich etwa eine specielle Beziehung der *κρίνα* zu Zeus nachweisen? Warum wurde ferner von den Blumen nur e i n e Gattung gewählt[2]), während doch von »Thieren« die Rede ist, was offenbar auf verschiedene Arten deutet, und *τὸ σκῆπτρον μετάλλοις τοῖς πᾶσιν ἠνθισμένον* war? Auch hätte man gern ein Adjectivum, welches zugleich eine genauere Bestimmung zu *ζῴδια* böte. Ich meines Theils zweifele nicht, dass zu lesen ist: *τὰ κρείσσονα,* »die vorzüglicheren, angeseheneren«. Der

Fehler entstand, indem geschrieben war: κρείσσον̄ να.

III.

Ueber den Eichenkranz bei Zeus (Juppiter)

hat zuletzt Overbeck Griech. Kunstmyth. I, S. 231 in verdienstlicher Weise ausführlich und eingehend gesprochen. Nichts destoweniger sind noch manche Punkte dunkel geblieben.

Overbeck bemüht sich darzuthun, dass der Eichenkranz wesentlich locale Beziehung habe, und die mit demselben versehenen bildlichen Darstellungen des Zeus möglichst auf den Gott von Dodona zurückzuführen. Selbst der Juppiter auf dem zuletzt von mir in den Denkm. d. a. Kunst II, 66, 841 herausgegebenen und behandelten Sarkophagrelief zu Neapel soll der Dodonäische sein.

Es kann aber kaum einem Zweifel unterliegen, dass in der späteren Griechisch-Römischen Kunst der Eichenkranz keineswegs auch nur hauptsächlich zur Bezeichnung des Gottes von Dodona dient. Ein von Overbeck nicht beachtetes wichtiges Zeugniss lehrt ihn uns ausdrücklich als Attribut des Juppiter Victor kennen. Ja es giebt noch eine ebenfalls von Overbeck übersehene Schriftstelle, aus welcher mit grösster Wahrscheinlichkeit geschlossen werden kann, dass der Eichenkranz schon in früherer Zeit einem barbarisch-hellenischen Gotte, dem Zeus Stratios, als Attribut gegeben wurde, dass wenigstens die Eiche diesem heilig war.

Diese Stelle ist die des Plinius Nat. hist. XVI, 239: In Ponto circa Heracleam arae sunt Jovis Στρατίου cognomine; ibi quercus duae ab Hercule satae. Das erst erwähnte Zeugniss findet sich in einer Inschrift von Constantine (Cirta), welche zuletzt herausgegeben ist von W. Fröhner Mus. impér. du Louvre, Notice de la sculpt. ant., Vol. I, n. 29, p. 59 fg.: Jovis Victor argenteus in Kapitolio, habens in capite coronam argenteam querqueam folior. XXX, in qua glandes n. XV.

Schon Preller bemerkte Röm. Mythol. S. 177 Anm. 2, d. erst. Ausg., dass man ohne Zweifel ein Vorbild des Römischen Capitols anzunehmen habe. Hienach kann man geneigt sein, die cylindrische Ara bei Clarac Mus. de sc. pl. 254, 570, zuletzt besprochen von Fröhner a. a. O. n. 40, S. 70 fg., auf den Juppiter Victor zu beziehen, da an derselben ein Adler mit ausgebreiteten Flügeln auf einem Eichenkranze mit lemnisci dargestellt ist[3]).

Freilich steht das keinesweges ganz sicher. Es ist nach Livius I, 10 durchaus nicht unwahr-

scheinlich, dass auch einem anderen kriegeri-
schen Juppiter Roms, dem Feretrius, die Eiche
(quercus) geheiligt war.

Dazu kommt der Juppiter Capitolinus selbst.
Dass diesem die Eiche heilig war, dass ein Eichenkranz in dem Capitolinischen Agon als
Kampfpreis gegeben wurde, steht fest. Wir haben aber in diesen Nachrichten 1872, S. 276 fg.
noch ausserdem darzuthun versucht, dass auch
die beiden wichtigsten Juppiterstatuen des Capitolinischen Tempels mit dem Eichenkranze geschmückt waren, die eine wenigstens ursprünglich, und vielleicht neben dem Lorbeerkranz oder
der Binde auch noch später dann und wann [4]).

Dass auch Juppiter Capitolinus als ein Sieg
und Triumph verleihender Gott gedacht wurde,
und zwar als der allerbedeutendste dieser Art,
zeigen namentlich seine Feste (Preller a. a. O.
S. 204). Wer das von Preller a. a. O. S. 202
fg. über die Capitolinischen Spiele vor Domitian
Bemerkte billigt, wird geneigt sein, den bei ihnen gegebenen Preiskranz aus Eichenblättern
ganz im Besonderen auf Sieg und Triumph zu
beziehen.

Mit dem Juppiter Capitolinus stehen auch
in Verbindung die bekannten Etruscae coronae
(K. O. Müller »Die Etrusker« I, S. 137 fg.), welche Tertullianus de coron. 13, Vol. II, 284 ed.
Oehler, ausdrücklich als gemmis et foliis ex auro
quercinis ob Jovem insignes bezeichnet.

Die Etrusca corona ist ganz deutlich ein Kranz,
der sich auf Sieg und auf Herrschaft bezieht [5]),
Begriffe, die unzertrennlich sind, und so auch
in den Sagen von Zeus und in der Symbolik
seines Cultus hervortreten.

Zeus gelangt zur Herrschaft durch den Sieg
über die Titanen oder, nach der späteren An-

sicht, welche besonders auch in den Werken
der bildenden Künste zu Tage tritt, die Giganten. Den Sieg erringt er mit den Waffen des
Gewittergottes. Wie Ovid. Fast. III, 439 fg.
berichtet, dass fulmina post ausos caelum affectare Gigantas sumpta Jovi, so soll er nach Eratosth. Cataster. XIII, schol. Hom. Il. XV, 229,
Hygin. Poët. astron. II, 13, Serv. z. Verg. Aen.
VIII, 354 bei derselben Gelegenheit sich die Aegis angelegt haben. Den engen Zusammenhang
zwischen der Eigenschaft als Gewittergott und
der der Sieghaftigkeit bekundet auch der Umstand, dass die Capitolinische Quadriga, wie
schon Preller S. 196 fg. bemerkt hat, ursprünglich ein Symbol des Donnergottes und dann des
Sieges war. In der That die Darstellung des
Gottes auf der Quadriga, wie wir sie jetzt des
Genaueren kennen (»Nachrichten« a. a. O. S.
276) gleicht wesentlich denen des die Giganten
besiegenden Zeus.

Dies führt uns auf den berühmten Cameo
Zulian (Denkm. d. a. Kunst II, 1, 5, Overbeck
Gr. Kunstmyth., Gemmentaf. III, n. 3), auf welchem ohne allen Zweifel Zeus als Sieger und
zwar über die Titanen oder wohl richtiger die
Giganten dargestellt ist[6]) und der Gott ausser
dem Attribute der Aegis auch das des Eichenkranzes hat. Overbeck hat a. a. O. S. 243 mit
ihm einen Cameo unbekannten Aufbewahrungsortes zusammengestellt, den schon Ch. Lenormant Nouv. gal. myth. pl. V, n. 5 als tête de
Jupiter Dodonéen abbildlich mitgetheilt hatte
und er selbst auf seiner Gemmentafel III, n. 4,
wiederholt. Auf drei anderen Cameen ist je ein
irdischer Juppiter mit Eichenkranz und Aegis
dargestellt[7]).

Die letzterwähnten Bildwerke gehören ohne

Zweifel der Zeit der Römischen Kaiser an, sind
aber vielleicht alle, oder zum Theil in Alexandria gearbeitet; die beiden ersten dürften mit
Wahrscheinlichkeit in das Bereich der Hellenistischen Kunstübung zu versetzen sein, namentlich der Cameo Zulian, bezüglich dessen zudem
bekannt ist, dass er zu Ephesos gefunden wurde.

Wir kennen den Eichenkranz als Attribut
des sieghaften Juppiter bis jetzt erst aus Itali-
scher Anschauung. Wir wollen nun keinesweges behaupten, dass der Eichenkranz selbst auf
dem Cameo Zulian unmöglich aus Rom herrühren könne, welches ja schon verhältnissmässig
frühzeitig in Asien Einfluss gewann, woselbst
auch den Capitolinischen Göttern Heiligthümer
gegründet wurden. Doch halten wir das nicht
für wahrscheinlich. Woher stammt denn jener
Pomp der Etruskischen Könige, des Capitolinischen Juppiter und der Triumphatoren, in welchem namentlich auch das Adlerscepter zu beachten ist, anders als aus Griechenland und in
letzter Instanz aus Asien? [9]). Hier kann schon
in früher Zeit der Eichenkranz Symbol des Sieges und der Herrschaft gewesen sein. Wenn
also Overbeck S. 245 fg. auf der richtigen Fährte
wäre, indem er wegen einer »grossen Aehnlichkeit des Zeuskopfes des Cameo n. 2 und desjenigen auf den Münzen des Pyrrhos«, obgleich
dieser die Aegis nicht hat und obgleich »die Er-
regtheit des Ausdrucks in dem Kopfe des Cameo diejenige in dem Kopfe der Münzen übersteigt«, an den zu Passaron nahe bei Dodona
verehrten (Plutarch. Pyrrh. V) Areios Zeus denkt,
von dem durchaus nicht bekannt ist, dass er
mit einem Eichenkranz auf dem Haupte dargestellt wurde, und weiter den Gedanken an Zeus
Areios auch auf die Büste des Cameo Zulian

überträgt, so läge es doch viel näher an den in Asien an mehreren Stellen verehrten Zeus Stratios zu denken, bei dem wir oben S. 366 zu Herakleia die Eiche nachgewiesen haben.

Aller Wahrscheinlichkeit nach war übrigens die Eiche, um welche es sich hier handelt, quercus esculus oder aegilops, in Asien keinesweges auf den Zeus Stratios und Nikephoros beschränkt. Schon J. Grimm stellte in der Deutschen Myth. S. 168 Zeus' »in der Ilias oft genannte Buche bei Troja« neben seine δρῦς zu Dodona und Overbeck hat S. 241 bemerkt, dass die Stellen der Ilias V, 692 fg. und VII, 59 fg. auf die Annahme führen können, dass die Buche (φηγός) dem Idäischen Zeus heilig gewesen sei. Dass Zeus dem Herrscher vom Ida in der Troas die Eiche (δρῦς) heilig war, lässt sich auch daraus mit Wahrscheinlichkeit schliessen, dass der Cult auf dieser Ida dem auf der Kretensischen entspricht, die noch von Dionysius Perieg. Vs. 503 als καλλικόμοισιν ὑπὸ δρυσὶ τηλεθόωσα bezeichnet wird, und dass er an beiden Stätten mit dem der Rhea in Verbindung stand, welcher nach Apollodor die Eiche besonders heilig war (Schol. zu Apollon. Rhod. I, 1124) [9]).

Auch im eigentlichen Griechenland lassen sich Spuren der Eiche bei Zeus auch anderswo als in Thessalien und zu Dodona nachweisen. In Lakonien wurde Ζεύς unter dem Beinamen Σκοινάς oder Σκοίνας und Σκοίτας in einem dichten Eichenhaine verehrt, vgl. Pausan. III, 10, 6, Polyb. XVI, 37, 3, Stephan. Byzant. u. d. W. Σκοτίνα. Die Beziehung dieses Zeus, welchen Panofka in Gerhard's Arch. Ztg. VII, S. 73 fg. selbst auf einem Vasenbilde dargestellt erachtete, steht freilich keinesweges ganz sicher. Welcker dachte in der Griech. Götterl. II, S.

486 an einen Zeus Chthonios. Doch hat es sicherlich wenigstens eben so viel für sich, den Beinamen auf den Veranlasser des σκοτόεν νέφος (Hesiod. Op. 553) zu beziehen, so dass also jener zusammenzustellen ist mit den Epitheta κελαινεφής und νεφεληγερέτης und im Gegensatz steht zu dem Epith. αἴθριος. Dann vergleiche man was Pausanias VIII, 38, 3 über τῆς Ἁγνοῦς ἐν τῷ ὄρει τῷ Λυκαίῳ πηγὴ sagt: πέφυκεν ἴσον παρέχεσθαι τὸ ὕδωρ ἐν χειμῶνι ὁμοίως καὶ ἐν ὥρᾳ θέρους, ἢν δὲ αὐχμὸς χρόνον ἐπέχῃ πολὺν καὶ ἤδη σφίσι τὰ σπέρματα ἐν τῇ γῇ καὶ τὰ δένδρα ἀναίνηται, τηνικαῦτα ὁ ἱερεὺς τοῦ Λυκαίου Διὸς προςευξάμενος ἐς τὸ ὕδωρ καὶ θύσας, ὁπόσα ἐστὶν αὐτῷ νόμος, καθίει δρυὸς κλάδον ἐπιπολῆς καὶ οὐκ ἐς βάθος τῆς πηγῆς, ἀνακινηθέντος δὲ τοῦ ὕδατος ἄνεισιν ἀχλὺς ἐοικυῖα ὁμίχλῃ, διαλιποῦσα δὲ ὀλίγον γίνεται νέφος ἡ ἀχλὺς καὶ ἐς αὐτὴν ἄλλα ἐπαγομένη τῶν νεφῶν ὑετὸν τοῖς Ἀρκάσιν ἐς τὴν γῆν κατιέναι ποιεῖ [10]).

Diese Stelle ist auch deshalb interessant, weil sie, irren wir uns nicht, zugleich eine Andeutung der Beziehung der Eiche zu Regen und Gewölk enthält. Die Beziehung der Eiche zu dem Gewitter veranlasste es aber hauptsächlich, dass diese dem Zeus heilig erachtet wurde. Jene beruhte übrigens nicht etwa darauf, dass »die Eiche dem Gewitter des Himmels zu trotzen scheint«, sondern darauf, dass sie besonders den Blitz anzieht, ein Umstand, über welchen auch neuere Beobachter verhandelt haben, vgl. die Anführungen bei J. B. Friedreich Symbolik und Mythologie S. 305, Anm. 5. So erklärt es sich, warum auch bei den Kelten, den Germanen, den Serben, den alten Preussen die Beziehung der Eiche zu Blitz und Donner und dem über diese waltenden Gotte vorkommt, vgl. J. Grimm

Deutsche Myth. S. 60, 63, 168 und Voigt Preuss. Gesch. I, S. 580. Die Eiche ist das älteste Symbol des Zeus aus dem Baumreiche. Nachher, als der Naturgott mehr ethisch und politisch gefasst wurde, wich sie mehr und mehr andern Bäumen, namentlich hinsichtlich des Kranzes, der vorzugsweise vom Lorbeer genommen wurde. Auch wo dieses bei den bildlichen Darstellungen geschah, verblieb doch der Eiche ihr Ansehen in der Religionssymbolik und im Cultus. Einen Beleg hiefür bietet der schon oben berücksichtigte Capitolinische Juppiter. Selbst auf Thessalischen und Epirotischen Münzen findet sich an Zeusköpfen auch der Lorbeerkranz. Der Lykäische Zeus erscheint auf den Münzen, soviel uns bekannt, nur mit dem Lorbeerkranz. Von dem in der Troas und auf Kreta verehrten Zeus giebt es, unseres Wissens, kein Beispiel der Zutheilung des Eichenkranzes auf Münzen. Ob der Eichenkranz des Zeus auf dem vielbesprochenen Wandgemälde (Overbeck S. 240 fg.) den Zeus Idäos, sei es nun den Troischen oder den Kretensischen, bezeichnen soll, das steht sehr dahin, schon deshalb weil der Eichenkranz des Zeus auf einem anderen Gemälde derselben Gattung, welches Benndorf im Rhein. Mus. f. Phil., N. F., Jahrg. 19, zu S. 442 hat abbilden lassen, und Overbeck S. 238 fg. an letzter Stelle behandelt, schwerlich mit irgendwelchem Scheine auf gleiche Weise erklärt werden kann. Dagegen passt für beide Gemälde die Beziehung der Eiche auf den Wolkenversammler und Gewittergott[11]); für das an zweiter Stelle erwähnte nach der schönen Erklärung Benndorf's, welche für mich ungemein viel Ueberzeugendes hat, besonders auch die auf den sieghaften Zeus, die nach meiner schon oben angedeuteten Ansicht

mit der Beziehung der Eiche auf den Blitz wesentlich zusammenhängt. Auch für das Neapo-
litanische Sarkophagrelief passt eine entsprechende Beziehung, die auf den Regengott, vortrefflich, vgl. Epictet. I, 19, p. 106 ed. Upton.:
*ἀλλ᾽ ὅταν θέλῃ εἶναι ὕετιος καὶ ἐπικάρπιος καὶ
πατὴρ ἀνδρῶν τε θεῶν τε.* Doch liesse sich
hinsichtlich dieses Römischen Werkes wohl noch
eher an den Capitolinischen Juppiter denken [12]).

Auch andere Eichenarten darf man bei Zeus
voraussetzen.

So die *ἄσκρα*, welche bei Hesychios als *δρῦς
ἄκαρπος* erklärt wird; wenn in der That nach
ihr ein von den Lydern und zu Halikarnassos
verehrter Zeus Askraios benannt war, vgl. Ch.
Lenormant Nouv. gal. myth. p. 53 und Overbeck a. a. O. S. 211[15]).

Jenes würde auch in Betreff eines Makedonischen Zeus zulässig sein, wenn man auf einer
Makedonischen Münze wirklich den Kopf dieses
Gottes anzuerkennen hätte. Es ist die Rede
von jener schönen als unicum im K. Museum
zu Neapel befindlichen Münze, welche zuerst von
Millingen Sylloge of anc. coins pl. III, n. 23
herausgegeben, dann in der Rev. num. Fr., N.
S., T. XII, 1867, pl. X, n. 12 wiederholt abgebildet, von Overbeck aber gar nicht berücksich-
sichtigt ist. Millingen hält a. a. O. p. 49 den
betreffenden Kopf für den des Dodonäischen
Zeus, während ihn L. Müller Numism. d'Alexan-
dre p. 313, Anm. 41, ohne weiter auf die Sache
einzugehen, wie selbstverständlich als den des
Poseidon bezeichnet, wogegen Ferdin. Bom-
pois in der Rev. num. Fr. a. a. O. p. 99 fg.,
Anm. 3, auf die Seite Millingen's tritt. Dass
der Kopf nach Haarbehandlung und Gesichtsausdruck durchaus Poseidonisch ist, liegt auf

der Hand. Kein Münztypus des Dodonäischen
oder eines anderen Zeus gleicht ihm, auch nicht
der Kopf auf den Münzen des Pyrrhos und der
auf denen der Bruttier (D. a. K. I, 54, 262,
Overbeck »Kunstmyth.« S. 232). Die Beziehung
des Zeus von Dodona auf das Wasser berechtigt
mit nichten zu der Annahme einer Auffassungsweise als Poseidon (Overbeck, S. 233 fg). Bom-
pois meint, dass zwei Umstände für Zeus entscheidend seien, erstens der, dass der Zeuskopf
auf Münzen von Amphipolis, wo die vorliegende
Münze aller Wahrscheinlichkeit nach geprägt sei,
häufig vorkomme, während ein Poseidonskopf
auf jenen seines Wissens noch nicht signalisirt
sei, zweitens der, dass unser Kopf mit einem
Eichenkranz versehen sei, der unwiderleglich für
einen Zeus spreche. Aber um davon abzusehen,
dass von Andern in der That auch der Poseidonskopf auf Münzen von Amphipolis vermuthet
ist, so handelt es sich hier nicht sowohl um besondere Münzen dieser Stadt, als um die Gesammtmünzen der Makedonier, zunächst allerdings um die des ersten der vier Landestheile,
dessen Hauptstadt Amphipolis war. Auf den
Münzen jener Art aber lässt sich der Poseidonskopf unzweifelhaft nachweisen, vgl. z. B. Mionnet, Descr. d. Méd. Suppl., T. III, pl. III, n. 1
u. p. 2, n. 8. Hinsichtlich anderer Münzen *MA-
KEΔONΩN* lässt es Mionnet a. a. O. n. 9 fg. un-
entschieden, ob der Kopf auf denselben Zeus
oder Poseidon angehe. Unter ihnen ist die jetzt
von Overbeck a. a. O., Münztaf. I, n. 20 abbildlich
mitgetheilte und S. 103 fg. besprochene Erzmünze,
welche, wenn sich auch der Kopf auf ihr von dem
unserigen nicht bloss durch den Schmuck, eine
Tänia, sondern auch durch den Gesichtsausdruck
und selbst hinsichtlich der Behandlung des Haa-

res unterscheidet, doch durch dieses, das »so auffallend wie feucht herabhängt«, auf Poseidon hinweist. Overbeck freilich will diesen nicht anerkannt wissen, weil der Gott auf den verwandten Makedonischen Münzen durch den Dreizack auf der linken Schulter als solcher bezeichnet sei und es keine Wahrscheinlichkeit habe, dass man dieses sicher unterscheidende Merkmal, wenn man es einmal anbrachte, in dem betreffenden Falle weggelassen habe. Dadurch könnte, falls jene Voraussetzung richtig wäre, für die Beziehung unseres Kopfes auf Zeus anstatt auf Poseidon ein neuer Grund geboten zu sein scheinen. Aber ein solches Weglassen eines sonst gebräuchlichen Attributs ist auf Münzen nichts weniger als unerhört. Was dann den Kranz betrifft, so ist zunächst zu bemerken, dass derselbe keinesweges die Blätter der Dodonäischen Eiche zeigt. Er ist vielmehr allem Anscheine nach von einer Eichenart, die sich besonders auch in Makedonien findet, derselben, welche uns auch auf dem Revers der Makedonischen Gesammtmünzen entgegentritt, von quercus cerris. Dass diese dem Poseidon heilig gewesen sei, ist freilich nicht bekannt. Allein dasselbe gilt von ihr in Betreff des Zeus. Wie nun keinesweges in Abrede gestellt werden soll, dass er auch für den Makedonischen Zeus passt, so wird dasselbe auch hinsichtlich des Makedonischen Poseidon zugegeben werden müssen. Der Kranz scheint sich eben mehr auf die Landschaft als auf die Gottheit zu beziehen. Hienach spricht das Meiste, ja so gut wie Alles für Poseidon. Gegen diesen wird auch dann nichts eingewendet werden können, wenn man den abweichenden Kopf der oben erwähnten Makedonischen Erzmünzen auf denselben Gott beziehen zu müssen glaubt.

Anmerkungen.

1) Wenn man dieses als Volksansicht aus Aristoph. Nub. 910 fg. hat darthun wollen, so geben die Werke des Dichters nach meinem Dafürhalten auch nicht die geringste Veranlassung zu einem solchen Missverständniss. Als Königin der Blumen galt die Rose, vgl. die Stellen bei Engel Kypros II, S. 191 fg., Anm. 99, auch Welcker Nachtrag zu der Schrift über die Aeschyl. Trilog. S. 189, A. 10. Plinius Nat. hist. XXI, 22: Lilium rosae nobilitate proximum est. Die Meinung, die Lilien seien als die schönsten Blumen der Hera heilig, »der ersten der Göttinnen, Clem. Alex. Paedag. III, 8, 72, p. 78 Sylb.«, ist entschieden irrig.

2) Ueber die Bedeutung des Wortes κρίνον vgl. »Narkissos«, S. 106 fg., Anm.

3) Auch der Eichenkranz, welchen der Adler auf dem berühmten Wiener Cameo bei Eckhel Choix de pierr. grav. pl. III und Ch. Lenormant Iconogr. des Empereurs Rom. (Trésor de Num. et de Glypt.) pl. I (Sacken und Kenner Die Samml. d. k. k. Münz- u. Ant.-Cab. S. 414, u. 25), in dem linken Fange hält, während er mit dem rechten einen Palmzweig fasst, scheint mir nicht sowohl die corona civica, wie man angenommen hat, als ein Siegerkranz sein zu sollen. Ebenso dürfte der von zwei Tritonen gehaltene Eichenkranz auf dem Wiener Cameo mit Apollo Actiacus (Sacken und Kenner Die Samml. d. k. k. Münz- u. Ant.-Cab. S. 417 fg. S. 417 fg. n. 54) nur als Siegerkranz zu fassen sein.

4) Wir werden weiter unten gelegentlich sehen, dass ein solcher Wechsel zwischen Eichenkranz und Lorbeerkranz sich auch sonst bei Zeus findet.

5) Für das Letztere bedarf es nur des Hinweises auf das von Müller Etrusk. I, S. 369 fg. Bemerkte. Vergl. auch die in Anm. 7 berührten Bildwerke.

6) Vielleicht als Herrscher in Folge des Sieges, unmittelbar nach demselben. Meine »Gründe« für diese Ansicht wird Overbeck, dem sie nach Kunstmyth. S. 225, A. a »unbekannt sind«, durch diesen Aufsatz wohl kennen lernen und hoffentlich auch für berechtigt halten.

7) Eichenkranz und Aegis findet man bei dem Tiberius auf dem Pariser Cameo in Lenormant's Iconogr. d. Emp. Rom. pl. IX, 2 und dem Claudius oder nach Lenormant Tiberius auf dem Wiener Cameo, ebds. pl. XV

(Sacken und Kenner a. a. O. S. 419, n. 6). Diesen Monumenten der Glyptik gesellt sich der früher nur aus dem Choix d. pierr. ant. grav. du cab. du duc de Marlborough T. II, pl. XXXIII, jetzt genauer durch Photographien (Catal. of a series of photographs from the collect. of the Brit. mus. taken by S. Thompson, p. 81. n. 869) bekannte grosse Sardonyxcameo von drei Lagen, ingens anaglyphicum opus olim Sannesiorum ducum, nunc vero pretio acquisitum in Fontesiano cimelio asservatum, wie die Inschrift auf der Rückseite verkündet. Er stellt die bärtige Büste Julian's II als Juppiter Ammon zur Rechten des Beschauers und ihr gegenüber die Büste der Gemahlin jenes Kaisers, der Manlia Scantilla, als Isis-Ceres (nicht »Egypt in the character of Ceres«) dar. Isis ist durch das bekannte auf der Brust zusammengeknotete Franzengewand deutlich genug bezeichnet. Der Kranz der weiblichen Büste besteht aus Aehren, Mohn, Eichenblättern und Eicheln. Auch diese passen für eine Ceres, auf welche die Eiche in Folge ihrer Verschmelzung mit Rhea von dieser überging, vgl. Preller Demeter und Persephone S. 49 fg., 169, 171, Anm. 66. Ausserdem ist die weibliche Büste mit einem Halsbande geschmückt, an dem sich vorn ein etwa wie ein Herz geformter Schmuck befindet, was sich ganz ebenso an der Büste der Ceres auf einem Berliner Cameo wiederholt. Julian trägt über dem Chiton die Aegis und auf dem Haupte den Eichenkranz. Dass dieser ganz dieselbe Beziehung hat, wie da, wo er neben der Aegis an den Bildern Römischer Kaiser, welche im Charakter des eigentlichen Zeus oder Juppiter dargestellt sind, erscheint, liegt auf der Hand. Ist doch auch die Auffassung des den Kaisern auf den geschnittenen Steinen beigegebenen Weibes als Ceres durchaus das Regelmässige. Demnach wird jenes auch wohl in Betreff des Eichenkranzes des wirklichen Ammon oder Serapis (Overbeck S. 289, n. 45 und S. 309, n. 7) anzunehmen sein. — Für die häufigere Verbindung von Aegis und Lorbeerkranz bedarf es keiner detaillirten Anführung von Belegen. Doch mag hier gelegentlich bemerkt sein, dass unter den betreffenden geschnittenen Steinen auch einer ist, dessen sich Overbeck a. a. O. S. é02, Anm. b nicht erinnerte, als er bezweifelte, ob es überhaupt vorkomme, dass, wenn ein Kaiser und ein Kronprinz neben einander dargestellt sind, der letztere als Juppiter Juvenis aufgefasst ist, nämlich der für seine Zeit ausgezeichnete Pariser Cameo mit den Büsten des Septimius Seve-

rus und Caracalla bei Millin Mon. inéd. T. I, pl. XIX,
Mongez Iconogr. Rom. pl. XLVIII, n. 3, Ch. Lenormant
Iconogr. d. Emp. Rom. p. XLII, n. 1. — Was endlich
die seltenere Verbindung von Aegis und Diadem anbetrifft, so sei nur auf die Büste des Augustus zu Florenz
in Gori's Mus. Florent. T. I, pl. YVIII und bei Lenormant a. a. O. pl. V, n. 1 verwiesen mit der Bemerkung,
dass als Diadem auch zu fassen sein wird die »Tänia«
des Juppiter-Augustus auf dem Intaglio des Neisos (Stephani Apollon Boëdromios Taf. IV, n. 4, Denkm. d. a.
Kunst II, 2, n. 24 oder besser n. 25 der dritten jetzt
vorbereiteten Ausg.). — Fast überall erscheint die Aegis
nicht als Sinnbild des Sieges, sondern zeusähnlicher Herrschaft. Wiederholt ist das Scepter hinzugefügt, vgl. Text
D. a. K. II, 2, 24 der zweiten Ausg., wo in dem Citat
aus Lenormant's N. gal. myth. pl. VIII, n. 1 gemeint
war, und Lenormant Iconogr. d. Emp. Rom. pl. XX, n.
13, wo das Adlerscepter dargestellt ist. Selbst der Adler
des Zeus bezieht sich nicht nur auf Sieg, sondern auch
auf Macht, welche letztere Beziehung in dem Adlerscepter der Griech. Könige auf der Bühne und bekannten
Bildwerken so wie der Grossen Etruriens (Dionys. Hali-
carn. III, 61) und der Römischen Kaiser allein zur Geltung kommt. So ist auch in den Fällen, dass die Kaiser neben der Aegis den Eichenkranz haben, dieser nicht
auf Sieg sondern auf zeusähnliche Herrschaft zu beziehen.

8) Jenes bemerkte schon Müller Etr. I, S. 372, §. 8.
Wir heben noch hervor, dass der Etruskische Tinia
nicht mit einem Eichenkranz, sondern mit einem Epheu-
kranz dargestellt gefunden wird.

9) Andere Spuren des Eichenkranzes bei Zeus in
Asien anlangend, so führt Overbeck a. a. O. S. 234,
Anm. d eine autonome Silbermünze von Sagalassos in
Pisidien nach Mionnet Descr. T. III, p. 512, n. 103 an
mit der Bemerkung, dass von Mionnet »irrig der Zeuskopf lorbeerbekränzt genannt wird, während der Eichenkranz in der Schwefelpaste deutlich ist«. Mionnet's
eigene Abbildung Suppl. T. VII, pl. V, n. 1 zeigt diesen
Kranz. Der Revers, welcher die Nike darstellt, legt den
Gedanken an einen Zeus Nikephoros nahe, der auch sonst
auf den Münzen dieser Stadt nachweisbar ist. Schade,
dass Overbeck für den in Rede stehenden Umstand die
ihm sonst wohlbekannten von Mionnet a. a. O. p. 314
beschriebenen autonomen Münzen von Antiochien am
Mäander in Karien übersehen hat. Wir würden durch

ihm vielleicht erfahren haben, ob sich Mionnet in umge-
kehrter Weise irrte, als er zu n. 57 schrieb: Téte de Jupiter, couronnée de chêne, oder etwa in gleicher Weise,
als er auf n. 58 eine tête laurée de Jupiter erkannte.
Hat es doch die grösste Wahrscheinlichkeit, dass der
Typus auf dem Avers denselben Juppiter angeht, da auch
der des Reverses wesentlich derselbe ist. Aus Supplém.
T. VI, p. 447, n. 61 lernen wir eine andere Münze derselben Stadt mit einer tête laurée de Jupiter und einem
zum Theil entsprechenden Typus des Reverses kennen.
Somit hat allem Anscheine nach auch für die ersterwähnte
Münze die Annahme eines Lorbeerkranzes bedeutende
Glaubwürdigkeit. Dennoch steht sie keineswegs sicher.
Der Adler des Reverses würde sehr gut zu einem Zeus
Nikephoros passen. Die Münze der Magneten, rücksichtlich deren Overbeck a. a. O. Anm. d bemerkt, dass Mionnet T. III, p. 143, n. 599 irre, wenn er dem Zeuskopf
des Averses einen Lorbeerkranz giebt, da der Eichenkranz
nach der Schwefelpaste vollkommen unzweifelhaft sei,
gehört, wenn ich recht sehe, den Thessalischen Magneten an, hat demnach keinen besonderen Belang, da der
Eichenkranz bei Zeus auf Thessalischen Münzen auch
sonst vorkommt, vgl. das von Overbeck selbst S. 281,
Anm g und h Beigebrachte. Sollte ich mich aber irren,
so würde die Erklärung des Eichenkranzes, welche Overbeck für so schwierig hält, doch, so zu sagen, auf flacher
Hand liegen, da ja die Ionische Magnesia eine Colonie
der Thessalischen war. (Hinterdrein gewahre ich, dass
schon Cadalvène Rec. de méd. p. 123 fg. und jüngst mit
gründlicher Motivirung auch Kenner »Die Münzsamml.
d. Stiftes St. Florian« S. 37 fg. jene Ansicht aussprach.
Auch Fox Gr. coins P. I, p. 20 hat die auf pl. VII, n.
69 abbildlich mitgetheilte Silbermünze der Magneten mit
einem allem Anschein nach eichenlaubbekränzten Zeuskopf den Thessalischen zugeschrieben).

10) Joh. Heinr. Krause hat »Olympia« S. 167, Anm.
aus Corp inscr. Gr. n. 234. p. 356 mit Wahrschein-
keit geschlossen, dass in den Nemeen in späterer Zeit
den Siegern eine Zeit lang ein Eichenlaubkranz gegeben
worden sei. Demnach darf man doch auch wohl dem
Zeus von Nemea die Eiche geheiligt erachten. Der Umstand, dass dieser Zeus auf Münzen von Alexandria aus
Nero's Zeit mit einem Lorbeerkranz versehen erscheint,
spricht auch nicht im mindesten dagegen. — Eigenthümlich, aber bisher, so viel ich weiss, noch nicht erörtert.

sind Pausanias' Worte V, 12, 7: Ἐν δὲ τῷ ἐν Ὀλυμπίᾳ ναῷ Νέρωνος ἀναθήματα, τρίτος μὲν ἐς κοτίνου φύλλα στέφανος, τέταρτος δὲ ἐς δρυός ἐστι μεμιμημένος. Sollte sich der Eichenkranz auf einen anderswo als in Olympia errungenen Sieg und, wenn auf eine Gottheit von Olympia, auf eine andere als Zeus beziehen? — Merkwürdig ist auch die Stelle Ovid's in den Metam. I, 446 fg., wo es von Apollon heisst:

Instituit sacros celebri certamine ludos,
Pythia de domitae serpentis nomine dictos,
His juvenum quicumque manu pedibusve rotave
Vicerat, aesculeae capiebat frondis honorem:
Nondum laurus erat, longoque decentia crine
Tempora cingebat de qualibet arbore Phoebus.

Es ist schwer zu sagen, ob der Dichter in dem, was er über den Eichenkranz der Sieger in den Pythien angiebt, einer Tradition folgte oder nicht, und noch schwerer, zu entscheiden, ob diese der Wahrheit entsprach oder nicht. Abweichende Sagen nannten den Lorbeer als schon ursprünglich zum Kranz gebraucht, vgl. J. H. Krause »Die Pythien, Nemeen und Isthmien« S. 47 fg. Der Eichenkranz ist notorisch mehrfach durch den Lorbeerkranz verdrängt. Wurde jener wirklich einmal zu Pytho gegeben, so ist das ohne Zweifel auf die Bedeutung des Zeus zu Delphi und seine enge Verbindung mit Apollon zurückzuführen. Von dem Eichenkranz bei Apollon findet sich auch sonst eine Spur, nämlich auf der schönen oft besprochenen und mehrfach abgebildeten Münze von Catania mit dem Namen des Gottes und des Stempelschneiders Choirion. Die frühere Literatur giebt H. Brunn Gesch. d. Griech. Künstler II, S. 424. Später hat C. K. Fox Gr. Coins pl. III, n. 81 eine gute Abbildung eines besonders interessanten Exemplars geliefert. Ueber den Stempelschneider ist von G. Schmidt im Philologus Jahrgang XI, S. 790 und richtiger von A. von Sallet Die Künstlerinschr. auf Griech. Münzen, S. 41 gehandelt. Mit dem Eichenkranz hat man nicht fertig werden können. Er erklärt sich, mein' ich, am leichtesten als von Zeus, ebenso wie die Aegis, sonst übertragenes Attribut.

11) Auf dem an erster Stelle erwähnten Wandgemälde tritt zu dem Eichenkranz der Schleier, über dessen Beziehung ganz auf Overbeck a. a. O. S. 251 fg. verwiesen werden kann.

12) Das betreffende Relief ist zuletzt von Overbeck a. a. O. S. 236 fg. besprochen. Unter den Gründen, aus

denen er den Zeus von Dodona dargestellt erachtet, befremdet es folgende zu finden: »erstens dass der Zeus die Phiale in der Rechten nicht bloss hält oder sie wie ein Opfer heischend vorstreckt, sondern dass er sie ausgiesst, was den Regen- und Quellgott *Ναῖος* von Dodona füglich bezeichnen mag; zweitens dass der in seine Trompete stossende Windgott neben dem thronenden (?) Götterpaare mit dem dodonäischen Zeus, dessen Stimme man im Windesrauschen vernahm und der seinem Wesen nach ein Gott des belebenden und befruchtenden Lufthauches war, weit sinnvoller angebracht ist, als neben einem beliebigen anderen Zeus; drittens dass hinter der am rechten Ende der ganzen Darstellung gelagerten Gaea wiederum ein Eichenbaum erscheint«. Dass »dieser zuweilen ohne besondere Bedeutung anstatt eines besonderen anderen Baumes gesetzt« ist, bemerkt Overbeck selbst. Dieser Umstand wird auch in dem vorliegenden Falle anzunehmen sein, wenn man nicht etwa glauben will, der Künstler habe anstatt der Gaea oder Tellus die personificirte Dodona gemeint. Der Windgott spricht ebenso wenig für den Dodonäischen Zeus als den Sol und die Luna, mit denen jener zunächst zusammenzustellen ist. Wir brauchen den Verfasser der Kunstmythologie wohl nur mit einem Worte an die ihm wohlbekannte (s. S. 174) Darstellung der Berliner Lampe in Bartoli's Luc. sepulcr. II, 9 zu erinnern. Dass Zeus »die Phiale ausgiesse«, nimmt Overbeck ohne Zweifel mit Recht an. Ein solcher die Patera ausgiessender Zeus steht nicht vereinzelt da. Er findet sich auch auf einem Karneol zu Wien, vgl. Sacken u. Kenner »Die Sammlungen des k. k. Münz- u. Ant.-Cab.« S. 434, n. 260. Allein die Beziehung, welche Overbeck dieser Handlung unterlegt, kann unter keiner Bedingung zugelassen werden. Der Gott, welcher die Geschicke der Welt und jedes Einzelnen lenkt, libirt zu Gunsten des Todten, welcher vor ihm daliegt, und in Beziehung auf die diesen angehende symbolische Ueberreichung des Beutels durch Hera oder Juno an den Gott der Unterwelt: das Pfand, welches zeitweilig dem Schosse der Erde anheimgegeben werde, möge, reiche Frucht tragend, wieder auf der Oberwelt erscheinen. Overbeck will freilich lieber nach Jahn und Welcker das Umgekehrte annehmen, nämlich dass Hera oder »ungleich wahrscheinlicher »Gaea-Dione« den Beutel von Pluton empfange. Aber die von Conze und mir aufgestellte Annahme, ist allein schon »der Darstellung nach wahrscheinlich« und

giebt allein einen guten Sinn. Ist doch das Gebilde zu
den Füssen des Prometheus ein Todter und kein Lebender! Wenn Overbeck auf einem Relief wie das in Rede
stehende an der Stelle der so deutlich charakterisirten
und als Göttin, die hier auf der Oberwelt Leben und Gedeihen verleiht, zu der Darstellung so passenden Juno
die locale und verschollene Dione von Dodona setzen
will, so wird dagegen noch mehr Protest einzulegen sein
als gegen den Umstand, dass er jeden eichenbekränzten
oder Regen-Zeus auf den Zeus von Dodona bezieht. Dass
der Gott von Dodona in Epeiros — und auf den thut
man doch wohl die Bezeichnung als Dodonäischer Zeus zu
beschränken — je hauptsächlich oder auch nur vorzugsweise als Regengott gegolten habe, ist durchaus in Abrede zu stellen. Wenn Jahn (Arch. Ztg. 1848, S. 303,
n. 24) diese durch eine hingeworfene Frage E. Braun's
veranlasste Ansicht zu bestätigen versuchte, so finde ich
in dem von ihm Beigebrachten nichts, was dafür stich-
haltig zeugen könnte. Ich bin sogar in der Lage, die
Beziehung der bekannten Berliner Büste auf den Gott
von Dodona nicht für unumstösslich sicher halten zu können, obgleich die auch von Welcker Gr. Götterlehre I,
S. 203 gebilligt wird, der mit Recht von einer Beziehung des Ναΐος auf Regenschauer ganz schweigt. Erkennt man auf dem Relief den Juppiter vom Capitol
und die mit ihm verbundene Juno, so wird man wohlthun, die zwischen beiden im Hintergrunde stehende Figur, welche ich früher, mit Billigung Overbeck's, auf
Aphrodite bezogen habe, auf Fortuna zu deuten, wozu
auch ihr Kopfschmuck bestens passt. — Den Darstellungen des mit dem Eichenkranze versehenen Zeus, welche
von Overbeck mit anerkennenswerther Sorgfalt zusammengestellt und besprochen sind, kann jetzt aus den oben
erwähnten Photographien ein geschnittener Stein hinzugefügt werden, vgl. Catal. p. 64, pl. 731, n. 5. Ob es
sich bei dem betreffenden schönen Kopfe, an dessen
Echtheit zu zweifeln kein besonderer Grund vorliegt, um
den »Jupiter of Dodona« handelt, steht sehr in Frage.
Er zeigt nicht nur die ruhige Milde, welche Overbeck
S. 233 an dem Kopfe einer Goldmünze Alexanders I von
Epeiros, Münztaf. III, n. 28, besonders hervorhebt, sondern ausserdem noch einen Anflug von Heiterkeit, die zu
jenem Gotte nicht wohl passt.

13) Ob dieser Zeus Askraios auf den bekannten Bron-
zemedaillons von Halikarnassos und Eintrachtsmünzen

von dieser Stadt und Kos zu erkennen sei, wie man jetzt
annimmt, müssen wir dahingestellt sein lassen, so schein-
bar auch jene Annahme sein mag und so wohl das äussere Ansehn der betreffenden Figur zu einem Asiatischen
Zeus im Allgemeinen und dem Lydischen im Besonderen passt. Aber gerade die Bäume, welche die Figur
umgeben und gewiss auf dieselbe Beziehung haben, er-
regen Bedenken. Die ἄσκρα bei Hesychios erinnert zunächst an die ἄσπρις bei Theophrast Hist. plant. III, 8,
7, über welche dieser berichtet, dass von den Makedo-
niern, bei denen sie wuchs, sie einige als ἄκαρπον ὅλως, andere als φαῦλον τὸν κάρπον bezeichneten. Fraas Synops.
plant. flor. class. p. 253 hält diese für quercus cerris,
welche auf den betreffenden Münzen sicherlich nicht gemeint ist. Nach dem, was bei Theophrast über die ἄσπρις
gesagt wird, ist es ferner auch schwer einzusehen, wie
man grade eine solche Eichenart dem Zeus heiligte.
Man könnte nun annehmen, dass die ἄσκρα Lydiens nicht
ganz identisch sei mit der ἄσπρις Makedoniens. Dem
Vernehmen nach giebt es von quercus cerris verschiedene
fruchtlose Eichen. Aber diese sind staudenartig. Auf
den in Rede stehenden Münzen können sie also nicht
vorausgesetzt werden, da hier ohne Zweifel Bäume dargestellt sind, und zwar nehmen sich diese durchaus wie
Lorbeerbäume aus. Wer bürgt überhaupt für die Richtigkeit der Annahme eines etymologischen Zusammenhangs
des Zeusnamens Askraios und der ἄσκρα? Könnte nicht jener
ein gräcisirtes Lydisches Wort sein? An entsprechenden
Beispielen fehlt es aus dem Kreise des in Lydien verehrten Zeus nicht. Eine weitere Frage ist die, ob man
Ἀσκραίῳ Διὶ Λυδίων, wie ihn Plutarch Animine an corp.
aff. sint pej. T. VII, p. 951 ed. Reisk., bezeichnet, ganz
dieselbe Beziehung geben darf wie dem von Overbeck
ganz übergangenen Zeus Lydios, den wir auf Münzen
von Sardes inschriftlich bezeugt finden (Mionnet IV, p.
120, n. 677 u. 678, VII, Suppl., p. 415, n. 450 u. 451,
Combe Num. mus. Brit. pl. XI, n. 11) und vielleicht
auch in dem »Zeus Patrios« auf der durch Birch in Aker-
man's Num. Chronicle IV. p. 138 fg. bekannt gewordenen Münze der Saettener, von der auch Ch. Lenormant
keine Kunde hatte, voraussetzen dürfen, oder ob der
Zeus Askraios von dem als Lydios bezeichnetem verschieden war. Die Opfer, von denen wir hören, dass sie
dem Zeus Askraios dargebracht wurden, Ziege und Erst-
linge der Früchte, passen sehr wohl für einen Gott von

der Beziehung des Zeus Lydios. Dass dieser ein Regengott war, geht hervor aus der Stelle des Io. Laur. Lydus de mens. p. 228 ed. Roether., welche nicht bei den von Overbeck S. 226, Anm. k für den Ζεύς ὕέτος angeführten Gewährsmännern, wohl aber von Osann z. Cornut. p. 253 veranschlagt worden ist.

Nachschrift.

Da der obige schon vorlängst in die Druckerei gegebene Aufsatz mir erst nach meiner Rückkehr von einer Reise in den Orient zur Correctur übergeben wird, kann ich zum Schluss von Anm. 12 hinzufügen, dass ich in keiner der zahlreichen von mir besichtigten Sammlungen eine antike Darstellung des Zeus mit dem Eichenkranze fand, wohl aber in dem akademischen Kunstmuseum zu Breslau den Gypsabguss eines Medaillonreliefs mit der eigenthümlichen Darstellung eines eichenbekränzten Juppiterkopfes auf den ausgebreiteten Flügeln eines Adlers, der auf einem Ringe steht, welchen er mit dem Schnabel und den Krallen festhält. Das Original soll sich in Rom befinden. Es wäre interessant, genauere Auskunft über dasselbe zu erhalten. An den Dodonäischen Zeus ist auch hier sicherlich nicht zu denken.

Wieseler.

Universität.

Preisvertheilung.

Am 11. Juni fand die wegen der Pfingstferien verlegte akademische Preisvertheilung statt. Die Festrede hielt Prof. Wachsmuth, der über die Entstehung und die geschichtliche Entwickelung der athenischen Hochschule im Alterthum sprach.

Die Aufgaben der theologischen, juristischen und medicinischen Fakultät waren ungelöst geblieben. Die ordentliche Aufgabe der philosophischen Fakultät:

Ars dialectica Platonis qua in re consistat quaeque ejus sit virtus in promovenda rerum cognitione, exemplis, quibus ad eam illustrandam Plato ipse usus est, recensendis et diligenter digerendis ostendi iubemus

hatte zwei Bearbeitungen erfahren, die beide als des Preises würdig befunden wurden, unbedingt die erste, als deren Verfasser sich Hermann Oldenberg, stud. phil., ergab, dagegen mit der Beschränkung, dass sie um der mangelhaften Latinität willen in der jetzigen Gestalt nicht druckfähig sei, die zweite von Johannes Wolff, stud. phil.

Auch als Beantwortung der ausserordentlichen Aufgabe dieser Fakultät:

Von gewissen phanerogamischen Pflanzen, welche kein Chlorophyll enthalten, ist es noch ungewiss, auf welche Weise sie sich ernähren. Es sollen daher Monotropa und Neottia in dieser Beziehung untersucht werden u. s. w.

war eine Abhandlung eingelaufen und mit dem Preise gekrönt; als ihr Verfasser ergab sich: Oskar Drude, stud. rer. natur.

Die Preisaufgaben für das nächste Jahr, deren Bearbeitungen bis zum 15. April 1874 einzuliefern sind, sind folgende:

1. Als wissenschaftliche Aufgabe stellt die theologische Fakultät:

Rationes reformationum in ecclesia occidentali medii aevi tum ab auctoritatibus ecclesiasticis tum a partibus haereticis susceptarum exponantur et diiudicentur.

Als Predigttext giebt sie:
Matthaeus 10, 39.

2. Die juristische Fakultät stellt auf's Neue die Aufgabe des Vorjahres:

Expicentur iuris romani principia de mandato, quod vocant, qualificato.

3. Ebenso wiederholt die medicinische Fakultät die das vorige Mal gestellte Aufgabe:

Es ist bis jetzt nicht in befriedigender Weise aufgeklärt, ob der mit der Nahrung eingeführte oder aus Amylum gebildete Zucker als solcher aus dem Darm zur Aufsaugung ins Blut und im Stoffwechsel zur Verwendung gelangt: es soll durch Versuche an Thieren, unter Berücksichtigung zugleich des Rohr- und Milch-Zuckers, diese Frage von neuem bearbeitet werden, wobei namentlich auch die Einführung von Zucker in den Körper auf andern Wegen als vom Darm aus, sowie die Frage nach den Bedingungen des Uebergangs von Zucker in den Harn in den Kreis der Untersuchung zu ziehen ist.

4. Die philosophische Fakultät stellt zwei Aufgaben, als ordentliche:

Der Magnetismus eines Stahlstabs zerfällt in einen beharrlichen und einen vergänglichen Theil. Der letztere ist derjenige welcher zugleich mit den auf den Stab wirkenden magnetischen Scheidungskräften verschwindet. Es wird eine nähere Untersuchung dieses vergänglichen Theiles bei verschiedener Stärke des beharrlichen Theiles und unter Einwirkung verschiedener Scheidungskräfte verlangt.

als ausserordentliche:

Versio evangeliorum Syriaca a W. Curetone reperta et edita quid ad crisin novi testamenti augendam et stabiliendam faciat exponatur.

Nachrichten

von der Königl. Gesellschaft der Wissenschaften und der G. A. Universität zu
Göttingen.

25. Juni.   № 15.   1878.

Königliche Gesellschaft der Wissenschaften.

Sitzung am 14. Juni.

Waitz, Verlorene Mainzer Annalen.

Benfey, Die Suffixe *antí*, *áti* und *ianá*, *iáti*.

Derselbe, Ein Theil des Mongolischen Ardschi Bordschi und Stücke des Pantschatantra im Singhalesischen.

Derselbe, Skizze einer Abhandlung über Augensprache,
Mienenspiel, Gebärde und Stimmmodulation.

Klinkerfues, Nachtrag zur Methode der Parallaxenbestimmung durch Radianten (S. Nr. 13).

Enneper, Bemerkungen über die orthogonalen Flächen.

A. v. Brunn, Ueber das Vorkommen organischer Muskelfasern in den Nebennieren (vorgelegt von Henle).

Quincke, Corresp., Eine neue Methode Kreistheilungen
zu untersuchen (vorgel. von Weber).

H. G. Lobling, Beiträge zur Topographie von Athen
(vorgel. mit Anmerkungen von Wieseler).

Stern, 2 Mittheilungen von Dr. Voss 1) über eindeutige Transformation ebener Curven. 2) zur Geometrie
der Flächen.

C. A. Bjerknes in Christiania, Das Dirichlet'sche Ku-
gel-Ellipsoid-Problem (vorgel. von Schering).

Verlorene Mainzer Annalen.

Von

G. Waitz.

Wie manches Stück annalistischer Aufzeichnungen des Mittelalters uns verloren ist, haben
die neueren eingehenden Untersuchungen der
erhaltenen Exemplare wiederholt ergeben: es
mussten öfter Mittelglieder statuiert werden, wo
man früher mit der Beziehung auf einen vorliegenden Text auszukommen meinte. Aber es ist
auf solchem Wege auch manchmal gelungen
verlorene Stücke ganz oder theilweise wieder-
herzustellen und so unsere Kenntnis des früher
vorhanden gewesenen Reichthums an Annalen zu
vervollständigen.

Dazu ist eine neue Gelegenheit geboten durch
die Ausgabe der Polnischen Annalen zuerst in
dem 19. Bande der Scriptores der Monumenta
Germaniae historica, neuerdings auch in Vol. 2
der Monumenta Poloniae historica von Bielowski.
Die hier publicierten Annales capituli Cracovien-
sis und ein ihnen entsprechendes, früher von
Sommersberg SS. R. Silesiacarum II, S. 94 edier-
tes [1]), Stück [2]) beginnen, jene nach Vorausschi-

1) Darauf hat einer meiner Zuhörer Hr. Smolka aus
Lemberg aufmerksam gemacht, der durch eine ausführliche Arbeit über die Polnischen Annalen mir auch zu
dieser kleinen Untersuchung den Anlass gab, die seinem
Interesse ferner lag. Das eben erschienene Buch von
Zeissberg, Die polnische Geschichtschreibung des Mittelalters, geht auf diese Frage nicht näher ein.

2) Die Abweichungen von dem Text der Ann. capit.
Cracov. bestehen meist nur in Auslassungen oder Verschie-
bungen der Jahreszahl. Zusätze zu dem hier in Betracht
kommenden Theil sind nur: 840. Lotarius successit; 936
nach Heinricus rex: Germanie. — Ein Theil dieser Annalen hat auch Aufnahme gefunden in die sog. Ann. Cracovienses vetusti, SS. XIX, S. 477, die sich gerade hier-

ekung der kurzen Weltchronik des Isidor, mit
Annalen seit dem Jahre 730, die zu Anfang
die nächste Verwandtschaft mit den Ann. Hersfeldenses, später theilweise mit den SS. III, S.
119 gedruckten Ann. Pragenses zeigen, aber
weder auf die einen noch die andern ganz zurückgeführt werden können. Die Herausgeber
in den Monumenta denken an ein fortgesetztes
Exemplar der Hersfeldenses, das etwa über Prag
nach Krakau gekommen wäre. Allein ein nicht
unbedeutender Theil der Nachrichten findet sich
nicht in den uns erhaltenen Ableitungen der
Hersfeldenses. Davon ist einiges in der Ausgabe durch den Druck hervorgehoben, aber keineswegs alles. Und die Quellen dieser den Hersfeldenses fremden Nachrichten sind nicht angegeben. Sie sind aber leicht zu erkennen. Die
Jahre 842. 843. 875. 879. 881. 882. 887, auch
889, 889 (a Normannis), 895. 897. 899, vielleicht
937, 953 stammen aus den Ann. Augienses, die,
wie bekannt, später in Mainz aufbewahrt wurden. Dagegen finden sich 907. 933. 934. 936,
auch 937, ein Theil des Jahres 940 in den Ann.
Corbejenses. Auf die Verwandtschaft dieser mit
den Pragenses hat schon Pertz aufmerksam gemacht: diese haben von den angeführten Jahren
933. 934. 936 theilweise und die Stelle aus 940,
ausserdem namentlich 915 das charakteristische:
Bellum fuit in Hersburch, mit den Corbejenses
gemein. Lässt die letzte Angabe nicht zweifeln, dass Corvey die Heimath dieser Aufzeichnungen war, so weist auf dies auch eine Stelle
durch vorzugsweise als Auszug eines grösseren Werkes
charakterisieren. Ein paar schwache Spuren (990. 1002)
finden sich in den Ann. Cracovienses breves, eb. S. 664.

1) Auf eine umgekehrte Ansicht könnte die Notiz 937
über den Brand der monasteria S. Galli et S. Bonifacii
führen, die sich auch in den Augienses findet.

33 *

der Ann. Cracovienses, die sich nur hier findet;
947. Inventio sancti Stephani protomartyris; der
h. Stephan war bekanntlich ein Schutzheiliger
des Sächsischen Klosters. Wir sehen hieraus,
dass es allerdings auch noch ein anderes Exemplar als das uns erhaltene der Corbejenses war,
das als Vorlage diente. Ob auf dieselbe auch
die paar Notizen zurückgehen, deren Quelle
sonst nicht nachgewiesen werden kann, muss
dahingestellt bleiben. Es sind 877 die Bezeichnung des Locals der Schlacht zwischen Ludwig und
Karl: in Ripuaria; 940: hyemps valida. Morta-
litas jumentorum. 961. Otto [II] in regem ele-
vatur. Eclypsis solis. 968. Junior Otto per
Leonem papam cum patre suo coronatur. Dann
1002. 1003, die sich, wie der Herausgeber bemerkt, ähnlich in den Ann. Weissenburgenses
finden, aber schwerlich daher stammen. 1012.
Hermannus dux obiit. — Eine andere Notiz ist
nur durch ein, freilich auch sonst wohl vorkom-
mendes, aber von den Herausgebern nicht be-
merktes Versehen unter diese Jahre gerathen:
931. Sanctus Ambrosius episcopus Mediolanensis
obiit; er starb bekanntlich 397; die Stelle ist
aus dem älteren Cyclus irrthümlich hierher übertragen: ziehen wir von 931 die Jahre desselben,
532, ab, so ergiebt sich 399.

Dass die Corveyer und Hersfelder Annalen
vereinigt waren, ehe sie in die Prager übergin-
gen, zeigen in dem uns erhaltenen Exemplar
dieser die Jahre 910. 912. 945. 950, zufällig
solche die in den Cracovienses nicht erhalten
sind. Von den Augienses wird dasselbe hiernach
nicht bezweifelt werden können, wenn sich auch
in dem erst 894 beginnenden Fragment der
Prager keine Spuren derselben mehr nachweisen
lassen. Ueberhaupt haben wir es in diesem au-

genscheinlich nur mit einem sehr magern Excerpt
älterer Jahrbücher zu thun, die viel vollständiger, aber freilich auch nur theilweise, in der
Krakauer Ableitung erhalten sind.   Fragen wir
aber nach der Herkunft des zu Grunde liegenden Annalenwerkes, so können wir nur an Mainz
denken.   Nirgends so leicht wie hier konnte die
Vereinigung der Augienses, Hersfeldenses, Corbejenses erfolgen; und am naturgemässesten von
hier empfing Prag, das Bisthum von der Metro-
pole, die Grundlage eines Annalenwerkes, das
uns leider nur in dem mangelhaften Auszug späterer Zeit überliefert ist.   Die Deutschen Nachrichten gehen in der Krakauer Ableitung bis zu
dem angeführten Jahre 1012, dem Tode des
Herzog Hermann III. von Schwaben.   Viel später wird die Uebertragung nach dem Osten nicht
erfolgt sein.   Anderswo hat sich eine Ableitung
dieser Annalen nicht erhalten.

Die Suffixe *anti, âti* und *ianti, iâti*

von

Th. Benfey.

Indem ich bei Ausarbeitung der Nominalbil-
dung in der vedischen Sprache alte Papiere
durchstöberte, fielen mir Zusammenstellungen von
Nominibus auf lateinisch und sskr. *âti*, lat. *enti*
und sskr. *anti* = griechischen auf αv (Nom. S.
$\alpha v \eta \varsigma$) ηv. (Nom. Si. $\eta v \eta \varsigma$) ωv (Nom. S. $\omega v \eta \varsigma$),
lat. *et* = griech. *ov* (Nom. S. $ov \eta \varsigma$), εv (Nom.
S. $\varepsilon v \eta \varsigma$) u. s. w. in die Hand, welche ich in der
Abhandlung über die Entstehung des Indoger-

manischen Vokativs bei dem Nachweis, dass ein
beträchtlicher Theil der griechischen Nomina
der ersten Declination, welche im Nom. Sing.
auf *ᾱς ης* auslauten, aus Themen auf *ι* besteht
(in den Abhandlungen der kön. Ges. der Wissensch. in Göttingen Bd. XVII, S. 80), hätte
geltend machen können.

In Betreff der hieher gehörigen griechischen
und lateinischen Bildungen verweise ich im Allgemeinen auf Leo Meyer »Vergleichende Grammatik der griechischen und lateinischen Sprache«
II, 525—528, und ausserdem, insbesondere wegen hieher gehöriger aus einigen andern indogermanischen Sprachen, auf Pott »Etymologische Forschungen« II[1] (1836) S. 558—560.

I.

Hier treten zunächst lateinische, wie *nostr-âti*
»den unsern angehörig« *Arpin-âti* »Arpinum angehörig« griechischen gegenüber wie *Τεγε-ᾱτι*
(N. S. *της*) »Tegea angehörig«, *Αἰγιν-ητι* (N. S.
της) »Aegina angehörig« »*ἠπειρ-ωτι* (*της*) dem
Festlande angehörig«.

Lateinischem *âti* gr. *ᾱτι, ητι, ωτι* würde in
der Grundsprache und im Sanskrit *âti* entsprechen und in Letzterem finden wir mit dieser
Endung den Volks- und Mannesnamen *Vas-âti*.
Nach Analogie der griechischen und lateinischen
Bildungen würde die etymologische Bedeutung
in beiden Fällen sein »Vasa angehörig«. Ein
sanskritisches *vasa* in einer hieher passenden
Bedeutung ist zwar bis jetzt, so viel mir bekannt, noch nicht nachgewiesen, allein der sanskritische Sprachschatz ist, trotz seines grossen
Reichthums, keinesweges schon vollständig bekannt oder auch auf uns gekommen. Wer je-

doch an diesem Mangel Anstoss nimmt, der findet einen Ersatz dafür in der Sprache des Avesta. Hier erscheint im 13ten, dem Farvardin Yasht, Abschnitt 115 ein Genetiv eines Patronymikum *taurvâtôis*, dessen Thema nach den Regeln dieser Sprache *taurvâiti* lautet; in diesem ist aber nach besonderen phonetischen Gesetzen das *i* vor dem *t* durch die assimilirende Wirkung des diesem nachfolgenden *i* erzeugt; daher es auch im Genetiv *taurvâtôis* fehlt; ebenso verdankt das *a* vor dem *u* seine Entstehung nur einer phonetischen Neigung dieser Sprache, so dass die dem Thema *taurvâiti* zu Grunde liegende dieser und dem Sanskrit gemeinsame Form *turvâti* lauten musste. Mit dieser tritt in enge Beziehung (vgl. weiterhin unter V.) — nur durch *i* statt *â* davon verschieden — der vedische Name *Turvîti*. Dieser Namen steht in innigem Verhältniss zu einem andern vedischen Eigennamen *Turva*. Dieser letztere ist nämlich identisch mit *Turva-ça* (s. Petersburger Wörterbuch) und mit *Turvaça* erscheint *Turvîti* in denselben Versen Rigveda I. 36, 18; 54, 6, so dass diese Verbindung ganz denselben Werth hat, als wenn *Turva* und *Turvîti* neben einander ständen.

Bei dem innigen Zusammenhang zwischen dem Avesta und den Veden ist es aber gar keinem Zweifel zu unterwerfen, dass die Verfasser des Avesta, welche in *Taurvâiti* = arisch *Turvâti*, wesentlich = vedisch *Turvîti*, »den Angehörigen des vedischen *Turva*« (vgl. die Bed. von Ἀργεῖοι u. s. w.) kannten, auch mit diesem selbst nicht unbekannt sein konnten, obgleich dieser Name selbst in den verhältnissmässig geringen Resten der heiligen Schriften der Perser, die uns bewahrt sind, nicht wiedergespiegelt wird. Er würde hier *taurva* lauten; *taurvâta*, welches

Justi in seinem Wörterbuch der Altbactrischen Sprache als Basis des Patronymikum *taurvâiti* aufstellt, ist bloss Hypothese.

Demgemäss lässt sich auch vielleicht noch ein drittes hiehergehöriges Beispiel in dem sskr. Eigennamen *Çaryâti* erkennen, von welchem im Rigveda *Çâryâtá* stammt, trotzdem dass eine Basis *Çarya* in dazu passender Bedeutung nicht nachzuweisen ist (vgl. jedoch V).

Bei dieser Uebereinstimmung zwischen Griechisch, Lateinisch, Sanskrit und der Sprache des Avesta in Bildungen von Wörtern durch ein Suffix, welches in der Grundsprache *âti* lauten würde, mit der Bedeutung »angehörig«, wozu noch die lettischen auf *eetis*, *eete* treten die von den Namen der Höfe abgeleitet werden und dazu dienen die Bauern desselben Gebiets zu bezeichnen wie *Wahnareetis*« u. s. w. (Pott Et. Fschg. II[1], 559), ist es keinem Zweifel zu unterwerfen, dass Suff. *âti* in der Bed. »angehörig« schon in der indogermanischen Grundsprache existirte.

II.

Neben *âti* erscheint aber im Latein in derselben Bedeutung *enti* z. B. *Vejenti* »Veji angehörig«. Diesen Bildungen stellen sich die vedischen Eigennamen *Purush-ánti* (Basis *Purusha*), *Dhvas-ánti* zur Seite.

Aus dem Latein gehören auch dazu bedeutungsverwandte Wörter, mit *s* für *t*, auf *ensi* wie *Cur-ensi* »angehöriger von *Cures*, *hort-ensi* »zum Garten gehörig« u. s. w. (Leo Meyer II. 531); ferner die Nomina auf *esti*; wie *mon* mit Affix *tro* zu *mon-s-tro*, so ward *enti* zu *en-s-ti* und mit Einbusse des *n* vor *s*, wie z. B. in *potestat* für *potenstat* statt *potent-tat*, zu *esti* z. B.

agr-esti, vermittelst *agr-en-s-ti*, für *agr-enti* »dem
Lande angehörig«, *coel-esti* für *coel-enti* »dem
Himmel angehörig«.

Aus dem Griechischen lassen sich keine Formen mit *ν* gegenüberstellen. Aber wir wissen,
dass von der Gruppe *ντ* im Griechischen häufig
das *ν* eingebüsst wird (z. B. *ὄνομaτ* für ursprünglich *ὄνομαντ* und so in allen auf *ματ* und sonst,
z. B. *ἀργίτ* für *ἀργέντ* altes Ptcp. Präs. von dem
Verbum, von welchem auch *ἀργ-υρο* für *ἀργ-
-Ϝαν-ο* == sskr. *árj-un-a* »Silber«, mit der so
häufigen Cerebralisirung des dentalen *ν* zu *ρ*).
Wir erhalten dadurch das Recht die bedeutungs-
gleichen griechischen Bildungen auf *ετι, οτι* (Nom.
Si. *ετης, οτης*) hieher zu ziehen, z. B. *ἀγρ-οτι*
(Nom. S. *ἀγρότης*) für *ἀγρ-οντι* == *agrenti, agre-
sti, δημ-οτι (της) »zum Demos gehörig«, φυλ-ετι
(της) »zur Phyle gehörig« *στρ-ετι (της) »zum Lager gehörig« u. s. w.

Die Einbusse von *n* vor *t* findet, wenn gleich
seltener als im Griech., auch im Latein Statt,
z. B. im Suff. *met* für *mant* in *pal-met* u. s. w.
(Leo Meyer a. a. O. II, 270). Es gehören daher
auch die Bildungen wie *coel-ĕt* für *coel-ĕti*, statt
coel-enti == *coelesti*, *Cur-ĕt* für *Cur-ĕti* statt
Cur-enti == *Cur-ensi* (s. oben) »Angehöriger der
Stadt *Cures*« (vgl. über *Vej-enti*) hieher.

III.

Es lässt sich nachweisen, dass schon in der
Grundsprache die Beschwerung durch Position
nicht selten dahin wirkte, dass ein dieser vor-
hergehender von Natur kurzer Vokal gedehnt
ward; so z. B. wurde ursprüngliches *an-tmant*
»Athem« schon in der Grundsprache zu *â-tmant*,
im Sanskrit durch *â-tman* wiedergespiegelt, im

Griech. durch ἄ-σθματ (neben ἄ-σθμαν in ἀσθμαίνω für ἀσθμαν-ιω) für ἄ-τματ (mit σ vor τ, wie so oft, und Aspirata für Tenuis, wie ebenfalls mehrfach, durch Einfluss des folgenden Nasals); eben so beruht darauf das Verhältniss von grdsprachl. *áku* »schnell« zu *akva* »Pferd« beide für ursprüngliches *ak-vant* »schnell«, *svádu* »süss« für *svad-vant* »köstlich«.

Daraus erklärt sich auch das Verhältniss von *áti* (in I.) zu *anti* (in II.). Letzteres ist die ursprüngliche Form, aus welcher die erstre erst durch Dehnung vor der Position, dann Einbusse des *n*, aber natürlich mit Bewahrung der Dehnung, entstanden ist. Beide Formen existirten in der Grundsprache nebeneinander und haben sich so auch theilweise in den besonderten Sprachen erhalten, wie die schon angeführten Formen, z. B. lat. *Vejenti* neben *Arpináti*, sskr. *Purushánti* neben *Vasáti* zeigen.

IV.

Da die Dehnung durch Position eine phonetische Erscheinung ist, phonetische Erscheinungen sich aber erst nach und nach geltend machen, demgemäss in den früh fixirten Sprachen gewöhnlich erst in einem mehr oder weniger geringen Umfang, während die organischere Form sich noch daneben erhält, so zeigen sich auch nach Einbusse des einen Consonanten Formen mit und ohne Dehnung neben einander. Wir haben deren schon in I. und II. aus dem Griechischen und Lateinischen erwähnt z. B. Ἀιγιν-ηται (της), φυλέτα (της). Ehe wir weiter gehen, erlauben wir uns noch einige interessante hervorzuheben, so κωμ-ηται (της) »zum Dorf gehörig« γυμν-ηται (της) »zu den Unbekleideten, Ungepan-

zerten gehörig«; ohne Dehnung *ἱππ-ου* (*της*) »zu
den Pferden, = Reitern, gehörig«; ebenso mit
Dehnung *αἰχμ-ητα* »zu den Lanzen, d. h. den mit
Lanzen Bewaffneten gehörig«, dagegen ohne Dehnung *τοξ-ου* (*της*) »zu den Bogen, = Bogenschützen, gehörig«.

Dem griechischen *ἱππου* entspricht nun in
Form und Bedeutung lat. *equĕt* für *equ-ĕti* (vgl.
in II. *ĕt* z. B. in *coel-ĕt* = griech. *ου* in *ἀγρ-
ου*). Ganz eben so wie *equĕt* ist aber *ped-ĕt*
gebildet »zu den Fussgängern gehörig«, wo jedoch die Fussgänger etymologisch nur durch
»die Füsse« bezeichnet sind, wie in *αἰχμητυ*, *το-
ξου* die Lanzenträger, Bogenschützen nur durch
die Waffe, deren sie sich bedienen. Das Affix
ĕt in *ped-ĕt*, für *ĕti* ist aber nach dem bisherigen identisch mit sskr. *áti*, so dass in dem sskr.
Wort *pad-áti* welches, aus *pad* = lat. *ped* gebildet, dieselbe Bedeutung wie lat. *ped-et* hat, das
ganz getreue Spiegelbild des letzteren zu erkennen ist.

Dass ein aus denselben Elementen gebildetes
Wort im Sanskrit und Latein, also in so weit
auseinander liegenden Sprachen des Indogermanischen Sprachstammes, übereinstimmend eine
von der etymologischen so weit abliegende Bedeutung haben, ist eine höchst auffallende Erscheinung und würde nach den bekannten Principien der Vergleichung eigentlich dafür entscheiden, dass Bildung und Bedeutung schon der
Grundsprache angehört haben. Es ist aber völlig undenkbar, dass zur Zeit der Grundsprache
schon eine Militärverfassung existirt hätte, in
welcher »Krieger zu Fuss« eine besondre Abtheilung im Gegensatz zu irgend einer andern
gebildet hätten. Es ist hier vielmehr sicherlich
ein zufälliges Zusammentreffen anzuerkennen, für

welches sich zwar manche Erklärungen aufstellen
lassen, aber so viel ich bis jetzt zu erkennen vermag, keine, welche die übrigen unbedingt aus-
schlösse; daher ich es für undienlich halte, sie
hier gegeneinander abzuwägen.

V.

Wir haben es bis jetzt verschoben, das Verhältniss von *tti* in dem vedischen *Turvîti* zu *ûti*
(arisch *ûti*) in *Taurvûiti* des Avesta in Betracht
zu ziehen.

Dass beide in engem Zusammenhang stehen,
wird wohl Niemand bezweifeln, allein wie ist
das *t* statt des arischen *û* zu erklären?

Man könnte auf den ersten Anblick anzunehmen geneigt sein, dass der im Sanskrit so häu-
fige Uebergang von *û* in *t* dazu genüge; dass
wie ursprüngliches *pâ-tá* == latein. *pô-to* (*pôtus*)
»getrunken« im Sskr. *pi-tá* lautet, wie noch ve-
disches *âs-ânâ* (von *âs* »sitzen« Ptc. Med.) zu
späterem *âs-ínâ* ward, und so *û* zu *t* in unzähligen andern Fällen, so auch arisches *Turvûti*
zu sskr. *Turvîti* geworden sei. Auf dieselbe
Weise würde man dann den ebenfalls vedischen
Eigennamen *Dabhîti* aus *Dabhûti* erklären und
ebenfalls als Angehörigen oder Abkömmling des
Dabha auffassen. Eine Basis *Dabha*, welche dazu
passen würde, fehlt im Sskr., ähnlich wie *Taurva*
in der Sprache des Avesta.

Gegen diese Erklärung spricht aber, wenn
auch nicht ganz entscheidend, doch starke Bedenken erregend, der Umstand, dass dieser Uebergang von *û* in *t* — so viel ich mich erinnere
— nur vor accentuirten Silben, wie in den eben
angeführten *pitá*, *âsínâ* und z. B. noch *dhî-yá*
von *dhî* u. aa. der Art, Statt findet; unter den

hieher gehörigen Fällen ist aber kein oxytonir-
ter, sondern *Turótti, Dabhíti, Purushánti, Dhna-
sáti* sind paroxytonirt; eben so auch die griechischen auf *άτι* u. s. w. und zwar, nach der
Analogie der sanskritischen zu urtheilen, schwerlich durch Einfluss der folgenden langen Silben,
sondern schon ursprünglich.

Es ist mir daher wahrscheinlicher, dass eine
andre Erklärung zu suchen sei; und zu dieser
bahnt uns das Griechische den Weg.

Hier erscheinen in beträchtlicher Anzahl neben den Formen, welche *άti* reflectiren, gleich-
bedeutende auf Reflexe von *idti,* so Κροτων-ιατι
(της) »Angehöriger von Croton« (vgl. *Αίχιν-ητι*),
Σπαρτ-ιατι (της); zweifelhaft kann man sein, ob
πολι-ητι (της), oder πτολ-ιητι (της) zu theilen
sei »Angehöriger einer Stadt«, sicher ist aber
die Theilung άγρο-ιωτι (της) der von άγροι-ωτι
(της) vorzuziehen »Angehöriger des Landes« (vgl.
άγρ-ετι in II.); eben so ist στρατ-ιωτι (της) »Angehöriger eines Heeres« zu theilen und von
στρατό-ς nicht von στρατιά abzuleiten.

Da sich *άti* als aus *anti* entstanden ergab,
so ist schon darum auch für *idti* die Entstehung
aus *ianti* höchst wahrscheinlich; dafür sprechen
entscheidend die lateinischen Wörter auf *iensi*
für *ienti* (vgl. II.) wie *Athen-iensi, Latin-iensi.*

Da nun im Sskr. die Zusammenziehung von
id in *î* sowohl bei folgendem als vorhergehen-
dem und unter dem Accent eintritt, d. h. von
dem Accent unabhängig ist, z. B. grdspr. *gviâ-tá*
= sskr. *jîtá* (askr. Vb. *jyâ*), ved. *cittí* für älteres *cittiâ,* ved. *utí* für älteres *útiâ,* dieser selbe
Uebergang sich auch im Griechischen u. ss.
Sprachen zeigt und dadurch als ein nahe liegender fast allgemein menschlicher ergiebt (z. B.
πολτι für πολι-ητι (της) und so auch Συβαριτι

für *Συβαρι-ηται* oder *ιᾶται*, *ὁπλιται* für *ὁπλ-ηται* oder *ιᾶται*, *ὁρειται* zunächst für *ὁρεσ-ται* und dieses für *ὁρεσ-ηται* oder *ιᾶται*, wie das entsprechende *ὁρειᾶται* für *ὁρεσ-ιωται* erweist [1]), — so vermuthe ich, dass *turvîti*, *dabhîti* für ursprünglicheres *turviâti*, *dabhiâti* steht. Dafür spricht auch eine der Varianten von *taurvâtôis* in der (unter I.) angeführten Stelle des Avesta, nämlich *taurvaêtôis*, in welchem sich schwerlich eine Corruption von jenem nachweisen lässt, sondern vielmehr, wie in Varianten von *Thraêtaona* (vgl. *Τριταωιϑ Αϑανα* S. 7 ff., in diesen Nachrichten 1868 S. 43 ff.), eine berechtigte Nebenform mit hoher Wahrscheinlichkeit zu erkennen ist. Und diese Nebenform erklärt sich in der That aus dem vermutheten *turviâti*.

Da nämlich sowohl im Sskr. als in der Sprache des Avesta ursprüngliches *i* vor Vokalen durch die fast allgemein menschliche Synizese so überaus oft zu *y* wird, so dürfen wir unbedenklich annehmen, dass dieses in der Sprache des Avesta auch mit *turviâti* geschehen sei. Dadurch und durch das gewöhnlich vor *u* erzeugte *a* entstand zunächst *taurvyâti*; dann ist *â* vermittelst des *y* (vgl. Justi, Handbuch des Altbactrischen S. 359, 20) zu *ê* geworden, so dass *taurvyêti* (eigentlich *taurvyêiti*, aber im Genetiv ohne dieses *i* *taurvyêtôis*) entstand, endlich ist das *y* eingebüsst (Justi 365, 3), aber dem *ê*, wie gewöhnlich, ein *a* vorgetreten, also *taurvaêtôis*.

Dürfen wir demnach *Turviâti*, *Dabhiâti* als Grundlage von *Turvîti*, *Dabhîti* annehmen, so erhalten wir das Recht auch in *Çaryâti* das *y* aus Synizese eines ursprünglichen *i* zu erklären und *Çar-iâti* zu Grunde zu legen. Dieses erhält

---

1) Beiläufig bemerke ich, dass wie *Συβάρτας* aus *Συβαρῖτας*, ganz ebenso *Ὁρέστης* aus *Ὁρεσ-τῆης* entstanden ist.

dann, wie *Turv-iâti* in *Turva*, als Basis den in den Veden erscheinenden Eigennamen *Çara*.

Damit erhalten wir *iâti* als arischen Reflex des griechischen *ιατι, ιητι, ιωτι*, so wie des lateinischen *iensi* für *ienti*, woraus sich ergiebt, dass wie *anti, âti*, so auch *ianti, iâti* schon in der Grundsprache existirten.

VI.

Es würde nun die Frage zu erörtern sein, wie diese Suffixe *anti, âti* und *ianti, iâti* entstanden sind. Da ich eine ganz sichre Entscheidung nicht zu geben vermag, so will ich mich darauf beschränken, meine Ansicht kurz mitzutheilen.

Das auslautende *i* scheint mir in beiden das Suffix zu sein, welches im Sskr. zur Bildung von Patronymicis dient (Vo. Sskr. Gr. §. 436); man vgl. z. B. *ânuroh-at-i* Patronymikum von *anu-roh-ant* im Gaṇa Taulvalyâdi zu Pâṇini II. 4. 61; man beachte in diesem Beispiele die für das Sskr. gesetzliche Einbusse des *n*, die auch in griech. *ση, ου* lat. *ĕt* (in II.) eingetreten ist.

In Bezug auf *ant* erinnere ich daran, dass ich schon lange eine Menge Nomina auf *a* als Verstümmelung von solchen auf *ant* nachgewiesen habe; speciell lässt sich dieses für die Themen auf *va* feststellen; so dass z. B. *turva*, vermittelst des belegten *turvan*, auf *turvant* (Ptcp. Pr. von *turv* ohne die nur phonetische, in den Veden noch oft mangelnde, Dehnung vor *rv*) zurückgeht. In **Turv-ant-i*, dann *Turv-ât-i*, erkenne ich nun ein von dem Namen des Stammvaters *Turvant* durch *i*, eig. »angehörig« gebildetes Patronymikum. Solcher gab es in der Grundsprache gewiss viele; allein schon in ihr waren die ursprünglichen Themen auf *ant* viel-

fach zu Themen auf *a*, und die Formen auf *anti*
zu solchen auf *âti* geworden, so dass das gene-
tische Verhältniss der Formen auf *âti* anfangen
musste aus dem Sprachbewusstsein zu verschwinden; noch mehr musste dies natürlich nach der
Trennung geschehen; *anti* und *âti* mussten im
Sprachbewusstsein sich von dem Heerde ihrer
Entstehung loslösen und nach und nach für selbst-
ständige Exponenten der Angehörigkeit gelten;
in Folge davon erscheinen sie dann in Fällen,
wo die Basis sicherlich nie auf *ant* auslautete,
wie z. B. lat. *nostr-âti* von *nos-tra* u. aa.

Aehnlich deute ich die Entstehung von *ianti*,
iâti aus ursprünglichen Themen auf *iant*, Ptc.
Präs. der Verba der sogenannten 4ten Conjuga-
tions-Classe, also etwa *dhabîâti* für *dabhiâti* aus
dabh-iant-i; auch hier wurden — ähnlich wie bei
denen auf *anti*, *âti* — *ianti*, *iâti* nach und nach zu
selbstständigen Exponenten des Begriffs »angehörig« und traten in dieser Bed. ebenfalls an
Wörter, die nie auf grundsprachliches *iant* aus-
lauteten, wie z. B. in στρα-ιατα von στρα- εδ (al-
tem Ptcp. Pf. Pass. von grundsprachl. * star*).

VII.

Beiläufig will ich nicht unbemerkt lassen,
dass durch die wesentliche Identität von ved.
Turvîti mit dem *Taurvâiti* des Avesta, zu dem
bisher schon nachgewiesenen, diesen heiligen
Schriften der Arier gemeinsamen, Eigennamen
noch ein neuer, nämlich ein Patronymikum, tritt,
oder vielmehr, da, wie bemerkt, auch dessen Basis *Taurva* = ved. *Turva* den Verfassern des
Avesta bekannt gewesen sein muss, zwei, nämlich auch der des Stammvaters.

VIII.

Schliesslich muss ich noch hervorheben, dass die hier besprochenen Wörter auf grundsprach- liches *âti*, als secundäre Bildungen, nicht mit sol- chen wie lateinisch *quiêti* f. = altpersisch *shiyâti* (für grundsprachlich *skiâti*, vgl. Fick, die ehe- malige Spracheinheit der Indogermanen Europas 1873 S. 113), sskr. in den Veden *vasâti* (f.) »Morgendämmerung«, in der Sprache des Avesta *carâiti* verwechselt werden dürfen. Die beiden ersten — über das dritte wage ich noch kein Urtheil — sind Bildungen durch das primäre Abstractsuffix *ti* aus Verbalthemen, in denen *â* angetreten ist. Die Zahl derartiger Verbalthe- men ist sehr beträchtlich und ihre Bildung ge- hört schon der Grundsprache an; die meisten Beispiele liefern die Verba auf *r* und *m n*, wobei Einbusse des radikalen Vokals eintritt z. B. aus *par-â* sskr. *prâ*, gr. *πλη*, lat. *plê*, aus *dham-â* sskr. *dhmâ*, aus *man-â* sskr. *mnâ*, gr. *μνη*, so auch aus *gan-â*, lat. *gnâ* in *co-gnâ-to*, (*g*) *nâ-scor*, sskr. *jnâti* »Verwandter«, griech. *γν̇-α-ο* für *γνη-α-ο*. Doch tritt dieses *â* auch an Verba auf andere Auslaute z. B. schon grdspr. *gvi-â* in sskr. *jyâ*, gr. *βιάω*, grdspr. *ski-â* in dem erwähnten *qui-ê-ti*, *shiy-â-ti*; eben so sskr. *jîv-â* von *jîv* »leben« in *jîv-â-tu* und *jaivâtrika*, wel- ches auf *jîv-â-tar* beruht; eben so *vas-â* in *vas- -â-ti* von *vas* »aufleuchten«, woher auch *ushas* »die Morgenröthe«.

Wie dieses *â* zu deuten, ist noch sehr frag- lich. Doch bemerke ich, dass es vorzugsweise in generellen Verbalderivationen hervortritt, z. B. von *man* sskr. Aor. *a-mnâ-sisham*, *μνή-σομαι*, lat. *qui-ê-vi*. Zu diesen generellen Ableitungen ge- hören natürlich auch die auf grundsprchl. *ska*,

z. B. *Θνή-σκω* (wie *μι-μνή-σκω*), *lucě-sco* (sonderbarer Weise gegen alle Analogie *quiěsco*), und auch die reduplicirten, welche ursprüngliche Frequentative sind, wie *πίμ-πλη-μι* u. aa. Nachdem dieses *â* sich in einer Menge genereller Bildungen geltend gemacht hatte und die specielle Bedeutung, die es einst verlieh, aus dem Sprachbewusstsein verschwunden war, musste es natürlich den Schein eines integrirenden Theils des Verbalthema's annehmen und trat demnach auch als Präsensthema auf, z. B. sskr. *psâ* aus ursprünglichem *bhas-â*, »essen«, gerade wie im Verlauf der Sprachentwickelung ursprüngliche Präsensthemen mehrfach zur Bildung von generellen Derivationen verwendet wurden.

Ein Theil des Mongolischen Ardschi Bordschi und Stücke des Pantschatantra im Singhalesischen.

Von
Th. Benfey.

Hr. Thomas Steele, ein Englischer Beamter in Ceylon, hat in englischen Versen eine Bearbeitung eines der Buddhistischen Jâtaka (Vorexistenzen des Çâkyamuni) herausgegeben und manche andere Mittheilungen aus ceylonesischen Quellen hinzugefügt. Der Titel des Buches ist: An Eastern Love-Story. Kusa Játakaya, a Buddhistic Legend: Rendered for the first time, into English Verse, from the Sinhalese Poem of Alagiyavanna Mohoṭṭâla, By Thomas Steele, Ceylon Civil Service. London Trübner and Co. 1871. Unter den Beilagen verdienen eine besondre Beachtung die Sinhalese Stories S. 247 ff. Sogleich die erste dieser Geschichten ist in

sofern von Wichtigkeit als die von mir im Pantschatantra I. 489 nur aus dem Mongolischen
Ardschi Bordschi erschlossene Existenz derselben
im Indischen dadurch ihre volle Bestätigung erhält. Die ceylonesische Darstellung ist gleich-
wie die mongolische aus buddhistischen Quellen
geflossen und spricht, wie vieles andre, für die
Ansicht, dass die Hauptniederlage dieser Märchen, Fabeln u. s. w. in der buddhistischen Literatur zu finden ist.

Die Mongolische Form möge man jetzt bei
Jülg Mongolische Märchen, Insbruck 1868 S. 101
ff. nachsehen; über die damit zusammenhängenden vgl. man Pantschatantra I. S. 489 ff. und
Jülg a. a. O. S. 129.

In der vorliegenden ceylonesischen Darstellung,
die einfacher ist als die mongolische, gilt es die
Tochter eines Königs, von der man nicht weiss, ob
sie stumm ist, oder nicht sprechen will, zum Sprechen zu bringen. Wem diess gelingen würde, verspricht sie der König zur Frau. Nachdem viele
sich vergebens damit abgemüht haben, macht sich
ein Prinz daran. Auch er erhält zuerst keine
Antwort. Da wendet er sich an eine in der
Halle hängende Lampe und spricht »Lampe! ich
will dir eine Geschichte erzählen: Vier Reisende, ein Zimmermann, ein Maler, ein Kaufmann und ein Juwelier kamen zusammen in ein
Wirtshaus, wo ein Holzblock auf dem Boden lag.
Der Zimmermann nahm sein Werkzeug und
schnitzte daraus die Gestalt einer schönen Frau
in Lebensgrösse. Der Maler malte sie an, dass
sie schön wie eine Göttin ward. Der Kaufmann
bekleidete sie mit den schönsten Stoffen; der
Juwelier schmückte sie mit den kostbarsten Edel-
steinen, Ohrringen, Halsketten u. s. w. Zuletzt
ward die Figur lebendig. Alle vier verliebten

sich nun in sie; jeder wollte sie zur Frau haben.
Der Zimmermann berief sich darauf, dass er ihr
die unvergleich schöne Gestalt gegeben habe,
der Maler, dass er ihr die herrliche Farbe ver-
liehen, der Kaufmann, dass er sie köstlich bekleidet, der Juwelier, dass er sie so glänzend
geschmückt habe. So geriethen sie in immer
grösseren Streit. »Wer ist wohl der rechtmä-
ssige Eigenthümer? fragte der Prinz nun die
Lampe. Diese giebt mehrere Antworten, welche
der Prinz stets widerlegt. Da kann sich endlich
die Prinzessin nicht länger schweigend halten.
Sie entscheidet, »dass die Frau dem Wirth gehöre, aus dessen Eigenthum, dem Holzblock, sie
gemacht sei«. Der Prinz, da es ihm gelungen
ist, die Prinzessin zum Sprechen zu bringen, erhält sie natürlich zur Frau.

S. 248 wird die Form von »Salomo's Urtheil«
erzählt, welche sich auch in d'Alwis Sidatha
Sangarawa Introduction, p. CLXXIX findet, der
aus Roberts Oriental Illustrations of the Sa-
cred Scriptures p. 191 entlehnten, und im Orient
und Occident III, 377 von Liebrecht mitgetheilten entspricht und mit der von mir im Pantschatantra, II, S. 544 zu I. §. 166 S. 396 gegebenen eng zusammenhängt; vgl. auch noch die
chinesischen Formen in Ausl. 1860, nr. 17 S.
201, und nr. 36, S. 431; so wie eine in dem
mongolischen Kasar Chan, welchen Hr. von der
Gabelentz übersetzt hat.

S. 249 folgt eine hübsche Erzählung im
Geiste der Lalenburger.

Darauf dann mehrere des Pantschatantra, mit
mehr oder weniger leichten Varianten; nämlich
S. 250 eine Variante zu Pantschat. Lib. I. fab.
21 (s. Bd. I. §. 101. S. 284); — ferner S. 250
leicht variirt Pantschat. Lib. V. fab. 2 (vgl. Bd.

I. §. 201. S. 479). — S. 251 = Pantsch. Lib. I.
fab. 7 (vgl. Bd. I. §. 60 S. 174); — S. 253 The
Braggards ist verwandt mit dem Rahmen von
Pantschat. Lib. II und Pantsch. Lib. I. fab. 14
(vgl. Bd. I. §. 84 S. 242). — S. 254 = Pantsch.
Lib. IV. fab. 8 (Bd. I. §. 191. S. 468). — S. 255
The rat and The Garandiyâ hängt mit dem Ab-
schnitt des ursprünglichen Sanskrit-Werkes über
Politik zusammen, welcher Pantschat. Bd. I. §. 219
S. 544 ff. besprochen ist; darauf beruht auch
die kurze Fassung in Bhartṛihari's Nîtiçatakam
Strophe II 82. — S. 255 The Cranes u. s. w.
ist = Pantsch. Lib. I. fab. 20 (vgl. Bd. I. §. 97
S. 279).

Skizze einer Abhandlung: Ueber Augensprache, Mienenspiel, Gebärde und Stimmmodulation.

Von

Th. Benfey.

Ein Zufall führte dem Verfasser dieser Zeilen
eine Reihe von Gedanken über die in der Ueberschrift bezeichneten Erscheinungen ins Gedächtniss zurück. Sie schienen ihm einer Ausarbeitung nicht unwerth zu sein. Allein da andre Aufgaben ihn in naher Zeit und vielleicht
überhaupt nicht mehr dazu kommen lassen werden, hält er es für nicht undienlich mit wenigen
Worten den Ideengang zu skizziren, welchen er
in einer solchen verfolgen würde, einerseits für
ihn selbst zur Erinnerung im Fall ihm noch
Musse zur Ausarbeitung verstattet werden möchte,
andrerseits um Fachgenossen darauf aufmerksam
zu machen, die vielleicht geneigt wären, sie zu
übernehmen.

Er ging von der Bemerkung aus, dass man

unter Sprache gewöhnlich nur die artikulirte
Sprache versteht und dabei fast ganz übersieht,
dass diese mehr oder weniger, ja, wo sie ihre
ganze Kraft entfalten will: im Affect, von den
in der Ueberschrift zusammengefassten vier Accessorien begleitet ist, dass diese sogar nicht selten ganz und gar an die Stelle derselben treten und
fähig sind Wahrnehmungen, Empfindungen, Ge-
fühle, Gedanken und Absichten einzig durch sich,
ohne jegliche Beihilfe der artikulirten Rede vollständig verständlich zu machen. Drei dieser
Accessorien —: Augensprache, Mienenspiel und
Stimmmodulation — scheinen sogar bei allen
Völkern ganz — das vierte —: Gebärden — wenigstens zum Theil übereinzustimmen, so dass
sie das verbindende Element in der gegenseitigen Gedanken-Vermittelung der gesammten
Menschheit bilden, während die artikulirte Sprache, im vollsten Gegensatz dazu, sich als tren-
nendes, die Menschheit in Völker scheidendes,
Element geltend macht.

Diese Accessorien der Rede scheinen demgemäss eine grössere Beachtung zu verdienen als
ihnen bisher zu Theil geworden ist und zwar:

1. an und für sich als wesentliche und sehr
bedeutende Aeusserungen der menschlichen Seele,
welche würdig sind in ihrem ganzen Umfang gekannt und, wo möglich, ihren tieferen Gründen
nach, erkannt zu werden.

2. Um zu erforschen, welche Aeusserungen
dieser Art allen oder vielen Völkern gemeinsam sind, welche einigen besonders eigen, und
worin sie sich unterscheiden, damit man festzustellen vermöge, was in ihnen allgemein menschlich
sei, was auf besondere naturgemäss zusammen-
hängende Menschencomplexe beschränkt, was auf
allgemeinen Gesetzen, was auf Convention beruhe.

3. Weil sie dazu dienen können uns die Vorstellung von der rein menschlichen Entstehung der artikulirten Sprache nicht wenig zu erleichtern, indem ihnen unzweifelhaft die Fähigkeit zugesprochen werden muss, jedem Laute oder Lautcomplexe diejenige Bedeutung zu verleihen, welche der erste, der diese Articulationen mit jenen Accessorien verband, durch sie auszudrücken gedrängt war oder beabsichtigte.

4. Weil sie in gleicher Weise geeignet sind, manche Erscheinungen in der Entwickelung der artikulirten Sprache zu erklären oder wenigstens begreiflich, oder auch nur vorstellbar zu machen. So ist es z. B. eine unläugbare Thatsache, dass Völkerstämme, welche zu derselben Menschenrasse gehören, Sprachstämme entwickelt haben, welche vom sprachwissenschaftlichen Standpunkt aus völlig unvereinbar sind. Die Indogermanen z. B. werden aus physischen und psychischen Gründen zu derselben Rasse —: der sogenannten lockenhaarigen — gerechnet, zu welcher auch die Semito-Hamiten, Basken und kaukasischen Völker, so wie in weiterem Kreise selbst die Dravida's Ostasiens und die Nuba's Nordafrika's gezählt werden. Diese Völkerstämme bilden aber in der historischen Zeit Sprachstämme, welche weder mit dem Indogermanischen Sprachstamm noch unter sich auf sprachwissenschaftlichem Wege vereinigt werden können. Diese Erscheinung wird aber begreiflich, wenn wir annehmen dürfen, dass zu der Zeit, als sich die Voreltern dieser Völkerstämme von dem ihnen zu Grunde liegenden, die Basis der ganzen Rasse bildenden, trennten, jene Accessorien der artikulirten Sprache diese selbst noch so sehr überragten, dass artikulirte Laute und Lautcomplexe erst in geringer Zahl zu begrifflichen Werthen verwendet

warden, oder diese Verwendung, selbst wenn sie
schon einen grösseren Umfang angenommen hatte,
doch in Bezug auf die damit verknüpften begrifflichen Werthe noch so wenig durch Gewohnheit
gesichert war, dass noch nach der Trennung durch
Hülfe derselben Accessorien andre Laute und
Lautcomplexe mit Leichtigkeit an ihre Stelle zu
treten vermochten.

In Betracht dieser Bedeutung jener Accessorien und selbst Stellvertreter der artikulirten
Rede würde schliesslich der Wunsch gerechtfertigt sein, dass

1. Reisende ihnen die grösste Aufmerksamkeit widmen und alle dahin gehörige Erscheinungen aufs sorgfältigste und so klar als irgend
möglich beschreiben möchten.

2. Dass auch Schriftsteller, welche Grammatiken lebender Sprachen abfassen, anstatt sich
bloss auf die nächsten praktischen Bedürfnisse
zu beschränken, sich von dem Gedanken leiten
lassen möchten, dass es die Aufgabe einer wissenschaftlichen Grammatik ist, alle Mittel zu
verzeichnen und so genau als möglich zu schil-
dern, deren sich eine Sprache bedient, um im
lebendigen Verkehr das vollste Verständniss der
gegenseitigen Mittheilungen zu erzielen. Eine
genaue Beschreibung der hervorgehobenen Accessorien der articulirten Rede lässt sich aber
im Gebiete der lebenden Sprachen unzweifelhaft
anbahnen und nach und nach zu hoher Vollendung führen. Sie würde den Grammatiken derselben im Verhältniss zu denen der todten Sprachen einen Werth verleihen, welcher durch die
tiefere Einsicht die diese letzteren in den Bau
und die Entwickelung der artikulirten Sprache
gewähren, kaum überragt, ja auch nur aufge-
wogen werden möchte.

Nachrichten

von der Königl. Gesellschaft der Wissenschaften und der G. A. Universität zu Göttingen.

2. Juli. № 16. 1873.

Königliche Gesellschaft der Wissenschaften.

Eine neue Methode Kreistheilungen zu untersuchen

von

G. Quincke.

Die Aufgabe, eine Kreistheilung zu untersuchen, an welcher die Lage zweier Fernröhre mit Ablese-Mikroskopen auf einige Secunden genau bestimmt werden sollte, hat mich auf eine Untersuchungs-Methode geführt, welche Bequemlichkeit und Genauigkeit vereinigt und meines Wissens bisher noch nicht beschrieben worden ist.

Die Fernröhre sind mit einem Gauss'schen Ocular versehen (Astron. Nachr. 579, 31. 10. 1846), bei welchem durch ein unter 45° gegen die Fernrohraxe geneigtes Planglas zwischen Ocularlinse und Fadenkreuz das letztere beleuchtet werden kann.

Das Fernrohr ist auf Unendlich und seine Axe normal gegen eine planparallele Glasplatte gestellt, wenn das Fadenkreuz mit dem Spiegel-

35

bild zusammenfällt, welches die von der Glasplatte zurückgeworfenen Strahlen entwerfen.

Die Glasplatte kann normal gegen die Kreistheilung mit Wachs auf einem drehbaren Tischchen in der Mitte derselben aufgestellt werden. Axe und Drehungsaxe des Fernrohrs stehen genau senkrecht gegeneinander, wenn Fadenkreuz und Spiegelbild desselben zusammenfallen, auch nachdem das Fernrohr um 180° gedreht worden ist. Bei verschiedenen Lagen des mit der Kreistheilung fest verbundenen Planglases ergiebt sich dadurch auch gleichzeitig die etwa vorhandene Excentricität der Drehungsaxe gegen den Mittelpunkt der Kreistheilung. Der grösseren Lichtintensität wegen benutze ich Steinheil'sche Planparallelgläser, deren eine Seite mit Silber belegt und polirt worden ist.

2 Planparallel-Spiegel werden mit Wachs auf dem Tischchen senkrecht gegen die Fernrohr-Axen befestigt. Sie stehen genau senkrecht gegeneinander, wenn der von ihnen gebildete Winkelspiegel die durch doppelte Reflexion erzeugten beiden Spiegelbilder eines Fernrohrfadenkreuzes mit diesem selbst zusammenfallen lässt.

Stellt man die Axen der Fernröhre 1 und 2 durch Reflexion der beleuchteten Fadenkreuze normal gegen die beiden Flächen des Winkelspiegels, so bilden sie genau einen Winkel von 90° mit einander. Verschiedene Lagen des Winkelspiegels bestimmen dann je 4 um 90° von einander entfernte Punkte der Kreistheilung.

2 Plangläser bilden genau einen Winkel von 120° oder 60° mit einander, wenn 2 einzeln normal gegen dieselben gestellten Fernröhre gleichzeitig durch doppelte Reflexion das Fadenkreuz des Fernrohrs 1 im Fadenkreuz von Fernrohr 2 erscheinen lassen und umgekehrt. Stellt man

bei verschiedener Lage des Winkelspiegels von 120° oder 60° die beiden Fernröhre normal gegen die einzelnen Spiegelflächen, so erhält man durch die Ablesungen der Kreistheilung Punkte, die genau um 60° resp. 120° von einander abstehen.

Bilden die beiden Plangläser einen Winkel 180—2φ, die normal gegen dieselben gestellten Fernrohr-Axen einen Winkel 2φ mit einander, so lässt sich mit Wachs ein 3tes Planglas auf dem Tischchen in der Mitte der Kreistheilung so befestigen, dass es die von dem Fadenkreuz des Fernrohrs 1 ausgehenden Strahlen nach dem Fadenkreuz des Fernrohrs 2 reflectirt. Das Planglas 3 ist dann unter dem Winkel φ gegen das Planglas 1 oder 2 geneigt und der aus 1 und 3 oder 2 und 3 gebildete Winkelspiegel kann wieder benutzt werden, die Fernrohraxen senkrecht gegen die Spiegelflächen zu stellen und Punkte der Kreistheilung zu bestimmen, die um den Winkel φ von einander entfernt sind.

Aus den Winkeln 90° und 60° erhält man mit diesem 3ten Planspiegel also Winkel von 45° und 30°, aus diesem Winkel von 22½ und 15° u. s. f.

Sollte Jemand eine Schwierigkeit finden die Plangläser mit Wachs und der freien Hand in die richtige Lage zu bringen, so wird sich diese Schwierigkeit durch eine einfache Vorrichtung mit Schraube und Druckfeder leicht beseitigen lassen.

Die Methode der Reflexion des Fadenkreuzes erlaubt auch Winkel von Glasprismen mit denen von Winkelspiegeln zu vergleichen, und mit dem unveränderlichen Winkel eines Glasprismas von genau 90° 60° 30° 20° 10° u. s. w. die Kreistheilung auszumessen und zu calibriren. Das letztere habe ich noch nicht ausführen können,

da die seit längerer Zeit für diesen Zweck be-
stellten Glasprismen noch nicht in meinem Besitze sind.

Die beschriebene Methode Kreistheilungen zu
untersuchen ist bequem und genau, so weit die
Vergrösserung der Fernröhre reicht und eine
Unterscheidung von Ocularfäden möglich ist, d. h.
so genau als man überhaupt mit dem betreffenden Apparat sehen kann. Da auch die Vollkommenheit der Plangläser mit dem Fernrohr
leicht controllirt werden kann, so ist sie vielleicht auch bei der Herstellung einer neuen und
genauen Kreistheilung mit Vortheil zu verwenden.

Würzburg den 1ten Juni 1873.

Note betreffend die eindeutige Transformation ebener Curven.

Von

Dr. A. Voss in Göttingen.

In der Theorie der Abelschen Functionen von
Clebsch und Gordan findet sich ein algebraischer Beweis des Satzes, dass zwei Curven,
welche eindeutig in einander transformirt werden können, gleiches Geschlecht haben. Von
Herrn Cremona ist später ein synthetischer
Beweis dieses merkwürdigen Theorems gegeben
worden. Ich erlaube mir hier einen Beweis desselben vorzulegen, welcher im Grunde auf ähnlichen Principien beruht, wie der Cremona'sche,
aber die Betrachtung räumlicher Verhältnisse
nicht erfordert.

Zwei Curven $f x_1 x_2 x_3 = 0$ $F y_1 y_2 y_3 = 0$ von

den Graden n, n' seien eindeutig auf einander
bezogen vermöge der Formeln

$$\varrho y_i = \varphi_i, \quad \sigma x_i = \psi_i$$

wo die φ_i rationale ganze Functionen von F
vom Grade s sind, welche in σ einfachen und τ
Doppelpuncten von $f = 0$ gleichzeitig verschwinden, während für die ψ_i in Bezug auf $F = s$ die
entsprechenden Zahlen s' σ' τ' gelten. Ausserdem mag angenommen werden, dass $f = 0$ $F = 0$
sich in μ entsprechenden Puncten schneiden.
Verbindet man die entsprechenden Puncte
von f, F durch Gerade, so entsteht eine Curve
C, deren Klasse $k = n + n' - \mu$ ist. Wir bestimmen die Ordnung der C, indem wir untersuchen, wie oft consecutive Verbindungsgerade
xy, $x + dx$ $y + dy$, sich auf einer willkürlichen
Geraden $\alpha_x = 0$ schneiden. Die Determinante

$$\Sigma \pm (\alpha_1, x_2 y_1 - x_1 y_2, d(x_1 y_2 - x_2 y_1)),$$

welche dann verschwinden muss, verwandelt man
leicht in

$$\alpha_y \Sigma (x \, dy \, y) - \alpha_x \Sigma (x \, dy \, y) = 0.$$

Vermöge

$$f_1 \, dx_1 + f_2 \, dx_2 + f_3 \, dx_3 = 0$$

$$k_1 \, dx_1 + k_2 \, dx_2 + k_3 \, dx_3 = 0$$

$$dy_i = \frac{\delta \varphi_i}{dx_1} \, dx_1 + \frac{\delta \varphi_i}{dx_2} \, dx_2 + \frac{\delta \varphi_i}{dx_3} \, dx_3$$

erhält man

$$\Sigma(x\,dx\,y) = k_x \,\Sigma y_i\,f_i$$

$$\Sigma x\,dy\,y = \frac{k_x}{s}\begin{vmatrix} \dfrac{\delta\varphi_1}{dx_1} & \dfrac{\delta\varphi_2}{dx_1} & \dfrac{\delta\varphi_3}{dx_1} & f_1 \\[2mm] \dfrac{\delta\varphi_1}{dx_2} & \dfrac{\delta\varphi_2}{dx_2} & \dfrac{\delta\varphi_3}{dx_1} & f_2 \\[2mm] \dfrac{\delta\varphi_1}{dx_3} & \dfrac{\delta\varphi_1}{dx_3} & \dfrac{\delta\varphi_3}{dx_3} & f_3 \\[2mm] x_1 & x_2 & x_3 & 0 \end{vmatrix} = \frac{k_x}{s}\,T$$

die Curve

$$M \equiv \alpha_y \,\Sigma y_i\,f_i - \frac{T\alpha_x}{s} = 0$$

giebt durch die Zahl ihrer Schnittpuncte mit $f = 0$ die Ordnung der C an. Es verschwindet aber M für sämmtliche Doppel- und Rückkehrpuncte von $f = 0$ einfach. Für jeden der Puncte σ, μ verschwindet M einfach, während $\dfrac{\delta M}{dx_i} \equiv f_i$ wird. Für jeden der Puncte τ endlich verschwindet M zweifach und ist $\dfrac{\delta^2 M}{\delta x_i \delta x_k} \equiv f i k$.

Daraus ergiebt sich die Ordnung ν der C_m

$$\nu = n\,(2s + n - 1) - 2(d + r) - 2\sigma - 6\tau + 2\tau - 2\mu$$

$$\nu = n\,(2s' + n' - 1) - 2(d' + r') - 2\sigma' - 6\tau' + 2\tau' - 2\mu$$

Man hat aber

$$n' = ns - \sigma - 2\tau$$

$$n = n's' - \sigma' - 2\tau'$$

Indem man die Ausdrücke von ν gleich setzt, entsteht:

$$2n' + n^2 - n - 2(d+r) = 2n + n'^2 - n' - 2(d'+r')$$

oder

$$(\frac{(n-1)(n-2)}{2} - d - r, = p = \frac{(n'-1)(n'-2)}{2} - d' - r'$$

womit der Satz bewiesen ist.

Da die Curve C eindeutig auf f, F bezogen ist, so kennt man sowohl ihr Geschlecht p als ihre Classe k und Ordnung $2[k+p-1]$. Man erhält so die weiteren Singularitäten von C aus den Plückerschen Formeln, beispielsweise:

$$i'' = 0$$

$$r'' = 2(\nu - 1) - k + 2p$$

$$d'' = \frac{(\nu - 1)(\nu - 6)}{2} - 3p + k$$

$$t'' = \frac{(k-1)(k-2)}{2} - p$$

$$\nu = 2(k+p-1)$$

$$k = n + n' - \mu$$

wo i'' r'' d'' t'' die Zahl der Wende-Rückkehr-Doppeltangenten und Doppelpunkte von C bezeichnen.

Zur Geometrie der Flächen.

Von

Dr. A. Voss in Göttingen.

In einem neuerdings erschienenen Aufsatze[1] hat Herr Cayley die Hesse'sche Determinante einer in der Gleichung

$$P^k + \lambda P^{k'} = 0$$

vorausgesetzten Fläche untersucht. Man erhält auf eine elegantere Weise Aufschluss über das Verhalten der genannten Determinante $\varDelta$, wenn man ihre Polaren $\Sigma y_i \dfrac{\delta \varDelta}{dx_i}$, $\Sigma y_i y_k \dfrac{\delta^2 \varDelta}{dx_i \, dx_k}$ u. s. w. untersucht[2]. Es ergibt sich so:

In jedem conischen Knotenpuncte einer allgemeinen Fläche $f = 0$ hat auch $\varDelta$ einen conischen Knotenpunct, dessen osculirender Kegel mit dem von f identisch ist.

In einem biplanaren Puncte von f hat $\varDelta$ einen triplanaren Punct, und zwei Tangentenebenen desselben coincidiren mit denen der Fläche f.

In einem uniplanaren Knotenpuncte von f hat $\varDelta$ einen vierfachen Punct. Der osculirende Kegel vierten Grades besteht aus einem

[1] Quarterly Journal of Mathematics. April 1878.
[2] Auf dieselbe Weise lässt sich eine allgemeine Untersuchung der Hesseschen Curve anstellen insbesondere die Plückersche Formel:

$$i = 3n(n-2) - 6d - 8v$$

herleiten.

Kegel zweiten Grades und der doppeltzählenden Tangentenebene von $f = 0$.

Es ergibt sich hieraus zugleich das Verhalten von $\varDelta$ in höheren Knotenpuncten, sobald in denselben keine besonderen Singularitäten auftreten.

Von den zahlreichen Anwendungen, die sich auf dies Verhalten der Hesse'schen Determinante gründen lassen, mag nur folgende hervorgehoben werden. Befindet sich auf einer Fläche $n$ten Grades eine Doppelcurve vom Grade μ, eine Rückkehrcurve vom Grade ν, so ist die parabolische Curve

$$4n(n-2)-8\mu-11\nu\,\text{*}).$$

Dieser Satz gestattet insbesondere Anwendungen auf die Geometrie der windschiefen Flächen, deren parabolische Curve aus den doppeltzählenden singulären Erzeugenden besteht, während eine Rückkehrcurve im allgemeinen nicht vorhanden ist. Ist k die Zahl der singulären Erzeugenden, p das Geschlecht der Fläche, so ist

$$\mu = \frac{(n-1)(n-2)}{2}-p$$

$$2k = 4n(n-2)-8\mu$$

woraus

$$k = 2(n+2p-2).$$

Die Zahl der singulären Erzeugenden, welche bei einer durch drei allgemeine Complexe von

---

1) $\varDelta$ wird selbstverst. für ν quadriplanar, wobei sich noch eine Tangentenebene mit den von f vereinigt.

den Graden l, m, n erzeugten Linienfläche auftreten ist bekanntlich

$$4\,l\,m\,n\,(m+l+n-3)\,{}^{1}).$$

Daraus ergibt sich das Geschlecht der Fläche

$$p \;=\; l\,m\,n\,(m+n+l-4)+1$$

und die Ordnung der Doppelcurve

$$\mu \;=\; l\,m\,n\,(2\,l\,m\,n-(l+m+n)+1).$$

Hieraus ergiebt sich die Bestimmung des Grades
N (= Klasse) der Brennfläche zweier Complexe
m^t und n^{ten} Grades, wenn man bedenkt, dass der
Grad der Brennfläche halb so gross ist, wie die
Zahl der singulären Erzeugenden der Linienfläche, welche durch die beiden Complexe und einen speciellen linearen mit der Leitgeraden A
erzeugt wird. Demnach ist:

$$4N \;=\; 16\,mn\,(mn-1)-8\,m\,n\,(2\,m\,n-(m+n))$$

$$N \;=\; 2\,m\,n\,(m+n-2).$$

Beispielsweise ist der Grad der Brennfläche eines
linearen Complexes und eines vom $n$ten Grade
gleich

$$2\,n\,(n-1)$$

was schon von Herrn Klein nachgewiesen wurde [2].

1) Lüroth, Crelle Bd. 67. Klein, Math. Ann. Bd. V,
pag. 292.
2) Math. Ann. V, pag. 435 Anmerk. in dem Aufsatze
von Clebsch.

Ueber das Vorkommen organischer Muskelfasern in den Nebennieren.

Von

Dr. A. von Brunn.

Vorgelegt von J. Henle.

In der Marksubstanz der Nebenniere des Menschen finden sich glatte Muskelfasern, welche, zu Bündeln angeordnet, dem Verlauf der stärkeren Venen folgen, in beträchtlicher Menge. — Solche Bündel werden mit seltenen Ausnahmen als Begleiter aller Venen von 0,2 mm. Kaliber und darüber angetroffen; nie werden sie an der Theilungsstelle einer Vene dieser Grösse vermisst, wo sie den zwischen den beiden Aesten befindlichen Winkel ausfüllen und sich von da an den Seiten des Stammes hinabziehen. — Wie Schnitte, welche die Venen quer getroffen haben, zeigen, sind die Muskelbündel entweder cylindrisch, oder plattgedrückt. Im ersten Falle, der bei Venen von weniger als 0,4 mm. Durchmesser die Regel bildet, liegen die gewöhnlich nur auf einer Seite des Gefässes vorhandenen Bündel der Venenwand entweder nur mit kleiner Fläche an, so wie zwei neben einander liegende Cylinder, oder sie wölben sich in das Lumen hinein und geben dem Querschnitt eine unregelmässig bohnenförmige Gestalt. Sind dagegen die Muskelfasern zu platten Bündeln angeordnet, so umgeben sie das Venenlumen halbrinnenförmig, wohl auch schlauchförmig, wie wir es bei den stärkeren Venen sehen: bis zu solchen von 1,0 mm. Durchmesser herrscht die Halbrinnenform vor, solche vom stärksten Kaliber, — wie die Vena suprarenalis kurz vor dem Austritt aus dem Organ und ausserhalb desselben, — besitzen einen vollständigen Muskelschlauch.

Bemerkenswerth ist, dass die rundlichen, vorwiegend die Venen kleinen Kalibers einseitig begleitenden Muskelbündel stets relativ, oft aber auch absolut stärker sind, als die platten. Erstere erreichen an Venen von 0,15 — 0,4 mm. Durchmesser eine Stärke von 0,5 — 0,6 mm., während die platten Stränge innerhalb der Nebennieren an Gefässen von 0,5 — 1,2 mm. einen Dickendurchmesser von höchstens 0,5 mm. zeigen.

Die Vena suprarenalis behält die Musculatur auch ausserhalb der Nebennieren bei; dieselbe geht direct in die Musculatur der Vena cava inf. über.

Die Richtung der Muskelfasern ist stets der Gefässaxe parallel; Ringfasern kommen nicht vor.

Von dem Venenlumen sind die Muskelbündel nur durch die Intima getrennt. Umgeben sind sie von wenig fibrillärem Bindegewebe mit spärlichen Zellen, welches Fortsätze, wie zwischen die Zellreihen der Marksubstanz, so auch in die Muskelmasse hinein sendet und dieselbe in grössere und kleinere Bündel von bis 0,03 mm. Durchmesser herab, zerlegt.

Die Länge der durch Kalilauge von 35 % isolirten Muskelzellen beträgt 0,09 — 0,2 mm., ihre Dicke 0,006 — 0,009 mm., die Länge der Kerne 0,015 — 0,018, die Dicke derselben 0,003 mm.

———

In weit geringerer Menge finden sich die beschriebenen Muskelbündel in der Nebenniere des Pferdes. Sie liegen hier den Venen in derselben innigen Weise an und finden sich besonders in den Theilungswinkeln; nirgends aber als runde Stränge, sondern als platte Bündel. —

Venen von 0,2—0,5 mm. Durchmesser zeigen nur einseitig anliegende platte Bündel von höchstens 0,1 mm. Mächtigkeit.

Aehnlich verhält sich die Nebenniere des Kaninchens; auch hier findet man an den Hauptvenen von 0,3 mm. Kaliber platte Bündel von 0,09 — 0,12 mm. Durchmesser.

In der Nebenniere des Rindes habe ich glatte Muskeln nicht auffinden können, selbst nicht an den stärksten Venen des Markes; ebensowenig gelang mir dies bei den Organen des Hundes, der Katze, der Ratte und einiger Vögel.

Ueber die Function der beschriebenen Muskelmassen wird zur Zeit keine Vermuthung auszusprechen sein, namentlich da dieselben in den Nebennieren der meisten Thiere nicht aufzufinden sind.

Bemerkungen über die orthogonalen Flächen.

Zweite Note.

Von

A. Enneper.

Auf Seite 226 der Nachrichten v. d. K. G. d. W. aus dem Jahre 1872 ist das Problem der Aufstellung der Bedingungsgleichung, dass eine Fläche einem orthogonalen System angehören kann, auf die Elimination einer Quantität zwischen zwei algebraischen Gleichungen reducirt.

Die Ausführung der Elimination ist nicht ohne
Weitläufigkeit, eine weitere Untersuchung ergiebt,
dass die Finalgleichung, in Folge der wenig symmetrischen Constitution ihrer einzelnen Terme,
ziemlich mühsam zu bilden und nicht leicht über-
sichtlich ist. Es erscheint daher nicht unge-
rechtfertigt noch einen andern Weg anzugeben,
welcher von analogen Betrachtungen ausgeht,
wie die früher angewandten und eine wirkliche
Ausführung der Bedingungsgleichung gestattet.

Ist $f(x, y, z) = 0$, oder kürzer $f = 0$, die
Gleichung einer Fläche auf ein orthogonales
Coordinatensystem bezogen, so mögen zur Vereinfachung folgende abkürzende Bezeichnungen
stattfinden:

1)
$$\begin{cases} \dfrac{df}{dx} = p, \quad \dfrac{df}{dy} = q, \quad \dfrac{df}{dz} = r. \\[2mm] \dfrac{d^2f}{dx^2} = A, \quad \dfrac{d^2f}{dy^2} = A', \quad \dfrac{d^2f}{dz^2} = A'', \\[2mm] \dfrac{d^2f}{dx\,dy} = B'', \quad \dfrac{d^2f}{dx\,dz} = B', \quad \dfrac{d^2f}{dy\,dz} = B. \end{cases}$$

Mit Rücksicht auf diese Bezeichnungen setze man:

2)
$$\begin{cases} R = A+A'+A'', \\[2mm] S = AA' + AA'' + A'A'' - B^2 - B'^2 - B''^2, \\[2mm] T = \begin{vmatrix} A, & B'', & B' \\ B'', & A', & B \\ B', & B, & A'' \end{vmatrix}. \end{cases}$$

Es seien die drei Quantitäten L, M und N durch die folgenden Gleichungen bestimmt:

$$\begin{vmatrix} p, & q, & \\ B'', & t+A', & B \\ B', & B, & t+A'' \end{vmatrix} = L, \quad \begin{vmatrix} p, & q, & r \\ B', & B, & t+A'' \\ t+A, & B'', & B' \end{vmatrix} = M$$

$$\begin{vmatrix} p, & q, & r \\ t+A, & B'', & B' \\ B'', & t+A', & B \end{vmatrix} = N,$$

oder kürzer:

3) $$\begin{cases} L = pt^2 + l_1 t + l, \\ M = qt^2 + m_1 t + m, \\ N = rt^2 + n_1 t + n, \end{cases}$$

wo, mit Rücksicht auf 2) gesetzt ist:

4) $$\begin{cases} l_1 = pR - (pA + qB'' + rB'), \\ m_1 = qR - (pB'' + qA' + rB), \\ n_1 = rR - (pB' + qB + rA''). \end{cases}$$

Man kann l, m, n einfach durch die folgenden Gleichungen definiren, statt ihre Werthe in Form von Determinanten hinzuschreiben:

5) $$\begin{cases} lA + mB'' + nB' = pT, \\ lB'' + mA' + nB = qT, \\ lB' + mB + nA'' = rT. \end{cases}$$

Die Gleichungen 4) gehen, wenn $R = A + A' + A''$ gesetzt wird:

6)
$$\begin{cases} l_1 A + m_1 B'' + n_1 B' = pS - l, \\ l_1 B' + m_1 A' + n_2 B = qS - m, \\ l_1 B' + m_1 B + n_1 A'' = rS - n. \end{cases}$$

Die Gleichungen 5) und 6) gestatten eine leichte Verification der folgenden Resultate. Es sei t durch die Gleichung bestimmt:

7)
$$pL + qM + rN = 0,$$

oder:

8) $(p^2 + q^2 + r^2)t^2 + (pl_1 + qm_1 + rn_1)t + pl + qm + rn = 0.$

Die Wurzeln dieser Gleichungen seien t' und t''. Dem Werthe $t = t'$ mögen die Werthe L', M', N' von L, M, N entsprechen, analog bezeichne man die linken Seiten der Gleichungen 3) für $t = t''$ durch L'', M'', N''.

Nach 8) ist:

9)
$$\begin{cases} \dfrac{pl_1 + qm_1 + rn_1}{p^2 + q^2 + m^2} = -(t' + t'') \\ \dfrac{pl + qm + rn}{p^2 + q^2 + r^2} = t' t''. \end{cases}$$

Die Gleichungen 5) multiplicire man respective mit p, q, r und bilde die Summe der Producte, ebenso verfahre man mit den Gleichungen 6). Unter Berücksichtigung der Gleichungen 4) und 9) erhält man:

$$10) \quad \begin{cases} \dfrac{ll_1 + mm_1 + nn_1}{p^2 + q^2 + r^2} = R\,t\,t'' - T, \\[2ex] \dfrac{l_1^2 + m_1^2 + n_1^2}{p^2 + q^2 + r^2} = t\,t'' - S - R(t' + t''). \end{cases}$$

Die Gleichungen 5) respective mit l_1, m_1, n_1 multiplicirt und addirt geben nach 6) und 9):

$$11) \quad \frac{l^2 + m^2 + n^2}{p^2 + q^2 + r^2} = S\,t\,t'' + T(t' + t'').$$

Mittelst der Gleichungen 9), 10) und 11) findet man leicht:

$$12) \qquad L'L'' + M'M'' + N'N'' = 0.$$

Soll eine Fläche einem Systeme von drei orthogonalen Flächen angehören können, so muss jede der beiden totalen Differentialgleichungen:

$$13) \qquad \begin{aligned} L'\,dx + M'\,dy + N'\,dz &= 0, \\ L''dx + M''dy + N''dz &= 0, \end{aligned}$$

integrabel sein. Die Bedingung für die erste Gleichung ist:

$$14) \qquad \begin{aligned} &N'\frac{dM'}{dx} - M'\frac{dN'}{dx} + L'\frac{dN'}{dy} - N'\frac{dL'}{dy} \\[2ex] &\qquad + M'\frac{dL'}{dz} - L'\frac{dM'}{dz} = 0. \end{aligned}$$

Man multiplicire den Ausdruck:

36

$$N'\frac{dM'}{dx} - M'\frac{dN'}{dx} = \begin{vmatrix} 1 & 0 & 0 \\ \dfrac{dL'}{dx}, & \dfrac{dM'}{dx}, & \dfrac{dN'}{dx} \\ L', & M', & N' \end{vmatrix}$$

mit der Determinante:

$$I = \begin{vmatrix} p, & q, & r \\ L' & M' & N' \\ L'' & M'' & N'' \end{vmatrix},$$

man findet dann:

15) $$\qquad I\left(N'\frac{dM'}{dx} - M'\frac{dN'}{dx}\right) =$$

$$-p(L'^2 + M'^2 + N'^2)\left(L''\frac{dL'}{dx} + M''\frac{dM'}{dx} + N''\frac{dN'}{dx}\right)$$

$$+ L''(L'^2 + M'^2 + N'^2)\left(p\frac{dL'}{dx} + q\frac{dM'}{dx} + r\frac{dN'}{dx}\right).$$

Da nun nach 7):

$$p L' + q M' + r N' = 0,$$

so ist nach 1), 3), 4), 5), und 6):

16) $$-\left(p\frac{dL'}{dx} + q\frac{dM'}{dx} + r\frac{dN'}{dx}\right) = A L' + B'' M' + B' N'$$

$$= (pR - l_1)t'^2 + (pS - l)t' + pT.$$

Aehnlich wie die Gleichung 15) bilde man die Gleichungen für:

$$I(L'\frac{dN'}{dy} - N'\frac{dL'}{dy}), \quad I(M\frac{dL'}{dz} - L'\frac{dM'}{dz}).$$

In den so erhaltenen Gleichungen bringe man die Factoren von:

$$M''(L'^2 + M'^2 + N'^2), \quad N''(L'^2 + M'^2 + N'^2)$$

nach der Gleichung 16) auf die Formen:

$$-(qR - m_1)t'^2 - (qS - m)t' - qT,$$

$$-(rR - n_1)t'^2 - (qS - n)t' - rT.$$

Es ist: $pL'' + qM'' + rN'' = 0$. Mittelst der Gleichungen 9) — 11) beweist man ferner: $t'(l_1L'' + m_1M'' + n_1N'') + lL'' + mM'' + nN'' = 0$, wo für L'', M'', N'' ihre Werthe zu substituiren sind. Multiplicirt man die Gleichung 14) mit der Determinante I, lässt den Factor $L'^2 + M'^2 + N'^2$ weg, so nimmt die Bedingung der Integrabilität folgende symmetrische Form an:

$$17) \begin{cases} p(L''\frac{dL'}{dx} + M''\frac{dM'}{dx} + N''\frac{dN'}{dx}) \\ \\ + q(L''\frac{dL'}{dy} + M''\frac{dM'}{dy} + N''\frac{dN'}{dy}) \\ \\ + r(L''\frac{dL'}{dz} + M''\frac{dM'}{dz} + N''\frac{dN'}{dz}) = 0. \end{cases}$$

Vertauscht man L', M', N' mit L'', M'', N'' und

vice versa, so ergiebt sich die Bedingung der Integrabilität der zweiten Gleichung 13), welche Bedingung indess in Folge der Gleichung 12) gleichzeitig in der Gleichung 17) enthalten ist.

Mit Rücksicht auf die Werthe von L', M', N' ist:

18)
$$L'' \frac{dL'}{dx} + M'' \frac{dM'}{dx} + N^\mu \frac{dN'}{dx} =$$

$$L'' \left[(2pt' + l_1) \frac{dt'}{dx} + At'^2 + \frac{dl_1}{dx} t' + \frac{dl}{dx} \right]$$

$$+ M'' \left[(2qt' + m_1) \frac{dt'}{dx} + B'' t'^2 + \frac{dm_1}{dx} t' + \frac{dm}{dx} \right]$$

$$+ N'' \left[(2rt' + n_1) \frac{dt'}{dx} + B' t'^2 + \frac{dn_1}{dx} t' + \frac{dn}{dx} \right].$$

Setzt man für L'', M'', N'' ihre Werthe ein, so folgt mit Rücksicht auf die Gleichungen 9), 10) und 11):

$$pL'' + qM'' + rN'' = 0,$$

$$l_1 L'' + m_1 M'' + n_1 N'' = -(p^2 + q^2 + r^2)(t''^2$$

$$+ Rt''^2 + St'' + T)$$

$$AL'' + B'' M'' + B' N'' = (pR - l_1)t''^2 +$$

$$(pS - l)t'' + pT.$$

Die letzte der vorstehenden Gleichungen folgt mittelst der Gleichungen 4), 5) und 6). Mit Rücksicht auf die Gleichungen 4), 5), 6) und 9) ist ferner:

$$p\frac{dl_1}{dx}+q\frac{dm_1}{dx}+r\frac{dn_1}{dx}=\frac{d(pl_1+qm_1+rn_1}{dx})$$

$$-(Al_1+B''m_1+Bn_1)=-(p^2+q^2+r^2)\frac{d(t'+t'')}{dx}$$

$$-2(t'+t'')(pR-l_1)-(pS-l),$$

$$p\frac{dl}{dx}+q\frac{dm}{dx}+r\frac{dn}{dx}=\frac{d(pl+qm+rn)}{dx}$$

$$-(Al+B''m+B'n)=(p^2+q^2+r^2)\frac{dt't''}{dx}$$

$$+2(pR-l_1)t't''-pT.$$

Die Gleichung 18) nimmt hierdurch folgende Form an:

19) $$L'\frac{dL''}{dx}+M''\frac{dM'}{dx}+N''\frac{dN'}{dx}=$$

$$-(p^2+q^2+r^2)(t't''^2+Rt''^2+St''+T)\frac{dt'}{dx}$$

$$-t'^2t''^2(pR-l_1)+t't''(l_1\frac{dl_1}{dx}+m_1\frac{dm_1}{dx}+n_1\frac{dn_1}{dx})$$

$$+l\frac{dl}{dx}+m\frac{dm}{dx}+n\frac{dn}{dx}$$

$$+(t'-t''[(pS-l)t't''+p(t'+t'')T]$$

$$+t'(l\frac{dl_1}{dx}+m\frac{dm_1}{dx}+n\frac{dn_1}{dx})$$

$$+ t'' (l_1 \frac{dl}{dx} + m_1 \frac{dm}{dx} + n_1 \frac{dn}{dx}).$$

Um die folgenden Formeln nicht zu sehr zu compliciren führe man folgende abkürzenden Bezeichnungen ein:

20)
$$P_1 = p (l \frac{dl_1}{dx} + m \frac{dm_1}{dx} + n \frac{dn_1}{dx})$$

$$+ q (l \frac{dl_1}{dy} + m \frac{dm_1}{dy} + n \frac{dn_1}{dy})$$

$$+ r (l \frac{dl_1}{dz} + m \frac{dm_1}{dz} + n \frac{dn_1}{dz}),$$

21)
$$Q = p (l_1 \frac{dl}{dx} + m_1 \frac{dm}{dx} + n_1 \frac{dn}{dx})$$

$$+ q (l_1 \frac{dl}{dy} + m_1 \frac{d}{dy} + n_1 \frac{dn}{dy})$$

$$+ r (l_1 \frac{dl}{dz} + m_1 \frac{dm}{dz} + n_1 \frac{dn}{dz}),$$

Aehnlich wie der Factor von p in 17) mittelst der Gleichung 19) dargestellt ist, lassen sich die Factoren von q und r darstellen. Man bilde nun die Gleichung 17) und leite aus derselben durch Vertauschung von t' und t'' eine neue Gleichung ab. Die Summe dieser Gleichungen verschwindet natürlich identisch, bildet man aber ihre Differenz, so nimmt die Bedingungsgleichung, dass die Fläche, bestimmt durch die Gleichung $f = 0$, einem System orthogonaler Flächen angehören kann, folgende Form an:

22)
$$-(p^2+q^2+r^2)(p\frac{dt'}{dx}+q\frac{dt'}{dy}+r\frac{dt'}{ds})h'$$

$$+(p^2+q^2+r^2)(p\frac{dt''}{dx}+q\frac{dt''}{dy}+r\frac{dt''}{ds})h''$$

$$+2(p^2+q^2+r^2)(t'-t'')\left[(S-t't'')t't''+(t'+t'')T\right]$$

$$+(t'-t'')(P_1-Q_1)=0,$$

wo:

23)
$$h' = (t't''+S)t''+Rt''^2+T,$$

$$h'' = (t't''+S)t'+Rt'^2+T.$$

Die Gleichung 8) nach x differentiirt giebt:

$$[2(p^2+q^2+r^2)t+pl_1+qm_1+rn_1]\frac{dt}{dx}+$$

$$t\frac{d(pl_1+qm_1+rn_1)}{dx}+\frac{d(pl+qm+rn)}{dx}$$

$$+2(pR-l_1)t^2.$$

Der Factor von $\frac{dt}{dx}$ lässt sich nach 9) schreiben:

$$(p^2+q^2+r^2)(2t-t'-t'').$$

Setzt man also in 9) successive $t = t'$ und

$t = t''$, so ergeben sich die Werthe von $\dfrac{dt'}{dx}$

und $\dfrac{dt''}{dx}$. Es ist:

$$-(p^2+q^2+r^2)(t'-t'')\frac{dt'}{dx} = 2(pR-h)t'^2$$

$$+t'\frac{d(pl_1+qm_1+rn_1)}{dx}+\frac{d(pl+qm+rn)}{dx},$$

$$(p^2+q^2+r^2)(t'-t'')\frac{dt''}{dx} = 2(pR-h_1)t''^2$$

$$+t''\frac{d(pl_1+qm_1+rn_1)}{dx}+\frac{d(pl+qm+rn)}{dx}).$$

Multiplicirt man die Gleichung 22) mit $t'-t''$, so erhält man mit Hülfe der beiden letzten Gleichungen und von vier analogen Gleichungen durch Substitution der Werthe von h' und h'' aus 23):

$$24)\ [p\frac{d(pl_1+qm_1+rn_1)}{dx}+q\frac{d(pl_1+qm_1+rn_1)}{dy}$$

$$+r\frac{d(pl_1+qm_1+rn_1)}{dz}][2(t't''+S)t't''$$

$$+(t'+t'')(Rt't''+T)]$$

$$+[p\frac{d(pl+qm+rn)}{dx}+q\frac{d(pl+qm+rn)}{dy}$$

$$+ r \frac{d(pl + qm + rn)}{dz}] [(t' + t'')(t' t'' + S)$$

$$- + R(t'^2 + t''^2) + 2T]$$

$$+ 2(p^2 + q^2 + r^2)(t' - t'')^2 . [(S - t't'') t' t'' + (t' + t'')T]$$

$$+ 2(p^2 + q^2 + r^2)(R + t' + t'')[2R t'^2 t''^2$$

$$+ (t' t'' + S)(t' + t'') t' t'' + (t'^2 + t'^2) T]$$

$$+ (t' - t'')^2 (P_1 - Q_1) = 0.$$

Es lässt sich leicht nachweisen, dass die rechte Seite der Gleichung 19) durch Vertauschung von t' und t'' nur das Zeichen ändert. Mit Hülfe der Gleichungen 10) und 11) substituire man die Werthe von:

$$l_1 \frac{dl_1}{dx} + m_1 \frac{dm_1}{dx} + n_1 \frac{dn_1}{dx},$$

$$l \frac{dl}{dx} + m \frac{dm}{dx} + n \frac{dn}{dx}.$$

Man subtrahire und addire auf der rechten Seite

$$t'' (l \frac{dl_1}{dx} + m \frac{dm_1}{dx} + n \frac{dn_1}{dx})$$

und transformire den Factor von t'' in

$$t'' . d . \frac{ll_1 + mm_1 + nn_1}{dx}$$

mittelst der ersten Gleichung 10). Es ergiebt
sich dann die folgende Gleichung:

$$L'' \frac{dL'}{dx} + M'' \frac{dM'}{dx} + N'' \frac{dN'}{dx} =$$

$$- \tfrac{1}{2} (p^2 + q^2 + r^2)(t' t''^2 + S t'' + R t' t'' + T) \frac{dt'}{dx}$$

$$+ \tfrac{1}{2} (p^2 + p^2 + r^2)(t'^2 t'' + S t' + R t' t'' + T) \frac{dt''}{dx}$$

$$+ \tfrac{1}{2} (p^2 + q^2 + r^2)(t' - t'') \left(\frac{dT}{dx} - t' t'' \frac{dR}{dx} \right)$$

$$+ (p R - l_1)(t' - t'')(T - R t' t'')$$

$$+ (t' - t'') [(p S - l) t' t'' + p(t' + t'') T]$$

$$+ (t' - t'') \left(l \frac{dl_1}{dx} + m \frac{dm_1}{dx} + n \frac{dn_1}{dx} \right).$$

An Stelle der Gleichung 22) tritt die folgende:

$$- \tfrac{1}{2} (p^2 + q^2 + r^2) \left(p \frac{dt'}{dx} + q \frac{dt'}{dy} + r \frac{dt'}{ds} \right) [R t' t''$$

$$+ T + (S + t' t'') t'']$$

$$\tfrac{1}{2} (p^2 + q^2 + r^2) \left(p \frac{dt''}{dx} + q \frac{dt''}{dy} + r \frac{dt''}{ds} \right) [R t' t''$$

$$+ T + (S + t' t'') t']$$

$$+ \tfrac{1}{2} (p^2 + q^2 + r^2)(t' - t'') \left(p \frac{dT}{dx} + q \frac{dT}{dy} + r \frac{dT}{ds} \right)$$

$$-\tfrac{1}{2}(p^2+q^2+r^2)\,(t'-t'')\,t't''\,(p\,\frac{dR}{dx}+q\,\frac{dR}{dy}+r\,\frac{dR}{dz})$$

$$+(p^2+q^2+r^2)(R+t'+t'')(t'-t'')(T-Rt't'')$$

$$+(p^2+q^2+r^2)\,(t'-t'')\,[(S-t't'')t't''+(t'+t'')\,T]$$

$$+(t'-t'')P_1 = 0.$$

Mit Hülfe der vorstehenden Gleichung lässt sich die Gleichung 24) so transformiren, dass die Quantität Q_1 in derselben nicht mehr vorkommt. Der Kürze halber soll diese transformirte Gleichung nicht weiter ausgeführt werden, da dieselbe nicht einfacher wie die ursprüngliche Gleichung in Beziehung auf die Anzahl der Terme ist.

Verzeichniss der bei der Königl. Gesellschaft der Wissenschaften eingegangenen . Druckschriften.

April 1873.

(Fortsetzung).

Bulletin de la Soc. Mathématique de France, publié par les secretaires. T. 1. Nr. 2. Paris. 1878. 8.

V. Jahresbericht der deutschen Seewarte für das Jahr 1872. Erstattet von W. von Freeden. Hamburg. 4.

Annales de l'Observatoire R. de Bruxelles. Bogen 12. 1872. Bogen 1 u. 2. 1873.

Mémoires de la Société des naturalistes de la Nouvelle-Russie. T. I. II. 1872. 73. 8. (In russischer Sprache).

Nature 181. 182.

Monumentorum Boicorum Collectio nova. Edidit Academia Scientiarum Boica Vol. XIV. Monachii. 2872. 4.

Cura di E. Teza, Catechismo dei Missionari cattolici. In Lingua Algonchina. Pisa 1872. 8.

Dr. K. v. Prantl, Gedächtnissrede auf Fr. A. Trendelenburg. Gelesen in d. öffentl. Sitzung d. k. b. Akad. d. Wiss. zu München. Ebds 1873. 4.

Abhandlungen, herausgeg. vom naturwiss. Vereine zu Bremen. Bd. III. Heft III. Mit 8 Tafeln. Bremen. 1873. 8.

Proceedings of the London mathematical Society. Nr. 50, 51. 52. 53. 8.

Mai und Juni 1873.

Nature 183. 184. 185. 186.

Denkschriften der Kaiserl. Akademie der Wissenschaften zu Wien. Mathem.-naturw. Cl. Bd. 32. 1872. 4.

Dieselben philos.-histor. Classe. Bd. 21. 1872. 4.

Sitzungsberichte der K. Akad. der Wiss. zu Wien. Mathem.-naturwiss. Classe. Bd. 65. Heft 1—5. 1872. Abth. I.

Dieselben Bd. 65. Heft 1—5. Abth. II und Abth. III. Heft 1—5. 1872.

Dieselben philos.-histor. Classe. Bd. 70. Hft. 1—8. Bd. 71. Heft 1—4. 1872.

Register zu Bd. 61—64 der Sitzungsber. mathem.-naturwiss. Classe. VII. 1872.

Register zu Bd. 61—70 philos.-histor. Classe. VII. 1872

Almanach der k. Akademie der Wiss. Jahrg. 22. 1872.

Archiv für österreich. Geschichte. Bd. 48. 1. Hälfte. 1872.

Fontes rerum austriacarum. Abth. 2. Diplomataria et acta. Bd. 36.

Bulletin u. Mémoiren der K. Universität Kasan. In russischer Sprache. 4 Bände. 1870—72. 4.

Memorie del R. Istituto Lombardo. Cl. di scienze matem. e naturali. Vol. XII. Fasc. V.

Idem, Cl. di lettere e scienze morali e politiche. Vol. XII. Fasc. III. Milano 1872. 4.

R. Istituto Lombardo. Rendiconti. Serie II. Vol. V. Fasc. 1—14. 1872. 8.

(Fortsetzung folgt).

Nachrichten

von der Königl. Gesellschaft der Wissenschaften und der G. A. Universität zu Göttingen.

9. Juli. № 17. 1873.

Königliche Gesellschaft der Wissenschaften.

Geschichtliche Notizen über das Dirichletsche Kugel- und Ellipsoid-Problem.

Von

C. A. Bjerknes.

In seinen Vorlesungen über partielle Differentialgleichungen, die im Wintersemester 1855 —56 in Göttingen gehalten wurden, trug Dirichlet sein bekanntes Problem vor über die Kugel in einer bewegten, unelastischen und unbegrenzten Flüssigkeit. Er äusserte gelegentlich, dass ebenso das entsprechende Problem von dem Ellipsoid sich lösen liesse; was er zwar auch früher angegeben hatte, indem er in seiner Mittheilung an die Berliner Akademie, im Anfange des Jahres 1852, »über einige Fälle, in welchen sich die Bewegung eines festen Körpers in einem incompressiblen, flüssigen Medium theoretisch bestimmen lässt«, als solche Fälle, wo ihm die Lösung gelungen war, bezeichnete: dass der

eingesenkte Körper eine Kugel oder ein Ellipsoid wäre. In diesem kleinen Aufsatze hat er
sich doch allein auf die Behandlung des Problems
für die Kugel beschränkt.

Die Lösung des Problems von dem Ellipsoid
ist leider niemals von Dirichlet veröffentlicht
worden. Doch hat er schon früh darüber Mittheilungen gemacht, — wie er auch später die
Jüngern anzuregen suchte, indem er auf die
Möglichkeit, das erweiterte Problem zu behandeln, ihre Aufmerksamkeit hingeleitet hat. In
einer Abhandlung des Herrn Hoppe vom Wi-
derstande der Flüssigkeiten gegen die Bewegung
fester Körper, welche im Jahre 1854 in Poggen-
dorfs Annalen erschien, kommt auch eine be-
zeichnende Bemerkung vor, die offenbar solche
Mittheilungen in Beziehung auf die Lösung des
genannten Problems voraussetzt: ist der starre
Körper, sagt an der betreffenden Stelle der Verfasser, eine Kugel oder ein Ellipsoid, so würde
die Bewegung eine beliebige sein können, da
dessen Verhalten durch Dirichlets Berechnung
bekannt ist.

Herr Hoppe hat die Güte gehabt, mir be-
stimmtere Nachrichten zu geben in Beziehung
auf die Zeit, da solche Mittheilungen gegeben
worden sind. In seinen schriftlichen Notizen hat
er sodann gefunden, dass er, nachdem er die
Lösung des Problems bereits nachgerechnet, auch
die dreifache Integration des Ausdrucks der totalen lebendigen Kraft vollzogen hatte, am 5.
December 1852 mit Dirichlet darüber gesprochen hat. Die Dirichletsche Mittheilung bestand übrigens darin, dass er das Geschwindigkeitspotential aufschrieb, worauf dann der nachträgliche Beweis der Richtigkeit und die vollständige Bestimmung der Bewegung keine Schwie-

rigkeit hatte. Dirichlet äusserte damals, dass er der Berechnung der lebendigen Kraft mittelst eines Kunstgriffs so vereinfacht hätte, dass sie sich auf einigen Zeilen vollenden liesse.

Jedenfalls hat also Dirichlet das Problem des Ellipsoids bis 1852 vollständig gelöst. Wenn er also, wird dann am Schluss, und wie ich glaube mit Recht, hinzugefügt, manchmal Andeutungen über die Lösung gegeben hat, so war man nicht berechtigt, daraus zu schliessen, die Ausführung habe ihm noch gefehlt; und diese Missdeutung scheint in der That obgewaltet zu zu haben.

Während Herr Hoppe in einer ganz anderen Richtung den neuen Dirichletschen Gedanken weiter verfolgt hat, indem er die Bewegung von Rotationskörpern nach der Richtung ihrer Rotationsaxen untersucht, — und wobei es ihm auch später gelungen ist, zum ersten Mal einen Specialfall der Bewegung von mehreren Körpern zu behandeln, indem er Oberflächen betrachtet, die sich in geschlossene Räume trennen, — haben zwei jüngere Mathematikern, völlig unabhängig von einander, und zum Theil in verschiedener Weise das Problem von dem Ellipsoid gelöst. Es waren dies die zwei späteren Göttinger Professoren, die Herren Clebsch und Schering.

Die schöne Abhandlung des Herrn Clebsch, des so früh hinweggegangenen, berühmten Geometers, ist datirt Danzig im August 1854; sie ist aber erst viel später erschienen; zwei Jahre nachher in dem zweiten Hefte von Crelles Journal für das Jahr 1856. Er untersucht darin unmittelaar die aus der Bewegung des elliptischen Körpers in einer ruhenden Flüssigkeit hervorgebrachten Zustände; was bei der Dirichletschen

Behandlungsweise des Kugelproblems als der zweite Fall anzusehen wäre, welcher auf einen andern zurückgeführt werden konnte: den ruhenden Körper in der bewegten Flüssigkeit. Dabei berücksichtigt er aber nicht bloss die translatorische Bewegung des Ellipsoids. Die mittelbare Bestimmung scheint auch dann in der That, weniger füglich zu sein; und um so mehr, weil ja eine Drehungsbewegung selbst keine Potentialbewegung sei, obwohl sich dadurch die Möglichkeit darbieten könne eine Potentialbewegung in der Flüssigkeit zu Stande zu bringen.

Was die Veranlassung der Abhandlung von Clebsch betrifft, so drückt sich der Verfasser in der Einleitung so aus, dass für die Bewegung einer Kugel in einer tropfbaren Flüssigkeit Dirichlet die hauptsächlichsten Resultate angegeben hat, und zugleich auf die Möglichkeit hingewiesen, das Entsprechende für ein Ellipsoid zu erreichen. Er hat daher versucht, nachdem er die allgemeinere Aufgabe in kurzen Umrissen angedeutet, im Speciellen die bei der Bewegung eines Ellipsoids eintretenden Verhältnisse näher zu untersuchen.

Von Clebsch unabhängig, hat Hr. Schering, der zusammen mit mir unter Dirichlet studirte, durch die Aeusserungen seines grossen Lehrers angeregt, die Lösung des Problems von dem Ellipsoid verfolgt, und auch glücklich gefunden. Das Kugelproblem hatte Dirichlet schon in der Mitte des genannten Wintersemesters 1855—56 vorgetragen; und nicht lange nachher, spätestens im Anfange des folgenden Semesters, wie es auch aus gewissen äusseren Kennzeichen hervorgeht, hat mir Hr. Schering seine Lösung des erweiterten Problems gezeigt. Die Abhandlung von Clebsch, von dessen Exi-

stenz ich erst aus späteren Zeiten Erinnerung
habe, war allerdings damals abgefasst worden;
wegen der eintretenden langen Verzögerung mit
der Veröffentlichung war sie aber noch nicht erschienen; selbst nicht, als ich späterhin, in Erwiderung auf die mir von Herrn Schering
mitgetheilte Lösung, ihm eine kleine, aus seinen
übersichtlichen Formeln übrigens ganz einfach
und natürlich hervorgehende Verallgemeinerung
gezeigt hatte, wo die Anzahl der Variabeln statt
3 gleich n gesetzt war.

Im Gegensatz zu Herrn Clebsch, und in
genauerem Anschluss zu dem bei der Behandlung des Kugelproblems eingeschlagenen Wege,
hat ausserdem Schering das ruhende Ellipsoid
in der bewegten Flüssigkeit betrachtet; was nach
der Dirichletschen Verfahrungsweise als der
erste Fall anzusehen wäre: die Auflösungen von
Clebsch und Schering sind sodann eigentlich
nur Lösungen von zwei complementären Problemen, nicht von zwei ganz identischen. Der Unterschied in dieser Beziehung würde übrigens
stärker hervortreten, wenn man, wie ich auch
später und in der oben genannten verallgemeinerten Weise beabsichtige, die sämmtlichen Bewegungen eines Ellipsoids untersuchen wollte,
das heisst, nicht bloss die translatorische, sondern auch die rotatorische Bewegung und die,
welche in Verbindung mit der Formveränderung
steht.

Die von Schering gegebene Lösung ist niemals veröffentlicht worden. Weil sie aber den
Ausgangspunkt für die folgende daraus so ganz
unmittelbar gezogene Verallgemeinerung für n
Variable bildet, so glaube ich hier wiedergeben
zu müssen, was er mir in dieser Beziehung mitgetheilt hat. Ich füge doch schliesslich hinzu,

dass die mir gegebene Mittheilung nur ganz gelegentlich hingeschrieben war; sie war deswegen auch nicht mit grösserer Vollständigkeit abgefasst worden, als für den augenblicklichen Zweck nothwendig.

Das Problem mit seiner Lösung lautet dann wörtlich, wie folgt:

»Ein dreiaxiges (α, β, γ) Ellipsoid in einer sich bis ins Unendliche erstreckenden unelastischen Flüssigkeit. Gleichung des Ellipsoids

$$E = \frac{x_0^2}{\alpha^2} + \frac{y_0^2}{\beta^2} + \frac{z_0^2}{\gamma^2} = 1.$$

σ sei die positive Wurzel in

$$\frac{x^2}{\alpha^2+\sigma} + \frac{y^2}{\beta^2+\sigma} + \frac{z^2}{\gamma^2+\sigma} = 1.$$

$$D = \sqrt{\left(1+\frac{s}{\alpha^2}\right)\left(1+\frac{s}{\beta^2}\right)\left(1+\frac{s}{\gamma^2}\right)};$$

$$v' = \pi \int_{s=0}^{s=\infty} \left(1 - \frac{x^2}{\alpha^2+s} - \frac{y^2}{\beta^2+s} - \frac{z^2}{\gamma^2+s}\right)\frac{ds}{D},$$

$$v = \pi \int_{s=\sigma}^{s=\infty} \left(1 - \frac{x^2}{\alpha^2+s} - \frac{y^2}{\beta^2+s} - \frac{z^2}{\gamma^2+s}\right)\frac{ds}{D};$$

dann ist:

$$\varphi = \lambda \frac{dv'}{dx} + \mu \frac{dv'}{dy} + \nu \frac{dv'}{dz} + l \frac{dv}{dx} + m \frac{dv}{dy} + n \frac{dv}{dz}.$$«

Hierzu war noch später die Bedingungsgleichung gefügt, die sich auf die Oberfläche bezieht

$$u\,\frac{ds}{dx} + v\,\frac{ds}{dy} + w\,\frac{ds}{dz} = 0,$$

wo selbstverständlich u, v, w durch die Gleichungen:

$$u = \frac{d\varphi}{dx}, \quad v = \frac{d\varphi}{dy}, \quad w = \frac{d\varphi}{dz}$$

gegeben sind u. s. w.

Schliesslich werde ich mir jetzt erlauben, nachdem ich die Scheringsche Lösung wiedergegeben habe, aus dieser selbst ein Kennzeichen der Zeit auszuziehen, wo sie schon muss gefunden sein. Doch beabsichtige ich hiermit keinen für sich allein vollgültigen Beweis zu liefern, was wohl als solches ungenügend angesehen werden könnte; um zu zeigen, dass die auch auf die bestimmteste Aussage meines geehrten Freundes: dass die erwähnte Verallgemeinerung seiner Auflösung früher war als die Erscheinung der Cleb'schen Abhandlung, gestützte Behauptung in Beziehung auf den Zeitpunkt, mit dem Resultate der Untersuchungen hier ganz zusammenfällt.

Die oben benutzten und übrigens von früher aus bekannten Gleichungen, welche die Potentiale v' und v bestimmen, wurden kurz nach Anfang des folgenden Sommersemesters 1856 von Dirichlet in seinen Vorlesungen über die Potentialtheorie aufgestellt; und zeigte er dann, doch ohne anzugeben, wie sie naturgemäss gefunden werden könnten, dass sie den partiellen Differentialgleichungen

$$\frac{d^2\varphi}{dx^2} + \frac{d^2\varphi}{dy^2} + \frac{d^2\varphi}{dz^2} = -4\pi$$

und

$$\frac{d^2\varphi}{dx^2} + \frac{d^2\varphi}{dy^2} + \frac{d^2\varphi}{dz^2} = 0$$

genügen. Die mir mitgetheilte Scheringsche Lösung habe ich aber, wie es aus meinen Aufzeichnungen hervorgeht, in dieser Beziehung mittelst eigener Nachrechnung verificirt; was ja von da aus selbstverständlich nur eine überflüssige Mühe gewesen wäre, als ich die bessere Dirichletsche Verification schon sorgfältig redigirt hatte. Die von Schering gegebene Lösung des Problems von dem Ellipsoid muss sodann, am spätesten, kurz nach Ostern gefunden sein; während die im zweiten Hefte des Journal von Crelle 1855 erscheinende Abhandlung von Clebsch wohl erst im Juli desselben Jahres für die Oeffentlichkeit vorlag.

In einigen kleineren Aufsätzen, in welchen ich mich übrigens allein bei dem am meisten Fundamentalen aufhalten werde, beabsichtige ich die Dirichlet'schen Probleme über dem Ellipsoid für eine beliebige Anzahl von Variabeln zu verallgemeinern.

In diesem Sinne versuche ich dann erst das Problem von dem ruhenden Ellipsoid in einer bewegten Flüssigkeit zu behandeln. Die hier gegebenen Resultate sind übrigens in der Hauptsache dieselben als die, welche ich früher Hrn. Schering mitgetheilt habe. Die Bezeichnungsweise und die vollständigere Ausführung ist doch zum Theil neu, wie auch eine kleine Aenderung des Potentialausdrucks, damit die Zahl *n*, welche die Anzahl der Dimensionen oder Veränderlichen ausdrückt, auch den Werth 2 annehmen könne.

Weder in diesem noch in dem späteren Aufsatze, welcher sich auf den zweiten Dirichlet'schen Fall beziehen wird, werde ich irgend welche andere Methode benutzen, als eine einfache Integralbildung aus einem ursprünglich gebildeten Grundintegral. Wie dies in den verschiedenen Fällen geschieht, wird möglicherweise nicht mehr so zufällig erscheinen, wenn sie in genaueren Zusammenhang und mit erschöpfender Vollständigkeit behandelt werden. Ich stelle mich hierbei in so fern auf einen höheren Gesichtspunkt, als ich die Bewegungen nicht bloss als Translationen und Rotationen ansehe, oder aus solchen zusammengesetzt: ich werde sie in so viele Klassen vertheilen als es Klassen von Coefficienten giebt in der Gleichung des verallgemeinerten Ellipsoids, und in eben so viele partikulären Bewegungen als es in derselben wesentliche Konstanten enthalten sind.

Eine solche Verfahrungsweise mit der Bildung neuer Integralen, hat ja auch Dirichlet selbst benutzt, in dem Vortrage über sein Kugelproblem. Sie wäre wohl auch, wie es gewiss in Uebereinstimmung hiermit Hr. Schering gemacht hat, natürlich zu prüfen im Falle des Ellipsoids. Jedenfalls wird dadurch die Darstellung in hohem Grade vereinfacht werden, indem sich jetzt alles reducirt in eine leicht ausführbare Verification einiger Potentialausdrücke, bei dessen Aufstellung der leitende Gedanke nicht fern liegt.

Verallgemeinerung des Problems von dem ruhenden Ellipsoid in einer bewegten, unendlichen Flüssigkeit.

Von

C. A. Bjerknes.

Die von Herrn Schering aufgestellten Gleichungen (cfr. die frühere Abhandlung: Geschichtliche Notizen über das Dirichlet'sche Kugel- und Ellipsoin-Problem) lassen sich unmittelbar verallgemeinern, indem man die Anzahl der Veränderlichen statt 3 gleich n setzt. Der Werth 1 soll aber ausgeschlossen sein.

Um die Formeln abzukürzen, führen wir die folgenden Bezeichnungen ein. Es sei E_s oder

$$E = \mathop{\Sigma}_{1,n}^{m} \frac{x_m^2}{\alpha_m^2 + s}$$

und D_s oder

$$D = \mathop{\Pi}_{1,n}^{m} \sqrt{1 + \frac{s}{\alpha_m^2}},$$

wo n die ganzen Werthe 2, 3, 4, .. n beigelegt werden soll; es sei weiter ψ_s oder

$$\text{I)} \qquad \psi = \int_s^c \frac{ds}{D} - \int_s^\infty E \frac{ds}{D},$$

wo s positiv ist, und c eine willkührliche positive Constante. Der Bequemlichkeit wegen schrei-

ben wir auch, im Anschluss an eine jetzt sehr
häufig benutzte Bezeichnungsweise,

$$\sum_{1,n}^{m} \frac{d^2\varphi}{dx_m^2} = \varDelta^2\varphi, \quad \sum_{1,n}^{m} \frac{d\varphi^2}{dx_m^2} = \varDelta\varphi^2.$$

Dieses vorausgesetzt, wird man die folgenden
Sätze beweisen können, welche für eine beliebige Anzahl von Variablen bestehen.

1. Der partiellen Differentialglei-
chung $\varDelta^2\varphi = 0$ wird durch $\varphi = \psi_s$ genügt, wenn σ die positive Wurzel in
der Gleichung $E_\sigma = 1$ ist.

2. Ebenso wird $\varphi = \psi_0$ der partiellen Differentialgleichung $\varDelta^2\varphi = -4$
Genüge leisten.

3. Das hieraus abgeleitete neue Integral der ersten Differentialgleichung

II) $\qquad \varphi = \sum_{1,n}^{m}\lambda_m \frac{d\psi_\sigma}{dx_m} + l_m \frac{d\psi_0}{dx_m}$

genügt ausserdem für jedes System x_1
$x_2..x_n$, welches durch die verallgemeinerte Ellipsoidgleichung $E_0 = 1$ bestimmt ist, der Bedingung

1) $\qquad \sum_{1,n}^{m} \frac{dE_0}{dx_m} \frac{d\varphi}{dx_m} = 0.$

Zwischen λ_m und l_m besteht aber dann
eine gewisse Relation.

1. Ehe wir versuchen, die oben genannten Sätze zu beweisen, bemerken wir erst, dass, abgesehen von einer veränderten Schreibweise, nur insofern eine kleine Aenderung in den früheren Herrn Schering mitgetheilten Resultaten eingeführt worden ist, als die Constante c in die Stelle von ∞ als obere Gränze des ersten Integrals gesetzt ist. Ohne dies würden die Functionen ψ_σ und ψ_0 für $n = 2$ unendlich werden. und die Anzahl der n Variablen dürften sodann nicht geringer sein als 3.

Wir setzen auch hier den aufgestellten neuen Potentialausdruck in Verbindung mit dem ganzen System von verallgemeinerten hydrodynamischen Gleichungen; damit die λ und 2 vollständig bestimmt werden können.

Wir fassen hierunter $E_0 = 1$ bildlich als die Gleichung der Oberfläche eines ellipsoidischen Körpers auf, welcher sich in der Mitte einer bewegten incompressibeln Flüssigkeit befindet, und dort festgehalten wird; $\dfrac{d\varphi}{dx_n}$ soll ebenso als die Componente der Geschwindigkeit in einem Flüssigkeitspunkte $x_1\, x_2\, .\, .\, x_n$ nach der Richtung der positiven Halbaxe x_n bezeichnet werden u. s. w. Wir übertragen also einfach die Bezeichnungen, die für $n = 3$ gelten, auf den allgemeinsten Fall, wo n eine ganze, sonst beliebige, absolute Zahl ist, grösser als 1.

2. Wir stellen zu Anfang einige sehr einfache Hülfsgleichungen auf, die uns auch späterhin von Nutzen werden.

Man wird sodann mit Leichtigkeit verificiren können, dass

$$2) \qquad \frac{\Delta E^2}{E} = -4;$$

wo dann E' die Derivirte in Beziehung auf s bezeichnen soll.

Weil nun weiter $\dfrac{dE_\sigma}{dx_m} = 0$, das heisst

$$\frac{dE_\sigma}{dx_m} + \frac{dE_\sigma}{d\sigma} \cdot \frac{d\sigma}{dx_m} = 0,$$

so leitet man, mit Hülfe der vorigen Gleichung, auch diese neue ab:

$$3_1) \qquad \sum_{1,n}^{m} \frac{dE_\sigma}{dx_m} \frac{d\sigma}{dx_m} = 4.$$

Setzt man σ gleich Null, so bekommt man hieraus schliesslich

$$3_2) \qquad \sum_{1,n}^{m} \frac{dE_0}{dx_m} \left(\frac{d\sigma}{dx_m}\right) = 4,$$

für solche Werthe von $x_1\, x_2 \ldots x_n$, die der Gleichung des verallgemeinerten Ellipsoids $E_0 = 1$ genügen.

Wenn man endlich die Function D logarithmisch differentiirt, und man das Resultat mit dem Werthe von ΔE vergleicht, so kommt

$$4\frac{dD}{D} = \Delta E\, ds.$$

Es wird hieraus ferner geschlossen, dass

4) $$\int_s^\infty \varDelta^2 E \cdot \frac{ds}{D} = \frac{4}{D};$$

man findet folglich $\frac{4}{D_\sigma}$ oder, je nachdem man

der unteren Gränze s den Werth σ oder 0 giebt.

3. Nach diesen Vorbereitungen lassen sich die genannten Sätze sehr einfach verificiren. Wir beweisen hier die zwei ersten.

Man findet, mit Berücksichtigung der Gleichung $E_\sigma = 1$, dass

III₁) $$\frac{d\psi_\sigma}{dx_m} = -\int_\sigma^\infty \frac{dE}{dx_m} \frac{ds}{D};$$

und hieraus wieder

$$\frac{d^2\psi_\sigma}{dx_m^2} = -\int_\sigma^\infty \frac{d^2 E_\sigma}{dx_m^2} \frac{ds}{D} + \frac{dE_\sigma}{dx_m} \frac{d\sigma}{dx_m} \frac{1}{D_\sigma}$$

Es wird mithin 3₁)

5₁) $$\varDelta^2\psi_\sigma = -\int_\sigma^\infty \varDelta^2 E \frac{ds}{D} + \frac{4}{D_\sigma},$$

das heisst $\varDelta^2\psi_\sigma = 0$.

Ebenso wird man auch bekommen

$$\text{III}_2) \qquad \frac{d\psi_0}{dx_m} = -\int_0^\infty \frac{dE}{dx_m} \frac{ds}{D},$$

$$\frac{d^2\psi_0}{dx^2_m} = -\int_0^\infty \frac{d^2E}{dx^2_m} \frac{ds}{D};$$

wovon geschlossen wird, dass

$$5_2) \qquad \varDelta^2\psi_0 = -\int_0^\infty \varDelta^2 E \frac{ds}{D},$$

und dass somit auch $\varDelta^2\psi_0 = -4$.

Die zwei ersten Sätze sind somit bewiesen.

4. Um nun auch den letzten Satz zu verificiren, bemerken wir erst, dass φ aus zwei Theilen besteht $\varphi_\sigma^{(\lambda)}$ und $\varphi_0^{(l)}$, wo

$$6) \quad \varphi_\sigma^{(\lambda)} = \sum_{1,n}^m \lambda_m \frac{d\psi_\sigma}{dx_m}, \quad \varphi_0^{(l)} = \sum_{1,n}^m l_m \frac{d\psi_0}{dx_m},$$

welche beide, wie man gleich sieht, der partiellen Differentialgleichung $\varDelta^2\varphi = 0$ genügen; es ist also dasselbe auch der Fall mit φ.

Die linke Seite der Bedingungsgleichung 1), welche sich auf die Oberfläche $\sigma = 0$ bezieht, besteht ebenso aus zwei Theilen. Weil $\varphi_\sigma^{(\lambda)}$, wie leicht zu erkennen ist, von den x und σ abhängt, wobei ferner σ mit dem x variiren muss, so findet man, mit Hülfe der Gleichung 3_1), dass

$$\sum_{1, n}^{m} \frac{dE_0}{dx_m} \frac{{}^{\prime}d\varphi_\sigma^{(\lambda)}}{dx_m} = \sum_{1, n}^{m} \frac{dE_0}{dx_m} \frac{d\varphi_\sigma^{(\lambda)}}{dx_m} + 4\frac{d\varphi_\sigma^{(\lambda)}}{d\sigma},$$

sofern σ gleich Nul gesetzt wird. Die genannte Bedingungsgleichung geht sodann in die folgende über:

$$0 = \sum_{1, n}^{m} \frac{dE_0}{dx_m} \frac{d\varphi_0^{(\lambda)}}{dx_m} + 4\left(\frac{d\varphi_\sigma^{(\lambda)}}{d\sigma}\right)_0$$

$$+ \sum_{1, n}^{m} \frac{dE_0}{dx_m} \frac{d\varphi_0^{(l)}}{dx_m};$$

wo selbstverständlich

7) $$\qquad \varphi_0^{(\lambda)} = \sum_{1, n}^{m} \lambda_m \frac{d\psi_0}{dx_m}.$$

Es wird nun offenbar

$$\left(\frac{d\varphi_\sigma^\lambda}{d\sigma}\right)_0 = \sum_{1, n}^{m} \frac{dE_0}{dx_m} \lambda_m,$$

und es müssen folglich zwischen dem λ und l die n Relationen bestehen:

IV) $$\quad 2\lambda_m - (\lambda_m + l_m) \int_0^\infty \frac{ds}{(\alpha_m^2 + s)D} = 0.$$

Und umgekehrt, wenn diese Relationen bestehen, wird die gegebene Bedingungsgleichung für
$\sigma = 0$ erfüllt.

Der dritte Satz ist somit auch bewiesen, und
die zwischen den Coefficienten λ und l bestehenden Verbindungen zugleich bestimmt.

5. Es bleibt noch unter den $2n$ Constanten,
oder von der Zeit t allein abhängigen Coefficienten, λ und l, eine Anzahl von n willkührlichen
zurück; und um diese zu bestimmen, betrachten
wir schliesslich die Gleichung des Druckes. Stellen wir aber erst das ganze System von verallgemeinerten hydrodynamischen Gleichungen auf;
aus welchen übrigens die wesentlichsten, wie es
sich dann zeigen wird, schon in dem Vorigen
in Anwendung gebracht worden sind.

Eine unmittelbare Generalisation führt uns
zu den folgenden n Gleichungen:

$$8) \qquad \frac{1}{q}\frac{dp}{dx_k} = x_k - \overset{m}{\underset{1,n}{\Sigma}}\, u_m\frac{du_k}{dx_m} - \frac{du_k}{dt},$$

wo $k = 1, 2, 3, .. n$. Uebrigens hat man auch
die Continuitätsgleichung:

$$9) \qquad \overset{m}{\underset{1,n}{\Sigma}}\frac{du_m}{dx_m} = 0;$$

und, indem man $F_0\,(x_1, x_2, .. x_n, t) = 0$, nach
der hier benutzten uneigentlichen Ausdrucksweise,
als die Gleichung der Oberfläche eines mit der
Zeit veränderlichen Körpers ansieht, muss endlich für jeden Punkt dieser Oberfläche

39

10) $$\sum_{1_1 n}^{m} \frac{dF}{dx_m} u_m^{|} = -\frac{dF}{dt}.$$

Wenn man die Flüssigkeit als unbegrenzt annimmt, soll hier der Druck p, wie gewöhnlich, in unendlicher Ferne gegen eine nur von der Zeit abhängige Gränze convergiren.

· u_m ist selbstverständlich als die Geschwindigkeitscomponente nach der Richtung der positiven Halbaxe x_m anzusehen; ebenso ist x_m die entsprechende Componente der beschleunigenden Kraft in dem Flüssigkeitspunkte $(x_1 \, x_2 \, .. \, x_n)$; q ist endlich die Dichtigkeit, und muss ebensowohl als p eine positive Grösse sein.

Wir nehmen aber jetzt an, dass die beschleunigende Kraft durch n Componenten bestimmt sei, welche partielle Derivirte in Beziehung auf die x sind, und aus derselben einzigen Function abgeleitet werden können. Wir denken uns weiter, dass im Anfange der Zeit überall in der Flüssigkeit die Geschwindigkeit Null gewesen ist. — Die Geschwindigkeitscomponenten werden nun für die folgenden Zeiten durch $\frac{d\varphi}{dx}$ ausgedrückt; und die Druckgleichung nimmt die einfache Form an

8¹) $$\frac{p}{q} = T + V - \tfrac{1}{2} \varDelta \varphi^2 - \frac{d\varphi}{dt};$$

ganz wie im gewöhnlichen Falle, wo man n den Werth 3 zu geben habe. T wird dann von der Zeit allein abhängig sein; und was V betrifft, so soll es besonders angenommen werden, dass

$$V = \sum_{1, n}^{m} \gamma_m \, x_m;$$

wo übrigens auch die γ nur mit der Zeit variiren müssen. — Man wird dann ferner finden, dass die Kontinuitätsgleichung 9) jetzt in die folgende übergeht

9¹) $\qquad\qquad \Delta \varphi = 0,$

welche die bekannte in unseren Untersuchungen zu Grunde gelegte Fundamentalgleichung ist — In dem vorliegenden Falle des ruhenden und unveränderlichen verallgemeinerten Ellipsoids $E_0 = 1$ wird endlich die Bedingungsgleichung für die Oberfläche 10)

10¹) $\qquad \sum_{1, n}^{m} \dfrac{dE_0}{dx_m} \dfrac{d\varphi}{dx_m} = 0;$

was mit der Bedingung 1) zusammenfällt.

6. Wir haben also noch aus der Gleichung des Druckes einige Folgerungen zu ziehen, um die Bestimmung der Coefficienten zu vollenden. Wir betrachten somit erstens den Werth von $\dfrac{d\psi_\sigma}{dx_m}$ in unendlicher Ferne; aus welchem dann geschlossen wird, dass $\varphi_\sigma^{(\lambda)}$ als eine Grösse von der Ordnung $n-1$ gegen Null konvergiren wird.

Die Funktionen $\dfrac{d\psi_\sigma}{dx_m}$, und folglich auch $\varphi_\sigma^{(\lambda)}$ müssen nämlich von derselben Ordnung sein wie

$$\int_{\varphi}^{\infty} x_m \cdot \frac{ds}{s^{\frac{n+1}{2}}},$$

mithin von derselben Ordnung wie $\dfrac{x_m}{\sigma^{\frac{n}{2}}}$. Wenn

aber in der Gleichung $E_\sigma = 1\, x_m$ unendlich von erster Ordnung gesetzt wird, so wird φ von zweiter Ordnung werden, und die gegebene Function also von der Ordnung $n-1$.

$n = 1$ bildet hier einen Ausnahmefall; dieser Werth von n ist aber früher ausgeschlossen.

Was andererseits $\dfrac{d\psi_0}{dx_m}$ betrifft, so wird diese Function selbstverständlich unendlich werden von der Ordnung 1; mithin auch $\varphi_0^{(l)}$.

In der Gleichung, welche p bestimmt, wird sodann das Quadrat der Geschwindigkeit $\varDelta\varphi^2$ überall unendliche Werthe erhalten; nur $\dfrac{d\varphi}{dt}$ nimmt zuletzt unendliche Werthe an, die übrigens nur von der ersten Ordnung sein müssen. Der Theil derselben Function, welcher diese Eigenschaft besitzt, ist offenbar, in Folge des früher Entwickelten, in der Summe

$$\sum_{1,n}^{m} \frac{dl_m}{dt} \frac{d\varphi_0}{dx_m}$$

enthalten. Damit also der Druck p nicht negativ werden werden soll, ist es erforderlich, dass die γ der Bedingung genügen

$$\gamma_m + 2\frac{dl_m}{dt}\int_0^\infty \frac{ds}{(\alpha_m{}^2 + s)D} = 0. \quad -$$

Und aus dieser Gleichung wird dann endlich l_m durch Integration völlig bestimmt, weil γ_m, wie früher angeführt, nur von der Zeit abhängt, und weil andererseits als Anfangszustand die Ruhe angenommen worden ist.

7. Führt man die Rechnungen aus, so findet man zuletzt für die l und λ:

$$l_m = -\frac{1}{2\int_0^\infty \frac{ds}{(\alpha_m{}^2 + s)D}} \cdot \int_0^t \gamma_m \, dt,$$

η)

$$\lambda_m = -\frac{1}{4 - 2\int_0^\infty \frac{ds}{(\alpha_m{}^2 + s)D}} \cdot \int_0^t \gamma_m \, dt;$$

und das gesuchte Geschwindigkeitspotential im Falle des verallgemeinerten in der Flüssigkeit ruhenden Ellipsoids ist somit auch, was die Werthe der Coefficienten betrifft, gefunden.

Eine letzte Frage steht doch zurück zu entledigen. Es muss gezeigt werden, dass die Werthe von λ nicht unendlich werden. Um dies zu beweisen, führen wir statt 4 (nr. 4) die Integralsumme

$$2\sum_1^m \int_0^\infty \frac{ds}{(\alpha_m{}^2 + s)D}$$

ein. Es ergiebt sich hieraus, dass in der Gleichung, welche λ_m bestimmt, der Nenner nur dann den Werth Null annehmen werde, wenn man *s* den ausgeschlossenen Werth 1 giebt; in allen übrigen Fällen wird er stets positiv sein, und von Null verschieden.

Nachtrag zur Methode der Parallaxenbestimmung durch Radianten (S. Nr. 13).

Von

W. Klinkerfues.

Als ich vor Kurzem die Parallaxe des Sirius aus der gut bekannten von Wega nach der Methode der Radianten zu 0″,3097 berechnete, war mir nicht bekannt, dass aus den directen Messungen von Henderson der Werth 0″,27 für dieselbe abgeleitet worden ist. Dass Gyldén unter Zuziehung von Maclear's Beobachtungen das verhältnissmässig stark abweichende Resultat 0″,193 gefunden hat, ist wohl Folge des Versuches einer Ausgleichung zwischen dem von Maclear durch eine spätere Beobachtungsreihe erhaltenen Werth 0″,15 und den früheren 0″,27 und 0″,23. Es fehlt aber nicht an Beispielen, dass ein Instrument durch häufigen Gebrauch sich unbemerkt verschlechtert und dann später bei sehr feinen Untersuchungen Unzulässiges liefert. Beispielsweise bestimmte Johnson am berühmten Oxforder Heliometer die Parallaxe von 61 Cygni in der ersten 11 Monaten der Beobachtungsreihe zu 0″,526, aus den letzten 7 Monaten aber zu 0″,192. Man weiss jetzt, dass ersterer Werth äusserst nahe richtig, der letztere aber auszuschliessen ist. Auch bei dem Sirius scheinen mir die ersten Bestimmungen eines grösseren Vertrauens werth, und die letzte auszuschliessen. Der Unterschied zwischen dem beobachteten und dem nach der Methode der Radianten berechneten Werthe der Sirius-Parallaxe wird dann so gering, dass er in der nicht vollkommenen Kenntniss der Parallaxe der bei Wega und bei dem Sirius angewandten Vergleich-Sterne eine ungesuchte Erklärung findet; denn die Gleichungen der Radianten-Methode beziehen sich immer auf absolute Parallaxen. Wird die Differenz auf die gemessene Parallaxe von Wega so mitvertheilt, dass der letzteren ihrer grösseren Genauigkeit wegen das vierfache Gewicht gegeben wird, so erhält man:

Parallaxe von Wega $= 0'',159$
» » Sirius $= 0'',274$.

Nachträglich mache ich die Bemerkung, dass eine Stelle in dem Aufsatz von Nr. 13 leicht missdeutet werden kann. Die Aufgabe, zu bestimmen, wieviel die einzelnen Positionswinkel von einem gemeinsamen Durchschnitte abweichen, der Individualitäten in der Richtung der Eigenbewegung also, führt auf dieselben Rechnungsformen, wie die der Bestimmung des wahrscheinlichen Fehlers in der Lage des Radianten. In der Beziehung macht es keinen Unterschied, ob man die hervortretenden Individualitäten als reelle, oder als scheinbare ansieht. Ein gemeinschaftlicher Radiant bedeutet nun aber für die Bewegungen im Raum an und für sich nur Parallelismus, nicht Gleichheit; aus dem Parallelismus allein jedoch würde eine Vergleichung der Parallaxen nicht zu gewinnen sein. Zu letzterer Rechnung sind eben weitere Schlüsse nöthig, die so formulirt werden können: je genauer der Parallelismus vorhanden zu sein scheint, desto geringer die Wahrscheinlichkeit zufälliger Uebereinstimmung, desto grösser also die eines Causal-Nexus, der hier mit der Existenz eines Partial-Systems zusammenfällt.

In genanntem Aufsatze hatte ich die Vermuthung ausgesprochen, dass vielleicht die leuchtenden Theilchen einer Geissler'schen Röhre, wenn der Inductionsstrom eine in die Gesichtslinie fallende Componente hat, nicht als ruhend bei der Vergleichung von Spectren angesehen werden dürfen. Der Versuch, an dem auch die Herren Prof. Riecke, Dr. Neesen und andere Beobachter Theil nahmen, hat seitdem gezeigt, dass die Bewegung jener Theilchen sicher sehr gering ist, da, obgleich der wahrscheinliche Fehler der beobachteten Verschiebung der Wasserstofflinie $H\beta$ oder F jetzt kaum $\frac{1}{150}$ des Intervalls der beiden D-Linien beträgt, dennoch nicht mehr als eine blosse Andeutung einer Bewegung hat erhalten werden können. Die Beobachtungen werden noch weiter geführt. Die Richtung des Stromes kann also Huggins Messungen nur sehr wenig beeinflusst haben. Das Uebergewicht der Annäherungsbewegungen über die fliehenden, wenn es nicht einfach in der noch geringen Zahl der untersuchten Sterne seinen Grund hat, ist vielleicht auf einen Schätzungsfehler, eine Art persönlicher Gleichung, zurückzuführen, in Folge deren das Sternspectrum gegen das damit zu vergleichende der Geissler'schen Röhre verschoben erscheint. Beobachtungen des Planeten Venus wären sehr wünschenswerth, um die Frage nach dem constanten Fehler der Messungen zu erledigen.

Göttingen den 2ten Juli 1873.

Nachrichten

von der Königl. Gesellschaft der Wissenschaften und der G. A. Universität zu Göttingen.

16. Juli.   № 18.   1873.

Königliche Gesellschaft der Wissenschaften.

Beiträge zur Topographie von Athen.

Von

H. G. Lolling,

mit einigen Bemerkungen

von

Fr. Wieseler.

Die nachstehenden Untersuchungen beruhen auf wiederholten eifrigen und sorgfältigen Localstudien. Es hat mir zu besonderer Freude gereicht mich davon bei Gelegenheit meines Aufenthalts in Athen zu überzeugen, so dass ich zugleich die Garantie für die Richtigkeit der meisten einzelnen den Untersuchungen zu Grunde gelegten Data, unter denen manche ganz neu ermittelte sich befinden, übernehmen kann. In der Behandlung einiger Schriftstellen, welche in dem Aufsatze über die Pnyx zur Besprechung

40

kommen, kann ich dem Verfasser nicht beistimmen. Ich habe mir erlaubt, dieses in den Fällen, in welchen ich etwas Richtigeres bieten zu können glaubte, in Anmerkungen, die mit Klammern ([ ]) versehen sind, anzudeuten. Durch die von mir gegebene abweichende Erklärung der betreffenden Stellen geschieht übrigens den topographischen Darlegungen des Verfassers wenigstens in den Hauptsachen meist kein wesentlicher Eintrag. Einmal finden dieselben dadurch sogar eine neue Bestätigung. Nur hinsichtlich des Bema auf der Pnyx und des Zuhörerplatzes glaubte ich der Annahme Hrn. Lollings durch weiter gehende Auseinandersetzungen entgegentreten zu müssen.

A. Die Pnyx.

Die Lage des alten Versammlungsplatzes Athens, der durch die Erinnerung an die grössten Redner des Alterthums für uns Nachlebende ebenso wie Ͽεῶν χρησμοῖς für die alten Athener geheiligten Pnyx, definitiv festzustellen, ist von den neueren namentlich deutschen Topographen mit besonderem Eifer versucht. Zuerst war es der Engländer Dr. Chandler (Travels II. c. 13), der vor etwa 100 Jahren den Hügel zwischen dem Museion und dem sog. Nymphenbügel für die alte Pnyx erklärte. Diese Ansicht ist der Mittelpunct der ganzen Pnyxfrage geworden, man hat sich wesentlich nur mit Bekämpfung und Vertheidigung derselben beschäftigt. Es unterliegt nun keinem Zweifel, dass die Vertheidiger derselben besonders aus dem Grunde alle dagegen vorgebrachten Bedenken abzuschwä-

ehen oder zu beseitigen suchen, weil es bisher
noch nicht gelungen ist, eine auch nur einigermassen wahrscheinliche passendere Stelle für den
alten Versammlungsort nachzuweisen. Die beiden Gelehrten, die sich am eingehendsten damit befassten, Welcker und E. Curtius, rie-
then auf das Museion. Auch C. Wachsmuth
glaubt im Rh. Mus. XXIII (1868) S. 10, dass
die Pnyx »in der südlichen Hügelgegend« zu
suchen sei. Ebd. Bd. XXIV, S. 41, A. 4 erklärt
W., dass er nach reiflicher und langer Erwägung
aller Bedenklichkeiten nur seine entschiedene
Zustimmung zu dem von Curtius gefundenen Resultate bekennen könne. Es ist nun meine Haupt-
aufgabe, mit Hülfe der gegebenen Terrainverhältnisse eine möglichst unbefangene Prüfung
der Zeugnisse vorzunehmen, die uns aus dem
Alterthume über die Lage und die Beschaffenheit der Pnyx erhalten sind. Hinzuzunehmen
werden diejenigen sein, welche uns über die an-
grenzenden Striche in topographischer Hinsicht
Belehrung bieten.

Es wird sich dabei nicht vermeiden lassen,
dass ich über einige Puncte rasch hinwegeile,
die an und für sich noch einer eingehenden Untersuchung bedürfen, namentlich über den Markt-
hügel und den innern Kerameikos.

I.

Die Lage der Pnyx.

1.

Die wichtigste Stelle für die Ansetzung der
Pnyx ist Plat. Crit., p. 112. Platon denkt sich
hier die um die jetzige und damalige Akropolis

herumliegenden Hügel mit ihr zugleich als Bruchstücke einer vorzeitigen Akropolis. Die Form
und Ausdehnung derselben, wie sie Plato voraussetzt, kann man sich dadurch klar machen,
dass man die zwischen den Hügeln liegenden
Thäler und Abdachungen mit Erde ausgefüllt
denkt. Dann wird eine solche Akropolis auf
der Südseite bis zum Ilissos und Eridanos, auf der
Nordseite bis zu den Abdachungen des Lykabettos und auf der gegenüber liegenden Seite des
sog. Nymphenhügels herabgehen, die Ostgrenze
ist durch den Lykabettos, die Westseite durch
die beiden schon genannten Endpuncte, Ilissos-
bett und Nymphenhügel, fixirt. Es versteht
sich von selbst, dass in dieser Linie, der Ostgrenze, das Museion einbegriffen ist; Plato konnte
dieses darum nicht noch besonders nennen. Die
klare Darstellung dieser vorzeitlichen Verhältnisse giebt Plato nun mit den Worten: πρῶτον
μὲν τὸ τῆς ἀκροπόλεως εἶχε τότε οὐχ ὡς τὰ νῦν
ἔχει. νῦν μὲν γαρ μία γενομένη νὺξ ὑγρὰ δια-
φερόντως γῆς αὐτὴν ψιλὴν περιτήξασα πεποίηκε,
σεισμῶν ἅμα καὶ πρὸ τῆς ἐπὶ Δευκαλίωνος φθο-
ρᾶς τρίτου πρότερον ὕδατος ἐξαισίου γενομένου·
τὸ δὲ πρὶν ἐν ἑτέρῳ χρόνῳ μέγεθος μὲν ἦν πρὸς
τὸν Ἠριδανὸν καὶ τὸν Ἰλισὺν ἀποβεβηκυῖα καὶ
περιειληφυῖα ἐντὸς τὴν Πύκνα καὶ τὸν Λυκαβετ-
τὸν ὅρον ἐκ τοῦ καταντικρὺ τῆς Πυκνὸς ἔχουσα,
γεώδης δ' ἦν πᾶσα καὶ πλὴν ὀλίγων ἐπίπεδος
ἄνωθεν.

Die Worte ἐκ τοῦ καταντικρὺ τῆς Πυκνός gaben die Veranlassung, dass man den sog. Nymphenhügel Lykabettos genannt hat, bis Forchhammer in dem »Brief aus Athen« S. 8 es aussprach, dass die nach dieser Annahme zu con-
struirende Akropolis eine sehr verschobene Gestalt erhalten würde und Plato, wenn er an der

Westgrenze derselben noch einen andern Punct nennen wollte, wohl lieber das weit über die »Pnyx« sich erhebende Museion genannt hätte, als diesen Lykabettos. Ich habe nun schon bemerkt, dass Plato nur den nördlichen Punct der Westgrenze zu nennen brauchte, da der südlichste Punct derselben durch den Ilissos gegeben war. Eine Erwähnung des Museion würde das so klar vorgezeichnete Bild nur verwirren oder zum Theil zerstören. Plato macht hier offenbar die Grenzen der damaligen Stadt Athen zu Grenzen seiner idealen Akropolis. Wenn, wie E. Curtius »Erläut. Text« S. 6 mit hinreichender Sicherheit festgestellt zu haben glaubt, der Name Pnyx dem Philopapposgipfel zukäme, fiele damit das ganze Terrain der jetzigen Stadt vom Lykabettos bis zu dem ἐκ τοῦ καταντικρύ desselben liegenden sogenannten Nymphenhügel weg. Da dies aber nach der oben gegebenen Erklärung (und, wer in Athen die Stelle liest, kann sie unmöglich anders erklären) unzulässig ist, der sog. Nymphenhügel aber, an dem sich die Spuren der grossen Flut noch am greifbarsten zeigen, jedenfalls von Plato genannt werden musste, kann man nur diesen Hügel für die alte Pnyx erklären *).

2.

An zweiter Stelle mag hier die fast nicht

---

*) [Schon C. Bursian schloss im Philologus IX, S. 642 bei Gelegenheit der Besprechung der Stelle Platons, »dass schon zu Platons Zeit der Name Pnyx für den ganzen Hügel« — zwischen dem Museion und dem sogenannten Nymphenhügel — »und vielleicht auch den sog. Nymphenhügel, der nur durch eine unbedeutende Einsattelung von ihm getrennt ist, in Gebrauch war«].

minder wichtige Stelle bei Lucian im bis acc. cap. 9 behandelt werden. Dike ist von Hermes auf den Areshügel geführt, nachdem ihr (cap. 5) Zeus befohlen: καθεζομένη παρὰ τὰς σεμνὰς θεὰς ἀποκλήρου τὰς δίκας καὶ ἐπισκόπει τοὺς δικάζοντας. Wegen ihrer langen Abwesenheit ist sie mit der Oertlichkeit nicht mehr genau vertraut, weshalb Hermes ihr genau angeben muss, wohin sie sich zu setzen hat. Er sagt also: ἐπείπερ καταβεβήκαμεν, αὐτὴ μὲν ἐνταῦθά που ἐπὶ τοῦ πάγου κάθησο ἐς τὴν Πνύκα ὁρῶσα καὶ περιμένουσα ἔστ' ἂν κηρύξω τὰ παρὰ τοῦ Διός, ἐγὼ δὲ ἐς τὴν ἀκρόπολιν ἀναβὰς ῥᾷον οὕτως ἅπαντας ἐκ τοῦ ἐπηκόου προσκαλέσομαι. Die Dike soll sich also auf eine Stelle des Areopags setzen, die wie die Fortsetzung der Erzählung zeigt, dem Paneion gegenüber lag. Pan kommt nämlich aus seiner σκοπή (cap. 11), von der aus er tagtäglich die Streithändel am Areopag zu seinem Ueberdruss anhören muss. Hermes ruft nun von einem Puncte der Burg aus die Athener zusammen. Gewiss wendet er seinen Ruf namentlich nach der Seite des Marktes hin, weil sich hier die Athener am meisten zusammendrängten und streitende Parteien auf dem Markte immer zu finden waren. Die Dike schaut unterdess nach der Pnyx oder nach der Gegend des Marktes, welche an die Pnyx stiess. Bei der jetzt trotz Forchhammer's letzter Ereiferung im Phil. Bd. 33 gesicherten Lage des Marktes im Norden von Areopag und einem Theile der Akropolis (Hermes stellt sich gewiss dahin, von wo er den ganzen Markt vor sich sah) wäre es nun lächerlich, wenn die Dike von Hermes angewiesen würde, nach der jetzt sogenannten Pnyx oder gar dem Museion oder allgemeiner ausgedrückt der südwestlichen Abtheilung der Stadt

zu sehen, da sie hiermit dem Marktplatze den
Rücken kehren würde. Nimmt sie nun gar ihren Platz gerade über dem Adyton der Eumeniden, so kann sie sogar weder von der sog. Pnyx
noch dem Museion irgend etwas erblicken. Dagegen fällt einem auf dem Rande des Areopags
über jenem Adyton oder den Ruinen, die man
der Kirche des Dionysios Areopagita zuschreibt,
Sitzenden der Felsenknollen des Nymphenhügels
besonders ins Auge. Die oben aus cap. 5 angeführten Worte drängen aber dazu hin, dass
man den Sitz der Dike etwa an der bezeichneten Stelle sucht, von der aus man bequem die
Pansgrotte sieht, wie die Dike (cap. 11).

3.

Eine dritte für die Bestimmung der Lage der
Pnyx ebenfalls wichtige Stelle, die aber manche
kritische Bedenken erregt, ist das Schol. zu Arist.
Vög. Vs. 997. Der erste Theil des Scholion
gibt erstens die Angabe des Kallistratos, der von
einem ἀνάϑημα ἀστρολογικόν des Meton ἐν Κο-
λωνῷ, und die des Philochoros, der von dem
ἡλιοτρόπιον des Meton ἐν τῇ νῦν οὔσῃ ἐκκλησίᾳ,
πρὸς τῷ τείχει τῷ ἐν τῇ Πνυκί berichtet hatte,
zweitens den Versuch gewisser Grammatiker,
beide Angaben zu vereinigen. Letzteres geschieht
in den Worten: Μήποτε οὖν τὸ χωρίον, φασί τι-
νες, ἐκεῖνο ἐπάνω, ᾧ περιλαμβάνεται (bei Forchhammer Kiel. phil. St. S. 343 steht noch παρα-
λαμβάνεται) καὶ ἡ Πνύξ, Κολωνός ἐστιν ὁ ἕτερος
ὁ Μίσϑιος λεγόμενος· οὕτως μέρος τι νῦν σύνη-
ϑες γέγονε τὸ Κολωνὸν καλεῖν, τὸ ὄπισϑεν τῆς
μακρᾶς στοᾶς· ἀλλ' οὐκ ἔστιν· Μελίτη γὰρ ἅπαν
ἐκεῖνο, ὡς ἐν τοῖς ὁρισμοῖς γέγραπται τῆς πόλεως.
Zu den Worten jener combinirenden Grammati-

ker sind hier die des Referenten hinzugefügt.
Er nimmt an, dass neben dem Heliotropion an
der Pnyxwand ein astrologisches Anathema des
Meton auf dem Kolonos Agoraios gewesen sein
könne, weist aber mit Heranziehung der ὁρισμοὶ
τῆς πόλεως die ungebührliche Ausdehnung des
Kolonos über den Pnyxberg hinaus entschieden
zurück. Die Pnyx ist so gut wie der Kolonos
ein Theil von Melite, war aber offenbar dem
Kolonos so nahe, dass man auf den Gedanken
kommen konnte, beides unter einem Namen zu-
sammenzufassen. Der Kolonos Agoraios ist nun
ohne Zweifel der »Theseionhügel«, der die Grenze
zwischen Melite und dem inneren Kerameikos
bildete. Aus der Periegese des Pausanias erhellt
nämlich, dass das Hephaisteion auf dem Kolonos
an der Westseite des Marktes lag, während das
ihm benachbarte Eurysakeion schon zu Melite
gehörte, wie aus Harpokration in Εὐρυσάκειον
hervorgeht.

Das Hephaisteion ist uns nun wahrscheinlich
noch erhalten, da die topographischen Zeugnisse
wenigstens nicht hindern (indem wir wissen, dass
es etwa auf der Grenzscheide von Melite und
Kerameikos lag), die erhaltenen Bildwerke es
aber wahrscheinlich machen, dass das Theseion
das alte Hephaisteion war [1]). Gelänge es dies

---

1) Der Deutung, die neuerdings von C. Wachsmuth
(Rh. Mus. XXIII S. 11. XXIV, S. 44 fg.) und E. Curtius
(Erl. Text S. 36. 53) gegeben ist, kann ich schon aus
dem topographischen Grunde nicht beistimmen, weil es
höchst unwahrscheinlich wäre, dass jenes ἐπιφανέστατον
ἱερόν, in dem der Hauptcult Melites concentrirt war, bis
auf den äussersten Rand dieses Demos vorgeschoben worden. Jedenfalls müsste die Frontseite nicht so auffallend
von Melite abgewandt und dem Kerameikos zugekehrt
sein. Ausserdem scheint mir die Verehrung des Herakles
als Gottes zu stark von Wachsmuth betont zu werden,

zu entscheiden, so wäre es ganz sicher, dass der sog. Theseionhügel der Kolonos Agoraios gewesen, wie es ja auch der Meister der attischen Topographie, Ernst Curtius, aus andern Gründen angenommen hat. Von dem Kolonos nun heisst es im Scholion, dass es Gebrauch geworden, den Theil hinter der *Μακρὰ Στοά* mit dem Namen Kolonos zu bezeichnen. Es kann nun zweifelhaft erscheinen, ob diese Worte dem Scholiasten, der uns diese Vermuthung jener Grammatiker mittheilt, oder diesen zuzuschreiben sind. Ich glaube, wie z. B. Krüger, Untersuchungen über das Leben Thukydides S. 46, A. 137, das Erstere annehmen zu müssen und zwar so, dass die Worte *οὕτως* — *στοᾶς* als Parenthese ausser der grammatischen Construction stehen, in dem mit *Μελίτη γὰρ* u. s. w. der Grund folgt, weshalb jene Grammatiker Unrecht hatten. Wie ein Theil jener obern Gegend nach den combinirenden Grammatikern fälschlich den Namen Kolonos trug, indem sie auch die Pnyx mit hereinziehen zu müssen glaubten, so trug auch nach dem genaue Ortskenntniss verrathenden Referenten nur ein Theil des eigentlichen Kolonos diesen Namen, obgleich natürlich der ganze Hügel ursprünglich den Namen hatte. Der Theil des Kolonos, auf den der Name des ganzen übergegangen war, läg hinter der langen Stoa. Diese wird ausser dieser Stelle nur noch einmal erwähnt, nämlich im Philistor II, S. 141

a. a. O. S. 45, A. 13. Jenes *ἱερόν* halte ich für ein Heroon. Wenn Her. auch wirklich *θεός* genannt wird, so kann das ein gut gemeintes aber eigentlich zu viel sagendes Prädicat sein. Vgl. Ross, Thes. S. 29 fg. In den Metopen am sog. Theseion ist Herakles offenbar nur als Heros aufgefasst. Die grösste Wahrscheinlichkeit ist für das Hephaisteion.

als im (innern) Kerameikos befindlich. Sie befand sich gewiss östlich vom Kolonos Agoraios, von dem aus nach Westen hin man in Melite eintrat. Da der Boden der alten Agora ziemlich tief unter dem Theseionhügel oder Kolonos Agoraios liegt, stieg man von der Agora aus nach Melite hinauf (Demosthenes g. Konon S. 1259). Zu diesem Stadttheile gehörte χωρίον ἐκεῖνο ἐπάνω, ᾧ π. κ. ἡ Πνύξ. Diese letztere muss natürlich so liegen, dass eine Zusammenfassung derselben mit dem Kolonos unter einen Namen erklärbar ist. Es konnte nun die Ansicht aufgestellt werden, dass unter dem Theil, zu dem sie noch die Pnyx hinzuziehen, jene combinirenden Grammatiker die Felszunge der Hagia Marina verstanden hätten. Das hat indessen wenig Wahrscheinlichkeit, weil sie wissen mussten, dass dieser Fels keine passende Station für die Koloniten sein konnte. Die Terrainverhältnisse führen darauf, die Bezeichnung Melite auf die Region westlich vom »Theseionhügel« auszudehnen. Die Zusammenfassung von Kolonos Agoraios und Pnyx wäre nun aber völlig unerklärbar, wenn die Pnyx etwas anders wäre als der Nymphenhügel, als dessen Fortsetzung jene Grammatiker mit Fug den »Theseionhügel« ansehen konnten, wie es auch Vischer, Erinnerungen u. Eindrücke, S. 176 thut. Unmöglich wäre es, diesen mit der jetzt sog. Pnyx oder gar dem Museion als einen Kolonos, einen τόπος ὑψηλός auch nur vermuthungsweise zu bezeichnen; auch liegen jene Hügel ja mit keinem Theile des Marktes zusammen. Dass der Demos Melite den sogenannten Nymphenhügel einnahm, folgt auch aus der von E. Curtius mit grosser Wahrscheinlichkeit nachgewiesenen Lage des jüngeren Barathron, vgl. Attische Studien, I. S. 8.

4.

Räthselhafter und dunkler ist **viertens** die bekannte Stelle, welche von der Abänderung des βῆμα in der Pnyx handelt. Plutarch sagt im Leben des Themistokles c. XIX am Ende: (Θεμιστοκλῆς) τὸν δῆμον ηὔξησε κατὰ τῶν ἀρίστων καὶ θράσους ἐνέπλησεν, εἰς ναύτας καὶ κελευστὰς καὶ κυβερνήτας τῆς δυνάμεως ἀφικομένης. Διὸ καὶ τὸ βῆμα τὸ ἐν Πνυκὶ πεποιημένον ὥστ' ἀποβλέπειν πρὸς τὴν θάλασσαν ὕστερον οἱ τριάκοντα πρὸς τὴν χώραν ἀπέστρεψαν, οἰόμενοι τὴν μὲν κατὰ θάλασσαν ἀρχὴν γένεσιν εἶναι δημοκρατίας, ὀλιγαρχίᾳ δ' ἧττον δυσχεραίνειν τοὺς γεωργοῦντας. Plutarch bedient sich, wie man sieht, einer gespreizten Redeweise. Wörtlich genommen wäre der erste Satz offenbar falsch, der Gedanke aber, den man zwischen den Zeilen lesen muss, ist unzweifelhaft, die eifrig betriebene Beschäftigung der Bürger mit Seehandel u. s. w. leiste dem Einschleichen demokratischer Elemente grossen Vorschub.

Nun gefällt sich Plutarch darin, eine Bestätigung jener Phrase durch ein historisches Factum zu geben. Die 30 Tyrannen sahen die Wahrheit jener Beobachtung ein und griffen zu einem — lächerlichen Mittel, eine wirksame Reaction zu Gunsten ihrer Herrschaftsgelüste durchzuführen. Unter ihnen aber versammelte sich das Volk an einer Stelle, von der aus ein Blick auf das freie, unbezwungene Meer unmöglich war, als wenn dadurch auch den Gedanken eine andere Richtung gegeben worden. Die 30 Tyrannen können unmöglich den Platz der Volksversammlung, die sie vielleicht nie zusammen riefen, in so auffallender und wie gesagt lächer-

licher Weise verlegt haben[1]). Man könnte nun
vermuthen, dass Plutarch die τριάκοντα nenne,
aber eigentlich von der Zeit der ersten Tyrannen, der Pisistratiden überliefert worden sei,
dass damals der Volksversammlungsplatz (zugleich mit dem Markte?) verlegt worden (vgl.
Thuk. VI, 54: — ἀποφανῶ οὔτε τοὺς ἄλλους
οὔτε αὐτοὺς Ἀθηναίους περὶ τῶν σφετέρων τυ-
ράννων οὐδὲ περὶ τοῦ γενομένου ἀκριβὲς οὐδὲν
λέγοντας, und das schon zu Thukydides Zeit!).
Dass das athenische Volk sich einmal an einem
andern Platz berathen habe, darf man wohl aus
der Stelle des Thuk. II, 15, wo die Altstadt südlich von der Akropolis angesetzt wird, schliessen. Wenn hier die älteste Stadt war, war hier
wohl auch ein Versammlungsplatz. Der Name
dafür ist unbekannt und existirte wohl gar nicht,
denn von einer alten und neuen Pnyx wie von
einem alten und neuen Markte zu reden, ist
durch nichts geboten oder gerathen[2]). Die Ver-

---

1) Wenn C. Gracchus (vit. c. 5) eine der Umdrehung
der Bema ähnliche Massregel traf, so lagen die Verhältnisse doch ganz anders. Möglicherweise hat dies Ereigniss den Plutarch zu der falschen Darstellung veranlasst
[Göttling, Ges. Abh. I, S. 85].

2) Uebrigens schliesse ich mich der Deutung des Namens Pnyx an, wie sie E. Curtius Att. Stud. I, S. 51 u.
Erl. T. S. 8 annimmt. Pnyx bezeichnete ursprünglich
nur den Hügel (Welcker nennt Felsaltar S. 277 (13) den
Nymphenhügel einen »ungeschickten Klumpen«,
ein »Felshaupt«, Ross Pnyx u. Pel. S. 3 »eine nackte,
zerrissene, nach allen Seiten abschüssige Steinmasse«,
»πνύξ« aber erklärt E. Curtius Att. Stud. I, 5 durch
»eine geballte compacte Felsmasse«), an dessen
Abhang später die seitdem nach ihm benannte Volksversammlung stattfand. Diese sass früher gewiss anderswo (nach meiner und Anderer — vgl. Wieseler, de loco,
quo a. th. B. 1. Ath. a. s. 1. sc., p. 16, a. 50 — Vermuthung am Burgabhang).

sammlung selbst hiess ἀγορά, wie wir aus Apollodor bei Harpocr. s. r. *Πάνδημος Ἀφροδίτη* wissen*). Der Annahme, dass sich an den Versammlungsplatz der Kaufmarkt angeschlossen, steht nichts entgegen. Da das Heiligthum der *Πάνδημος* nach Pausanias' Angabe der Heiligthümer an der Südseite der Akropolis etwa über dem Odeion der Regilla angesetzt werden darf, kann man annehmen, dass dies Gebäude an der Stelle stehe, wo die frühsten Bewohner Athens ihre ἀγοράς hatten. Zu der Zeit, als die Felsenstrasse zwischen Museion und Pnyx noch die Hauptader des Verkehrs mit der See war und das Phaleron der Haupthafen Athens, war dies einer der geeignetsten Puncte für Marktverkehr.

Die Lage passt vortrefflich. Plutarch sagt in der ausgeschriebenen Stelle ausdrücklich, dass das Bema ein mal dem Meere zugekehrt war. Das gilt aber nicht für den Redner, der vielmehr den Zuhörern das Angesicht zukehrte, sondern die Zuhörer schauten über das Bema nach dem Meere hin. Ein solcher Versammlungsplatz nun lässt sich mit Wahrscheinlichkeit nur an den Südabhang der Akropolis verlegen, von der man jedenfalls den freiesten Blick auf die See und den Phaleronhafen hat.

Weiter geht aus der Stelle des Plutarch hervor, dass man zu seiner Zeit von dem Versammlungsplatze der Pnyx aus das Meer nicht sah. Dieses kann man mit grosser Wahrschein-

---

*) [Auch das Versammlungslocal hatte den Namen ἀγορά, wie Apollodor ausdrücklich angiebt, indem er als Platz der ἀγοραί geheissenen Volksversammlungen die ἀρχαία ἀγορά bezeichnet. Hatte dieser Platz noch einen anderen Namen als ἀγορά (im engsten Sinne), so könnte man etwa vermuthen, derselbe sei gewesen ἐκκλησία, obgleich dieses Wort für das Local erst bei Lucian vorkommt].

lichkeit auch aus Aesch. d. f. leg. p. 253 schliessen: ἀνιστάμενοι οἱ ῥήτορες ἀποβλέπειν εἰς
τὰ προπύλαια τῆς ἀκροπόλεως ἐκέλευον ἡμᾶς καὶ
τῆς ἐν Σαλαμῖνι πρὸς τὸν Πέρσην ναυμαχίας
μεμνῆσθαι, obgleich es hier nicht ausgemacht
ist, ob mit ἀποβλέπειν und μεμνῆσθαι ein Gegensatz ausgedrückt werden sollte.   Wenn es
aber von der Pnyx bei Poll. i. Onom. VIII, 132
heisst: Πνὺξ δὲ ἦν χωρίον πρὸς τῇ ἀκροπόλει, so
kann dieses der Akropolis nahe gegenüber befindliche χωρίον*) nur so belegen gewesen sein,
dass man von ihm das Meer nicht erblickte.
Das lehren die Terrainverhältnisse der Abdachungen sämmtlicher der Akropolis nach Westen
nahe gegenüber liegender Hügel.   Ferner erfahren wir aus der Plutarchischen Stelle, dass das
βῆμα der Pnyx πρὸς τὴν χώραν gerichtet war.
Dieser Ausdruck wird am besten durch die Annahme
erklärt, dass das βῆμα mit dem Zuhörerraum
davor in einer nach dem πεδίον orientirten Gegend lag**).   Das bestätigt trotz Welcker Rh.

---

*) [Das »nahe« passt nicht eben gut auf den Nym-
phenhügel. Bursian, mit welchem der Verfasser hinsichtlich der Deutung des πρός mit dem Dativ durch »gegenüber« übereinstimmt, fühlt sich im Philol. IX, S. 640
fg. selbst hinsichtlich seiner Ansetzung der Pnyx zu der
Bemerkung veranlasst »bei Poll. VIII, 132 ist nicht einmal die leichte Aenderung des Dativs in den Accusativ
nöthig, da πρός öfter nicht die unmittelbare Nähe bezeichnet; bei Thuk. III, 78, 2 sind οἱ πρὸς τοῖς Κερκυ-
ραίοις die den Kerkyräern in der Seeschlacht gegenüber-
stehenden Peloponneser«.   Sollte es nicht das Gerathen-
ste sein, bei Pollux das Wort ἀκρόπολις von dem ganzen
höher gelegenen Theile der Stadt zu verstehen? Vgl.
Göttling Ges. Abhandl. I, S. 73].

**) [Natürlich sind die obigen Worte des Verfas-
sers nicht so zu verstehen, als meine derselbe, dass sowohl die Vorderseite des Bema als auch die der Sitze
nach dem Lande hingerichtet gewesen sei.   In diesem

Mus. N. F. X, S. 41 auch Aristoph. Acharn. Vs. 32, wo Dikäopolis auf der Pnyx sitzt, und, während er das Geschwätz der sich auf dem Markte Herumtreibenden anhört, ἀποβλέπει εἰς τὸν ἀγρόν *).

Falle hätten ja die Zuhörenden dem Sprechenden den Rücken zugekehrt. Wenn Plutarch, wie Hr. Lolling mit Recht annimmt, angiebt, das Bema sei zuerst so angelegt worden, dass die Zuhörer über dasselbe hin auf das Meer schauten, so muss die von ihm berichtete spätere Umänderung seiner Meinung nach darin bestanden haben, dass seitdem die Zuhörer über das Bema hin auf das Land schauten. Früher stand nach Plutarch das Bema auf der dem Meere, später auf der dem Lande zugekehrten Seite des Versammlungslocals. Früher hatte der Redner das Meer, später das Land im Rücken. Der natürlich nicht auf die Zuhörer, sondern auf das βῆμα bezügliche Ausdruck ἀποβλέπειν ist entschieden nicht so zu verstehen, als sei die Fronte der Rednerbühne nach dem Meere hin gerichtet gewesen].

*) [Unzweifelhaft folgt aus Aristophanes nur, dass man von den Sitzbänken der Pnyx aus auf das Land hinsehen konnte, und zwar, da Dikäopolis aller Wahrscheinlichkeit nach auf Acharnae hinschaut, auf das Land im Norden der Stadt Athen. Hienach scheint es doch zunächst, als hätte das auf der Pnyx versammelte Volk das Gesicht nach jener Richtung hin gewandt; oder man müsste denn annehmen wollen, dass Dikäopolis so lange als er allein war, eben um nach dem Lande hinschauen zu können, sich so gesetzt hatte, dass ihm dieses möglich war. Wer dieses nicht annehmen will, muss voraussetzen, dass der Redner auf dem βῆμα das Gesicht nicht in derselben Richtung dem Lande zugekehrt habe. — Dass Dikäopolis das Geschwätz der sich auf dem Markte Herumtreibenden anhöre, ist eine ohne allen Zweifel irrige Annahme. Dikäopolis sieht nicht einmal auf den Markt hin. Dass dieser in den scenischen Decorationen nicht zur Darstellung gebracht war, leuchtet von selbst ein. Was Dikäopolis über das Treiben auf dem Markt sagt, beruht auf früherer Kunde von dem, was hier so häufig vorging, ebenso wie das, was er Vs. 23 fg. über die Prytanen sagt. Selbst der von Hrn. Lolling unten S. 484 fg., Abschn. II, 1, wie wir glauben, mit Recht behauptete Umstand, dass die Pnyx unmittelbar über dem Markte lag, lässt

Das *ἀποβλέπειν* in der oben angeführten Stelle
des Aeschines scheint anzudeuten, dass das Volk
seine Blicke gewöhnlich anders wohin als nach
den Propyläen richtete; der Redner indess, der
wie weiter unten gezeigt wird, über der Versammlung stand, erblickte offenbar die Propyläen, wenn er ohne sich umzukehren, seine Blicke über seine herrliche Vaterstadt gehen liess *).
Für alle diese Puncte finden wir eine zutreffende
ungezwungene Erklärung nur durch die Annahme,
dass der Versammlungsort an der alten Pnyx
nördlich oder nordwestlich von der Felszunge
der Hagia Marina lag. Wir haben hiermit einen neuen Beweis dafür, dass der sog. Nymphenhügel die alte Pnyx war.

Auf eine weitere Folgerung, die aus der behandelten Stelle des Plutarch zu ziehen ist, muss
ich unten eingehen.

5.

Zunächst und zuletzt in diesem Abschnitte
muss ich die Beschreibung des Kleidemos von
der Amazonenschlacht zu erläutern suchen. Ich

sich nicht so ohne Weiteres aus der ganzen Stelle der
Acharner von Vs. 19 an entnehmen, sondern nur mittel-
bar aus dem Hergange mit dem *σχοινίον μεμιλτωμένον*
(Vs. 22) schliessen, wofür Schömann Griech. Alterth. I,
S. 394 fg. der zw. Ausg. die besten Fingerzeige gegeben
hat].

*) [Das Volk richtete seine Blicke doch wohl auf den
Redner, zumal wenn er zu sprechen anfing. Ob dieser,
wenn er, dem Volke zugekehrt, sprach, gerade in der
Richtung der Propyläen hinschaute, ist sehr die Frage.
Aus der Stelle des Aeschines lässt sich offenbar kein anderer Schluss mit Sicherheit ziehen als der, dass die Zuhörer auf der Pnyx mit oder ohne Seitenwendung, schwerlich aber nur indem sie den Körper vollständig umkehr-
ten, die Propyläen sehen konnten].

halte mich allein an die Worte des Plutarch
und des Kleidemos. Sie lauten (c. XXVII im
Theseus; in dem vorgehenden cap. ist von der
πρόφασις zum Amazonenkriege die Rede): Πρό-
φασιν μὲν οἶν ταύτην ὁ τῶν Ἀμαζόνων πόλεμος
ἔσχε· φαίνεται δὲ μὴ φαῦλον αὐτοῦ μηδὲ γυναι-
κείον γενέσθαι τὸ ἔργον. Οὐ γὰρ ἂν ἐν ἄστει
κατεστρατοπέδευσαν οὐδὲ τὴν μάχην συνῆψαν ἐν
χρῷ περὶ τὴν Πνύκα καὶ τὸ Μουσεῖον, εἰ μὴ κρα-
τοῦσαι τῆς χώρας ἀδεῶς τῇ πόλει προσεμίξαν. Εἰ
μὲν οὖν, ὡς Ἑλλάνικος ἱστόρηκε, τῷ Κιμμερικῷ
Βοσπόρῳ παγέντι διαβᾶσαι περιῆλθον, ἔργον ἐστὶ
πιστεῦσαι· τὸ δὲ ἐν τῇ πόλει σχεδὸν αὐτὰς ἐνστρα-
τοπεδεῦσαι μαρτυρεῖται καὶ τοῖς ὀνόμασι τῶν τό-
πων καὶ ταῖς θήκαις τῶν πεσόντων. Πολὺν δὲ
χρόνον ὄκνος ἦν καὶ μέλλησις ἀμφοτέροις τῆς ἐπι-
χειρήσεως· τέλος δὲ Θησεὺς κατά τι λόγιον τῷ
Φόβῳ σφαγιασάμενος συνῆψεν αὐταῖς. Ἡ μὲν
οὖν μάχη Βοηδρομιῶνος ἐγένετο μηνὸς ἐφ᾽ ᾗ τὰ
Βοηδρόμια μέχρι νῦν Ἀθηναῖοι θύουσιν. Ἱστορεῖ
δὲ Κλείδημος, ἐξακριβοῦν τὰ καθ᾽ ἕκαστα βουλό-
μενος, τὸ μὲν εὐώνυμον τῶν Ἀμαζόνων κέρας
ἐπιστρέφειν πρὸς τὸ νῦν καλούμενον Ἀμαζόνειον,
τῷ δὲ δεξιῷ πρὸς τὴν Πνύκα κατὰ τὴν Χρύσαν
ἥκειν. Μάχεσθαι δὲ πρὸς τοῦτο τοὺς Ἀθηναίους
ἀπὸ τοῦ Μουσείου ταῖς Ἀμαζόσι συμπεσόντας,
καὶ τάφους τῶν πεσόντων περὶ τὴν πλατεῖαν εἶναι
τὴν φέρουσαν ἐπὶ τὰς πύλας παρὰ τὸ Χαλκώδον-
τος ἡρῷον, ἃς νῦν Πειραϊκὰς ὀνομάζουσι. Καὶ
ταύτῃ μὲν ἐκβιασθῆναι μέχρι τῶν Εὐμενίδων καὶ
ὑποχωρῆσαι ταῖς γυναιξίν, ἀπὸ δὲ Παλλαδίου καὶ
Ἀρδηττοῦ καὶ Λυκείου προσβαλόντας ὤσασθαι τὸ
δεξιὸν αὐτῶν μέχρι τοῦ στρατοπέδου καὶ πολλὰς
καταβαλεῖν. Τετάρτῳ δὲ μηνὶ συνθήκας γενέσθαι
διὰ τῆς Ἱππολύτης. Statt der Hippolyte nannten
andere die Antiope, vielleicht desshalb, weil deren στήλη beim Eintritt ins itonische Thor stand,

wie aus Pausanias I, 2, 1 und den Worten des Plutarch παρὰ τὸ τῆς Ὀλυμπίας ἱερόν hervorgeht.

Obgleich sich nun schon viele Topographen eingehend mit dieser Beschreibung des Kleidemos beschäftigt haben und es keinem Zweifel unterliegen kann, dass Kleidemos sich ein klares Bild der Schlacht auf Grund seiner Ortskenntniss entworfen, ist es doch gewiss, dass jeder fernere Versuch das Dunkel nicht ganz hellen wird, namentlich deshalb, weil die Lage der Χρύσα und des Palladion (vgl. übrigens C. Wachsmuth Rh. Mus. XXIII, S. 175, A. 20) gänzlich unbekannt ist. Wir müssen es der Zukunft überlassen, ob neue Entdeckungen Licht in dieses Dunkel werfen werden. Auch die Lage des Amazoneion ist nur ungefähr zu bestimmen, indem dies ohne Zweifel in die Nähe des Areopags gesetzt werden muss, wie man aus Aesch. Eum. Vss. 668 ffg. Dind. schliessen darf. Der Versuch aber muss gewagt werden. Die Bestimmung des Schlachtfeldes liegt namentlich in den Worten: τὴν μάχην συνῆψαν ἐν χρῷ περὶ τὴν Πνύκα καὶ τὸ Μουσεῖον. Was heisst hier ἐν χρῷ? Welcker übersetzt »dicht um die Pnyx und das Museion«. Wenn darin kein natürlicher Widerspruch liegen sollte, müsste die Pnyx am Museion liegen. Davon wissen wir aber durch kein anderes Zeugniss und zweitens hätten wir einen sehr schiefen Ausdruck. Plutarch hätte gewiss ähnlich wie weiter unten in πρὸς τὴν Πνύκα κατὰ τὴν Χρύσαν geschrieben oder vielmehr eines von Beiden weggelassen, indem ja nur die Annahme denkbar wäre, dass Pnyx oder Museion den Gipfel desselben Hügels bezeichnete. Es ist aber ausdrücklich von dem Herabsteigen der Athener vom Museion die Rede, die Schlacht fand sicher in der Ebene Statt.

Verbindet man aber *ἐν χρῷ* mit dem Vorhergehenden, so fällt erstens die Nachstellung desselben nach *συνῆψαν* auf, die ja offenbar Welcker und andere zu ihrer abweichenden Uebersetzung geführt hat, zweitens aber wären jene Worte ein höchst unnützer, ja störender Zusatz, weil sie den Gegensatz von Fern- und Nahkampf zu betonen scheinen können, und drittens bliebe die oben erklärte Schwierigkeit, indem, da von 2 bestimmt getrennten, wenn auch nicht sehr weit auseinander liegenden Gegenden als Grenzen des Schlachtfeldes die Rede ist, vor *τὸ Μουσεῖον* ein *περὶ* eingesetzt werden müsste. Die Schwierigkeit wird gehoben, wenn man statt *χρῷ* etwa *χώρῳ* schreibt. Mit *χῶρος* wäre dann ein Ort bezeichnet, der einerseits dem Museion, andererseits der Pnyx benachbart war *).

Plutarch sagt im Anfange des Cap., dass die Amazonen die *χώρα* in Besitz gehabt und so *ἀδεῶς τῇ πόλει προσέμιξαν*. Die beiden Streitmächte lagen sich lange Zeit gegenüber, die Athener offenbar auf dem Museion, von dem sie endlich herniederstiegen, die Amazonen aber offenbar auf den anderen Höhen, der sog. Pnyx und dem Nymphenhügel. Die Amazonen hatten

*) [Der Verfasser hat sicherlich Recht, wenn er Welcker's Erklärung des *ἐν χρῷ* verwirft. Auch der von anderen Gelehrten beliebten Deutung »von Kämpfenden, die ganz nahe an einander gerathen sind«, wird man nicht beipflichten wollen, wie der Verf richtig gefühlt hat (welcher nur darin irrt, dass er sie als in der Welcker'schen inbegriffen betrachtet). Aber die Conjectur *χώρῳ* bietet nicht nur einen ganz überflüssigen Begriff, sondern erregt auch noch in anderer Beziehung Bedenken. Nach unserer Ueberzeugung ist nichts zu ändern. Man hat zu *ἐν χρῷ* aus dem Vorhergehenden zu ergänzen: *ἄστεος*. Der so bezeichnete Platz »in der nächsten Nähe der Stadt« kann immerhin der von Herrn Lolling vermuthete sein].

ihre Streitmacht also vor ihrem Lager am Areopag mit Ausdehnung nach Süden und Norden aufgesellt. Die Schlacht fand da statt, wo man später die Gräber der Gefallenen ansetzte, an der Strasse, die zum piräischen Thore führte. Die Lage dieser Strasse findet man z. B. auf Taf. II. von E. Curtius Att. Stud. Es findet sich neben diesem Wege eine Reihe von Gräbern, wenn auch, so viel mir bekannt geworden, nur aus späterer Zeit. Die Erwähnung des Museion aber, zugleich mit dem piräischen Thore, das nördlich vom sog. Nymphenhügel angesetzt werden darf, führt zu der Annahme, dass jene an dem Barathron vorbei nach dem Ilissos führende Strasse gemeint ist. Hier breitet sich nun ein grosses freies Feld aus, zwischen den westlichen Abdachungen des Museion auf der einen, des Nymphenhügels auf der anderen Seite. Hier ist der χῶρος περὶ τὴν Πνύκα καὶ τὸ Μουσεῖον also anzusetzen, unter Pnyx kann dann aber nur der sog. Nymphenhügel verstanden werden. Bei dieser Annahme erhält man etwa folgendes Bild von der Schlacht.

Nachdem Theseus seine Athener (wenigstens zum grössten Theil, ein Theil musste den Berg besetzt halten) vom Museion in das eben näher bezeichnete Thal herabgeführt, um der langen Zögerung ein Ende zu machen, rücken auch die Amazonen von ihrer Stellung zwischen Amazoneion und Pnyx (Nymphenhügel) herab. Die Schlacht entscheidet sich zuerst für die Amazonen, deren rechter an der Pnyx κατὰ τὴν Χρύσαν stehender Flügel den Athenern erfolgreich widerstand. Während hier nun der Kampf immer heftiger wurde, liessen die Amazonen ihren linken Flügel näher und um die Theseiden herum heranziehen. So waren die Athener von rechts und links bedrängt und sogar in Gefahr umzingelt zu werden. Darum mussten sie sich endlich nach der Stadt zurückziehen, und dies geschah in der Richtung nach den Eumeniden am Areopag zu. Nach links aber, etwa dem Dipylon zu, wichen sie nicht vor den nachdrängenden Amazonen, weil es ihnen darum zu thun sein musste, die Stadt zu behaupten, namentlich auch, um jeden etwaigen Angriff der Amazonen gegen die Burg lahm zu legen. Warum nun bei der ganzen Erzählung von der Burg nirgends die Rede ist, bleibt freilich noch dunkel; dunkel bliebe aber auch, wenn in den alten Sagen die Burg mit in diese Erzählung hinein gezogen worden (wie es Curtius Att. St. II, S. 68 thut), warum bei dem schliesslichen Entsatz der Athener durch den Zuzug aus der Ilissosgegend kein Ausfall aus der Burg gemacht wurde; davon ist aber nicht die Rede, und gewiss sind wir eben so wenig zu fragen berechtigt, warum ein auf alte Sagen zurückgehender Erklärungsversuch diesen oder jenen wichtigen Punct übergeht, vgl. aber Wachsm. Rh. Mus. XXIII, S. 175. Man kann auch annehmen, dass Theseus ausser Landes war, als die Amazonen einbrachen, bei deren Heranrücken die Attiker sich in der Burg verschanzten. Wir dürfen also die Burg selbst wohl ausser Spiel lassen. Auch hebt Plutarch die weite Ausbreitung der Amazonen über das Gebiet der κάτω πόλις und die χώρα ausdrücklich hervor. Den sonst bekannten Angriff der Amazonen auf die Burg darf man nicht hereinziehen.

Das bei jener Schlacht und ihrer Vorbereitung in Betracht kommende Terrain hat seinen Abschluss nach Osten in der Gegend des Areshügels. Hier stand nun das Lager der Amazonen und die Lage der zurückgedrängten Athener war bedenklich. In diesem bedrängten Augenblicke erschien ein Ersatzherr aus der südwestlichen Gegend der Stadt. Dieser Zuzug entschied die Niederlage der Landesfeinde; zur Feier dieser Hülfe feierte man darum später die *Βοηδρόμια*.

Zu einer vielleicht ähnlichen Erklärung der Beschreibung des Kleidemos ist der Ref. im litt. Centralbl. 1863, S. 712 (Bursian, vgl. de foro Ath. p. 10, 1) gekommen, nach dem, wie ich aus Curtius' Att. Stud. II, S. 69 sehe, »die von Kleidemos gemeinte Pnyx eine ziemliche Strecke nördlich vom Museion, also auf dem gewöhnlich so genannten Hügel oder am Nymphenhügel zu suchen ist«*).

II.

Die Beschaffenheit der Pnyx.

1.

Der Pnyxberg und der Versammlungsplatz.

Es ist bereits oben ausgeführt worden, dass man vom Markte zur Pnyx hinaufstieg. Dass

*) [Bursian hat die betreffende Ansicht, wie oben S. 467, Anm. bemerkt ist, schon früher ausgesprochen, ohne auf Kleidemos Rücksicht zu nehmen. Im litter. CentralbL a. a. O. berücksichtigt er auch diesen, um Curtius' Ansicht hinsichtlich der Ansetzung der Pnyx auf dem Museion zu widerlegen, nimmt inzwischen mit diesem an, »der Schauplatz des Kampfes könne kein anderer gewesen sein, als die Niederung zwischen dem Areopag, Theseion, Nymphenhügel und der Pnyx (dem Welcker'schen und Curtius'schen Altarhügel), also eben jene breite Strasse (πλατεῖα), die nach dem piräischen Thore führte, an welchem nach Kleidemos die Gräber der in diesem Kampfe gefallenen Athener sich befanden«].

die Pnyx unmittelbar über dem Markte lag, darf
man auch aus Arist. Arch. Vs. 19—42 entnehmen; die von Ross, Theseion S. 60 versuchte
Aushülfe ist wenigstens sehr unbehülflich. Wie
der Hügel selbst ein πάγος ὑψηλός, ein λόφος
genannt wird (Schol. Aesch. c. Tim. p. 24 Dind.),
so lag auch der Versammlungsplatz hoch über
der Agora. Es ist von einem Aufsteigen und
Obensitzen die Rede (Ross, Pn. u. Pel. S. 1).
  Bei Plato, de republ. VI, p. 492 b, hat Welcker a. a. O. S. 328 (64), dem auch E. Curtius
(Att. Stud. I, S. 53) beistimmt, einen Bezug auf
die Lage der athenischen Volksversammlung (an
der Pnyx) mit Recht angenommen. Plato spricht
hier von dem Widerhall, welchen das Geschrei
der Versammlungen in Felsen und Theaterwän-
den findet: ὅταν συγκαθεζόμενοι ἀθρόοι πολλοὶ
εἰς ἐκκλησίας ἢ εἰς δικαστήρια ἢ θέατρα ἢ στρα-
τόπεδα ἤ τινα ἄλλον κοινὸν πλήθους ξύλλογον,
ξὺν πολλῷ θορύβῳ τὰ μὲν ψέγουσι τῶν λεγομέ-
νων ἢ πραττομένων, τὰ δὲ ἐπαινῶσι, ὑπερβαλλόν-
τως ἑκάτερα καὶ ἐκβοῶντες καὶ κροτοῦντες· πρὸς
δ' αὐτοῖς αἱ τε πέτραι καὶ ὁ τόπος ἐν ᾧ ἂν ὦσιν
ἐπηχοῦντες διπλάσιον θόρυβον παρέχωσι τοῦ ψό-
γουτε καὶ ἐπαίνου. Aus dieser Stelle schliesst
Welcker mit grosser Wahrscheinlichkeit, dass
der Versammlungsplatz an der Pnyx zwischen
(hohen) Felsabhängen gelegen gewesen. Es ist
nun völlig unbegreiflich, wie man bei dieser Annahme jenen Platz an dem Museion, das höchst
überflüssiger Weise einen zweiten Namen bekommen soll, suchen kann, da ein Blick z. B.
von der Akropolis aus lehrt, dass ein solcher
Platz, zumal auf der πρὸς τῇ ἀκροπόλει liegenden Seite nirgends vorhanden ist. Diese Bedingung wird ganz allein durch den von mir bestimmten Versammlungsplatz erfüllt, den im We-

sten die Felswand der Pnyxhöhe, im Süden die
der Hagia Marina einfasst. Dies ist zugleich ein
Platz, der einen grossen Theil des Tages im
Schatten liegt. Die ihn im Westen begrenzende
Felswand des Nymphenhügels ist durch grössere
und kleinere Höhlen zerklüftet. Nun schliesse
ich aus Aristoph. Eccl. Vs. 103 ff., dass man
unmittelbar unter dem Bema sitzen konnte. Verbindet man hiermit die weiter unten, wo über
die Lage derselben die Rede sein wird, zu behandelnden Stellen des Arist., so schliesst man,
dass das $\dot{v}\pi\dot{o}$ $\tau\dot{o}$ $\lambda\dot{\iota}\vartheta\varphi$ in den Eccl. wörtlich genommen werden muss. Dies muss zugleich eine
Stelle sein, an welcher Frauen sitzen konnten,
ohne in der Verkleidung erkannt zu werden.
Darum nehme ich an, dass die $\tau\tilde{\omega}\nu$ $\pi\rho\upsilon\tau\dot{\alpha}\nu\epsilon\omega\nu$
$\varkappa\alpha\tau\alpha\nu\tau\iota\varkappa\rho\dot{\upsilon}$ befindlichen Sitze in der Felsklüftung
unmittelbar unter jener weiter unten angegebe-
nen Stelle anzusetzen sind, an welcher das Bema
stand*). 5 — 10 Schritt weiter unten standen

*) [Wer die Stelle in den Ekklesiazusen Vs. 86 fg. —
denn um diese handelt es sich wesentlich — genau er-
wägt, wird zu einem Resultat kommen, welches den oben
im Texte dargelegten Ansichten so gut wie diametral ent-
gegensteht. Das Weib H soll »Sitze einnehmen unterhalb
des $\lambda\dot{\iota}\vartheta o\varsigma$ gegenüber den Prytanen«, welche ihren Platz
auf dem $\pi\rho\tilde{\omega}\tau o\nu$ $\xi\dot{\upsilon}\lambda o\nu$ hatten, weil es allerhand Gegenstände bei sich hat, um während der Verhandlungen $\xi\alpha\dot{\iota}$-
$\nu\epsilon\iota\nu$ zu können. Es kömmt offenbar nicht darauf an,
dass das Weib den Blicken der in der Volksversammlung
befindlichen Männer möglichst entzogen werde, sondern
darauf, dass dasselbe einen Platz erhalte, der ihm den
nöthigen freien Raum für seine Sachen und seine Thätigkeit biete. Ein gewöhnlicher Sitz inmitten des den Verhandlungen zuhörenden Volks genügte dazu nicht; deshalb soll das Weib Sitze in der Mehrzahl an jener Stelle
einnehmen. Diese bot eben zwischen dem $\pi\rho\tilde{\omega}\tau o\nu$ $\xi\dot{\upsilon}\lambda o\nu$
und dem $\lambda\dot{\iota}\vartheta o\varsigma$ oder genauer den $\xi\delta\rho\alpha\iota$ unterhalb desselben den für jene Thätigkeit nöthigen Raum. Dass man

dann die Sitze der Prytanen. Von ihnen (περὶ πρώτου ξύλου) sagt Dikaeopolis Acharn. Vs. 24 f., dass die Prytanen sich darum stossen werden. Eine jener Felswände, vermuthlich die der Hagia Marina, ist unter jenem τεῖχος (»eine von der Natur aufgebaute Mauer«, wie Paus. I, 22, 4, vgl. Welcker, d. Felsaltar S. 313 (49), Rh. Mus. X, S. 41), zu verstehen, an welchem Metons Heliotropion aufgestellt war. Sollte dies rund gewesen sein, so möchte man annehmen, dass die runde Kapelle der H. M. an seine Stelle getreten sei. Keine andere athenische Kapelle hat diese Gestalt, auch ist der Eingang an der Nordseite ungewöhnlich *).

Von dem davorliegenden Platze gilt noch jetzt wie im Alterthum, dass er von dem Treiben der darunter liegenden Stadt abgelegen ist, wenn auch die Nähe des Thors und des Marktes den Contrast damals grösser machte. Ein sehr deutliches Bild dieses Gegensatzes der zwei Theile einer und derselben Stadtgegend giebt das oben angeführte Stück des Aristophanes,

καταλαβεῖν ἕδρας nicht im Allgemeinen von dem Sichniederlassen an einem Ort, der hiezu die Möglichkeit bot, sondern von dem Einnehmen wirklich vorhandener eigentlicher Sitze zu verstehen hat, bedarf wohl keines weiteren Nachweises in sprachlicher Hinsicht; in sachlicher aber lässt sich die Bestimmung solcher Sitze auch bald errathen. Sie dienten sicherlich für diejenigen Personen, welche während der Verhandlungen dem Redner und den Vorsitzenden zur Hand sein oder sonst Dienste leisten mussten. Dahin gehören namentlich der Grammateus und der Keryx und die Lexiarchen. Einen entsprechenden Platz nahmen die Rhabduchen im Theater ein, vgl. Denkm. des Bühnenwes. Taf. XI, n. 2 nebst Text].

*) [Die Unzulässigkeit der obigen Auffassung der Worte πρὸς τῷ τείχει τῷ ἐν τῇ Πυκνὶ erhellt schon aus dem Umstande, dass es zwei solcher natürlichen Felswände auf der Pnyx gab, wie der Verfasser selbst bemerkt].

die Acharner Vs. 19—23. Beim Schol. zu Aesch. a. a. O. heisst es ausdrücklich von der Pnyx, dass sie belegen sei ἐν ἐρήμῳ τόπῳ. Die um sie herumliegenden Wohnungen waren zum Theil verlassen und verfallen (vgl. Ross a. a. O. S. 6), in denen meist nur liederliche Frauenzimmer sich aufhielten. Dafür liefert eine viel besprochene aber doch noch dunkele Stelle des Aeschines c. Tim. §. 81 Bekker einen unzweifelhaften Beweis. In den Ausgaben lesen wir: τῆς γὰρ βουλῆς τῆς ἐν Ἀρείῳ πάγῳ πρόσοδον ποιουμένης πρὸς τὸν δῆμον κατὰ τὸ ψήψισμα τὸ τούτου, ὃ οὗτος εἰρήκει περὶ τῶν οἰκήσεων τῶν ἐν τῇ Πυκνί, ἣν ὁ τὸν λόγον λέγων ἐκ τῶν Ἀρεοπαγιτῶν Αὐτόλυκος, καλῶς .... βεβιωκώς· ἐπειδὴ δέ που προϊόντος τοῦ λόγου εἶπεν, ὅτι τὸ εἰσήγημα τὸ Τιμάρχου ἀποδοκιμάζει ἡ βουλή, καὶ περὶ τῆς ἐρημίας ταύτης καὶ τοῦ τόπου τοῦ ἐν τῇ Πυκνὶ μὴ θαυμάσητε, ὦ Ἀθηναῖοι, εἰ Τίμαρχος ἐμπειροτέρως ἔχει τῆς βουλῆς τῆς ἐξ Ἀρείου πάγου, ἀνεθορυβήσατε ὑμεῖς ἐνθαῦτα καὶ ἔφατε τὸν Αὐτόλυκον ἀληθῆ λέγειν· εἶναι γὰρ αὐτὸν ἔμπειρον τούτων· ἀγνοήσας δ' ὑμῶν τὸν θόρυβον ὁ Αὐτόλυκος, μάλα σκυθρωπάσας καὶ διαλιπὼν εἶπεν, ἡμεῖς τοι, ὦ Ἀθηναῖοι, οἱ Ἀρεοπαγῖται οὔτε κατηγοροῦμεν Τιμάρχου οὔτε ἀπολογούμεθα (οὐ γὰρ ἡμῖν πάτριόν ἐστιν), ἔχομεν δὲ τοιαύτην τινὰ συγγνώμην Τιμάρχῳ· οὗτος ἴσως, ἔφη, ᾠήθη ἐν τῇ ἡσυχίᾳ ταύτῃ μικρὸν ἡμῶν (Bekk. ὑμῶν) ἑκάστῳ ἀνάλωμα γνίεσθαι«. καὶ πάλιν ἐπὶ τῇ ἡσυχίᾳ καὶ τῷ μικρῷ ἀναλώματι μείζων ἀπήντα παρ' ὑμῶν μετὰ γέλωτος θόρυβος· ὡς δ' ἐπεμνήσθη τῶν οἰκοπέδων καὶ τῶν λάκκων, οὐδ' ἀναλαβεῖν αὐτοὺς ἐδύνασθε.

Ich habe diese Stelle dunkel genannt, weil es nicht bekannt ist, worin der von Timarch gemachte und dem Areopag überwiesene Vorschlag eigentlich bestand. Wir wissen nur, dass es sich um Wohnungen auf oder an der Pnyx handelte[1]). Forchhammer hat Topogr. S. 17 die Vermuthung aufgestellt, dass Timarch in der Gegend der Pnyx einem Theil der Areopagiten Wohnungen, die weniger kosteten, angewiesen haben wollte. Göttling sagt Ges. Abh. I, S. 90: »Timarchus hatte einen Vorschlag zu irgend einem öffentlichen Bau in der Gegend der Pnyx gemacht, welcher, weil dort keine Häuser waren (das darf Göttling aber nicht auf die ganze Pnyx ausdehnen), die vorher hätten angekauft werden müssen, um Raum zu gewinnen, den Athenern noch wohlfeiler zu stehen gekommen sein würde; es ist aber nicht davon die Rede, etwa den ärmern Areopagiten Wohnungen zu verschaffen, sondern die Areopagiten sind über T.'s Vorschlag als Oberbaubehörde gehört worden«. Welcker Felsaltar S. 327 (63) fg. entscheidet sich für keinen dieser beiden Erklärungsversuche. Da von einer συγγνώμη die Rede ist, die Areopagiten ferner den Timarch weder anklagen noch vertheidigen wollen, weil das nicht ihre Sache sei, ihnen dergleichen von altersher nicht zukomme, muss in dem Vorschlag des Timarch etwas (für die Athener oder die Areopagiten) Verletzendes, Beleidigendes, Anstössiges gelegen habe. In dem ψήφισμα oder είσήγημα wäre dabei περὶ τῆς ἐρημίας ταύτης καὶ τοῦ τόπου τοῦ ἐν τῇ Πυκνὶ die Rede, wenn nämlich diese Worte richtig sein könnten. Das kann ich aber nicht glauben. Erstens könnte der τόπος nur der Platz der Volksversammlung sein

---

1) Ich sehe keinen berechtigten Grund dagegen, warum hier der Areopag nicht als Oberbaubehörde fungiren könne, wenn dies auch dem Character des hohen Rathes wenig zuzusagen scheint. Es könnte auch noch immerhin angenommen werden, dass irgend welche religiöse Bedenken gegen den Vorschlag des Tim. vorlagen.

und das war doch keine berüchtigte Gegend, bei
deren Erwähnung den Athenern die Sittenlosigkeit
des Timarch einfallen konnte; zweitens sieht man
nicht ein, warum Timarch den Platz der Volksversammlung besser kennen sollte als die Areopagiten oder weshalb er darin mehr ἔμπειρος
sein sollte als jeder Athener. Darum muss statt
τόπον ein Wort eingesetzt werden, das wegen
seiner Zweideutigkeit als ein Schlag gegen Timarch betrachtet werden kann.

Da nun Autolykos an zweiter Stelle von der
ἡσυχία und d. ἀνάλωμα spricht, wovon jenes μικρὸν wesentlich durch die an erster Stelle genannte ἐρημία bedingt ist (siehe das Schol. in
der Ausgabe von Ferdinand Schultz bei Teubner
in L. MDCCCLXV. S. 269. 83), so vermuthe ich,
dass auch statt τόπος ein dem μικρὸν ἀνάλωμα
in ähnlicher Weise correspondirender Begriff ein-
zusetzen sein wird. Wahrscheinlich hatte Timarch gesagt, dass ein solches μικρὸν ἀνάλωμα,
ein kleines Anlagecapital, an der Pnyx hohe Zin-
sen tragen könne. Darum schlage ich vor τόκον
zu lesen, dessen Zweideutigkeit in die Augen
springt, ohne dass ich es näher auseinander
setze *).

Hiermit habe ich zugleich die Gründe aus
einandergesetzt, warum ich Welcker nicht beistimmen kann, wenn es die Aeschinesstelle mit
zu denen rechnet (Felsaltar 330 (66), in welchen
von einem τόπος die Rede ist, der für die Volks-

---

*) [Die obige Conjectur wird schwerlich gebilligt wer-
den. Indessen scheint die Annahme einer Verderbniss in
den Worten καὶ τοῦ τόπου τοῦ ἐν τῇ Πυκνί richtig zu sein.
Die leichteste Veränderung ist ohne Zweifel: κατὰ τὸν
τόπον τὸν ἐν τῇ Π. Dass von dem zuerst weiter unten
zur Rede kommenden ἀνάλωμα schon hier gesprochen
sei, hat durchaus keine Wahrscheinlichkeit].

versammlung an der Pnyx diente. Zu derselben
Stelle habe ich nur noch die Bemerkung hinzuzufügen, dass man den Ausdruck *περὶ τῶν οἰκήσεων τῶν ἐν τῇ Πυκνί* doch gewiss am besten
durch: »über die an der Pnyx befindlichen Wohnungen« wiedergibt, und dass also die Göttling-
sche Erklärung unwahrscheinlich ist, bei der
von der Anlage eines öffentlichen Gebäudes die
Rede ist.

Von den Wohnungen in der Stadtgegend
der Pnyx ist übrigens so oft die Rede gewesen,
dass ich kein weiteres Wort darüber verliere.
Die Stellen, welche von jenem *τόπος* sprechen,
findet man bei Welcker am a. O. Die Pnyx
selbst wird ein *τόπος πετρώδης* genannt (Schol.
Aesch. a. a. O.) und von dem Volke gesagt,
dass es hart auf Steinen lagere (Arist. Ri. 783);
vgl. Welcker a. a. O. S. 333 (69) fg. Eine viel
besprochene Stelle ist Poll. Onom. *Π*, 132: *Πνὺξ
δὲ ἦν χωρίον πρὸς τῇ ἀκροπόλει, κατεσκευασμένον
κατὰ τὴν παλαίαν ἁπλόιητα, οὐκ εἰς θεάτρου πο-
λυπραγμοσύνην.* Dies bezieht sich auf den Versammlungsplatz, insofern er jeder baulichen Aus-
rüstung, die über das Nothwendige hinausging,
entbehrte. So hatte früher, als die dramatische
Kunst sich zu entwickeln anfing, der Sprechende
auf einem erhöhten Platz über der Versammlung
gestanden, die ringum auf dem Boden stand oder
sass oder lag. So war es nach der Stelle der
Pollux auch in der Pnyx, wenn auch in den
Felsen gehauen oder künstlich aufgesetzte Sitze
hinzugekommen sein mochten. Vgl. übrigens
Welcker a. a. O. S. 331 (67). In den Wesp.
Vs. 31—33 gibt uns Sosias aus seinem Traume
eine originelle Ansicht:

*ἔδοξέ μοι περὶ πρῶτον ὕπνον ἐν τῇ Πυκνὶ
ἐκκλησιάζειν πρόβατα συγκαθήμενα,*

βακτηρίας ἔχοντα καὶ τριβώνια.

Das weiter in Vs. 43 folgende *χαμαὶ καϑῆσϑαι*
bezieht sich nicht auf den Platz der Volksversammlung, obgleich dies allgemeine Annahme
ist. Auch darüber scheint man einig, dass, wenn
der Schol. zu Arist. Ach. 20 *πνὺξ παρὰ τὴν τῶν
λίϑων πυκνότητα* herleitet, an den Platz der
Volksversammlung (Welcker a. a. O. S. 334 (70)
oder einen Theil derselben zu denken ist. Ross
findet (a. a. O. S. 11), dass in den Worten des
Schol. eine Hindeutung auf die Strebemauer
liege. Es ist aber klar, dass der *λόφος* selbst
gemeint ist, und dass der Scholiast zu jener Erklärung kommen konnte, davon überzeugt am
besten der Anblick des Nymphenhügels etwa
vom Areopag aus. Ob eine Begränzung des
Raumes durch irgend welche Bearbeitung des
Felsbodens vorhanden gewesen, wissen wir nicht,
eben so wenig, ob regelrecht geordnete Stein-
sitze (*βάϑρα* Schol. zu Arist. Equ. 784), Trep-
pen, Durchgänge da waren. Auf die letztgenannten könnte man vielleicht aus Thesmoph. Vs.
657 schliessen wollen *).
Ich erwähne schliesslich noch einige Dinge,
deren Vorhandensein in oder am Versammlungsplatze mit Recht oder Wahrscheinlichkeit angenommen wird. Zunächst das Heliotropion des
Meton. Eine dafür passende Stelle habe ich be-

*) [Der Schluss wäre aber durchaus nicht zulässig.
Mit demselben Rechte hätte man auch *τὰς σκηνάς*, welche Aristophanes a. a. O. erwähnt, für die Pnyx anzunehmen. Die Versammlung in den Thesmophoriazusen
hat gar nicht auf der Pnyx, sondern in dem Thesmo-
phorion statt und der Ausdruck *τὴν πνύκα*, in Betreff
dessen auch die Gelehrten, welche sich mit der Scenerie
der Thesmophoriazusen beschäftigt haben, sehr im Irrthum sind, bedeutet nichts Anderes als Versammlungsort
überhaupt].

reits oben genannt. Ferner stützt sich die im
Eingange des Aufsatzes erwähnte Heiligung der
Pnyx auf die von Ross a. a. O. S. 12 ff. angeführten Zeugnisse. Sowohl Ross als Welcker a.
a. O. S. (333) 69 nehmen an, dass eine Bildsäule
des Zeus Agoraios gewiss nicht gefehlt habe.
Das Schol. zu Arist. Equ. 410: *ἀγοραῖος Ζεὺς
ἵδρυται ἐν τῇ ἀγορᾷ καὶ ἐν τῇ ἐκκλησίᾳ* sagt dies
ja ausdrücklich. Es ist nun ein günstiger Zufall, dass wir den Platz seines *βωμός* und seiner
Statue noch nachweisen können, wenn anders
der Inhalt dieses Aufsatzes richtig ist. Die alte
Horosinschrift auf dem Felsen der Hagia Marina
bezeichnet jene Stelle, der *ὄρος Διός* ist soviel
wie *χῶρος ἱερὸς Διός*. (Vgl. Curtius, zur Geschichte des Wegebaues bei den Griechen S. 37,
Böckh, Monatsber. der Akademie d. W. 1854.
S. 328). Es ist jedenfalls der Zeus Agoräos gemeint, wie auch schon Göttling, Ges. Abh. I,
S. 89, A. 1 vermuthete, indem er wie jene alten
combinirenden Grammatiker den Nymphenhügel
für den Kolonos Agoräos hielt. Wenn Aesch.
Eum. Vs. 997 *ἴκταρ ἥμενοι Διός* zu lesen ist, wird
man gewiss an dieselbe Bildsäule des Zeus denken*). Man hat nun auch wohl einen Cult der
Asklepios in der Nähe der Bema annehmen wollen. Weil es aber unbekannt ist, ob der in der
vita Dem. in d. V. X. or. genannte Asklepios
wegen der geringen Entfernung seines Hieron
vom Bema oder von dem Theater angerufen
wurde, bemerke ich nur, dass man vielleicht

---

*) [An der Richtigkeit jener Worte ist sicherlich nicht
zu zweifeln; entschieden aber an der Zulässigkeit der
Auffassungsweise des Verfassers. Dass das Wort *ἥμενοι*
sich auf den *δῆμος πυκνίτης* beziehe, hat auch nicht die
geringste Wahrscheinlichkeit. Der Ausdruck *ἴκταρ ἧσθαι*
ist wesentlich bildlich zu nehmen].

auch wegen des Gebrauchs des Rutschsteines
und des bekannten Cultes der Hagia Marina ein
solches *ἱερόν* voraussetzen könnte. Doch ist es
besser, gleich zu einer Inschrift überzugehen,
auf die ich mich zugleich als topographischen
Anhaltspunct stützen darf. Dies ist die rechts
vom Eingange in die Sternwarte in den Felsen
eingegrabene (Gr. d. B. 0,09—0,10):

HIEPON
NYMΦ(
ΔEMO

Da die Anfangsbuchstaben der 3 Wörter unter
einander stehen, kann an eine Ergänzung vor
dem 3ten, wie Bursian Phil. IX, 639 Anm. will,
nicht gedacht werden. Diese Inschrift und mit
noch grösserem Rechte jene Horosinschrift darf
man gewiss vor die Zeit der *τριάκοντα* setzen,
für deren Zeit Plutarchs Geschichtchen eine Ver-
legung der Pnyx anzudeuten schien. Ebenso
wenig hindern mich die Ansichten Anderer über
die Nympheninschrift daran, aus ihr den Schluss
auf unmittelbare Nähe der Volksversammlung zu machen.

2.

Das Bema.

Die Stellen der Alten, in denen das *βῆμα*
der Pnyx ein *λίθος* genannt wird, sind bekannt;
einige »schlagende« bei Ross a. a. O. S. 9. Den
Altar auf der sog. Pnyx nennt Welcker S. 308
(44) mit Recht zu gross und zu stolz für einen
λίθος ἐν Πυκνί. Ueber den *λίθος ἐν τῇ ἀγορᾷ,*
den Leake als Merkzeichen der Pnyx heranzog,
verweise ich auf E. Curtius Att. Stud. II, S. 38,
Anm. Derselbe schliesst das. I, S. 56, wie es
auch viele Andere gethan, aus den früher be-

sprochenen Worten des Plutarch auf die Möglichkeit, dass das βῆμα beweglich war. Am besten nimmt man wohl gleich an, dass es rund
war. Für die Lage des βῆμα sind ausser der
angeführten Stelle der Ecclesiazusen noch folgende wichtig. Erstens Equ. 311—314:

ΧΟΡ. — ὅστις ἡμῶν τὰς Ἀθήνας ἐκκεκώφηκας βοῶν
κἀπὸ τῶν πειρῶν ἄνωθεν τοὺς φόρους θυννοσκοπῶν.
ΚΛ. οἶδ᾽ ἐγὼ τὸ πρᾶγμα τοῦθ᾽ ὅθεν πάλαι κατ-
τύεται.

Aus dieser Stelle hat Ross a. a. O. S. 1 schliessen wollen, dass das versammelte Volk von den
Steinen der Pnyx von oben herab nach den
Staatseinkünften spähe wie nach Thunfischen,
nach deren Ankunft man von felsigen Vor-
gebirgen oder von hohen Warten herab
am Strande aussah. Gegen diese Erklärung
habe ich nichts weiter einzuwenden, als dass
nicht vom Volke sondern vom Redner die Rede
sein muss, dessen βῆμα hoch über der Volksversammlung schwebte. Welcker a. a. O. S. 326
(64) fg. sagt mit Beziehung auf dieselbe Stelle:
»Man konnte vom Rednerstuhl aus auf die Zoll-
eingänge (Welcker liest πόρους), also doch wohl
auf das Piräische Thor (und das vom Museion
aus?) hinausspähen. — Das ἄνωθεν, bezüglich
auf die Zölle unten, wie das nicht selten vorkommende ἀναβαίνειν εἰς τὴν ἐκκλησίαν, oder bei
Demosthenes πᾶς ὁ δῆμος ἄνω καθῆτο, gibt keine
Bestimmung ab. Denn in dem obern Theil der
Stadt war jedenfalls die Pnyx belegen, seitdem
entweder Enge des Raumes oder der Lärm und
Handelsverkehr des Marktes, die wohl in gleichem Verhältniss mit der Geschäftsthätigkeit
der Bürgerversammlung zugenommen hatten,
nach Solon, vielleicht unter Klisthenes, sie in
den stilleren Stadttheil überzusiedeln veranlasst

hatten, und Oberstadt und Unterstadt war die
gewöhnliche Unterscheidung«. Sowohl in sprachlicher als in sachlicher Beziehung ist es rathsam,
die oben gegebene Erklärung dem künstlichen
Erklärungsversuche vorzuziehen. Das hübsche,
frische Bild des Dichters verlöre alle Farbe,
wenn man Welckers Erklärung annehmen müsste.
Die andern findet, wenn sie deren noch bedürfen sollte, eine passende Erläuterung durch einige andere Stellen des Arist., ebenfalls in den
Equ. Auf dem Siegel des Kleonymos steht, wie
Agorakritos Vs. 956 sagt: λάρος κεχηνὼς ἐπὶ
πέτρας δημηγορῶν. Es ist sehr nachlässig, wenn
Ross a. a. O. aus Vergleichung mit Vs. 755
schliesst, dass hier das Volk auf der Pnyx mit
einer Raubmöve verglichen werde, die mit auf-
gesperrtem Schnabel auf einem Felsen sitze. Es
ist ja ganz bestimmt von dem albernes Zeug
dem Volke vorschwatzenden Redner gesprochen.
Um zu zeigen, dass der Redner über der
Volksversammlung stand, benutze ich drittens
Arist. Vesp. Vs. 34 ff., wo ein solcher δημηγόρος
mit einer φάλαινα πανδοκεύτρια, ἔχουσα φωνὴν
ἐμπεπρημένης ὑός verglichen wird. Das, was
von der Stimme Kleons gesagt ist, erinnert an
die Uebungen, die Demosthenes zur Kräftigung
seiner Stimme vornahm, um, wie schon Leake
hervorhob (Top. Ath. 2. A. D. Uebers. 389),
zum Sprechen in der Pnyx tauglich zu werden.
Man kann ja glauben, dass die Stelle des Red-
ners besser unter den ansteigenden Sitzen der
Zuhörer angesetzt werde; ganz unbestreitbar ist
aber die Thatsache, dass man von dem Bema
meiner Pnyx (s. u.) sehr verständlich und ohne
zu grosse Anstrengung zu dem unten lagernden
Volke sprechen konnte. Gegen diese Thatsache
muss das theoretische Räsonnement aufgegeben

werden. Die Aristophanischen Stellen lassen die hohe Lage klar hervortreten. Alle drei Vergleiche wären ohne Witz, wenn man an ein unter dem Volksversammlungsraume befindliches Bema denken müsste, erhalten aber erst ihre rechte Wirkung, wenn man die Stelle des Bema über der Volksversammlung ins Auge fasst. Diese ist auf dem Ostrande des sog. Nymphenhügels gerade über dem von mir der Volksversammlung angewiesenen Platze unzweideutig erhalten. 25 Meter von der nächst liegenden nordwestlichen Ecke der Sternwarte unterwärts ist auf dem Rande des Hügels eine becken- oder wannenförmige Aushöhlung im Felsen. Eine dem darin Stehenden und nach dem Platze 9 Meter darunter Schauenden z. R. in den Felsen eingehauene Rinne (br. 0,20) hatte offenbar die Bestimmung, eine Abgrenzung, vielleicht aus Holz, zu tragen. Der Durchmesser dieser sorgfältig ausgehauenen Höhlung beträgt etwa 2,20, die Tiefe von der Rinne gerechnet 1,60. Hier stand nach meiner Ansicht der $\lambda i \vartheta o \varsigma$, von dem Demosthenes zum Volke sprach, begeistert von seiner Liebe zur Freiheit, begeistert aber auch von der Schönheit seines Landes, auf welches er von jener Stelle aus mit dem gerechten Stolz der Hellenen hinweisen konnte. Denn vor ihm lag die Ebene und die Stadt mit ihren ewigen Denkmalen und ewig denkwürdigen Sitzen der Gottesfurcht und der Gerechtigkeit, hinter ihm das Meer mit Salamis, dem Zeugen hellenischer Tapferkeit und Entschlossenheit *).

*) [So sehr ich mich dahin neige, der Lollingschen Ansetzung der Pnyx vor den bisherigen den Vorzug zu geben — die Nachweisung einer künstlichen Mauer auf dem Nymphenhügel, welche der Verfasser nach dem oben S. 487, Anm. von mir Bemerkten schuldig geblieben ist,

B. *Die Apollogrotte der Akropolis von Athen.*

Mit Recht bemerkt Göttling in seiner Abhandlung: »Die Apollogrotte der Akropolis von

macht, so viel ich sehe, keine Schwierigkeit —, ebensowenig kann ich mich mit dem oben im Text über das
Bema und die Orientirung der Sitzreihen Geäusserten
befreunden. Die Stellen des Aristophanes (von denen
wir die aus den Wespen nebst dem darüber Gesagten
lieber wegwünschten) haben auch nicht die mindeste Be-
weiskraft für den Umstand, »dass der Redner hoch über
der Volksversammlung schwebte«. Dieser stand ἐπὶ πε-
τρῶν ἄνωθεν und ἐπὶ πέτρας auch wenn er unterhalb der
Volksversammlung seinen Platz hatte, insofern als der
λίθος, auf welchem er stand, doch immer auf dem hoch
gelegenen Pnyxfelsen sich befand. Wenn die Ansetzung
des βῆμα oberhalb der Volksversammlung uns schon in
Betreff der früher sogenannten Pnyx befremdete, trots
der beredten Auseinandersetzung von Bursian im Philol.
a. a. O. S. 638 fg., so nehmen wir an ihr hinsichtlich
des Platzes auf dem Nymphenhügel noch mehr Anstoss.
Sie widerspricht aller Analogie und ist deshalb schon von
vornherein unwahrscheinlich. Dass die Stelle in den
Acharnern Vs. 32 zunächst zu der Annahme führen muss,
derjenige, welcher sich auf der Pnyx niederliess, um den
Redner zu hören, habe das Gesicht wesentlich dem Lande
zugekehrt, ist schon oben S. 477, Anm. angedeutet.
Dasselbe folgt aus der Stelle Plutarchs im Themistokl.
C. XIX, wenn unsere Besprechung derselben S. 476 fg., Anm.
im Wesentlichen das Richtige trifft. Wenn nun Herr
Lolling im Obigen sich den Gelehrten anschliesst, welche
aus dieser Stelle den Schluss zogen, dass das Bema beweglich gewesen sei, so ist mir das nach der obigen
Auffassung der Stelle Plutarchs durchaus unmöglich. Es konnte sich mit nichten um ein blosses
Umdrehen des an der früheren Stelle stehen bleibenden
Bema, sondern es musste sich um ein vollständiges Versetzen des Bema handeln, wobei selbstverständlich auch
der Zuhörerraum eine andere Orientirung erhalten
musste. Dass der Ausdruck ἀποστρέφειν eine solche Bedeutung haben kann. bedarf keines Beweises. Wohl aber
möchte ich hinsichtlich der angenommenen Beweglich-

Athen« (Ges. Abh. Bd. I. S. 100 ff.), dass die

keit des Bema bemerken, dass es mir wenigstens auch an
den nöthigen Analogien und an der Einsicht in die Nothwendigkeit, ja selbst in die Zweckmässigkeit derselben
gebricht. So wankt der Grund, auf welchen der Verfasser zunächst seine Ansicht baut, dass das Bema rund gewesen sei. So viel ich weiss, fehlt es auch dafür an Analogien, welche vielmehr für eine quadratarische Form,
namentlich für die eines Oblongum sprechen. Auf ein
solches führt auch die weitere Betrachtung der oben S.
485, Anm. berücksichtigten Stelle in Aristophanes' Ekklesiazusen. Die Sitze, welche das Weib *H* einnehmen
soll, hat man sich ohne Zweifel nicht als einen nach dem
Bema hin offenen Halbkreis ausmachend, sondern, wenn
sie einen Halbkreis bildeten, als nach dem πρῶτον ξύλον
orientirt, am allerwahrscheinlichsten aber als in einer
graden Linie liegend zu denken. Eine solche Reihe von
Sitzen, dicht an die Vorderwand des Bema gestellt,
schliesst sich demselben unmittelbar und, so zu sagen,
organisch an. Der Sitze waren aber mehrere als ein
Paar: nach unserer obigen Berechnung wenigstens 8. So
viel braucht allerdings das Weib *H* nicht; es soll aber
auch nur einige von den Sitzen (ἕδρας), nicht alle (τὰς ἕδρας)
einnehmen. So ergiebt sich eine nicht unbeträchtliche
Breitendimension des Bema. Dass dieses aber auch in
der That von ziemlich bedeutender Ausdehnung gewesen
sein muss, hat schon Bursian im Philol. S. 634 fg. durchaus wahrscheinlich gemacht. Wie wenig Hrn. Lollings
Annahme hinsichtlich des Bema auch in anderen Beziehungen zu der Stelle in den Ekklesiazusen passt (deren
Wichtigkeit für die betreffende Frage auch von seinen
Vorgängern, so viel mir bekannt, ganz übersehen ist),
bedarf nach dem oben S. 486 fg., Anm. Bemerkten keiner
weiteren Auseinandersetzung. Auch die Stelle des Aeschines de fals. legat. p. 260 steht entgegen; wie konnten die πρόεδροι leicht ἐπὶ τὸ βῆμα gelangen, wenn dieses
an dem Platze lag, welchen der Verf. ihm anweis't?
Endlich, auch angenommen, dass dass βῆμα rund und
drehbar gewesen wäre — welche beiden Umstände ohne
Zweifel nicht statthatten —, so leuchtet doch nicht ein,
warum es gerade jener becken- oder wannenförmigen
Aushöhlung für dasselbe bedurfte. Somit bleibt das βῆμα
noch nachzuweisen. Es würde sehr erwünscht sein, wenn
die archäologische Gesellschaft zu Athen, die sich schon

genannte Grotte »von besonderem heiligen« Interesse für die Athener gewesen, zugleich aber auch »für einige Bestimmungen der Topographie des alten Athens« wichtig sei. Aus diesen Gründen hätte dieser interessante Punct eine genauere Untersuchung nöthig gehabt, als ihm bis jetzt zu Theil geworden ist. Göttling ist eigentlich der Einzige, der sich ernstlich mit dieser Frage beschäftigt hat, und doch kann man auch ihn nicht von jeder Ungenauigkeit freisprechen, wie sich unten ergeben wird.

Bevor ich zu der eigentlichen Untersuchung übergehe, muss eine Vorfrage erledigt werden. Wenn nämlich die zuletzt von Bursian (Geogr. v. Griech. I. S. 294) ausgesprochene Ansicht richtig wäre, dass die Apollogrotte mit der Pansgrotte identisch sei, wären wir jeder Untersuchung überhoben, da Niemand daran zweifeln kann, dass die Pansgrotte die hochgewölbte Grotte, an d. NW.-Ecke der Akropolis ist, deren Wände ganz bis oben mit kleineren und grösseren Nischen für Votivplatten angefüllt sind. Diese Ansicht stützt sich aber, so viel ich weiss, nur auf eine verderbte Stelle des Pausanias, bei dem I, XXVIII, 4 in den Worten: καταβᾶσι δὲ οὐκ ἐς τὴν κάτω πόλιν, ἀλλ' ὅσον ὑπὸ τὰ προπύλαια, πηγή τε ὕδατός ἐστι καὶ πλησίον Ἀπόλλωνος ἱερὸν ἐν σπηλαίῳ. Κρεούσῃ δὲ θυγατρὶ Ἐρεχθέως Ἀπόλλωνα ἐνταῦθα συγγενέσθαι νομίζουσι, Musurus nach ἐν σπηλαίῳ, um einen Zusammenhang mit dem Folgenden her-

so manichfache Verdienste erworben hat, an der von Hrn. Lolling den Plätzen für das versammelte Volk angewiesenen Stelle eine Ausgrabung veranstalten liesse, zumal da dieselbe, allem Anschein nach, ohne zu grossen Aufwand zu erfordern, ein Resultat irgendwelcher Art ergeben würde].

zustellen, die Worte *καὶ Πανός* eingeschoben
hat. Wie die nach *νομίζουσι* in den Handschriften befindliche Lücke auszufüllen sei, muss
dahin gestellt bleiben; dem Sinne nach richtig
ergänzt Göttling: *ἐγγὺς δὲ τὸ τοῦ Πανὸς ἄντρον.*
Er nimmt also an, dass zuerst die Klepsydra,
dann die Apollogrotte, an dritter Stelle das
Paneion erwähnt werde. Vielleicht aber hat
Bursian die flache Aushöhlung vor dem Eingang
zur Klepsydra nicht für passend erachtet als
Geburtsstätte des Ion betrachtet zu werden, und
sich darum nach einer tieferen umgesehen, ohne
eine andere als die Pansgrotte zu finden. Dass
aber die Pansgrotte von der des Apollon verschieden ist, geht aus den unten angeführten
Stellen des euripideischen Ion hervor. Das hat
schon C. Bötticher im Phil., Bd. XXII, Hft. I,
S. 70 Anm. bemerkt.

Abgesehen von der Stelle des Pausanias ist
das genannte Drama des Euripides unsere einzige Quelle. In Betreff der Geburt des Ion
steht Vs. 16 (Kirchh. *τεκοῦσ' ἐν οἴκοις*) in
Widerspruch mit Vs. 949. Darin schwankte die
Sage wohl nicht, dass Ion in der Grotte ausgesetzt worden, wie Eur. Vs. 17, 31, 37, 350, 492 ff.
958, 963, 1400 angiebt. Die Grotte lag an der
Nordseite der Akropolis, wie aus Vs. 11 ffg. [1])
u. 936 ffg., vgl. auch 492—506, unbestreitbar
hervorgeht. Die Grotte muss selbstverständlich
eine verhältnissmässige Tiefe gehabt haben und
ihr Inneres den Augen der Vorübergehenden verborgen gewesen sein. Mit dieser Ueberzeugung
wird ein unbefangener Leser die Erzählung der
Kreusa in deren Monolog (Vs. 859 ffg.), nament-

---

1) Von dieser Stelle handelt Usener im Rh. Mus.
XXIII (1868), S. 151 fg.

lich Vs. 873 fg. *εἰς ἄντρου κοίτας .... ἄγες*
verstehen. Dasselbe lässt sich aber mit voller
Gewissheit aus Stellen, wie Vs. 348, 505, 951
schliessen, in denen die Grotte zu einem Schlupf-
winkel für wilde Thiere (*ϑῆρες*) gemacht wird.
Zugleich aber darf die Grotte nicht zu tief sein,
wie daraus hervorgeht, dass die Kreusa auch
die Raubvögel fürchtet, die das Kind zerfleischen
könnten (Vs. 504).

Ferner deuten die Beiworte *πετρηρεφεῖς* (Vs.
1400) und *μυχώδεσι* (494, nach Tyrwhitts richtiger Conjectur), welche den *Μακραῖς* gegeben
werden, auf schroff überhangende Felsen. Dabei ist vorausgesetzt, dass *Μακραί* der Name
der Grotte war, wie man Vs. 11 ffg. verstehen
muss, ohne Euripides einer Ungenauigkeit zu
beschuldigen. Endlich muss die Apollogrotte
in der Nähe der Paneion gelegen haben und
zwar von diesem aus in der Richtung nach dem
Agraulion hin. Darum werden die *στάδια χλοερὰ*
πρὸ Παλλάδος ναῶν erwähnt (Vs. 497 fg.). Die
Lage der Paneion in der Nähe der *Μακραί*
giebt V. 938 mit bestimmten Worten an.

Die hiermit vollendete Zusammenstellung der
einzelnen topographischen Andeutungen muss
uns zur Auffindung der Grotte leiten. Nur
Ungenauigkeit in ihrer Benutzung konnte zu
der jetzt herrschenden Annahme führen, wonach
man seit Göttling, aber nicht mit Göttling die
Apollogrotte in der flachen Felsnische am Eingange der Klepsydra wieder erkennt.

Diese Grotte liegt 1. nicht an der Nordseite
der Akropolis, sondern an ihrer Westseite. Man
hat nun freilich gemeint, dass die Grotte in
den Nordfelsen der Akropolis läge. Obgleich
einige Stellen des Ion zu der Annahme verlei-
ten zu können scheinen, dass die Nordseite der

Akropolis *Μακραί* geheissen habe, und obgleich diese offenbar die Frontseite des Burgfelsens ist, darf man dieser Annahme doch nicht beipflichten. Einmal wird in jenen Stellen nur von der Grotte und ihrer nächsten Umgebung gesprochen, und zweitens begreift man auch, trotz der versuchten Erklärungen, nicht, wie Göttling bemerkt hat, »warum gerade diese nördliche Seite die langen Felsen genannt werden soll, da die südliche Felsenseite wenigstens eben so lang, eigentlich noch länger, von Westen nach Osten sich hinzieht«. Die Bezeichnung einer Seite der Akropolis durch »lange Felsen« kann ich durchaus nicht treffend finden. Aber auch angenommen, dass die Nordseite der Akropolis *Μακραί* geheissen habe, so dürfte man diese Bezeichnung jedenfalls nicht von dem NOpuncte bis etwa zur Pansgrotte ausdehnen, weil bereits eine ziemliche Strecke vor dieser die Nordseite der Akropolis nach SW. einbiegt[1]), der übrige Theil des Burgfelsens an dieser Seite aber sehr zerklüftet ist. 2. hat die vermeintliche Apollogrotte eine so geringe Tiefe, dass die obigen Bestimmungen durchaus nicht zutreffen. Freilich hat C. Bötticher einen Ausweg gefunden, indem er a. a. O. S. 84 ff. zu einer bildlich-allegorischen Erklärung seine Zuflucht nimmt. Der erwähnte Aufenthalt der *Θῆρες* in der Grotte

---

1) Hier auf dieser Ecke stiegen, wie ich annehme, der Aglaurosgrotte gegenüber, nach Herodot *θ*, 53 die Perser auf die Burg. Hier endete auch wohl das Pelasgikon, das sich weiterhin unter dem Paneion hinzog. Gewiss ist es auch die Stelle, welche Leake, Topogr. v. A. S. 198, im Sinne hatte, obgleich die Ansetzung des Agraulion gerade hier dagegen zu sprechen scheint. Die Ersteigung ist sehr schwer.

fordert nicht weniger als der Mythos, dieser die Gestalt einer φωλεά zu vindiciren.

Endlich liegt die Böttichersche Apollogrotte (über Göttling's Ansicht wird weiter unten die Rede sein) zwar in der Nähe der Pansgrotte, aber nicht in der Richtung nach dem Agraulion hin, wie ich wegen der oben angeführten Verse des Euripides annehme.

Ich habe soeben die Ansicht, dass die grosse Felsennische bei der Klepsydra die Apollogrotte sei, Bötticher zugeschrieben. Göttling hatte nämlich erstens, weil diese Grotte nach Westen schaut, zweitens, weil sie sehr flach ist, angenommen, dass »nach Euripides Zeit wegen des Namens der Apollogrotte die Scene zwischen Apollo und Kreusa dahin versetzt sei und dieser veränderten Sage Pausanias gefolgt zu sein scheine«. Darum versetzt G. die συνουσία in die Aglaurosgrotte, die kaum 30 Schritte von der Pansgrotte entfernt und sehr dunkel sei. Diese münde auf die Akropolis. Ihre Mündung oder Oeffnung meine auch Aristoph. Lys. 720 ff., wo er die Lysistrate sagen lasse, dass eine der Frauen, welche sich von der Akropolis hinweg stehlen wollen, von ihr betroffen worden sei:

διαλέγουσαν τὴν ὀπὴν
ἣ τοῦ Πανός ἐστι ταὐλλον.

Darin hat Göttling wohl Recht, dass diese ὀπή zur (wahren) Apollogrotte gehörte, aber zu stark ist doch die Zumuthung, dass wir an die Nähe von Paneion und Aglaurion glauben sollen. Und durch welches Mittel sucht Göttling dies Wunder zu bewirken? Durch die Versicherung, dass die Entfernung »kaum dreissig Schritte« betrage. Hätte Göttling eine Karte der Akropolis darauf hin angesehen, wenn sein Gedächtniss ihm einen solchen Streich spielen konnte, so würde er diese Angabe, auf welche z. Th. seine Vermuthung gebaut ist, leicht haben berichtigen können. In Wirklichkeit beträgt die Entfernung etwa 70 Meter, wie Bursian, a. a. O. S. 294 angiebt. Aber auch bei einer Entfernung von 30 Schritten hätte Aristophanes gewiss nicht den angeführten Ausdruck gebraucht. Die Oeffnung des für das Aglaurion erklärten Felsenspaltes liegt bedeutend hinter den Propyläen, die Pansgrotte aber vor derselben. Ich kann hier auf die für die Frage, wie der alte Aufgang der Akropolis gewesen, so sehr wichtige Stelle nicht näher eingehen. Es wird sich unten zeigen, dass die ὀπή, welche Aristophanes erwähnt, sich wirklich bei dem Paneion befand.

C. Bötticher a. a. O. hat nun einen Theil der Göttlingschen Abhandlung, nämlich die Identificirung der auch auf Michaelis' Plane angegebenen Grotte beim Eingang der Klepsydra mit der Grotte des Apollon herausgegriffen und ihre Lage mit den oben angeführten topographischen Andeutungen in Einklang zu bringen gesucht. Wie wenig ihm dies gelungen ist, geht bereits aus dem Gesagten hervor. Leider haben auch Wachsmuth, Rh. Mus. Bd. XXIII (1868) S. 26, und E. Curtins Erl. 7. S. 24 ohne weiteres auf (Göttling und) Bötticher verwiesen, »durch deren Untersuchungen (nach Wachsmuth) mit vollständiger Sicherheit die Apollogrotte in der Höhle erkannt sei, die an der westlichen Ecke des nördlichen Felsabhanges der Burg gelegen selbst nach Westen schaue«. Wachsmuth geht a. a. O. S. 56 noch einen Schritt weiter, indem er dieser Grotte den Namen Πύθιον giebt und sie in der Frage über den panathenäischen Festzug heranzieht. Da ich darauf nicht weiter eingehen kann und die richtige Bestimmung

des von den Alten *Πύθιον* genannten Heiligthums einer eingehenderen Untersuchung bedarf, beschränke ich mich auf die Bemerkung,
dass die Angabe der Hafenstation des Panathe-
näenschiffes beim Areopag nach dem Wachsmuth'schen neuen Pythion unerklärlich ist. Gewiss wäre, wenn jene Station nach einem beliebigen Orte an der Akropolis bestimmt werden
sollte, die Klepsydra mehr dazu geeignet, schon
aus dem Grunde, weil sie dem Areopag näher
liegt. Aus dem Culte aber kann doch kein
Grund hergenommen werden, weshalb Philostrat.
v. soph. II, 5 lieber die Grotte als die Klepsydra nannte. Uebrigens verstehe ich die Worte
κομιζομένην τε π. τ. Π. wie u. A. Bursian Rh.
Mus. XXIII. S. 300.

Ich schliesse hiermit den negativen Theil der
Untersuchung und gebe jetzt zur Bestimmung
der wirklichen Lage der Apollogrotte über. Es
ist oben die Ansicht Göttlings in der von Bötticher modificirten Form namentlich aus den
Gründen gemisbilligt, welche bereits Göttling
gegen die Ansetzung des Apolloheiligthums in
der Felsnische beim Eingange der Klepsydra
geltend machte. Nun findet sich, freilich durch
vorgewälzte Steinblöcke verschlossen und darum
schwer, aber doch nicht minder sicher erkennbar, eine solche Höhle in den nördlichen Felsen
der Akropolis, kaum 8 Meter von der grossen
Pansgrotte entfernt. Die Felsenwand, in welcher sich diese befindet, stösst mit der Wand
der Höhle, welche für die des Apollon erklärt
werden muss, ung. rechtwinklicht zusammen.
Sie befindet sich in einem etwas vorspringenden
Felsen der Akropolis. Man sieht, wie genau
der euripideische Ausdruck (Ion, vs 493) ist,
wo von einer den *θακήματα Πανὸς παραυλι-*

ζουσα πέτρα die Rede ist. Der Eingang ist, wie
gesagt, durch die vorgewälzten Felsenstücke
verschlossen, und man kann jetzt nur in die
Höhle gelangen, indem man sich durch eine
0,80 Meter hohe, 1,30 Meter breite, gewiss
neuere Oeffnung hineinzwängt. Dass dieses
Loch für den Eingang zu einem Heiligthume
zu klein ist, leuchtet von selbst ein. In unserer
Zeit benutzt es nur die athenische Jugend, die
sich noch jetzt gern in dieser nicht sehr grossen
Höhle versteckt, wie ich mehrmals zu beobachten Gelegenheit hatte. Der alte Eingang
war von der Ostseite. Vor ihm sind noch wenigstens 4 Nischen für Votivreliefs im anstossenden Felsen erhalten. Drei davon liegen
neben einander, das 4te unter dem 3ten. Die
erste Nische ist 0,28 Meter breit, 0,14 lang, die
2te hat einen Durchmesser von 0,15, die dritte
ist 0,50 lang, 0,32 breit, die vierte darunter
0,13 l. u. br. In den Wänden ferner, die den
in alter Zeit von der Ostseite Eintretenden zu
beiden Seiten lagen und eben den Eingang bildeten, sind noch jetzt ebenfalls solche Nischen
erhalten. Die halbdunkele Höhle wird durch
einen mächtigen unten immer breiter (hier 4—5
Meter) werdenden, wie durch Poseidons des
Erderschütterers Dreizack entstandenen Felsen-
spalt gebildet, der oben durch aufgemauerte Stein-
und Marmorstücke verschlossen ist, dort also
nicht mehr eine ὀπή hat, wie Aristophanes eine
neben dem Πάνειον erwähnt. Die Höhe des
Felsenspaltes oder der Grotte beträgt 8 — 10
Meter. Da sie unten nur etwa 4—5 Meter breit
ist, kann ihre Gestalt nicht besser bezeichnet
werden, als durch die Bezeichnung: lange Felsen. Die Länge (Höhe) dieser Wände tritt
nämlich um so deutlicher hervor, als die Breite

der Höhle nur verhältnissmässig gering ist. Die angeführten Votivnischen beweisen, dass sich an diese Höhle in der alten Zeit ein Cult knüpfte. Es ist auch nach dem Obigen klar, dass es die Apollogrotte sein muss. Sie allein erfüllt alle Bedingungen, die wir oben stellen mussten. Dem im Alterthume von der Burg herabsteigenden Reisenden fiel dieser Fels nach der Klepsydra zuerst in die Augen, dann das Paneion. In dieser Reihenfolge zählte sie darum auch Pausanias auf [1]). In der vor *καθό* anzunehmenden Lücke bei Pausanias kann übrigens gesagt worden sein, dass das Paneion »wie auch der Areopag« von der Apollogrotte nach Westen hin lag.

Wie steht es nun zum Schluss mit den Buchstaben *ΠΟΛ*, die Göttling in der vermeintlichen Apollogrotte gefunden? Ich habe nicht einmal eine solche Nische dort gefunden. Göttlings Phantasie sah hier also mehr als er wusste, gerade so wie auf der sog. Pnyx (*ΠVϘΝΙ*)!

C. Die Lage des Metroon in Athen.

Bei dem grossen Schwanken, das sich in Beziehung auf die Anordnung der Marktgebäude in den topographischen Arbeiten bis in die neuere Zeit hinein findet, kann es nicht Wunder nehmen, dass auch das Metroon bald hierhin bald dorthin gerückt wird. Jenes Schwan-

---

1) An der östlichen Seite der Pansgrotte hat Dodwell in geringer Entfernung 8 in den Felsen gehauene Stufen entdeckt, die nach seiner Meinung einen alten Eingang zur Akropolis andeuten könnten, welcher vor der Errichtung der Propyläen durch Pericles hier gewesen wäre (Stuart u. Rev. D. Alterthümer von Athen, deutsche Ausg. I. S. 247).

ken rührt besonders daher, weil die Grenzen
der athenischen Agora noch immer nicht sicher
fixirt sind. Neulich hat sogar ein um die athenische Topographie wohlverdienter Mann, P. W.
Forchhammer in Kiel, seine in der Topographie
Athens ausgesprochene Ansicht von der Lage
des Marktes, welche man längst beseitigt glaubte,
zu wiederholen gewagt und die Ansetzung der
neuen Agora nördlich vom Areshügel als blosse
Erfindung zurückgewiesen. Das ist sie nun keineswegs, sie gründet sich vielmehr auf sichere
Indicien, deren Zusammenstellung man freilich
nirgends findet. Für das Metroon aber im Besondern ist eine genaue Fixirung noch nicht
versucht worden. Die zum Theil sehr zweifel-
haften Funde von Inschriften bei der Kapelle
Hypapanti gestatten keinen sichern Schluss auf
den ursprünglichen Aufstellungs- und Aufbe-
wahrungsort derselben; andererseits darf man
aber doch als wahrscheinlich annehmen, dass
das in ihnen erwähnte Buleuterion, mit dem
nach Pausanias nahe liegendem Metroon und
der Tholos, ferner die gleichfalls erwähnte Zeus-
halle in nicht zu grosser Entfernung, also gewiss nördlich vom Areopag gelegen habe.
Es ist dies aber, wie gesagt, kein unanfecht-
bares Zeugniss, weil jene Inschriftsteine jedenfalls verschleppt sind und durchaus nicht ausgemacht werden kann, ob aus geringerer oder
grösserer Ferne, wenn man für Ersteres vielleicht auch geltend machen darf, dass die Inschriften aus zusammenliegenden Gebäuden
stammen. Dieses zweifelhafte Moment können
wir indess auch auf sich beruhen lassen, weil es
bessere Beweismittel giebt.
Am klarsten zeigt die Formation des Terrains,
welches sich am Fusse der bisher Nymphenhü-

gel genannten Pnyx ausdehnt, wo in der Blüte-
zeit Athens der Markt gelegen habe. Die wichtigste Stelle für die Annahme, dass der sog.
Theseionhügel der Kolonos Agoraios sei, ist die
in meinem Aufsatze über die Pnyx behandelte,
nämlich das Schol. zu Aristoph. Av. vs. 997.

Ferner kann Pausanias seine Stadtbeschrei-
bung nur von einem nördlich vom Nymphenhügel gelegenen Thore ausgehen lassen, weil die
vom Thor (durch Melite) in den Kerameikos
führenden Säulenhallen, wie das felsige, zerrissene Terrain zeigt, weder in der Senkung zwischen Museion und Altarhügel noch an der Südseite der Felszunge der Hagia Marina gestanden
haben können. Da nun die von dem nördlich
von der Pnyx gelegenen Thor ausgehenden
Säulenhallen nicht durch die Enge zwischen
Areopag und dem Ausläufer der Pnyx gelaufen
haben können, weil erstens dieselben eine ganz
unglaubliche Länge erhielten und zweitens nach
Himerios orat. III, 12 der zwischen den Stoen
laufende Weg herunterlief [1]), mussten sie etwa
nach dem sog. Theseionhügel gerichtet gewesen
sein. Sie liefen aber dem Markte zu.

---

1) Die neulich (Phil. XXXIII, Heft I, S. 27) von
Forchhammer wieder vorgebrachte Ansicht, dass in der
Stelle des Himerios die κατάβασις des Weges sich auf
die Senkung desselben von der Burg herab beziehe, thut
den Worten des Schriftstellers Gewalt an. Himerios
spricht nur von dem Theile des Weges, soweit er von
dem Thore aus (ἄνωθεν) die παρατεταμένας στοάς durch-
schneidet. Dann, fügt er hinzu, wird das Peplosschiff
zum Burgfelsen der Pallas hinaufgebracht. Ob und wie
das σκάφος über den Markt gegangen, brauchte er nicht
ausdrücklich zu bemerken. Die dem δρόμος gegebenen
Prädicate λεῖος καὶ εὐθυτενὴς καταβαίνων können unmöglich dem steil abfallenden Aufgang zur Burg ange-
passt werden.

Nicht so günstig wie für die Westgrenze sind die Zeugnisse für die Ostgrenze der Agora. Für die Feststellung derselben giebt es nur einen unbestreitbaren Anhaltspunkt, nämlich die Lage der Orchestra mit den Statuen der Tyrannenmörder. Arrian de exp. Alex. III, 16 sagt von ihnen: *νῦν κεῖνται Ἀθήνησιν ἐν Κεραμεικῷ, ᾗ ἄνιμεν ἐς πόλιν* (d. h. *ἀκρόπολιν*), *κατ' αντικρὺ μάλιστα τοῖ Μητρῴου, οὐ μακρὰν τῶν Εὐδανέμων τοῦ βωμοῦ.* Sie befanden sich also im Kerameikos da, wo man zur Burg aufsteigt. Es kann nun nicht der geringste Zweifel entstehen, wo dieser Aufgang zur Burg gewesen sei. Es ist ganz ausgemacht, dass zur Zeit des Schriftstellers die Stadt Athen wesentlich im Norden von Areopag und Akropolis lag. Wenn nun von einem Aufgange zur Burg gesprochen wird, so ist ja offenbar der gewöhnliche gemeint, und dieser führte doch sicher aus dem Folaki genannten Stadttheile zwischen Areopag und Akropolis zur letzteren hinauf. Auf diesem Wege also kam man nahe an den Tyrannenmördern vorbei. Diese standen, wie Arrian sagt, im Kerameikos. Dass sie, genauer genommen, zum Markte gehörten, wissen wir aus andern Zeugnissen (Arist. Eccles. 681, Arist. Rhet. I, 9, 38, Lucian Parasit. 48). Um nun dem Markt keine zu ungebührliche Länge (und Grösse) zu geben, hat U. Köhler im Herm. VI. S. 95 angenommen, dass die Worte des Arrian zuerst im Allgemeinen das Südende der Agora, dann genauer die Lage der Orchestra durch die nahe und gegenüber liegenden Bauten angeben sollen. Weil er nun sah, dass weder Metroon noch Eudanemenaltar genau fixirt worden sei, liess er sich durch die Terrainverhältnisse leiten und identificirte die Athanasiosterrasse mit der alten

Orchestra, weil sie zum Vergleich mit dem Tanz-
platz des Chors im Theater gleichsam heraus-
fordere. Dass auf dieser Orchestra jemals Fest-
chöre getanzt hätten, leugnet Köhler (S. 94)
gegen Wieseler (De loco, quo ante th. B. lap.
Athenis a. s. l. sc.), dem sich Bursian und E.
Curtius angeschlossen hatten, und zwar aus dem
Grunde, weil davon in der Literatur etwas überliefert sein müsste. Ohne diese Frage entscheiden zu wollen, bemerke ich nur, dass jene Terrasse für Evolutionen grösserer Chöre nicht
Raum genug bietet, die vorauszusetzenden Zu-
schauer aber schwerlich sehr zahlreich gewesen
sein könnten. Aus beiden Gründen müsste es
befremden, wenn man wirklich wegen einer unbekannten Ursache die Athanasiosterrasse für
jenen Zweck gewählt hätte. Entscheidend aber
ist die Lage derselben. Die Worte $\tilde{\eta}$ ἄνιμεν ἐς
πόλιν sehen nicht danach aus, dass sie nur das
Südende des Marktes bezeichnen sollen. Die
Erklärung, dass sie vom Aufgang zur Burg zu
verstehen sind, muss allen als die ungezwun-
gendste gelten. Es ist nun schon oben bemerkt,
dass der aus der Nordstadt hinaufführende
(Haupt-)Weg gemeint ist. Es ist dies offenbar
der Weg, den wenigstens zum Theil die Peplos-
triere ging.

In der Nähe dieses Weges standen die Tyrannenmörder auf der Orchestra. An der Athanasiosterrasse aber kann jener Weg nicht vorbei
gegangen sein, die in den Worten κατανικρί
μάλιστα angedeutete Ungenauigkeit in der Bestimmung der Orchestra unmöglich als so gross
angenommen werden, dass man sich bei den
250 Schritten beruhigen könnte, welche die
Athanasiosterrasse von dem Burgaufgange etwa
entfernt ist. Die Entfernung bleibt noch im-

mer zu gross, wenn man auch als wahrscheinlich annehmen darf, dass der Weg vom Fusse
des Einschnitts zwischen Akropolis und Areopag etwas nach dem sog. Theseionhügel oder
Kolonos Misthios umbog. — Die Ungenauigkeit
im Ausdrucke Arrians, die Erwähnung des auch
nach E. Curtius, Att. Stud. II. S. 22, durch einen geräumigen Zwischenraum von der Orchestra getrennten Metroon liesse sich am leichtesten erklären, wenn wir Metroon und Tyrannenmörder auf zwei durch einen Zwischenraum
getrennten, durch die Formation des Terrains
aber doch als zusammengehörig erkennbaren
Terrassen ansetzen dürften. Dazu aber sind wir,
wie ich glaube, sehr wohl berechtigt. —
Für die Statuen des Harmodios und Aristogi-
ton ist es die gewöhnliche Annahme, dass sie
von den andern getrennt auch durch die Erhöhung des Terrains sich über ihre Umgebung,
namentlich den davorliegenden Markt erhoben.
Vgl. E. Curtius, Att. Stud. II, 22, U. Köhler,
a. a. O. S. 93. Ueber die Lage des Metroon
aber giebt es einige Andeutungen in den darauf
bezüglichen Schriftquellen. Auch hier kommen
wir am besten aus, wenn wir dasselbe auf eine
Felsterrasse setzen. Dass nämlich Metroon,
Buleuterion und Tholos »am Rande einer ansteigenden Gegend lagen, folgt« wie E. Curtius a.
a. O. S. 21 bemerkt, »daraus, dass oberhalb derselben die Standbilder der Heroen standen, nach
welchen die attischen Bürgerstämme benannt
waren«. Diese Bemerkung geht auf die Periegese des Pausanias, der hier, wie ohne Bedenken angenommen werden darf, die auf der Nordseite des Areopags gelegenen Werke und Bauten durchgeht. Unter diesen darf man den
Arestempel unbedenklich auf die lange, ausge-

dehnte Nordterrasse des Areopags setzen, vermuthungsweise in die Nähe des Mavronero. Diese Terrasse steigt von der Athanasioskapelle an bis zu den Trümmern, die von der Kirche des Dionysios Areogagita herrühren sollen. An den Anfang dieser breiten Terrasse, deren Rückwand, die Nordseite des Areshügels, namentlich in der Strecke von der genannten Kapelle bis zu der bekannten Treppe neben dem Felsenriss mit Nischen von Votivbildern, die nach der andern Seite noch jenseits der Kapelle zu finden, reich versehen ist, dürfen wir das Metroon setzen: Zu diesem nämlich geht Pausanias ohne πλησίον u. dgl., von ihm aber zu den höher (d. h. weiterhin auf der ansteigenden Terrasse, aber nicht ὄπισθεν) gelegenen Eponymen.

Ferner hat E. Curtius a. a. O. S. 23, wie mir scheint, mit vollem Rechte aus dem älteren Barathron oder Chasma geschlossen, dass das Metroon, welches jenes χάσμα τε φρεατῶδες καὶ σκοτεινόν des Suid. s. v. βάραθρον (vgl. dens. und Phot. s. v. μητραγύρης) in späterer Zeit beoder verdeckte, auf Felsgrund stand. Ich kann mich indessen nicht dazu verstehen, dies Chasma als eine Felskluft oder -spalte anzusehen, wie Curtius will. Ein entschiedener Irrthum aber ist es, wenn Ross im Theseion S. 44, A. 131, an den Felsspalt der Semnä denkt. Nach den vorhandenen Andeutungen giebt nach meiner Meinung C. Bursian in der Abhandlung de foro Ath. p. 8 die beste Vermuthung über das Aussehen des älteren Barathron. Er hält jenes χάσμα φρεατῶδες für den gewiss wie die amphorenförmigen Behälter in den Hügeln Athens zu denkenden πίθος in den Worten ὁ ἐν τῷ Μητρώῳ πίθος, den Diogenes in den Sommermonaten als Nachtquartier benutzt haben kann

(Diog. Laert. V, 2, 23). Es ist durchaus annehmbar, dass einer jener grossen Behälter als Gefängniss gedient habe. Wenn wir der Volks- oder Gelehrtensage glauben wollten, hätten wir am Gefängnisse des Sokrates am Museion eine passende Parallele. Ist es nun ein Spiel des Zufalls oder nicht vielmehr eine glückliche Bestätigung der bis jetzt entwickelten und begründeten Ansichten, dass gerade an jenem Anfange der Terrasse des Areopags ein solcher grosser fast ganz zugeschütteter πίθος erhalten ist? Derselbe liegt unmittelbar hinter der Kapelle des Hagios Athanasios, deren Platz im Alterthume danach also vielleicht das Metroon einnahm. Vor demselben haben wir uns dann bis zum Markte eine irgendwie eingefasste Fläche zu denken.

Metroon, Rathhaus und Tholos umfasste wie Bursian a. a. O. aus Aesch. in Ctes. § 187 entnahm und auch schon C. O. Müller, Attika S. 236, vermuthete, ein Peribolos. Dem Metroon gegenüber, etwa da, wo sich die Terrasse unweit der erwähnten Felsentreppe stark erhebt, standen dann die Tyrannenmörder. Ein wenig nordöstlich davon mag der vom Markte zur Akropolis führende Weg zu der letzteren allmählich abgebogen haben. — In der Fläche, die sich vor der kleinen Erhebung der Athanasioskapelle ausdehnte, stand gewiss der Altar, zu dem der von Timarchus und Genossen mishandelte Pittalacus floh. Hierin liegt eine neue Bestätigung für die Richtigkeit der obigen Ansetzung des Metroon, auf welche ich zum Schlusse mit einigen Worten hinweise.

Aus Aesch. in Timarch. § 60, 61 darf geschlossen werden, dass das Metroon, zu dem jener Altar gehörte, unweit des Aufgangs zur

Pnyx war. Timarch und seine Genossen fürch-
teten nämlich, dass das zur Ecclesia drängende
Volk ihren Frevel erfahre. Das hat keinen
Sinn, wenn nicht Metroon und Pnyx so benachbart waren, dass die zur Pnyx eilende Volks-
menge an jenem vorbei kam, oder vielmehr von
der Pnyx herab den Schutzflehenden im Bezirke
des Metroon erblicken konnte. Da nun der
über dem Markte liegende sog. Nymphenhügel
die alte Pnyx gewesen sein muss, ist die Ansetzung des Metroon auf der Erhebung der
Athanasioskapelle vortrefflich geeignet die Be-
sorgniss des Timarch zu rechtfertigen.

So weit Herr Lolling für dieses Mal. Es
wird denjenigen, welche an den Forschungen
über die Topographie von Athen Antheil nehmen, genehm sein zu erfahren, dass unser rüstig
fortarbeitender Landsmann laut eines Briefes,
den er nach meiner Abreise von Athen an mich
gerichtet hat, zunächst die Lage des Pythion zu
bestimmen, dann nachzuweisen suchen wird,
mit welcher Ansiedlung die in Aeschylos' Eumeniden Vs 690 fg. Dind. erwähnten Befestigungs-
werke auf der früher sogenannten Pnyx zusammenhängen. Es würde jedenfalls mir, vermuthlich aber auch Anderen erwünscht sein, wenn
er zugleich seine oben S. 470 angedeuteten Ansichten über das sogenannte Theseion genauer
darlegen wollte, zumal da Adler seine in dem
der archäologischen Gesellschaft zu Berlin am
Winckelmannsfeste des vorigen Jahres gehaltenen
Vortrag entwickelte Ansicht, dass es sich um
ein Doppelheiligthum des Herakles und des Theseus handle, in der Sitzung der archäologischen

Gesellschaft vom 4ten Februar des laufenden Jahres motivirt wiederholt hat.

Fr. Wieseler.

Verzeichniss der bei der Königl. Gesellschaft der Wissenschaften eingegangenen Druckschriften.

Mai und Juni 1873.

(Fortsetzung).

Annalen der Sternwarte in Leiden. Bd. I. u. II. 1868 1870. 4.

The transit of Venus in 1874. P. II. Washington. 1872. 4.

Giebel, Zeitschrift für die gesammt. Naturwiss. 1872. Bd. V. u. VI.

Monatsbericht der Berliner Akademie. Januar. 1873.

M. Drossbach, über die verschiedenen Grade der Intelligenz und der Sittlichkeit in der Natur. Berlin. 1873. 8.

Société des Sciences phys. et natur. de Bordeaux. Extrait des Procés-verbaux.

Borchardt, Untersuchungen über Elasticität unter Berücksicht. von Wärme. 1873. 8.

Derselbe über die Transformation der Elasticitätsgleichungen in allgemeine orthogonale Coordinaten. Berlin. 1873. 4.

Bulletin de la Soc. mathématique. T. I. Nr. 3. Paris. 1873.

Bulletin de l'Acad. roy. des Sciences de Belgique. T. 55. Nr. 4. Bruxelles. 1873.

Archiv des Vereins für Siebenbürgische Landeskunde. Bd. X. Hft. 2 u. 3.

Jahresbericht des Vereins für 1871—72.

Programm des Gymnasiums zu Hermannstadt. 1872. 4.

Programm des Gymnasiums in Schässburg. 1872. 4.

Verhandlungen der k. k. zoologisch-botanischen Gesellschaft. Bd. XXII. Wien 1872.

Sitzungsberichte der k. böhm. Gesellsch. d. Wissensch. 1873. Nr. 2.

Bulletin de la Commission centrale de Statistique. T. XII. Bruxelles 1872. 4.

Archiv des histor. Vereins von Unterfranken u. Aschaffenburg. Bd. 22. Hft. I.

Wirtembergische Franken. Zeitschrift des histor. Vereins. Bd. 8. Hft. 3. Weinsberg. 1870. 8.

Transactions of the Zoological Society of London. Vol. VIII. P. 3. London. 1872. 4.

Proceedings of the Scientific Meetings of the Zoolog. Soc. 1872. P. II.

H. Wild, Annalen des physik. Central-Observatoriums. Jahrg. 1871. Petersburg. 1873. 4.

Abhandlungen der k. Böhmischen Gesellschaft der Wiss. von 1871 – 1872. Bd. V. Prag. 1872. 4.

Sitzungsberichte derselben. Jahrg. 1871, Jan.—Dec. 1872, Jan.—Juni.

Verhandelingen van het Bataviaasch Genootschap van Kunsten en Wetenschappen. Deel XXXIII u. XXXIV. Batavia. 1870. 4.

Notulen van de algemeene en bestuurs — Vergaderingen van het Bataviaasch Genootschap. Deel. VIII. 1870. Batavia. 1871. 8.

K. F. Holle, het schrijven van Soendaasch met latijnsche letter. Ebd. 8.

Tidschrift voor indische Taal-, Land- en Volkenkunde. Deel XVIII u. XX. Ebd. 1871. 8.

Centième Anniversaire de fondation de l'Académie roy. des Sciencès etc. de Belgique, T. I. u. T. II (1772—1872) Bruxelles. 1872. 8.

J. H. Bormans, ouddietsche fragmenten van den Parthonopeus van Bloys. Bruxelles. 1871. 8.

—, Speghel der Wijsheit of Leeringhe der Zalichede van Jan Praet. Ebd. 1872. 8.

Mémoires de l'Académie roy. des Sciences etc. de Belgique. T. XXXIX. Ebd. 1872. 4.

Mémoires couronnés et autres mémoires. T. XXII.

A. Wauters table chronologique des chartes et diplomes imprimés concernant l'histoire de la Belgique. T. III. (1191 – 1225). Ebd. 1871. 4.

Annuaire de l'Acad. roy. de Belgique. 1872 et 1873. Bruxelles. 8.

(Fortsetzung folgt).

Nachrichten

von der Königl. Gesellschaft der Wissenschaften und der G. A. Universität zu Göttingen.

23. Juli.   № **19.**   1873.

Königliche Gesellschaft der Wissenschaften.

Sitzung am 5. Juli.

Benfey, ásmritadhrû Rigveda X. 61. 4.

Wieseler, Ueber einige im Orient erworbene Bildwerke und Alterthümer.

Riecke, Ueber das Weber'sche Grundgesetz der electr. Wechselwirkung in seiner Anwendung auf die unitarische Hypothese.

Voss, Zur Geometrie der Plücker'schen Liniengebilde (vorgelegt von Stern).

v. Brunn, Zur Lehre von der Knorpel-Verknöcherung (vorgel. von Henle).

ásmritadhrû Rigveda X. 61. 4.

Von

Th. Benfey.

Dieser Nominativ Dualis erscheint nur einmal im Veda und auch kein andrer Casus, welcher sich regelrecht an diesen Casus schlösse. Das Petersburger Wörterbuch unter 2. *dhru* (Bd.

III, S. 1001), erklärt -*dhrû* aus einem Thema *dhru* und dieses aus *dhvar;* es übersetzt das ganze Wort durch »das Verlangen-Sehnen nicht täuschend«, augenscheinlich indem es *dhru* mit *dhrut* in *varunadhrút* Rv. VII. 60, 9 identificirt. Formell lässt sich diese Identification vertheidigen, da in den Veden das *t*, welches der Regel nach den Auslaut des Thema bilden müsste, mehrfach fehlt (vgl. z. B. *mita-dru, raghu-dru, çata-dru; uru-jri, pari-jri*), Allein die Auffassung von *smrita* in der Bedeutung »Verlangen, Sehnen« scheint mir bedenklich und dieser Beisatz der *Açvin* für die Vedensprache viel zu sentimental. Aus *Muir* Original Sanskrit Texts IV², 39 n. 86 ersehe ich dass Sâyana, dessen Commentar zu dieser Stelle in der M. Müller'schen Ausgabe noch nicht veröffentlicht ist, das Wort durch *asmritadrohau, mayi droham asmarantau* glossirt, d. h. »Beleidigung vergessen habend, Beleidigung in Bezug auf mich nicht gedenkend« augenscheinlich im Sinne von »vergessend, was ich böses gethan (gesündigt) habe«. Dieser Beisatz ist in der That so angemessen, dass wenn er grammatisch gerechtfertigt zu werden vermag, er augenscheinlich vor der Auffassung des Petersburger Wörterbuchs den Vorzug verdient. Die Stelle lautet im Original

krishná yád góshu arunîshu sîdad divó nápâtâ
Açvinâ huve vâm |
vîtám me yajnám â´ gatam me ánnam vavanvânsâ
ná ísham ásmritadhrû.

»Wenn die schwarze (d. h. Nacht) unter den lichten Rindern (d. h. den Morgenwolken) ruht (d. h. im Zwielicht, der Dämmerung), dann rufe ich euch, o Açvins! die Sprossen des Himmels: eilet zu meinem Opfer, kommt zu meiner Speise, gleich wie nach Labung verlangende, (meiner)

Vergehen uneingedenk (d. h. sie verziehen habend«).

Lässt sich diese Form -*dhrû* nun grammatisch rechtfertigen? Ich glaube vollständig. Ich habe schon an anderen Stellen Fälle genug angeführt, in denen die Veden im Nominativ Singularis noch antretendes *s* bei Themen zeigen, bei denen im classischen Sanskrit im Allgemeinen dieser Antritt verboten ist, in einzelnen Fällen aber der vedische Gebrauch auch in ihm sich erhalten hat (vgl. z. B. *avayâs* Nom. von *avayâj* ved. und classisch, eben so *purodâs* von *purodâç*). Dieses ist auch der Fall für ein Thema auf *h* nämlich *çvetaváh* (vgl. Pân. 3. 2. 71. 72 und Vârt. so wie 8. 2. 67 u. Vârt.), dessen Nominativ und Vokativ *çvetavâs* lautet. Nach diesen Analogien hätte das Thema von *druh* m. Beleidiger f. Beleidigung, im Nominativ mit dem regelrechten Uebertritt des *h* als Aspiration auf *d* -*dhrus* gebildet.

Es ist aber nichts häufiger, insbesondre in alten Phasen von Sprachen, als dass durch häufig gebrauchte oder wegen ihrer Bedeutung prominirende Casusformen Heteroklisie herbeigeführt wird; so bewirkt der Nominat. ἔρις, wegen seiner Uebereinstimmung mit dem der Themen auf *ι*, dass im Accusativ ἔριν neben ἔριδα gebildet wird; eben so der Nominativ Σαρπηδών, wegen seiner Uebereinstimmung mit dem der Themen auf *ον*, dass neben Genetiv οντος u. s. w. auch ονος u. s. w. erscheint, während es doch keinem Zweifel zu unterwerfen, dass der Mann nur einen Namen führte. Aehnliches erscheint häufig und ist ganz natürlich, da der Nominativ nicht bloss ein sehr häufig gebrauchter, sondern auch der prominirendste, gewissermassen prototypische Casus ist.

So sehen wir, dass in derselben Weise die Nominative *avayâs*, *purodâç* und *çvetavâs*, wegen ihrer Uebereinstimmung mit Nominativen von Themen auf *as*, bewirken, dass auch andre zu ihnen gehörige Casus so gebildet werden, als ob das Thema nicht *avayâj*, *purodâç*, *çvetavâh* wäre, sondern als ob es *avayăs*, *purodăs*, *çvetavăs* lautete, z. B. *çvetavo-bhyâm*, wie von *manas mano-bhyâm*.

Ganz eben so konnte der Nominativ **dhru-s*, wegen seiner Uebereinstimmung mit dem der Themen auf *u*, kaum umhin, auf das Sprachbewusstsein den Eindruck zu machen, als ob das Thema auf *u* auslaute und in Folge davon den in Rigv. X. 61. 4 erscheinenden nach Analogie dieser Themen gebildeten Nom. Du. *ásmritadhrú* herbeizuführen.

Ueber einige im Orient erworbene Bildwerke und Alterthümer.

Von

Fr. Wieseler.

Die betreffenden Werke sind wesentlich dadurch von Belang, dass sie dem Bereiche Griechischer Kunstübung angehören oder doch aus Gegenden ursprünglich Griechischer Cultur stammen. Alle, selbst die roh ausgeführten, haben in gegenständlicher Hinsicht Interesse. Dazu kommt, dass sie sämmtlich ganz unbekannt sind.

An erster Stelle sind die Sculpturen in Marmor oder anderem Stein aufzuführen.

Unter ihnen zeichnet sich in künstlerischer Beziehung besonders aus ein weiblicher Kopf

aus Parischem Marmor unter Lebensgrösse (er
ist mit dem wohlerhaltenen Halse 0,14 hoch),
der, wie ein in die untere Fläche des Halses ein-
gebohrtes Loch zeigt, dem Torso einer Statue
eingefügt war. Die Beschädigungen, welche leider namentlich auch das Gesicht betreffen, lassen die ursprüngliche Schönheit zur Genüge ge-
wahren. Das Werk gehört sicherlich der jüngeren Attischen Kunstschule, allem Anschein nach
noch der zweiten Hälfte des fünften Jahrhunderts v. Chr. an und dürfte zunächst auf Aphrodite zu beziehen sein. Das von einer Tänia zu-
sammengehaltene, ursprünglich hinten, wie es
scheint, in einen Knauf aufgebundene Haar ist
einfach angeordnet. Das Gesicht hat einen keu-
schen, edlen Ausdruck.

An zweiter Stelle ist der oberste, nicht weit
unterhalb des Halses in schräger Richtung ab-
gebrochene Theil einer Statuette der Hera aus
weisslichem Marmor von 0,184 Höhe zu erwähnen, welcher auf Kreta ausgegraben ist. Die Göttin trägt den nach hinten vom Haupte herabfallenden Schleier und ist mit der Stephane geschmückt. Von dem mit einem Saum versehe-
den, gefältelten, fast bis zum Halse hinaufreichen-
nen Untergewande ist namentlich an der linken
Vorderseite der Figur noch zur Genüge zu sehen. Der wohlerhaltene Hals zeigt die für Hera
charakteristische Bildung; das etwas nach links
gewandte Gesicht, an welchem nur die Nasen-
spitze angesetzt und am Kinn etwas ausgebes-
sert ist, mit den etwas nach oben gerichteten
Augen macht entschieden den Eindruck von Stolz
und Hoheit. Die Rückseite, an welcher man unterhalb des Schleiers eine Andeutung des Knaufs
gewahrt, in den man sich am Hinterkopfe das

Haar zusammengebunden denken soll, ist im Uebrigen nur wenig ausgearbeitet.

Dann verdient unter den mitgebrachten Köpf-
chen noch ein ohne den ganz abgebrochenen Hals
0,07 hohes aus Asien stammendes von gelblichem
Marmor, welches ursprünglich einer Statuette
eines Kriegers gehörte, besondere Erwähnung.
Das breite, volle bartlose Gesicht mit hoher, fast
viereckiger zurückliegender Stirn, etwas stumpfer
Nase, welcher die mehr breiten als rundlichen
Augen auffallend nahe stehen, und grossem Munde
ist das eines Barbaren. Die Kopfbedeckung besteht in einem eng anliegenden Helm mit zu-
rückgeschlagenem Visir in Form eines Dreiecks.

Auch bei den beiden letzterwähnten Köpfen
sind die Augensterne nicht im Marmor angegeben.

Endlich darf unter den Rundwerken auch
eine Statuette der dreigestaltigen Hekate von
weissem Marmor nicht übergangen werden, obgleich es sich nur um eine ganz ordinäre Arbeit
aus der Kaiserzeit von sehr geringen Dimensionen (0,135 Höhe) handelt, welche, abgesehen
von anderen unbedeutenderen Beschädigungen,
durch das Abbrechen der drei Köpfe (von denen
inzwischen die nach vorn herabfallenden Haar-
flechten erhalten sind) und des obersten Theiles
des in der Mitte der drei Gestalten befindlichen
Stammes verstümmelt ist (wie sich das auch
sonst mehrfach findet, vgl. Stephani Der ausru-
hende Herakles S. 273, n. 8 und 9, und Kekulé
Die ant. Bildwerke im Theseion zu Athen, n.
106, 110, 174, um nur die zunächststehenden
Beispiele zu erwähnen). Als Attribute lassen
sich bei den drei Gestalten (deren Gewandung,
wie regelmässig, alterthümlich geordnet, aber
bei der einen nicht ganz dieselbe ist, wie bei
den beiden anderen) erkennen: bei der einen der

ovale fruchtähnliche Gegenstand in der rechten
auf die Brust gelegten Hand, bei der zweiten
die dicke Fackel im linken Arm, bei der dritten
das nur selten, z. B. bei Stephani a. a. O. n. 8
und Taf. V, n. 3, vorkommende Gefäss zum Ein-
giessen in der Hand des herabhängenden rechten Arms.

Zunächst sind dann drei kleine Steinreliefs
zu erwähnen, welche in die Kategorie der Votivreliefs gehören.

Unter ihnen gebührt hinsichtlich des Materials, der Arbeit (obgleich diese auch nur angelegt, nicht sorgsam im Detail ausgeführt ist),
hauptsächlich aber des dargestellten Gegenstandes die erste Stelle einem 0,215 breiten und
0,188 hohen aus gutem Marmor gearbeiteten,
welches durch die bogenförmige Einfassung an
der oberen Seite sowie an der rechts und links
vom Beschauer als das Innere einer Grotte dar-
stellend unverkennbar bezeichnet ist. Etwa in
der Mitte dieser Grotte gewahrt man einen unten abgeplatteten Felsen, auf dessen oberen Steinen Pan oder ein Pan sitzt, bartlos, in sehr ju-
gendlicher, knabenhafter Bildung, ohne sichtbare
Hörner, der, indem er dem Beschauer den
Rücken zukehrt und sich mit dem linken Arm
auf einen Stein stützt, das Gesicht aber im Profil nach rechts hin wendet (wohin auch das ebenfalls im Profil dargestellte rechte allein sichtbare
Bocksbein gerichtet ist), in der Hand des ausgestreckten rechten Arms nach derselben Richtung
hin einen Gegenstand hält, welcher schwerlich
etwas Anderes sein kann, als jener blattförmige
Fächer, der auf den Denkmälern der Griechisch-
Römischen Kunst mehrfach zu finden ist (O.
Jahn Arch. Beiträge S. 285, A. 83, Wieseler
Denkm. d. alt. Kunst II, 54, 691; 56, 714 und

besonders 61, 784). Hier sitzt auf rohem Fels-
sitze und an den Felsen gelehnt in bequemer
Haltung, die übereinandergeschlagenen Beine auf
eine aus passenden Steinen hergestellte Art von
Fussbank setzend, ein anscheinend bis auf das
über den unteren Theil des Körpers geschlage-
nes Himation nacktes oder höchstens mit einem
durchsichtigen Chiton angethanes Weib, welches
in der auf das rechte Knie gelegten Rechten eine
flache Patera hält und mit der Linken, wie es
scheint, einen Zipfel des Himation emporhebt.
Der Kopf der betreffenden Figur ist etwas beschädigt. Indessen kann es keinem Zweifel unterliegen, dass sie Aphrodite darstellen soll. Zu
beiden Seiten der sitzenden Figur erblickt
man je ein niedriges Altärchen und zumeist nach
rechts einen Krater am Boden stehend. Zwischen diesem und dem einen der Altärchen erscheint ein ungeflügelter nackter Knabe, der,
sich nach der Aphrodite hinwendend, in der Hand
des ausgestreckten rechten Arms einen Gegenstand, der am meisten Aehnlichkeit mit einem
Salbgefäss hat, und in der des linken, an seine
linke Seite angelegten einen undeutlichen Gegenstand hält. Endlich gewahrt man auf der
entgegengesetzten Seite zumeist nach links eine
Gruppe von zwei nackten etwas grösseren Knaben, einem ungeflügelten und einem geflügelten,
von welchen der erstere, der mit seiner linken
Hand eine auf seiner linken Achsel liegende unten spitz zulaufende Amphora gefasst hält, mit
dem rechten Arm den anderen, dessen Haupt mit
einer Tänia geschmückt ist, zu umfassen und
der Aphrodite zuzuführen scheint, wobei der geflügelte den linken Arm ausstreckt und den rechten hängen lässt, indem er nach Aphrodite hin-

blickt, die ıhrerseits ebenfalls ihr Gesicht nach
der Knabengruppe hinwendet.

Der Aphrodite Verbindung mit Pan ist zur
Genüge bekannt; aber nicht eben von Bildwerken der Gattung des in Rede stehenden her.
Ebenso bekannt sind Pansgrotten. Allein es
sieht keinesweges so aus, als handle es sich hier
um eine solche. Der Pan ist doch gewiss nur
eine Nebenfigur, und es hat ganz den Anschein,
dass eine Grotte der Aphrodite gemeint war.
Als Höhlengöttin kennen wir nun freilich Aphrodite durch Schriftstellerzeugnisse (namentlich
unter dem Beinamen *Ζηρυνϑία*, vgl. sonst etwa
auch Avienus Ora maritima bei Wernsdorf Poët.
lat. min. 5, S. 1220, Vs. 315 fg., den Engel
Kypros II, S. 536, Anm. 297 anführt); aber in
dem Kreise der Bildwerke tritt uns die Göttin
als in einer Höhle befindlich zuerst hier entgegen. Um welche Aphrodite handelt es sich nun
hier? Das Relief stammt aus keiner der Gegenden, für welche der Cult der '*Α. Ζηρυνϑία* bezeugt wird. Dagegen können der Krater am
Boden und die Amphora auf der Achsel des einen Eros auf eine, so zu sagen, Dionysische
Aphrodite führen. Und was soll die Gesammt-
darstellung eigentlich bedeuten? Die ungeflügelten Knaben sind doch sicherlich als Eroten
zu fassen. Soll nun der geflügelte auch ein Wesen ganz gleicher Art sein oder nicht? Nimmt
man jenes, was nach der öfters vorkommenden
Praxis auf späteren Reliefs jedenfalls zunächst
liegt, an, so bleibt selbst unter der Voraussetzung, dass die Beflügelung doch nicht ganz un-
bedeutsam sein soll, das Verhältniss des betreffenden geflügelten Knaben zu Aphrodite ein Räthsel. Hinsichtlich dieses sei nur noch bemerkt,
dass er den Eindruck eines Bedrückten macht,

der ungern vor die Göttin geführt wird, dass aber zweifelsohne nicht an die jetzt zur Genüge aus späteren Bildwerken bekannte Bestrafung Eros' durch Aphrodite (Hinck Annali d. Inst. 1866, p. 91 fg., Trendelenburg Bullett. d. Inst. 1871, p. 181) gedacht werden kann. Aber selbst wenn der geflügelte Knabe einen Anderen als den oder einen Eros darstellen sollte, würde sich, so viel wir sehen, mit den jetzt zu Gebote stehenden Mitteln keine genügende Erklärung geben lassen.

Die zweite Stelle geben wir einem Relief, welches auf einem oblongen Steine von 0,40 Breite und 0,255 Höhe ausgeführt ist, den unten und auf den beiden schmäleren Seiten ein erhöhter Rand umgiebt, während derselbe an der oberen Seite fehlt, aber möglicherweise nur in Folge einer Beschädigung. Dasselbe hat in zwiefacher Beziehung Interesse: einmal dadurch, dass es, obgleich aus einer Gegend blühendster Kunstübung herrührend, mit ganz ausserordentlicher Rohheit ausgeführt ist; dann namentlich in sofern, als die Darstellung eine zwischen Pan und weiblichen Wesen vor sich gehende Handlung betrifft, welche auf drei anderen längst bekannten Reliefs berücksichtigt worden ist. Das eine dieser Reliefs, welches wir nur aus der Abbildung in dem Werke Monumenti del museo Grimani pubblicati nel anno 1831, in Venezia, t. XXII, kennen, ist auch ein Votivrelief wie das hier zur Betrachtung kommende und hat auf dem unteren Rande eine leider unleserliche Inschrift. Man sieht links einen viereckigen, kunstgerecht ausgeführten Altar mit einem Feston daran. Ihn umgeben zwei Weiber, von denen das eine links von dem Altare, das andere hinter demselben steht, und Pan, von der gewöhnlichen Bildung mit Bocksbeinen, in dem linken Arm ein Pedum, in der Hand der erhobenen Rechten eine Syrinx haltend. Weiter nach rechts steht Dionysos. Pan will sich von den Weibern nach rechts hin entfernen, wird aber von dem Weibe links vom Altar an dem Zipfel seines langen Zeuggewandes zurückgehalten, während das andere Weib zu dem gleichen Zwecke, wie es scheint, den linken Arm an den Oberleib des Widerstrebenden gelegt hat und auch Dionysos den auf ihn zukommenden, welcher sich nach dem Weibe links vom Altar umschaut, mit dem ausgestreckten Arm zurückstösst. Die beiden anderen Reliefs finden sich an Krateren, wo sie je eine besondere Gruppe in grösseren Bakchischen Darstellungen ausmachen. Das eine dieser Gefässe wird im Campo Santo zu Pisa aufbewahrt. Die Darstellung ist in Gerhard's Ant. Bildwerken Taf. XLV, n. 3 und bei Lasinio Scult. d. Campo Santo tav. LXI abbildlich mitgetheilt. Von drei tanzenden Frauen, welche sich die Hände gegeben haben, fasst die zumeist nach rechts das Obergewand des sich nach dieser Richtung hin entfernen wollenden Pan, der sich in Folge jenes Umstandes auch nach den Frauen umblickt. Pan trägt hier auch im linken Arm das Pedum, unter dem Obergewande aber einen kurzen Chiton aus Zeug. Seine Bildung weicht von der des ersterwähnten Reliefs dadurch ab, dass die Beine dem grössten Theile nach menschliche sind, indem sie nur unten in Bocksfüsse auslaufen. Der andere Krater findet sich zu Neapel in dem früheren Mus. Borbonico, jetzigen Mus. nazionale. Die Bildwerke sind in dem unter dem Titel Mus. Borbonico erschienenen Werke Vol. VII, t. 9 und in Gargiulo's Recueil Vol. I, pl. 43 und 44 herausgegeben, und

in Gerhard's Ant. Bildw. Taf. XLV, n. 1 und 2,
sowie in den Denkm. d. a. Kunst II, 44, 549
wiederholt abgebildet. Hier haben die Weiber
erreicht, was sie wollten: sie tanzen, indem sie
einander und Pan an den Gewändern gefasst
halten, um den, wie auch sonst zuweilen, om-
phalosförmigen Altar herum, wobei Dionysos zu-
schaut. Pan, der nur wider seinen Willen mit-
macht, hält wiederum ein Pedum im linken
Arme, zeigt dieselbe abnorme Bildung der Beine,
wie auf dem andern Krater, weicht aber in Betreff der Kleidung von dem auf diesem dargestellten dadurch ab, dass er seinen Körper in
eine Tracht aus Fell eingehüllt hat. Das von
uns erworbene Relief zeigt dem Beschauer zumeist nach links den Pan, dann hinter ihm, also
nach rechts hin, in welcher Richtung sich Pan
auch umblickt, die drei Frauen, von denen die
erste das Obergewand Pans gefasst, die zweite
das der ersten, wie es scheint, die dritte ganz
deutlich das der zweiten. Die Darstellung des
von uns erworbenen Votivreliefs steht also hinsichtlich des Ganzen der am Krater zu Pisa
am nächsten, in Betreff der einzelnen Figuren aber der am Krater zu Neapel. Der Pan
unseres Reliefs hat nicht allein dieselben Beine
mit Füssen von der Grösse, dass man sie
für die eines Stiers gehalten hat, und dasselbe
Pedum wie der jenes Kraters (von den Hörnern
lässt sich freilich keine deutliche Spur finden),
sondern auch ganz dieselbe Felltracht; die Weiber
fassen nicht die Hände, sondern die Gewänder;
selbst hinsichtlich des Umstandes, dass sie im
archaistischen Stile ausgeführt sind, scheint unser Relief dem Neapolitanischen näher zu stehen. Das Archaistische bekundet sich auf unserem Relief freilich namentlich nur durch die Sym-

metrie, mit welcher ein jedes der drei Weiber
den rechten Arm in seinen Mantel eingeschlagen
hat, während es mit der linken Hand das Gewand der jedesmal voraufgehenden Person gefasst hält, und den rechten Fuss platt auf den
Boden setzt, den linken aber nur mit den Zehen, zur Andeutung der Bewegung.

Das dritte 0,21 hohe, 0,212 breite, unten mit
einem Zapfen zum Einsetzen versehene Relief,
welches gerade in der Mitte gebrochen ist, ohne
dass inzwischen dadurch den dargestellten Figuren wesentliche Beschädigung zugefügt wäre,
zeigt zu den Seiten je eine Ante und oben ein
über diesen liegendes Epistyl, inmitten des dadurch bezeichneten Heiligthums aber sechs Figuren, die schon ursprünglich nicht besonders
sorgfältig ausgeführt waren und im Verlaufe der
Zeit durch Verwitterung etwas gelitten haben
— was wesentlich auch von dem roheren Mate-
riale herrührt —, dennoch aber wohl zu erkennen
sind. Zumeist nach rechts thront Zeus. Die
Seitenlehne des Throns wird von einer Sphinx
getragen, ganz ähnlich wie das auch sonst an
Zeusthronen gefunden wird, auch am Parthenon-
friese, aber auch bei anderen Thronsesseln, selbst
solchen von gewöhnlichen Menschen vorkommt.
Der Gott ist in der bei sitzenden Zeusbildern
der späteren Zeit gewöhnlichen Weise bekleidet,
indem das Himation nur über den unteren Theil
des Körpers geschlagen ist und über der linken
Achsel von hinten her nach vornehin herabfällt.
Er hält den rechten Arm so erhoben, dass man
deutlich sieht, er solle mit der Hand desselben
ein Scepter aufstützen. Dieses ist aber nicht
vorhanden, war demnach ursprünglich durch
Malerei ausgeführt, ein Umstand, welcher bekanntlich auch auf anderen nahestehenden Reliefs vor-

kommt (R. Schöne Griech. Reliefs aus Athen,
S. 47, zu n. 88). Unter dem Sessel steht ein
Adler, der den Kopf nach links hin umwendet.
Hier stehen vor Zeus fünf Menschen, im Hintergrunde zwei erwachsene, vorn ein bärtiger Mann
im Himation, das die rechte Schulter nackt lässt,
den rechten Arm in der bekannten Haltung der
Adorirenden erhebend, hinter ihm ein vollständig bekleidetes Weib, sicherlich seine Frau, in
der vorderen Reihe drei vollständig in den Mantel eingehüllte Knabenjünglinge, die Kinder jenes Paars. Auf einem Votivrelief bei Schöne
n. 105 wird ein ganz ähnlicher Zeus inschriftlich als Philios bezeichnet. Diesem gehen zwei
andere von Schöne herausgegebene Votivreliefs
(n. 88 und 104) parallel. Es steht zu vermuthen, dass derselbe Gott auch auf unserem Relief gemeint ist, welches — täusche ich mich
nicht — von demselben Orte herstammt, wie
Schöne's n. 105. Der Adler unter dem Sessel,
den ich auch sonst an derselben Stelle bei Zeus
in ähnlichen Reliefs Athenischer Sammlungen
angetroffen zu haben vermeine, während er auf
den drei von Schöne herausgegebenen Reliefs
fehlt, kann begreiflicherweise nicht gegen die
obige Vermuthung in Anschlag gebracht werden.
Hiernächst mag ein geschnittener Stein, ein
Intaglio von grünem Jaspis, erwähnt werden.
Derselbe stellt auf der Vorderseite den stehenden strahlenbekränzten Sonnengott dar, welcher
den linken Arm mit der bekannten Geberde des
Sol oriens hebt und in dem rechten, von welchem
die Chlamys herabhängt, eine Peitsche hält. Die
Darstellung ist ganz wohl ausgeführt, findet sich
inzwischen auch sonst auf geschnittenen Steinen.
Eigenthümlich ist es aber dem in Rede stehen-
den, dass er auch auf der Rückseite mit einer

eingegrabenen Darstellung versehen ist, welche
ohne Zweifel Attribute des Sonnengottes betrifft.
Zu oberst gewahrt man einen rundlichen Gegenstand, der allem Anschein nach als Rosenblüthe
mit zwei Blättern darunter zu fassen ist; in der
unteren Reihe links einen unzweifelhaften Fisch,
rechts aber einen Gegenstand, den genau zu bestimmen noch nicht gelungen ist. Wäre an ein
Gefäss zu denken, so liessen sich dafür Pendants
von anderen Bildwerken, namentlich Münzen,
beibringen.

Wir kommen jetzt zu zwei Figuren aus Ter-
racotta.

Die eine, 0,251 hohe, stellt in etwas archaisi-
rendem Stile den Hermes stehend dar. Der Gott
trägt auf dem Kopf nicht den breitkrämpigen
Petasos, sondern eine hohe ziemlich spitz zulaufende κυνῆ mit einer ganz schmalen Krämpe.
Das Haar hängt zu den Seiten des jugendlichen,
unbärtigen Gesichts herab. Die Bekleidung besteht in Chlamys und Chiton. Im linken Arm
gewahrt man das Kerykeion. Die rechte Hand
fasst das rechte Horn des Widders, dessen Körper sich längs hinter den Beinen des Gottes her-
zieht und so zugleich zur Stütze der Statuette
dient, während der nach vorn gewendete Kopf
des Thieres an dem rechten Beine des Gottes
zum Vorschein kommt. Sehr deutliche Spuren
röthlicher Befärbung geben dem recht wohl gearbeiteten Werke, dessen Rückseite, wie gewöhnlich, nicht ausgeführt ist und das bekannte vier-
eckige zum Behuf des Brennens gemachte Loch
zeigt, selbst unter mehreren Doppelgängern der
Sammlungen Athens ein weiteres Interesse.

Die andere, 0,201 hohe, Terracottafigur ist eines
jener hinten abgeschnittenen hohlen Brustbilder
einer im archaistischen Stile ausgeführten, mit

niedriger Stephane auf dem ungescheitelten wellenförmigen Haare oberhalb der Stirn und dem bekannten rundlichen Ohrschmuck versehenen, verschleierten weiblichen Göttin, welche so aufgestellt gewesen sein müssen, dass nicht nur die Rückseite sich an einen Hintergrund anlehnte, sondern auch die unterste Partie, in dem vorliegenden Falle der oberste Theil der bis zu dem langen Halse mit einem Gewand bedeckten Brust, auf einem Untersatze stand.

Nach diesen Thonbildwerken kommt am passendsten eine Vase aus Thon mit figürlichen Darstellungen zur Besprechung. Es handelt sich um eine jener wesentlich aus Attischen Funden bekannten Lekythoi, welche auf weissem Grunde Figuren in Umrissen mit röthlicher Farbe und daneben auch bunte Colorirung in mehreren Farben zeigen. Das betreffende Exemplar hat freilich aus Bruchstücken zusammengesetzt werden müssen und ist dabei nicht ganz ohne Beschädigung geblieben; zeichnet sich aber durch seine Grösse (es ist von 0,33 Höhe) vor manchen andern aus. Auch der wichtigste Bestandtheil der bildlichen Darstellung ist noch sehr wohl erkennbar: zwei Frauen, welche um eine mit Ionischen Voluten geschmückte Grabstele stehen, die links vom Beschauer tief in das Gewand eingehüllt, mit gesenktem Haupte, die rechts beide Arme zur Begleitung der Klage ausstreckend oder erhebend.

Endlich seien noch ein paar Geräthe berücksichtigt.

Das eine ist eine ganz vollkommen erhaltene Strigilis aus Bronze, an welcher der Griff seine ursprüngliche Elastizität noch durchaus bewahrt hat. Wenn das Letztere auch bei anderen Strigiles der Fall ist, so hat der Griff der in Rede stehenden ausserdem die mir nur von sehr wenigen anderen Exemplaren bekannte Eigenthümlichkeit, dass er mit einer figürlichen Darstellung in Relief verziert ist. Es findet sich nämlich an ihr, offenbar vermittelst eines Stempels eingedrückt, Pan mit langen Hörnern und Bocksbeinen, beide Arme hoch erhebend und eben im Begriff auf den Boden hinzustürzen. Diese Darstellung ist auch an sich beachtenswerth: sie findet sich meines Wissens in der Weise sonst nirgends. Vermuthlich hat man sich den Gott nicht sowohl in der äussersten Ekstase zu denken, als im höchsten Schreck. Dass das Bildwerk nur in sofern von einer besondern Beziehung ist, als es zum Fabrikzeichen dient, steht doch wohl sicher.

Das andere Geräth ist ein auf dem Museion zu Athen gefundener oben spitz auslaufender Kegel aus Thon, von der Art derer, die jetzt meist als Webstuhlgewichte gelten. So viele davon aus den verschiedensten Gegenden auch bekannt sind, erinnere ich mich doch nicht, ein anderes Exemplar erwähnt gefunden oder selbst gesehen zu haben, welches ausser der oben nicht weit unterhalb der Spitze in horizontaler Richtung vorgenommenen, offenbar zum Aufhängen des Kegels dienenden Durchbohrung auch sechs meist unregelmässig eingebohrte, ebenfalls runde und kleine Löcher zeigte, die in verticaler Richtung in den Körper des Kegels hineingehen und von verschiedener Tiefe sind. Können dieselben zur Ermittelung der ursprünglichen Bestimmung dieser Kegel dienen oder haben sie etwa nur einen Zweck wie jenes oben an der Rückseite der Hermesstatuette aus gebranntem Thon erwähnte grössere Loch und

andere bei anderen Terracotten (was ich für
wahrscheinlicher halten möchte)?*).

Ueber das Weber'sche Grundgesetz der electrischen Wechselwirkung in seiner Anwendung auf die unitarische Hypothese

von

Eduard Riecke.

Bei der Entwickelung der elektrodynamischen
Elementargesetze aus seinem Grundgesetz ist Weber ausgegangen von der dualistischen Hypothese.
Dass dasselbe Gesetz angewandt auf die unitarische Hypothese zwar hinführt zu dem Ampère'-
schen Gesetze, dagegen zu anderen Elementar-
gesetzen der Induktion ist von Neumann (die
Principien der Elektrodynamik. Tübingen 1868)
bemerkt. Im Folgenden soll eine eigenthümliche Consequenz entwickelt werden, welche sich
aus der Anwendung des Weberschen Gesetzes auf
die unitarische Hypothese ergiebt, eine Consequenz, auf welche sich die ganze zwischen den
beiden Anschauungsweisen bestehende Verschiedenheit reduciren dürfte, vorausgesetzt, dass das
Webersche Gesetz der Wechselwirkung zu Grunde
gelegt wird.

Wir betrachten die Wirkung eines konstanten ruhenden Stromelementes ids auf einem ru-

---

*) Obiges war geschrieben, ehe ich von Conze's Be-
sprechung dieser Thongegenstände in dem mir erst jetzt
zugekommenen Vol. XLIV der Ann. d. Inst. arch., p. 199
fg., Kunde hatte.

henden electrischen Punkt P, dessen Masse gleich 1 gesetzt werden möge. Bezeichnen wir die in der Längeneinheit des Leiters, welchem das Stromelement angehört, enthaltene Menge positiven Fluidums durch e, die Geschwindigkeit mit welcher sich die positive Electricität in dem Leiter bewegt durch s', so ist

$$i = \frac{2}{c} \cdot e s'.$$

Ist r die Entfernung zwischen dem Stromelement und dem Punkte P, so ist die abstossende Wirkung der in dem ersteren enthaltenen ruhenden negativen Masse $- eds$ auf den betrachteten Punkt P gleich

$$- \frac{eds}{r^2}.$$

Die Wirkung der strömenden positiven Masse eds ist gleich

$$\frac{eds}{r^2}[1 - \frac{1}{c^2}\left(\frac{dr}{dt}\right)^2 + \frac{2}{c^2} r \frac{d^2r}{dt^2}].$$

Somit die Gesammtwirkung des Stromelementes auf den Punkt P

$$R = - \frac{1}{c^2} \cdot \frac{eds}{r^2} [\left(\frac{dr}{dt}\right)^2 - 2r \frac{d^2r}{dt^2}].$$

Nun ist

$$\frac{dr}{dt} = \frac{dr}{ds} \cdot s'$$

$$\frac{d^2r}{dt^2} = \frac{d^2r}{ds^2} \cdot s'^2.$$

Somit

$$R = -\frac{1}{c^2}\frac{e\,ds}{r^2}\left[\left(\frac{dr}{ds}\right)^2 - 2r\frac{d^2r}{ds^2}\right]s'_x$$

$$= -\frac{1}{2c}\frac{i\,ds}{r^2}\left[\left(\frac{dr}{ds}\right)^2 - 2r\frac{d^2r}{ds^2}\right]s'.$$

Es ergiebt sich somit, dass bei Zugrundelegung der unitarischen Hypothese ein ruhendes und konstantes Stromelement auf einen ruhenden elektrischen Punkt eine durch den vorhergehenden Ausdruck bestimmte abstossende Wirkung ausübt, während nach der dualistischen Hypothese eine solche Wirkung nicht stattfindet.

Wir gehen über zu der Bestimmung der Wirkung, welche ein konstanter geschlossener Strom auf einen elektrischen Punkt P ausübt; die von einem einzelnen Elemente desselben herrührende abstossende Kraft, welche durch den vorhergehenden Ausdruck gegeben ist, lässt sich auf folgende Form bringen:

$$R = \frac{4}{c}\cdot is'\frac{d^2\sqrt{r}}{ds^2}\cdot\frac{d\sqrt{r}}{dr}\,ds.$$

Die Componente S dieser Kraft nach einer beliebigen Richtung σ ist somit:

$$S = \frac{4}{c}\cdot is'\frac{d\sqrt{r}}{ds^2}\cdot\frac{d\sqrt{r}}{d\sigma}\cdot ds.$$

und die Componente der von dem geschlossenen

Strome ausgeübten Gesammtwirkung nach derselben Richtung wird daher

$$S = \frac{4}{c} \cdot is' \int \frac{d^2\sqrt{r}}{ds} \cdot \frac{d\sqrt{r}}{d\sigma} \cdot ds.$$

Nun ist:

$$\frac{d^2\sqrt{r}}{ds^2} \cdot \frac{d\sqrt{r}}{d\sigma} = \frac{d}{ds}\left[\frac{d\sqrt{r}}{ds} \cdot \frac{d\sqrt{r}}{d\sigma}\right] - \frac{1}{2}\frac{d}{d\sigma}\left(\frac{d\sqrt{r}}{ds}\right)^2.$$

Wenn wir diesen Werth in dem Integral
substituiren und bemerken, dass der erste Term
über die geschlossene Stromcurve s hin integrirt
verschwindet, so ergiebt sich:

$$S = -\frac{2}{c} \cdot is' \int \frac{d}{d\sigma}\left(\frac{d\sqrt{r}}{ds}\right)^2 \cdot ds,$$

oder

$$S = -\frac{d}{d\sigma}\left[\frac{2}{c} \cdot is' \int\left(\frac{d\sqrt{r}}{ds}\right)^2 \cdot ds\right].$$

Setzen wir

$$V = \frac{2}{c} \cdot is' \int\left(\frac{d\sqrt{r}}{ds}\right)^2 ds,$$

so wird

$$S = -\frac{\delta V}{\delta \sigma}.$$

Nach der unitarischen Hypothese
übt somit ein geschlossener konstanter Strom auf ein ruhendes electrisches
Theilchen eine Wirkung aus, deren
Componenten durch die negativen Differentialquotienten eines gewissen Po-
tentiales bestimmt werden.

Befindet sich in der Nähe eines solchen Stromes ein Conduktor, so wird

sich auf der Oberfläche desselben eine
gewisse statische Vertheilung von positiver Elektricität bilden und gleichzeitig wird der Strom in Folge der auf
die mit den ponderabelen Molekülen
fest verbundene negative Elektricität
ausgeübten Kräfte auf den Conduktor
eine unmittelbare ponderomotorische
Wirkung ausüben. Es verhält sich der
Strom gegen einen ihm genäherten
Conduktor ganz ebenso wie ein gerie-
bener Isolator.

Die Differenz zwischen der unitarischen und
dualistischen Hypothese tritt noch schärfer hervor, wenn wir nicht die Wirkung eines geschlossenen Stromes, sondern die Wirkung eines beiderseits begrenzten Stückes eines solchen Stromes auf einen elektrischen Punkt betrachten.

Für die Componente der Wirkung nach ei-
ner beliebigen Richtung σ ergiebt sich nach dem
Vorhergehenden der Werth:

$$S = \frac{4}{c} \; is' \int \frac{d}{ds} \left[\frac{d\sqrt{r}}{ds} \cdot \frac{d\sqrt{r}}{d\sigma} \right] ds$$

$$- \frac{2}{c} \cdot is' \frac{d}{d\sigma} \left[\int \left(\frac{d\sqrt{r}}{ds} \right)^2 ds, \right.$$

wo die Integrale nun hinzuerstrecken sind über
die begrenzte Curve s.

Bezeichnen wir mit ds_0 das Anfangselement
der Curve, mit ds_1, das Endelement mit r_0 und
r_1 die entsprechenden Entfernungen von dem
Punkte P, und setzen wir wieder

$$V = \frac{2}{c} \cdot is' \int \left(\frac{d\sqrt{r}}{ds} \right)^2 \cdot ds.$$

So wird

$$S = \frac{4}{c} \cdot is' \left[\frac{d\sqrt{r_1}}{ds_1} \cdot \frac{d\sqrt{r_0}}{d\sigma} - \frac{d\sqrt{r_0}}{ds_0} \cdot \frac{d\sqrt{r_0}}{d\sigma} \right] - \frac{dV}{d\sigma}.$$

Wir nehmen nun an, der betrachtete elektrische Punkt gehöre einem Elemente $d\sigma$ eines geschlossenen Leiterdrathes σ an. Es ergiebt sich dann, dass das beiderseits begrenzte Stromstück auf dieses Element $d\sigma$ eine elektromotorische Kraft ausübt, welche wir erhalten, wenn wir uns die Längeneinheit des Leiterdrathes mit der Einheit der positiven elektrischen Masse angefüllt denken und wenn wir unter dieser Voraussetzung die Kraft berechnen, welche von dem gegebenen Stromstücke auf die in dem Element $d\sigma$ enthaltene positive Masse in der Richtung des Elementes ausgeübt wird. Die auf das Element $d\sigma$ ausgeübte elektromotorische Kraft ist somit:

$$S = \frac{4}{c} is' \left[\frac{d\sqrt{r_1}}{ds_1} \cdot \frac{d\sqrt{r_1}}{d\sigma} - \frac{d\sqrt{r_0}}{ds_0} \cdot \frac{d\sqrt{r_0}}{d\sigma} \right] d\sigma$$

$$- \frac{dV}{d\sigma} \cdot d\sigma.$$

und die auf den ganzen Stromkreis ausgeübte elektromotorische Kraft wird daher:

$$S = \frac{4}{c} \cdot is' \int \left[\frac{d\sqrt{r_1}}{ds_1} \cdot \frac{d\sqrt{r_1}}{d\sigma} - \frac{d\sqrt{r_0}}{ds_0} \cdot \frac{d\sqrt{r_0}}{d\sigma} \right] d\sigma.$$

Nach der unitarischen Hypothese würde also

ein beiderseits begrenztes Stück eines konstanten Stromes auf einen geschlossenen Leiter eine elektromotorische Kraft ausüben, was nach der dualistischen Ansicht nicht der Fall ist.

Es ist der obige Ausdruck einer einfachen Interpretation fähig. Für die elektromotorische Kraft, welche ein Stromelement *ids* von veränderlicher Intensität auf ein Leiterelement *dσ* ausübt, ergiebt sich nemlich, wenn wir wieder die unitarische Hypothese festhalten, der Ausdruck:

$$E = -\frac{1}{2c}\frac{i\,ds\,d\sigma}{r^2}\left[\left(\frac{dr}{ds}\right)^2 - 2\nu\frac{d^2r}{d^2s}\right]\frac{dr}{d\sigma}\cdot s'$$

$$+\frac{4}{c}\cdot ds\,d\sigma\,\frac{d\sqrt{r}}{ds}\cdot\frac{d\sqrt{r}}{d\sigma}\cdot\frac{di}{di}$$

wobei der erste Theil des Ausdruckes der von dem unveränderlichen Theil des Stromes auf die in *dσ* enthaltene positive elektrische Flüssigkeit ausgeübten Kraft entspricht, der zweite Theil identisch ist mit dem Werth der elektromotorischen Kraft, wie er sich aus der dualistischen Vorstellung ergiebt.

Wenn die Stromstärke in dem Element *ds* in sehr kurzer Zeit von 0 bis zu dem Werthe *i* aufsteigt, so ist die auf ein Leiterelement *dσ* ausgeübte elektromotorische Kraft

$$E = \frac{4}{c}\cdot ds\,d\sigma\,\frac{d\sqrt{r}}{ds}\cdot\frac{d\sqrt{r}}{d\sigma}\cdot i$$

und somit die auf einen geschlossenen Leiter ausgeübte elektromotorische Kraft:

$$\Sigma = \frac{4}{c} \cdot i\,ds \cdot \int \frac{d\sqrt{r}}{ds} \cdot \frac{d\sqrt{r}}{d\sigma} \cdot d\sigma.$$

Den Ausdruck für die elektromotorische Kraft, welche ein begrenztes Stück eines geschlossenen Stromes auf einen geschlossenen Leiter ausübt, können wir in der Form schreiben

$$S\,dt = \frac{4}{c} \cdot i\,ds_1 \int \frac{d\sqrt{r_1}}{ds_1} \cdot \frac{d\sqrt{r_1}}{d\sigma} \cdot d\sigma$$

$$- \frac{4}{c}\,i\,ds_0 \int \frac{d\sqrt{r_0}}{ds_0} \cdot \frac{d\sqrt{r_0}}{d\sigma} \cdot d\sigma.$$

Vergleichen wir diese Darstellung mit dem Ausdrucke für die elektromotorische Kraft, welche in einem Leiter σ inducirt wird durch das momentane Entstehen eines Stromes von der Stärke i in einem Leiterelemente ds, so gelangen wir zu dem Resultate: die von einem begrenzten Stücke eines geschlossenen Stromes in einem geschlossenen Leiter inducirte elektromotorische Kraft ist gleich der elektromotorischen Kraft, welche inducirt wird durch das Verschwinden eines Stroms von gleicher Stärke in dem Anfangselemente, das Entstehen eines solchen Stromes in dem Endelemente. Die Länge dieses Elements ist hiebei gleich zu nehmen mit dem von der positiven elektrischen Flüssigkeit in der Zeit $.dt$ durchlaufenen Wege.

Könnten wir also einen geschlossenen Strom herstellen, der in einzelnen Punkten seiner Bahn plötzlichen Aenderungen seiner Richtung unterworfen wäre, so würde jede solche Stelle bei Zugrundelegung der unitarischen Hypothese den Sitz einer elektromotorischen Kraft bilden.

Zur Geometrie der Plücker'schen Liniengebilde

von

Dr. A. Voss in Göttingen.

In manchen der bisherigen Arbeiten über Liniengeometrie werden als Coordinaten der Geraden ihre Ausdrücke in Punct- oder Ebenencoordinaten angewandt. Es ist aber von grossem Vortheil, die Liniengeometrie ganz unabhängig als eine eigene Geometrie von vier Dimensionen zu betrachten, welche durch analytische Ausdrücke zwischen 6 homogenen Coordinaten x_1 x_2 x_3 x_4 x_5 x_6 unter Adjunction einer verschwindenden quadratischen Form $\Sigma a_{ik} x_i x_k = 0$ derselben repräsentirt wird, eine Auffassung die Herrn Klein zu verdanken ist[1]). Dabei ist die Gerade Raumelement, die Rolle von Punct und Ebene der gewöhnlichen Geometrie spielt das ebene Strahlbüschel, eine Curve ist durch ihre sämmtlichen Treffgeraden, eine Fläche durch ihre Tangenten characterisirt.

Die quadratische Form mag unter der canonischen Gestalt $\Sigma x_i^2 = 0$ vorausgesetzt werden, doch mag bemerkt werden, dass in den folgenden Untersuchungen die Formeln nur sehr einfacher Modificationen[2]) bedürfen, wenn die allgemeine Form zu Grunde gelegt wird.

Von diesem Standpuncte aus kann man eine Betrachtung der verschiedenen Liniengebilde (Complexe, Congruenzen, Linienflächen, einzelne Gerade) unternehmen, welche den Untersuchun-

---

1) Vgl. Math. Ann. Bd. II, p. 366.
2) Sie sind nämlich Covarianten der Form.

gen über die Singularitäten der Flächen und
Raumcurven analog ist. Ein Liniencomplex *n.*
Grades beispielsweise besteht aus ∞^3 Geraden,
durch jeden Punct gehen ∞ viele die einen Kegel *n.* Grades, in jeder Ebene solche, die eine
Curve *n.* Classe bilden. Jeder dieser Kegel besitzt gewisse Singularitäten (Wende Doppelebenen, die Complexcurve die dualistischen); man
kann nach der Vertheilung dieser Elemente fragen.

Es giebt aber andre Singularitäten, insbesondere das Auftreten von 1, 2, 3 Doppel (oder
auch Rückkehr)kanten sowie von Doppelinflexionskanten beim Complexkegel, welche nur bei
gewissen Complexkegeln sich finden, deren Spitzen dann eine Fläche oder Linie bilden oder in
einzelnen Punkten vertheilt sind. Beispielsweise
existirt eine Congruenz solcher Geraden, welche
Doppelkanten von C.-Kegeln sind, eine Linienfläche von Rückkehrkanten. Eine ausführlichere Darstellung dieser Verhältnisse werde ich
bei einer anderen Gelegenheit geben. Insbesondere ist aber zur Erforschung dieser Verhältnisse eine genauere Untersuchung der durch eine
Congruenz gebildeten Brennflächen nöthig[1]), von
der ich im Folgenden einige Resultate mittheile,
die zugleich die eigenthümlichen Methoden der
liniengeometrischen Untersuchungen erläutern
mögen.

Zu jeder Congruenzgeraden x_i von zwei Complexen *n.* und *m.* Grades $f = 0$ $\varphi = 0$, gehören
zwei auf ihr liegende Brennpuncte, zwei durch
sie gehende Brennebenen, welche die Brennfläche der Congruenz erzeugen respective einhüllen.
Die Brennpuncte sind die Schnitte der Geraden

---

1) Vgl. Pasch, Habilitationsschrift. Giessen 1870.

x_i mit den beiden Geraden u_i, v_i deren Coordinaten

$$u_i = f_i + \lambda_0 \varphi_i, \quad v_i = f_i + \lambda_1 \varphi_i,$$

die Brennebenen die durch $u_i x_i$, $v_i x_i$ bestimmten, wo λ_0 λ_1 die Wurzeln der Gleichung

1) $$\Sigma f_i^2 + 2\lambda \Sigma f_i \varphi_i + \lambda^2 \Sigma \varphi_i^2 = 0$$

deren Coefficienten mit Θ_{11} Θ_{12} Θ_{22} bezeichnet werden mögen.

Man erhält die Summe von Ordnung und Klasse der Brennfläche, wenn man untersucht, wie oft zwei ∞ nahe Strahlen der Congruenz x_i, $x_i + dx_i$ eine willkürliche Gerade y_i schneiden. Es ergiebt sich die Gleichung

2) $$(\Sigma f_i y_i)^2 \Theta_{22} - 2(\Sigma f_i y_i \Sigma \varphi_i y_i)\Theta_{12} + (\Sigma \varphi_i y_i)^2 \Theta_{11} = 0$$

welche in Verbindung mit $f = 0$ $\varphi = 0$ $\Sigma x_i^2 = 0$ $4mn(m+n-2)$ Werthe von x_i liefert. Daher ist die Ordnung $=$ Klasse der Brennfläche

$$= 2mn(m+n-2)\,^1).$$

Ist $\varphi = 0$ derjenige Covariante Complex, welcher mit $f = 0$ die singulären Linien bestimmt, so zerfallen die Werthsysteme von x_i wiederholt in zwei ganz verschiedene, von denen sich das eine $4n(n-1)^2$ werthige auf die Singuläre Fläche von $f = 0$ bezieht $^2)$. Ordnung und

1) Vgl. diese Nachrichten p. 420.
2) In den einschlägigen Untersuchungen von Clebsch,

Klasse der Singulären Fläche eines Complexes
n. Grades ist also

$$2n(n-1)^2.$$

Es stehen nun die singulären Elemente der Brennfläche im engsten Zusammenhang mit denen der
Congruenz. Ein Brennpunct oder eine Brenn-
ebene kann zu zwei verschiedenen Geraden gehören; er gehört dann der Doppelcurve, resp.
der Doppeldeveloppabelen der Brennfläche an.
Einem Puncte der Rückkehr oder parabolischen
Curve entspricht der Fall, dass drei unendlich
nahe Gerade der Congruenz durch einen Punct
gehen oder in einer Ebene liegen[1]). Weitere
Singularitäten der Congruenz stehen in Verbindung mit den singulären Puncten dieser Raumcurven.

Diese Singulären Elemente selbst bestimmt
man durch Angabe der zugehörigen Congruenzgeraden, welche durch sie gehen. Dabei erhält
man immer Gleichungen, welche sich gleichzeitig auf die beiden dualistisch entsprechenden
Singularitäten beziehen. Es bleibt dabei eine
weitere Aufgabe, die Trennung dieser Ausdrücke
auszuführen.

Beispielsweise erhält man die Gleichung des
Complexes, welcher mit $f = 0$ $\varphi = 0$ die Linienfläche der parabolischen resp. Rückkehrcurve
bildet, wenn man aus den Beziehungen, die für
drei consecutive Congruenzgerade durch einen
Punct oder in einer Ebene stattfinden, die Dif-

Klein, Pasch, Plücker die Singularitenfläche. Zugleich ist hier der analytische Nachweis für die von
Pasch (a. a. O. p. 9) ausgesprochene Behauptung.

1) Für den Fall, wo einer der Complexe linear ist,
modificiren sich diese Verhältnisse etwas.

ferentiale eliminirt. Für $m = 1$ ist die Linienfläche vom Grade

$$4n(3n - 4)\,{}^1).$$

Es mag bemerkt werden, dass die Bestimmung
dieser letzteren Linienflächen noch auf eine andere Art geschehen kann, die zugleich für das
folgende wichtig wird. Man kann eine Tangente
der Brennfläche zweier allgemeiner Complexe
repräsentiren durch ihre Coordinaten

$$\varrho y_i = \mu x_i + f_i + \lambda \varphi_i.$$

wo λ aus Gleichung 1) zu entnehmen und μ ein
Parameter ist. Die beiden Haupttangenten des
Büschels y_i sind durch eine quadratische Gleichung für μ gegeben. Und die Discriminante
derselben liefert solche Linien x_i mit $f = 0$
$\varphi = 0$, für welche die Haupttangenten coincidiren, welche also entweder durch die parabolische oder durch die Rückkehrcurve gehen.

Indem ich die interessanten Anwendungen
übergehe, welche sich von hier aus auf die Geometrie der Brennflächen, sowie insbesondere der
singulären Fläche eines Complexes machen lassen, will ich noch bemerken, dass in den obigen
Betrachtungen zugleich ein Mittel gegeben ist,
die Grade der Doppel- und Rückkehrcurven auf
den Brennflächen zu bestimmen. Dies geschieht
durch die Bestimmung der Klasse des ebenen

1) Sie repräsentirt für $n = 2$ die 16 Strahlbüschel
in den 16 Doppelebenen der Brennfläche. Vgl. Kummer
Theorie der algebr. Strahlensyst. Berl. 1866. Klein, Math.
Ann.

Schnittes (Rang der Brennfläche) sowie der Zahl seiner Wendetangenten. Die Klasse bestimmt sich folgendermassen: Die Tangenten der Brennfläche, welche zwei Gerade u_i, v_i schneiden, bilden eine Linienfläche, deren Grad man erhält, wenn man sie mit einer Geraden schneidet. Setzt man u_i, v_i als zwei sich schneidende voraus, so degenerirt die Fläche in den Tangentenkegel vom Schnittpunct von u_i v_i, sowie die Schnittcurve der Ebene u_i v_i. Da der Grad des Tangentenkegels gleich der Classe jener Curve, so hat man mit der Bestimmung des Grades jener Fläche zugleich den doppelten Rang der Brennfläche erhalten. — Indem man ferner die Zahl der Haupttangenten aufsucht, welche zwei willkürliche Gerade treffen, die man später in sich schneidende übergehen lässt, erhält man die Zahl der Haupttangenten durch einen Punct (= der Zahl derselben in einer Ebene) und damit die Zahl der Inflexionen des ebenen Schnittes.

Durch Anwendung der Plücker'schen Formeln gewinnt man aus diesen Zahlen sofort die allgemeinen Formeln für die Grade der Doppel- und Rückkehrcurven. Der Kürze wegen gebe ich sie hier nur für die singuläre Fläche eines Complexes. Man erhält

Ordnung $\quad \nu = 2n(n-1)^2$

Klasse $\quad \varkappa = 2n(n-1)^2$

Rang $\quad \varrho = 2n(n-1)(n^2-n+1)$

Doppelcurve $\delta = n(n-1)[2n^4-6n^3-n^2+4n+12]$

Rückkehrcurve $\eta = 4n(n-1)(n^2-n-2)^1)$.

Für einen Complex zweiten Grades ist $\nu = 4$, $\varkappa = 4$, $\varrho = 12$, $\delta = \eta = 0$. Für einen Complex dritten Grades ist $\nu = 24 = \varkappa$, $\varrho = 84$, $\delta = 90$, $\eta = 96$, mittelst welcher Zahlen[2]) denn eine weitere Untersuchung der fraglichen Fläche möglich ist. Man erhält $\delta = 90$ auch bei Gelegenheit der allgemeinen Untersuchung solcher Kegel eines Complexes n. Grades, welche Doppelinflexionskanten besitzen. Die letzteren bilden eine Congruenz vom Grade $2n(11n-18)$, welche für $n = 3$ in lauter ebene Strahlbüschel degenerirt, deren Centra die Doppelcurve seiner singulären Fläche bilden.

In nur wenigen Fällen ist es gegenwärtig möglich die Gleichungen der Brennflächen in Punct, Ebenen oder Liniencoordinaten in übersichtlichen Formen zu bilden. Durch eine Erweiterung der Principien, welche Clebsch im fünften Bande der Math. Ann. dargelegt hat[3]), kann man beispielsweise die Gleichung der Brennfläche von zwei Complexen zweiten Grades in Form einer Discriminante hinschreiben. Sie ist vom 16. Grade und weist eine Rückkehrcurve

---

1) Es sei noch bemerkt, dass ähnliche Methoden zur Bestimmung anderer singulärer Curven auf Brenn- und singuläre Flächen führen.

2) Durch directe Bildung der Gleichung der Singulären Fläche ist von Clebsch Math. Ann. V, 400 derselbe Werth für η gefunden.

3) A. a. O. Ein (diese Nachr. p. 416) von mir begangener Irrthum mag hier berichtigt werden. Der Grad der Curve C erniedrigt sich für jeden freien Rückkehrpunct von $f = 0$, $F = 0$, deren bei beiden gleiche Zahl $\varkappa$ sei, um eine Einheit mehr. Es ist daher in den am Schlusse gegebenen Formeln statt ν $\nu - \varkappa$ zu setzen, wobei zugleich i'' t' um $\varkappa$ zu resp. abnehmen.

vom 48. auf, wie auch aus den Formeln, deren Ableitung oben angedeutet wurde, hervorgeht.

Zur Lehre von der Knorpelverknöcherung.

Vorläufige Mittheilung

von

Dr. A. v. Brunn.

Vorgelegt von J. Henle.

1. Untersucht man Schnitte, welche parallel zur Knochenaxe durch den Verknöcherungsrand der Diaphyse eines Röhrenknochens gelegt sind, völlig frisch unter Zusatz von Kochsalzlösung von 0,5 %, so zeigt sich, dass die Knorpelzellen an der Verknöcherungsgrenze auch da, wo die Grundsubstanz bereits verkalkt ist, nicht geschrumpft oder in körnigem Zerfall begriffen sind, sondern überall die Höhle, in der sie liegen, vollständig ausfüllen, ein helles, körnchenarmes Protoplasma und einen grossen, bläschenförmigen Kern besitzen. Auf Zusatz wasserentziehender Substanzen — Alcohol, Glycerin etc. — verändern die Zellen sehr schnell ihr Ansehen und ihre Gestalt und werden zu den Gebilden, wie sie auf den Abbildungen zu manchen neueren Untersuchungen über dieses Thema gezeichnet sind. —

Es ist das keine neue Beobachtung: Kölliker beschreibt das angegebene Verhalten dieser Zellen vom Verknöcherungsrande rhachitischer Knochen sehr ausführlich in Nr. 11 der Mittheilungen der zürcher naturf. Gesellschaft — aber ich hielt dies Verhalten der Erwähnung für werth, weil es von neueren Untersuchern wenig gekannt zu sein scheint und namentlich Stieda (Bildung des Knochengewebes, Leipzig 1872) das Geschrumpftsein der Zellen am Verknöcherungsrande als Beweis dafür anführt, dass die Knorpelzellen mit der Erzeugung der Osteoblasten Nichts zu thun haben, sondern völlig untergehen, bevor die Verknöcherung beginnt.

2. Schon da, wo die Knorpelzellen sich in Reihen anzuordnen beginnen, differenzirt sich die Knorpelgrundsubstanz in der Art, dass die um die Zellenreihen selbst gelegene Masse in der Form senkrecht vom hyalinen Knorpel zum Verknöcherungsrande verlaufender cylindrischer Säulen homogen bleibt, dagegen die zwischen diesen Säulen befindliche sie allseitig umgebende Masse sich in elastisches Gewebe, aus homogener Grundsubstanz mit eingelagerten den Zellenreihen parallelen Fasern bestehend, verwandelt. — Hämatoxylin färbt die homogenen, in allen Reactionen mit der Grundsubstanz des hyalinen Knorpels übereinstimmenden Säulen dunkelblau, während die elastische Substanz ungefärbt bleibt; Carmin dagegen färbt nur die elastische Substanz, so dass sich sehr elegante Doppeltinctionen ausführen lassen.

Der Zusammenhang der Fasern der elastischen Substanz unter einander und mit den die Knorpelzellen enthaltenden Säulen ist im frischen Zustande ein sehr loser, so dass sich diese Säulen sehr leicht stückweise isoliren lassen. Vollständig isolirte, vom hyalinen Knorpel bis zum Knochen reichende Zellensäulen erhält man durch Zerzupfen des in gewöhnlicher Weise mit Goldchlorid behandelten Knorpels.

Während nach dem Knochen hin durch das Grösserwerden der Knorpelzellen die homogene Substanz der Säulen vermindert wird, bleibt die elastische Substanz erhalten, nimmt sogar stellenweise an Masse zu: sie bildet die über die Verknöcherungsgrenze hinaus in den Knochen hineinragenden Septa.

Beide vorgenannten Beobachtungen sind an völlig frischen Phalanxknochen des Kalbes gemacht.

Verzeichniss der bei der Königl. Gesellschaft der Wissenschaften eingegangenen Druckschriften.

Mai und Juni 1873.

(Fortsetzung).

A. Quetelet, Annales de l'Observatoire R. de Bruxelles. T. XXI. 1872. 4.

— Annuaire de l'observatoire R. d. Bruxelles. 1872 et 1873. Brux. 12.

— — Tables de mortalité et leur développement. Ebd. 1872. 4.

— de l'homme considéré dans le système social. Ebd. 1873. 8.

A. Scacchi, note mineralogiche. Mem. I. Napoli 1873. 4.

C. Orthmann, F. Müller, A. Wangerin, Jahrbuch üb. die Fortschritte der Mathematik. Bd. II. Hft. 3. Berlin 1873.

E. Liais, Climats, Géologie, Faune et Géographie botanique du Brésil. Publié par order du gouvernment impérial du Brésil. Paris 1872. 8.

Norges Officielle Statistik der Jahre 1866 — 1871 nebst Beilage. 16 Hefte in 4. Christiania 1869—1873.

P. A. Munch, Nordens aeldste Historia. Christiania. 8. Nebst einer Medaille.

Norsk meteorologisk Aarbog for 1871. Christiania. 4.

J. Lieblein, recherches sur la chronologie égyptienne. Ebd. 1873. 8.

Forhandlingar i Videnskabs-Selskabet i Christiania. Aar 1871. Ebd. 1872. 8.

Sars og Th. Kjerulf, nyt Magazin for naturvidenska-berne. Bd. IX. 1 u. 2. Ebd. 1872. 8.

Lundh, og J. E. Sars, norske Riggsregistranter. Bd. V. 1. 1619—1623. Ebd. 1872. 8.

Beretning om den almindelige Udstilling for Tromsö Stift. Ebd. 1872. 8.

Det Kong. Norske Frederiks Universitets Aarsberetning for aaret 1871. Ebd. 1872. 8.

S. A. Sexe, on the rise of land in Scandinavia. Ebd. 1872. 4.

F. C. Schübeler, die Pflanzenwelt Norwegens. Ebd. 1873. 4.

A. Helland, Forekomster af Kise i visse skiftere i Norge. Ebd 1873. 4.

G. O. Sars, on some remarkable forms of animal life from the great deeps of the Norwegian coast. I. Ebd. 1872. 4.

— carcinologiska bidrag til Norges Fauna. I. 2. Ebd. 1872. 4.

Det kong. Norske Videnskabers-Selskabs Skrifter i det 19de Aarhundrede. Bd. VI. Bd. VII. I. H.   Throndhjem 1872. 8.

Fortegnelse over den Tilvext af Boeger i det K. Norske Selsk. Bibliothek 1863—1870. 8.

Katalog over den Knudtzonske Bogsamling i Throndhjem. 1871. 8.

Katalog over det Kgl. Norske Videnskabernes Selskabs Oldsamling. Throndhjem 1871. 8.

Mémoires de la Société R. des sciences de Liège. 2 Série. T. III. Liège 1873. 8.

Nature 187. 188.

Giuseppe de Montemajor, Cenno storico delle città di Suessola e di Arienzo. Napoli 1872. 8.

Dr. C. Bruhns, Astronomisch-Geodätische Arbeiten im Jahre 1871. Publication des Königl. Preuss. Geodätischen Instituts. Leipzig 1873. 4.

Archives Néerlandaises des Sciences exactes et naturelles. T. VII, 4ème et 5ème Livraison. La Haye 1872. 8.

(Fortsetzung folgt).

Nachrichten

von der Königl. Gesellschaft der Wissenschaften und der G. A. Universität zu
Göttingen.

| 30. Juli. | № 20. | 1873. |

Universität.

Verzeichniss der Vorlesungen auf der Georg-
Augusts-Universität zu Göttingen während des
Winterhalbjahrs 18⁷⁸/₇₄. Die Vorlesungen be-
ginnen den 15. October und enden den 14. März.

Theologie.

Biblische Theologie des Alten Testaments: Prof. *Bertheau* fünfmal um 11 Uhr.

Geschichte des Volkes Israel: Lic. *Duhm* viermal,
Mont. Dienst. Donnerst. Freit., um 10 Uhr.

Theologie der Propheten: *Derselbe* zweistündig, Mittw.
und Sonnab., um 10 Uhr.

Biblische Theologie des Neuen Testamentes: Prof.
Ritschl fünfmal um 11 Uhr.

Einleitung ins Neue Testament: Prof. *Wiesinger* fünfmal um 11 Uhr.

Geschichte des Neutestamentlichen Kanons: Prof. *Zahn*
zweistündig um 12 Uhr.

Erklärung der Psalmen. Prof. *Bertheau* sechsmal um
10 Uhr.

Erklärung des Evangeliums Johannis: Prof. *Zahn*
fünfmal um 9 Uhr.

Erklärung sämmtlicher Paulinischer Briefe mit Ausnahme des Römerbriefs: Prof. *Wiesinger* fünfmal um
9 Uhr.

47

Erklärung des Römer- und Galaterbriefes: Prof. *Lünemann* fünfmal um 9 Uhr.

Kirchengeschichte I. Hälfte: Prof. *Duncker* sechsmal um 8 Uhr.

Kirchengeschichte II. Hälfte: Prof. *Wagenmann* sechsmal um 8 Uhr.

Kirchengeschichte der neueren Zeit: Prof. *Duncker* vierstündig um 4 Uhr.

Dogmengeschichte: Prof. *Wagenmann* fünfmal um 4 Uhr.

Geschichte der neueren und neuesten Theologie mit Berücksichtigung der allgemeinen Cultur- und Literaturgeschichte: Prof. *Ehrenfeuchter* vierstündig, Montag, Dienstag, Donnerstag, Freitag um 12 Uhr.

Comparative Symbolik: Prof. *Schöberlein* viermal um 5 Uhr.

Dogmatik Th. I.: Prof. *Schöberlein* vierstündig um 12 Uhr.

Prolegomena der Dogmatik: *Derselbe* zweistündig, Mittw. und Sonnab., um 12 Uhr öffentlich.

Theologische Ethik: Prof. *Ritschl* fünfmal um 12 Uhr.

Das gesammte System der praktischen Theologie: Prof. *Ehrenfeuchter* fünfmal um 3 Uhr.

Christliche Pädagogik: Prof. *Schoeberlein* Donnerstags und Freitags um 6 Uhr.

Kirchenrecht und Geschichte der Kirchenverfassung s. unter Rechtswissenschaft S. 558.

Die Uebungen des königl. homiletischen Seminars leiten abwechslungsweise Prof. *Ehrenfeuchter* und Prof. *Wiesinger* Sonnabend von 9—12 Uhr öffentlich.

Katechetische Uebungen: Prof. *Wiesinger* Mittwochs von 5—6 Uhr, Prof. *Wagenmann* Sonnabends von 3—4 Uhr öffentlich.

Die liturgischen Uebungen des praktisch-theologischen Seminars leitet Prof. *Schöberlein* Mittwochs um 6 und Sonnabends von 9—11 Uhr öffentlich.

Eine theologische Societät leitet Prof. *Duncker*; eine theologische Societät Prof. *Schöberlein* Dienstags um 6 Uhr; eine historisch-theologische Societät Prof. *Wagenmann* Freitags um 6 Uhr; patristische Uebungen Prof. *Zahn* wöchentlich einmal.

Die systematischen, kirchengeschichtlichen und exegetischen Conversatorien im theologischen Stift, sowie die cursorischen Lectionen alt- und neutestamentlicher Schriften werden in gewohnter Weise von den Repetenten gehalten werden.

Repetent *Lemme* wird die Augsburgische Confession mit Vergleichung der übrigen symbolischen Bücher der evangelischen Kirche erklären Montags und Donnerstags um 5 Uhr und ein dogmatisches Repetitorium halten Montags 8—10 und Freitags 6—8 Uhr Abends.

Rechtswissenschaft.

Institutionen des römischen Rechts: Prof. *Ribbentrop* sechsmal wöchentlich von 12—1 Uhr, und Dienstags auch von 5-6 Uhr.

Geschichte des römischen Rechts: Prof. *Ribbentrop* täglich von 10—11 Uhr.

Geschichte des römischen Civilprocesses: Prof. *Hartmann* Dienstag, Mittwoch und Freitag von 4—5 Uhr.

Pandekten mit Ausnahme des Familien- und Erbrechts, nach Puchta's Pandekten: Prof. *von Ihering* an den fünf ersten Wochentagen von 10—12½ Uhr.

Römisches Familienrecht: Prof. *Hartmann* Dienstags von 5—6 Uhr öffentlich.

Römisches Erbrecht: Prof. *Wolff* fünfmal wöchentlich von 9—10 Uhr.

———

Deutsche Staats- und Rechtsgeschichte: Prof. *Frensdorff* fünfstündig wöchentlich von 3—4 Uhr.

Erklärung deutscher Rechtsquellen älterer und neuerer Zeit: Prof. *Frensdorff* Montags 6 Uhr, öffentlich.

Deutsches Privatrecht einschliesslich des Lehnrechts: Prof. *Dove* fünfmal von 9 11 Uhr.

Handelsrecht, Wechselrecht und Seerecht: Prof. *Thöl* fünfmal wöchentlich von 12—1 Uhr.

Landwirthschaftsrecht: Prof. *Ziebarth* Montags, Dienstags und Donnerstags um 3 Uhr.

Preussisches Erbrecht: Prof. *Ziebarth* Freitags um 5 Uhr, öffentlich.

———

Deutsches Strafrecht: Prof. *Ziebarth* fünfstündig um 11 Uhr, Dr. *Bierling* viermal wöchentlich von 10—11 Uhr.

———

Deutsches Reichs- und Bundesrecht: Prof. *Zachariä* vierstündig um 12 Uhr.

Deutsches Staatsrecht: Prof. *Frensdorff* fünfstündig wöchentlich von 10—11 Uhr.

Kirchenrecht einschliesslich des Eherechts: Prof. *Dove* fünfmal wöchentlich von 3—4 Uhr.

Geschichte der Kirchenverfassung und des Verhältnisses von Staat und Kirche: Prof. *Dove* Mittwochs u. Freitags von 5—6 Uhr, öffentlich.

Theorie des Civilprocessrechts: Prof. *Briegleb* achtstündig von 4 - 6 Uhr.

Deutscher Strafprocess: Prof. *Zachariae* fünfstündig um 11 Uhr.

Civilprocesspracticum: Prof. *Hartmann* Montags und Donnerstags von 4—6 Uhr.

Gerichtliche Medicin und öffentliche Gesundheitspflege siehe unten Medicin S. 561.

Medicin.

Zoologie, vergleichende Anatomie, Botanik, Chemie siehe unter Naturwissenschaften.

Medicinische Propaedeutik trägt Prof. *Krause* Mittwoch von 8—9 Uhr öffentlich vor.

Knochen- und Bänderlehre: Prof. *Henle* Dienstag, Freitag, Sonnabend von 11—12 Uhr.

Systematische Anatomie I. Theil: Prof. *Henle* täglich von 12—1 Uhr.

Topographische Anatomie: Prof. *Henle* Mont. Mittw. und Donnerst. von 2   3 Uhr.

Secirübungen, in Verbindung mit Prosector Dr. *v. Brunn* täglich von 9—4 Uhr.

Mikroskopische Curse hält Prof. *Krause* im pathologischen Institute für normale Histologie um 11 Uhr, für pathologische Histologie um 12 oder um 2 Uhr vier Mal wöchentlich.

Mikroskopische Uebungen (normale Gewebelehre) hält Dr. *von Brunn*, in vier zu verabredenden Stunden

Ueber Theorie und Gebrauch des Mikroskops: Dr. *von Brunn*, eine Stunde, unentgeltlich.

Allgemeine und besondere Physiologie mit Erläuterungen durch Experimente und mikroskopische Demonstrationen: Prof. *Herbst* in sechs Stunden wöchentlich um 10 Uhr.

Experimentalphysiologie II. Theil (Physiologie des Nervensystems und der Sinnesorgane): Prof. *Meissner* täglich von 10—11 Uhr.

Arbeiten im physiologischen Institute leitet Prof. *Meissner* täglich in passenden Stunden.

Allgemeine Pathologie und Therapie lehrt Prof. *Krämer* Montag, Dienstag, Donnerstag, Freitag von 4—5 Uhr oder zu anderen passenden Stunden, Prof. *Marmé* gleichfalls viermal wöchentlich, Montag, Dienstag, Mittwoch, Donnerstag von 12—1 Uhr.

Pathologische Anatomie lehrt Prof. *Krause* Dienstag und Freitag um 2 Uhr, Mittwoch und Sonnabend um 12 Uhr.

Physikalische Diagnostik in Verbindung mit praktischen Uebungen an Gesunden und Kranken lehrt Dr. *Wiese* viermal wöchentlich in später näher zu bezeichnenden Stunden.

Pharmakologie oder Lehre von den Wirkungen und der Anwendungsweise der Arzneimittel sowie Anleitung zum Receptschreiben: Prof. *Marx* Montag, Dienstag, Donnerstag und Freitag von 3—4 Uhr.

Arzneimittellehre in ihrem ganzen Umfange mit Uebungen im Receptiren, pharmakognostischen Demonstrationen und Versuchen an Thieren trägt Prof. *Husemann* fünfmal wöchentlich von 5—6 Uhr vor; Dasselbe gleichfalls in Verbindung mit Demonstrationen der Arzneimittel und mit experimenteller Begründung ihrer physiologischen und toxischen Wirkung lehrt Prof. *Marmé* viermal wöchentlich von 5—6 Uhr.

Pharmakologische und toxikologische Untersuchungen leitet Prof. *Marmé* im neu eingerichteten pharmakologischen Institut täglich zu passenden Stunden.

Uebungen und Untersuchungen auf dem Gebiete der Pharmakologie und Toxikologie leitet in näher zu bestimmenden Stunden Prof. *Husemann* privatissime und gratis.

Pharmacie lehrt Prof. *Wiggers* 6mal wöchentlich von 8—9 Uhr; Dasselbe Dr. *Stromeyer* privatissime.

Die forensisch wichtigsten Gifte bespricht und erläutert durch Experimente öffentlich am Freitag von 12—1 Uhr Prof. *Marmé.*

Ausgewählte Capitel der Toxikologie trägt Prof. *Husemann* Montag und Donnerstag von 12—1 Uhr öffentlich vor.

Specielle Pathologie u. Therapie: Prof. *Hasse* Dienstag, Mittwoch, Donnerstag, Freitag von 4—5 Uhr.

Ueber Hautkrankheiten und Syphilis trägt Prof. *Krämer* 3 stündlich vor.

Die medicinische Klinik und Poliklinik leitet Prof. *Hasse* täglich von 10¹/₂—12 Uhr.

Geschichte der Chirurgie trägt Prof. *Baum* Mittwoch von 5 - 6 Uhr öffentlich vor

Allgemeine Chirurgie: Prof. *Lohmeyer* fünfmal wöchentlich von 5—6 Uhr.

Die Lehre von der Entzündung und Eiterung trägt Dr. *Rosenbach* ein Mal wöchentlich in zu verabredender Stunde öffentlich vor.

Chirurgie II. Theil: Prof. *Baum* fünfmal wöchentlich von 6—7 Uhr, Sonnabend von 2—3 Uhr.

Die Lehre von den chirurgischen Operationen trägt Prof. *Lohmeyer* vier Mal wöchentlich von 6 - 7 Uhr, Dr. *Rosenbach* vier Mal wöchentlich von 5 - 6 Uhr vor.

Die chirurgische Klinik im Ernst-August Hospitale leitet Prof *Baum* täglich von 9—10¹/₂ Uhr.

Chirurgische Klinik leitet Prof. *Lohmeyer* täglich um 9 Uhr.

Praktische Uebungen im Gebrauch des Augenspiegels leitet Prof. *Leber* Mittwoch u Sonnabend von 12—1 Uhr.

Augenoperationscursus hält Prof. *Leber* zwei Mal wöchentlich in noch zu verabredenden Stunden.

Klinik der Augenkrankheiten hält Prof. *Leber* Montag, Dienstag, Donnerstag, Freitag von 12—1 Uhr.

Geburtskunde trägt Prof. *Schwartz* Montag, Dienstag, Mittwoch, Donnerstag, Freitag um 3 Uhr vor.

Ueber Krankheiten der Wöchnerinnen liest Dr. *Hartwig* Dienstag und Freitag von 4—5 Uhr.

Geburtshülflichen Operationscursus am Phantom hält Dr. *Hartw g* Mittwoch und Sonnabend um 8 Uhr.

Geburtshülflich-gynaekologische Klinik leitet Prof. *Schwartz* Mont., Dienst., Donnerst. und Freit. um 8 Uhr.

Geburtshülfliches Repetitorium hält Dr. *Hartwig* in zu verabredenden Stunden.

Pathologie und Therapie der Geisteskrankheiten lehrt Prof. *Meyer* Mittwoch und Sonnabend von 3—4 Uhr im Ernst-August Hospitale.

Psychiatrische Klinik hält *Derselbe* Montag und Donnerstag je in 2 Stunden, von 4—6 Uhr.

Gerichtliche Medicin trägt Prof. *Krause* für Mediciner und Juristen Mittw. u. Sonnab. von 4—5 Uhr vor.

Ueber öffentliche Gesundheitspflege trägt Prof. *Meissner* Montag, Mittwoch, Donnerstag von 5—6 Uhr vor.

Anatomie und Physiologie der Hausthiere nebst Pferde- und Rindviehkunde lehrt Dr. *Esser* sechs Mal wöchentlich von 8—9 Uhr.

Die Theorie des Hufbeschlags trägt Dr. *Esser* öffentlich in zu verabredenden Stunden vor.

Philosophie.

Allgemeine Geschichte der Philosophie: Prof. *Peip*, fünf Stunden, 3 Uhr. — Geschichte der alten Philosophie: Dr. *Pripers*, fünf Stunden, 6 Uhr. — Geschichte der neuern Philosophie, mit Einleitung über Patristik und Scholastik: Prof. *Baumann*, Mont. Dienst. Donnerst. u. Freit., 5 Uhr.

Logik und Encyclopädie der Philosophie: Prof. *Lotze*, vier Stunden, 10 Uhr.

Metaphysik: Dr. *Stumpf*, vier Stunden, 8 Uhr. — Dr. *Rehnisch*, vier Stunden.

Psychologie: Prof. *Lotze*, vier Stunden, 4 Uhr.

Religionsphilosophie: Prof. *Bohtz*, Dienst. und Freit. 4 Uhr; Prof. *Peip*, vier Stunden, 5 Uhr.

Aesthetik: Prof. *Bohtz*, Mont. Dienst. und Donnerst. 11 Uhr.

Naturrecht: Prof. *Baumann*, Mont. Dienst. Donnerst. Freit. 3 Uhr.

Ueber Moralstatistik, insbesondere über das Verhältniss ihrer Ergebnisse zur Willensfreiheit: Dr. *Rehnisch*, Mittw. und Sonnabend, 10 Uhr, unentgeltlich.

Prof. *Baumann* wird in einer philosophischen Societät Kants Kritik der ästhetischen Urtheilskraft behandeln, Mont. 6 Uhr, und in einer andern logische Uebungen über das 1. Buch von Aristoteles Politik anstellen, Donnerst. 6 Uhr.

In seinen philosophischen Societäten wird Prof. *Peip* Abends 6—7 Uhr am Montag die Grundlehren der Logik nach Trendelenburgs »Elementa logices Aristote-

leae‹ entwickeln, am Freitag das 1. Buch der aristotelischen Metaphysik erklären.

Dr. *Peipers* wird in seinen philosophisch-philologischen
Societäten Mont. 7 Uhr Platos Philebus, Donnerst. 7 Uhr
Abschnitte aus Ritters und Prellers historia philosophiae
graecae et romanae erklären.

————

Grundzüge der neuern Erziehungslehre: Prof. *Krüger*,
zwei Stunden.

Die Uebungen des K. pädagogischen Seminars leitet
Prof. *Sauppe*, Donnerst. und Freit. 11 Uhr.

Mathematik und Astronomie.

Algebraische Analysis mit einer Einleitung über die
Grundbegriffe der Arithmetik: Prof. *Stern*, fünf Stunden, 11 Uhr.

Analytische Geometrie des Euklidischen, des Gaussischen und des Riemannschen Raumes: Prof. *Schering*,
vier Stunden.

Analytische Geometrie des Raumes: Dr. *Voss*, Mont.
Dienst. Donnerst. Freit. 8 Uhr.

Theorie der algebraischen Formen und Anwendung
derselben auf die Theorie der Curven: Dr. *Voss*, drei
Stunden und 1 Stunde Uebungen.

Einleitung in die Theorie der Curven dritter Ordnung: Dr. *Voss*, Sonnabend 8 Uhr unentgeltlich.

Theorie der realen, der imaginären und der idealen
Zahlen: Prof. *Schering*, vier Stunden, 12 Uhr.

Differential- und Integralrechnung: Prof. *Enneper*,
Montag bis Sonnabend, 12 Uhr.

Theorie der bestimmten Integrale: Prof. *Stern*, vier
Stunden, 10 Uhr.

Ausgewählte Capitel aus der Theorie der algebraischen Gleichungen: Dr. *Minnigerode*, zwei Stunden.

Theorie der complexen Funktionen, insbesondere die
Theorie der elliptischen Funktionen und deren Anwendungen: Prof. *Schering*, vier Stunden, 11 Uhr.

Mathematische Theorie der Electricität: Prof. *Riecke*,
Mont. Dienst. Donnerst. Freit. 9 Uhr.

Analytische Mechanik: Prof. *Ulrich*, fünf Stunden,
10 Uhr.

Ausgewählte Kapitel aus der Lehre von der Electricität: Prof. *Schering*, für die Mitglieder des math.-phy-
sikalischen Seminars, Mittw. 9 Uhr.

Theoretische Astronomie: Prof. *Klinkerfues*, Montag, Dienstag, Mittwoch und Donnerstag, 12 Uhr.

In dem mathematisch-physikalischen Seminar leitet mathematische Uebungen Prof. *Stern*, Mittwoch 10 Uhr; giebt Anleitung zur Anstellung astronomischer Beobachtungen Prof. *Klinkerfues*, in einer passenden Stunde. Vgl. *Naturwissenschaften* S. 564.

Mathematische Societät, privatissime: Prof. *Schering*, in noch zu bestimmender Stunde.

Naturwissenschaften.

Allgemeine Naturgeschichte der Thiere nebst kritischer Darlegung des Darwinismus, für Hörer aus allen Fakultäten: Prof. *Claus*, Mont. Mittw. Donnerst., 6 Uhr Abends.

Vergleichende Anatomie der Wirbelthiere nebst zoologischer Uebersicht der Hauptgruppen derselben: Prof. *Claus*, 5 Stunden, 8 Uhr.

Vergleichende Anatomie des Urogenital-Apparates: Prof. *Claus*, Sonnabend 8 Uhr, öffentlich.

Die zoologischen Uebungen leitet Prof. *Claus* täglich zu passender Zeit.

Einleitung in das Studium der Botanik: Prof. *Bartling*, Mont. Dienst. Donnerst. Freit. 12 Uhr.

Anatomie und Physiologie der Pflanzen: Prof. *Grisebach*, Mont. Dienst. Donnerst. Freit., 4 Uhr, und in Verbindung mit mikroskopischen Demonstrationen im physiologischen Institut, Sonnabend um 10 Uhr.

Geographie der Pflanzen: Prof. *Grisebach*, Donnerst. und Freit. 5 Uhr.

Naturgeschichte der kryptogamischen Gewächse: Prof. *Bartling*, Mont. Dienst. Donnerst. Freit. 2 Uhr.

Demonstrationen in den Gewächshäusern des botanischen Gartens giebt *Derselbe* Mittw. 11 Uhr, öffentlich.

Botanische Excursionen in bisheriger Weise: Prof. *Bartling*.

Ueber den Ursprung und die geognostische Beschaffenheit des Alpengebirges: Prof. *Sartorius von Waltershausen*, Mont. und Donnerst., 6 Uhr, öffentlich.

Krystallographie, einschliesslich der Krystalloptik: Prof. *Listing*, vier Stunden, 4 Uhr.

Palaeontologie: Prof. *v. Seebach*, fünf Stunden, 9 Uhr.

Praktische Uebungen in der Mineralogie und Krystallographie: Prof. *Sartorius von Waltershausen*, Donn. 2—4 Uhr.

Petrographische und palaeontologische Uebungen leitet Prof. *von Seebach*, in gewohnter Weise, Mont. und Donnerst. 10 – 1 Uhr, privatissime, aber unentgeltlich.

Die in der Geologie Fortgeschrittneren ladet Prof. *v. Seebach* zu der geologischen Gesellschaft ein, Dienstags Abends 6—8 Uhr.

Physik, zweiter Theil: über Electricität, Magnetismus, Wärme und Licht: Prof. *Weber*, Montag, Dienstag, Donnerstag und Freitag, 5 Uhr.

Ueber das Auge und das Mikroskop: Prof. *Listing*, privatissime in bequemen Stunden.

Die praktischen Uebungen im physikalischen Laboratorium leitet Prof. *Riecke*, Mittw. u. Sonnabend, 9—1 Uhr.

Theorie der Electricität: vgl. *Mathematik* S. 562.

Physikalisches Colloquium: Prof. *Listing*, Sonnabend 10 – 12 Uhr.

In dem mathematisch-physikalischen Seminar leitet physikalische Uebungen Prof. *Listing*, Mittwoch um 11 Uhr. Siehe *Mathematik und Astronomie* S. 563.

Chemie: Prof. *Wöhler*, sechs Stunden, 9 Uhr.

Allgemeine organische Chemie: Prof. *Hübner*, Montag bis Freitag, 12 Uhr.

Organische Chemie, für Mediciner: Prof. *von Uslar*, in später zu bestimmenden Stunden.

Organische Chemie, mit besonderer Rücksicht auf Mediciner: Dr. *Friedburg*, zwei Stunden.

Analytische Chemie: Dr. *Friedburg*, vier Stunden.

Pharmaceutische Chemie: Prof. *von Uslar*, vier Stunden, 4 Uhr.

Agriculturchemie: Prof. *Tollens*, 3 Stunden, 4 Uhr.

Ausgewählte Kapitel der Thierchemie, für Landwirthe: Prof. *Henneberg*, eine Stunde, öffentlich.

Technische Chemie, I. Theil (anorganische Technologie): Dr. *Post*, in Verbindung mit Excursionen.

Die Grundlehren der neueren Chemie: Prof. *Hübner*, Sonnabend, 12 Uhr.

Ueber in der Chemie vorkommende Rechnungen (Stöchiometrie): Prof. *Tollens*, eine Stunde, 4 Uhr, öffentl.

Kurze Uebersicht der wichtigsten organischen Verbindungen: Dr. *Post*, eine Stunde.

Einzelne Zweige der theoretischen Chemie: Dr. *Stromeyer*, privatissime.

Die Vorlesungen üb. Pharmacie s. unter *Medicin* S.5.

Die praktisch-chemischen Uebungen u. Untersuchungen im akademischen Laboratorium leitet Prof. *Wöhler* in Gemeinschaft mit den Herren Prof. *von Uslar* und *Hübner*, nnd den Assistenten Dr. *Jannasch*, Dr. *Friedburg*, Dr. *Post* und Kand. *Polstorff*.

Prof. *Tollens* leitet die praktisch-chemischen Uebungen für Landwirthe im agriculturchemischen Laboratorium täglich (ausser Sonnabends) von 8—12 u. 2 - 4 Uhr.

Prof. *Boedeker* leitet die praktisch-chemischen Uebungen im physiologisch-chemischen Laboratorium, täglich (mit Ausschl. d. Sonnb.) 8—12 und 2—4 Uhr.

Historische Wissenschaften.

Historisch-politische Geographie Europa's Prof. *Pauli*, 4 Stunden, 9 Uhr. .

————

Römische Geschichte: Prof. *Wachsmuth*, Mont. bis Freitag, 12 Uhr.

Geschichte des Zeitalters der französischen Revolution (1789—1815): Dr. *Stern*, fünf Stunden, 11 Uhr.

Geschichte unserer Zeit seit 1815: Prof. *Pauli*, fünf Stunden, 5 Uhr.

Allgemeine Verfassungsgeschichte: Prof. *Waitz*, vier Stunden, 8 Uhr.

Deutsche Geschichte: Prof. *Waitz*, 5 Stunden, 4 Uhr.

Geschichte der deutschen Historiographie im Mittelalter: Prof. *Steindorff*, vier Stunden, 9 Uhr.

Historische Uebungen leitet Prof. *Waitz*, Freitag, 6 Uhr, öffentlich.

Uebungen in der alten Geschichte leitet Prof. *Wachsmuth*, Freit. 6 Uhr, öffentlich.

Historische Uebungen leitet Prof. *Pauli*, eine Stunde, öffentlich.

Historische Uebungen leitet Prof. *Steindorff*, 1 Stunde, öffentlich.

Historische Uebungen über Deutsche Geschichtsquellen des sechszehnten Jahrhunderts: Dr. *Stern*, 1 Stunde, unentgeltlich.

Kirchengeschichte: s. unter *Theologie* §. 556.

Staatswissenschaft und Landwirthschaft.

Die Hauptgrundsätze d. positiven Völkerrechts: Dr. *Dede*.

Volkswirthschaftspolitik (praktische Nationalökonomie): Prof. *Hanssen*, vier Stunden, 5 Uhr.

Finanzwissenschaft, insbesondere die Lehre von den Steuern: Prof. *Hanssen*, 4 Stunden, 12 Uhr.

Polizeiwissenschaft: Dr. *Dede*, Mont. u. Dienst. zu passender Stunde, privatissime.

Einleitung in die Statistik, mit besonderer Berücksichtigung der Bevölkerungsstatistik: Prof. *Wappäus*, Mittwoch und Sonnabend 11 Uhr.

Moralstatistik: s. *Philosophie* S. 561.

Geschichte der Volkswirthschaft: Prof. *Soetbeer*, Mittwoch und Sonnabend, 12 Uhr.

Das Leben und die Wirksamkeit von Johann Büsch: Dr. *Dede*, eine Stunde, unentgeltlich.

Allgem. Verfassungsgeschichte: s. *Historische Wiss.* S. 565.

Landwirthschaftliche Betriebslehre: Prof. *Griepenkerl*, Mont. Dienst. Donnerst. und Freit., 5 Uhr.

Die Ackerbausysteme (Feldwirthschaft, Feldgraswirthschaft, Fruchtwechselwirthschaft u. s. w.): Prof. *Griepenkerl*, in zwei passenden Stunden, öffentlich.

Die landwirthschaftliche Thierproductionslehre (Lehre von den Nutzungen, Raçen, der Züchtung, Ernährung und Pflege des Pferdes, Rindes, Schafes u. Schweines): Prof. *Griepenkerl*, Mont. Dienst. Donnerst. und Freit., 12 Uhr. — Im Anschluss an diese Vorlesungen werden Demonstrationen auf benachbarten Landgütern und in Fabriken, sowie praktische Uebungen gehalten werden.

Landwirthschaftliche Betriebslehre: Prof. *Drechsler*, vier Stunden, 4 Uhr.

Landwirthschaftliche Fütterungslehre: Prof. *Henneberg*, vier Stunden, Mittwoch u. Sonnabend, 11—1 Uhr.

Ueber landwirthschaftliche Pachtverträge: Prof. *Drechsler*. Mittw. 4 Uhr.

Landwirthschaftliches Praktikum: Uebungen im Anfertigen landwirthschaftlicher Berechnungen, Ertragsanschläge, Buchführung: Prof. *Drechsler*, Sonnabend 9—11 Uhr.

Agriculturchemie s. unter *Naturwissenschaften* S. 564. 565.

Anatomie und Physiologie der Hausthiere, Pferde- und Rindviehkunde; Hufbeschlag s. *Medicin* S. 561.

Landwirthschaftsrecht s. *Rechtswissenschaft* S. 557.

Literärgeschichte.

Allgemeine Literaturgeschichte: Prof. *Hoeck*, 4 Stunden, 4 Uhr.

Literaturgeschichte der Araber: Prof. *Wüstenfeld*.

Geschichte der römischen Beredsamkeit: Prof. *von Leutsch*, Mont. Dienst. Donnerst. 3 Uhr.

Allgemeine Geschichte der Poesie des Mittelalters: Prof. *Goedeke*, vier Stunden, um 5 Uhr.

Uebersicht der althochdeutschen Literatur und Erklärung der wichtigsten ahd. Sprachdenkmäler: Dr. *Wilken*, Mittw. und Sonnabend, 10 Uhr.

Geschichte der mittelhochdeutschen Literatur: Dr. *Wilken*, drei Stunden, 4 Uhr.

Geschichte der deutschen Dichtung seit dem Beginn des 17. Jahrhunderts: Assessor *Tittmann*, 5 Stunden, 11 Uhr.

Alterthumskunde.

Sophokles' Theaterwesen und dramatische Kunst wird erörtern und dessen Antigone erklären Prof. *Wieseler*, drei Stunden, 5 Uhr.

Umriss der Griechischen und Römischen Religions- und Kunstsymbolik: Prof. *Wieseler*, Mittw. u. Sonnab. 10 Uhr.

Im k. archäologischen Seminar wird Prof. *Wieseler* ausgewählte Kunstwerke erklären lassen, Sonnabend 12 Uhr. Die schriftlichen Arbeiten der Mitglieder wird er privatissime beurtheilen.

Orientalische Sprachen.

Die Vorlesungen über das A. und N. Testament siehe unter *Theologie* S. 555 f.

Arabische Grammatik nach Kosegarten: Prof. *de Lagarde*, vier Stunden, 11 Uhr.

Unterricht in der arabischen Sprache ertheilt Prof. *Bertheau*, Dienst. und Freit., 2 Uhr.

Literaturgeschichte der Araber: s. *Literaturgeschichte* S. 567.

Seinen Syrischen Cursus, und zwar diesmal für Geübtere, setzt Prof. *de Lagarde* fort, Mittw. 10—12 Uhr, öffentlich.

Grammatik des Sanskrit: Prof. *Benfey*, Mont. Dienst. Donnerst., 4 Uhr.

Interpretation des Rigveda und Sanskritgedichte:
Prof. *Benfey*, Dienst. Donnerst. u. Freit., 5 Uhr.

Griechische und lateinische Sprache.

Hermeneutik u. Kritik: Prof. *Sauppe*, Mont. Dienst.
Donnerst. u. Freit., 9 Uhr.

Sophokles Antigone: s. *Alterthumskunde* S. 567.

Frösche des Aristophanes: Prof. *von Leutsch*, 4 Stunden, 10 Uhr.

Platons Philebus, Aristoteles Politik, Aristoteles Logik
und Metaphysik: s. *Philosophie* S. 561 f.

Geschichte der römischen Beredsamkeit: s. *Literaturgeschichte* S. 567.

Horatius ausgewählte Gedichte: Prof. *Sauppe*, Mont.
Dienst. Donnerst. Freit., 2 Uhr.

Im k. philologischen Seminar leitet die schriftlichen
Arbeiten und Disputationen Prof. *Sauppe*, Mittwoch
von 11—1 Uhr: lässt Ps. Xenophons Schrift von der
Staatsverfassung der Athener erklären Prof. *Wachsmuth*,
Montag u. Dienstag, 11 Uhr; lässt das vierte Buch von
Virgils Georgica erklären Prof. *von Leutsch*, Donnerst.
und Freitag, 11 Uhr, alles öffentlich.

Im philologischen Proseminar leiten die schriftlichen
Arbeiten und Disputationen die Proff. *v. Leutsch* (Mittwoch 10 Uhr), *Sauppe* (Mittwoch 2 Uhr) und *Wachsmuth*
(Sonnab. 11 Uhr); lässt Xenophons Symposion Prof.
Wachsmuth, Sonnabend, 11 Uhr, Vergils viertes Buch
der Georgica Prof. *v. Leutsch* erklären, Mittw. 10 Uhr,
alles öffentlich.

Deutsche Sprache.

Die Grundzüge der altnordischen Sprache: Prof. *W.
Müller*, Dienst. und Freit., 10 Uhr.

Uebersicht der althochdeutschen Literatur und Erklärung der wichtigsten althochdeutschen Sprachdenkmäler: Dr. *Wilken*, Mittw. und Sonnabend, 10 Uhr.

Erklärung des Nibelungenliedes (nebst einer Einleitung über die deutsche Heldensage): Prof. *W. Müller*,
vier Stunden, 3 Uhr.

Den Gregorius Hartmanns von Aue erläutert Dr. *Wilken*, zwei Stunden, 10 Uhr, unentgeltlich.

Ueber Goethes Leben und Schriften: Prof. *Goedeke*,
Mittw. 5 Uhr, öffentlich.

Die Uebungen der deutschen Gesellschaft leitet Prof. *W. Müller*, Dienst., 6 Uhr.

Geschichte der mhd. u. neueren deutschen Literatur: *s. Literärgeschichte*, S. 567.

Neuere Sprachen.

Uebungen in der englischen Sprache: Prof. *Th. Müller*, Donnerst. Freit. und Sonnabend, 12 Uhr.

Geschichte der französischen Sprache: *Derselbe*, Mont. Dienst. Donnerst., 9 Uhr.

Uebungen in der französischen Sprache: *Derselbe*, Mont. Dienst. Mittw., 12 Uhr.

In der romanischen Societät wird *Derselbe*, Freit. 9 Uhr, öffentlich ausgewählte provenzalische Dichtungen erklären lassen.

Schöne Künste. — Fertigkeiten.

Geschichte der Malerei (nach seiner Uebersicht der Bildhauer- und Malerschulen, Göttingen 1860): Prof. *Unger*, Dienst. Donnerst. Freit. 3 Uhr, mit Erläuterungen durch zahlreiche Abbildungen.

Unterricht im Zeichnen, wie im Malen, ertheilen Zeichenmeister *Grape*, und, mit besonderer Rücksicht auf naturhistorische und anatomische Gegenstände, Zeichenlehrer *Peters*.

Geschichte der neueren Musik von Palestrina bis in die letzte Zeit: Prof. *Krüger*, zwei Stunden.

Harmonie- und Kompositionslehre, verbunden mit praktischen Uebungen: Musikdirector *Hille*, in passenden Stunden.

Zur Theilnahme an den Uebungen der Singakademie und des Orchesterspielvereins ladet *Derselbe* ein.

Reitunterricht ertheilt in der K. Universitäts-Reitbahn der Univ.-Stallmeister *Schweppe*, Mont., Dienst., Donnerst., Freit., Sonnab., Vormitt. von 8—12 und Nachm. (ausser Sonnab.) von 3—4 Uhr.

Fechtkunst lehrt der Universitätsfechtmeister *Grüneklee*, Tanzkunst der Universitätstanzmeister *Hültzke*.

Oeffentliche Sammlungen.

Die *Universitätsbibliothek* ist geöffnet Montag, Dienstag, Donnerstag und Freitag von 2 bis 3, Mittwoch und Sonnabend von 2 bis 4 Uhr. Zur Ansicht auf der Bibliothek erhält man jedes Werk, das man in gesetzlicher Weise verlangt; über Bücher, die man geliehen zu bekommen wünscht, giebt man einen Schein, der von einem hiesigen Professor als Bürgen unterschrieben ist.

Ueber den Besuch und die Benutzung des *Theatrum anatomicum*, des *physiologischen Instituts*, der *pathologischen Sammlung*, der *Sammlung von Maschinen und Modellen*, des *zoologischen* und *ethnographischen Museums*, des *botanischen Gartens*, der *Sternwarte*, des *physikalischen Cabinets*, der *mineralogischen* und der *geognostisch-paläontologischen Sammlung*, der *chemischen Laboratorien*, des *archäologischen Museums*, der *Gemäldesammlung*, der *Bibliothek des k. philologischen Seminars*, des *diplomatischen Apparats*, bestimmen besondere Reglements das Nähere.

Bei dem Logiscommissär, Pedell *Fischer* (Burgstr. 42), können die, welche Wohnungen suchen, sowohl über die Preise, als andere Umstände Auskunft erhalten, und auch im voraus Bestellungen machen.

Nachrichten

von der Königl. Gesellschaft der Wissenschaften und der G. A. Universität zu
Göttingen.

6. August.   № 21.   1873.

Königliche Gesellschaft der Wissenschaften.

Ueber die Fourierschen Reihen

von

Professor Dr. Paul du Bois-Reymond

in Freiburg im Breisgau.

Der Kön. Gesellschaft vorgelegt von
Ernst Schering.

Bei Fortsetzung seiner Untersuchungen über
die allgemeine Theorie der willkürliche Functionen darstellenden Integrale und Reihen ist der
Verfasser nachfolgender Mittheilung zu einigen
neuen Ergebnissen gelangt, welche speciell die
Fourier'schen Reihen angehen, und erlaubt sich
dieselben einer hohen Societät in kurzer Uebersicht hiermit vorzulegen.

Ueber Darstelbarkeit stetiger Functionen durch Fouriersche Reihen.

1.

Im Jahre 1829 veröffentlichte[1]) Lejeune-Dirichlet seinen berühmten Beweis des Satzes, dass die Fouriersche Reihe:

$$F(x) = \frac{1}{2\pi} \sum_{p=-\infty}^{p=+\infty} \int_{-\pi}^{+\pi} d\alpha\, f(\alpha) \cos p\,(\alpha - x)$$

im Intervall $-\pi < x < +p$, überall wo $f(x)$ stetig ist, den Werth $f(x)$ hat, vorausgesetzt, dass $f(x)$ im Intervall $-\pi \leqq x \leqq +\pi$ endlich ist und nur eine endliche Anzahl Maxima hat[2]).

Wenn er hierdurch schon den für die physikalischen Anwendungen störendsten Theil der Bedenken gegen die Legitimität obiger Entwickelung, deren ihr Entdecker nicht hatte Meister werden können, zerstreute, so stellte er am Schlusse seiner Abhandlung einen noch weiter gehenden Satz in bestimmte Aussicht[3]), durch dessen Beweis jene Formel zu wahrhaft philosophischer Bedeutung wäre erhoben worden, indem sie, um nur das Nächstliegende zu folgern, alle so mannigfaltigen Eigenschaften, wenigstens der stetigen Function, in einen explicirten analytischen Ausdruck vereinigt haben würde. Den Beweis hat Dirichlet nicht veröffentlicht, scheint indessen den Glauben an den von ihm angekündigten Satz nicht verloren zu haben[4]), und mehr oder weniger ist die Ueberzeugung von der erweiterten Gültigkeit der Fourier'schen Entwickelung auch in das allgemeine mathematische Bewusstsein eingedrungen.

Wenn von möglichen Ausnahmen die Rede war, so wurden sie allenfalls in dem Gebiete solcher Functionen vermutet, welche längs endlicher Intervalle Punkt für Punkt mit Singularitäten behaftet sind, und denen man wenigstens in den Anwendungen auf physikalische Probleme sicher nicht begegnen wird. In schwerlich anders zu deutender Weise hat sich neuerdings Riemann über diese Frage geäussert[5]). Denn, wenn er sagt, dass die Functionen, auf welche die Dirichlet'sche Untersuchung sich nicht erstreckt, in der Natur nicht vorkommen, so hat er sicherlich nicht solche Functionen gemeint, die nur bei Annäherung an einzelne Argumentwerthe unendlich viele Maxima erhalten, auf welche sich allerdings die Dirichlet'sche Untersuchung auch nicht erstreckt: er kann sie nicht gemeint haben, weil solche Functionen in der Physik sehr häufig vorkommen, — jeder oscillatorische Vorgang, welcher der Ruhe asymptotisch sich nähert, und von der reciproken Zeit abhängig gedacht ist, entspricht einer Function, die bei Annäherung $\dfrac{1}{t} = 0$ unendlich viele Maxima erhält.

2.

Verfasser dieser Mittheilung gehört zu den Mathematikern, welche erhebliche Anstrengungen gemacht haben, um das Gültigkeitsgebiet der Fourier'schen Reihe zu erweitern und jenem in der Dirichlet'schen Behauptung gesteckten hohen Ziele sich zu nähern. Den redlich entrich-

teten Tribut an Zeit und Mühe lohnte Misserfolg
auf Misserfolg, bis in ihm der Verdacht rege und
schliesslich zur Ueberzeugung ward, dass er Un-
möglichem nachstrebe, und dass jener allgemeinste
Satz gar nicht existire. Nun, dieses Brechen mit
der überkommenen Anschauungsweise genügte.

Einige Ueberlegung ergab bald die Bedingungen, unter welchen die Fourier'sche Reihe
bei durchgängiger Endlichkeit und Stetigkeit
der darzustellenden Function für einzelne Argumentwerthe keine endliche bestimmte Summe
haben kann. Diese Bedingungen bestehen in
einer gewissen Art der Aufeinanderfolge der
Maxima einer Function $f(x)$ bei Annäherung an
einen Argumentwerth x_0, bei welcher die Summe
der Fourier'schen Reihe unendlich wird, auch
wenn die Function durchweg, diesen Argumentwerth x_0 eingeschlossen, stetig ist, und, diesen
Argumentwerth ausgenommen, ihre Differentialquotienten es ebenfalls sind. Die wirkliche Darstellung solcher in eine Fourier'sche Reihe nicht
entwickelbaren Functionen ist nicht ganz einfach
und muss in dieser kurzen Mittheilung fortgelas-
sen werden. Es wird vielmehr genügen, das
Princip darzulegen, nach welchem sie zu bilden
sind.

3.

Man weiss, dass es dazu nur erforderlich ist,
eine Function $f(x)$ zu erklären, für welche der
Limes $h = \infty$ des Integrals

$$\int_0^a d\alpha \, f(\alpha) \, \frac{\sin h\alpha}{\sin \alpha}$$

nicht endlich und bestimmt ist, und hierbei kömmt es wieder nur auf das Verhalten von $f(x)$ in unmittelbare Nähe $x = 0$ an.

Wir wollen mit dem Ausdruck Dichtigkeit der Maxima der Function $f(x)$ an der Stelle $x = x_1$ bezeichnen die Längeneinheit, dividirt durch die Summe der Entfernungen des x_1 von den beiden nächsten Maximis von $f(x)$, bei welcher Definition die Dichtigkeit der Maxima eine stetige Function von x_1 ist.

Dies vorbemerkt, setzen wir $f(\alpha) = \varrho(\alpha) \sin \psi(\alpha)$ und nehmen zunächst an, dass $\psi(\alpha)$ für $\alpha = 0$ ohne Maxima unendlich und $\varrho(\alpha)$ ebenso Null wird. Dann wird auch die Dichtigkeit der Maxima von $f(\alpha) = \varrho(\alpha) \sin \psi(\alpha)$ für $\alpha = 0$ ohne Maxima unendlich.

Betrachtet man weiter das Product $f(x) . \dfrac{\sin hx}{\sin x}$, um es in Bezug auf seine Zeichenwechsel zu prüfen, so übersieht man leicht, dass für jeden noch so grossen Werth von h zwischen $x = 0$ und einem Werth $x = x'$ die Dichtigkeit der Maxima von $f(x)$ grösser als die von $\dfrac{\sin hx}{\sin x}$, von x' bis zu einem Werth x'' nahebei gleich, von x'' ab kleiner sein wird. Im ersten Intervall finden bei zunehmenden h dauernd Zeichenwechsel statt, im zweiten periodisch wiederkehrend nahebei keine, im dritten Intervall sind wieder dauernd Zeichenwechsel.

Dies führt zu der Einsicht, dass, wenn der Limes von

$$\int_0^a d\alpha\, f(\alpha)\, \frac{\sin h\alpha}{\sin \alpha}$$

unendlich werden soll, man dies nur dem Theile:

$$\int_{x'}^{x''}$$

wird verdanken können, weil hier keine negativen Theile die positiven aufheben oder umgekehrt.

Es scheint nun, dass unter den obigen An-
nahmen über $\psi(\alpha)$ und $\varrho(\alpha)$ ein solches Unendlichwerden nie stattfindet[6]). Wenn aber über-
haupt ein Unendlich- oder Unbestimmtwerden
jenes mittleren Integrals möglich ist, so kann
die Function $\varrho(\alpha) \sin \psi(\alpha)$ nur deshalb dazu nicht
geeignet sein, weil die Strecke $x' - x''$ mit dem
Minimum der Zeichenwechsel nicht lang genug
ist. Wir müssen sie also vergrössern.

4.

Ich führe zunächst gewisse Intervalle $\varDelta$ des
Arguments x ein, mit folgender Bestimmung.
Das erste gehe von $x = a$ bis $x = a - \varDelta_1 = x_1$,
das zweite von x_1 bis $x_1 - \varDelta_2 = x_2$, u. s. f.
und es sei:

$$\varDelta_1 > \varDelta_2 > \ldots, \quad \varDelta_\infty = 0, \quad \varDelta_1 + \varDelta_2 + \ldots = a$$

Ferner seien $k_1, k_2, \ldots$ Grössen, welche die
Bedingung

$$k_1 > k_2 > \ldots, \quad k_\infty = \infty$$

erfüllen.

Da die Dichtigkeit der Maxima von $\sin kx$ für jeden Werth von k constant ist, so wird eine Function $f(x)$, welche in den Intervallen $\varDelta_1$, $\varDelta_2$, ... resp. die Werthe $\sin k_1 x$, $\sin k_2 x$, ... erhält, in jedem dieser Intervalle constante Dichtigkeit ihrer Maxima haben, und diese Dichtigkeit wird von Intervall zu Intervall springen, bis zu schliesslich unendlichen Werthen.

Setzt man also die unstetige Function, die in den Intervallen $\varDelta_1$, $\varDelta_2$, ... die Werthe $k_1 x$, $k_2 x$, ... annimmt, gleich $\psi(x)$, so wird $f(x)$ $= \varrho(x) \sin \psi(x)$, bei zweckmässiger Verfügung über die Intervalle $\varDelta$ und die Grössen k, das möglichst grosse Stück ohne Zeichenwechsel:

$$\int_{x_p}^{x_{p-1}} \cdot$$

des Integrals:

$$\int_0^a d(\alpha)\, \varrho(\alpha) \sin \psi(\alpha) \frac{\sin h\alpha}{\sin \alpha}$$

ergeben müssen. Nunmehr findet denn allerdings ein Unendlichwerden des Integrals:

$$\int_{x_p}^{x_{p-1}} d\alpha\, \varrho(\alpha) \sin \psi(\alpha) \frac{\sin h\alpha}{\sin \alpha}$$

statt, z. B. wenn:

$$x_p = \frac{a}{\overset{p-1}{\underset{0}{\Pi}} (2^q + 1)}, \quad k_p = \frac{1}{x_{p-1} \, x_p}$$

angenommen wird.

Noch ist die Function sin $\psi'(\alpha)$ mit $\psi(\alpha)$ zugleich unstetig. Mann kann zunächst die Function sin $\psi(\alpha)$ selbst stetig machen, indem man dafür sorgt, dass die an den Sprungstellen von $\psi(x)$ aneinanderstossenden Werthe $k_p \, x_p$ und $k_p \, x_{p+1}$ Vielfache von π sind, worauf ich durch Hrn. Weierstrass aufmerksam gemacht worden bin. Dann kann man aber auch $f(x)$ mit allen seinen Differentialquotienten stetig erhalten, indem man für $\psi(x)$ eine mit allen ihren Differentialquotienten stetige Function $\Psi(\alpha)$ einführt, die sich ihr beliebig nahe anschliesst, was auf verschiedene Arten möglich ist.

Der Verlauf von $\psi(x)$ ist eine gebrochene Linie, welche mit unendlich vielen Maximis (Spitzen) unendlich wird. Die nicht darstellbaren stetigen Functionen sind also in dieser ihrer einfachsten Erscheinung Functionen der Form

$$f(x) = \varrho(x) \sin \Psi(x)$$

wo $\varrho(x)$ mit x ohne Maxima verschwindet, und $\Psi(x)$ bei gegen Null abnehmendem x mit unendlich vielen Maximis stetig unendlich wird.

Ueber die Bedingungen für die Darstellbarkeit einer Function durch Fouriersche Reihen.

5.

Dieses Resultat hat die sehr unerfreuliche Seite, dass fortan für Beweise, welche die Entwickelung unbekannter Functionen nach Fourier'schen Reihen benutzen, nicht allein deren Stetigkeit festzustellen ist, wie man dies bisher fast immer für genügend hielt, sondern, dass auch über den Differentialquotienten etwas bekannt sein muss, woraus erhebliche Schwierigkeiten erwachsen können. Auf alle Fälle, da der Fourier'schen Entwickelung schon innerhalb des Gebietes der gewöhnlichen Functionen die Grenzen ihrer Gültigkeit gezogen sind, so erhält das Problem, ihr Legitimitätsgebiet genau festzustellen, erhöhte Wichtigkeit.

6.

Herr Lipschütz[7]) hat bereits die Untersuchung erledigt, wie weit die Beschränkungen der darzustellenden Function, welche der eingangs angeführte Satz enthält, durch den Gang des Dirichlet'schen Beweises geboten sind, und ist zu der neuen Bedingung gelangt, dass es für die Gültigkeit der Formel

$$F \ldots \frac{\pi}{2} f(0) = \lim_{h=\infty} \int_0^a d\alpha \, f(\alpha) \frac{\sin h\alpha}{\sin \alpha}$$

genügt, wenn in irgend einem noch so kleinen Intervall $0 \leqq x \leqq x_0$ die Differenz $f(x+\delta)-f(x)$ nicht langsamer wie eine Potenz von δ Null wird. Wenn diese Bedingung in einer Beziehung auch über die Dirichlet'sche hinausgeht, so hat sie doch den doppelten Uebelstand, erstens nicht einmal alle durch die Dirichlet'sche Bedingung gestatteten Fälle zu umfassen, und zweitens eine gewiss nicht im Wesen der Sache begründete Clausel zu enthalten. Die Dirichlet'sche Bedingung enthält nämlich gar keine Voraussetzung über das Nullwerden der Differenz $f(x+\delta)-f(x)$ in den Strecken, wo die Function nicht wächst oder nicht abnimmt. Ferner ist die Forderung, dass die Differenz nicht allein für $x = 0$, sondern innerhalb einer an $x = 0$ anstossenden Strecke gewisse Eigenschaften habe, eine Clausel, die nothwendiger Weise überflüssig ist, da man von jeder solchen Strecke, aus welcher der Werth $x = 0$ ausgeschlossen ist, beweisen kann, dass sie ohne Einfluss auf den Limes des Intervalls bleibt.

7.

Man erhält eine andere Bedingung durch eine sehr einfache Anwendung der ursprünglichen Dirichlet'schen, welche die Dirichlet'sche einschliesst, und für den Argumentwerth $x = 0$ weiteren Spielraum, wie die Lipschütz'sche gewährt, aber ihrerseits wieder den Uebelstand hat, von der Function $f(x)$ einen Differentialquotienten zu verlangen.

Sie lautet: die Formel F gilt, wenn das Integral

$$\int\limits_0^a f'(\alpha)\, d\alpha$$

absolut convergent ist.

Da die Einschränkung von $f(x)$, einen Diffe-rentialquotienten zu besitzen, sicherlich auch nicht der Natur der Fourier'schen Reihen eigen-thümlich ist, indem Hr. Weierstrass gerade mit ihnen seine Functionen ohne Differentialquotien-ten darstellt, so konnte ich bei dieser Bedingung nicht stehen bleiben, und stellte, auf demselben Wege vorgehend, schliesslich eine Bedingung dar, bei der ich mich beruhigt habe, welche kei-nen Differentialquotienten enthält, und einen viel grösseren Spielraum der darzustellenden Function gewährt, als die drei vorigen. Diese Bedingung ist folgende. **Die Formel F gilt, wenn das Integral**

$$\int\limits_0^a d\alpha\, \frac{d}{d\alpha}\, \frac{1}{\alpha} \int\limits_0^\alpha d\beta\, f(\beta)$$

absolut convergent ist.

Dies ist z. B. der Fall, wenn sich $f(x)$ auf die Form bringen lässt:

$$\text{constans} + \frac{\varphi(x)}{x\, l_0\dfrac{1}{x}\, l_1\dfrac{1}{x}\ldots l_r^\mu\dfrac{1}{x}},$$

$$l_0\frac{1}{x}=\frac{1}{x},\quad l_1\frac{1}{x}=\log\frac{1}{x},\quad l_2\frac{1}{x}=\log\log\frac{1}{x},\ldots,$$

$$\mu > 1$$

in der $\varphi(x)$ endlich sei, und r eine der Zahlen 0, 1, 2, ... vorstellt, in welcher Form die Lipschütz'sche Bedingung enthalten ist. Jenes Integral convergirt aber auch in unzähligen andern Fällen absolut, da die Bedingung der absoluten Convergenz Nichts über die Stärke des Unendlichwerdens der Maxima der Function unter dem Integralzeichen vorschreibt.

Uebrigens finden die beiden von mir aufgestellten, die Integrale

$$\int\limits_0^a d\alpha\, f''(\alpha), \quad \int\limits_0^a d\alpha\, \frac{d}{d\alpha}\, \frac{1}{\alpha} \int\limits_0^\alpha d\beta\, f(\beta)$$

betreffenden Bedingungen in der allgemeinen Theorie der darstellenden Integrale und Reihen ihre wahre Deutung und und Bedeutung, worauf ich hier indessen nicht weiter eingehe.

Für die Fourier'sche Reihe ist die vorstehende Bedingung allerdings noch nicht die nothwendige, wie ich durch Beispiele festgestellt habe, sie kommt ihr aber sehr nahe, wie ich ebenfalls an Beispielen erkannte, u. A. an den nicht darstellbaren Functionen, von denen in dieser Mittheilung die Rede war.

Anmerkungen.

1) Crelle Journal 4. Bd. p. 157.

2) Kürzerem Ausdruck zu Liebe, wollen wir den Begriff des Maximums auf unstetige Functionen ausdehnen, indem wir sagen, eine Function $f(x)$ hat für $x = a$ ein Maximum, wenn die ersten Functionalwerthe für $x < a$

und $x > a$, die von $f(a)$ verschieden sind, kleiner als $f(a)$ sind.

3) Die Stelle (l. c. p. 169) lautet:

Il nous resterait à considérer les cas ou les suppositions que nous avons faites sur le nombre des solutions de continuité et sur celui des valeurs maxima et minima cessent d'avoir lieu. Ces cas singuliers peuvent être ramenés à ceux que nous venons de considérer. Il faut seulement pour que la série (8) présente un sens, lorsque les solutions de continuité sont en nombre infini, que la fonction $q(x)$ remplisse la condition suivante. Il est nécessaire qu'alors la fonction $q(x)$ soit telle que, si l'on désigne par a et b deux quantités quelconques comprises entre $-\pi$ et $+\pi$, on puisse toujours placer entre a et b d'autres quantités r et s assez rapprochées pour que la fonction reste continue dans l'intervalle de r à s. On sentira facilement la necessité de cette restriction, en considérant que les differents termes de la série sont des integrales définies et en remontant à la notion fondamentale des intégrales. On verra alors que l'intégrale d'une fonction ne signifie quelque chose, qu'autant que la fonction satisfait à la condition précédemment énoncée. On aurait un exemple d'une fonction qui ne remplit pas cette condition, si l'on supposait $q(x)$ égale à une constante déterminée i, lorsque la variable obtient une valeur rationelle, et égale à une autre constante d, lorsque cette variable est irrationelle. La fonction ainsi définie a des valeurs finies et déterminées pour toute valeur de x, et cependant on ne pourrait la substituer dans la série, attendu que les differentes intégrales, qui entrent dans cette série, perdraient toute signification dans ce cas. La restriction que je viens de préciser et celle de ne pas devenir infinie, sont les seules auxquelles la fonction $q(x)$ soit sujette, et tous les cas qu'elles n'excluent pas peuvent être ramenés à ceux que nous avons considérés dans ce qui précède.

4) Nach einer mündlichen Mittheilung des Herrn Weierstrass.

5) Ueber die Darstellbarkeit einer Function durch eine trigonometrische Reihe, pag. 16. Die Stelle lautet:

In der That für alle Fälle der Natur, um welche es sich allein handelte, war sie (die Frage nach der Convergenz der Fourierschen Reihen) vollkommen erledigt;

denn so gross auch unsere Unwissenheit darüber ist, wie sich die Kräfte und Zustände der Materie nach Ort und Zeit im Unendlichkleinen ändern, so können wir doch sicher annehmen, dass die Functionen, auf welche sich die Dirichlet'sche Untersuchung nicht erstreckt, in der Natur nicht vorkommen.

6) Es gelingt zu zeigen, dass die Strecke, in welcher die Zeichenwechsel periodisch wiederkehrend beinahe aufhören, kein Unendlichwerden des Integrals bedingen kann. Schwierig ist aber der Nachweis, dass der Rest des Integrals endlich bleibt.

7) Borchardts Journal 63. Bd. p. 286.

Verzeichniss der bei der Königl. Gesellschaft der Wissenschaften eingegangenen Druckschriften.

Mai und Juni 1873.

(Fortsetzung).

Resumé des observations sur la Météorologie et sur la Physique du globe. 1871.

Martyn Paine, physiology of the soul and instinct. New York 1872. 8.

— the institutes of medicine. Ebd. 1870. 8.

G. E. Ellis, memoir of Sir Benjamin Thompson Count Rumford. Published by the American Academy of Arts and Sciences, Boston. Philadelphia. 8.

The American Ephemeris and Nautical Almanac. 1875. Washington 1872. gr. 8.

Archives of Science and Transactions of the Orleans County Society of Natural Sciences. Vol. I. July 1871. Nr. IV. Vol. I. October 1872. Nr. V. 8.

Bulletin de la Société Ouralienne d'amateurs des Sciences Naturelles. T. I. 1er cahier. Ekaterinenburg 1873. gr. 8.

Juli 1873.

Nature 189. 190. 191.

Monatsbericht der Königl. Preuss. Akademie der Wissenschaften. Februar 1873.

Bulletin of the Buffalo Society of Natural Sciences. Vol. I. Nr. 1. Buffalo 1873. 8.

Proceedings of the London Mathematical Society. Nos. 54. 55. 8.

Jahres-Bericht der Lese- und Redehalle der deutschen Studenten zu Prag. Vereinsjahr 1872—73. Prag 1673. 8.

Sitzungsberichte der königl. böhmischen Gesellschaft der Wissenschaften in Prag. Nr. 3. 1873. 8.

Bulletin de l'Académie R. des Sciences etc. de Belgique. 42e année, 2e série, tome 35. Nr. 5. Bruxelles 1873 8.

Extrait du Bulletin des Sciences mathématiques et astronomiques par M. R. Lipschitz. Paris 1873. 8.

ТРУДЫ. ТОМБ I. ВЫПУСКЬ II. САНК-ТНЕТЕРБУРГЬ. T. II. — B. I. 1872. 73. gr. 8.

Nature 192. 194. 195. 196.

Mémoires de l'Académie Imp. des Sciences de St.-Pétersbourg. VIIe série. T. XVIII. Nr. 8. 9. 10 et dernier. T. XIX. Nr. 1. 2. St.-Pétersbourg 1872. 4.

Bulletin de l'Académie Imp. de St.-Pétersbourg. T. XVII. Nr. 4. 5 et dernier. T. XVIII. Nr. 1. 2. Ebd. 4.

Bulletin de la Société Imp. des Naturalistes de Moscou. Année 1872. Nr. 4. Moscou 1873. 8.

Transactions of the R. Society of Edinburgh. Vol. XXVI. Part IV. For the Session 1871—72. Edinburgh. 4.

Proceedings of the R. Society of Edinburgh. Session 1871—1872. Ebd. 8.

Transactions of the Zoological Society of London. Vol. VIII. Part. 4. 5. London 1873. 4.

Proceedings of the Scientific Meetings of the Zoological Society of London. For the year 1872. Part III. June December. London 8.

Bulletin et Mémoires de l'Université Imp. de Kazan 1873. Nr. 1 (en russe). Kazan 1872. 8.

Académie des Sciences et Lettres de Montpellier:
Mémoires de la Section de Médecine. T. IV. — III. IV. V. Fascicule. Année 1865— 69.
Mémoires de la Section des Sciences. T. VI. — II. III. Fasc. Année 1865. 56. T. VII. — I., II., III.,

IV. Fasc. Année 1867—70. — T. VIII. — 1er Fasc.
Année 1871. Montpellier 1865—72. 4.

Mémoires de la Section des Lettres. T. IV. — II.,
III.. IV. Fasc. Année 1865 · 68. — T. V. — I., II.
et IIIe Fasc. Année 1869 71. Ebd. 1866 - 72. 4.

Nederlandsch Kruidkundig Archief. Verslagen en Mededeelingen der Nederlandsche Botanische Vereeniging.
Nijmwegen 1873. 8.

Jahrbuch der k. k. geologischen Reichsanstalt. Jahrg.
1873. Bd. XXIII. Nr. 1. Jänner, Februar, März.
Wien. gr. 8.

Verhandlungen der k. k. geolog. Reichsanstalt. Nr. 1—6.
1873. 8.

Dr. A. Kornhuber, über einen neuen fossilen Saurier
aus Lesina. Ebd. 1873. gr. 8.

F. de Mueller, fragmenta phytographiae Australiae.
Vol. VI. Melbourne 1867 - 68. 8.

General - Bericht über die Europäische Gradmessung für
das Jahr 1872. Berlin 1873. 4.

XXII. Jahresbericht der Naturhistor. Gesellschaft zu Han-
nover von Michaelis 1871 — 72. 8.

Dr. Kriechbaumer, Bemerkungen und Berichtigungen
zu Kittels und Kriechbaumers systematischer Uebersicht
der Fliegen etc. Nachtrag zum V. Band der Abh. der
Naturhistor. Gesellsch. zu Nürnberg.

R. Claudius, über einen neuen mechanischen Satz in
Bezug auf stationäre Bewegungen. 8.

Sitzungsberichte der königl. böhm. Gesellschaft der Wissensch. in Prag. Nr. 4. 1873. 8.

Berichte des naturwissensch.-medic. Vereins in Innsbruck.
Jahrg. III. Heft 1. Innsbruck 1873. 8.

Gustav Rose. Nekrolog von G. vom Rath. 4.

In ungarischer Sprache.

A Mag. tudom. Akad. Értesítője. Berichterstatter der
Ungarischen Akademie der Wissenschaften. 5. Jahrg.
Lief. 10—17. Pest 1871. — 6. Jahrg. Lief. 1—8. Das.
1872.

Szarvas, Gáb., a Magyar igeidők (die ungarischen Tempora). Pest 1872.

(Fortsetzung folgt).

Nachrichten

von der Königl. Gesellschaft der Wissenschaften und der G. A. Universität zu Göttingen.

13. August.   № 22.   1873.

Königliche Gesellschaft der Wissenschaften.

Sitzung am 2. August.

Ewald: Ueber die Eintheilung der Babylonischen Mine in Sékel.

Waitz, Ueber die Annales Sithienses.

Voss, Ueber die Geometrie der Brennflächen von Congruenzen. (Vorgel. von **Stern**).

Wieseler, Archäologischer Bericht über seine Reise nach dem Orient.

Ueber die Annales Sithienses.

Von

G. Waitz.

Vor neun Jahren habe ich der Societät eine kleine Abhandlung über die Quellen des ersten Theils der Annales Fuldenses vorgelegt (gedruckt Nachrichten 1864 Nr. 3), die hauptsächlich veranlasst war durch den Widerspruch, welchen eine früher von mir geäusserte Ansicht über das Verhältnis kurzer sogenannter Annales

Sithienses zu den Fuldenses gefunden hatte.
Dieser wurde von dem Opponenten, Hrn Dr. Simson, auch später festgehalten (Forschungen zur
D. G. IV, S. 575), ohne dass in seiner neuen
Ausführung etwas enthalten war das zu einer
Erwiderung meinerseits Anlass geben konnte.
Mehr fiel es ins Gewicht, als Wattenbach in der
zweiten Auflage von Deutschlands Geschichtsquellen im Mittelalter (S. 152 N. 1) bemerkte,
er habe »bei genauer eigener Nachforschung Sim-
sons Beweisführung völlig bestätigt gefunden«,
ohne jedoch hier etwas Näheres darüber mitzutheilen. Ich durfte die Sache um so eher auf
sich beruhen lassen, da bald darauf Abel in den
Jahrbüchern Karl d. Gr. (I, S. 428 N.) eine
Stelle anführte, die mir das Sachverhältnis besonders schlagend darzulegen schien und auf die
ich deshalb nur kurz verwies (Forschungen VI, S.
653). Wattenbach beharrt aber auch in der
dritten eben erschienenen Auflage (S. 171 N.)
bei seiner Ansicht und erklärt Abels Bemerkungen für ganz unerheblich. Dass auch Simson
durch sie nicht überzeugt worden, ist mir anderweitig bekannt, und scheint begreiflich, wenn
man sieht, was er alles für zulässig hält, um
die aufgestellte Behauptung zu vertheidigen.
Aber es dünkt mich doch ein schlechtes Zeug-
nis für den Zustand unserer viel geübten und
viel gepriesenen Quellenkritik, wenn es wirklich
nicht möglich sein sollte, eine solche Frage, die
ein rein literarhistorisches Interesse hat, für die
Geschichte selbst nichts austrägt, bei der es sich
auch nicht um das Verhältnis zu verlorenen
Quellen, sondern nur um die Vergleichung vor-
liegender Texte handelt, zu einem Abschluss zu
bringen. Ich habe deshalb die Sache noch einmal in den von mir geleiteten historischen Ue-

bangen vornehmen lassen, zunächst ohne jede Rücksicht auf die früher verhandelten Punkte, und glaube mich nicht die Mühe verdriessen lassen zu dürfen, das Resultat hier in einiger Weitläuftigkeit darzulegen.

Die Sache steht so, dass die Ann. Sithienses mit dem Jahr 548 beginnen, aber bis 726 nur 13 ganz kurze Notizen haben, von denen 11 nur. Namen Fränkischer Könige sind, ausserdem 605: Gregorius obiit, und 717 eine Notiz über die Schlacht bei Vincy, die mit der der Annales Laubacenses (SS. I, S. 7) am nächsten zusammenstimmt. Mit 741 beginnt der Theil welcher Verwandtschaft mit den Ann. Fuldenses hat, während diese schon 714 anfangen und von da bis 741 ziemlich in derselben Weise wie nach diesem Jahre die wichtigsten Ereignisse der Fränkischen Geschichte mit Benutzung älterer Aufzeichnungen erzählen.

Eine Hauptquelle sind die Ann. Laurissenses minores. Wie sich die Fuldenses zu ihnen verhalten, mögen folgende Stellen zeigen.

A. L. m.	A. F.
23. Karlus tributarios fecit Saxones.	737. Karolus Saxones tributarios fecit.
24. Karlus regionem Provinciae ingrediens, fugato duce Mauronto,	738. Karolus regionem Provinciam ingressus, Maurontum, qui dudum Sarracenos per dolum invitaverat, fugere compulit.
25. qui Sarracenos per dolum jam dudum invitaverat, cunctam Provinciam et maritima illa loca suae dicioni subegit.	739. Karolus Provinciam totam et cuncta ejus loca maritima suae ditioni subegit.
26. Karlus, Gothos superatos, Saxones et Frisones subactos, Sarracenos expulsos, Provinciales receptos,	740. Pax et quies regno Francorum per Karolum redditur ad tempus. Gothis superatis, Saxonibus

regnum Francorum feliciter possidens, moritur in villa publica Werinbria anno 27. 741. incarnationis dominicae. Post quem duo liberi ejus regnant annos 27. Carlmannus cum fratre Pippino regnavit annos 7.

et Frisonibus subactis, expulsis Sarracenis, Provincialibus exceptis.

741. Karolus anno regni sui 27. moritur Carisiaci et apud Sanctum Dionisium sepelitur. Cujus filii Carlomannus et Pippinus sub obtentu majordomatus totius Franciae regnum suscipiunt et inter se dividunt.

Ich mache nur darauf aufmerksam, wie zum J. 740 was in den Laur. m. eine Bemerkung über die ganze Regierung Karls ist, in Fuld. zu einem Factum des einzelnen Jahres gemacht wird. Dagegen entfernen sich diese 741 von ihrer Vorlage und geben, wie an einzelnen Stellen sonst, eine eigenthümliche Nachricht. Eben mit dieser beginnen die Sith.:

> Carlus major domus mortuus est Carisiaci etc.

Was dieselben 742. 743 haben entspricht wörtlich den Fuld. 743. 744. — Dasselbe gilt von dem ersten Satz 745:

> Karlomannus et Pippinus simul Saxonum perfidiam vastata eorum regione ulciscuntur,

Fuld. fügen hinzu:

> et castrum Ohseburg capiant.

Beides geht auf Laur. m. zurück:

> Carlmannus adversus Saxones dimicat et castrum Ohseburg capit;

neben denen die Petaviani benutzt sind:

> Karolomannus et Pipinus abierunt in Saxoniam.

Sind S. Quelle, so haben F. den halben Satz aus ihnen, die andere Hälfte aus ihrer Grundlage, d. h. der welcher sie früher immer folgen, genommen. — 746 ist S. mit F. gleichlautend, diese haben eine Nachricht mehr über Bonifaz, die wesentlich auch in den Ann. L, m.

steht. — 747 ist das Verhältnis der beiden Texte und der Quelle folgendes:

A. L. m.	A. F.	A. S.
Carlmannus regnum temporale pro aeterno regno dispiciens, fratri regnum derelinquit et Romam ad limina beatorum apostolorum devotus pervenit, ibique tonsoratus religionis habitum suscepit et in Serapte monte monasterium aedificavit et non post multum in monasterio sancti Benedicti monachus efficitur.	Karlomannus, relicta quam tenebat potestate, Romam vadit, ibique mutato habitu, religiose victurus in Casinum ad Sanctum Benedictum secedit et monachus efficitur.	Carlomannus, relicta quam tenebat potestate, Romam vadit, ibique mutato habitu, religiose victurus in Casinum ad Sanctum Benedictum secessit.

Sind S. älter als F., so haben diese sie ausgeschrieben, dann aber noch wie zur Vergleichung einen Blick in die wohlbekannte Quelle geworfen und ihr nicht etwa eins oder das andere von dem thatsächlichen Material, das sie mehr enthält, sondern das ziemlich überflüssige, weil im Vorhergehenden enthaltene »et monachus efficitur« entlehnt. Wie viel einfacher die Annahme, dass S. dies wegliessen, bedarf kaum der Bemerkung.

Und so geht es weiter fort. Stimmen die beiden Texte nicht wörtlich überein, so geben S. eine kürzere Fassung als F., deren Mehr sich stets in L. m. wiederfindet. So gleich 748:

A. L. m.	A. F.	A. S.
7. Gripho frater Pippini in Saxonia aufugit	Gripho, frater Karlomanni	Gripho, frater Carlomanni
8. Pippinus in Saxoniam per Thuringiam ingreditur. Saxones cum Griphone adunati super fluvium Hobacar	et Pippini, potestatem quandam affectans, ad Saxones se	et Pippini, potestatem quandam affectans, primo ad Sa-

in loco qui dicitur Horoheim Griphonem cum Pippino pacificare cupiunt.

9. Idem Gripho non credens se Saxonibus neque Francis, de Saxonia Bajoariam petit . . .

contulit. Pippino vero per Thuringiam ingresso Saxoniam, super fluvium Obacra in loco qui dicitur Horoheim Saxones occurrentes, Griphonem cum eo pacificare cupientes. Gripho autem nec Saxonibus nec Francis se credens, in Bajoariam fugit.

xones, deinde ad Bajoarios se contulit.

Wer hier abgeschrieben, kann, glaube ich, keinen Augenblick zweifelhaft sein. Oder will man wirklich annehmen, dass F. den Rahmen ihrer Darstellung aus S., den Inhalt aus L. m. genommen, während doch auch was S. hat hierauf zurückgeht?

So wäre es 752, wo S. nur haben:

Hildericus rex, qui ultimus Meroingorum Francis imperavit, depositus, et Pippinus regni honore sublimatus est;

F. jedes dieser Worte, aber nach »depositus« noch: et in monasterium missus est, nach »Pippinus«: in civitatem Suessionum a sancto Bonifacio in regem unctus, hinzufügt, was alles in L. m. hübsch bei einander ist, F. aber erst wieder aus ihnen und S. mühsam zusammengebracht haben müssten.

753 stimmen S. und F. wieder fast genau im Wortlaut, aber wo F. haben: contra Haistulfum regem Langobardorum, sagen S. ungenauer: contra Langobardos; L. m. haben: ad-

versus Heistulfum regem, und darnach hätten F.
ihre Vorlage corrigiert.

Gleich daneben schreiben:

A. L. m.	A. F.	A. S.
Gripho Italiam cupiens penetrare, a Theodoino comite in valle Maurienna obprimitur.	Gripho, frater Pippini, cum Italiam petere conaretur, in valle Maurienna a comitibus fratris sui occisus est.	Griphe, frater regis, cum Italiam petere conaretur, a comitibus fratris in Burgundia occisus est.

Die ganze Form des Satzes wäre in F. aus S.,
aber statt des hier mehr unbestimmt gesetzten
»in Burgundia« wäre das ursprüngliche »in valle
Maurienna« wieder hergestellt.

Und so Jahr für Jahr. F. hätten sich ein
Vergnügen gemacht, die kurze verwaschene Fassung von S. zu copieren und dann immer aus
der Quelle wieder zu vervollständigen, das Bessere und Ursprüngliche herzustellen.

Es ist ganz ohne Beispiel, ich sage dreist,
es ist ganz unmöglich, dass ein Autor des 9ten
Jahrhunderts so verfahren. Dagegen ist in all
diesen Jahren auch nicht eine einzige Notiz, die
sich in S. nicht vollständig aus F. erklärte.
Haben sie einmal eine Aenderung oder einen
Zusatz, so kennzeichnen diese entschieden den
späteren Compilator.

754 sagen sie ganz geschmacklos: Heistulfus
rex Langobardorum in Langobardia superatur;
F. schliessen sich an L. m. an: Pippinus vero
Italiam ingressus etc. 756 haben S.: in Ticino
obsessus est; F. mit L. m.: Papiae (ebenso 773).
756 fügen S. ganz überflüssig hinzu: post re-

ditum Pippini in Frantiam; und gerade dies
habeu F. nicht.

768 heisst es:

Vaifarius dux a Francis interfectus est.

Es ist das die Stelle, auf welche Abel Gewicht legte, und wie ich glaube mit gutem Grund,
obwohl bei solchen Untersuchungen wohl nie
eine einzelne Stelle allein, nur die Vergleichung
im ganzen die Entscheidung geben kann. Die
L. m. sagen:

Pippinus omnem Aquitaniam peragrando suae dicioni
subdit, nec tamen ut voluit Waiferium cepit, sed ille
semper vastationi et fugae intentus, donec dolo Waratto-
nis peremptus et fugae et tyrannidi finem dedit.

F. ziehen das zusammen:

Pippinus, interfecto Waipherio et omni Aquitania sub-
acta, rediens.

S. aber haben:

Vaifarius dux a Francis interfectus est.

Gewiss konnte dies, was sachlich unrichtig ist
(vgl. Oelsner, Jahrbücher Pippins S. 413), leicht
aus der Fassung von F. entstehen, nicht wohl
aus L. m. Schöpften F. aus S., so musste der
Verfasser den Irrthum einsehen und durch Aus-
scheidung des »a Francis« ihn berichtigen. Ich
denke, das kann nicht für wahrscheinlich gelten,
aber dann die Bedeutung dieser Stelle auch nicht
unerheblich sein.

Im Folgenden treten die Ann. Laur. maj. als
Quelle hinzu und bleiben es, wo die Laur. min.
aufhören. Das Verhalten ist ganz dasselbe, F.
stehen ihnen regelmässig näher, haben genauere
Angaben über Orte und anderes, die S. weglassen.

778.

A. F.	A. S.
Interea Saxones, Widukindo tyrannidi nitente, Francorum terminos usque ad Hrenum ferro et igne devastant; sed non multi revertuntur. Nam ab exercitu regis, quem contra eos miserat, in loco qui dicitur Liesi super flurium Adarna pars maxima eorum interfecta est.	Saxones Francorum terminos usque ad Renum ferro et igni devastant, nec inulti revertuntur. Nam ab exercitu regis, quem contra eos miserat, pars maxima eorum interfecta est.

779.

Karolus more suo Saxonum perfidiam in loco qui dicitur Hohholz per se ulciscitur et omnes acceptis firmat obsidibus in loco qui vocatur Medofulli.	Carlus more suo Saxonum perfidiam per se ulciscitur et eos acceptis firmat obsidibus.

Hätten F. aus S. abgeschrieben, so müssten sie wieder aus dieser Quelle die localen Notizen ausgesucht und künstlich eingefügt haben.

Nennt diese gleich darauf den dux Spolitinus Hildibrandus, so schreiben auch F.:

Hiltibrandus dux Spolitanus ad Karolum venit,

S. aber:

Hiltibrandus Langobardorum dux Spolitanus ad Carlum venit.

Bald durch Weglassungen, bald, aber freilich viel seltener, durch Zusätze entfernen sich diese weiter von der Quelle. Und welches andere Kennzeichen giebt es, um das Verhältnis verschiedener Texte zu bestimmen? Alles andere scheint mir unsicher, subjectiver Auffassung unterworfen. Dieses aber, meine ich, steht unzweifelhaft fest.

Nur zwei Stellen finde ich, die der entgegengesetzten Annahme einen gewissen Schein geben können. 817 sprechen F. von einer Eclipsis solis, während S. haben: Eclipsis lunae, und dies durch die Quelle, L. maj., bestätigt wird. Da es feststeht, dass S. in dem späteren Theil einzelne Notizen aus L. maj. entlehnten, die F. nicht haben, so ist es wohl nicht zu verwundern, wenn der Verf. hier einmal einen Irrthum berichtigte, der nur auf einem Schreibfehler in F. (ich sage nicht: einer Handschrift, da wenigstens die uns bekannten Codices übereinstimmen) beruhen kann, auf den schon das folgende »Eadem nocte« aufmerksam machen musste.

820 [1]) schreiben S.:

Tres exercitus de Frantia, Saxonia atque Italia in Pannoniam contra Liudiwitum missi sunt.

Dass das durch Zusammenziehen leicht aus den Worten von F.:

Tres exercitus contra Liudewitum in Pannoniam mittuntur, quorum unus de Italia per Alpes Noricas, alter de Saxonia per Carantanorum provinciam, tercius Francorum per Bajoariam et Pannoniam superiorem ingressi etc.

werden konnte, unterliegt keinem Zweifel. Aber in der Quelle (L. maj.) steht nur:

tres illi exercitus contra Liudewitum mittuntur. Quorum unus de Italia per Alpes Noricas, alter per Carantanorum provinciam, tercius per Bajoariam et Pannoniam superiorem intravit,

und da es schlecht genug passt, dass das Heer aus Sachsen durch Kärnthen gezogen sein soll,

---

1) Auf diese Stelle hat mich einmal früher Wattenbach besonders aufmerksam gemacht.

so konnte man meinen, dass diese Angabe durch falsche Combination von L. maj. und S. entstanden sei. Allein unmöglich kann eine einzige solche Stelle etwas austragen. Der, wie ich gerne glaube falsche, Zusatz in F. erklärt sich hinlänglich aus dem Vorhergehenden in L. maj., wo es heisst:

deliberatum est, ut tres exercitus simul ex tribus partibus ad devastandam ejus regionem — mitterentur.

Von den tres partes wird Italien genannt; da konnten die beiden anderen nur Sachsen und Franken sein, und dies nahmen F. ohne weiteres auf, wie wiederholt sonst (816. 819) Sachsen und Ostfranken als Bestandtheile des Heeres hier und in den L. maj. genannt werden.

Die folgenden Jahre, die letzten in S., sind auch nur geeignet die volle Bestätigung der bisher gewonnenen Resultate zu geben.

821.

A. L. m.	A. F.	A. S.
Eminuit in hoc placito piissimi imperatoris misericordia singularis, quam ostendit super eos qui cum Bernhardo nepote suo in Italia contra caput ac regnum suum conjuraverunt, quibus ibi ad praesentiam venire jussis, non solum vitam et membra concessit, verum etiam possessiones judicio legis in fiscum redactas magna liberalitate restituit.	omnes, qui suo tempore in exilium missi fuerant, revocavit, et singulis in statum pristinum restitutis, possessiones quoque judicio legis in fiscum redactas magna liberalitate restituit.	omnes, qui suo tempore in exilium missi fuerant, revocavit et unumquemque in suum statum revocavit.

Der Text von F. beruht nicht, wie Simson meint (Forschungen IV, S. 578), auf Combination von L. maj. und S., und enthält nicht eine Tautologie, sondern das »singulis in statum pristinum restitutis« entspricht dem »vitam et membra concessit« der Vorlage: es ist die Aufhebung des Exils nnd der drohenden Lebensstrafe, für welche jenes als Gnade eingetreten, ganz' verschieden von der Zurückgabe der confiscierten Güter, deren Restitution als besondere Milde hervorgehoben wird. S. kürzen nur wie so häufig ab.

Man vergleiche noch das letzte Jahr 823:

A. F.	A. S.
· Liudewitus, qui superiore anno propter exercitum contra se missum, relicta Siscia civitate, ad Sorabos, qui magnam Dalmatiae partem obtinere dicuntur, fugiendo se contulit et iterum ad Liudemutislum, avunculum Bornae ducis, pervenisset, dolo ipsius interfectus est.	Liudwitus in Dalmatia ab hostibus suis interficitur.

Ueberblickt man die Ann. Sith. im ganzen, so sieht man, wie sie darauf ausgehen eine so weit es möglich dem Umfang nach gleichmässige kurze Uebersicht der wichtigsten Ereignisse zu geben: kein Jahr umfasst mehr als 7 Zeilen Dabei finden sie Raum den Nachrichten ihrer gewöhnlichen Quelle ein paar Zusätze hinzuzufügen, die auf die L. maj. zurückgehen, mögen sie nun direct diesen entlehnt sein oder einer andern Vermittelung verdankt werden. Nichts weist auf eine ältere, der Zeit des Enhard (er schrieb 838) vorhergehende Abfassung hin; eine schon früher hervorgehobene lückenhafte Stelle 810, wo zu den Worten: boum pestilentia per totam Europam immaniter grassata est, hinzugefügt wird (nach Wattenbachs Ergänzung): et inde pulverum sparsorum fabula exorta est,

deutet entschieden späteren Ursprung an. Dass
die Darstellung mit dem Jahre 823 abbricht,
scheint ganz zufällig zu sein. Hat der Herausgeber nicht ganz schlecht gelesen, so finden sich
Schreibfehler, die nur ein gedankerloser Abschreiber begeht (perfectus statt praefectus, erecta
statt erepta, perpetrat statt perperam: jener hat
das Richtige in Klammern beigefügt, also das
Angegebene wirklich im Codex gefunden).

Die Fuldenses zeigen vor 741, wo S. anfangen, und nach 823, wo sie schliessen, ganz denselben Charakter, dasselbe Verhältnis zu ihren
Quellen, dort besonders den L. min., hier den
L. maj. Sie verhalten sich auch in dem was
sie mit S. gemein haben ganz ebenso wie in
den meist grösseren Stücken, die diesen fehlen,
aber auf dieselben Quellen zurückgehen: sie
schreiben fast nie ganz wörtlich ab, behandeln
ihre Vorlage mit einer gewissen Freiheit, wenn
auch, wie die angegebenen Beispiele zeigen, nicht
eben mit sonderlicher Kritik oder historischem
Verständnis. Dass ihr Autor, Enhard, für einen
Theil seiner Arbeit die mageren nichts Eigenes
darbietenden Sithienses zu Grunde gelegt, fortwährend, mitunter Satz für Satz, sie andersher
ergänzt, dabei geschickt ihre Fehler vermieden,
selbst ihre paar kleinen Zusätze oder eigenthümlichen Wendungen übergangen hätte, ist eine
Annahme, die sich mit allem in Widerspruch
setzt, was sonst auf dem Gebiet der Quellenkritik als Regel angesehen wird.

Ueber die Eintheilungen der Babylonischen Mine in Sékel (Siglen).

Von

H. Ewald.

Einer der Correspondenten der K. Gesellschaft der WW. vom J. 1867, Dr. Johannes Brandis aus Bonn, ein Neffe unseres früheren verehrten Herrn Sekretärs Hausmann, ist neulich zu früh für die Wissenschaften verstorben. Ihn hatte, ausser anderen für die Orientalisch-geschichtlichen Fächer wichtigen Schriften, vorzüglich sein 1866 zu Berlin veröffentlichtes grosses Werk über »das Münz- Maass- und Gewichtswesen in Vorderasien bis auf Alexander den Grossen« uns empfohlen, ein Werk von dessen auf den weitausgedehntesten gründlichsten und scharfsinnigsten Forschungen beruhenden Grundlagen alle die weiteren Fortschritte in diesen Erkenntnissen namentlich auch über die Geldverhältnisse im Alterthume ausgehen müssen. Aber dieses Werk kann auch die Nothwendigkeit die Alterthümer der alten Völker Europa's mit denen des Morgenlandes in die engste Beziehung zu sezen an einem grossen Beispiele sehr deutlich beweisen.

Indem wir jedoch hier die besondere Frage über die Eintheilung der Mine in Vorderasien nach Sékeln hervorheben, ist es nicht unsere Absicht alles was mit dieser Frage zusammenhängt zu berühren, sondern nur zur Zerstreuung von Dunkelheiten welche auf ihr liegen und die (soviel wir wissen) noch nicht gelöst sind einige Beiträge zu geben.

1. Wir gehen dabei von der Stelle im Hézeqiél 45, 12 aus welche vielen Neueren so dun-

kel und zweifelhaft erschienen, auch noch in den
neuesten Zeiten von Gelehrten unter uns so verschieden verstanden ist dass man auf den ersten
Blick meinen könnte sie diene mehr zur Verdichtung als zur Zerstreuung jener Dunkelheiten.
Doch liegt bei näherer Betrachtung kein Grund
zu einer solchen Verzweiflung vor: vielmehr sollte
man schon von vorne an vermuthen keine Stelle
müsse zu diesem Zwecke so gute Dienste leisten
können als sie. Der Prophet will hier ausdrücklich Jedermann ermahnen rechte Masse und Gewichte zu gebrauchen: er ermahnt aber nicht
wie so viele seiner Vorgänger im Allgemeinen
dazu, sondern hält es für nothwendig genauer
ins Einzelne einzugehen, und bestimmt alles was
er zu bestimmen für nothwendig hält durch aus-
drückliche Zahlen. Bedenkt man nun dass He-
zeqiel welcher auch sonst in seinem grossen Buche mehr als irgendein anderer Prophet von
Massen und Gewichten redet, dieses Buch zunächst für die im Babylonischen Reiche zerstreu-
streuten Glaubensgenossen schrieb, auch zu dém
Zwecke um sie zu einem ruhig gesetzlichen Leben in allem bürgerlichen Verkehre zu ermahnen, so könnte man meinen er habe dabei die
damals in diesem Reiche gültigen Masse und
Gewichte insofern im Auge als in jenen Zeiten
die in Aegypten Phönikien und Palästina geltenden etwas von ihnen abweichen konnten. Der
Zusammenhang seiner ganzen grossen Rede C.
40—48 und dazu die hier V. 13 ff. zunächst folgenden Worte begünstigen jedoch mehr díe Ansicht er habe einfach auf Reinhaltung der alten
Masse und Gewichte dringen wollen. Jedenfalls
aber musste er hier sehr genau reden: und dieses berechtigt uns vollkommen in seinen Worten
ein sehr deutliches und zuverlässiges Zeugniss

über die damals im wirklichen Leben geltenden
Masse und Gewichte zu erwarten, und ihnen allen geschichtlichen Werth beizulegen wenn sie
den übrigen aus dem Alterthume uns bekannten
Zeugnissen nicht widersprechen.

Nimmt man nun diese Worte Hezeqiél's so
wie sie im Hebräischen Wortgefüge lauten, so
scheinen sie zunächst sonderbar zu klingen.
Denn dass die Mine nach der Zahl der zu ihr
gehörenden Sekel bestimmt wird, ist zwar nicht
auffallend, sofern es keine Mine in ganzen Stücken für den gewöhnlichen Gebrauch gegeben
zu haben scheint. Aber anstatt einfach zu sagen wieviele Sekel eine Mine enthalten müsse
um als voll zu gelten, finden wir hier eine Reihe
von Sekeln nach verschiedenen Zahlen genannt;
und die Worte lauten so wörtlich als möglich
übersezt só: »Zwanzig Sekel, fünfundzwanzig Sekel, zehn und fünf — das soll euch die Mine
seyn!« Zu beachten ist jedoch dabei was zunächst die blosse Sprache betrifft vor allem,
dass die zwei Zahlen z e h n und f ü n f hier ihrer Haltung nach nicht ganz einerlei mit f u n f-
z e h n seyn sollen: denn wie durchgängig in allen Sprachen [1]), werden auch im Hebräischen die
Zahlen von 11 bis 19 nicht durch eine Verbindung mit u n d zusammengesetzt, sondern sind
schon viel enger ohne ein u n d verschlungen,
ja ursprünglich sogar nach der im Semitischen
gewöhnlichen Weise durch Anziehung an einander gekettet, so dass man hier für die einfache
Zahl 15 חֲמֵשֶׁת עָשָׂר oder schon wieder etwas lo-

---

[1]) Die Durchgängigkeit dieser Erscheinung erklärt
sich aus einer uralten Abzählung nach den 10 Fingern
und 10 Zehen, welche noch jezt bei gewissen Völkern
vorkommt.

ser עֶשֶׂר, חֲמִשָּׁה [1]) erwarten müsste; aber auch diese schon wieder etwas losere Wortzusammensezung ist von חֲמִשָּׁה וַעֲשָׂרָה sogar in zweifacher Weise unterschieden, durch die Voranstellung der zehn und durch die Hinzufügung des und; und da dadurch zugleich die Zersprengung der für 15 im Hebräischen gesezlich gewordene Wortzusammensezung eigenthümlicher Art bedingt ist, so ist klar wie absichtlich die Rede hier die gewöhnliche Zahl 15 vermeiden wollte und wie wenig man hier an eine etwaige Verbesserung des Wortgefüges unter Umsetzung der beiden Wörter denken darf.

Allein da diese vier einzelnen Zahlen zusammen 60 ausmachen, die Mine aber ursprünglich (wie wir jetzt wissen) in 60 Sékel zerfiel, so ist soviel einleuchtend dass die vier Zahlen das volle Mass der Mine bestimmen sollen [2]): und die

1) Wie bei der Ausbildung des weiblichen Sinnes der so eng zusammengesezten Zahlen von 11—19 עֲשָׂרָה in עֶשְׂרֵה sich wandeln könne, erklärt sich am leichtesten durch die bei der Umbildung eintretende allgemeine Verkürzung der ursprünglich weiblichen Bildung; denn dass eine solche zuletzt möglich sei, ist im LB. S. 452 der lezten Ausgabe bewiesen. Dadurch vereinfacht sich das S. 660 Gesagte noch etwas.

2) Diese Zahl 60 welche in uralten Zeiten das durchgreifende Grundgesez für alle Babylonischen Masse und Gewichte geworden seyn und deren grosse Bedeutung sich daher schon in den frühesten Zeiten bis in den äussersten Westen ebenso wie bis in das östliche Asien und von da bis in Amerika hinein verbreitet haben muss, erklärt sich aus der noch älteren Sitte von einer festen Zahl und so zunächst von 5 aus um éine Stufe weiter zu gehen und da zu schliessen; eine ähnliche Bedeutung empfing dann 8 nach 7 und 11 nach 10, auch in einzelnen Fällen 9 nach 8; aber 6, 60, 600 liegen hier überall zunächst vor. Beispiele von dem einfachen 6 finden sich bei den Hebräern im B. Ijob 5, 19 (da der Dichter dieses Buches

weitere Frage ist nur warum nicht sogleich dafür 60 gesetzt ist. Man könnte also vielleicht vermuthen einst seien Goldmünzen zu dem verschiedenen Betrage von 20, 25, 10 und 5 Sekeln im Umlaufe gewesen und danach sei hier gezählt: dies würde jedoch im Einzelnen schwer nachzuweisen seyn; und die Hauptsache ist dass Hézeqiél in diesem Falle hätte deutlicher reden müssen. — Es bleibt daher nichts übrig als anzunehmen Hézeqiél habe nur deshalb die Zahl 60 in diese vier Einzelnheiten zerlegt um die Gesammtzahl durch dies Mittel desto bestimmter zu bezeichnen und im Reden wie in der Schrift vor jeder Veränderung zu schüzen. Man rechne die vier Zahlen genau zusammen: die Gesammtzahl ergibt sich so desto sicherer [1]).

Dass man im Alterthume oft so verfuhr, ist gewiss; und ein ähnlicher Fall liegt hier gerade bei Geldsachen in aller Nähe vor. Denn wenn Jéremjá, in vieler Hinsicht das Vorbild Hézeqiél's im Reden und Schreiben, in der für alle die Geld- und Kaufgeschäfte des Alterthumes wichtigen Erzählung c. 32 da wo er v. 9 den Kaufwerth nennen will, só sagt »ich wog ihm (dem Verkäufer) das Geld dar, so dass sieben Sékel und zehn das Geld war«, so wird die Zahl siebzehn hier ganz aus derselben Ursache in 7 und 10 aufgelöst. Die Rede ist hier nicht ungewöhnlich, nicht dichterisch bewegt

überall gerne die Farben der Urzeiten aufträgt) ebenso wie bei den Indern (*Alterth.* S. 131). Auf die Zahl 5 als die älteste Rundzahl geht demnach auch hier alles zurück.

1) Diesen richtigen Sinn der Worte habe ich schon in der zweiten Ausgabe der Propheten des Alten Bundes II, S. 558 kurz hervorgehoben, und führe ihn hier nur weiter aus.

und deshalb in kleine Glieder zerfallend, sondern ganz einfach erzählend; dennoch wird die Zahl um sie so bestimmt als möglich wie vor Augen und Ohren aller Zeugen festzustellen, so zertheilt. So bestimmt drückte man sich also in jenen Gegenden während des siebenten und sechsten Jahrhunderts vor Chr. bei Geldsachen aus: vielleicht aus nothwendig gewordener Vorsicht noch bestimmter als zu Abraham's Zeiten, obgleich man auch damals schon bei solchen Geldsachen gerne so bestimmt redete wie »er wog ihm das Geld dar, so dass es 200 Pfund[1]· öffentlich gültiges Geld war« Gen. 25, 16.

2. Bei jener Stelle Hézeqiél's aber müssen wir hier weiter als höchst merkwürdig die Uebersezung der LXX berücksichtigen. Diese scheint selbst zunächst vor allerlei Sonderbarkeiten so dunkel und unsicher als möglich zu seyn; und kann uns dennoch wohl verstanden um einen wichtigen Schritt weiter fördern. Die jezt gewöhnlich gewordene Lesart des *Vat.* gibt in

---

[1] **Pfund** seze ich hier ebenso wie in den zwei Abhh. über die **Massilische** und die **grosse Karthagische Inschrift** (in unsern Abhh. von 1849 und 1864, auch in besonderen Abdrücken) nur um ein Deutsches Wort zu sezen für **Sékel** σίγλος. Denn dieses Wort bedeutet Gewicht, und entspricht insofern dem *pondus;* nur dass man bei ihm ursprünglich an das Gewicht von 20 **Gera** d. i. Körnern denken soll und immer כֶּסֶף Silbers hinzusezte. Die Syrer gebrauchten jedoch statt dieses Phönikischen Wortes von derselben Wurzel aus ein verschieden klingendes Wort ܡܬܩܠܐ, wie Barhebr. chr. p. 282, 10. Cureton's *spic. syr.* p. 23, 15, wovon die Araber ihr ܡܬܩܠܐ haben; und da dieses schliesslich für den Goldsékel gewöhnlich geworden, so entspricht es ganz dem Englischen *a pound.*

der That gar keinen Sinn: allein wenn man an
ihre Stelle die des *Alex.* sezt d. h. wenn man
für *πέντε σίκλοι πέντε καὶ σίκλοι δέκα καὶ πεντήκοντα* liest *οἱ πέντε σίκλοι πέντε καὶ οἱ δέκα
σίκλοι δέκα, καὶ πεντηκ.* (und man sieht wie leicht
aus dieser Lesart durch blosse Flüchtigkeit des
Abschreibers jene entstehen konnte), so gibt sie
einen zwar ganz neuen aber sehr richtigen und
geschichtlich denkbaren Sinn. Man muss die
Worte dann nur als eine fast zu buchstäbliche
Uebersezung aus einem Hebräischen Wortgefüge
richtig só verstehen »die 5 Sékel 5 und die 10
Sékel 10 (d. i. die Sékel von 5 und 10 an stufenweise
richtig berechnet, oder wenn man sie in solcher
Weise nach 5 und 10 genau zählt), so sollen 50
Sékel euch die Mine seyn (oder die Mine ausmachen)!« Man sieht dass wir hier einen zwar
ebenfalls zweigliedrigen aber sonst dem Inhalte
nach völlig verschiedenen Saz vor uns haben;
wobei man nur nicht übersehen darf dass das
καὶ vor *πεντήκοντα* dem *Vav consec.* entspricht.
Wir wissen aber jezt dass man auch eine Mine
von 50 Sékeln hatte: und diese muss hier gemeint seyn; eine ganz andere demnach als jene
in unserm Hebräischen Wortgefüge gemeinte.

Der Sinn dieser in den LXX enthaltenen Lesart ist demnach so klar und so sicher als möglich. Und verweilen wir hier einen Augenblick
bei den übrigen Alten Uebersezungen, so sehen
wir zwar dass nur die Arabische dem Griechischen Wortgefüge und zwar (was wichtig ist)
nach der richtigen Lesart folgt. Allein die übrigen vermischen den ächten Sinn des Hebräischen
schon dadurch stark dass sie alle 15 statt 10
und 5 sezen. Die *Vulg.* hält sich übrigens wörtlich ans Hebräische, während die *Peshito* den
ganzen Sinn durch die Voraussezung verdirbt

dass alle die Worte v. 12 von dem Verhältnisse
der Mine zu den Gera d. i. ܡܥܝܢ ὀβολοί handeln und deshalb sogar die Lesart völlig ändert.
Das *Targum* welches auch hier vielmehr eine
weitläufige freie Erklärung gibt, hatte ursprünglich noch die richtige Einsicht dass alle vier
Zahlen zusammengerechnet 60 aussagen sollen:
aber indem ein Späterer die Wahl der Zahlen
20 25 15 nicht begriff und doch eine Ursache
für jede einzelne finden wollte, gerieth er auf
die Meinung die doppelte Art von Minen, die er
die silberne d. i. die gewöhnliche 50 seklige
und die grosse nennt d. i. die 60seklige welche nach ihm als die heilige hier zuletzt gemeint
seyn soll, seien beide durch die verschiedenen
Zahlen angedeutet, sodass er übersezte »das Drit-
theil der Mine ist 20 סִלְעִין d. i. Sékel, die
Hälfte der Silbermine ist 25 Sékel, das Viertel
der Mine ist 15 Sékel«; und so sind beide Erklärungen schliesslich in einander geschoben,
während man das jezige Wortgefüge ausserdem
noch dádurch verbessern muss dass man das
Wort für die Hälfte vor בְּכַסְפָּא מְנֵי als durch
einen Fehler verloren gegangen einschaltet. So
dunkel kann ein Targum seyn, wie es uns heute
vor die Augen tritt!

3. Allein wir müssen schliesslich noch einmahl zu der Lesart der LXX zurückkehren.
Dass diese nicht in die Reihe der gewöhnlichen
verschiedenen Lesarten zu ziehen sei, ist deutlich. Sie ist nicht aus dér Lesart hervorgegangen welche sich heute für uns im Hebräischen
erhalten hat, und hat mit dieser nichts zu thun
da sie einen dem Sinne nach völlig verschiedenen und doch in sich klaren und richtigen Saz
gibt. Sie kann aber auch nicht etwa durch die

blosse Willkür des Griechischen Uebersetzers
eingeführt seyn: weder soviel Freiheit konnte
sich der Uebersezer nehmen, noch die ächte alte
Farbe welche deutlich der Saz in seiner ganzen
Haltung und Gliederung aufweist so glücklich
treffen. Alles vereinigt sich vielmehr für uns
zu dér Annahme dass wir in diesen Worten eine
sehr alte Lesart vor uns haben welche der Griechische Uebersezer selbst schon in seinem Hebräischen Wortgefüge vorfand. Ja der Saz trägt
só einleuchtend denselben Farbenglanz und kommt
(abgesehen von dem Wechsel zwischen 50 und
60 der bei ihm allerdings wesentlich ist) só sicher auf den Sinn des Ganzen welchen Hézeqiél
hier mit seiner Ermahnung ausdrücken will zurück, fügt sich auch so vollkommen und so leicht
statt des anderen Sazes in den Zusammenhang
der Rede, dass wir ihn recht wohl von Hézeqiél
selbst ableiten können. Da nun dazu Hézeqiél's
Buch nicht so wie dás Jéremjá's schon in frü-
hester Zeit durch die Hände vieler Umgestalter
und neuer Herausgeber gegangen ist, so begünstigt auch dies die Annahme Hézeqiél habe ihn
in eine spätere Ausgabe seines Buches statt jenes eingesetzt, und die ältere Ausgabe sei so in
unserer Hebräischen, die jüngere in der Griechischen Bibel erhalten.

Damit aber haben wir ein denkwürdiges Zeugniss über die 60- und 50séklige Mine erlangt.
Beide müssen in der ersten Hälfte des sechsten
Jahrhunderts vor Chr. und noch vor dem Sturze
des Babylonischen Reiches in Vorderasien bekannt gewesen seyn. Und fragen wir warum
Hézeqiél in der späteren Ausgabe seines grossen
Werkes die 50séklige an die Stelle der 60sékli-
gen gesetzt habe: so können wir uns weiter keinen Beweggrund denken als dén dass er sah wie

in der Zwischenzeit die 50séklige noch viel herr-
schender geworden war. Wir hätten so auch
ein Zeugniss über die Zeit wann der Prophet
den Gebrauch dieser auch seinem Volke zu empfehlen für besser hielt[1]).

— Aus alle dem kann man zwar wie an einem grossen Beispiele klar ersehen wie lehrreich
sogar die blosse Griechische Uebersezung der
Bibel für unsre heutige Erforschung wichtiger
geschichtlicher Fragen ist. Und könnten wir
noch eine ähnliche ergebnissreiche Urkunde in
ihr gerade für die Geschichte der alten Münzen
auffinden, so würden wir sie an dieser Stelle
gerne gebrauchen. Allein die Worte 1 Sam.
13, 21 wo in der LXX ebenfalls ganz abwei-
chend von dem uns jezt erhaltenen Hebräischen
Wortgefüge von Sekeln die Rede ist, scheinen
uns nicht in gleicher Weise zu einer zuverlässigen Grundlage dienen zu können. Die LXX
lasen hier wörtlich שְׁלֹשֶׁת שֶׁקֶל לַשֵּׁן für וְלִשְׁלֹשׁ
קִלְּשׁוֹן, und man könnte meinen diese Lesart sei
bloss durch zu flüchtiges Lesen und Abschreiben
aus jener entstanden. Allein die Worte »drei
Sékel für den Zahn« würden in diesem Zusammenhange keinen Sinn geben; und so mögen die
LXX diese ihre Lesart aus dem bloss hier vorkommenden und ihnen deshalb wahrscheinlich
unverständlich gebliebenen zusammengesetzten
Worte שְׁלֹשׁ קִלְּשׁוֹן für Dreizack sich durch Vermuthung herausgebildet haben.

1) Wir merken noch an dass wir jezt nicht nachsehen konnten wie das oben belobte Werk von Johannes
Brandis über die Stelle Hézeqiél's urtheilt.

Wir halten es schliesslich für nüzlich das
oben erwähnte Aramäische Targum hier mit einer Deutschen Uebersezung beizufügen, weil es
zwar das gerade Gegentheil von dem gibt was
eine einfache treue Uebersezung des Hebräischen
seyn sollte, wohlverstanden aber uns einen guten
Beitrag zum richtigen Verständnisse der zwei verschiedenen Eintheilungen der Babylonischen Mine
gewährt. Wobei schon dás so denkwürdig ist
dass dies Targum noch zu jener Zeit wo es seine
jezige Gestalt empfing, eine so richtige Erkennt-
niss der zwei Arten von Minen hat. Auch wurde
dies Targum noch im alten Babylonien selbst
geschrieben; wohin auch der sehr abweichende
Name סֶלַע für שֶׁקֶל hinweisen kann. — Uebrigens sezen wir das Wort פלגות die Hälfte an
dér Stelle von ihm ein wo es nach dem oben
Bemerkten ausgefallen sein muss:

תלתות מניא עסרין סלעין' פלגות מני כספא
עסרין וחמש סלעין' רבעות מניא חמש עסרי סלעין:
כולהון שתין (¹ מני' ומני רבא קודשא יהי לכון:

»Das Drittel der Mine ist zwanzig Sela' (d. i.
Shékel); die Hälfte der Silbermine ist fünf und
zwanzig Séla'; das Viertel der Mine ist fünfzehn
Séla'; alle sechzig (Sela') sind eine Mine; und
die grosse Mine gelte euch als die heilige!«

1) Wir verbessern hier מניך (Minen) in מני.

Zur Geometrie der Brennflächen von Congruenzen.

von

Dr. A. Voss in Göttingen.

In einer neulich der Kön. Societät vorgelegten Mittheilung habe ich ein umfassendes Gebiet, auf welchem liniengeometrische Untersuchungen sich bewegen können, sowie insbesondere die Herleitung allgemeiner Formeln für die Singularitäten von Brenn- und singulären Flächen von Complexen angedeutet. Es sei mir heute gestattet, einige der dort betrachteten Verhältnisse durch ein specielles Beispiel zu illustriren, welches sich auf die Congruenz [2, 2] (Strahlensystem 4. Ordnung und Klasse) bezieht.

Ich gehe dabei aus von einer Erweiterung der Methode, welche Clebsch in dem Aufsatze [1] »Ueber Complexe und die Singularitätenflächen derselben« befolgt hat, die auch sonst mit Vortheil in analytischen Untersuchungen verwandt werden kann.

Die Invarianten [2] einer Curve n. Ordnung

$$1) \qquad a_x^n = b_x^n = \ldots = 0$$

lassen sich allgemein in der Form

$$2) \qquad \Sigma c\, \Pi(abu)\, a_x(def) = 0$$

darstellen. Wird nun eine Fläche, deren Glei-

---

1) Math. Ann. V, p. 435.
2) Diesen Ausdruck im allgemeinen Sinne genommen, wo er sich auf die 4 Classen invarianter Formen bezieht.

chung wieder $a_x^n = \ldots = 0$ durch eine Ebene $v_x = 0$ geschnitten, so ist die nämliche Invariante für die Schnittcurve

$$\Sigma c \, \Pi (a b u v) \, a_x (d e f v) = 0, \quad v_x = 0.$$

Ganz eben so hat man zu verfahren, wenn beliebig viele Flächen durch eine Ebene v_x geschnitten werden. Jede simultane Invariante der Schnittcurven wird man in der symbolischen Gestalt angeben können, sobald das entsprechende Problem für ebene Curven gelöst ist.

Sollen z. B. zwei Flächen zweiten Grades

$$a_x^2 = b_x^2 = \ldots = 0 \quad a_x'^2 = b_x'^2 = \ldots = 0$$

durch eine Ebene so geschnitten werden, dass die Schnittcurven sich berühren, so hat man an Stelle der Gleichung

3) $\qquad \varDelta + 3\lambda \Theta + 3\lambda^2 \Theta' + \lambda^3 \varDelta' = 0$

oder

$$(abc)^2 + 3\lambda(abc')^2 + 3\lambda(a'b'c)^2 + \lambda^3(a'b'c')^2 = 0$$

deren Discriminante

4) $\qquad \varOmega = 4 U V - T^2$

wo $\qquad \varDelta \Theta' - \Theta^2 = U$

$\qquad \varDelta \varDelta' - \Theta \Theta' = T$

$\qquad \varDelta \Theta - \Theta'^2 = V$

zu setzen,

$$5)(abcv)^2+3\lambda(abcv')^2+3\lambda^2(a'b'cv)^2+\lambda^3(a'b'c'v)^2=0$$

deren Discriminante Ω verschwinden muss. Dieselbe, in den v vom 8. Grade, stellt die R_4 vor, erzeugt durch ihre Tangentialebenen, womit der Rang der R_4 gleich 8 gefunden ist. Ihre Schmiegungsebenen sind bestimmt durch das System

5) $$U = 0 \quad V = 0 \quad T = 0$$

und bilden somit eine Developpabele vom Grade 12 (Klasse der R_4).

Die Bestimmung der Doppeltangential- und Wendeebenen führt dagegen auf verschwindende Covarianten. Es ist hier nicht der Ort, dies weiter zu verfolgen. Um die Gleichung der Linienfläche zu erhalten, welche durch den Schnitt dreier Complexe gebildet wird, hat man die Bedingung auszudrücken, dass die Schnittcurven der Ebene v_y mit den drei Complexkegeln eines Punctes x sich in einem Puncte schneiden. Dieselbe ist für zwei lineare Complexe

$$\alpha_x = 0 \quad \beta_x = 0$$

und den n. Grades $(a_x b_y - a_y b_x)^n = 0 = (\gamma_x)^n$

7) $$(\alpha\beta\gamma v)^n = 0.$$

Dabei ist

$$\gamma_i = a_i b_y - a_y b_i, \quad \alpha_y = 0 \quad \beta_y = 0 \quad \gamma_y = 0$$

wodurch als Gleichung der Linienfläche $(n, 1, 1)$ in Punctcoordinaten entsteht:

8) $$(\alpha\,\beta\,a'\,b')^n = 0$$

d. h. eine Gleichung $2n.$ Grades. Ebenso lässt sich die Linienfläche $(n, 2, 1)$ darstellen [1]. In vielen Fällen entstehen dabei Ausdrücke, deren Form sofort auf Singularitäten der Fläche hinweist.

Durch die Bedingung, dass die Ebene v_y die beiden Complexkegel eines Punctes x von zwei Comglexen in sich berührenden Schnittcurven schneide, erhält man die Gleichung ihrer Brennfläche in Punctcoordinaten [2]. Aus der Bedingung

$$\Sigma c\,\Pi(ab\alpha) = 0$$

$n(n-1).$ Grades in α, welche aussagt, dass die Gerade α_x die Curve 1) berührt, erhält man also als Gleichung der Brennfläche eines linearen Complexes α_x und eines $n.$ Grades $(a_x b_y - a_x b_y)^n = 0$

$$\Sigma c\,\Pi(ab\gamma'\alpha) = 0$$

d. h. eine Gleichung $2n(n-1).$ Grades in α [3]. Auch hier führt die Bestimmung der Doppel-

---

1) Vgl. dazu die Formel, welche Clebsch in seiner Algebra d. bin. Formen §. 27 gegeben hat.

Ich deute hier noch an, wie die im Texte gegebene Methode gestattet, die Gleichung jedes Strahlensystems $[mn]$ so anzugeben, dass jedem Puncte ein in mn Axen degenerirter Classenkegel entspricht.

2) Die Darstellung in Ebenencoordinaten ist davon nicht wesentlich verschieden, wesshalb bemerkt sein mag, dass alles Folgende dualistisch interpretirt werden kann.

3) Vgl. die symbolische Darstellung dieser Fläche bei Clebsch Math. Ann. V, 435.

und Rückkehrcurven im Allgemeinen auf verschwindende Covarianten. Ueberhaupt erscheinen die allgemeinen Untersuchungen über Complexe von dieser Seite aus an solche geknüpft,
wie denn z. B. die Theorie des Complexes dritter Ordnung an die Invarianten der Curve dritter Ordnung sich anlehnt, welche Herr G u n -
d e l f i n g e r [1]) in übersichtlichen Formen gegeben
hat. D i e B r e n n f l ä c h e z w e i e r C o m p l e x e
z w e i t e n G r a d e s i s t a l s o d i e D i s c r i m i -
n a n t e v o n :

$$(\gamma''\gamma'ab)^3 + 3\lambda(\gamma\gamma'AB)^3 + 3\lambda^2(TT'ab)^2 + \lambda^3(T''T'AB)$$

d. h.: $\qquad\qquad \Omega = 0.$

Da $\varDelta\varDelta'\Theta\Theta'$ Functionen vierten Grades sind, ist
die Brennfläche vom 16. Grade. Der Ausdruck
Ω gewinnt dadurch ein besonderes Interesse, d a s s
$\varDelta, \varDelta'$ d i e b e i d e n S i n g u l ä r e n F l ä c h e n d e r
C o m p l e x e v o r s t e l l e n [2]), Θ, Θ' zwei andere,
für welche die Complexkegel in derjenigen Lage
sich befinden, welche durch das Verschwinden
von Θ, Θ' bei Kegelschnitten angezeigt ist.
Der Schnitt von $\Omega = 0$ $\varDelta' = 0$ zerfällt
demnach in Θ'^2 und $3\Theta^2 - 4\Theta'\varDelta = 0$; also in
eine Curve 16. Grades, längs welcher wegen

$$\frac{d\Omega}{dx_i} = -4\Theta^3\frac{d\varDelta'}{dx_i}$$

Ω und $\varDelta'$ sich berühren [3]), und in eine Curve

1) Math. Ann. IV, 561.
2) Clebsch Math. Ann. II, 8.
3) Diese Beziehung bleibt erhalten bei zwei Comple-
xen f, φ n. und m. Grades. Die Curve, in welcher ihre
Brennfläche und die Singuläre Fläche von f sich berühren, ist vom Grade $2mn^2(n-1)$.

32. Grades, für welche die Invariante $3\Theta^2 - 4\Theta'\varDelta = 0$ eine geometrische Beziehung angiebt.

Die Rückkehrcurve[1]) von Ω ist durch die Gleichungen 6) definirt, also vom 48. Grade. Dass die gemeinschaftliche Curve von 6) in der That eine solche vorstellt, ergibt sich aus den Formeln:

$$\Theta'\frac{dT}{dx_i} = \Theta\frac{dV}{dx_i} + \varDelta'\frac{dU}{dx_i}, \quad \Theta\frac{dT}{dx_i} = \Theta'\frac{dU}{dx_i} + \varDelta\frac{dV}{dx_i}$$

demnach

$$\Sigma y_i y_k \frac{d^2\Omega}{dx_i dx_k} \equiv (\Theta U_y - \varDelta' U_y)^2 \equiv (\Theta'V_y - \varDelta U_y)^2$$

während

$$\frac{d\Omega}{dx_i} = 0.$$

wo $U_y V_y$ die ersten Polaren von U, V vorstellen. Die Doppelcurve tritt bei Ω nicht in Evidenz. Man kann aber sofort 32 Puncte derselben angeben, nämlich die 32 Knotenpuncte von $\varDelta = 0$ $\varDelta' = 0$. Aus den allgemeinen Formeln folgt ihr Grad $= 24$. Ausgezeichnete Puncte der Fläche Ω sind ferner die 128, für welche $\varDelta = 0$ $\varDelta' = 0$ $\Theta = 0$ oder $\varDelta = 0$ $\varDelta = 0$ $\Theta' = 0$. Endlich ist die parabolische Curve von Ω 48. Klasse und 176. Ordnung u. s. w.

Wir wollen insbesondere annehmen, der zweite Complex sei derjenige Covariante φ, welcher mit dem ersten f die Congruenz der singulären Linien erzeugt. Man kann dann den fol-

1) Diese Nachrichten Juli 1878.

genden Satz beweisen, welcher meines Wissens
bisher nicht bemerkt worden ist:

Die beiden, einem beliebigen Puncte
des Raumes zugehörigen Complexke-
gel von $f=0$ und $\varphi=0$ haben stets eine
solche Lage, dass die Invariante Θ verschwindet. Damit erhält zugleich die
Fläche vierter Ordnung $\Theta'=0$ eine
sehr interessante geometrische Bedeutung [1]).

Der Ausdruck Ω reducirt sich somit auf

$$\varDelta\,(4\,\Theta_1{}^3 + \varDelta\varDelta'{}^2) = 0,$$

die Brennfläche zerfällt also in $\varDelta = 0$
d. h. die singuläre Fläche von f[2]), und
in die Fläche 12. Grades

9) $$\varPhi = 4\,\Theta_1{}^3 + \varDelta\varDelta'{}^2 = 0$$

den accessorischen Theil der Brennfläche.
Das System $\varDelta_1\ \varPhi$, welches bei einem Complex
n. Grades in ähnlicher Weise auftritt, hat sehr
merkwürdige Eigenschaften, auf die ich bei einer anderen Gelegenheit näher eingehen werde.
Hier sei nur bemerkt, dass $\varDelta$ und $\varPhi$ sich immer
in einer Curve $2n^2(n-1)(3n-4)$. Grades dreipunctig [3]) berühren, sowie dass $\varPhi$ immer $4n(n-1)$
$(3n-4)(2n-3)$ grade Linien enthält mit con-

---

1) Erst während des Druckes dieser Zeilen erhielt ich
das neueste Heft des Journals v. Crelle, in welchem Hr.
Pasch das hier gewählte Beispiel einer eingehenden
Discussion unterworfen hat. Insbesondere hat derselbe
dort einen eleganten Beweis für den genannten Satz
gegeben.

2) Vgl. diese Nachrichten a. a. O.

3) d. h. so dass die Schnittcurve dreifach zählt.

stanter Tangentialebene (selbstverständlich auch die dualistischen Singularitäten), welche durch gewisse ausgezeichnete Puncte von $\varDelta$ gehen.

In der That berühren $\varPhi$ und $\varDelta$ nach 9) sich dreipunctig in der Curve 16. Grades $\varTheta_1 = 0$ $\varDelta = 0$, welche zugleich für beide eine Haupttangentencurve ist. Ebenso ersieht man die Existenz einer Rückkehrcurve 16. Grades bestimmt durch den Schnitt von $\varDelta = 0$ $\varTheta' = 0$, längs welcher

$$\frac{d\varPhi}{dx_i \cdot dx_k} = 2\varDelta \frac{d\varDelta'}{dx_i \cdot} \frac{d\varDelta'}{dx_k}$$

also die Rückkehrtangentialebene die Fläche $\varDelta = 0$ berührt. Uebrigens geht die Nothwendigkeit einer solchen Curve auch unmittelbar aus der Bedeutung von $\varDelta' = 0$ $\varTheta = 0$ $\varTheta' = 0$ hervor.

Die Existenz einer Doppelcurve von $\varPhi$ ist aus der Gleichung 9) nicht direct ersichtlich. Die allgemeine Formel für ihren Grad

$$\delta = n(n-1) [50n^4 - 190n^3 + 183n^2 + 36n - 72]$$

liefert übrigens für $n = 2$ $\delta = 24$. Eine besondere Beachtung verdienen endlich die ausgezeichneten Puncte in denen die Flächen $\varDelta \varDelta' \varTheta'$ sich schneiden, doch erfordert die Untersuchung der dort auftretenden complicirten Singularitäten von $\varPhi$ eine ausführlichere Darstellung. Endlich erhält man als Grad der parabolischen Curve (Classe der Rückkehrcurve) 80, ihre Classe ist 16.

Nachrichten

von der Königl. Gesellschaft der Wissenschaften und der G. A. Universität zu
Göttingen.

20. August.   № 23.   1873.

Königliche Gesellschaft der Wissenschaften.

Ueber eine neue Methode, die Pell'sche Gleichung aufzulösen.

Von
B. Minnigerode.

(Vorgelegt von Prof. Schering.)

Die Auflösung der Pell'schen Gleichung

$$t^2 - Du = 1$$

wird bekanntlich zurückgeführt auf die Entwicklung einer Wurzel einer quadratischen Gleichung
von der Determinante D in einen Kettenbruch
und zwar eines solchen Kettenbruches, dessen
sämmtliche Theilzähler $= 1$ und Theilnenner
positive ganze Zahlen sind. Wallis hat, wie
Lagrange in den Zusätzen zu Euler's Algebra mittheilt (Cap. VIII. §. 87. der Zusätze),
die Ansicht ausgesprochen, man könne auch
mit Vortheil Kettenbrüche gebrauchen, von denen einzelne Theilnenner negative ganze Zahlen
sind, indem man die ganzzahligen Näherungswerthe, welche die Theilnenner des Kettenbruches bilden, *nach Belieben* bald grösser, bald
kleiner als die auftretenden Irrationalzahlen

nimmt. Euler theilte diese Ansicht und suchte
auf diese Weise die Rechnung abzukürzen (Algebra, Bd. 2. §. 102.). Indess hat Lagrange
(a. a. O.) diese Meinung widerlegt, indem er (an
einem Beispiel) zeigte, dass man unter Umständen niemals durch ein derartiges Verfahren zur
Auflösung der Pell'schen Gleichung gelangt.
Man hat seitdem in der Theorie der Pell'schen
Gleichung und damit zusammenhängenden Gebieten ausschliesslich Kettenbrüche mit durchweg
positiven Gliedern angewandt, bis Herr Stern
(Ueber die Eigeuschaften der periodischen negativen Kettenbrüche, welche die Quadratwurzel
aus einer ganzen positiven Zahl darstellen; Abhandlungen der Königlichen Gesellschaft der
Wissenschaften zu Göttingen. 12. Band) gezeigt
hat, wie man auch Kettenbrüche benutzen kann,
deren sämmtliche Theilzähler $= -1$ und Theilnenner positive ganze Zahlen sind.

Ich habe nun bei Gelegenheit von Untersuchungen über ähnliche Fragen im Gebiete der
complexen Zahlen, auf die ich künftig zurückzukommen beabsichtige, bemerkt, dass man auch
Kettenbrüche mit negativen Theilnennern gebrauchen kann, wenn für die Näherungswerthe
der auftretenden Irrationalzahlen immer die absolut nächsten ganzen Zahlen gewählt werden.
Abgesehen von dem theoretischen Interesse dieses Gegenstandes dürfte er auch dadurch von Bedeutung sein, dass sich unter Umständen nicht
unwesentliche Abkürzungen der numerischen
Rechnung bei dem neuen Verfahren ergeben.

Der Auseinandersetzung dieser Theorie, zugleich mit der Behandlung der Gleichung

$$t^2 - Du^2 = 4$$

für gewisse Werthe von D, im Zusammenhang

mit einigen hierhergehörigen Eigenschaften der quadratischen Formen von positiver nichtquadratischer Determinante sind die folgenden Seiten gewidmet, indem ich mir weitere Entwicklungen für eine andere Gelegenheit vorbehalte.

1.

Zunächst sind einige Eigenschaften der Kettenbrüche vorauszuschicken und bemerken wir sogleich, dass unter Zahlen schlechtweg hier stets reelle Zahlen zu verstehen sind.

Um irgend eine Irrationalzahl ω in einen Kettenbruch zu entwickeln, setzen wir

$$1. \qquad \omega = a_0 - \frac{1}{\omega_1}, \quad \omega_1 = a_1 - \frac{1}{\omega_2}, \; \ldots .,$$

$$\omega_{\nu-1} = a_{\nu-1} - \frac{1}{\omega_\nu} \text{ etc.}$$

indem wir unter $a_{\nu-1}$ die an $\omega_{\nu-1}$ zunächst liegende ganze Zahl verstehen. Da ω irrational vorausgesetzt wurde, also auch ω_1, ω_2 ... sämmtlich irrational sind, so sind die Grössen a_ν immer unzweideutig bestimmt. Jede der Zahlen $\frac{1}{\omega_1}$, $\frac{1}{\omega_2}$, ... ist hiernach zwischen den Grenzen $-\frac{1}{2}$ und $\frac{1}{2}$ enthalten, diese beiden Grenzen selbst ausgeschlossen. Da also jede der Zahlen ω_1, ω_2 .... dem absoluten Betrag nach grösser als 2 ist, so habe ω_1 und a_1, ω_2 und a_2,... beziehungsweise gleiche Vorzeichen und ist jede der Grössen a_1, a_2 .... dem absoluten Betrag nach grösser als 1. Bei a_0 braucht dies nicht statt zu finden. Dieses kann auch die Werthe 0 und ± 1 haben; doch können ω und a_0 nicht verschiedene Vorzeichen haben.

Da der absolute Betrag jeder der Zahlen ω_1, ω_2,... grösser als 2 ist, so geht aus der Gleichung

$$\omega_{\nu-1} + \frac{1}{\omega_\nu} = a_{\nu-1}$$

hervor, dass $\omega_{\nu-1}$ und ω_ν verschiedene Vorzeichen haben, wenn $a_{\nu-1} = \pm 2$ ist, und da $a_{\nu-1}$ das Vorzeichen von $\omega_{\nu-1}$ hat, so ist ω_ν positiv oder negativ, je nachdem in der Gleichung

$$\omega_{\nu-1} = \pm 2 - \frac{1}{\omega_\nu}$$

das untere oder obere Zeichen gilt. Da ferner a_ν das Vorzeichen von ω_ν hat, so hat das auf ein Glied ± 2 der Reihe a_1, a_2,..... folgende Glied das der ± 2 entgegengesetzte Vorzeichen. Ist der absolute Betrag von ω grösser als 2, so gilt das von der Reihe a_1, a_2... Gesagte auch von der Reihe a_0, a_1, a_2,...

Durch die Gleichungen 1. ist die Kettenbruchentwicklung von ω gegeben:

$$\omega = a_0 - \cfrac{1}{a_1 - \cfrac{1}{a_2} - \dots - \cfrac{1}{a_{\nu-1} - \cfrac{1}{\omega_\nu}}}$$

Wir bezeichnen diesen Kettenbruch durch

2. $\qquad (a_0, a_1, \dots, a_{\nu-1}, \omega_\nu)$

und kann derselbe in der angegebenen Weise

in's Unendliche fortgesetzt werden. Kettenbrüche, die nach dem eben auseinander gesetzten Verfahren abgeleitet sind, wollen wir *regelmässige* nennen, wenn der absolute Betrag von $\omega > 2$ ist; d. h. wir nennen einen Kettenbruch regelmässig, der aus den Gleichungen 1. hergeleitet ist, in denen alle Grössen ω, ω_1, ω_2, ... ihrem absoluten Betrag nach > 2 sind.

In regelmässigen Kettenbrüchen sind alle Glieder a_0, a_1, a_2, ... ihrem absoluten Betrag nach mindestens gleich 2 und das auf ein Glied ± 2 dieser Reihe folgende hat das der ± 2 entgegengesetzte Vorzeichen. Umgekehrt ist auch ein Kettenbruch ein regelmässiger, wenn er diese beiden Eigenschaften besitzt. Es leuchtet ein, dass, um dies zu zeigen, der Nachweis genügt, dass der Kettenbruch

$$\left(a_0, \ldots, a_{\nu-2}, a_{\nu-1} - \frac{1}{\omega_\nu}\right)$$

Diese beiden Eigenschaften hat, wenn sie beim Kettenbruch 2. vorhanden sind. Da beide in den $\nu - 1$ ersten Gliedern übereinstimmen, so braucht nur gezeigt zu werden, dass der absolute Betrag der Zahl $\left(a_{\nu-1} - \frac{1}{\omega_\nu}\right)$ grösser als 2 und dass dieselbe das der Zahl $a_{\nu-2}$ entgegengesetzte Vorzeichen besitzt, wenn diese $= \pm 2$ ist. Das erste ist ohne Weiteres klar, wenn der absolute Betrag von $a_{\nu-1} \geqq 3$ ist; für $a_{\nu-1} = \pm 2$ aber haben nach unserer Voraussetzung $a_{\nu-1}$ und ω_ν entgegenggsetze Vorzeichen: der absolute Betrag ihrer Differenz ist also auch in diesem Fall > 2. Das zweite ergiebt sich, wenn man beachtet, dass $a_{\nu-1} - \dfrac{1}{\omega_\nu}$ das Vorzeichen von $a_{\nu-1}$ hat und dass $a_{\nu-2}$ und $a_{\nu-1}$ entgegengesetzte Vorzeichen besitzen, wenn $a_{\nu-2}$ $= +2$ ist.

Eine Irrationalzahl, die absolut genommen >2 ist, lässt sich nur auf eine einzige Weise in einen regelmässigen Kettenbruch entwickeln. Dasselbe gilt auch von Rationalzahlen mit einer einzigen Ausnahme; diese tritt ein, wenn in der Entwicklung ein Glied $\omega_{\nu-1}$ gleich einer halben ungeraden Zahl wird. Es kann dann Zweifel eintreten, ob als letztes Glied der Entwicklung $\omega_\nu = +2$ oder $= -2$ zu setzen ist. Wir wollen für diesen Fall die Definition eines regelmässigen Kettenbruches dahin erweitern, dass wir für das letzte Glied auch den Werth $= +2$ zulassen, während alle übrigen Eigenschaften desselben nicht beeinträchtigt werden. Es lässt sich dann zeigen, dass der Kettenbruch ein regelmässiger ist, es mag für ω_ν nach Belieben der Werth $+2$ oder -2 gewählt werden. Setzen wir

$$\omega_{\nu-1} = a_{\nu-1} - \tfrac{1}{2},$$

so braucht nur gezeigt zu werden, dass die einander gleichwerthigen Kettenbrüche

$$(a_0, \ldots, a_{\nu-1}, 2) \text{ und } (a_0, \ldots, a_{\nu-1}-1, -2),$$

die Regelmässigkeit des Kettenbruches

$$(a_0, \ldots, a_{\nu-2}, \omega_{\nu-1})$$

vorausgesetzt, beide regelmässig sind. Dies findet

aber statt, wenn weder $a_{\nu-1} = 2$ noch $a_{\nu-1} - 1$ $= -2$ ist. Beide Voraussetzungen erkennt man aber als unzulässig, sobald man beachtet, dass der absolute Betrag von $\omega_{\nu-1}$ grösser als 2 ist.

Wir führen noch des späteren Gebrauches wegen einige bekannte Eigenschaften der Kettenbrüche an. Setzen wir

3. $\quad [a_0] = a_0, \quad [a_0, a_1] = a_0 a_1 - 1, \ldots$
$$[a_0, \ldots, a_{n-1}] = a_{n-1}[a_0, \ldots, a_{n-2}] - [a_0, \ldots, a_{n-3}],$$

so sind

4. $\quad \dfrac{[a_0]}{1}, \quad \dfrac{[a_0, a_1]}{[a_1]}, \quad \ldots \dfrac{[a_0, \ldots, a_{n-1}]}{[a_1, \ldots, a_{n-1}]}$

den Kettenbrüchen

$$(a_0), (a_0, a_1), \ldots (a_0, \ldots, a_{n-1})$$

gleich. Ferner besteht die Gleichung

5. $\quad [a_0, \ldots, a_{n-2}] \, [a_1, \ldots, a_{n-1}]$
$$- [a_0, \ldots, a_{n-1}] \, [a_1, \ldots, a_{n-2}] = 1,$$

aus der ohne Weiteres folgt, dass die Brüche 4. alle in den kleinsten Zahlen ausgedrückt sind, wenn $a_0, a_1, \ldots$ ganzzahlig vorausgesetzt werden. Ist $(a_0, \ldots, a_{n-1})$ ein regelmässiger Kettenbruch, so ist, abgesehen vom Vorzeichen,

$$[a_0, \ldots, a_{n-1}] > [a_0, \ldots, a_{n-2}],$$
$$[a_1, \ldots, a_{n-1}] > [a_1, \ldots, a_{n-2}].$$

Ferner zeigen die Gleichungen 3., dass bei re-regelmässigen Kettenbrüchen

$$[a_0, \ldots, a_{n-1}] \text{ und } [a_0, \ldots, a_{n-2}]$$

gleiche oder verschiedene Vorzeichen haben, je nachdem a_{n-1} positiv oder negativ ist.

2.

Es sind jetzt einige zur Anwendung kommende Sätze über quadratische Formen anzuführen. Wir betrachten eine ursprüngliche Form (a, b, c) von der positiven nichtquadratischen Determinante D. Der grösste gemeinschaftliche Theiler von a, b, c ist, da wir die Form als ursprünglich voraussetzen $= 1$; der von $a, 2b, c$ kann dann entweder $= 1$ oder $= 2$ sein. Die Form heisst im 1ten Fall von der 1ten im 2ten von der 2ten Art. Wir wollen diesen Theiler durch σ bezeichnen und bemerken noch, dass Formen der 2ten Art voraussetzen, dass $D \equiv 1$ (mod. 4) ist, dass aber, wenn diese Bedingung erfüllt ist, auch immer Formen der 2ten Art vorhanden sind.

Wir bringen die quadratische Form (a, b, c) in Verbindung mit der quadratischen Gleichung

$$0 = a + 2b\omega + c\omega^2.$$

Wir wollen $\sqrt{D}$ immer positiv nehmen und die beiden Wurzeln der quadratischen Gleichung

$$\frac{-b - \sqrt{D}}{c} \quad \text{und} \quad \frac{-b + \sqrt{D}}{c}$$

beziehungsweise die 1te und 2te Wurzel der quadratischen Form nennen. Durch die Coefficienten der Form (a, b, c) ist also jede ihrer Wurzeln unzweideutig festgestellt; die Irrationalität von $\sqrt{D}$ lässt aber auch das Umgekehrte erkennen, dass eine quadratische Form durch Angabe *einer* ihrer Wurzeln vollkommen charakterisirt ist. Nennt man zwei Wurzeln zweier Formen gleichnamig, wenn sie entweder beide erste oder beide zweite Wurzeln sind, ungleichnamig, wenn das Gegentheil stattfindet, so gilt folgender Lehrsatz.

Wenn eine Form (a, b, c) durch eine Substitution $\begin{pmatrix} \alpha, & \beta \\ \gamma, & \delta \end{pmatrix}$, für die

1. $$\alpha\delta - \beta\gamma = 1$$

ist, in die Forn (a', b', c') übergeht, so hängt eine Wurzel ω der 1ten mit der gleichnamigen ω' der 2ten durch die Gleichung

2. $$\omega = \frac{\gamma + \delta\omega'}{\alpha + \beta\omega'}$$

zusammen; und umgekehrt: hängen zwei gleichnamige Wurzeln ω und ω' der Formen (a, b, c) und (a', b', c') durch die Gleichung 2. zusammen, während die Gleichung 1. besteht, so sind sie äquivalent und die erste geht in die zweite durch die Substitution $\begin{pmatrix} \alpha, & \beta \\ \gamma, & \delta \end{pmatrix}$ über.

Hervorzuheben der folgenden Anwendungen wegen ist noch der Fall von *benachbarten* Formen (a, b, a') und (a', b', a''), die so definirt sind, dass $b + b'$ durch a' theilbar, also $b + b' = -a'\delta$ ist; die erste geht in die zweite durch die Substitution $\begin{pmatrix} 0, & 1 \\ -1, & \delta \end{pmatrix}$ über und ihre gleichnamigen Wurzeln sind durch die Gleichung

$$\omega = \delta - \frac{1}{\omega'}$$

verbunden.

Durch jede Substitution $\begin{pmatrix} \alpha, & \beta \\ \gamma, & \delta \end{pmatrix}$, die der Gleichung

3. $$\alpha\delta - \beta\gamma = 1$$

genügt und die die Form (a, b, c) in sich selbst überführt, ist eine bestimmte Lösung (t, u) der Gleichung

4. $$t^2 - Du^2 = \sigma^2$$

gegeben durch folgende Gleichungen

5. $$\alpha = \frac{t - bu}{\sigma}, \quad \beta = -\frac{cu}{\sigma}$$

$$\gamma = \frac{au}{\sigma}, \quad \delta = \frac{t + bu}{\sigma};$$

umgekehrt ist vermöge derselben Gleichungen durch jede Lösung (t, u) der Gleichung 4. eine bestimmte Transformation $\begin{pmatrix} \alpha, & \beta \\ \gamma, & \delta \end{pmatrix}$, die der Gleichung 3. genügt, gegeben, welche die Form (a, b, c) in sich selbst überführt.

3.

Für das Folgende ist die Betrachtung solcher quadratischer Formen von Wichtigkeit, deren 1te Wurzel abgesehen vom Vorzeichen > 2 und deren 3ter Coefficient absolut genommen $\geq$ dem 1ten ist. Setzen wir zunächst voraus, dass die Form (a, b, c) diese Eigenschaften besitzt und ziehen einige Folgerungen daraus. Es ist also

1. $$\frac{-b - \sqrt{D}}{c} > 2, \quad c \gtreqless a,$$

wenn wir vom Vorzeichen absehen; in dieser

Weise sollen überhaupt in diesem Paragraphen die Ungleichheiten verstanden werden, wenn nicht das Gegentheil gesagt wird. Aus der Gleichung

2. $\qquad \frac{1}{2}(-b-\sqrt{D}).2(-b+\sqrt{D}) = ac$

ergiebt sich dann mit Berücksichtigung der 1ten Ungleichheit 1., dass

$$\frac{-b+\sqrt{D}}{a} < \tfrac{1}{2}$$

und hieraus nach der 2ten Ungleichheit 1., dass

$$\frac{-b+\sqrt{D}}{c} < \tfrac{1}{2}$$

ist und hieraus, dass

$$\frac{-b-\sqrt{D}}{a} > 2$$

ist. Oder mit Worten: die beiden ersten und beiden zweiten Wurzeln der Formen (a, b, c) und (c, b, a) sind beziehungsweise > 2 und $< \tfrac{1}{2}$. Da hiernach

$$\tfrac{1}{2}(b+\sqrt{D}) > 2(-b+\sqrt{D})$$

ist, so leuchtet zunächst ein, dass $b > 0$ ist und je nachdem $b < \sqrt{D}$ oder $b > \sqrt{D}$ ist gelten also mit Berücksichtigung der Vorzeichen die beiden Ungleichheiten

$$\tfrac{1}{2}(b+\sqrt{D}) > 2(-b+\sqrt{D})$$
$$\tfrac{1}{2}(b+\sqrt{D}) > 2(b-\sqrt{D});$$

aus ihnen aber folgt

3. $\qquad \tfrac{3}{5}\sqrt{D} < b < \tfrac{3}{5}\sqrt{D}.$

Es sei noch bemerkt, dass aus der Gleichung

4. $$b^2 - D = ac$$

folgt, dass a und c gleiche oder verschiedene Vorzeichen haben, je nachdem $b > \sqrt{D}$ oder $b < \sqrt{D}$ ist.

Die Bedingung 3. zeigt, dass für Formen, welche die angegebenen Eigenschaften haben, nur eine endliche Zahl von Werthen für b zulässig sind. Da ferner aus der Gleichung 4. hervorgeht, dass für gegebene Werthe von D und b nur eine endliche Anzahl von Werthen von a und c zulässig sind, so folgt daraus, dass es nur *eine endliche Zahl von Formen giebt, deren 1te Wurzel > 2 und deren 3ter Coefficient $\geq$ dem 1ten ist;* wobei indess zu bemerken ist, dass keineswegs *alle* den Bedingungen 3. und 4. genügenden Formen diese Eigenschaften besitzen.

4.

Es sei nun (a, b, a_1) irgend eine Form der σten Art von der positiven nichtquadratischen Determinante D, ω ihre erste Wurzel. Wir entwickeln sie in einen Kettenbruch, indem wir setzen

1. $$\omega = \delta_0 - \frac{1}{\omega_1}, \quad \omega_1 = \delta_1 - \frac{1}{\omega_2}, \ldots$$
$$\omega_{\nu-1} = \delta_{\nu-1} - \frac{1}{\omega_\nu},$$

indem wir voraussetzen, dass die Zahlen $\delta_0, \delta_1, \ldots$ bezüglich die nächsten an $\omega, \omega_1, \ldots$ liegenden ganzen Zahlen sind. Beachtet man das in Art. 2. über benachbarte Formen Gesagte, so sieht man, dass der Reihe ω, ω_1, ..., ω_ν die folgende Reihe von benachbarten Formen entspricht

2. $(a, b, a_1), (a_1, b_1, a_2), \ldots (a_\nu, b_\nu, a_{\nu+1})$

die wir der Kürze wegen durch f, f_1, ... f_ν bezeichnen und in denen

$$b + b_1 = -a_1 \delta_0, \quad b_1{}^2 - a_1 a_2 = D,$$
$$b_1 + b_2 = -a_2 \delta_1, \quad b_2{}^2 - a_2 a_3 = D,$$
$$b_{\nu-1} + b_\nu = -a_{\nu+1} \delta_\nu \quad b_\nu{}^2 - a_\nu a_{\nu+1} = D$$

ist. Nun sind ω_1, ω_2, ... ihrem absoluten Betrag nach > 2; wenn nun die Reihe 2. weit genug fortgesetzt wird, so muss man zu einer Form f_ν gelangen, für die abgesehen vom Vorzeichen $a_{\nu+1} \geqq a_\nu$ ist; denn sonst gäbe es eine unendliche Menge ganzer Zahlen, für deren absolute Werthe

$$a_1 > a_2 > a_3 \ldots$$

wäre, was nicht der Fall ist.

Ist man von einer beliebigen Form f ausgehend auf die angegebene Weise zu einer solchen Form f_ν gelangt, so setze man die Reihe weiter fort; die Form $f_{\nu+1}$ braucht nicht die Eigenschaften der Form f_ν zu besitzen, aber im weiteren Verlauf muss wiederum eine Form f_ϱ auftreten, welche die nämlichen Eigenschaften hat· Wenn man also die Kettenbruchentwicklung von ω immer weiter fortsetzt, so gelangt man zu unendlich vielen Formen f_ν, f_ϱ, ..., deren 1te Wurzel > 2, deren 3ter Coefficient $\geq$ dem 1ten ist. Da es nun nur eine endliche Anzahl von Formen von dieser Beschaffenheit giebt, so muss einmal *eine* derartige Form f_ν zum 2ten mal auftreten. Von diesem Augenblick an werden die auf f_ν folgenden Formen wieder kommen und die ganze Reihe der Formen sowie die Kettenbruchentwicklung werden periodisch. Die in einer solchen Formenperiode enthaltenen Formen sollen *reducirte Formen* genannt werden. Es stimmt diese Terminologie weder mit der Gauss'schen (Disqu. arithm. art. 183), noch mit der Hermite'schen (Crelle, Journal, Bd. 41. Seite 191 u. ff) überein, ist aber für die vorliegende Theorie geboten.

Durch das Vorstehende ist gezeigt, dass jeder Form von der Determinante D und von der σten Art eine Formenperiode entspricht, deren einzelne Formen ihr alle äquivalent sind. Eine Periode ist durch irgend eine in ihr enthaltene Form vollständig charakterisirt, so dass zwei Perioden aus denselben Formen bestehen, wenn sie eine Form gemeinsam haben. Jede Periode enthält mindestens eine Form, deren 1te Wurzel > 2 und deren 3ter Coefficient $\geq$ dem 1ten ist, beides abgesehen vom Vorzeichen. Da es von den Formen dieser Beschaffenheit nur eine endliche Anzahl verschiedene giebt, so geht aus den eben gemachten Bemerkungen hervor, dass es für eine gegebene Determinante nur eine endliche Zahl von Perioden, und da jede derselben nur eine endliche Zahl von Formen enthält, auch nur eine endliche Anzahl von reducirten Formen giebt.

Es sei noch erwähnt, dass aus der Formenreihe 2. einer Form (a, b, a_1) die entsprechende der Form $(-a, b, -a_1)$ unmittelbar hervorgeht, nämlich

$$(-a, b, -a_1), \quad (-a_1, b_1, -a_2), \ldots$$
$$(-a_\nu, b_\nu, -a_{\nu+1}),$$

und dass die Kettenbruchentwicklung der 1ten Wurzel der Form $(-a, b, -a_1)$ folgende ist

$$(-\delta_0, -\delta_1, \ldots),$$

während $\omega = (\delta_0, \delta_1, \ldots)$ ist. Insbesondere schliesst man, dass die Formen

$$(a, b, a_1) \text{ und } (-a, b, -a_1)$$

gleichzeitig reducirt oder nicht reducirt sind. Es giebt also immer eine reducirte Form, deren 3ter Coefficient ein gegebenes Vorzeichen hat; welches das entgegengesetzte von dem der 1ten Wurzel der Form ist.

Durch die vorstehenden Entwicklungen sind die Mittel an die Hand gegeben, sämmtliche reducirten Formen der Determinante D und von der σten Art aufzustellen. Im Einzelnen soll dies jetzt nicht ausgeführt werden.

5.

Am Schluss von Art. 2. ist kurz der Zusammenhang angegeben worden, der zwischen den beiden Aufgaben besteht, eine Transformation einer Form von der Determinante D und von der σten Art in sich selbst und eine Lösung der Gleichung

$$1. \qquad\qquad t^2 - D u^2 = \sigma^2$$

zu finden. Durch die Entwicklungen des Art. 4.

sind wir nun in den Stand gesetzt, direkt Lösungen der ersten der beiden eben erwähnten Aufgaben herzustellen, nämlich durch Entwicklung der Perioden reducirter Formen. Wir werden nun näher darauf eingehen und voraussetzen, es sei eine Gleichung von folgender Form gegeben:

$$2. \qquad \omega = (R_0, R_1, \ldots, R_{n-1}, \omega).$$

Ist ω die erste Wurzel einer reducirten Form, so kann dieser Kettenbruch ein regelmässiger sein. Wir wollen hierüber zunächst keine Voraussetzung machen, sondern annehmen, die 1te Wurzel ω irgend einer Form F von der Determinante D une von der σten Art sei auf irgend eine Weise in den obigen periodischen, regelmässigen oder nicht regelmässigen Kettenbruch entwickelt.

Setzen wir nun

$$\alpha = -[R_1, \ldots, R_{n-2}]$$
$$\beta = +[R_1, \ldots, R_{n-1}]$$
$$\gamma = -[R_0, \ldots, R_{n-2}]$$
$$\delta = +[R_0, \ldots, R_{n-1}],$$

so besteht nach Art. 1. die Gleichung

$$\alpha\delta - \beta\gamma = 1;$$

ferner ist

$$\delta\omega + \gamma = [R_0, \ldots, R_{n-1}, \omega]$$
$$\beta\omega + \alpha = [R_1, \ldots, R_{n-1}, \omega]$$

und folglich

$$\frac{\delta\omega + \gamma}{\beta\omega + \alpha} = (R_0, \ldots, R_{n-1}, \omega).$$

Dies mit der Gleichung 2. zusammengehalten giebt

$$\frac{\delta\omega + \gamma}{\beta\omega + \alpha} = \omega.$$

Nach dem in Art. 2. Gesagten ist also $\begin{pmatrix} \alpha, & \beta \\ \gamma, & \delta \end{pmatrix}$ eine Substitution, durch welche die Form F in sich selbst übergeht und ihr entspricht eine bestimmte Lösung der Gleichung 1.

Man erhält neue Substitutionen, wenn man in der Gleichung 2. auf der rechten Seite für ω wiederholt seine Kettenbruchentwicklung einsetzt, indem sich so für ω Kettenbrüche ergeben, die, statt wie jener in Gleichung 2. aus $n+1$ Gliedern zu bestehen, $2n+1$, $3n+1$, ... Glieder enthalten. Der Zusammenhang zwischen den verschiedenen Substitutionen, die sich hieraus ergeben, soll nun aufgesucht werden. Es sei

$$\alpha_m = -[R_1, ..., R_{n-1}; ....; R_0, ..., R_{n-1}; R_0, ..., R_{n-2}],$$
$$\beta_m = -[R_1, ..., R_{n-1}; ....; R_0, ..., R_{n-1}; R_0, ..., R_{n-1}],$$
$$\gamma_m = -[R_0, ..., R_{n-1}; ....; R_0, ..., R_{n-1}; R_0, ..., R_{n-2}],$$
$$\delta_m = -[R_0, ..., R_{n-1}; ... ; R_0, ..., R_{n-1}; R_0, ..., R_{n-1}],$$

und zwar mögen in diesen vier Ausdrücken auf der rechten Seite der Reihe nach

$$n-1 + n(m-1) + n - 1,$$
$$n-1 + nm,$$
$$nm + n - 1,$$
$$n(m+1)$$

Glieder vorkommen, so dass $\dfrac{\delta_m}{\beta_m}$ der Werth des Kettenbruches ist, der aus einer $(m+1)$maligen Wiederholung der Periode $[R_0, ..., R_{n-1}]$ be-

steht, während $\dfrac{\gamma_m}{\alpha_m}$ der $\dfrac{\delta_m}{\beta_m}$ unmittelbar vorange-
hende Näherungswerth ist.

Die Substitution $\begin{pmatrix} \alpha_m, & \beta_m \\ \gamma_m, & \delta_m \end{pmatrix}$, welche die Form
in sich selbst überführt, erhält man, indem man
nach einander die Substitutionen $\begin{pmatrix} \alpha_{m-1}, & \beta_{m-1} \\ \gamma_{m-1}, & \delta_{m-1} \end{pmatrix}$
und $\begin{pmatrix} \alpha, & \beta \\ \gamma, & \delta \end{pmatrix}$ ausführt.

Bezeichnet man die aus zwei successiven Substitutionen S und S' zusammengesetzte Substitution durch SS', so ist also

$$\begin{pmatrix} \alpha_m, & \beta_m \\ \gamma_m, & \delta_m \end{pmatrix} = \begin{pmatrix} \alpha_{m-1}, & \beta_{m-1} \\ \gamma_{m-1}, & \delta_{m-1} \end{pmatrix} \begin{pmatrix} \alpha, & \beta \\ \gamma, & \delta \end{pmatrix}$$

woraus sich zunächst

3. $\quad \alpha_m = \alpha_{m-1}\alpha + \beta_{m-1}\gamma, \quad \beta_m = \alpha_{m-1}\beta + \beta_{m-1}\delta$

$\quad\ \ \gamma_m = \gamma_{m-1}\gamma + \delta_{m-1}\gamma, \quad \delta_m = \gamma_{m-1}\beta + \delta_{m-1}\delta$

und dann

$$\begin{pmatrix} \alpha_m, & \beta_m \\ \gamma_m, & \delta_m \end{pmatrix} = \begin{pmatrix} \alpha, & \beta \\ \gamma, & \delta \end{pmatrix}^{m+1}$$

ergiebt.

Die Lösung der Gleichung 1., welche der
Substitution $\begin{pmatrix} \alpha_m, & \beta_m \\ \gamma_m, & \delta_m \end{pmatrix}$ entspricht möge durch
t_m, u_m bezeichnet werden. Benutzt man für die
verschiedenen Lösungen der Gleichung 1. den

Zusammenhang, der zwischen a, δ und t, u durch die Gleichungen 5. Art. 2 gegeben ist, so ergiebt sich

$$\frac{t_m \pm b\,u_m}{\sigma} = \frac{t_{m-1}\,t + D\,u_{m-1}\,u \pm b(t_{m-1}\,u + u_{m-1}\,t)}{\sigma^2}.$$

Hieraus ergeben sich t_m, u_m durch t_{m-1}, u_{m-1}, t, u ausgedrückt. Man kann diesen Zusammenhang kurz in folgender Formel darstellen:

$$\frac{t_m + u_m \sqrt{D}}{\sigma} = \frac{t_{m-1} + u_{m-1}\sqrt{D}}{\sigma} \cdot \frac{t + u\sqrt{D}}{\sigma},$$

aus der sogleich

4. $$\frac{t_m + u_m \sqrt{D}}{\sigma} = \left(\frac{t + u\sqrt{D}}{\sigma}\right)^{m+1}$$

folgt.

Sind t und u positiv, so sind auch t_m und u_m positiv. Sind t, u die kleinsten positiven Zahlen, welche der Gleichung 1. genügen, so liefert die Gleichung 4., wie bekanntlich leicht bewiesen werden kann, alle übrigen Lösungen derselben in positiven Zahlen, wenn für m alle positiven ganzen Zahlen gesetzt werden.

6.

Es soll nun gezeigt werden, dass auf dem angegebenen Wege alle Lösungen unserer Gleichung in positiven ganzen Zahlen gefunden werden, oder, worauf es im Grunde ankommt, die kleinsten positiven ganzen Zahlen, welche ihr genügen, sobald der Rechnung eine reducirte Form und deren Entwicklung in einen regel-

mässigen Kettenbruch zu Grunde gelegt werden.
Die Lösungen unserer Gleichung, bei denen u
und t nicht beide positiv sind ergeben sich aus
jenen ohne Weiteres und können unberücksich-
tigt bleiben.

· Die reducirten Formen sind vollständig dadurch charakterisirt, dass sie in regelmässige
rein periodische Kettenbrüche entwickelbar sind.
Es ist nun Art. 4. gezeigt worden, dass in jeder
Periode mindestens eine Form vorkommt, deren
1te Wurzel > 2 und deren 3ter Coefficient $\geqq$
dem 1ten ist. Aus einer am Schluss von Art. 4.
gemachten Bemerkung folgt ferner, dass wir der
Untersuchung eine derartige Form zu Grunde
legen können, deren 3ter Coefficient ein gegebenes Vorzeichen hat. Wir wollen nun eine
solche reducirte Form (a, b, c) untersuchen, für
die c negativ ist und welche die Art. 3. bezeich-
neten Eigenschaften besitzt. Es bezeichne $\begin{pmatrix} \alpha, & \beta \\ \gamma, & \delta \end{pmatrix}$
irgend eine Substitution, durch welche die Form
(a, b, c) in sich selbst übergeführt wird und die
einer Lösung der Gleichung

1. $$t^2 - D u^2 = \sigma^2$$

in positiven ganzen Zahlen entspricht. Aus den
Gleichungen

2. $$\alpha = \frac{t - bu}{\sigma}, \quad \beta = -\frac{cu}{\sigma}.$$
$$\gamma = \frac{au}{\sigma}, \quad \delta = \frac{t + bu}{\sigma},$$
$$\alpha\delta - \beta\gamma = 1$$

folgt zunächst, dass β und δ positiv sind. Die
5te Gleichung 2. lehrt, dass alsdann α und γ

nicht verschiedene Vorzeichen besitzen können. γ kann nun niemals $= 0$ werden; sehen wir also für den Augenblick von dam Fall $\alpha = 0$ ab und beachten, dass a und c verschiedene oder gleiche Vorzeichen haben, je nachdem $b < \sqrt{D}$ oder $b > \sqrt{D}$ ist, so ergiebt sich, dass für

$$b < \sqrt{D} \qquad \alpha \text{ und } \gamma > 0,$$
$$\text{für } b > \sqrt{D} \qquad a \text{ und } \gamma < 0$$

sind. Die Gleichungen 1. und 2. liefern nun

$$\frac{\delta}{\beta} = \frac{b + \sqrt{D + \frac{\sigma^2}{u^2}}}{-c}, \quad \frac{\delta}{\gamma} = \frac{b + \sqrt{D + \frac{\sigma^2}{u^2}}}{a},$$

wo für $\sqrt{D + \frac{\sigma^2}{u^2}}$ der positive Werth genommen werden muss. Aus unseren Voraussetzungen folgt nun mit Berücksichtigung des in Art. 3. Gesagten, dass

$$\frac{b + \sqrt{D}}{-c} \text{ und der absolute Betrag von } \frac{b + \sqrt{D}}{a}$$

grösser als 2 sind. Um so mehr werden also $\frac{\delta}{\beta}$ und der absolute Betrag von $\frac{\delta}{\gamma} > 2$ sein.

Schreiben wir die 5te Gleichung 2. folgendermassen

$$\alpha(\delta - 2\beta) - \beta(\gamma - 2\alpha) = 1,$$

so ergiebt sich aus dem Umstand, dass $\delta - 2\beta$ und β positiv sind. dass α und $\gamma - 2\alpha$ nicht entgegengesetzte Vorzeichen haben können. Sehen wir also vorläufig von den Fällen $\alpha = 0$

und $\gamma - 2\alpha = 0$ ab, so können wir schliessen, dass stets

$$\frac{\gamma}{\alpha} > 2$$

ist.

Wir können jetzt $\frac{\gamma}{\alpha}$ in einen regelmässigen Kettenbruch entwickeln:

3.
$$\frac{\gamma}{\alpha} = (R_0, \ldots, R_{n-1}).$$

Der absolute Betrag der ganzen Zahlen $R_0, R_1, \ldots$ kann nie < 2 sein und auf ein Glied $+2$ folgt ein negatives, auf ein Glied -2 ein positives. Sollte $R_{n-1} = \pm 2$ sein, so ist der Kettenbruch ein regelmässiger, wie auch das Vorzeichen gewählt werden mag. (Siehe Art. 1.). Wir wollen nun festsetzen, dass, wenn dieser Fall eintritt, $R_{n-1} = +2$ oder $= -2$ gesetzt werden soll, je nachdem $b < \sqrt{D}$ oder $b > \sqrt{D}$ ist. Die Zahlen $R_0, \ldots, R_{n-1}$ sind also vollständig bestimmt. Wir können nun setzen

4.
$$j\gamma = [R_0, \ldots, R_{n-1}],$$
$$j\alpha = [R_1, \ldots, R_{n-1}],$$

wenn $j = \pm 1$ ist und unbestimmt bleiben kann. Es sei ferner

5.
$$\varphi = [R_0, \ldots, R_{n-2}]$$
$$f = [R_1, \ldots, R_{n-2}],$$

wenn $n > 2$ und $\varphi = R_0$, $f = 1$, wenn $n = 2$ ist; der Fall $n = 1$ setzt voraus, dass $\frac{\gamma}{\alpha}$ eine ganze Zahl ist, und soll später behandelt werden. Es ist also $\frac{\varphi}{f}$ der dem Werth $\frac{\gamma}{\alpha}$ vorhergehende Näherungswerth des Kettenbruches 3. Die Gleichung 5. Art. 1. giebt nun

$$\alpha . j\varphi - \gamma . jf = 1;$$

verbindet man dies mit der 5ten Gleichung 2., so folgt

$$\alpha(\delta - j\varphi) - \gamma(\beta - j\varphi) = 0.$$

Da nun α und γ relative Primzahlen sind, so ergiebt sich

6.
$$\delta = -\gamma\tau + j\varphi$$
$$\beta = -\alpha\tau + jf,$$

wo τ eine unbestimmte ganze Zahl vorstellt.

Aus diesen Gleichungen folgt

$$-j\delta = [R_0, \ldots, R_{n-1}, \tau]$$

$$-j\beta = [R_1, \ldots, R_{n-1}, \tau]$$

Ferner ist

$$-j\delta . \omega - j\gamma = [R_0, \ldots, R_{n-1}, \tau, \omega]$$

$$-j\beta . \omega - j\alpha = [R_1, \ldots, R_{n-1}, \tau, \omega].$$

Hieraus folgt

$$\frac{\delta\omega + \gamma}{\beta\omega + \alpha} = (R_0, \ldots, R_{n-1}, \tau, \omega).$$

Da aber nach unserer Voraussetzung die Form (a, b, c) durch die Substitution $\begin{pmatrix} \alpha, & \beta \\ \gamma, & \delta \end{pmatrix}$ in sich selbst übergehen soll, so besteht die Gleichung

7.
$$\omega = \frac{\gamma + \delta\omega}{\alpha + \beta\omega},$$

es ergiebt sich also

8. $\qquad \omega = (R_0, \ldots, R_{n-1}, \tau, \omega).$

Bisher ist noch nicht Gebrauch gemacht worden von der Eigenschaft der Form (a, b, c) eine reducirte zu sein, sondern nur angenommen worden, ihre und der Formel (c, b, a) 1te Wurzeln seien absolut genommen > 2; oder, was, wie Formel 2. Art. 3 zeigt, das Nämliche ist, dass die 1. und 2. Wurzel von (a, b, c) beziehungsweise > 2 und $< \frac{1}{4}$ sind. Sobald also nachgewiesen werden kann, dass der Kettenbruch 8. ein regelmässiger ist, so kann umgekehrt geschlossen werden, dass die zu Grund gelegte Form reducirt ist. Dieser Nachweis kann beigebracht werden, wenn $b < \sqrt{D}$ ist; so dass eine derartige Form, deren Wurzeln den angegebenen Ungleichheiten genügen nothwendig reducirt ist.

Es ist dann in dem Kettenbruch 8. R_{n-1} sicher nicht $= -2$ und da der Kettenbruch 3. regelmässig ist und $\omega > 2$ ist, sobraucht, um unsern Satz zu beweisen, bloss gezeigt zu werden, dass τ absolut genommen grösser als 1 und nicht $= + 2$ ist. Da die vier Substitutionscoefficienten in unserm Fall positiv sind und aus einer am Schluss von Art. 3 gemachten Bemerkung folgt, dass in den Gleichungen 6. τ negativ ist, wenn δ und γ (und ebenso auch β und α) gleiche Vorzeichen haben, so muss $\tau < 0$ sein. Da überdies $\delta > 2\gamma$ und der absolute Werth von γ grösser als der von φ ist, so muss $-\tau$ mindestens $= 2$ sein, w. z. b. w.

7.

Ein ähnlicher Nachweis kann in dieser Weise nicht beigebracht werden, wenn $b > \sqrt{\overline{D}}$ ist. Da in diesem Fall δ positiv, γ negativ und $\delta > - 2\gamma$, γ absolut genommen $> \varphi$ ist, so schliesst man aus 6. Art. 6., dass τ positiv und mindestens $= 2$ ist. Da ferner in unserm Fall R_{n-1} nicht $= + 2$, ω positiv und > 2 ist, so ist der Kettenbruch regelmässig oder unregelmässig, je nachdem $\tau > 2$ oder $= 2$ ist. Es soll jetzt bewiesen werden, dass der Fall $\tau = 2$ nicht vorkommen kann, unter der Voraussetzung, dass die zu Grunde gelegte Form reducirt ist, d. h. dass ihre erste Wurzel in einen regelmässigen rein periodischen Kettenbruch entwickelt werden kann.

Wir bemerken zunächst, dass der Beweis unserer Behauptung, dass durch die Entwicklungen des Art. 5. alle Lösungen der Gleichung

$$t^2 - Du^2 = \sigma^2$$

in positiven ganzen Zahlen gefunden werden, wesentlich darauf hinauskommt, zu zeigen, dass

der Kettenbruch 8. Art. 6. ein regelmässiger ist,
wenn die Form (a, b, c) reducirt ist. Denn sowohl in Art. 5. als in den Formeln des Art. 6.
erscheinen die Coefficienten der Substitution als
Zähler und Nenner zweier auf einander folgenden dem Ende einer Periode entsprechenden Näherungswerthe. Ist also der Kettenbruch 8. Art.
6. regelmässig, so folgt aus dem Umstand, dass
zwei regelmässige Kettenbrüche Glied für Glied
übereinstimmen, wenn sie einander gleich sind,
dass die Substitution, aus welcher er abgeleitet
worden ist, zu der Reihe derjenigen gehört,
welche aus der regelmässigen Kettenbruchentwicklung der 1ten Wurzel der reducirten Form
hervorgehen; es geht hieraus insbesondere hervor, dass zu dieser Reihe auch diejenige Substitution gehört, die den kleinsten positiven
Werthen von t und u entspricht. Und zwar
zeigt Formel 4. Art. 5, dass diese aus der
kleinsten (oder anders ausgedrückt ersten) Periode der Kettenbruchentwicklung hervorgeht.

Der Kettenbruch

1. $\qquad \omega = (R_0, \ldots, R_{n-2}, R_{n-1}, 2, \omega),$

in dem R_{n-1} nicht $= + 2$ ist, kann nun mittelst der Umformung

$$(R_0, \ldots, R_{n-2}, R_{n-1}, (2, \omega)) =$$

$$(R_0, \ldots, R_{n-2}, R_{n-1} - \frac{1}{(2, \omega)}) =$$

$$(R_0, \ldots, R_{n-2}, R_{n-1} - 1 - (\frac{1}{(2, \omega)} - 1))$$

oder da $\dfrac{1}{(2,\,\omega)} - 1 = \dfrac{1-\omega}{2\omega-1}$ ist in den folgenden regelmässigen Kettenbruch

$$\omega = (R_0, \ldots, R_{n-2}, R_{n-1}-1, \frac{2\omega-1}{1-\omega})$$

umgewandelt werden. Dass dieser wirklich regelmässig ist, ergiebt der Umstand, dass R_{n-1}
nicht $= + 2$ und $\dfrac{2\omega-1}{1-\omega}$ negativ und absolut
genommen > 2 ist.

Setzt man nun

$$[R_0, \ldots, R_{n-2}, R_{n-1}-1] = j\gamma'$$

$$[R_1, \ldots, R_{n-2}, R_{n-1}-1] = j\alpha'$$

$$[R_0, \ldots, R_{n-3}] = \varphi'$$

$$[R_1, \ldots, R_{n-3}] = f'^{\,1)},$$

so geben die Formeln 3 Art. 1, auf die Formeln
4 und 5 Art. 6 und die eben hingeschriebenen
angewandt

$$j\gamma = R_{n-1}\,\varphi - \varphi', \quad j\alpha = R_{n-1}f - f',$$

$$j\gamma' = (R_{n-1}-1)\,\varphi - \varphi', \; j\alpha' = (R_{n-1}-1)f - f',$$

aus denen

$$j\gamma = j\gamma' + \varphi, \; j\alpha = j\alpha' + f$$

1) Für den Fall $n = 2$ ist $\varphi' = 1$, $f' = 0$, für den
Fall $n = 3$ $f' = 1$ zu setzen.

folgt. Aus den Auseinandersetzungen des Art. 1 geht aber hervor, dass die Summe der Zähler und die Summe der Nenner zweier aufeinanderfolgenden Näherungswerthe eines regelmässigen Kettenbruches nicht selbst Zähler und Nenner eines Näherungswerthes desselben Kettenbruches sein können. Der 3te und 1te Coefficient einer Substitution, die geeignet ist eine Form in sich überzuführen, sind aber, insofern dieselbe aus einem regelmässigen rein periodischen Kettenbruch nach dem Verfahren des Art. 5 gefunden wird, der Zähler und Nenner eines Näherungswerthes. Die aus dem Kettenbruche abgeleitete Substitution $\begin{pmatrix} \alpha, & \beta \\ \gamma, & \delta \end{pmatrix}$ gehört also jedenfalls nicht zu denjenigen, die aus der regelmässigen Kettenbruchentwicklung der 1ten Wurzel ω einer reducirten Form sich nach dem Verfahren von Art. 5 ergeben.

Auch auch keine der übrigen Substitutionen, die sich nach Art. 5 aus dem Kettenbruch 1 ergeben, kann mit einer derjenigen übereinstimmen, die aus der regelmässigen Kettenbruchentwicklung von ω hervorgehen.

Denn wendet man auf irgend eine derselben die nämlichen Betrachtungen an, wie sie eben für eine bestimmte unter ihnen angestellt worden sind, so erhält man einen Kettenbruch, der genau in derselben Weise unregelmässig ist wie der Kettenbruch 1. Dass dies der Fall ist, ergiebt sich daraus, dass die durch τ bezeichnete Zahl in allen Fällen sich $= 2$ herausstellt. Ist (t, u) eine Lösung der Gleichung

$$t^2 - Du^2 = \sigma^2,$$

so ist für sie

$$\frac{t}{u} = \sqrt{D + \frac{\sigma^2}{u^2}}$$

um so kleiner, je grösser u ist, hat also seinen grössten Werth für die aus der ersten Periode abgeleitete Lösung. Nun ist

$$\frac{\delta}{-\gamma} = \frac{b + \frac{t}{u}}{-a}.$$

Es hat also $\dfrac{\delta}{-\gamma}$ für die kleinste Lösung (t, u) seinen grössten Werth und da aus den Gleichungen 6 Art. 6 folgt, dass für $\tau = 2$ $\dfrac{\delta}{-\gamma} < 3$ ist, so ist auch für die grösseren Lösungen (t, u) $\dfrac{\delta}{-\gamma} < 3$, wonach die Gleichungen 6 Art. 6 für alle Fälle $\tau = 2$ geben.

Es kann also keine der Lösungen unserer Gleichung, da sich aus dem Kettenbruch 1. ergiebt, mit einer der Lösungen übereinstimmen, die aus der regelmässigen Kettenbruchentwicklung der 1ten Wurzel der zu Grunde gelegten reducirten Form hervorgehen. Es sei nun (T, U) die absolut kleinste Lösung unserer Gleichung, (t', u') und (t'', u'') die kleinsten Lösungen, die sich bezüglich aus der regelmässigen Kettenbruchentwicklung und jener in Formel 1 ergeben, so giebt es ganze Zahlen h' und h'', so dass

$$t' + u'\sqrt{D} = (T + U\sqrt{D})^{h'},$$

$$t'' + u''\sqrt{D} = (T + U\sqrt{D})^{h''}$$

ist. Ist nun h das kleinste gemeinschaftliche Vielfache von h' und h'', so sind alle Lösungen (t, u) die der Gleichung

$$t + u \sqrt{D} = (T + U \sqrt{D})^{hm}$$

entspringen, wenn für m der Reihe nach alle positiven ganzen Zahlen gesetzt werden, in den beiden Reihen von Lösungen enthalten, die sich aus den beiden Kettenbruchentwicklungen ableiten lassen. Da aber diese beiden Reihen keine gemeinschaftlichen Lösungen besitzen, so kann eine Kettenbruchentwicklung der zu Grunde gelegten reducirten Form von der Beschaffenheit wie 1. nicht vorhanden sein.

Hiermit aber ist bewiesen, dass es keine andere Lösungen der Gleichnng $t^2 - Du^2 = \sigma^2$ giebt, als diejenigen, die sich aus dem regelmässigen Kettenbruch in der früher dargelegten Weise ableiten lassen.

8.

Es sind jetzt noch die bisher ausgeschlossenen Ausnahmefälle zu erledigen, welche dem Werthe $\alpha = 0$ und der Vorsausetzung, dass $\frac{\gamma}{\alpha}$ eine ganze Zahl ist, entsprechen. Für den Fall $\alpha = 0$ folgt aus der Gleichung

1. $$\alpha \delta - \beta \gamma = 1$$

und dem Umstand, dass $\beta > 0$, dass $\beta = 1$, $\gamma = -1$ ist. Da $\delta > 2\beta$, so muss hiernach δ mindestens $= 3$ sein. Die Gleichung 7 Art. 6 wird also zu

$$\omega = \frac{-1 + \delta\omega}{\omega},$$

aus der sich die regelmässige Kettenbruchentwicklung

$$\omega = \delta - \frac{1}{\omega}$$

ergiebt.

Ist $\frac{\gamma}{\alpha}$ eine ganze Zahl, so ergiebt sich aus dem Umstand, dass γ und α relativ prim sind $\alpha = \pm 1$; die Gleichung 1. liefert dann

2. $$\delta = \pm (\beta\gamma + 1),$$

folglich ist

$$\omega = \frac{\gamma \pm (\beta\gamma + 1)\omega}{\pm 1 + \beta\omega},$$

woraus

3. $$\omega = (\pm \gamma,\ \mp \beta,\ \omega)$$

folgt. Da α und γ gleiche Vorzeichen haben, so ist γ positiv oder negativ, je nachdem das obere oder untere Zeichen gilt. Da ferner

$$\delta > 2\beta \quad \text{und} \quad \delta > \pm 2\gamma,$$

so lehrt Gleichung 2, dass β und γ mindestens $= 2$ sind, wenn das obere, dass β und $-\gamma$ mindestens $= 3$ sind, wenn das untere Zeichen gilt. Hieraus aber folgt, dass 3 ein regelmässiger Kettenbruch ist.

Wir heben nun einige Beschränkungen auf, welche der Methode noch anhaften. Zunächst ist die Beschränkung nicht wesentlich, die bloss um einen bestimmt fixirten Fall vor Augen zu haben, gemacht wurde, dass der 3te Coefficient der zu Grunde gelegten Form negativ sei. Doch ist es nicht nothwendig, die ganze Untersuchung für diesen Fall zu wiederholen. Es genügt, die Beziehungen in's Auge zu fassen, die Art. 4 zwischen den Formen (a, b, c) und $(-a, b, -c)$ und den Kettenbruchentwicklungen ihrer ersten Wurzeln aufgestellt sind, um augenblicklich zu erkennen, dass jeder Transformation e i n e r dieser Formen in sich selbst eine b e s t i m m t e der andern in sich entspricht, so dass alle Transformationen der Form $(-a, b, -c)$ in sich selbst aus der Entwicklung ihrer ersten Wurzel in einen regelmässigen Kettenbruch abgeleitet werden können.

Nur sei noch bemerkt, dass für positive Werthe von c β negativ wird und daraus folgt, dass γ und α nicht gleiche Vorzeichen haben, folglich γ positiv oder negativ ist, je nachdem $b > \sqrt{D}$ oder $< \sqrt{D}$ ist.

Durch die bisherigen Entwicklungen ist gezeigt, wie aus der Entwicklung bestimmter reducirter Formen in regelmässige Kettenbrüche sämmtliche Transformationen dieser Formen in sich selbst, die positiven Lösungen der Gleichung

2. $$t^2 - Du^2 = \sigma^2$$

entsprechen, also auch diese selbst sämmtlich gefunden werden können. Jede Periode der reducirten Formen enthält mindestens e i n e reducirte Form von der vorausgesetzten Beschaffenhit. Es soll jetzt noch gezeigt werden, dass mit demselben Erfolg j e d e reducirte Form gebraucht werden kann, d. h. dass es keine Lösung der Gleichung 2 giebt, die nicht aus der regelmässigen Ketten-

bruchentwicklung der 1. Wurzel der Form ab-
leitbar wäre.

Die sämmtlichen Transformationen einer Form
φ_0 in sich selbst können aus den Transformationen einer ihr äquivalenten φ_λ in sich selbst
folgendermassen abgeleitet werden. Es sei (T)
eine Substitution, die φ_0 in φ_λ transformirt,
$(T)^{-1}$ die ihr inverse, d. h. die aus ihr abgelei-
tete, welche φ_λ in φ_0 transformirt; (S) sei eine
Substitution, die φ_λ in sich selbst überführt.
Dann erhält man alle Transformationen von φ_0
in sich selbst und jede nur einmal, indem man
nacheinander die Substitutionen

3. $$(T)\ (S)\ (T)^{-1}$$

bildet und für (S) alle Substitutionen setzt, die
φ_λ in sich selbst transformiren, während (T) unverändert bleibt.

Wir setzen voraus, dass φ_0 und φ_λ zwei reducirte Formen derselben Periode sind. Es sei
m die Anzahl der Glieder in einer Periode und
möge die Periode der Form φ_0 entwickelt und
immer weiter fortgesetzt werden:

$$\varphi_0, \varphi_1, \ldots, \varphi_\lambda, \ldots \varphi_{m-1};\ \varphi_0, \varphi_1, \ldots, \varphi_\lambda, \ldots \varphi_{m-1};\ \ldots,$$

entsprechend der Entwicklung der 1. Wurzel
von φ_0 in einen regelmässigen Kettenbruch[1]).
Einem Fortschreiten von einer bestimmten Form
φ_p zu einer andern φ_q in bestimmter Richtung

[1]) Eine Fortsetzung der Formenreihe nach links würde
zu solchen Transformationen führen, denen positive Werthe von t und negative von u entsprechen.

entspricht eine bestimmte Transformation der 1. in die 2. Form, das Durchlaufen des nämlichen Weges in entgegengesetzter Richtung der inversen Substitution, da φ_q in φ_p transformirt

Ist φ_λ eine reducirte Form von der speciellen im Früheren vorausgesetzten Beschaffenheit, so entspricht sämmtlichen Transformationen in sich selbst, die zu positiven Werthen von t und u gehören, ein Fortschreiten nach und nach zu allen rechtsstehenden Formen φ_λ, die jedesmal um m Glieder von einander abstehen. Um nur für die Form φ_0 die sämmtlichen entsprechenden Transformationen in sich selbst abzuleiten hat man nach dem Schema 3 zunächst irgend eine Transformation von φ_0 in φ_λ auszuführen. was einem Fortschreiten um λ Glieder in der Formenreihe entspricht, wenn wir bei der 1. Form φ_λ stehen bleiben; von da hat man um die Substitution (5) zu erhalten um hm Glieder vorzugehen, wo h irgend eine positive ganze Zahl bedeutet; schliesslich hat man die Transformation $(T)^{-1}$ auszuführen, d. h. um λ Glieder zurückzugehen. Man ist hierbei im Ganzen von φ_0 um hm Glieder vorgeschritten. Giebt man nun dem h alle seine Werthe, so erhält man alle Transformationen und jede nur einmal; zugleich aber erkennt man, dass diese übereinstimmen mit allen den Transformationen, die sich aus der Kettenbruchentwicklung in der früher auseinandergesetzten Weise ergeben, und ist also bewiesen, dass ausser diesen keine andern vorhanden sind w. z. b. w.

Verzeichniss der bei der Königl. Gesellschaft der Wissenschaften eingegangenen Druckschriften.

Juli 1873.

In ungarischer Sprache.

(Fortsetzung).

Ertekezések. Forschungen aus dem Gebiete der Geschichts-Wissenschaften, herausgegeben von der Ung. Akad. d. Wissensch. 1871. Stück 1. Pest 1871.

— aus dem Gebiete der mathematischen Wissenschaften. 1871. Stück 8—11. Das. 1871. — 1872. Stück 1. Das. 1872.

— aus dem Gebiete der Naturwissenschaften. 1871. Stück 9—15. Das. 1871. — 1872. Stück 1—3. Das. 1872.

— aus dem Gebiete der Philologie und schönen Wissenschaften. 1871. Stück 7. 8. Das. 1871. — 1872. Stück 9—11. Das. 1872.

— aus dem Gebiete der Staatswissenschaften. 1872. Stück 5. Das. 1872.

— aus dem Gebiete der Philosophie. Stück 1. Das. 1871. — Stück 2. Das. 1872.

Mag. történelmi Tár (Thesaurus historicus Hungaricus). XVI. Pest 1871. — XVII. XVIII. Das. 1872.

Közlemények. Philosophische Mittheilungen, herausgegeben von der philosophischen Abtheilung der Ung. Akad. der Wissensch. redigirt von Paul Hunfalvy. Bd. 10. Heft 1. Pest 1871. Bd. 11. Heft 1. 2. 3. Das. 1872.

— statistische und völkswirthschaftliche, zur Beförderung der Kenntniss der heimathlichen Zustände, herausgeg. von der statistischen Abth. der Ung. Akad. der Wissensch. redig. von Karl Keleti. Bd. 8. Heft 1. Das. 1871. Heft 2. Das. 1872.

Török-Magyarkori történelmi Emlékek (Monumenta historica temporis Turco-Hungarici). Abth. 1. Diplomatarium. Bd. 7. Pest 1871.

Almanach der Ung. Akad. der Wissenschaften auf das J. 1872. Pest 1872.

Archivum Rákóczianum, herausgegeben von der historischen Commission der Ungar. Akad. der Wissensch. Abth. 2. Diplomatarium. Bd. 1. Pest 1872.

Monumenta Hungariae historica, herausgeg. von der historischen Commission der Ung. Akad. d. Wissensch. Abth. 1. Urkunden. Bd. 17. Pest 1872.

Kalevala, finnisches Volks-Epos, ins Ungarische übersetzt von Ferdinand Barna. Pest 1871.

A. M. T. Akadémia Évkönyvei. Jahrbücher der Ung. Akademie der Wissenschaften. Bd. 13. Lief. 3. 6. 7. 8.

Archaeologiai Közlemények. Archäologische Mittheilungen, zur Beförderung der Kenntniss der vaterländischen Kunstdenkmäler, herausgeg. von der archäol. Commission der Ung. Akad. d. Wissensch. Bd. 8. (Neue Folge, Bd. 6). Heft 3.

Gregor Czuczor und Joh. Fogarasi, Ungarischer Sprachschatz. Bd. 6. Heft 1. Pest 1871. Heft 2. Das. 1872.

Th. Wechniakoff, IIIième Section des recherches sur les conditions anthropologiques de la production scientifique et esthétique. Paris 1873. 8.

G. V. Schiaparelli, i precursori di Copernico nell' Antichità. Milano 1873. 8.

(Fortsetzung folgt).

Nachrichten

von der Königl. Gesellschaft der Wissenschaften und der G. A. Universität zu
Göttingen.

3. September.   № 24.   1873.

Königliche Gesellschaft der Wissenschaften.

Ueber eine Base aus Nitrobenzanilid.

Von

H. Hübner und H. Retschy.

Wir haben früher schon in den Berichten
der deutschen chemischen Gesellschaft 1873, 798
angeführt, dass wir eine Base $C_{13} H_{10} N_2$ erhalten haben. Hier sollen die Eigenschaften und
die Salze derselben etwas genauer beschrieben
werden.

Versuche die geeignet sind die Lagerung der
Bestandtheile in dieser Base festzustellen haben
wir noch nicht beenden können.

Behandelt man Nitrobenzanilid mit Zinn und
Salzsäure so entsteht zunächst das bereits früher
beschriebene monobenzoylirte Diamidobenzol
$C_6 H_4 . N H_2 . N H . C_6 H_5 . C O$.

Diese Verbindung liefert nach längerer Einwirkung von freiwerdendem Wasserstoff (aus
Zinn und Salzsäure) die gewünschte Base.

Das Zinn Doppelsalz derselben krystallisirt
in kleinen, fast farblosen Nadeln.

Die mit Schwefelwasserstoff entzinnte Lösung

desselben scheidet nach dem Abdampfen das salzsaure Salz: $C_{13} H_{10} N_2 \cdot HCl$ in feinen farblosen
Nadeln aus. Dies Salz lässt sich nur aus verdünnter Salzsäure umkrystallisiren da es sonst
Salzsäure abgiebt.

Die freie Base bildet, aus der Lösung ihrer
Salze mit Ammoniak abgeschieden, farblose, kurze
Nadeln. Sie ist in Wasser fast unlöslich, wenig
löslich in Benzol und Chloroform, leicht löslich
in Alkohol. Aus der alkoholischen Lösung wird
sie in glänzenden, durchsichtigen rhombischen
Tafeln erhalten. Ihr Schmelzpunkt liegt über
240^0.

Das Platindoppelsalz $(C_{13} H_{10} N_2)_2 (HCl)_2 Pt Cl_4$
bildet gelbe Nädelchen.

Das salpetersaure Salz $C_{13} H_{10} N_2 \cdot H NO_3$
besteht aus durchsichtigen farblosen Nadeln.

Das schwefelsaure Salz $(C_{13} H_{10} N_2)_2 H_2 SO_4$
krystallisirt in schönen farblosen Nadeln, die
sich meist zu Büscheln vereinigen.

Schliesslich sei noch erwähnt, dass es gelungen ist, die freie Base zu nitriren.

Zur Kenntniss der aus Steinkohlentheer zu erhaltenden Xylidine.

Von

H. Hübner und G. Struck.

Genau bei $138 - 139,5^0$ siedendes Steinkoh-
lentheerxylol wurde nitrirt und amidirt. Das so
erhaltene Xylidingemisch wurde dann mit einem
gleichen Raummass Essig einige Tage gekocht.
Es entstand eine stark braun gefärbte Flässig-
keit, welche nur bei einem Versuch zu einem
Krystallbrei erstarrte. Durch Lösen in Wasser

und häufiges Umkrystallisiren wurde ein in langen farblosen Nadeln krystallisirendes Acetxylid erhalten, dessen Schmelzpunkt bei 127—128° C. lag. Diese Verbindung ist in Alhohol sehr leicht löslich. In 100 Th. Wasser lösen sich 2,67 Th. des Acetxylid's.

Beim Eindampfen der Mutterlauge dieser Acetverbindung schied sich eine röthlich gefärbte etwas ölige Verbindung ab. Durch Krystallisation aus Chloroform wurde dieselbe in grossen Blättern erhalten, welche aus Wasser krystallisirt, vierseitige Säulen bildeten. Die Säulen schmolzen bei 123—124°. Sie waren in Alkohol sehr leicht löslich. In 100 Th. Wasser lösten sich 2,36 Th. derselben. Ob diese zweite in sehr geringer Menge erhaltene Acetverbindung von der ersten verschieden ist, oder ob die geringen Unterschiede, die sie von der ersten Verbindung unterscheiden nicht nur durch eine sehr geringe Verunreinigung hervorgerufen werden, müssen spätere Versuche entscheiden.

Zunächst wurde aus der bei 127—128° schmelzenden Acetverbindung das Xylidin durch Behandlung mit Natronlauge abgeschieden und mit demselben folgende Salze dargestellt.

Da die verschiedenen Xylidine noch wenig erforscht sind, so geben wir neben dem Schmelzpunkt der zugehörigen Acetverbindung auch die Beschreibung einiger Salze unsrer Base um dieselbe scharf zu kennzeichnen.

Das salzsaure Xylidin $C_6H_3(CH_3)_2NH_2$. HCl. Krystallisirt aus Salzsäure in grossen farblosen Blättern. Das Salz ist in Alkohol und Wasser sehr leicht löslich.

Das salpetersaure Xylidin $C_6H_3(CH_3)_2$ $NH_2.NO_3.H.$ Krystallisirt auch in farblosen

Blättern und verhält sich wie das salzsaure Salz.
Diese Verbindung färbt sich leicht röthlich.

Das schwefelsaure Xylidin ($C_6H_3(CH_3)_2$
$NH_2)_2$ H_2SO_4 bildet schöne monobline Säulen,
die in Alkohol und Wasser leicht löslich sind.

Das saure oxalsaure Salz $C_6H_3(CH_3)_2$.
NH_2.H.COO bildet prachtvolle, rhomboëdrische
COOH
Krystalle, die in Alhohol und Aether leicht lös-
lich sind.

Aus der kleinen Menge des bei 123—124°
schmelzenden Acetxylid's konnte nur ein in sehr
löslichen Blättern krystallisirendes salzsaures Salz
dargestellt werden.

Nitroacetxylid ($C_6H_2(CH_3)_2(NH.CH_3$
CO).NO_2. Diese Verbindung wurde dargestellt
durch Eintragen von, mit einem gleichen Raummass Eisessig verdünnter, rauchender Salpetersäure in die erkaltete Lösung des bei 127—128°
schmelzenden Acetxylids in Eisessig. Nach zwei-
tägigem Stehen hatten sich in dem Gemisch
Krystalle abgesetzt. Das Gemisch gab nun mit
Wasser zersetzt einen krystallinischen Niederschlag, der aus Alkohol krystallisirt hellgelbe
Octaëder bildete, die schwer in Wasser, leicht in
Alkohol löslich sind und bei 69—70° schmelzen.

Nitroamidoxylol $C_6H_2(CH_3)_2(NH_2)(NO_2)$,
wurde erhalten, als das Nitroacetxylid lange mit
starker Natronlauge gekocht wurde. Die Verbindung ging mit den Wasserdämpfen sehr leicht
über und schied sich in kleinen Nadeln ab. Aus
Alkohol krystallisirt die Verbindung in gelbro-
then, etwa einen Zoll langen Nadeln, welche in
Wasser sehr schwer in Alkohol sehr leicht löslich sind und bei 173—174° schmelzen.

Diamidoxylol $C_6H_2(CH_3)_2 NH_2.NH_2$.
Diese Verbindung wurde aus dem Nitroamido-

xylol durch Behandlung mit Zinn und Salzsäure erhalten. Zunächst bildet sich ein Zinndoppelsalz, wird dies mit Natronlauge gekocht so geht mit den Wasserdämpfen eine Base über die lauter sehr lösliche Salze bildet und aus denselben nur als Oel abgeschieden werden kann.

Nur das schwefelsaure Salz $C_6H_2(CH_3)_2(NH_2)_2$. H_2SO_4 dieses Diamidoxylol's krystallisirt aus einer sehr eingeengten wässrigen Lösung auf Zusatz von Alkohol in farblosen Krüstallblättern.

Ueber die Verbindungen der Nitrile mit den Aldehyden.

Von

H. Hübner und G. Jacobsen.

Es ist früher nachgewiesen worden (Berichte d. deut. chem. G. 1873, 199), dass sich Acetonitril und Trichloraldehyd (Chloral) zu einer schön krystallisirten Verbindung umsetzen. Dieselbe konnte in wässriger Lösung mit Natriumamalgam nicht in eine entchlorte Säure übergeführt werden. Es entstand stets nur Essigsäure, wahrscheinlich nach folgender Gleichung:

$$CCl_3.CH(CH_2.CONH_2)_2 + 3H_2O + 4H_2 =$$
$$CH_3.CH_2.OH. + 2CH_3.COONH_4 + 3HCl.$$

Wir liessen darauf Aldehyd auf Acetonitril einwirken aber bisher ohne Erfolg.

Dagegen wirkt Aldehyd auf Benzonitril bei 220° ein. Neben harzigen Verbindungen entstanden derbe farblose Nadeln. Diese wurden von Benzoesäure durch Waschen mit ganz wenig kohlensaurem Natrium getrennt und aus Alkohol oder Chloroform umkrystallisirt. Die Verbindung bildet dann derbe Tafeln, die in Wasser ziemlich, in Alkohol und Chloroform leicht löslich sind und bei 125° schmelzen. Diese Verbindung zeigt den Schmelzpunkt und ungefähr die Löslichkeitsverhältnisse des Benzamids. Ihre Analyse scheint aber für die Formel $CH_3.CH(C_6H_4.CONH_2)_2$ zu sprechen.

Berechnet auf Benzanilid.	Berechnet auf $CH_3CH(C_6H_4.CONH_2)_2$.	gefunden.
C = 69,42	71,64	71,24
H = 5,78	5,97	6,11
N = 11,56	10,45	11,07
O = 13,24	11,94	—
100,00	100,00	

Mit Wasser oder mit Barytwasser gekocht giebt das Amid Benzoesäure, die sich durch den Schmelzpunkt (120°), das Aussehen, den Geruch ihres Dampfes und die Analyse ihres Baryumsalzes zu erkennen gab.

0,3625 Grm. wasserfreies Salz gaben 0,225 Grm. $BaSO_4$ entsprechend 36,4 % Ba.
Das Salz $CH_3.CH(C_6H_4COO)_2Ba$ verlangt 33,8 % Ba.
Benzoesaures Baryum » 36,15 % Ba.

Die Umsetzung scheint also nach folgender Gleichung erfolgt zu sein:

$$CH_3.CH.(C_6H_4.CONH_2)_2 + 3H_2O =$$
$$CH_3.CHO + 2C_6H_5.COONH_4,$$

doch wagen wir nach diesen Versuchen die Entstehung der Verbindung $CH_3.CH(C_6H_4.CONH_2)_2$ noch nicht mit voller Sicherheit zu behaupten.

Wird ferner Trichloraldehyd mit Benzonitril auf 230° erhitzt, so entstehen in Wasser fast ganz unlösliche, feine, atlasglänzende Nadeln, die sich bei 260° zersetzen ohne vorher zu schmelzen.

0,381 Gr. dieser Verbindung gaben 0,127 Gr. Wasser und 0,721 Gr. Kohlensäure.

0,1968 Gr. dieser Verbindung gaben 0,2275 Gr. Ag Cl.

d. h.:

$CCl_3 . CH(C_6 H_4 CONH_2)_2$	gefunden.
verlangt:	
C = 51,95	51,6 %
H = 3,49	3,67 —
Cl = 28,66	28,59 —

Ueber Thihydrobenzoesäure.

Von

H. Hübner und F. Frerichs.

In Gemeinschaft mit Jul. Upmann hat der eine von uns früher (Zeitschrift für Chemie 1870, 291) die Thihydro- und Dithiobenzoesäure dargestellt. Es konnten aber diese beiden Säuren nicht mit Sicherheit getrennt und unterschieden werden. Upmann hat dann später beobachtet, dass sich die eine Säure durch Verflüchtigung von der zweiten trennen lässt. Diese Angabe wird durch unsere Versuche vollständig bestätigt.

Wird die unreine, aus dem schön krystallisirten, sauren sulfobenzoesauren Barium gebildete, Thihydrobenzoesäure durch Papier verflüchtigt so erhält man der Benzoesäure überaus ähnliche zu Blättern vereinigte Nadeln. Der Schmelzpunkt dieser Säure liegt bei 146—147°, derselbe verändert sich nicht wenn die trockne Säure an der Luft liegt. Dagegen ist diese Säure bei Gegenwart von Wasser sehr veränderlich. Diese bei 146—147⁰ schmelzende Säure ist die Thihydrobenzoesäure $C_6H_4.SH.COOH$. Für diese Annahme sprechen die hier folgenden Analysen, der niedrige Schmelzpunkt der Säure und ihre Unbeständigkeit, während die früher beschriebene bei 242—244⁰ schmelzende sehr beständige Säure die Dithiobenzoesäure ist $(C_6H_4)_2$ $S_2(COOH)_2$.

I. 0,1216 Gr. der Säure gaben 0,1908 Gr. $BaSO_4$;
II. 0,1588 — — — — 0,2431 — — ;

Die Bestimmung des Kohlenstoffs und Wasserstoffs in dieser Säure ist schwer auszuführen. Als wir die Verbindung mit chroms. Blei verbrannten erhielten wir stets zu geringe und um 2 % schwankende Werthe für den Kohlenstoff, während die Wasserstoffbestimmungen richtig ausfielen:

$$4,19 \%; \ 4,72 \%; \ 4,31 \%; \ 4,80 \%.$$

Erst als wir die in einem Verbrennungsschiffchen abgewogene Menge der Säure mehrere Tage zunächst über rauchender Salpetersäure, dann zur Trocknung über Schwefelsäure stehen liessen erhielten wir eine richtige Kohlenstoffbestimmung:

0,2526 Gr. der Säure gaben 0,5093 Gr. CO_2
oder 54,98 % C.

$C_6H_4.SH.COOH$ verlangt:		gefunden.
C_7 — 84 =	54,54	54,98 %.
H — 6 =	3,90	4,19; 4,72; 4,31; 4,80 %.
S — 32 =	20,78	21,54; 21,13 %.
O_2 — 32 =	20,78	
	154	100,00

Mit der weiteren Erforschung der Säure sind wir noch beschäftigt.

Göttingen, den 10. August 1873.

Nachrichten

von der Königl. Gesellschaft der Wissenschaften und der G. A. Universität zu Göttingen.

12. November.	№ 25.	1873.

Königliche Gesellschaft der Wissenschaften.

Beiträge zur Kenntniss der ältesten Epoche neupersischer Poesie.

Von

Dr. Hermann Ethé.

(Der K. Ges. der WW. vorgelegt von Prof. Ewald).

Rûdagî, der Sâmânidendichter.

Einleitung.

Wenngleich schon unter der Regierung der Ṭâhiriden und der Familie Laith (in den zwei ersten Dritteln des 3ten Jahrh. d. H.) sich in Khurâsân das eingeborene persische Element gegen die dominirende Herrschaft arabischer Sprache und Literatur aufzulehnen begann, und dichterisch begabte Männer wie Meister Ḥantala (nach Anderen Ḥanżala حنظلة) aus Bâdaghîs, Ḥakîm Fîrûz Mashriqî (nach Sprenger, Cat. Oudh p. 3 Mustaufî) und Abû Salîk aus Jurjân eine einheimische Literatur anzubahnen suchten, so war der Erfolg dieser sehr vereinzelten Bemühungen doch nur ein äusserst geringer, und erst unter der für die Wiederbelebung des erstorbe-

nen Glanzes altpersischer Herrlichkeit begeister-
ten, mit feinem Kunstgefühl begabten Dynastie
der Sâmâniden vermochte eine wirklich nationale persische Redekunst Wurzeln zu schlagen
und lebenskräftige Schösslinge zu treiben. Ein
reicher Flor von Sängern, die freilich vielfach
neben ihren persischen Liedern noch Gedichte
in der mehr officiellen arabischen Sprache ver-
fassten, blühte auf an den Höfen dieser immer
mehr vom Chalifat sich losreissenden und zur
völligen Unabhängigkeit sich emporringenden
Fürsten, besonders an den von Ahmad bin Isma'il,
Naçr bin Ahmad und Nûh bin Naçr (zusammen
von 295—343 d. H.). Abû Shakûr aus Balkh,
— Abulhasan Shahîd aus Balkh, — Abû 'Abdallah Muh. bin Mûsa ولادى‎ (nach Anderen
غرالادى‎), — Abulfath aus Bast, — Abû Schu'aib
Çâlih bin Muh. aus Harât, — Abul 'abbâs alfadl
bin 'Abbâs, — Abû Zar'ah Ma'mar (auch Zarrâ'ah
alma'marî genannt) aus Jurjân, — Abulmuzaffar
Naçr (oder Naçir) bin Muh. aus Nîshâpûr, —
Abû 'Abdallah Muh. bin 'Abdallah aljunaidî, —
Abû Mançûr 'Umârah bin Muh. (oder bin Ahmad)
aus Marw, — Abulmathal aus Bukhârâ, — Abulmuwayyad aus Balkh, — Abulmuwayyad Ram-
naqî aus Bukhârâ, — Khabbâz (der Bäcker, auch
Khabbâzî) aus Nîshâpûr, — Abû 'Abdallah Muh.
ibu alhasan Ma'rûf (oder Ma'rûfî) aus Balkh, —
Abû Tâhir attabîb bin Muh. alkhusrawânî, —
Abû Mançûr Muh. bin Muh. Ahmad Daqîqî aus
Tûs (nach Anderen aus Bukhârâ), der schon in
die Zeit der Ghaznawiden hinüberreicht und auf
Befehl des Sâmâniden Nûh bin Mançûr die Com-
position des Schâhnâma begann, sowie manche
minder bedeutende Dichter feierten in volltö-
nenden Qaçîden das Lob ihrer Herrscher, sangen

in zarten Ghazelen der Liebe Lust und Leid
und des feurigen Weines Preis, legten ihre in-
nersten Gedanken über Gott und Menschheit,
Weltenlauf und Schicksal in tiefsinnigen Sprü-
chen, die bisweilen schon einen leisen mystischen
Anklang haben, nieder und bereiteten so jene
erste grosse Glanzepoche der neupersischen Literatur vor, die kaum 50 Jahre später in der
Tafelrunde Mahmûd's von Ghazna und vor Allem
in Firdûsî ihren vollendetsten Ausdruck fand.
An der Spitze aller dieser Sâmânidendichter aber,
sie alle weit überragend an poetischem Ingenium
wie an Fruchtbarkeit, in sich wie in einem
Brennpunkt alle die vereinzelten Strahlen ihres
Talentes sammelnd und gleichsam das Facit aus
allen den verschiedenartigen literarischen Bestre-
bungen seiner Vorgänger und Zeitgenossen zie-
hend, stand Meister Rûdagî, der daher wohl als
der Vater der neupersischen Dichtkunst angesehen werden kann. Alles, was die zahlreichen
literar-historischen Werke der Perser uns von
seinen Erzeugnissen überliefert haben, ist in den
folgenden Blättern sorgsam zusammengestellt,
und wenn es auch nur »ein Tropfen aus jener
Wolke und ein winziger Bruchtheil aus jenem
Buche (seiner Poesien)« ist, so reicht es doch
hin, darzuthun, dass Rùdagî mit vollem Recht
auf den Namen eines Poeten ersten Ranges Anspruch erheben kann. 23 handschriftliche Quellen in zusammen 46 Copien haben das Material
zu dieser Arbeit geliefert:

1) Muh. ʿAufî's Lubâb-ulalbâb, verf. in den
ersten Decennien des 7ten Jahrh. Spreng. S. 318,
lt, aber defect. (Vergl. Bland in Journ. of the
Roy. As. Soc. IX, p. 112 ff. — Cat. Oudh p. 1 ff.).
— 2) Daulatshâh's Tadhkirat-ushshuʿarâ, voll. 892,
s 14 Handsch. der Bodl. und der India Office:

Elliot 388 bis 393, und 345. — Ouseley 305. —
Bodl. 120. — Ouseley Add. 20 und 34. — India
Off. 401, 2337 und 2539. Die älteste Copie
geschr. 942. — 3) Haft Iqlîm, geogr.-literar.
Encyclopädie v. Amîn Ahmad Râzî, verf. 1002,
in 3 Handschr. Elliot 158 (geschr. 1039) —159
u. Ousel. 377. — 4) Butkhânah, grosse Anthol.
in 2 Bd. von Maul. Çûfî und Mirzâbeg Khâkî
verf. 1010, erweitert durch 'Abdallatîf bin 'Abdallah al'abbâsî 1021. Elliot 31 u. 32 (unvollst.
am Ende). — 5) Intikhâb-i-sad wa haftâd shâ'i-
rân-i-fârsî, Anthol. datirt 1042 von Muh. Çâlih.
Ouseley 198. — 6) Mirât-i-'âlam, allgem. Gesch.
bis zu Aurangzîb von Muh. Bakhtâwârkhân (†
1095) mit Dichterbiogr. in der Khâtimah. Elliot
242 — Ouseley 252 u. 53. (Vergl. Morley, descr.
Cat. p. 52. — Nassau Lees in Journ. of the Roy.
As. Soc. 1868 Sept.). — 7) Mirât-ulkhayâl von
Shîrkhân Lûdî, verf. 1102. Ouseley Add. 2 —
Elliot 397. — India Off. 2011. Ausgabe (1831),
enth. in Ousel. Add. 35. Vergl. Bland a. a. O.
p. 140. — 8) Khushgû's Safînah, verf. 1137—
1147. Sprenger S. 330. 331. (Vergl. Cat. Oudh.
p. 130). — 9) Tadhkirah v. 'Alî Fitrat, gen.
Nadrat, verf. 1149. India Off. 2578. — 10) Riâd-
ushshu'arâ von 'Alî Qulîkhân aus Dâghistân, gen.
Wâlih, verf. 1161. Spreng. S. 332 — Elliot 402.
(Vergl. Bland a. a. O. p. 143. — Cat. Oudh. p. 132).
— 11) Lubb-i-Lubâb von Qamar-uddîn alhusainî,
Ausz. des vor. India Off. 1013. — 12) Majma'-
unnafâis von Sirâj-uddîn 'Alî Ârzû, voll. 1164.
Elliot 399. (Vergl. Bland p. 172). — 13) Makh-
zan-ulgharâib, biogr. Diction. mit 3145 Dichtern von Ahmad 'Alî Hâshimî bin Muh. Hâjî
voll. 1218. Elliot 395. (Vergl. Bland p. 173. —
Cat. Oudh. p. 146). — 14) Khazâna-i-'âmirah
von Ghulâm 'Alî, gen. Âzâd, verf. 1176. Ousel.

Add. 6. — India Off. 1140 und 2736. Roy. As. Soc. 187. — (Vergl. Bland p. 150 ff. — Cat. Oudh. p. 143). — 15) Ḥâjî Luṭf-ʿAlîbeg's Atash-Kadah (um 1179) Shrankm. der Bodl. — Elliot 17 und 387. Ausg. (Calcutta 1849) vergl. Cat. Oudh. p. 161. — 16) Ḥadîqat-uçça-fâ, allgem. Gesch. v. Ibn Ghulâm ʿAlî-Khân Yusuf ʿAlî, voll. 1184. Am Schluss Biograph. Elliot 156. — 17) Ḥadîqat-ulaqâlîm, geogr.-encyclop. Werk von Murtaḍa Husain Balgrâmî beg. 1170. Elliot 157. — 18) Khulâçat-ulafkâr von Abû Tâlib Ibn Maghfûr Ḥâjî Muh. Begkhân, verf. 1207—11. Elliot 181 (vergl. Bland p. 153. — Cat. Oudh. p. 163). — 19) Mirât-i-âftâbnâmah, Gesch. und Geogr. mit Dichterbiogr., verf. 1217 von Nawâb ʿAbdurrahmân Shâh Nuwâzkhân Hâshimî Banbânî v. Dihlî. Elliot 241 (vergl. Morley, a. a. O. p. 56). — 20) Zubdat-ulashʿâr, Poetik, Ouseley 57. — 21) Auszüge aus pers. Dichtern ohne Titel. Elliot 293. — 22) Samml. Rûdagîscher Lieder mit werthl. Comment., ganz modern, Ouseley Add. 127. — 23) Spreng. Samml. 1378 (enthält im Anhang einige Lieder Rûdagîs, die mir durch Hr. Dr. Jahn in Berlin gütigst collat. sind). Hierzu kommen noch ausser den genannten Ausgaben und Vullers pers. Lex. folgende gedruckte Werke: 24) Jâmî's Bahâristân, Ausg. v. Schlechta (Wien 1864). — 25 u. 26) Ḥadâiq-ulbalâghah von Mîr Shams-uddîn Faqîr v. Dihlî (Calcutta 1814) und Garcin de Tassy's französ. Bearb. desselben (Rhétorique et Prosodie des Langues de l'Orient Musalm. 2te Ausg. Paris 1873). —

Rûdagî's Leben und dichterische Bedeutung.

´Ḥakîm Farîd-uddîn Muḥ.[1]) arrûdagî assa-
marqandî[2]) mit dem ursprünglichen Namen
(اسم اصل) 'Abdallâh[3]) und den beiden Kunyas
Abulḥasan und Abulja'far[4]) ward — allen Anzeichen nach zu schliessen — im Beginn der
2ten Hälfte des 3ten Jahrh. d. H. im Dorfe
Rûdag in Transoxanien (nach Einigen in den
Districten von Samarqand, nach Anderen in denen v. Bukhârâ[5]) und zwar, wie die zuverlässig-
sten Tadhkiras berichten, blind geboren[6]),

1) Makhz. fügt noch die Kunya Abû Muḥ. hinzu.
Bin Muḥ. findet sich in Butkh, Nadrat und Ḥadîq.-ulaqâl.

2) Nur Nadr. hat albukhârî.

3) 'Aufî. Haft Iql., Butkh. und Safîn. lesen dafür:
Abú 'Abdallah; Khulâç-ulafk. sogar: Bin 'Abdallah.

4) Butkh. hat einfach: Ja'far; ebenso Nadr. und
Ḥadîq.-ulaqâl.

5) Daher sein Beiname. 'Aufî kennt nur diese
Deutung. Erst Daul. und Spätere leiten den Namen auch
von rûd wegen des Dichters grosser Fertigkeit im Lau-
tenspiel ab. —

6) So berichtet 'Aufî, und auf ihn gestützt fast alle
guten Tadhkiras mit Ausnahme Daulatsh. Ob der Angabe freilich Glauben beizumessen, oder ob auch hier
die Sage verantwortlich zu machen für den Glorienschein
eines ähnlichen Märtyrerthums, wie es die Griechen dem
Homer beigelegt, bleibt dahingestellt. Viel in seinen
Gedichten, so die genauen und feinen Farbenunterschei-
dungen, sprechen gegen das Blindgeborensein. Ich ci-
tire hier gleich den Haupttext 'Aufî's, der von den Spätern gewöhnlich wörtlich wiederholt und mit ausschmü-
ckenden Zusätzen vermehrt ist:

رودكى از نوادر فلكى بودست ودر زمرهء انام از عجايب

ايام آمده بود امّا خاطرش غيرت خورشيد ومه بود بصر

نداشت امّا بصيرت داشت مكشوفى بود اسرار لطـايف

stockblind (اكمه), wie an verschiedenen Stellen

بروی مكشوف محجوبی بود از غایت لطف و طبع محبوب

چشم ظاهر بسته داشت امّا چشم باطن كشاده مولد او

رودك سمرقند بود واز مادر نا بینا آمده امّا چنــان

ذكی و تیزفهم بود كه در هشت سالكی قرآن تمام حفظ

كرد و قرآن بیاموخت وشعر گفتن گرفت و معانی دقیق

میگفت چنانچه خلق بدان اقبال نمودند ورغبــت

او زیاده شد و اورا آفریدگار آوازی خوش و صوتِ دلكش

داده بود و بسبب آواز در مطربی افتاده بود واز ابــو

العبّاس بختیار كه در آن صنعت اختیار بود بــربــط

بیاموخت ودرآن ماهر شد وآوازهٔ او باطراف و اكناف

عالم برسید و امیر نصر بن احمد السامانی كه امیــر

خراسان بود اورا بقربت حضرت خود مخصوص گردانیمد

و كارش بالا گرفت و ثروت و نعمت او بحدّ كمال رسید

چنانكه گویند اورا دویست غلام بود و چهار صـد

شتر در زیر بُنه او میرفت وبعد ازوی هیچ شاعر را این

(Sprenger مكنت نبودست واین اقبال روی نــدادهٔ

318 L 81 ff). —

ausdrücklich hervorgehoben wird. Aber, wenn
ihm auch das Gesicht fehlte, Einsicht besass er
doch, und war ihm gleich das Augenlicht verhüllt, die Geheimnisse zarter Redefeinheiten lagen offen und hüllenlos vor ihm da. Seine vor-
zügliche Güte und sein liebenswürdiges Naturell
liessen ihn zwar das äussere Auge geschlossen,
das innere dagegen weitgeöffnet halten. Er war
einer der seltensten Erscheinungen der irdischen
Welt und unter den Menschenschaaren (als der
Einzige) kundig der Wunderdinge aller Zeiten.
Aber doch war sein Gemüth (in seiner Lauter-
keit und Klarheit) der Gegenstand des Neides
von Sonne und Mond, und trotzdem er von
Mutterleib an der Sehkraft entbehren musste,
war er so feinsinnig und scharfverständig [1]), dass
er schon im achten Jahre den Qurân vollständig
auswendig wusste, auch die richtige Recitirung
desselben sich aneignete, bereits Verse zu machen
begann und subtile Gedanken zum Ausdruck
brachte, so dass alle Welt davon beglückt wurde,
und das Verlangen nach ihm sich immer mehr
und mehr steigerte [2]). Gott hatte ihm eine
schöne Stimme und herzentzückenden Tonklang
gegeben, so dass, wenn immer er das Schloss
der Zunge im Recitiren öffnete, er den Engeln
selbst die Herzen stahl, und wenn er mit dem
Schlüssel des Vortrages den Mund erschloss

---

1) Oder nach Khulâç: »war im Feinheitsschauen
(در دید معانی) ein würdiger دلیمف und gehörte zu den
Scharfsichtigen (تیز بینان) der Welt.«

2) Nach Mirât-i-ʿÁl. schon im 7ten J. Dagegen
Mirât-i-âftábn.: »schon mit 20 Jahren hatte er den Qurân
vollständig inne, war ein Hakîm, ein Dichter und Witz-
bold und ein davidgleicher Sänger von schönen Melodien.

Hoch und Niedrig, Alt und Jung ganz hingeris-
sen von ihm wurde [1]). Durch diese seine schöne
Stimme veranlasst widmete er sich dann dem
Saitenspiel und lernte von Abuťabbâs Bakhtiâr,
der in jener Kunst ganz auserlesen war, das
Barbiton (nach Anderen die Laute عود) und die
Wissenschaft der Musik mit Hülfe des Gedächt-
nisses, und erwarb darin solche Geschicklichkeit,
dass er im Spielen ebenso wie im Dichten der
Fürst der Welt ward [2]). Ja! er brachte es in
Gesang und Spiel soweit, dass das Wasser seiner Hand an der Station des Gesanges sowohl
den Staub der Langeweile dem Winde preisgab,
als auch das Feuer im Herzen löschte [3]). Als
nun sein Ruf in alle Landstriche und Bezirke
der Welt drang, — da zog ihn der Sâmâniden-
fürst Wâfî Abulfawâris Naçr bin Ahmad bin
Ismaîl [4]), der Herrscher von Khurâsân und
Transoxanien, ein tüchtiger und tugendpflegen-
der, durch Humanität, Gerechtigkeit und Freigebigkeit bekannter Fürst, der stets treffliche
Männer und Dichter mit zahlreichen Huldgaben
beschenkte und beständigen Verkehr mit solchen unterhielt, an seinen Hof und zeichnete
ihn durch seine persönliche Gunst vor allen Anderen aus. Rûdagî ward sein Tafelgenosse, stieg
durch ihn zu den höchsten Ehren auf und er-

1) Rhetor. Phrase d. Haft Iql.
2) Die nicht in ʿAufî sich findenden Zusätze sind aus
dem Makhz. genommen.
3) Wieder rhetor. Schmuck des Haft Iql.
4) Einige Handschr. des Daulatsh. haben وفی statt
والفی und نصیر statt نصر. Letzteres hat auch H. Iql.,
das ihm ebenso wie Wâlih u. Safin. die Kunya Abulhasan
giebt. Khaz.-i-ʿâmir. nennt ihn fälschlich Naçr bin Nûh,
Mirât-ulkhay.: Naçr-uddîn; ʿAufî an einer Stelle des Textes weiter unten: Naçr bin Muh.

regte das Wohlgefallen von Vornehm und Gering. Durch den Gnadenerguss des Glückes von
Seiten Naçr bin Aḥmad's wuchs sein Wohlstand
rasch und sein Besitz an Dienerschaft wie an
Heerdenbestand stieg schliesslich auf's Höchste.
Er empfing kostbare Huldbeweise und Geschenke
aller Art vom Emîr sowohl wie von dessen
Freunden und den übrigen Grossen des Reichs [1]),
und nie hat nach ihm wieder ein Dichter solche
Reichthumsfülle aufzuweisen gehabt. Einiger-
maassen mit ihm messen in dieser Beziehung
können sich nur 'Unçurî unter den Ghaznawiden
und Emîr Mu'izzî unter den Seldschucken, die
beide ebenso wie er ihre ganze Lebenszeit in
froher Musse an Fürstenhöfen verbrachten. Er
besass 200 Pagen [2]), und 400 Kameele zur Fort-
schaffung seines Habes und Gutes, und so konnte
er denn seinen Erben mehr hinterlassen, als jemals ein Anderer auch nur im Traum gesehen [3]).

[1]) So Atashk., vergl. auch die weiter unten mitgeth.
Elegie.

[2]) Daul. specialisirt diese als »indische und türki-
sche«, ebenso Atashk. und Ḥadîq.-uçças̄ā. Nadr. macht
daraus »400 ind. und türk. Knaben und Mädchen«.

[3]) So Atashk. und Safîn. Auf Rûdagîs Reichthum
spielt Jâmî in der »Goldkette« (سلسلة الذهب) mit
diesen Versen an:

رودکی آنکه در همی سُفتی   مدح سامانیان گُـفتی

صلّةٔ شعرهای (نظمهای .n. And) همچو دُرش   بود در

بار چار صد شترش

چون شتر زین رباط بیرون راند   بر زمین غیر شعر هیچ

نماند

Die Angaben über sein Todesjahr schwanken zwischen 330 und 343 [1]); wäre erstere richtig, so müsste er noch ein Jahr vor seinem Gönner Naçr aus der Welt geschieden sein, denn dieser starb nach einer 30jährigen Regierung 331 an der Phthisis [2]). Nach dem ganzen schmerzlich bewegten Ton seiner weiter unten mitgetheilten Elegie aber, die ganz so aussieht, als sei sie zu einer Zeit gedichtet, wo die schönen Tage von Naçr's Gönnerschaft längst hinter ihm lagen, möchte ich dem zweiten Datum den Vorzug geben. —

Was nun sein eminentes dichterisches Ingenium betrifft, so sind darüber alle biographischen Werke der Perser des höchsten Lobes voll. Sie nennen ihn den Adam der Poeten und den Meister der Beredten [3]), den frühesten der Dichtergruppe [4]), den berühmtesten der feine Gedanken

»Rûdagî war's, dem die Perle zu durchbohren wohl gelang,
Er auch, der das Lob der Fürsten aus dem Stamme Sâmâns sang,
Und sein Sang, der perlengleiche, trug ihm ein soviel der Gaben,
Dass zum Tragen er Kameele viermalhundert musste haben.
Doch seitdem aus diesem Rasthaus sein Kameel er vorwärts trieb,
Ist sein Dichterwort das Einz'ge, das auf Erden von ihm blieb«.

1) 330 in Atashk., 343 in Khulâc. Butkh. giebt das sinnlose Datum 407 (!).
2) So richtig Butkh. Daul. lässt ihn von seinen Pagen ermordet werden, was bekanntlich nicht ihm, sondern seinem Vater Ahmad passirte. Hammer hat diesen Unsinn auch. Safîn. lässt ihn gar erst 353 umgebracht werden.
3) Majma' und Safîn.
4) Daul.

schaffenden Dichter und den bekanntesten der
früheren schönen Redekünstler [1]), das Vorbild
und Muster aller Lobredner der Sâmânidenfa-
milie [2]), den Karawânenführer der Dichter und
den Heeresvortrab der Beredten [3]), den Meister
aller Meister, vor Allem aber den Sultân der
Dichter [4]). Er war der Erste unter den Persern, der einen vollständigen Dîwân gesammelt,
d. h. alle seine Lieder in der fortan gang und
gäbe gewordenen Weise zu einem Ganzen vereinigt hat [5]), und wenn man ihn auch nicht, wie
vielfach von den einheimischen Literarhistori-
kern geschieht, als den ersten bezeichnen kann,
der die Schatzkammer persischer Poesie mit dem
Schlüssel der Zunge erschlossen, so kann man
ihnen doch gewissermaassen Recht geben, wenn
sie ihn den مخترع und den بانى nennen, d. h. den,
der zuerst in origineller Weise das Gebäude
der Dichtkunst aufgeführt und allen verschiedenen Dichtungsgattungen, dem Mathnawî, der
Qaçîde, dem Qiťa, dem Ghazel und dem Rubâ'î
ihren eigenthümlichen Stempel, ihren individuellen Character aufgeprägt hat. Die spätern
grossen Panegyriker Anwarî und Khâqânî, die
grossen Erotiker, wie Ḥâfiz und Genossen, ja
selbst die Didactiker haben von ihm gelernt und
ihm trotz aller ihrer blendenden Vorzüge in sei-

1) Nadr.
2) H. Iql.
3) Khaz-'âmir.
4) 'Aufi, H. Iql., Saf.; vergl. auch Butkh. u. Ḥadiq.-
ulaqâl. Rûdagî's Zeitgenosse, der Dichter Ma'rûf oder
Ma'rûfî aus Balkh spielt darauf an in dem Verse:

از رودکی شنیدم سلطان شاعران .

5) Khaz.-'âm.:   بتدوین دیوان سخن پرداخت .

ner Einfachheit und Ungekünsteltheit doch nie wieder erreicht. Alle Späteren sind nur Brosamenesser vom Tische seiner Beredtsamkeit und Aehrenleser von den reichen Garben seiner Redekunst [1]). Wie eine Wolke des Segens stand er da im Scheitel der Welt, und alle Erleuchteten erschlossen gleich der Perlenmuschel ihren Mund (um ihre Tropfen in sich aufzusaugen) [2]). Auch hat er zuerst die schmähsüchtige Zunge der Araber von den Persern abgewehrt und jene dahin gebracht, dass sie selbst die Beredtsamkeit dieser zugestehen mussten. Mit seltener Einstimmigkeit haben daher auch die meisten angesehenen Dichter seiner und der späteren Zeit ihm neidlos die Superiorität über sich eingeräumt [3]).

1) u. 2) Wálih u. Ousel. Add. 127.

8) So singt Abulhasan Shahîd, Rûdagî's Zeitgenosse:

بسخن مانند شعر شعرا   رودکی را سخنش تلوینلست

شاعرانرا خه و احسنت مدیح   رودکــی را خــه و

احسنت هجاست

»Sonst geht nicht über Worte hinaus das Lied der Dichter,
Doch Rûdagî mit Worten malt Farben mancherlei.
Man sagt wohl sonst zu Dichtern als Lob ein: »Bravo,
                                              trefflich!«
Zu ihm das sagen wollen, das wäre Spöttereil«

('Aufî, H. Iql. und Safîn.). Ebenso Daqîqî:

کرا رودکی گفته باشد مدیح   امام فنون سخنور بود

دقیقی مدیح آورد نزد او (تو .od)   چو خرما کسی

سوی بصره برد

»Wem Rûdagî des Lobes Preis gespendet,
Dem ist er Kunstimâm voll Redekraft;
Doch wenn Daqîqî ihn (od. dich) belobt, so gleicht er
Dem Manne, der nach Baçra Datteln schafft«.

Seine Gedichte sollen 100 Bände gefüllt und
1300,000 Verse umfasst haben [1]). Auf Befehl

('Aufî, H. Iql., Safîn. Der Text in 'Aufî ist ganz verwahrlost; H. Iql. hat das letzte Hemistich so:

'Unçurî singt: (چو خرما بسوی هجمور بود — .)

غزل رودکیی وار نیکو بود   غزلهای من رودکیی وار نیست

اگرچه بکوشم بباریک وهم   بدین پرده اندر مـرا بار

نیست ،

>Ein gut Ghazel muss sein wie Rûdagîs,
Doch meinen ist sein Zauber nicht bescheert,
Und ring' ich nach Gedankenfeinheit auch,
In das Gemach ist Zutritt mir verwehrt«.
('Aufî, Makhz, H. Iql. u. Safîn).

Als ein Thor einst Rûdagîs Verse schmähte, dichtete
Niżâmî 'arûdî folgende Verse auf ihn:

ای آنکه طعن کردی درشعر رودکیی   این طعن کردن

تو زجهل وز کود کیست

کاتکس که شعر، داند داند که در جهان   صاحبقران

شاعری ستاد رودکیست

>O du, der du die Gesänge Rûdagîs mit Spott beschüttest,
Du beweist nur durch dein Spotten, welch ein thöricht
Kind du bist.
Wer mit Poesie vertraut ist, weiss gar wohl, dass hier
auf Erden
Meister Rûdagî der Dichtkunst hochbeglückter Tîmûr ist«.
('Aufî, Makhz, H. Iql. und Safîn.).

1) So singt Rashîdî aus Samarqand (unter Sultân
Khidr):

گر سری بابد بعالم کس بنیکو شاعری   رودکیی را بسر

سران شاعری زیبد سری

des Emîr's Naçr brachte er das berühmte Fa-
belbuch Kalîlah wa Dimnah in persiche Verse
und empfing dafür von seinem Fürsten, nach
der gewöhnlichen Angabe, 40,000 Dirhems[1]).
Dass er daneben noch manche andere epische
Gedichte, die freilich ebenso wie dieses Thierepos
verloren gegangen sind, verfasst hat, beweisen
die mannichfachen Mathnawî-Verse, die sich in
den Originallexicis zerstreut finden und durch
ihre verschiedenartigen Metra deutlich ihren
Ursprung aus ganz verschiedenartigen Erzeugnissen dieser Dichtungsgattung bekunden. —

شعر اورا من شمردم سيزده ره صد هزار   هم فزون آيد
اگر چونانکه بايد بشمری

»Macht sich Einer hier zum Fürsten je durch gute Poesie,
So gebührt vor all den Dichtern dieser Rang dem Rûdagî.
Sieh, ich zählte seine Verse — 1300,000 waren's,
Und es werden mehr noch, zählst du in der rechten
　　　　　　　　　　　　　　　　Weise sie.«

('Aufî, Butkh., Mirât-ulkhay., H. Iql., Wâlib, Lubb-i-
Lub., Safîn., Khulâç. und Ouseley Add. 127.   Einige lesen
das letzte Hemistich so: هم فزونتر آيد ارچونانکه بايد الخ).

Andere geben die Zahl auf 1328,000 — noch andere nur
auf 1000,300 an.

　　1) Das wird belegt durch einen Vers 'Unçurî's in
Daul. und Anderen: چهل هزار درم الخ, u. ebenso durch
die Elegie Rûdagî's selbst (siehe weiter unten), wo er
sagt, er habe 40,000 D. vom Fürsten und 60,000 von
dessen Freunden erhalten.   Zu Kalîla vergl. Fırdûsî im
Schâhn (ed. Mohl) VI, 455.

Rûdagî's Lieder.

Ich stelle hier zunächst die Gedichte zusammen, die dem Lobe des Emîr Naçr gewidmet sind, d. h. die eigentlichen Qaçîden (resp. Qit'as) und ein paar kürzere, mehr ghazelenartige Lieder von gleicher Tendenz, die vielleicht auch nur Bruchstücke grösserer Lobgedichte sind. Bemerkenswerth ist bei den ersten derselben die ganz gleiche Schlusswendung, die manchmal sogar im Wortlaut übereinstimmt, so dass man sie für Theile eines förmlichen Liedercyclus halten könnte. —

1) Atashk. Ell. 387 f. 182 — 17 f. 190[b]. Intikhâb Ousel. 198 f. 86[b]:

منم غلام خداوند زلف غاليه گون   تنم شده چو   ۱
سر۱) زلف او نوان ونگون

همى ندانم در هاجر چند پيچم چند   همى ندانم
كز دوست چون شكيبم چون

زبس كزين دل پر خون من بر آيد جوش   زبس كه
ديدهٔ بيخواب من بريزد خون

فروز لاله چو عذرا بجلوهٔ وامف   خروش ابر چو لـيلى
بجلوهٔ مجنون

ۃزخاك شوره برآورد بوى باد شمال   زسنگ خاره هيـان
كرد اشك ابر عيون

1) تقن in Jntikh. In Atashk. finden sich nur V. 1, 2 und 6.

زباد لخاك معنبر بعنبر سارا   زابر شاخ مكلّل بلولو مكنون

زسنگ خارا پیدا همیشود مینا   روزی۲ مهنا مرجان
همیشود بیرون

سرشک ابر پراگنده كرد در بستان   نسیم باد پدیدار
كرد در هامون

همی بلرزد شاخ سهی زباد بهار   چو چشم خصم زقیغ
امیر روز افزون

۱۰ مكان نصرت و اقبال مهر ابو نصران   كه هست طالع
او جفت طالع میمون

زبان كهتر و مهتر بمدح او گردان   روان عاقل و جاهل
بمهر او مرهون

یكی عطاش همه گنجهای اسكندر   یكی نقاش همه
علمهای افلاطون

زدست او شده لولو بابر متواری   زتیغ او شده آهن
بسنگ در مدفون

اگر بباد بر از دست تو حدیث كنند   اگر زتیغ تو

1) روزی in der Handschr. روز scheint hier im Sinne
von »Helle, Glanz« gebraucht. —

افتد خیال در جیحون

فلا بسان گردون آنجا روان شود کشتی   بسان کشتی آنجا
روان شود گردون

دهان بمدح تو گردد ز گوهر آکنده   زبان ز لشکر تو
گردد بغالیه معجون

خجسته بادت نوروز روزِ نیسان   هزار روزه ونوروز بگذران
ایدون

یکی بطاعت توبه بعهد پیغمبر   یکی برامش و رادی
برسم افریدون

همیشه تا که بنیسان برویدت نسرین   همیشه تا مه
کانون خوش آیدت کانون

»Eines Herrschers Dienst erkor ich, dessen Lo-
cken duftdurchzogen,
Und mein Leib, gekrümmt wie diese, schwankt
wie diese her und hin.
Ach, wie lang ich mich noch winde in der Tren-
nung Weh — nicht weiss ich's,
Weiss es nicht, wie ich's ertrage, dass so fern
vom Freund ich bin.
Schon genug ist's, dass mir siedend wallt das
Herz, das bluterfüllte,
Dass mir Blut das Auge träufelt, dem der Schlum-
mer längst entrückt.
Glüht doch, wie ob Wâmiq's Reizen Adhra einst,
aufs Neu die Tulpe,

Jauchzt doch das Gewölk wie Leila, von Majnû-
nens Huld entzückt!
Wohlgeruch entlockt der Nordwind selbst der 5
Steppe salz'gem Boden,
Quellen weckt der Wolken Thräne selbst aus
hartem Felsgestein;
Mit des Ambra reinem Dufte tränkt der Erde
Staub der Lufthauch,
Und um Zweige lässt die Wolke Perlen sich
zum Kranze reihn.
Aus dem Boden, undurchdringlich, drängt em-
por das lichte Grün sich,
Und aus grünem Blätterschmelze ringt Korallen-
gluth sich los;
Feuchte Zähren hat im Garten weit umherge-
streut die Wolke,
Und des Windes Wehn durchathmet sanft und
lind des Blachfelds Schooss.
Und der schlanke Zweig erzittert vor dem Lenz-
hauch, wie des Feindes
Auge vor dem Schwert des Herrschers, dessen
Macht sich wachsend mehrt,
Ja, bei ihm, dem Siegesfürsten, schlug den Wohn- 10
sitz Sieg und Heil auf,
Als des Glückssterns Zwillingsbruder hat sich
sein Gestirn bewährt.
Seines Ruhmes Preis verkündet Hoch und Nie-
drig aller Orten,
Alle Weisen stehn und Thoren tief in seiner
Liebesschuld;
Ein Geschenk von ihm wiegt reichlich auf Is-
kanders ganze Schätze,
Und nicht mehr gilt Platos Weisheit, als e i n
Zeichen seiner Huld.
O mein Fürst, die Wolken füllte deine Hand
mit Perlenspende,

In des Steines Leib schuf Eisen ganz allein
dein Schwert hinein,
Und sobald von deiner Hand zur Kunde kommt
dem Flug der Winde,
Und sich in des Oxus Fluthen spiegelt deines
Schwertes Schein,
O, dann stürmt mit Aetherschnelle hier das Fahr-[15]
zeug durch die Wogen,
Und dem Fahrzeug gleich an Schnelle dreht
sich dort des Aethers Rund;
Wird doch, denkt sie rühmend deiner, moschus-
duftig jede Zunge,
Wird doch, singt er deinen Lobpreis, voll Ju-
welen jeder Mund!
Drum zum neuen Jahr erquicke stets dich reich-
ster Frühlingssegen,
Und noch tausendmal hienieden blüh' dir Lenz
und Lenzeslust;
Sie geniesse fromm ergeben dem Propheten —
ihn verbringe [1])
Frohgelaunt, und gleich Feridun sei des Wohl-
thuns dir bewusst,
Und so lebe fort, so lange Dir im Mai noch
sprosst die Rose
Und des Heerdes Gluth dir freundlich winkt in
Winterssturmgetose!«

1) Wörtlich würde es heissen: noch 1000 روزه, und
نوروز verbringe hier, den einen in der reuigen Andacht
des Propheten, den anderen in Lust und Freigebigkeit.
Ich nehme روزه hier im Sinne des türk. كونلك وظيفه
stipendium diurnum; es könnte freilich auch im Sinne
von صوم Fasten hier stehen: »verbringe hier noch 1000
Fasten (im Fastenmonat Ram.) und Neujahre, erstere in,
letztere in —.«

2) Ouseley 198 f. 175:

١ به ابروان چو کمان و بزلفگان چو کمند   لبانت ساده عقیق و رخسانت ساده پرند

پرند لاله فروش وعقیق لولوبار   کمانت غالیه تیر و کمند مشکین بند

شگفته نرگس داری بزیر خمّ کمان   دمیده سنبل داری بزیر بند کمند

بخط جادوی آراسته پرند بمشک   بدست نیکو آراسته عقیق بقند

٥ هوات بردل من چند گونه دام نهاد   صبّات[1] بر تن من چند گونه بند الکند

میان دامم وچشمم همی نبیند دام   بزیر بندم و چشمم همی نبیند بند

بسان پشمت منست آن دو زلف مشک آگین   بسان جان منست آن دو چشم سحر آگند

اگر نه پشمت منست آن چرا شد ست دوتاه   اگرنه جان منست آن چرا شدست نژند

_____

چو نور قبلهٔ زردشت نور دو رخ تو   نشسته گردوی
اندر ز مشک غالیه اند

10 دلم بزلف ببردی بچشم بسپردی   اگر بجان نگرانم
بدل شدم خرسند

بهیچ بند نترسم که طبع من بکشاد   عطای خسرو
کشور کشای دشمن بند

بلند رای بلندی فرای ابو نصران   که پست پشه
بآرایش آسمان بلند

مَلکِ نهاد و مَلکِ سیرت و مُلکِ دیدار   ملکِ نژاد و
ملکِ قمت و ملکِ پیوند

بسا کسان که وی از بند شاه پند آموخت   که
روزگار ندانست پند اورا پند

15 جهان نیازد از آواز سایلانش جان   که جان مادر از
آواز گم شده فرزند[1]

عدو ز خندهٔ تیغش همیشه مالامال   ولی ز ناله زرمش
همیشه خنداخند

هرآنچه دادور آنرا بسالها اندوخت   هرآنچه قارون

1) Dieser eine Vers wird auch in Ataehk. citirt.

آنرا بعمرها بتگنند

یکی بزم ثنایش بلحظه نگسست   یکی بروزِ دشمن
به بزم بر آگنند

بجود او نرسد ومر هیچ زیرك سار   بفضل او نرسد دست
هیچ دانشمند

20 اگر بخواهی کز تو بلا گسسته شود   هوای اورا با جان
خویش کن پیوند

بماه مانی با جام (1 می فراز سریر   بشمیر مانی با تیغ کین
فراز سمند

بسا کسان که خدایش جهان نداد تمام   نداد مل
نه خود برخیٌ نه بوی بکنند

ترا بداد خدا این جهان ونیکو داد   بزرك کرد ترا
زآنکه هست روزی مند

همیشه تا نکنند کس قیاس قند ز زهر   همیشه تا نکنند
کس قیاس باز به بند

25 چو بهند باد ابر دست دشمنانت (2 باز   چو ز هر بادا

1) Die Handschrift hat ein mir unverständl. اُو (?).

2) So ist jedenfalls statt des in der Handschr. fälschlich stehenden بند zu lesen. —

در کام دشمنانت قند،

»O du mit Brauen bogengleich und Locken kraus!
            zum Netz verstrickt,
Mit Lippen, glühend wie Rubin und zarten, sei-
            denweichen Wangen,
Von Tulpen sprosst die Seide dir — es träufelt
            Perlen dein Rubin,
Dein Bogen schiesst manch duft'gen Pfeil, und
            Moschus hält dein Netz umfangen.
In deiner Bogenwölbung Schirm hegst blühende
            Narcissen du,
Und Hyacinthen hauchen auf, von deines Netzes
            Band umschlungen;
Wie Moschusglanz der Zaub'rer Flaum mit Herr-
            schermacht der Seide lieh,
So ward auch ganz von güt'ger Hand mit Zucker
            dein Rubin durchdrungen.
In wieviel Schlingen hat mein Herz die Liebe
            schon zu dir gelegt!
In wieviel Fesseln mir den Leib die Leidenschaft
            für dich geschlagen!
Ich bin umgarnt, und seh' es nicht, wie ich im
            Fallstrick mich verwirrt,
Ich bin im Bann, und seh' es nicht, wie ich
            der Kette Last muss tragen.
Das Ringelhaar, das duft'ge dort, ist meines
            Rückens Abbild ganz,
Das zaubervolle Augenpaar, es spiegelt meine
            Seele wieder;
Wenn jenes nicht mein Rücken wär', wie bög'
            es dann sich krumm und kraus,
Wenn dies nicht meine Seele wär', wie senkte
            dann sich's schmachtend nieder?
Wie Zarathustra's Qibla hell, so leuchtet deiner
            Wangen Schein,

Ein duft'ges Beet voll Moschus ist's, das sie zum
        Wohnsitz sich errangen;
In's Auge senktest du mein Herz, das deine 10
        Locken mir geraubt,
Drum stillt mein Herz nun fort und fort der
        Seele sehnendes Verlangen.
Doch Knechtschaft schreckt mich n i c h t! mein
        Sein erschloss ja ganz voll Huld der Fürst,
Der Länder aufschliesst mit dem Schwert, in
        Knechtschaft zwingt, die frech ihm wehren,
Und hochsinnsvoll so hoch sich schwingt, dass,
        wenn sein Siegerglanz sie trifft,
Sich selbst die winz'ge Mücke bläht und mit
        dem Himmel misst, dem hehren!
Er, dessen Wandel engelrein, dess Antlitz engel-
        gleich erstrahlt,
Ihn zeugten Engel, und empor wie Engelflug
        geht all sein Streben;
Gar Manchem schon hat guten Rath der Scla-
        vendienst des Schâhs geliehn,
Und bess're Lehre ihm ertheilt, als je das Schick-
        sal ihm gegeben!
Ersehnt des Fürsten Seele doch der Hülfefleher 15
        Ruf so sehr,
Wie des entschwund'nen Knäbleins Laut der
        Mutter Herz in bangem Sehnen.
Dem Feinde geht es durch und durch, erglänzt
        im Lächeln hell s e i n Schwert,
Doch frohes Lächeln zeigt der Freund, hemmt
        schluchzend e r den Lauf der Thränen [1]).
Soviel erwarb er, wie der Fürst, der allgerechte [2]),
        Jahr auf Jahr,

---

1) So nach der Lesart رزم; einfacher liesse sich vielleicht رزم lesen, »über sein Schlachtgeschrei freut sich
der Freund«.

2) Ich verstehe unter dem دادور den durch seine

Soviel entzog er wie Qârûn sich selbst in langen
Lebenstagen;
Und rühmt im Kampf er Jenen stets, so giebt
er auch zum Unterhalt
Noch gar dies reich ersparte Gut dem Feind bei
fröhlichen Gelagen [1]).
Drum fasst auch seinen Edelmuth wohl nimmer
eines Denkers Geist,
Wohl nimmer wird des Weisen Hand hinan an
seine Tugend reichen;
Und willst du jedes Missgeschicks auf immerdar 20
entledigt sein,
O nimmer lass die Liebe dann zu ihm aus dei-
ner Seele weichen!
Ja, Fürst, den Becher in der Hand, strahlst auf
dem Thron du gleich dem Mond,
Und Löwen gleichst du, sieht man hoch zu Ross
der Rache Schwert dich schwingen.
So manchen giebts, dem nicht von Gott die
ganze Erde ward zu Theil,
Dem alles fehlt, die Hoffnung selbst, ein Stück-
chen Zucker zu erringen [2]),
Doch dir gab Gott dies Weltreich ganz, gab
Schätze dir und Macht und Ruhm,

Gerechtigkeit sprüchwörtlich gewordenen Nûshirwân. Gewöhnlich bezeichnet dieser Ausdruck Gott selbst. Dieser und der folg. Vers sind übrigens, wie es scheint,
nicht ganz correct — was ich gedeutelt habe, lässt sich
sprachlich wenigstens rechtfertigen. —

1) In dem Sinne, wie ich den Vers gefasst, würde
بروزی الخ bedeuten: »für den, zum Zwecke des Lebens-
unterhaltes des Feindes.« Misslich bleibt die Deutung
der beiden یكی, wovon das eine mit dem کنایش zusammen doch wohl auf eine Person, das zweite auf eine
Sache bezogen werden zu müssen scheint.

2) Ich fasse hier بوی im Sinne von spes, siehe Hâfis
ed. Brockh. S. 3, V. 2.

Denn unumschränkt kann er und frei mit allen
Erdengütern schalten —,
Und drum, so lang noch irgendwer hienieden Gift
statt Zucker greift
Und nicht vom Falken scheiden kann die Bande,
die umspannt ihn halten,
Umspann' als Band von Eisen stets der Falke
deiner Feinde Hand,
Verkehr' in deiner Feinde Schlund zum Gift
sich stets der Zuckerkand [1])!«

3) Butkh. Elliot. 32, f. 330 Randz. unten.
Ataskh. a. a. O. — Sprenger 1378.

1 مَهُ نيسان شبيخون كرد خوني بِرمّهُ كانون   كه كردون

كشت ازو پر كرد و صحرا كشت ازو پر خون

راشك ابر نيسانى بحديبا شاخ شد معلم   زبوى باد آزارى

بعنبر خاك شد معجون

يكى بر چرخ پيدا كرد پنهان كردهُ ايزد   يكى بر دشت

پنهان كرد پيدا كردهُ قارون [2])

بخنديد لاله بر صحرا بسان چهرهُ ليلى   بگريد ابر بـر

كردون بسان ديدهُ مجنون

5 از[3]) آب جوى هر ساعت همى بوى كلاب آيد   درو

1) Vergl. den Schluss des folg. Gedichtes.
2) Dieser Vers fehlt in Ataskh. Sprenger 1378 hat
auch im ersten Hemistich: پنهان كرد پيدا.

3) Butkh. und Sprenger: از آن از جوى Buthk. und
Sprenger im zweiten Hem.: بدو در شست.

شستسست پنداری نگار من رخ گلگون
اگر﴾ یک زلف بفشاند ازو صد دل رها گردد   و شر
یک چشم بگمارد دو صد دل را کند پر خون
الا تا سوزن و سوسن یکی باشد بر کالیو   الا شکر و
افیون یکی باشد بر مجنون
موا خواهانت را در زیر سوزن باد چون سوسن   بسد
اندیشانت را در کام شکر باد چون افیون ٤

»Fürwahr, es warf bei Nacht den Mond des Win- 1
    ters der Maimond siegreich nieder in den Grund,
Nun füllt mit Staub sich ganz der Kreis der Sphä-
    ren, des Blachfelds Teppich färbt mit Blut sich
                     bunt.
Die Thräne, die entströmt dem Lenzgewölke, sie
           hat Brocat gewirkt in alle Zweige,
Und rings getränkt hat mit des Ambra Dufte des
        Frühlingswindes Hauch der Erde Rund.
Was einst Qârûn an's Licht geschafft von Schätzen,
    das birgt tief drinnen der im Schooss der
                   Fluren,
Und was geheimnissvoll verhüllt der Schöpfer,
    das macht im weiten Weltall jene kund²).
Es träufelt Zähren hoch vom Himmelsbogen, wie
       einst das Auge des Majnûn, die Wolke —
Und hold und lieblich lächelt im Gefilde, wie
        Leilas Angesicht, der Tulpe Mund.

1) Die 3 letzten Verse fehlen in Atashk.
2) Hier und im folg. Verse habe ich die Hemistiche
in der deutschen Uebersetzung umgestellt, lediglich des
Reimes wegen.

Des Rosenwassers süssen Duft enthauchet zu 5
   jeder Stunde fort und fort die Welle,
Als ob sein rosig Antlitz drin gebadet der Schatz,
   mit dem mich eint der Liebe Bund.
Ja! wenn mein Lieb nur eine Locke schüttelt,
   wohl hundert Herzen werden los und ledig,
Und wenn nur einen Blick sein Aug' entsendet,
   zweihundert Herzen schlägt es blutig wund.
So lange drum der Lilie spitze Blätter von Na-
   deln nicht des Thoren Blick kann scheiden,
Und Süss wie Bitter [1]) gleiches Wohlgefallen dem
   Narrn erweckt, der nicht im Hirn gesund,
So lange wandle deinen Freunden allen zum
   Lilienblatt sich jedes Nadelkissen,
So lange wandle jeder süsse Tropfen zum bittren
   sich in deiner Feinde Schlund! —

  4) Butkh. Ell. 32 ff. 299ᵇ—300ᵇ.

1 تا دل من با هوای نیکوان [2]) گشت آشنا   در سرشک

دیده گردانم چو مرد آشنا

تا مرا بینند [3]) هوا با کس نگیرد دوستی   تا مرا [4]) یابد

هلا با کس نگردد آشنا

من بدی را نیکتر جویم که مردم را بدی   من بلا را

بیشتر خواهم که مردم را بلا

  1) eigentl.: »Zucker wie Opium.«
  2) V. 1 und 2 finden sich auch in Ouseley 198. Dort
steht شد statt گشت.
  3) Ouseley: عیان statt هوا.
  4) Ouseley wieder: بیند.

من دل دارم بسان آسیا گردان زغم‌ وز سرشک من
بگردد بر سر کوه آسیا

ذرا ست گردنی کهمیا دارد همی باد خزان‌ باغ را چون
کرد هر زر گر ندارد کیمیا

باد سرد آید چو آه عاشقان هنگام هجر‌ بانگ زاغ آید
چو از معشوق پیغام جفا

باد خوارزمی کنار باغ چون دینار کرد‌ چون کنار
زایرانرا ابر دست پادشاه

خسر و صافی نسب بو نصر مملان آنکه هست‌ جسم
او صافی ز هر عیبی چو نور مصطفا

تا عدو دارد ندارد هیچ شغلی جز نبرد‌ تا درم دارد
ندارد هیچ کاری خز مخا[1])

اطاعت او بی تغییر وعده او بی خلاف‌ کوشش او بی
تکلّف کیشش[2]) او بی ربا

آتش شمشیر او الماس بگذارد ولی‌ زآب جود او بالماس

<hr>

1) Dieser Vers, aber mit Umstellung der beiden
Hemistiche, wird auch in Nadr. citirt.
2) کیشش habe ich eingefügt, da hier in der Handschrift eine Lücke ist. —

اندر دل روید گیا

از مَلَک خیزد بدی در طبع او ناید بدی   درقرآن افتد خطا در لفظ او ناید خطا

تیر او مانند روزی که زی مردم رسد   تیر دشمن باز گردد سوی دشمن چون صدا

پادشاها پارسائی و زتو مردم شاد دل   خوش زید مردم بعهد پادشاه پارسا

15 گر تو بفروشی مرا چون بندگانت حق تراست   زآنکه ده بارم دیَت دادی و صدباره بهـاء

»Seit mein Herz vertraut geworden mit der
          Neigung holder Schönen,
Bad ich gleich dem Gottvertrauten stets in
          Thränen meinen Blick;
Seit sie mich geschaut, befreundet sich mit Kei-
          nem sonst die Liebe,
Seit es mich gefasst, vertraut sich Keinem
          sonst das Missgeschick [1]).
Eifriger nach Elend jag' ich, als nach Menschen
          jagt das Elend,
Früher als das Leid die Menschen, such' ich
          selbst das Leid mir auf;
Wie mein Herz sich dreht vor Kummer müh-
          lengleich, so dreht die Mühle

1) Dreifaches Wortspiel mit آشنا; das zweite Mal
mit entschieden mystischem Anklang.

Selbst sich wohl auf Bergeshöhen, netzt sie mei-
     ner Thränen Lauf.
Wahrlich ja, es führt der Herbstwind mit sich
    her den Stein der Weisen,
Könnt' er wohl den Hain vergolden, ständ' ihm
    solche Kunst nicht bei?
Doch der Wind ist kalt wie Seufzer Liebender
    zur Trennungsstunde,
Und wie Trübsalspost vom Liebchen tönt in's
    Ohr mir Rabenschrej.
Ja! es schüttet in des Haines Schooss Khoraz-
    mias Wind Denare,
Wie der Wolke gleich des Fürsten Hand in der
    Besucher Schooss —
Jenes hehren, mimlângleichen [1]), edelbürt'gen
     Siegesfürsten,
Der wie Lichtglanz des Propheten strahlt an
     Körper makellos.
Ja, so lange ihm ein Feind noch lebt, ist nur
    auf Kampf bedacht er,
Und so lang ein Dirhem sein noch, schenkt er
    immer, schenkt er gern, —
Wandellos ist all sein Wandel, nimmer bricht
    er sein Versprechen,
Mühelos ist all sein Mühen — ewig bleibt ihm
    Heucheln fern.
Ueberstrahlt schon seines Schwertes Glanz De-
    manten, sprossen gar noch
Kräuter im Demanten, netzt ihn seiner Spende
    Vollerguss; —
Ob auch Engel straucheln, nimmer strauchelt
    er; ob selbst der Qurân
Irren mag, von keinem Irrthum trübt sich sei-
    ner Rede Fluss.

  1) Mimlân ist der Name eines oft als Muster und
Vorbild citirten alten Königs von Adharbîjân.

So unfehlbar wie die Menschen trifft ihr Schick-
sal, trifft sein Pfeil auch;
Aber echogleich zum Feinde prallt des Feindes
Pfeil zurück!
Ja! voll frommen Sinnes bist du Fürst, und 15
alles freut sich deiner,
Unter frommer Fürsten Scepter glücklich leben,
welch ein Glück!
Ja, und wenn du gar als Sklaven mich ver-
kaufst, — nicht darf ich klagen,
Hast so Kauf- wie Sühngeld zehnfach, hundert-
fach mir abgetragen!« —

5) Elliot 293 f.

1 خیال رزم تو گر در دل عدو گذرد   ز بیم تیغ تو بندش

جدا شود از بند

زعدل تست بهم باز و صعوه را پرواز   زحکم تست شب

وروز را بهم پیوند

بخوشدلی گذران بعد ازین که باد اجل   درخت عمر

بد اندیش را زبها افکند

همیشه تا که بود از زمانه نام و نشان   مدام تا که بود

گردش سپهر بلند

5 ببزم عیش و طرب باد نیکخواه تو شاد   حسود جاه

تو بادا ز غصه زار و نژند،

»Wenn Kampf mit dir der Feind nur plant, so 1
packt ihm Furcht vor deinem Schwert

Die Glieder all, dass sie vereint nicht mehr mit-
sammen hausen wollen;
Doch eint zum Flug sich Falk und Spatz, seit
als gerecht sie dich erkannt,
In Freundschaft eint sich Tag und Nacht, seit-
dem dein Richterspruch erschollen!
So lebe frohbeglückt dahin, hat doch der Sturm-
wind des Geschicks
Zu Boden ganz herabgestürzt den Lebensbaum
der Ränkevollen;
Und stets, so lang' ein Name noch und eine
Spur von dieser Welt,
So lang der Himmel müde nicht, im Kreislauf
fort und fort zu rollen, —
Erfreue Jeden, der dir hold, so Zechgelag wie5
Sangeslust,
Verzehre Alle Sorg' und Pein, die neidisch dei-
ner Würde grollen!«

An diese grösseren Lobgedichte schliesse ich
zunächst die schon erwähnte Elegie, und lasse
dieser dann die eigentlichen Ghazelen folgen,
die freilich vielfach auch das Lob des Naçr zum
Gegenstande haben.

6) H. Iql, Elliot 158 f. 529ᵇ—33. 159 f. 166ᵇ—
169. Ouseley 377 f. 515 — 518ᵇ.

امرا بسود وفرو ریختت هرچه دندان بود   نبود دندان

لابل۱) چراغ تابان بود

سپید و سیم زده بود و در و مرجان بود   ستارهٔ سحری

بود و قطر باران بود

1) Arabischer Ausdruck: »nein — sondern.«

یکی نماند کنون[1]) زآن همه بسود و بریخت   چه

نحس بود همانا که نحس کیوان بود

نه نحس کیوان بود و نه روزگار دراز   چه[2]) بود راست

بگویم قصای یزدان بود

5 جهان همیشه چنین است گرد گردانست   همیشه تا

بود آئینش گرد گردان بود

همان که درمان باشد بجای درد شود   وباز درد همان

کز نخست درمان بود

کهن کند بزمانی همان کجا نو بود   و نو کند بزمانی

همان که خلقان بود

بسا شکسته بیابان که باغ خرّم گشت   وباغ خرّم

گشت آن کجا بیابان بود

همی چه دانی ای ماه روی غالیه موی   که حال خادم

تو پیش ازین بچه سان بود

10 بزلف[3]) چوگان نازش همی کنی تو مدد   ندیدی اورا

آنگه که زلف[4]) چوگان بود

1) Ouseley 377: آن‌ statt زآن‌.

2) Ell. 158 u. 156: بگویم چه بودنست. —

3) u. 4) Ouseley 377 schiebt ein و zwischen beiden ein.

شد آن زمانه که او شاد بود و خرّم بود   نشاط او
بفزون بود و سیم نقصان بود

همی خرید و همی سخت بیشمار درم   بشهر هرچه
یکی ترک نار پستان بود

بسا کنیزک نیکو که میل داشت بدو   بشــب زیارت
او نزد او به پنهان بود

نبیذ روشن ودیدار خوب وروی لطیف   اگر گران بدر
من همیشه ارزان بود

۱۵ همیشه شاد ندانستمی که غم چه بود   دل نشاط
طرب را فراخ میدان بود

بسا دلا که بسان حریر کرد بشعر   ازآن سپس که
بکردار سنگ و سندان بود

همیشه چشمم زین زلفکان چابک بود   همیشه گوشم
زین مردم سخندان بود

عیال نی زن و فرزند نی مؤنت نی   ازین همه تنم آسوده
بود و آسان بود

تو رودکی را ای ماغ کنون همی بینی   بدان زمانه

ندیدی که زین[1] خسیسان بود

20 بدان زمانه ندیدی که در جهان رفتی   سرود گویان
گفتی هزار دستان بود

شد آن زمانه که شعرش همه جهان[2] بنشست   شد
آن زمانه که او شاعر خراسان بود

کرا بزرگی و نعمت ازین و آن بودی   مرا بزرگی و
نعمت زآل سامان بود

بداد میر خراسان[3] چهل هزار درم   وزو فزونی یکی
پنج میر پاکان بود

و زاولیاش پراگنده نیز شصت هزار   بمن رسید بدان
وقت حال خوبان بود

25 کنون زمانه دگر گشت و من دگر گشتم   عصا بیار که
وقت عصا و انبان بود‌ه

»Abgebröckelt ist mir mählig Zahn um Zahn und 1
hingeschwunden,
O kein Zahn nur war's, als Leuchte strahlte jeder hell und licht!

1) Ouseley 877: چنین سان.
2) Ell. 158: بنوشت.
3) Ouseley 877: چهار.

Ja, den Perlen, den Korallen glich er, weiss und
silberglänzend [1]),
Glich dem Morgenstern, dem Tropfen, der aus
feuchter Wolke bricht.
Keiner blieb mir! abgebröckelt, hingeschwunden
sind sie alle,
Und des Unglücks Schuld, wer trägt sie? —
nun, Saturn, der Unglücksstern —
Nein, fürwahr, Saturn sowenig als der Zeitlauf!
und wer sonst denn?
Gottes ew'ger Rathschluss war es, glaubt, das
ist der Wahrheit Kern.
Immerdar ist's so hienieden — nur ein Staub- 5
ball, ewig kreisend,
Ist das All, und kreisen musst' es ballgleich seit
der Schöpfungszeit;
Nur weil Schmerzen uns beschieden, giebts Arz-
nei — und weil's auf Erden
Seit Beginn Arznei gegeben, giebt es Schmerzen
auch und Leid!
Muss auch endlich einmal altern, was da prangt
in Jugendfrische,
Neu verjüngt sich einst doch alles, fiel's dem
Alter gleich zum Raub.
Ist zur wüsten Trümmerstätte mancher Blüthen-
hain geworden,
Neue Blüthenhaine sprossen aus der Wüste dür-
rem Staub.
Wie kannst du, o mondgesichtig, lockenduftig
Liebchen, wissen,
Wer und wie dein armer Sclave einst vor lan-
gen Jahren war?
Nährst du jetzt mit Lockenschlägeln seines 10
Schmachtens Lust, du sahst ihn
Damals n i c h t, da sich gekräuselt schlägelgleich
sein eignes Haar.

1) Nach Qazwini giebt es auch weisse Korallen.

Ach! dahin sind jene Zeiten, da er stets im
     Freudenrausch war,
Und je ärmer er an Silber, um so mehr an
     Frohsinn reich —
Da mit Dirhems ohne Zahl er in der Stadt hier
     aufgewogen
Jede Schöne, der des Busens Knospe schwoll
     granatengleich.
Huldvoll neigte sich in Liebe ihm so manches
     holde Mägdlein,
Und so mancher gab verstohlen er ein nächtig
     Stelldichein;
Ja, ob noch so hoch im Werth auch, stets um
     niedren Preis erstand ich's:
Hellen Trunk und süsse Wangen und ein Ant-
     litz, zart und fein.
Allzeit war ich heit'ren Muthes, wusste nie, was 15
     Gram bedeutet,
Da mein Herz zum Tummelplatze stets der Froh-
     sinn sich erkor;
Und manch' andres Herz, durch Lieder schuf
     ich's um zu weicher Seide,
War es gleich wie Stein und Ambos undurch-
     dringlich hart zuvor.
Allzeit labte ich mein Auge gern an leichten
     Flatterlocken,
Redekraftbegabten Männern lieh mein Ohr ich
     allzeit gern; —
Nimmer nannt' ich einen Haushalt, nimmer Weib
     noch Kind meineigen,
Frei von Allem blieb ich immer — immer blieb
     mir Sorge fern.
Freilich du, mein greiser Meister, du siehst jetzt
     den Rûdagî nur,
Sahst ihn nicht in jenen Tagen, da er lebte wild
     und toll,
Sahst ihn nicht in jenen Tagen, da er hin- und 20
     hergepilgert,

Und in tausend Melodien frisch ihm Sang auf
            Sang entquoll.
Ach! dahin sind jene Zeiten, da sein Lied die
            Welt durchzogen,
Hin die Zeit, da seinen Sänger ihn ganz Khu-
            râsân genannt;
Wem hat je schon solch ein Treiben Ruhm und
            Schätze eingetragen?
Ich empfing so Ruhm wie Schätze aus der Sâ-
            mâniden Hand!
Khurâsâns Gebieter schenkte mir der Dirhems
            vierzigtausend
Und der Frommenseelenfürsten Vierzahl [1]) zählte
            einen mehr, —
Sechzigtausend Dirhems sandten seine Freunde
            nah und fern mir,
Wahrlich ja, in jenen Tagen ging's auf Erden
            trefflich her.
Ach, ein andrer bin ich heute, and're Zeiten 25
            sind gekommen,
Her den Stab drum — Stab und Ranzen will
            mir heut allein noch frommen!«

7) Ouseley Add. 127 f. 17ᵇ und 22 (diese
Sammlung hat nämlich dieselbe Reihe von Gedichten zweimal, einmal den blossen Text, das
andere Mal Text und Commentar): Wâlih, Ell.
402 f. 124ᵇ — Spreng. 332 f. 177.

١ یکبار بود عید بهر سال بیکبار   همواره مرا عید و دیدار
تو همواره [2])

1) Wenn der Vers in diesem Sinne verstanden wird,
und ich weiss keinen besseren, so lässt sich die Vierzahl
der میران پاکان wohl nur auf die 4 ersten Khalifen (die
gewöhnl. die 4 Freunde genannt werden) beziehen. —
    2) Der erste und der letzte Vers dies. Gedicht. an-

هربار بسال اندر یکبار بود گل   روی تو مرا هست

همیشه گل پر بار

یکبار[1]) بنفشه چنم از باغ بدسته   زلفین تو پیوسته

بنفشست بخروار

یکبار[2]) پدیدار بود نرگس دشتی   و آن نرگس چشم

تو همه سال پدیدار

5 نرگس نبود باز که بیدار نباشد   بازست سیه نرگس

تو خفته و بیدار

سرو اسن که در باغ همه سال بود سبز   با قد تو آن

نیز بود کج و نگونسار

یکچند بود لاله و گلنار همیشه   تو لاله بکف داری

و گلنار برخسار

پیرایهٔ گلهای تو از عنبر ساراست   و آن لاله ترا[3])

det sich auch in Sprenger 1878 und Butkh. Ell. 82 f. 299b
Randzeile. Statt یکبار liest. Spr. یکروز u. statt بهر سال
بسال اندر یکبار beide: بیکبار.

1) Ell. 402 یکروز.

2) Wâlih: یکهفته und im zweiten Hem. ساله statt
سال.

3) Wâlih: وآن لاله تر.

پیرهن لولوِ شهوار

از معدن زنگار پدید آمده [1]) لاله بـر لا لـه تـرا باز

پدید آمده زنگار

چون مرکز پرگار خطی داری مشکین کوچک دهنی

داری چون نقطهٔ پرگار

حوری بسپاه اندر و ماهی به صفوف اندر سروی که

آسایش و کبکی که رفتار

گر حور زره پوش بود ماه کمان کش گر سرو غزل گوی

بود کبک قدح خوار [2])

دل سوختگان [3]) را نتوان بست بزنجیر الّا بمـدارا و

بشمشیرِیِّ گفتار ؛

»Einmal kommt des Beirams Festzeit, einmal
     nur in jedem Jahr,
Doch von deiner Wange strahlt mir ew'ger Fest-
     glanz ächt und wahr.
Einmal nur im Jahreslaufe, einmal nur erblüht
     die Rose,
Doch auf deinem Antlitz glänzt sie reich an
     Frucht mir immerdar.

1) Wâlih: آید.
2) V. 11 u. 12 finden sich auch in Atashkad.; V. 4,
7, 9 u. 11—12 in Khulâç-alafk. Ell. 181 f. 102ᵇ.
3) شیفتنگان) in Sprenger 1378 und Butkh.

Einmal pflück' ich mir im Haine einen winz'gen
                Veilchenstrauss nur,
Doch der Veilchen reichste Fülle beut mir stets
                dein Lockenhaar.
Einmal nur im höchsten Flore prangt im Blach-
                feld die Narcisse,
Doch in deinem Auge leuchtet ihre Pracht un-
                wandelbar.
Jene schliesst sich, sinkt in Schlaf sie, doch die 5
                deine, dunkelglänzend,
Ob im Wachen, ob im Schlummer, offen blickt
                sie stets und klar.
Wohl im Haine grünt alljährlich die Cypresse
                schlankgestaltig,
Doch mit deinem Wuchs verglichen scheint sie
                krumm mir ganz und gar.
Rasch verwelkt Granat' und Tulpe — doch in
                ew'ger Frische reicht mir
Tulpen deine Hand, Granaten dein erglühend
                Wangenpaar.
Deine Rosen schmückt der reine Ambra stets —
                und deine Tulpe [1])
Birgt in ihrer Hülle Perlen, eines Königs werth
                fürwahr!
Muss da draussen erst die Tulpe schwarzer
                Knospenhüll' entspriessen [2]),
Sprossen hier aus deiner Tulpe schwarze Knos-
                pen wunderbar.
Wie gerundet mit dem Cirkel zeigt dein mo- 10
                schusfarb'ner Flaum sich,

1) Hier ist die Tulpe Bild des ros. Mundes, dessen
Perlen die Zähne bilden.

2) wörtl.: »aus der Fundgrube des Rostes kommt
die Tulpe hervor, aber auf deiner Tulpe kommt Rost
zum Vorschein.« In ersterem Falle ist der Rost die
dunkle Knospenhülle, in letzterem das dunkle Wangen-
maal. —

Und als Punkt im Cirkelkreise stellt dein enger
Mund sich dar.
Mond- und Hûrîgleich im Heere strahlend bist
Cypresse ganz du,
Hältst du Rast — und bist im Laufe schnell,
wie je die Wachtel war.
Doch, ob du als Hûrî Panzer trägst — als Mond
den Bogen spannst auch,
Als Cypresse singst, als Wachtel dich gesellt
der Zecher Schaar,
Nimmer könntest du mit Ketten herzentflammte
Liebchen binden,
Wärst du je der Schmeichelworte, je der süssen
Rede baar!«

8) Makhz-algh. Ell. 395 f. 128. Ouseley Add.
127 f. 14ᵇ u. 21. Wâlih. Lubb-i-Lub. (nur V.
2 und 3).

ازی فرودت جمال تو زیب وآرارا شکسته سنبل زلف تو
مشکسارارا

لعم برآن دل آهن خورم که ازسختی هزار طرح نهلاست
سنگ خارارا

که از تو هیچ مروت طمع نمیدارم که کس ندیده
ز سنگین دلان مدارارا

رودگی بغلامی قبول¹ اگر نکی به بندگی نه
پسندد هزار دارارا ع

1) Wâlih in Sprenger 332: اگر قبول کی.

»O du, dess Schönheit fort und fort der Erde l
       Schmuck und Zier vermehrt,
Dess Hyacinthgelock an Glanz dem Moschus
       selbst den Vorrang wehrt,
Bei deinem Herzen schwör' ich's laut, das, un-
       durchdringlich gleich dem Erz,
Noch tausendfache Härte mehr dem härtesten
       Gestein gelehrt:
Auch nicht die allerkleinste Huld will ich be-
       gehren je von dir,
Wess Herz von Stein, wohl Keinem noch hat
       der ein freundlich Wort gewährt,
Und sollt' es d i r zuwider sein, dass Rûdagî dir
       sclavisch dient,
Nun — i h m wär' selbst der Sklavendienst von
       tausend Königen nichts werth!

9) Butkh. Ell. 32 f. 300 Randz. Sprenger
1378.

١ صبر من كوتاه كشت از عشق آن زلف دراز   كو ثهى با گل بيترست‏١) و ثهى با پل هراز

تا بديدم زلف او كزدم بديدم‏٢) كل بسير   تا بديدم چشم او نرگس نديدم مهره باز

آن همى آزاردم دل كش خريدارم بجان   و آن همى رنجاندم جان كش بپروردم بناز

1) Sprenger: بسيرست‏.

2) نديدم كل, dann in dem Sinne »seit ich u. s. w.,
habe ich keine Rose mehr beschaut (arab. سير‏).

گر می خواهی که دولت سوی تو تازان ۱) شود   گرد

درگاهش بگرد و سوی ایوانش بتاز

داو مرا شیرین چو جانست و کرامی چون جهان   از

جهان و جان ندارد کس به باری دست باز

مردم بی برگ را یک خدمتش صدساله ۲) برگ   مردم

بی ساز را یک مدحتش ۳) صدساله سازه

»Gekürzt ward die Geduld mir durch die Liebel
  zu seines Haares langen Lockenwogen,
Die gleich auf's Neu des Fusses Sohl' umflü-
 stern, wenn kaum sie Zwiesprach mit dem
      Staub gepflogen.
Seit ich als Scorpion sein Haar gesehen, hab'
 selbst im Lauch ich Rosen wahrgenommen,
Und seit sein Aug' ich als Narcisse schaute, hat
 mich zum Schau'n kein Gaukler mehr bewogen.
Um den ich meiner Seele Kaufpreis gebe, derselbe ach hat mir das Herz verwundet,
Und den mit Kosen ich gepflegt, derselbe hat
  mich um meiner Seele Ruh' betrogen.
Und doch — will je in dir der Wunsch sich
 regen, dass sich das Glück dir nahe raschen
      Fluges,
O dann umkreise einzig seine Schwelle, zu seinem Schloss komm raschen Laufs geflogen!

1) بازان in Sprenger.

2) Sprenger: یکساله.

3) Butkh. hat wieder خدمتش; ich habe in der
Uebers. die beiden Hemist. umgestellt.

Er ist ja doch gleich süss mir wie das Leben, 5
    steht mit der ganzen Welt mir gleich im Werthe,
Denn wahrlich, sehnen wird nach Welt und
      Leben sich keiner, dem ein holder Freund
                              gewogen.
Lobpreist ihn einmal nur der Mittellose, er hat
           der Mittel dann für hundert Jahr,
Und reich auf hundert Jahre ist der Arme, der
      seinem Dienst sich einmal unterzogen.«

10) u. 11) Zwei im Metrum und Reim ganz
übereinstimmende kurze Ghazelen, deren Verse
ganz verschiedenartig zusammengeordnet werden. Dass es zwei Gedichte sind, geht aus dem
doppelten Anfang hervor. Atashk. Khulâç Ouseley Add. 127 f. 16[b] und 21[b]. Wâlih. Safîn.
(nur den zweiten Vers des zweiten Ged. enth.)
Lubb-i-Lub. (nur die zwei ersten Verse des
zweiten):

١ فغان من همه زان زلف تابدار سياه   كه گاه پردهٔ لاله

ست و گاه معجر ماه

بوقت رفتنش از سيم ساده باشد جاى   بگاه خفتنش

از مشك سوده باشد گاه

خبر دهد بسياهى زروى دشمن مير   نشان دهد

بدوتائى ز پشم حاسد شاه

خداى گوئى از بهر زايرانش سرشت   كه شغل ايشان

دارد همى كه و بيگاه

ۀنیاز تگذرد آنجا که شاه کرد گذر   ملال ننگرد۱) آنجا
که شاه کرد نگاه

ز بهر آمدگان دست او همیشه بکار   ز بهر نامدگان
چشم او همیشه براه ،

»Sein Lockenhaar voll Nachtglanz ist's, dem
   meine Seufzer all entsprangen,
Bald hält es Tulpengluth umhüllt, bald sanftes
    Mondenlicht umfangen.
Eilt raschen Laufes er dahin, so schimmert's
    lautrem Silber gleich,
Und sinkt in Schlaf er, haucht es Duft, als sei's
   in Moschus ganz zergangen!
Wenn seiner Locken Krümmung lehrt, wie sich
   des Neiders Rücken krümmt,
So conterfeit in ihrem Schwarz der Schâh des
    Feindes schwarze Wangen.
Fürwahr, es schuf ihn Gott, so scheints, nur
   den Besuchern all zu Lieb,
Die allzeit ihn um Hülfe flehn, die nie um Ort
    noch Stunde bangen.
Denn wo des Fürsten Fuss geweilt, macht Noth
   und Mangel nie sich kund,
Und nie wird seines Umgangs satt, wer seines
   Huldblicks Gunst empfangen.
Stets wirkt geschäftig seine Hand für jeden, der
    sich ihm genaht,
Stets sucht nach dem, der fern noch weilt, sein
   Aug' voll sehnendem Verlangen.«

---

1) Wieder نگذرد in Wâlih.

۱ سماع و بادهٔ رنگین و ساقیان چو ماه   اگر فرشته بسه
بینند همی رود از راه

نظر چگونه بدوزم که بهر دیدن دوست   زخاك۱) من
همه نرگس دمد بجای گیاه

کسی که آگهی از ذوق عشق جانان یافت   ز خویش
حیف بود گر دمی بود آگاه

>»Ha Reigentanz und farb'ger Wein und mondes- 1
    lichte Schenkenwangen,
Vom Pfade wich' ein Engel selbst, dem solch
    ein Anblick aufgegangen!
Wie schlösse ich mein Auge denn? wird einst
    doch, um den Freund zu schaun,
Auf meinem Staub statt Gras und Kraut manch
    hold Narcissenauge prangen!
Verschmäht doch ganz sein eig'nes Ich, gedenkt
    er je noch seines Ich,
Wer einmal nur ein süsses Lieb im höchsten
    Liebesrausch umfangen ²)!«

12) Butkh. Ell. 32, f. 299ᵇ Randz. unten.

1) Khulâç.: زخاكره.
2) Durchaus mystisch von der Selbstentäusserung in
der Liebe; daher auch der technische Ausdruck ذوق.
Atashk. citirt V. 1—4 u. 6 des ersten Gedichtes, Ouseley
Add. u. Wâlih V. 1—8 des zweiten u. V. 5 u. 6 des ersten als ein Ganzes.

۱ من آن کشیدم و آن ۱) دیدم از غم هجران   که هیچ
آدمیٌ نیست دیده از دوران

کنون وصال آمد بر دلم فرامش کرد   خوشا وصال بتان
خاصه درپیٌ هجران

چو من بشادی باز آمدم بلشکر گاه   کشاده طبع و
کشاده دل و کشاده زبان

بسان بندهٔ قنز ۲) بر کشاده کامده بود   زراه سوی
من آن سروقدٌ موی میان

۵ هزار گفت که بی من چگونه بودت دل   بشرم گفت که
بی من چگونه بودت جان

جواب دادم و گفتمر که ای بهشتی روی   بلای جان
من و فتنهٌ بتان جهان

چو حلقه کرده جهانم بزلف چون عنبر   که هیچو
گوی جهانم بجعد چون چوگان

چنان بُدم زغم آن دو چشم تیر انداز   چنان بُدم
زغم آن دو زلف مشک النشان

1) Das zweite آن habe ich des Metrums wegen eingeschaltet.

2) Handschr. fälschl.: هنوز.

كجا بودشب فى ماه وروز فى خورشيد   كجا بود كلبى

آب و گشت فى باران

10 بناز گشته برم عنبرين از آن سنبل   ببوس گشته لبم

شكرين از آن مرجان

كه او هليق خر و من شده هليف فروش   كه او نبيذ

ده و من شده نبيذ ستان؟

»Ich hab' soviel des Grams erfahren, soviel der 1
　　　　Trennung Bitterkeit
Gekostet, wie kein Staubgeborner im schicksals-
　　　　vollen Lauf der Zeit.
Nun hat für immer wohl dem Herzen Valet ge-
　　　　sagt die Liebeswonne,
Und doch — mit süssem Liebchen kosen, wie
　　　　schön, zumal nach Trennungsleid!
Ja, damals, als gelösten Herzens, gelösten Sinns,
　　　　　　gelöster Zunge
Zum Lagerzelt ich heimwärts wieder gekehrt,
　　　　die Freude im Geleit,
Da trat noch ganz nach Sclavenweise hochauf-
　　　　geschürzt, wie sie gekommen,
Mir auf dem Wege sie entgegen, die haarfein
　　　　schlankgestalt'ge Maid,
Und schmachtend sprach sie: »o wie ward es 5
　　　　dem Herzen dein, von mir so ferne?«
Und schaamroth sprach sie: »o wie ward es der
　　　　Seele dein, von mir so weit?«
Und Antwort gab ich ihr und sagte: »o du, die
　　　　paradieseswangig
Die Seele mein und alle Schönen der Welt in
　　　　Aufruhr setzt und Streit,

Der ambragleichen Locken wegen ward kreisrand
        wie ein Ring die Welt mir,
Ganz ward als Ball dem krausen Haar sie, dem
        schlägelgleichen, dienstbereit.
So hat der Gram um deine Augen, draus Pfeile
        blitzen, mich verwundet,
Der Gram um deine beiden Locken, die Moschus
        streuen weit und breit.
Kann wohl die Nacht des Monds entrathen? der
        Tag der Sonne? kann in Dürre
Die Rose blühn? die Flur gedeihen in regen-
        leerer Trockenheit?«
Doch nun — mit Ambra füllt' im Kosen ihr
        Hyacinthgelock die Brust mir,
Und ihr Korallenmund im Kusse lieh meiner
        Lippe Süssigkeit.
Bald musste ich zum Kauf ihr reichen den Car-
        neol[1]), und sie erstand ihn,
Bald bot sie selbst des Weines Spende, und ich
        that ihr im Wein Bescheid.«

13) Ouseley 198 f. 175.

اصرصر هاجر تو اى سرو بلند ریشهٔ عمر من از بیسخ بکند

پس چرا بستهٔ اویم همه عمر اگرآن زلف دوتانیست کمند

به یکی جان نتوان کرد سوال کز لب لعل تو یکبوس بچند

1) عقیق Carneol ist Bild für Lippe und Wein zugleich.

به فكنند آتش اندر دل حسن   آنچه هجران بود از
سينه فكنند،

> »Es warf der Sturm der Trennungsqual von dir, [1]
> Cypresse, hoch und hehr,
> Mir meines Lebens Fasern all entwurzelt weit
> vom Stamm umher,
> Was soll ich drum an sie allein gebunden sein
> mein Leben lang,
> Das doppelzüngig krause Haar gleicht doch der
> Schlange gar zu sehr.
> Und kann ich dir noch bittend nahn mit gan-
> zer Seele, ungetheilt?
> Es schenkt den gleichen Kuss wie mir dein
> ros'ger Mund ja andren mehr.
> Gewiss, es war ein Feuerbrand, den mir in's
> Herz die Schönheit warf,
> Was Trennung heisst, er hat's getilgt — drum
> macht kein Gram die Brust mir schwer.

14) Butkh. f. 299ᵇ. Randz. Sprenger 1378.

1 اى جان من از آرزوى تو رنجان   بنماى يكى روى
و به بخشاى برين جان

دشوار نمائى رخ و دشوار دهى بوس   آسان بربای دل و
آسان ببرى جان ۲)

نزديك من آسانى تو باشد دشوار   نزديك تو دشوارى من
باشد آسان

1) Dieser Vers wird auch von Wâlih citirt.

»Mir krankt die Seele, weil sie bange sich sehnt 1
nach deinem Angesicht,
Ach, einmal gönne meiner Seele, nur einmal
deiner Wange Licht!
Dir schafft es Pein, Dich zu entschleiern, und
nur voll Unmuth schenkst du Küsse,
Indess zum Herz- und Seelenraube dir nie der
leichte Muth gebricht.
Gar schwer erscheint in meinen Augen, was dir
so wenig Mühe kostet,
Und was mir bitt'res Leid bereitet, dich selber
ach! beschwert es nicht [1]).«

15) Wâlîh. Ouseley Add. 127 ff. 17 u. 22.
Khulâç. (enthält nur den dritten Vers).

اای دل آشوب و دل۲) آرام و دل آزار پسر   عهد بسته
بوفا با من و نا برده بسر

من بیارایم هر روز رخان را بسرشک   تو بهارانی هر روز
رخان را به ثمر

تا فراق تو خبر بود عیان بود تنمر   جون فراق تو
عیان کشت تنم کشت خبر،

»O die dem Knabenherzen du viel Freuden schufst 1
und Leiden,
Du schwurst mir Treu' und konntest doch des
Treubruchs Schuld nicht meiden.

1) In Sprenger 1878 hat dies Gedicht noch 30 Verse,
in deren Besitz ich bis jetzt leider noch nicht gekommen.

2) Ouseley Add. 127 hat auf Z. 17: دل آرای

So schmück' ich mir die Wangen nun mit Thränen täglich aus,
Indess die deinen Tag für Tag in Perlenschmuck
sich kleiden [1]).
So lang dein Scheiden Sage nur, war Wirklichkeit mein Leib,
Doch ach! zur Sage ward er selbst, seit Wirklichkeit dein Scheiden!«

16) Haft Iql. a. a. O.

١ ای آنکه غمکشی و هزا داری   اندر نهان سرشك همی
باری

هموار کرد خواهی گیتی را   گیتیمست کی پذیرد هواری

مستی مکن که ننکرد او مستی   زاری مکن که نشنود
او زاری

شو تا قیامت اندر زاری کن   کی رفته را بزاری باز اری

٥ ابری پدید نه [2]) و کسوفی نه   بگرفت ماه و گشت
جهان تاری

»O du, den Kümmernisse viel und Gram und 1
Leid beschweren,
Der heimlich in Verborgenheit vergiesst so man-
che Zähren,

---

1) کوهر (Perlen) sind aber zugleich ebenfalls ein
sehr geläufiges Bild für »Thränen«.
2) Ell. 158: ﻟﻰ.

1 شاد زی با سیاه چشمان شاد   که جهان نیست جز

فسانه و باد

۲ آمده شادمانه۱) باید بود   وز گذشته نکرد باید۲) باد

من وآن جعد موی غالیه بوی   من وآن ماه روی حور

نژاد۳)

نیک بخت آنکسی که داد و بخورد۴)   شور بخت

آنکه او نخورد۵) و نداد

5 هلد و ابرست این جهان افسوس   باده پیش آر هرچه

بادا باد

»Sei doch froh, bei süssen Liebchen⁶) winkt 1
                       dir süsses Wohlergehn,
Nur ein Mährlein ist die Welt ja, flüchtig wie
                       des Windes Wehn!
Kommt das Glück, empfang getrost es und ge-
                       niesse es mit Freuden,

---

1) Khulâç. und H. Iql. haben deutlich شادمان نه
wodurch der ganze Sinn geradezu umgedreht wird.
2) Khulâç.: هرگز.
3) V. 3 u. 4 fehlen in Khulâç.; V. 3 u. 5 fehlen in
H. Iql.
4) و نخورد (und selber nicht isst) in Wâlih.
Ell. 402.
5) نخورد و نداد (selber isst, aber Andern
nicht giebt) nach H. Iql. Ell. 158 u. Ouseley 377.
6) eigentl.: bei Schwarzäugigen.

Geht's, so musst du nicht dran denken, musst
ihm stolz den Rücken drehn!
Sieh, i c h kose mit dem Schätzchen, krausgelockt
und moschusduftig,
Kose mit der Mondgesicht'gen, hold wie Hûrîs
anzusehn.
Heil dir wonniglich Beglücktem, giebst du An-
dren und dir selber,
Weh Unsel'gem dir, lässt Andre und dich selbst
du darbend stehn!
Flüchtig, ach, wie Wind und Wolke ist dies
arme Erdendasein,
Drum zur Hand nimm flugs den Wein dir, und
dann mag, was will, geschehn!« —

19) 'Autî. Makhz.-ulgh. Jâmî (ohne den ersten
Vers). H. Iql. Ouseley Add. 127 f. 15ᵇ und 21ᵇ.
Butkh. Ell. 32 f. 300. Wâlih. Lubb-i-Lub. Spren-
ger 1378 (letztere 4 ebenfalls ohne den ersten
Vers). Safîn. —

۱ رودگی چنگ بر گرفت و نواخت   باده انداز کو سرود
انداخت

وآن ۱) عقیقی می که هرکه بدید   از عقیق گداخته
نشناخت

هردو یک گوهرند لیک بطبع   این ۲) بیفسرد وآن
دگر بگداخت

1) آن ohne و in Sprenger 1378. Jâmî und Safîn.

2) آن in Sprenger 1378.

تابسوده دو دست رنگین کرد   تا چشمیده بتارک اندر

تاخمن ،

»Zur Laute griff und sang dies Lied er, der aus 1
Rûdags Flur entsprossen:
Den Quell des Weins erschliesst der Mund, der
des Gesanges Born erschlossen,
Er träufelt jenen ros'gen Trunk, den zweifelnd
anstaunt, wer ihn schaut,
Ob Wein er wirklich, ob Rubin, der sich in
flüss'gem Strom ergossen.
Wohl sind von gleichem Stoff die zwei — doch
durch die Urkraft der Natur
Ist jener dort erstarrt zu Stein, und dieser hier
in Nass zerflossen.
Es färbt die Hände rosenroth sein Glanz, noch
eh' sie ihn berührt,
Tief dringt in's Hirn sein Duft hinein, eh' noch
die Lippen ihn genossen.«

20) Buthk. H. Iql. Atashk. (nur den ersten
Vers enthaltend), Sprenger 1378:

وما   بیار آن می که پنداری روان یاقوت نابستی[1]

چون بر کشیده تیغ پیش آفتابستی

بهاکی خونی اندر جام مانند کلابستی   بخوشی خونی

اندر دیده[2] بخواب خوابستی

1) بابستی nach Atashk.

2) کاندر nach Sprenger.

سحابستی قدح کونی ومی قطر۱) سحابستی طرب کونی

که اندر دل دعای مستحابستی

اگر می نیستی یکسر همه دلها خرابستی وگر درکالبد

جانرا ندیدستی۲) شرابستی

۵ اگر این می بلبر اندر بچنگال عقابستی ازآن تا ناکسان

هرگز نخوردندی صوابستی ،

»Den Wein her, der so leuchtend strahlt, als sei 1
es schier Rubinenregen,
Als spiegle sich in voller Gluth der Sonnenglanz
auf blankem Degen;
Als wären's Tropfen, wie sie rein im Blätter-
schooss die Rosen hegen,
Als wollt' es sich wie Schlummer süss auf schlum-
merlose Augen legen.
Der Wolke gleich ist der Pokal und drin der
Wein dem Wolkensegen,
Ein Bild der Lust, wenn Wünsche sich erfüllt,
die uns das Herz bewegen!
Ja, ohne Wein, wie glichen all die Herzen öden
Wüstenstegen,
Es müsste, wär' er leblos auch³), im Leib durch
Wein sich Leben regen.
Und wär' in Adlers Klau'n der Wein, in Wol-5
kenräumen weit entlegen,
Wenn nur die Lumpe dann nicht mehr ihn trin-
ken könnten, — meinetwegen!« —

1) قطره in fast allen Handschriften.
2) Sprenger: بدیدستی سرابستی.
3) Das »er« bezieht sich natürlich auf den »Leib«.

21) H. Iql.

1 بر خيز و بميخانه خرام اى بت كشمير   مى خور كه
نمى گردد اندوه جوان پير

زان ناقد هر گوهر وزآن كاشف اسرار   كز رطل همى
خندد چون برق بشبگير

گر روى[1] بسنگ آرد سنبل دمد از سنگ[2]   گر گونه
بقير آرد شنگرف شود قير

بر ياد يكى بار خداى[3] كه تو گوئى   با نصرت هم
پشتستت و با دولت هم شهير

»Mach dich auf und eil' zur Schenke, holdes[1]
        Lieb aus Kaschmîrs Gauen,
Trinke Wein, dein junger Kummer wird im
        Wein gar bald ergrauen.
Trink' von ihm, der jeden Urstoff sichtet, der
        Verborg'nes aufhellt
Und so hell entblitzt dem Becher, wie der Blitz
        dem Morgengrauen!
Wendet er zum Stein sein Antlitz, sprosst aus
        dem die Hyacinthe,
Kehrt er zum Asphalt die Wange, ist der rosig
        anzuschauen.

1) Ell. 158 u. 159: سوى.
2) 158 u. 159 fälschlich: مشك.
8) Elliot 158: خدايا.

Wahrlich, ja bei Gott dem Einen, ja! verbündet
ist das Heil ihm,
Wahrlich ganz wie einem Bruder schenkt das
Glück ihm sein Vertrauen.«

22) H. Iql. Safin. (nur der zweite Vers).

آن می که گر سرشکی ازو١) در چکد به نیل   همواره 1
مست گردد از بوی او لهنگ

آهو بدشت گر بخورد قطرة از آن   غرنده شیر گردد و
نندیشد از پلنگ ؛

»Ja, das ist Wein, dess duft'ger Hauch, fällt in 1
den Nil nur eine Zähre,
Des Crocodiles Nüchternheit in endlos trunk'nen
Rausch verkehrt,
Durch den der Hirsch dort auf der Flur, hat
einen Tropfen er genossen,
Zum brüllend wilden Löwen wird und selbst
um Tiger sich nicht scheert.«

23) Ein entschieden mystisches Qit'ah. Atashk.

برای پرورش جسم جان چه رنجه کنم   که حیف 1
باشد روح القدس بسکبانی

مرا ز منصب تحقیق انبیاست نصیب   چه٢) آب
جویم در جوی خشک یونانی

1) Andre Lesart: ازآن.
2) Ell. 17: چو.

بحسن صوت چو بلبل مقید نظمم   بجرم حسن چو
یوسف اسیر زندانی

بسی نشستم من با اکابر واعیان   بیازمودمشان
آشکار و پنهانی

5 نخواستم زتمنا مگر که دستوری   نیافتم ز عطاها مگر
پشیمانی ٭

»Was soll ich, mir den Leib zu pflegen, noch 1
   länger meine Seele kränken?
Es schafft den Hundewärter spielen dem Him-
   melsgeist doch bass Verdruss!
Auch mir ward ja ein Theil beschieden vom
   Wahrheitslehramt der Propheten,
Was such' im trocknen Griechenstrome ich fri-
   schen Trunkes Vollgenuss[1])?
Nur meiner Stimme Wohllaut dank ich's, dass
   liedverstrickt ich bin gleich Bulbul,
Der Schönheit nur, dass ich in Banden wie
   weiland Joseph schmachten muss.
Wohl oft im Kreis der Grossen weilt' ich, bei
   Edlen oft, und über alles,
Was kund, was nicht, ergoss belehrend sich mei-
   ner Weisheit Redefluss.
Wohl galt mein Sehnen einem Ziel nur, ein 5
   Vorbild einst zu sein für alle,
Und dennoch blieb von allen Gaben mir nichts
   als Reue zum Beschluss.« ·

1) Die griech. Philosophen (فلاسفه) bilden stets in
der Mystik den stricten Gegensatz zu den gottbe...
ten Çûfis, den عارفان.

24) Atashk. und Safin.

1 لتّاربينا شعدهدستم كه ثناه محنت فراحنم ... سه پيراهن

سلب ابوده انك يوسف را بعمر الغدر

يكى از كيد شد پر الخون دوم شد چاك از تهمت

سيم يعقوب را از بوش روشن گشت چشم تر

رخم ماند بان اوّل دلماند بان ثلى نصيب من شود

در وصل آن پيراهن ديگر ،

»O holdes Liebchen, wie mir kund geworden, 1
    so büsste Joseph, da er lebt' auf Erden,
In frohen theils und theils in schlimmen Tagen
      der Hemden drei von seinem Leibe ein.
Mit Blut gefärbt ward eins aus list'gen Ränken,
    ihn anzuschwärzen ward zerfetzt das zweite,
Und Jakobs thränenfeuchtem Aug' erglänzte beim
      Duft des dritten neu des Lichtes Schein.
Nun, jenem ersten gleicht mein blutend Antlitz,
    und gleich dem zweiten ist zerstückt das
                  Herz mir,
Doch winkt mir einst die Nacht der Liebeswon-
    nen, dann nenn' ich frohentzückt das dritte
                  mein [1])!«

25) Makhz-ulgh. Khulâç. Safin.

چمن عقل را خزانئ اثر گلشن عشق را بهار توفى

[1] Das erste ist jenes von den Brüdern dem Vater
präsentirte blutige; das zweite das ihm von Potiphars
Frau zerrissene, das dritte dasjenige, welches Joseph dem
Jakob aus Egypten zuschickte und dessen Duft jenem das
Augenlicht zurückgab.

عشق را گر پیمبرم۱) لیکن   حسن را آفریدگار توئی،

»Wenn du des Verstandes Flur auch gleich 1
          des Herbstes Wehn entblätterst,
Stets doch glänzt durch dich der Liebe Ro-
          senau in Frühlingspracht.
Ja! und bin ich selbst der Liebe Heilverkün-
          der und Prophet auch,
Du doch riefst in's Sein die Schönheit wie
          ein Gott mit Schöpfermacht!«

26) ʻAufï. Jâmî. Makhz. Atashk. Mirât-alʻâl.
H. Iql. Majmaʻ-unu. Safîn.

1 زمانه پندی آزاده وار داد مرا   زمانه را چو نکو بنگری
         همه پندسـت،

بروز نیک کسان گفت ۲) غم مخور زنهار   بسا کسا که
         بروز تو آرزومندست،

»Gar prächt'ge Mahnung predigt mir der Zeiten 1
          Wechsellauf —
Er ist ja, schaust du recht ihn an, ganz voll
          von weisen Lehren.
Sei nimmer, spricht er, drob ergrimmt, wenn's
          Andren wohl ergeht,
Gar manche giebt's, die neidisch schon nach
          deinem Glück begehren!« —

1) Diese Lesart von Safîn scheint mir weit zutref-
fender als die der übrigen Handschr.: پیمبری (ja und
bist du auch u. s. w.).

2) Makhz.: زآرزو میر زنهار Jâmî: زنهار؛ statt بسیار Makhz.:
ʻAufï: تا تو غم نخوری.

27) 'Auff. Makhz. Khulâç. Wâlih und Ouseley Add. 127 (beide haben nur den ersten Vers). Majmaʿ-unnaf.

1 زلف ترا جیم که کرد آنکه ۱) او خال ترا نقطهٔ آن جیم ۲) کرد

وآن دهن تنک تو ۳) گویهد کسی دانگگی نار بدو نیم کرده

»Der jîmgleich dir geringelt deine Locken, — 1 hat mit dem Maal als Punkt dies Jîm geziert, Und schaut man gar dein enges Mündchen, 2 wähnt man — ein Stück Granate sei's, das er halbirt'« —

28) 'Auff. Wâlih und Ouseley Add. 127 (ff. 15 und 21).

1 روی بمحراب نهادن چه سود دل به بخارا و بتان طراز ایزد ما ۴) وسوسهٔ عشقی ازتو پذیرد نه پذیرد نمازء

»Was frommt dir's, willst du dein Gesicht zur 1 Nische des Gebetes kehren? Kehr' doch dein Herz Bukhârâ zu und all den Schönen von Ṭarâz ⁵)!

1) Andre: آنکه کرد.

2) Ouseley fälschlich: چشم.

3) Makhz.: گودی. Andre Handschr.: گویا. Majmaʿ: تنک جو گوید.

4) Andre fälschlich: ایزد با.

5) Zu ergänzen ist نهاد باید. Ṭarâz in Turkistân war bekannt durch schöne Liebchen.

Wenn flüsternd du von Liebe sprichst, das will
        dem Hergott wohl behagen,
Doch wenn du nichts als beten kannst, das
        macht fürwahr ihm wenig Spass!« —

29) Atashk.

١ زنى سوار و جوان وتوانگر از ره دور   بخدمت آمد نيكو
سگال ونيك انديش

بعنند باشد مر خواجه را پس از ده سال   كه باز گردد
پير و پياده و درويش

»Seht jenen dort, der edlen Sinns und brav bie- 1
        her in Dienst gekommen,
Von fernen Pfaden, hoch zu Ross, in Jugend-
        kraft, mit Gold beschwert!
Nun, lasst zehn Jahre nur vergehn — dann ist
        er wohl zu Dank dem Alten,
Wenn er zu Fuss als armer Greis in seine Hei-
        math wiederkehrt!« —

30) Daul.

١ دردا و حسرتا كه مرا دور روزگار   فى آلت و سلاح برد
راه كاروان

چون دولتى نمود مرا محنتى!) فرود   فى كردن اى
هگاس نبودنست گردران ²) ع

1) زحمتى nach Andern.
2) Dieses Gedicht, wenigstens der 2te Vers, wird von
Burhânî dem Mas'ûd Sa'd Salmân zugeschrieben; siehe
Vullers Lex. II, 968ᵇ.

»O bittres Leid, dass auf den Pfad der Erden- 1
                                karawane
Der Zeitenlauf mich ausgesetzt so wehr- und
                                waffenlos!
Ein jeder Glücksfall schuf mir mehr der Klagen
                        — seltsam wahrlich,
Dass Keiner ohne schwere Müh' erkauft ein
                        heitres Loos!«

31) 'Anfî und H. Iql.

1 مرا جود او تازه دارد همی   مگر جودش ابرسمیں و١) من
كشت زار

مرا٢) یکسو افكن كه خود همچنين   بیندیش و٥)
دید و خرد برگمار٤)

»Unablässig fort erneuert er mir seines Wohl- 1
                                thuns Spende,
Nun — ist Wolken gleich sein Wohlthun, gleich'
                        ich saatbestelltem Land.
Aber — gieb getrost mich auf nur — ist's für-
                        wahr doch ganz dasselbe,
Denk ein bischen nach und lasse Auge walten
                        und Verstand!« —

32) 'Anfî und Vullers Lex. II, 3ᵃ.

1) و fehlt in 'Anfî.

2) مگر; in 'Anfî.

3) و fehlt wieder in 'Anfî.

4) Dieses Qiṭ'ah ist gedichtet auf den Veẕir Abuṭ-
ṭayyib aṭṭâhir, مصبی (od. مصبی). —

حاتم طائى توئى اندر سخا   رستم دستان توئى اندر 1
نبرد

نى كه حاتم نيست با جود تو راد   لى كه رستم نيست
در جنگ تو مرد٠

»Ja, Ḥâtim Ṭai bist du im Gabenspenden — bist 1
Ruṣtam, Dastans Sohn, im Schlachtrevier. —
Doch nein, kein Ḥatim giebt wie du so reichlich — kein Rustam misst als Kämpfer sich
mit dir!«

33) ʻAufi.

حجاب اندرون شود خورشيد   گر تو دارى از آن دو لاله 1
حجيب

وآن زنخدان بسيب ماند راست   اگر از2) مشک خك
دارد سيب٠

»Gleich in den Schleier schlüpft beschämt die 1
Sonne — wenn deines Tulpenpaares Schleier
fällt,
Und dort dein Kinn, es gleicht fürwahr dem
Apfel — wenn Moschusstaub ihn zart umfan-
gen hält.« —

34) Ḥadâ'iq-ulbalâgh. p. 58. Garcin de Tassy's
Rhétorique et Prosodie p. 32.

چاكرانت بگه رزم خطان اند   گرچه حياط نيمد اى 1
ملك كشور گير

بگر نیزۀ قد خصم تو می پیمایند که ببرّند بشمشیر

و بدوزند به تیر،

»Alle deine Diener, wahrlich Schneider sind am 1
Tag der Schlacht sie,
Nahm auch keiner, mächt'ger König, je am
Schneiderhandwerk Theil!
Mit der Lanzenelle messen die Statur sie deines
Feindes,
Und dann schneiden mit dem Schwert sie und
dann näh'n sie mit dem Pfeil!« —

35) Schilderung des Schreibrohrs (قلم). 'Aufî
und H. Iql.

1 لنگ رونده است گوش نه و سخن[1] یاب گنـــگ

فصیحست چشم نه و جهان بین

تیزیٔ شمشیر دارد و روش مار[2] کالبد عاشقان و گونۀ

غمگین،

»Gelähmt ists und doch läuft's und hört, ob 1
ohne Ohr auch, jeglich Wort;
Stumm ist's und doch beredt und schaut die
Welt, ob auch das Aug' ihm fehlt.
Des Schwertes Schärfe nennt es sein und doch
der Schlange Gang zugleich,
Ist schlank wie Liebende und hat sich doch des
Grames Farb' erwählt!« —

1) 'Aufî: یافت.

2) Ell. 158: یار. —

Zum Schluss noch einige Rubâ'ís und Ein-
zelverse.

36) Atashk. und H. Iql.

اى از گل سرخ رنگ بربوده و بو   رنگ از يـ-ـى رخ ١
ربوده بو از بهى مو

گلرنگ شود چرروى شربئى همه جو   مشكين گردد چو
مو فشباني همه كوه

»Schatz, der du der rothen Rose Farb' und 1
Duft mit list'ger Hand,
Für dein Wangenpaar die Farbe, für dein Haar
den Duft entwandt,
Rosenroth wird jede Stromfluth, badest du in
ihr dein Antlitz,
Lässt du deine Locken flattern, moschusduftig
jedes Land.« —

37) Atashk. Ḥadíq-uççafâ f. 398ᵇ. Ouseley
Add. 127 f. 19 und 22ᵇ. Wâlîh. Lubb-i-Lab.

چون كاردم زلف او ماندهٔ ١) گره   يوهر رك جان صد٢) ١
آرزو مانده گره

اميد ر گره بود افسوس افسوس   كانهم شب وصل در
كيلو مانده گرهه

1) Ḥadíq.: ماند alle 8 Mal; Ouseley Add. 127: im
ersten Hemist.: تابد, im zweiten: يابد im dritten ماند (!)
2) Ḥadíq-uççaf.: زآرزو.

»Weil ganz und gar das arme Herz ihr Locken- 1
haar mir festgeschnürt,
Hat jeden Nerv der Seele auch der Lüste Schaar
mir festgeschnürt.
Vom Weinen hofft' ich Rettung noch — doch
ach! der Liebeswonnen Nacht
Hält nun auch dies wohl tief im Schlund auf
immerdar mir festgeschnürt.« —

38) H. Iql.

1 در منزل غم فکندہ معرش¹) مانیم   وزآب دو دیدو دل
پرآتش مانیم

علم چبوستیم کنند ستمکش مانیم   بستخوش روزگیار
ناخوش مانیم ،

»Die ihre Lagerstatt im Herbergshaus des Gra- 1
mes aufgeschlagen, das sind wir,
Und die entfacht vom heissen Augennass im
Herzen Flammen tragen, das sind wir.
Die Welt, sie plagt nun einmal gar zu gern,
und Opfer dieser Plagen, das sind wir.
Das Schicksal grollt, doch die voll guten Muths
ihm froh Willkommen sagen, das sind wir!«

39) Wâlih und Ouseley Add. 127 (in letzterem ganz verwahrlost).

1 بچشم دلہم دید باید جهان   کہ چشم سو تو نہ
بیند نہان

بدین آشکارت ببین آشکار   نهانیت را بر نهانی شمار،

»Die Welt schau mit dem inneren Gesicht,
Verborg'nes sieht dein äuss'res Auge nicht.
Schau offnen Aug's, was offen liegt und klar,
Dem unsichtbaren lass, was unsichtbar!« —

40) H. Iql. Ouseley Add. 127 ff. 19 u. 22ᵇ.
Wâlih.

ا در عشق چو رودکی شدم سمر زجان   وزگریهٔ خونین

مژه ام شد مرجان

القصه که از١) بیم عذاب هجران   در٢) آتش رشکم

دگر از دوزخیان

»Wie Rûdagî, so raubte mir auch die Liebe
                     allen Lebensmuth,
Es färbte rosig wie Korallen die Wimpern mir
                     der Thränen Blut.
Und ach! aus Furcht vor Trennungsqualen ver-
                     zehrt des Neides Flammengluth
Mich obendrein — denn ich beneide um ihre
                     Qual die Höllenbrut³).«

1) از دست nach Ouseley Add. 127.

2) از آتش in Ouseley.

3) Nach der Lesart von Ouseley müsste übersetzt
werden:
»Und nicht genug der Trennungsqualen! sie schüren noch
                     des Neides Gluth,
Dich mich verzehrt, denn ich beneide um ihre Qual die
                     Höllenbrut!«

41) H. Iql. Ouseley Add. 127 ff. 19ᵇ u. 22ᵇ.
Majma'-unnaf. Wâlih. Lubb-i-Lub.

1 چون¹) كُشته به بينيم دو لب كرده فراز   وز جان
تهى اين قالب فرسوده نياز

بر بالينم نشين و ميگوى بناز   كاى كُشته ترا من و
پشيمان شده بازه

»Siehst du einst im Tod erkaltet mit erschloss'- 1
                           ner Lippe mich,
Siehst du wunschlos dieses Leibes Hülle, draus
                           die Seele wich,
O auf meine Bahre nieder sinke dann und
                           schmachtend sprich:
Ja, nun reut mich's tief, denn wahrlich, die den
                           Tod dir gab, war ich!« —

42) Ḥadîq.-uççafâ:

1 دل خسته و بسته مسلسل موئيست   خون گشته
و كُشته بت هند وئيست

سودى ندهد نصيحتت²) اى واعظ   اين خانه خراب
طرفه يك پهلوئيست.

»Es krankt das Herz mir, ach! es ward von 1
                           Lockenketten fest umwunden,

1) H. Iql.: فردا چو به بينيم دهن كُشته فراز.

2) So lese ich statt des نصيحتتش der Handschrift.

Es füllt mit Blut sich — ach! ihm schlug ein
      indisch Liebchen Todeswunden.
Was nützt mir nun dein guter Rath, du Mah-
      ner? bleibt doch diese Welt
Nur darin wandellos sich treu, dass jammervoll
      sie stets erfunden« —

43) Zu den wunderbaren Eigenschaften Rûdagîs soll, nach dem Lubb-i-Lub. gehört haben,
dass, was immer einer vor ihm (in seiner Gegenwart) im Geiste erfasste (d. h.: woran er gerade dachte), er etwas dem Homogenes sofort
auf der Laute spielte. Ein Kluger wollte das
nicht glauben und begab sich, um ihn auf die
Probe zu stellen, zu ihm. Da spielte Rûdagî
das folgende Liedchen auf der Laute, und jener
wurde von seiner Meisterschaft überzeugt.

اگر بر سر نفس خود امیری مردی هر کور و کر آزئكته
نگیری مردی

مردی نبود فتاده را پای زدن   گر دست فتاده بگیری
مردی ٬

»Nur dann, wenn deiner bösen Lust du sieg-
      reich wehrst, bist du ein Mann!
Wenn nie du den, der blind und taub, mit Spott
      versehrst, bist du ein Mann!
Mit Füssen treten den, der fiel — fürwahr, das
      ist nicht Mannesart —
Nur dann, wenn als sein Retter du dich from
      bewährst, bist du ein Mann [1].«

1) Dies ist das einzige Lied, in dem der Blindheit
freilich auch der Taubheit, gedacht wird.

44) Khulâç. Ouseley Add: 127 ff. 19ᵇ u. 22ᵇ.
Wâlih. Lubb-i-Lub.

ديدار بدل فروختن، کفروختن مگران بنوسننه بصروان 1

فروختن 1) بوهست 2) لوزان

آری که چو آن ماه بود بازرگان دیدار بدل فروخت

و بوسه بجان ٤

»Sein Antlitz hat er um ein Herz verkauft, das
ist nicht theuer eben, 1
Um eine Seele seinen Kuss, auch das ist billig
hingegeben!
Wär' jener Mond ein Handelsmann, dann wahr-
lich gäbe für ein Herz
Er seiner Wange Anblick wohl, doch seinen
Kuss nur für ein — Leben!«

45) Saffnah.

من موی خویش را نه ازآن میکنم سیاه تا باز نو جوان 1

شوم و نو کنم گناه

چون جامها بوقت مصیبت سیه کنند من مسوی از

مصیبت پیری کنم سیاه

»O nicht deshalb reib' in's Haar ich schwarze
Farbe mir hinein, 1
Um, aufs Neue jung, aufs Neue nun der Sünde
mich zu weihn;

1) 'André: فروخت.
2) Ell. 402 hat ein نوسست statt هست.

Nein, wie man wohl seine Kleider schwarz zur
Zeit des Unglücks trägt,
Leih' ich ob des Alters Unglück meinem Haar
auch schwarzen Schein [1]).«

46) Auf den Tod des Dichters Abulḥasan
Murâdî von Bukhârâ (einen mit Rûd. gleichz.
arabischen Dichter). 'Aufî. Khazâna-i-'âm. (As.
Soc. 187 f. 220) Atashk. H. Iql. Ouseley Add.
127 ff. 16 u. 21ᵇ. Wâlih u. Safîn.

ا مرد مرادى نه همانا كه مُرد   مرگ چنان خواجه نـه

كاريست خُرد

جان كرامى بپدر باز داد   كالبد تيره بمادر سپُرد

»Murâdî starb, doch dass er starb, noch kann l
es Niemand fassen,
Nichts Kleines ist es, muss im Tod ein solcher
Mann erblassen.
O nein, die edle Seele gab dem Vater er zurück,
Und nur die finstre Hülle hat der Mutter er
gelassen.« —

47) Auf den Tod des Sheikh Abulḥasan
Shahîd (des pers. Dichters und Zeitgen. Rûd.).
'Aufî f. 80. Nadr. f. 33ᵇ. Makhz. f. 183 etc.
(überall unter Shahîd aufgeführt):

1) Dies Lied ist jedenfalls eine Erwiderung auf ein
anderes kurzes Gedicht Khusrawânîs, das ich in dem
demnächst in den Sitzungsb. der K. bayr. Acad. erscheinenden zweiten Artikel über »Firdûsî als Lyr.« mitgetheilt und in dem der Dichter sich über Greise lustig
macht, die sich aus Eitelkeit ihr Haar färben. Khusrawânî war also ein Zeitgenosse Rûdagîs.

۱ كاروان شهيد رفت از پيش   وآن ۱) ما رفته گــيــــرو انديش

از شمار دو چشم يک ۲) شد كم   وزحساب ۳) خرد هزاران بيش ،

»Voraus ging mir Schahîd und mit ihm schwand, 1
Bedenk' es, alles, was ich mein genannt!
Mit ihm verlor ich meiner Augen Hälfte,
Und mehr wohl tausend Mal noch an Verstand!«

48) Vullers Lex. I, p. 198ᵃ.

۱ چون بانگ آمد از هوا بخند   می خور وبانگ چنــــگ ورود بشنو ،

»Wenn hoch her aus dem Luftrevier des Don- 1
ners lauter Ruf erdröhnt,
Dann zeche Wein und horch, wie sanft in's Ohr
Guitarr' und Zither tönt!«

49) Wâlih. Ouseley Add. 127 ff. 16 u. 21ᵇ.

۱ بیار هان بده آن آفتاب كش چو خوری   زلب فــرو شود ، از رخان برآيد زود

»Herbei und reich den Wein mir her, der son-
nenhell, wenn du ihn schlürfst,

1) Nadr.: وآن زما; 'Aufî: و آن ohne آن.
2) 'Aufî und Makhz: تن statt شد.
8) Nadr.: شمار.

Von Lippen niederrinnt und flugs durch Wan-
geh wieder aufwärts steigt!«

50) Ouseley Add. ff. 16 u. 21ᵇ. Wâlih. Lubb-
i-Lub. Safîn.

بوسه چو آب خوردن شور بحوری بینش نشسته تر ۱ مگر بوسه

کردی

»Mit Küssen ist es, wie mit salz'gem Wasser — 1
Je mehr du trinkst, je grösser wird der Durst.«

51) Vullers Lex. I, 656ᵇ.

دو سه بوسه رهاكن این دل از گرم و خیال تا بمنت ۱ با

احسان باشد احسن الله جزاك

»Löse, ach! mit zwei drei Küssen mich aus die- 1
ser Angst und Qual,
Will zum Dank dann für dich beten: Gott ver-
gelt dir's tausendmal!«

52) Safîn.

كه تا محنت گذشت از روزگار هیچ نیاموزد زآفنیج ۱ أو

آموزگار

»Wer dem Geschick entronnen leidenfrei, 1
Dem bringt kein Lehrer je noch Lehren bei!«

Nicht veröffentlicht sind in dieser Sammlung ausser den schon oben erwähnten Berliner
Versen und mehreren unbedeutenden kleinen
Versstückchen ein grösseres Qiṭʿah auf Naçr und
ein Gedicht auf den قلم. Beide sind so verwahrlost im Text, dass es mir bisjetzt nicht gelungen, sie leserlich und verständlich herzustellen.

Nachrichten

von der Königl. Gesellschaft der Wissenschaften und der G. A. Universität zu Göttingen.

19. November.   № **26.**   1873.

Königliche Gesellschaft der Wissenschaften.

Sitzung am 1. November.

Schering, die Hamilton-Jacobische Theorie für Kräfte, deren Maass von der Bewegung der Körper abhängt. (Erscheint in den Abhandl.)

Derselbe, zur Theorie der Poisson'schen Störungs-formeln. (Erscheint in den Abhandl.)

Derselbe, Fundamental-Satz des Pfaff'schen Problems.

Bjerknes, Verallgemeinerung des Problems von den Flüssigkeitsbewegungen in einem ruhenden, unelastischen Medium, durch die Bewegungen eines Ellipsoids. (Vorgel. von Schering.)

Enneper, Bemerkungen zur allgemeinen Theorie der Flächen.

Hattendorf, Bemerkungen zu den Sturm'schen Func-tionen.

Lüroth, über das Rechnen mit Würfen. (Vorgel. von Stern.)

Tollens, über Verbindungen von Amylum mit Alkali.

Derselbe (mit v. Grote), über eine aus Rohrzucker durch verdünnte Schwefelsäure entstehende Säure.

Derselbe (mit Wagner und Philippi), Unter-suchungen über die Allyl-Gruppe. (Vorgel. von Wöhler).

Hamilton-Jacobische Theorie für Kräfte, deren Maass von der Bewegung der Körper abhängt.

Von

Ernst Schering.

Seit Eulers grossen Entdeckungen in der Lehre von der Bewegung der Körper hat sich diese Wissenschaft vorzugsweise in ihrer formalen Seite ausgebildet. Zunächst erreichte Lagrange durch die ausgedehnteste Anwendung des Princips der virtuellen Bewegung eine allgemeinere und mehr analytische Darstellung der Mechanik, und ferner eine grosse Vereinfachung durch Einführung der Function, die wir nach Gauss das Potential oder nach Hamilton die Kräftefunction nennen. Diejenigen uns von der Natur gestellten Probleme der analytischen Mechanik, für welche wir die Differentialgleichungen nicht vollständig integriren können, die aber durch das Auftreten nur schwacher Kräfte sich von vollständig auflösbaren Problemen unterscheiden, hat Lagrange in der Weise umgeformt, dass statt der Coordinaten und der Geschwindigkeiten als die die Bewegung des Systems bestimmenden Grössen die Elemente der bei dem einfacheren lösbaren Probleme stattfindenden Bewegung auftreten. In dieser Behandlungsweise der Störungstheorie gebraucht er mit grossem Vortheil neben den Coordinaten, welche die Lage des Systems bestimmten, und neben den Geschwindigkeiten noch ein drittes System von Grössen, welche als die nach Geschwindigkeiten genommenen partielle Derivirten des Ausdruckes für die lebendige Kraft definirt werden. Mit Hülfe dieser Grössen und der Coordinaten, als Functionen der Elemente der ungestörten Bewegung betrachtet, bildet Lagrange Differentialausdrücke, die wir nach dem von Jacobi eingeführten Begriffe der Functionaldeterminanten, eine Summe von Functionaldeterminanten zweiter Ordnung nennen können. Diese Differentialausdrücke sind von grosser Bedeutung in der Theorie der Störungen, weil ihre Werthe allein von den Elementen abhangen und weil mit ihrer Hülfe die Aenderungen der Elemente bestimmt werden, sie leiden aber an der Unvollkommenheit, dass alle die erwähnten Grössen als Functionen von den Elementen der ungestörten Bewegung und von der Zeit dargestellt sein müssen.

Poisson fand im Jahre 1809 Differential-Ausdrücke, welche von diesem Uebelstande frei sind, aber doch demselben Zwecke dienen und Werthe von analoger Form haben. Jeder solcher Differential-Ausdruck setzt nemlich nur die Kenntniss zweier Elemente und zwar als Functionen der Coordinaten und der Geschwindigkeiten voraus.

In Folge dieses Umstandes besitzen die Poissonschen Differential-Ausdrücke, wie Jacobi im Jahre 1839 nach Poissons Tode hervorhebt, die merkwürdige Eigenschaft, dass, wenn man statt der beiden Elemente zwei Integrale eines mechanischen Problemes setzt, der Poissonsche Differential-Ausdruck einen constanten Werth annimmt und also, wenn er sich nicht identisch auf eine absolute Constante reducirt, ein Integral wird, welches unter Umständen von den beiden ersten unabhängig und demnach im Allgemeinen in neues Integral ist.

In Verfolgung des Gedankens von Lagrange eben den Coordinaten die nach den Geschwindig-

keiten genommenen partiellen Derivirten des
Ausdrucks für die lebendige Kraft als Veränder-
liche zu benutzen, hat Hamilton im Jahre 1834
den Differential-Gleichungen für die Bewegung
in dem Falle, wo die einwirkenden Kräfte die
partiellen Derivirten einer Potentialfunction sind,
auf die merkwürdig einfache Form gebracht,
dass die vollständigen nach der Zeit genommenen
Derivirten der Coordinaten und der Lagrangeschen Variabeln gleich den nach diesen Veränderlichen und nach den negativen Coordinaten
gebildeten partiellen Derivirten einer gemeinsamen Function werden. Für diese gebraucht
Hamilton den Namen characteristic function,
nach Jacobi bezeichnen wir sie bestimmter als
Hamiltonsche Function.

Von besonderer Wichtigkeit ist aber die von
Hamilton aufgestellte principal function, welche
er als Integral definirt, dessen Element das
Product aus dem Differential der Zeit multi-
plicirt in die Summe der halben lebendigen
Kraft und der Kräftefunction ist.

Dies von Jacobi als das Hamiltonsche bezeichnete Integral besitzt zunächst die Eigenschaft, dass, wenn man dessen Variation bei
festen Grenzen gleich Null setzt, man wieder
die fundamentalen Differential-Gleichungen der
Bewegungen erhält. Wird diese Function als
allein von den Coordinaten von eben so viel
verschiedenen Integrations-Constanten und vor
der Zeit abhängig dargestellt, so sind die partiellen Derivirten nach den Integrations-Constanten
wieder und zwar neue Integrale, welche mit den
erstern ein vollständiges System von Integralen
bilden. Die partielle Derivirte nach der Zeit ist
gleich der negativ genommenen Hamiltonschen
Function und die Lagrangeschen Veränderlichen

können als die nach den entsprechenden Coordinaten gebildeten Derivirten dargestellt werden. Durch Elimination der Lagrangeschen Veränderlichen zwischen allen diesen Derivirten erhält man eine partielle Differentialgleichung erster Ordnung und zweiten Grades mit den Coordinaten und der Zeit als unabhängigen Veränderlichen und mit dem Hamiltonschen Integral als abhängiger Function. Diese partielle Differentialgleichung kann auch zur unmittelbaren Bestimmung jener Function dienen und Jacobi hat gezeigt, dass letztere daraus in der Mehrzahl der Fälle, wo wir die betreffenden mechanischen Probleme lösen können, leicht abzuleiten ist, wenn man für jedes Problem die geeigneten Coordinaten einführt.

Das Hamiltonsche Integral gewährt nun den grossen Vortheil, die Differentialgleichungen für ein Störungsproblem in ebenso einfacher Form darzustellen wie die Hamiltonschen Fundamental-Gleichungen für die Bewegung, wenn man nemlich die gestörte Bewegung durch diejenigen Elemente bestimmt, welche bei dem ungestörten Problem als solche Constanten auftreten, die auf die zuvor angegebene Weise theils in dem Hamiltonschen Integral vorkommen, theils den partiellen Derivirten des Hamiltonschen Integrals mit entgegengesetzten Vorzeichen gleich werden.

Diese in den Grundzügen von Hamilton gefundene neue Methode der Behandlung der mechanischen Probleme wurde von Jacobi im Jahre 1837 aufgenommen und zunächst von einigen nicht nothwendigen hier nicht erwähnten Voraussetzungen befreit, zu denen auch die Gültigkeit des Princips der Erhaltung der lebendigen Kraft gehört. Jacobi bereicherte diese Wissenschaft durch eine grosse Zahl neuer all-

gemeiner Lehrsätze, insbesondere durch einen
sehr wichtigen Satz, der sich auf die Variation
der Elemente einer von Störungskräften beein-
flussten Bewegung bezieht, und der unmittelbar
die Werthe der Lagrangeschen und Poissonschen
Differentialausdrücke für die von Jacobi als
cononische bezeichneten Veränderlichen und Elemente ergibt. Jacobi fand dann bei diesen
Untersuchungen seinen wichtigen Satz über die
Variations-Rechnung und seine Erweiterungen
der Theorie der partiellen Differential-Gleichungen
erster Ordnung, eine Reihe von Entdeckungen, die ausser in eigenen Veröffentlichungen
vorzugsweise durch die Vorlesungshefte seines
ausgezeichneten Schülers Herrn Borchardt und
durch mehrere nachgelassene Abhandlungen der
Wissenschaft erhalten sind, und welchen als
Ausgangs-Punkt die neue Methode der Behandlung der analytischen Mechanik dient.

Diese Methode habe ich zu vereinfachen gesucht in einer Abhandlung, welche im 18. Bande
der Schriften der Königlichen Gesellschaft der
Wissenschaften erscheint. Zunächst leite ich
darin Grundgleichungen für die Bewegung in
einer allgemeineren Form ab als es bisher üblich
ist. Nemlich in der Weise, dass sie nicht nur
für ganz beliebige Arten von Coordinaten gelten,
sondern auch noch für alle solche Räume, in
welchen das Quadrat des Längenelementes allgemein durch einen homogenen Ausdruck zweiten
Grades in den dem Längenelement entsprechenden
Differentialen der Coordinaten dargestellt wird,
also für Räume, wie sie zuerst von Riemann,
dann von Herrn Beltrami, Helmholtz, Christoffel
und Lipchitz untersucht sind.

Als Grundprincip der Mechanik dient mir
das von Gauss im Jahre 1829 bekannt gemachte

Princip des kleinsten Zwanges. Auf diese Weise kommt zu den von Gauss selbst schon hervorgehobenen Vorzügen der Einfachheit und der Allgemeinheit dieses Princips noch eine neue, so viel mir bekannt, bisher nicht bemerkte Erweiterung hinzu.

Aus dem Maass des Zwanges, welches das System der Massen bei irgend einer virtuellen Bewegung erleidet, ergibt sich ein in diesen virtuellen Bewegungen der einzelnen Theilchen linearer Ausdruck, welcher nach dem Gausschen Princ. keinen negativen Werth annehmen darf. Dieser Ausdruck besteht aus der Summe von zwei wesentlich verschiedenen Arten von Gliedern, nemlich die einen enthalten als Factoren von den virtuellen Bewegungen nur Grössen, die von den einwirkenden Kräften abhangen, während die Factoren in den andern Gliedern durch die wirklich entstehenden Bewegungen sich bestimmen. Diese letztern Glieder haben die Eigenschaft, dass sie als die algebraische Summe eines vollständigen nach der Zeit genommenen Differentials und einer vollständigen Variation erscheint, wenn nemlich die virtuelle Bewegung analytisch durch die Variation dargestellt wird. Sind nun die Kräfte die partiellen Derivirten einer Function, eines sogenannten Potentials, so haben in jenem Ausdruck die von den Kräften abhängigen Glieder auch die Form, dass sie die Summe einer vollständigen Variation und eines vollständigen Differentials bilden, nur wird dies letzte gleich Null.

Hangen die Kräfte aber nicht nur von der Lage der Massentheilchen, sondern auch von deren Bewegung mit ab, so erhalten die Bedingungen dafür, dass die Glieder in dieser Form darstellbar sind, eine wesentlich andere Gestalt.

Sind nemlich die Kräfte von solcher Beschaffenheit, dass die in dem oben erwähnten Ausdrucke davon abhängigen Glieder als die Summe einer vollständigen Variation und eines vollständigen Differentials erscheinen, so werden alle Kräfte auch noch durch Eine Function bestimmt, welche man Potential oder Kräftefunction im verallgemeinerten Sinne des Wortes nennen kann, aber die Kräfte sind nicht mehr einfach den Derivirten gleich.

Gauss hat durch seine Untersuchungen der galvanischen Ströme gefunden, wie es scheint im Jahre 1835, dass deren Wechselwirkungen durch Kräfte dargestellt werden können, welche nicht nur von der augenblicklichen Lage, sondern auch von der Bewegung der electrischen Theilchen abhangen. Ohne diese nur im handschriftlichen Nachlasse von Gauss erhaltenen Arbeiten gekannt zu haben, fand ich 1857 in meiner Preisschrift zur Theorie der electrischen Ströme den strengen Beweis, dass alle Wechselwirkungen zwischen linearen galvanischen Strömen aus solchen Kräften erklärt werden können, wenn man die Wechselwirkungen zwischen electrischen Theilchen und ihrem ponderablen Träger oder Leiter als der Art annimmt, dass die auf beide electrische Theilchen in derselben Richtung ausgeübte Kraft unmittelbar auf den Leiter übertragen wird, und dass die auf die positiven und negativen electrischen Theilchen in entgegengesetzter Richtung ausgeübte Kraft einen durch den ganzen linearen Leiter gleichmässigen augenblicklichen Strom hervorbringt.

Dass diese electrodynamischen Kräfte die oben erwähnten Bedingungen erfüllen, habe ich 1862 gefunden und damals in meinen Academischen Vorlesungen mitgetheilt, auch gezeigt, wie man

daraus das von Hr. W. Weber 1852 veröffentlichte Gesetz ableiten hann.

Herr Helmholtz hat durch seine tiefer in die
Natur der electrodynamischen Kräfte eindringen-
den Untersuchungen gefunden, dass, wenn man
die Annahme der fernwirkenden Kräfte beibehalten und nicht solche Bewegungsgesetze zulassen will, die unseren Grundanschauungen über
Naturgesetze widersprechen, es nöthig wird, die
Wechselwirkungen zwischen den electrischen
Theilchen und ihren Trägern anders und vollständiger zu bestimmen, als es bis jetzt geschehen ist.

Zur Vereinfachung der weiteren Untersuchungen führe ich eine allgemeine, von der
vollständigen Differentiation d nach der Zeit und
von der Variation unabhängige Differentiation
D ein. Mit Hülfe derselben erhält man zur
Bestimmung der Bewegung eine einzige Differentialgleichung

$$D(T + V - \Sigma p_l q'_l) = \frac{d}{dt}(T + V - \Sigma p_l q'_l) . Dt$$
$$+ \Sigma p'_l Dq_l - \Sigma q'_l Dp_l$$

worin T die halbe lebendige Kraft, V das Potential, q_1, q_2 . . q_l . . die unabhängigen Coordinaten, q'_1 q'_2 . . q'_l . . die nach der Zeit t
genommenen vollständigen Derivirten der Coordinaten, p_1, p_2 . . p_l . . die beziehungsweise
nach den Grössen q'_1 q'_2 . . q'_l . . genommenen
partiellen Derivirten der Function $T + V$ bedeuten. Hieraus folgen bei speciellen Annahmen
für die allgemeine Differentiation D unmittelbar
die Bewegungsgleichungen in der von Hamilton
unter einfachern Voraussetzungen gegebenen

Form. Dieselbe Gleichung in der folgenden Anordnung

$$D(T+V) = \frac{d}{dt}\{(T+V-\Sigma p_l q'_l)\,Dt + \Sigma p_l\,Dq_l\}$$

lässt das Verschwinden der Variation des Hamiltonschen Integrals $\int (T+V)dt$ erkennen.

Führt man statt der Veränderlichen $t\ q_1\ q_2 \ldots q_l \ldots p_1\ p_2 \ldots p_l \ldots$ ein neues System von Veränderlichen $t\ \psi_1\ \psi_2 \ldots \psi_\lambda \ldots \varphi_1\ \varphi_2 \ldots \varphi_\lambda \ldots$ ein, so müssen, damit die dadurch entstehenden Gleichungen in Bezug auf diese letztern Veränderlichen die analog einfache Form wie die vorhergehenden in Bezug auf die $q\ p$ erhalten, die beiden Systeme von Veränderlichen durch die Relation

$$DS = \Sigma p_l\,Dq_l - \Sigma \varphi_\lambda\,Dq_\lambda - EDt$$

worin S und E beliebige Functionen bedeuten, verbunden sein.

Ersetzt man hierin die D Differentiation durch eine von ihr unabhängige $\varDelta$ Differentiation, differentiirt jede dieser beiden Gleichungen mit der nicht darin vorkommenden Differentiation, und subtrahirt die dadurch entstandenen Gleichungen von einander, so ergibt sich

$$\Sigma(Dq_l\varDelta p_l - \varDelta q_l Dp_l) = \Sigma(D\psi_\lambda\varDelta\varphi_\lambda - \varDelta\psi_\lambda D\varphi_\lambda)$$
$$+ Dt.\varDelta E - \varDelta t.DE.$$

Diese Gleichung enthält als specielle Fälle, nemlich unter besonderen Voraussetzungen über die D und $\varDelta$ Differentiationen, die von Lagrange, Poisson, Hamilton, Jacobi aufgestellten Störungsformeln, sie mag deshalb die allgemeine Störungsformel genannt werden.

In der Abhandlung wird dann noch gezeigt, welche Störungsformeln dieser Autoren ein vollständiges System bilden, aus welchen nemlich wieder die allgemeine Störungsformel folgt und wie aus dieser sich die Substitutions-Gleichung ergibt.

Diese Behandlungsweise der Theorie der Störungen habe ich im Jahre 1862 in meiner academischen Vorlesung über analytische Mechanik mitgetheilt und 1868 in einer Abhandlung der Königlichen Gesellschaft der Wissenschaften zu Göttingen vorgelegt. Hiemit stehen noch einige Lehrsätze in Verbindung, welche ich jetzt in einer dem 19. Bande der Gesellschafts-Schriften angehörenden Abhandlung über die Theorie der Poissonschen Störungsformeln aufgenommen habe. Da mir zuvor durch meine Herausgabe der Gaussischen Werke die Zeit zur weitern Ausführung dieser Lehrsätze fehlte und ich jene ersteren Untersuchungen nicht ohne die letzteren veröffentlichen wollte, so wird die Abhandlung über diese neue Behandlungsweise der Hamilton-Jacobischen Methode erst jetzt für den 18. Band der Gesellschafts-Schriften gedruckt.

Die Abhandlung enthält dann noch die vollständige Bestimmung der Bahnen zweier in einem beliebig vielfach ausgedehnten ebenen Raume und unter Wechselwirkungen, welche auch von den Geschwindigkeiten abhangen, sich frei bewegender Massentheilchen, ebenso die vollständige Bestimmung des analogen Problems in einem beliebigen homogenen Raume, unter der Voraussetzung, dass der eine Massenpunkt fest liegt.

Untersuchungen über die Allylgruppe.

Von

R. Wagner, O. Philippi und B. Tollens.

Unter obigem Titel ist von dem Einen von uns in Gemeinschaft mit verschiedenen Mitarbeitern eine Anzahl Abhandlungen veröffentlicht worden, welche nach Auffindung einer neuen Methode der Darstellung des Allylalkoholes die Feststellung der Constitution desselben, sowie der sich daran schliessenden Verbindungen, besonders der Acrylsäure, zum Ziele hatten.

In Hinsicht der Acrylsäure war von Wislicenus [1]) die Meinung geäussert worden, dass sie eine von der Structur der übrigen Säuren ganz verschiedene Constitution besitze, nämlich nicht die Carboxylgruppe enthalte, und wenn wir auch aus unseren früheren Versuchen schon diese Ansicht bekämpfen zu können glaubten, haben wir doch gesucht, neue Beweise dafür zu bringen, dass die Acrylsäure wie die Essigsäure, Propionsäure und alle übrigen organischen Säuren die Gruppe CO_2H enthält, somit in natürlichem Zusammenhange mit jenen steht.

Dies ist uns völlig gelungen, indem wir die aus der Acrylsäure durch Anlagerung von 2 Atomen Brom entstehende Säure von der Propionsäure ausgehend dargestellt haben, ohne irgend gewaltsame Reactionen anzuwenden, welche störende innere Umsetzungen hätten veranlassen können.

Ueber die ersten Resultate dieser Arbeiten haben wir uns schon erlaubt, zu berichten [2]) und fügen jetzt die neu gewonnenen Thatsachen

1) Annalen der Chemie und Pharmacie 166 S. 50.
2) Nachrichten v. d. Kgl. Ges. der Wissensch. 1873, S. 320 u. 324.

hinzu, welche im weiteren Verlaufe der Untersuchung gewonnen wurden.

O. Philippi und T. haben ausser den früher
beschriebenen Kalium-, Baryum- und Calcium-
salzen und dem Aethyläther der aus Propionsäure gewonnenen α Bibrompropionsäure folgende
Salze und Aether hergestellt und analysirt:

Das Natriumsalz α $C^3H^3Br^2O^2$. Na bildet derbe
Blätter.

Das Ammoniumsalz α $C^3H^3Br^2O^2$. $NH^4 + \frac{1}{2}H^2O$
bildet schöne perlmutterglänzende Blätter.

Das Strontiumsalz α $(C^3H^3Br^2O^2)^2Sr + 6H^2O$
krystallisirt in langen haarfeinen Nadeln.

Der Methyläther α $C^3H^3Br^2O^2$.CH^3 ist eine bei
175—179° siedende kampferartig riechende Flüssigkeit von 1.9043 spez. Gew. bei 0°.

Der Propyläther α $C^3H^3Br^2O^2$. C^3H^7 siedet bei
200—204° und besitzt das spec. Gew. 1.6842 bei 0°.

Der Isobutyläther α $C^3H^3Br^2O^2$. C^4H^9 siedet bei
213—218° und zeigt bei 0° die Dichte 1.6008.

Hierdurch wird die Constitution der α Bi-
brompropionsäure als $CBr^2 \begin{smallmatrix} CH^3 \\ \\ COOH \end{smallmatrix}$ sowie ihre Verschiedenheit von der β Säure oder $CHBr \begin{smallmatrix} CH^2Br \\ \\ COOH \end{smallmatrix}$ weiter
bestätigt (l. c. S. 329).

Die früher schon angedeutete Monobromacrylsäure haben wir in etwas grösserer Menge durch
Kochen von α Bibrompropionsäure mit alkoho-
lischem Kali bereitet und die früher angegebenen
Eigenschaften bestätigt gefunden, weiter aber
ihre Verschiedenheit von der isomeren aus β Bibrompropionsäure von R. Wagner und T. auf
analoge Weise (l. c. S. 320 s. u.) erhaltenen
Monobromacrylsäure constatirt, indem das Kalium-

salz der ersteren in schönen Rhomben krystallisirt, während das isomere Salz rechtwinklige Tafeln und Säulen bildet, welche beiden Krystallformen völlig constant bleiben und nie durch Beimengung einer Spur des isomeren Salzes modificirt werden, so dass wir die oben beschriebene Monobromacrylsäure als α Säure von der isomeren β Säure unterscheiden. Nach der Bildung aus α Bibrompropionsäure oder CBr^2 $\genfrac{}{}{0pt}{}{CH^3}{COOH}$ durch Verlust von HBr kann sie nur CBr $\genfrac{}{}{0pt}{}{CH^2}{COOH}$ sein.

Beim Erwärmen mit gesättigter Bromwasserstofflösung verbindet sie sich mit HBr, bildet jedoch nicht wieder α Bibrompropionsäure, aus welcher sie durch Verlust von HBr entstanden war, sondern β Bibrompropionsäure, so dass die Eingangs dieser Abhandlung erwähnte Umwandlung Statt findet. Noch einfacher lässt sich jedoch die Ueberführung von α Säure in β Säure bewirken durch 8tägiges Erhitzen von α Säure mit gesättigter Bromwasserstoffsäure auf 100^0, wodurch man eine Flüssigkeit erhält, welche beim Abdampfen die schönen Rhomben der β Säure liefert, welche genau bei 64^0 oder der von Minder und T. an der β Säure beobachteten Temperatur schmelzen und mit einer Spur ihrer Isomeren versetzt sich verflüssigen.

Somit ist der Beweis der Existenz von Carboxyl in der β Bibrompropionsäure und folglich der Acrylsäure geliefert, denn bei Erhitzung der sicher CO^2H enthaltenden α Säure mit Bromwasserstoff auf 100^0, oder auch bei Ueberführung derselben in α Monobromacrylsäure und Wiederanlagern von HBr kann unmöglich die Carboxylgruppe angegriffen werden.

R. Wagner und T. haben die von ihnen aus β Bibrompropionsäure dargestellte β Monobromacrylsäure weiter untersucht und dem (l. c. S. 322) beschriebenen Kaliumsalz folgende Salze hinzugefügt:

Natriumsalz β $C^3H^2BrO^2$.Na bildet mikroscopische zu Büscheln vereinigte Krystalle.

Ammoniumsalz β $C^3H^2BrO^2$.NH^4, schöne Blättchen.

Calciumsalz β $(C^3H^2BrO^2)^2Ca + 4H^2O$, seidenglänzende an der Luft verwitternde Nadeln.

Baryumsalz β $(C^3H^2BrO^2)^2Ba + 4H^2O$, mikroscopische zu Nadeln vereinigte rhombische Tafeln.

Strontiumsalz β $(C^3H^2BrO^2)^2Sr + xH^2O$, feinverzweigte verwitternde Nadeln.

Bleisalz β $(C^3H^2BrO^2)^2Pb$, mikroscopische zu Blättern vereinigte Täfelchen.

Zinksalz β $(C^3H^2BrO^2)^2Zn$, mikroscopische, oft kreuzförmig verwachsene Täfelchen.

Silbersalz β $C^3H^2BrO^2Ag$ bildet in Wasser schwerlösliche glänzende Blättchen.

Der β Monobromacrylsäure-Aether $C^3H^2BrO^2$. C^2H^5 ist eine bei 155—159° siedende Flüssigkeit, welche sich sehr leicht in einen festen weissen Körper verwandelt (s. u.). Wir erhielten ihn nur einmal durch Erwärmen des Silbersalzes mit Bromäthyl auf 100°, denn in mehreren anderen Darstellungen wandelte sich der, wie es schien, zuerst entstandene Aether unter Verlust von Bromäthyl in fast feste mit Wasser weich werdende Massen um (s. u.).

Wie oben angegeben, ist das Kaliumsalz der β Monobromacrylsäure bestimmt verschieden von dem Kaliumsalze der isomeren α Säure, und folglich muss der β Säure die Formel $\begin{array}{c} CHBr \\ CH \\ COOH \end{array}$

J. Thomsen, thermochemiske Undersögelser. Ebd. 1873.

The Penu Monthly. Vol. IV. Nr. 44. Aug. 1878. Philadelphia.

Jahresbericht des Vereins für Naturkunde zu Zwickau.

Schweizerisches Urkundenregister. Bd. II. Hft. 3. Bern. 1872.

Jahrbuch über die Fortschritte der Mathematik. Bd. III. 1878. H. 1. Berlin. 1873.

L. R. Landau, das Dasein Gottes u. der Materialismus. Wien. 1873.

Jahresbericht des physik. Vereins zu Frankfurt a. M. Für 1871—72. Frankf. 1873.

Mittheilungen aus dem Archive des Voigtländ. alterthumsforschenden Vereins in Hohenleuben, mit dem 41.—43. Jahresbericht.

Proceedings of the mathematical Society. Nr. 56—61.

A. Preudhomme de Borre, y a-t-il des Faunes naturelles, distinctes, etc. Bruxelles. 1878.

Giebel, Zeitschrift für die gesammten Naturwissenschaften. 1873. Bd. VII. Berlin. 1873.

XIV. Bericht der Oberhess. Gesellsch. für Natur- und Heilkunde. Giessen. 1873.

Zeitschrift der deutschen morgenländischen Gesellschaft. Bd. 27. Hft. 1—3. Leipzig. 1873.

C. F. von Stälin, Wirtembergische Geschichte. 4. Theil. 2. Abth. Stuttgart 1873.

Verhandlungen der naturforsch. Gesellsch. in Basel. 5. Theil. 4 Hft. Basel 1873.

Mittheilungen des histor. Vereins für Steiermark. Hft. 20. Graz 1873.

Beiträge zur Kunde Steiermarks. Geschichtsquellen. 9 Jahrg. Graz 1872.

The Canadian Ornithologist, a monthly record of information etc. Torento 1873.

Mittheilungen der deutschen Gesellsch. für Natur- und Völkerkunde Ostasiens. 1. Heft. Mai 1873. Yokohama 1873.

C. Beyer, Leben u. Geist L. Feuerbachs. Frankfurt a. M. 1873.

Annales de l'Observatoire Royal de Bruxelles. Bogen 3. 4. 1872. Bogen 4. 1873.

(Fortsetzung folgt.)

sondern ein vielfaches die wahre Formel, denn die Eigenschaften (in Wasser unlösliche, nicht saure zu Gallerten aufquellende Massen) deuten auf stattgefundene Polymerisation, und ebenfalls deuten diese Eigenschaften auf Analogien mit im Pflanzenreiche vorkommenden Dextrin- oder Schleimartigen Körpern, bei denen bekanntlich ebenfalls Polymerisation angenommen wird. Ohne hierüber eine nähere Ansicht zu äussern, bezeichnen wir diese Stoffe als A c r y l - C o l l o ï d e, um ihre Abstammung anzudeuten.

Ueber eine aus Rohrzucker durch verdünnte Schwefelsäure entstehende Säure.

Von

A. von Grote und B. Tollens.

Grosses Interesse bieten Untersuchungen, welche die Prüfung des Verhaltens von Stoffen, wie sie die Natur uns liefert, z. B. Zucker, Stärke u. s. w. gegen verschiedenartige Reagentien zum Gegenstande haben. Man hat auf diese Weise nicht nur die Aussicht, nähere Kenntniss über die häufig wenig bekannte innere Constitution dieser Substanzen zu gewinnen, sondern auch die Hoffnung, durch passend variirte Versuchsverhältnisse vielleicht einmal die Bedingungen zu realisiren, welche die Natur anwendet, wenn sie die oben besprochenen Substanzen im Pflanzenorganismus bildet oder sie unter Neuformirung anderer wieder zersetzt, somit nähere Einblicke in die Chemie des Pflanzenorganismus zu thun.

§. 1.

V. Staudt nennt einen Wurf (*abcd*) aus 4 reellen Elementen *a*, *b*, *c*, *d* eines einförmigen Gebildes einen ordentlichen Wurf, wenn die Elemente *ac* durch *bd* getrennt sind. Der Analogie mit den Zahlen wegen wollen wir einen solchen Wurf negativ nennen, und unter einem positiven einen solchen verstehen bei dem *ac* durch *bd* nicht getrennt sind. In Bezug auf die Veränderungen dieser Bestimmungen beim Rechnen verhalten sich nun die Würfe wie positive oder negative Zahlen. So ist das Product von zwei negativen Würfen ein positiver Wurf. Um dies zu beweisen, stellen wir hier, wie im Folgenden stets, einen Wurf dar durch 3 feste reelle Punkte *abc* einer reellen Geraden oder eines reellen Kegelschnitts in Verbindung mit einem vierten, beweglichen Punkt. Die beiden gegebenen Würfe seien $u = (abcd)$, $u_1 = (abcd_1)$. Das Product $u u_1$ sei $= (abcp)$. Dann ist p so zu bestimmen, dass $ac \cdot dd_1 \cdot bp$ eine Involution, also *abcd* $\approx$ *cpad*₁ ist. Weil *u* negativ ist sind die Punkte *ac* durch *bd* getrennt, folglich auch wegen der projectivischen Beziehung durch die Punkte *pd*₁. Aus der Annahme, dass *u*₁ negativ ist, folgt aber, dass *ac* auch durch *bd*₁ getrennt sind. Somit sind die Punkte *ac* durch *bp* nicht getrennt d. h. (*abcp*) ist positiv.

Aehnlich beweist man die übrigen bei der Multiplication auftretenden Fälle.

Um zu beweisen, dass die Summe $u + u_1 = (abcs)$ der beiden negativen Würfe wieder negativ ist, beachte man, dass der Punkt *s* durch die Bedingung bestimmt wird, dass $cc \cdot dd_1 \cdot as$ eine Involution ist. Wären nun die Punkte *ac* durch die ds getrennt, so würde aus $adcsxsd_1ca$ folgen, dass auch cs durch ad_1 getrennt wäre, also ac durch d_1s nicht getrennt sein könnte. Da nun ac durch bd und bd_1 getrennt sind, so müssten gleichzeitig ac durch bs getrennt und nicht getrennt sein, was unmöglich ist. Daher können die Punkte ac durch ds nicht getrennt sein, müssen also durch bs getrennt sein, so dass $abcs$ negativ ist. Auf dieselbe Art wird bewiesen, dass die Summe zweier positiven Würfe wieder positiv ist.

Es soll nun ferner ein Wurf u grösser heissen, als ein anderer u_1, wenn $u - u_1$ positiv ist. Diese Bestimmung kann man auch anwenden auf die beiden uneigentlichen Würfe $(abca)$ und $(abcb)$ die v. Staudt mit den Zeichen 0, 1 bezeichnet und die alle Eigenschaften der Zahlen 0, 1 haben. Es ergibt sich dann, dass ein negativer Wurf < 0, ein positiver > 0 ist. Die positiven kann man wieder in zwei Klassen theilen, je nachdem sie < 1 oder > 1 sind. Seien die beiden Würfe u, u_1 beide < 1, so ist $1 - u$ positiv, daher auch $u_1 - uu_1$ folglich $uu_1 < u_1 < 1$, wie dies auch von den Zahlen gilt; ebenso ist das Produkt von zwei Würfen, die beide > 1 sind, selbst > 1. Ist $u_1 > u$, $u = (abcd) u_1 = (abcd_1)$ und $u_1 - u = (abct)$, so ist, weil $u_1 - u > 0$, der Sinn abc mit dem atc übereinstimmend. Weil aber die Involution $cc \cdot td \cdot ad_1$ zwei Ordnungselemente besitzt, ist der Sinn atc dem d_1dc entgegengesetzt, stimmt also mit dem cdd_1 überein. Daher ist auch der Sinn abc mit dem cdd_1 übereinstimmend. Ist ein dritter Wurf $u_2 = (abcd_2) > u_1$, so ist auch der Sinn cd_1d_2 mit abc übereinstimmend, also ist der Sinn dd_1d_2 derselbe, wie der abc.

§. 2.

Seien nun w, w' zwei nicht neutrale conjungirte Würfe. Wir stellen sie dar durch $(abcd)$, $(abcd')$, wo nun abc drei reelle Punkte eines reellen Kegelschnitts sein sollen, folglich dd' zwei imaginäre conjungirte Punkte desselben sein werden. Die Verbindungslinie dd' ist dann der reelle Träger beider Punkte, also eine Gerade die mit dem Kegelschnitt keinen reellen Punkt gemein hat und folglich ac in einem Punkte e trifft, der ausserhalb des Kegelschnittes gelegen ist, und von dem sich zwei reelle Tangenten ef und ef' mit dem Berührungspunkte f, f' ziehen lassen. Die Linie eb möge den Kegelschnitt noch in p treffen. Dann ist $ac.dd'.bp$ eine Involution also $(abcp) = ww'$. Weil diese Involution die beiden reellen Ordnungselemente ff' hat, können die Punkte ac durch bp nicht getrennt sein, so dass $ww' > 0$ ist. Nach der Construction ist ferner $(abcf)^2 = (abcf')^2 = (abcp) = ww'$. Da aber ac durch ff' getrennt sind, ist einer der beiden Würfe etwa $(abcf) > 0$. Es gibt also immer einen positiven Wurf, dessen Quadrat dem Producte von zwei conjungirten gleich ist. Dieser soll der absolute Werth der letzteren heissen. Aus dieser Definition folgt, dass der absolute Werth eines Productes gleich dem Producte der absoluten Werthe der Factoren ist.

Wenn nun I ein nicht neutraler Wurf ist und w noch ein Wurf, so hat v. Staudt bewiesen (Beiträge Nr. 278) dass stets und nur auf eine Weise zwei neutrale Würfe u, v angegeben werden können, so dass $w = u + vI$ ist. Für I wollen wir einen speciellen Wurf setzen. Sei b' bestimmt durch die Gleichung $(abcb) + (abcb')$

$= 0$. Wenn die Punkte abc auf einem reellen Kegelschnitte gewählt sind, so sind ac durch bb' harmonisch getrennt. Sei i eines der imaginären Ordnungselemente der Involution $ac.bb'$, also der Berührungspunkt von einer der beiden imaginären Tangenten, die sich vom Schnittpunkte der Linien ac und bb' an den Kegelschnitt legen lassen. Für I soll dann der nicht neutrale Wurf $(abci)$ gesetzt werden. Ist i' der zweite, zu i conjungirte Ordnungspunkt der Involution, so ist $(abci')$ der zu I conjungirte Wurf I'. Die Construction am Kegelschnitt zeigt dann, dass $I + I' = 0 \; II' = 1$ ist.

Der zu w conjungirte Wurf w' ist dann $= u + vI'$ und folglich $ww' = u^2 + v^2$, so dass der absolute Werth von w derjenige positive Wurf ist, dessen Quadrat $= u^2 + v^2$ ist. Da $w + w' = 2u$ so ist $w + w'$ kleiner als der doppelte absolute Werth von w. Hiemit beweist man ohne Schwierigkeit, dass der absolute Werth einer Summe von Würfen kleiner ist als die Summe der absoluten Werthe der Summanden.

§. 3.

Da die Begriffe der Addition und Multiplication von Würfen gegeben sind, so ist auch der einer ganzen Function eines Wurfes aufzustellen, und man kann für jeden gegebenen Wurf den zugehörigen Functionswerth construiren.

Aus den vorangegangenen Sätzen ergibt sich nun durch genau dieselben Schlüsse, die man bei Zahlen anwendet, die Richtigkeit der folgenden beiden Sätze.

1. Wenn eine ganze Function eines Wurfs vorliegt, so kann man stets einen positiven

Wurf G angeben, so dass für jeden Wurf, dessen absoluter Werth $> G$ ist, der Functionswerth $>$ als ein gegebener positiver Wurf K ist.

2. Ist für einen Wurf w_0 die Function dem Wurfe W gleich und ist δ ein beliebig gegebener positiver Wurf, so kann man stets einen andern positiven Wurf ε finden, so dass zu jedem Wurf $w_0 + h$, bei dem der absolute Werth von $h < \varepsilon$ ist, ein Functionswerth $W + H$ gehört, bei dem der absolute Werth von $H < \delta$ ist.

Da die absoluten Functionswerthe stets positiv sind, so müssen sie eine untere Grenze K besitzen, die von keinem absoluten Functionswerth unterschritten werden kann, während jeder grössere Werth unterschritten wird.

Es soll gezeigt werden, dass stets mindestens ein Wurf existirt, welcher den absoluten Functionswerth $= K$ macht. Wir übertragen zu dem Zwecke den von Darboux (Bulletin 1872) gegebenen Beweis. Um jeden Wurf durch einen reellen Punkt einer reellen Ebene darzustellen, nehmen wir in derselben zwei Punkte AB an, deren Verbindungslinien c sei. Durch A legen wir noch die beiden Linie ab, durch B die $a'b'$. Ist nun der Wurf $w = u + vI$ und sind die Strahlen d, d' der Büschel AB so bestimmt, dass $u = (abcd)$, $v = (a'b'cd')$, so soll der Schnittpunkt w von d und d' den Wurf w repräsentiren. Sind ef zwei andere Strahlen des Büschels A, so wollen wir der Kürze wegen sagen, w liege zwischen e und f wenn der Strahl d von c durch e und f getrennt ist. Dann liegt der Wurf $(abcd)$ auch der Grösse nach zwischen $(abce)$ und $(abcf)$. Aehnliche Bestimmungen sollen für Strahlen $e'f'$ des Büschels B gelten.

Diejenigen Punkte der Ebene, die gleichzeitig zwischen ef und $e'f'$ liegen, sollen im In-

nern des Vierecks $efe'f'$ liegend genannt
werden. Ferner soll von einem Strahle g gesagt werden er halbire den Winkel ef, wenn er
der Bedingung genügt $2(abcg) = (abce) + (abcf)$.
Ist $(abce) < (abcf)$, so ist dann $(abcf) - (abcg)$
$= (acbg) - (abce) = \frac{1}{2}[(abcf) - (abce)]$ und
$(abcg) > (abce)$ aber $< (abcf)$.

Seien nun $(abca_1)$, $(a'b'ca'_1)$ zwei Würfe < 0
und $(abcb_1)$, $(a'b'cb'_1)$ zwei > 0, deren absolute
Werthe grösser sind, als die oben (Satz 1) bestimmte Grenze G. Ausserhalb oder auf dem
Umfang des Vierecks $a_1 b_1 \ a'_1 b'_1$ ist der absolute
Werth eines Wurfes $> G$, so dass die Punkte,
in welchen der absolute Werth der Function
dem Wurfe K gleich werden kann, nur im Innern des Vierecks liegen können.

Wir halbiren nun den Winkel $a_1 b_1$ und den
Winkel $a_1' b_1'$ und theilen so das Viereck in 4
neue ein. In mindestens einem von diesen muss
die Function wieder die untere Grenze K haben.
Dessen Seiten seien $a_2 b_2$, $a_2' b_2'$ (wobei natürlich zwei von diesen Linien mit zwei Seiten des
ersten Vierecks identisch sind), die beiden ersten
die andern durch B gehend. Dieses Viereck
theilt man wieder durch zwei Halbirungslinien
in 4 neue, von welchen wieder mindestens eines
$a_3 b_3 a_3' b_3'$ die untere Grenze K der Functionswerthe liefern muss u. s. w. Die Bezeichnung
möge dabei so gwählt sein, dass $(abca_i) < (abcb_i)$
und $(abca'_i) < (abcb'_i)$. Dann ist $(abcb_2) - (abca_2)$
$= \frac{1}{2}((abcb_1) - (abca_1))$ u. s. w. und $(abca_i) \gtreqqless$
$(abca_{i-1})$, $(abcb_{i-1}) \leqq (abcb_{i-1})$. Die Linien
$a_2 a_3 \ldots$ folgen also in einem und demselben Sinne auf einander und es muss demnach
eine Grenzlinie p existiren, die nicht überschrit-

ten wird. Ebenso nähern sich die Linien $b_1 b_2$..
einer Grenzlinie q. Diese beiden können aber
nicht verschieden sein. Denn es ist:

$$(abcq) - (abcp) < (abcb_2) - (abca_2).$$

Nun soll sofort bewiesen werden, dass man durch
gehörig weit fortgesetztes Halbiren eines positiven Wurfes einen Wurf erhalten kann, der kleiner als ein gegebener positiver Wurf ist. Setzt
man dies voraus, so kann man auch eine Differenz finden $(abcb_2) - (abca_2)$ die $< (abcq) - (abcp)$
ist. Daher müssen beide Strahlen coincidiren
in einem einzigen α. Ebenso erhält man im
Büschel B einen Strahl β, der die gemeinsame
Grenzlage der Strahlen $a'_1 a'_2 a'_3 \ldots b'_1 b'_2 b'_3 \ldots$ ist.
Für den Wurf w, der dem Schnittpunkte
von α und β entspricht, muss nun der absolute
Functionswerth $\geqq K$ sein. Wäre er $= K$
$+ 2\delta$, so wähle man ein den Punkt w um-
schliessendes Viereck so aus, dass die Aenderung des absoluten Functionswerthes in ihm
$< \delta$ ist, was nach dem 2ten Satze und
dem noch zu beweisenden stets möglich ist.
Dann ist jedenfalls im Innern des Vierecks der
absolute Functionswerth $> K + \delta$, kann also
nicht die untere Grenze K haben. Daher muss
für jenen Punkt der absolute Functionswerth
$= K$ sein.

§. 4.

Der Angelpunkt dieses Beweises ist der Satz,
dass man durch fortgesetzte Halbirung eines
positiven Wurfes jeden gegebenen positiven Wurf

unterschreiten kann. Wäre der Satz nicht richtig, so müsste ein grösster Wurf $(abck)$ existiren, der nicht unterschritten werden könnte,
während dies bei jedem grösseren Wurf möglich
wäre. Es sei nun $(abck') = 2\,(abck)$. Denkt
man sich die Würfe auf einer reellen Geraden
oder auf einem reellen Kegelschnitt construirt,
so werden die beiden Punkte $k\,k'$ verschieden
sein, so lange nicht k mit a zusammenfällt.
Weil ferner $(abck) > 0$, ist $(abck') > (abck)$.
Daher ist der Sinn akk' mit dem abc identisch.
Man kann also zwischen k und k' den Punkt l
so annehmen, dass auch der Sinn $aklk'$ mit dem
abc übereinstimmt. Dann ist einerseits $(abcl) >$
$(abck)$, andererseits $\frac{1}{2}\,(abcl) < \frac{1}{2}\,(abck') < (abck)$.
Wegen der ersten Ungleichung kann man
durch eine gehörige grosse Zahl, von Halbi-
rungen des gegebenen Wurfes einen Wurf erhalten, der $< (abcl)$ ist. Die zweite zeigt, dass
man durch eine weitere Halbirung $(abck)$ unter-
schreitet, gegen die Voraussetzung. Dieser Widerspruch ist möglich, solange k nicht mit k',
also k selbst nicht mit a zusammenfällt. Hiermit ist aber der Satz oben bewiesen.
    Sei nun W der Functionswerth, der dem
Wurf w entspricht, und dessen absoluter Werth
das Minimum ist. Es ist zu zeigen, dass W
nothwendig $= 0$ ist. Wir setzen für die Ver-
änderliche in der Function $w + h$ und erhalten
dann den Ausdruck:

$$W + h^p\,W_1 + \cdots$$

wo die ganze Zahl $p \geq 1$ und W_1 von Null verschieden sein soll. Multipliciren wir mit dem
conjugirten Werth $W' + h^p\,W'_1 + \cdots$ (wo

durch die Accente die conjungirten Würfe bezeichnet sind, so entsteht:

$$W W' + (h^p W_1 W' + h^{2p} W_1 W) + \dots.$$

Die ganze Zahl p sei $= 2^q . r$, wo r ungerade. Man bestimme nun einen Wurf s so, dass
$s^{2q} = (abcb')$ ist, wo $(abcb') + (abcb) = 0$; dies
kann stets geschehen durch wiederholtes Tan-
gentenzeichen an den Kegelschnitt auf dem man
die Punkte abc angenommen hat. Dieser Wurf
s hat dann die Eigenschaft, dass $s^p = (abcb')^r$
$= (abcb')$ ist und vom conjugirten s' gilt dasselbe. Ist nun der Wurf $W' W_1 + W_1 W$ nicht
$= 0$, so setze man, je nachdem er > 0 oder
< 0 ist, für h sg oder g, unter g einen positiven Wurf verstanden, und erhält dann:

$$W W' \mp (W' W_1 + W W_1) g^p + \dots,$$

wo man nun den Wurf g so klein wählen kann,
dass alle auf $W W'$ folgenden Glieder eine negative Summe geben, der ganze Ausdruck also
$< W W'$ ist. Damit dies unmöglich ist, muss:

$$W' W_1 + W W_1 = 0$$

sein. Andererseits bestimme man ebenfalls durch
Tangentenziehen an den Kegelschnitt einen
Wurf ϑ, so dass $\vartheta^{2q} = I$ ist. Dann ist $\vartheta^p = I'$,
$\vartheta^{2p} = I^r$ und, weil r ungerade, $I' + I'' = 0$,
also auch $\vartheta^p + \vartheta^{2p} = 0$. Setzt man nun ein-

mal $h = \vartheta g$, wo g wie oben > 0, ein zweites
Mal $h = \vartheta' g$, so erhält man die beiden in:

$$W' \, W \pm g^p \, (\vartheta^p \, W_1 \, W' + \vartheta'^p \, W'_1 \, W) + \ldots$$

zusammengefassten Ausdrücke, von welchen,
wenn nicht der Coefficient von g^p verschwindet,
einer durch passende Wahl von $g < WW'$ gemacht werden kann. Damit dies unmöglich ist
muss

$$\vartheta^p \, W_1 \, W' + \vartheta'^p \, W'_1 \, W = 0$$

sein. Aus den beiden so erhaltenen Gleichungen folgt, dass $W = 0$ sein muss.

Es gibt also einen Wurf, für welchen eine
ganze Function eines Wurfes verschwindet, und
hieraus folgt weiter, dass es n und nur n gibt,
wenn die ganze Function n. Grades ist.

§. 5.

Wir machen von dem so bewiesenen Satze
eine Anwendung auf die Theorie der algebraischen Curven, indem wir nach Herrn Grassmann
(Crelle 36) eine algebraische Curve folgendermassen definiren.

Wenn die Lage eines beweglichen Punktes
x in einer Ebene dadurch beschränkt ist, dass
ein Punkt und eine Gerade, welche durch Construction mittelst des Lineals allein aus x und
aus festen Punkten und Geraden hervorgehen,
zusammenfallen sollen, so kann der Punkt x
noch eine Mannigfaltigkeit von Lagen annehmen, deren Gesammtheit wir Curve n. Ordnung

neunen, wenn bei jenen Constructionen der Punkt
x $n$mal angewendet wurde. Hiebei können offenbar die Punkte und Geraden reell oder ima-
ginär sein.

In der Ebene der Curve legen wir ein Drei-
eck ABC als Coordinatendreieck zu Grunde und
definiren die homogenen Coordinaten x_1 x_2 x_3 eines
Punktes x nach Herrn Fiedler (über projectivische
Coordinaten, Züricher Vierteljahrsschrift XV)
durch drei Würfe, indem wir setzen:

$$\frac{x_2}{x_1} = C(AEBx), \quad \frac{x_1}{x_3} = B(CEAx), \quad \frac{x_3}{x_2} = A(BECx).$$

E ist dabei ein fester Punkt der Ebene. In
ähnlicher Weise kann man die Coordinaten einer Geraden definiren. Durch genau dieselben
Schlüsse, die Herr Fiedler lc. Seite 161 gemacht
hat (wobei nur mit den Würfen selbst, nicht
mit deren Werthen operirt wird) zeigt man nun,
dass die Gleichung einer Geraden die Form hat

$$x_1 \xi_1 + x_2 \xi_2 + x_3 \xi_3 = 0.$$

Hieraus und aus der obigen Definition der Curve
n. Ordnung ergibt sich aber, dass deren Gleichung durch eine ganze homogene Function n.
Ordnung in x_1 x_2 x_3 gegeben wird. Soll die
Curve durch eine Gerade geschnitten werden,
so erhält man demnach für den Wurf $\dfrac{x_1}{x_3}$ z. B.
eine Gleichung n. Grades, die nach dem Vorigen
n Wurzeln hat. Eine Curve n. Ordnung wird
also von jeder Geraden in n Punkten geschnitten.

Combinirt man zwei Curven von der m. und
n. Ordnung, so hat man, um ihre Schnittpunkte
zu finden, die Resultante der beiden Gleichungen

aufzustellen. Die Bildung derselben ist eine formale Operation, die unabhängig ist davon, ob die Veränderlichen Zahlen oder Würfe sind; woraus folgt, dass die Schnittpunkte durch eine Gleichung *mn*. Grades gegeben werden, welcher durch *m.n* Würfe genügt wird. Es scheiden sich also die beiden Curven in *m.n* Punkten.

Somit sind diese beiden Hauptsätze der Theorie der Curven wenigstens ohne Zuhülfenahme von Maass- und Zahlbegriffen bewiesen.

Carlsruhe, 15. September 1873.

Bemerkungen zu dem Sturm'schen Satze.

Von

Prof. K. Hattendorff in Aachen.

Wenn man zur Herstellung der Sturmschen Functionen

$$(1) \qquad F(x), \quad F'(x), \quad F_2(x), \ldots F_r(x)$$

das directe Verfahren der fortgesetzten Division in Anwendung bringt, so lassen sich zwei Fälle unterscheiden. Entweder sind nemlich die auftretenden Quotienten

$$(2) \qquad q_1, \quad q_2, \quad \cdots \quad q_r$$

sämmtlich lineär, oder es kommen unter ihnen

auch Functionen höheren Grades vor. Im ersten Falle ist in dem Systeme (1) die Anzahl der Functionen um 1 grösser als die Anzahl r der von einander verschiedenen Wurzeln der algebraischen Gleichung $m$ten Grades $F(x) = 0$. Von $F'(x)$ an ist jede Function im Grade um 1 niedriger als die vorhergehende, und in keiner von ihnen hat die höchste Potenz von x den Coefficienten Null. Im zweiten Falle ist in (1) die Anzahl der Functionen kleiner als $r + 1$, die erste ist vom $m$ten, die letzte vom $(m-r)$ten Grade. Aber nicht von allen zwischenliegenden Graden sind in dem Systeme (1) Functionen vorhanden. Es ist zweckmässig, als Grad einer Function den höchsten Exponenten von x anzugeben, der vorkommen kann. Tritt dann an irgend einer Stelle ein Quotient auf, in welchem x^{k+1} als höchste Potenz wirklich vorkommt, so fallen in (1) an der betreffenden Stelle k auf einander folgende Functionen aus, und in der letzten Function vor der Lücke sind die k höchsten Coefficienten Null.

Bekanntlich hat zuerst Sylvester ein System von Functionen

$$(3) \quad F(x), \quad F'(x), \quad \vartheta_{m-2}(x), \quad \ldots \quad \vartheta_{m-r}(x)$$

aufgestellt, die rücksichtlich der Zeichenreihe den Sturm'schen Functionen äquivalent sind. Dieses System (3) ist unter allen Umständen vollzählig, d. h. die Anzahl der Functionen ist immer $r + 1$, und für eine ganze Zahl n, die nicht kleiner als 2 und nicht grösser als r, ist immer $\vartheta_{m-n}(x)$ eine bestimmte ganze Function $(m-n)$ten Grades. Sind die Functionen (1) vollzählig, so hat man für jedes ganze n zwischen den eben angegebenen Grenzen eine Gleichung von der Form:.

(4)
$$\frac{F_n(x)}{\vartheta_{m-n}(x)} = \mu_n,$$

in welcher μ_n eine positive Constante bedeutet. Ist dagegen das System nicht vollzählig, so gilt die Gleichung (4) nur dann, wenn in (1) wirklich eine Function $F_n(x)$ vom $(m-n)$ten Grade vorhanden ist, und selbst dann ist das Vorzeichen von μ_n von vorn herein nicht bekannt. Man hat also in dem System (3) zwei Arten von Functionen zu unterscheiden: solche, die durch Gleichung (4) mit je einer Sturm'schen Function zusammenhängen, und solche überzählige Functionen, deren Grad in dem Systeme (1) nicht vertreten ist.

Nun geht zwar aus den Untersuchungen von Hermite (Comptes rendus T. 35. 36) hervor, dass von den Sylvester'schen Functionen (3) unter allen Umständen der Sturmsche Satz gilt. Aber es bleibt in dem zweiten der oben erwähnten Fälle immer noch die Frage offen, wie die überzähligen Sylvester'schen Functionen beschaffen sind, und welche directe Bedeutung sie für den Sturm'schen Satz haben.

Diese Frage habe ich untersucht und bin dabei zu den folgenden Resultaten gekommen.

Wenn in der Sturm'schen Function $F_i(x)$ die k höchsten Coefficienten gleich Null sind, so gilt dasselbe von $\vartheta_{m-i}(x)$, und die nächsten

k Functionen $\vartheta_{m-i-1}(x)$, $\vartheta_{m-i-2}(x)$, ...
$\vartheta_{m-i-k}(x)$ stehen zu $\vartheta_{m-i}(x)$ je in einem constanten Verhältnis. Das letzte dieser Verhältnisse ist jedenfalls von Null verschieden, so dass man $F_i(x)$ in der doppelten Weise ausdrücken

$$(5) \quad F_i(x) = \mu_i\, \vartheta_{m-i}(x) = \mu_{i+k}\, \vartheta_{m-i-k}(x).$$

Die Function $F_{i+k+1}(x)$ ist in (1) die erste nach der Lücke. Für sie gilt also eine Gleichung von der Form (4). Der dabei auftretende constande Factor μ_{i+k+1} hat dasselbe Vorzeichen wie μ_{i+k} in Gleichung (5).

Behält man von den $k+1$ Functionen $\vartheta_{m-i}(x)$, ... $\vartheta_{m-i-k}(x)$, die bis auf constante Factoren mit einander übereinstimmen, nur die erste und die letzte bei und wiederholt in (3) dieses Verfahren an jeder Stelle, wo das System (1) eine Lücke zeigt, so zerfällt dadurch das System (3) in einzelne Gruppen. Es ist zweckmässig die Trennungsstelle von je zwei auf einander folgenden Gruppen zwischen die beiden Functionen ϑ zu legen, welche nach Gleichung (5) einer und derselben Sturmschen Function correspondiren. Die constanten Factoren μ, welche derselben Gruppe angehören, haben dann einerlei Vorzeichen.

Diese Sätze genügen, um zu beweisen, dass für das eben hergestellte unvollzählige System (3), aber auch für das vollzählige, das Sturmsche Theorem seine Gültigkeit hat.

Bricht man den Sturmschen Kettenbruch bei dem Theilnenner q_{n-1} ab, so ergibt sich ein

Näherungswerth, dessen Zähler man mit q_1, q_{n-1} bezeichnen kann. Von dem Systeme:

$$(6) \qquad 1; \quad q_1, q_1; \quad q_1, q_2; \cdots q_1, q_r$$

gilt bekanntlich ebenfalls der Sturmsche Satz. Dieses System enthält immer ebenso viele Functionen wie das System (1). Mit (6) lässt sich das System der Sylvesterschen Functionen φ, nemlich:

$$(7) \qquad 1, \quad \varphi_1 x, \quad \varphi_2(x), \quad \varphi_r(x)$$

vergleichen, in welchem $\varphi_n(x)$ eine ganze Function $n$ten Grades ist.

Ist das System (6) vollzählig, so gilt für jedes ganze n, das nicht kleiner als 2 und nicht grösser als $r+1$ ist, die Gleichung:

$$(8) \qquad \frac{q_1, q_{n-1}}{\vartheta_{n-1}(x)} = \mu_n,$$

und darin ist μ_n dieselbe Constante, wie in Gleichung (4). Ist aber das System (6) unvollzählig, so gilt die Gleichung (8) nur dann, wenn in (6) ein Zähler vorkommt, welcher x^{n-1} als höchste Potenz wirklich enthält. Da das System (7) immer vollzählig ist, so entsteht hier in Betreff der überzähligen Functionen φ dieselbe Frage wie vorher bei den Functionen ϑ. Ich gelange zu dem folgenden Resultate.

Sind in der Sturmschen Fuction $F_i(x)$ die k

höchsten Coefficienten gleich Null, so stehen in (7) die auf einander folgenden Functionen $\varphi_i(x)$, $\varphi_{i+1}(x)$, $\ldots \varphi_{i+k-1}(x)$ zu $\varphi_{i-1}(x)$ je in einem constanten Verhältnisse. Das letzte dieser Verhältnisse ist jedenfalls von Null verschieden, so dass man q_1, q_{i-1} in der doppelten Weise ausdrücken kann:

$$(9) \quad q_1, \ q_{i-1} = \mu_i \ \varphi_{i-1}(x) = \mu_{i+k} \ \varphi_{i+k-1}(x).$$

Hier sind die Constanten μ_i und μ_{i+k} dieselben wie in Gleichung (5). Dies genügt, um zu beweisen, dass für das unvollzählige System (7), aber auch für das vollzählige, der Sturmsche Satz seine Gültigkeit hat. Das unvollzählige System erhält man, wenn man von jeder Folge von Functionen φ, deren höchster Coefficient Null ist, nur die letzte Function beibehält.

Den 22. Septbr. 1873.

Nachrichten

von der Königl. Gesellschaft der Wissenschaften und der G. A. Universität zu
Göttingen.

3. December.   № 28,   1873.

Königliche Gesellschaft der Wissenschaften.

Bemerkungen zur allgemeinen Theorie der Flächen.

Von

A. Enneper.

Die folgenden Untersuchungen enthalten eine
Aufstellung, nebst Anwendungen, von Elemen-
tarformeln, welche für die Betrachtung von Curven auf krummen Flächen in manchen Fällen
von Nutzen sein kann. Die Normale zur Fläche, die Tangente zur Curve und eine dritte
Gerade, welche auf den beiden bemerkten Geraden senkrecht steht, bilden in jedem Puncte von
Fläche und Curve ein variabeles Coordinatensystem, welches in enger Beziehung zu den Krüm-
mungen von Fläche und Curve steht. Man gelangt auf diese Weise zu sehr einfachen Formeln, welche in vielen Fällen eine leichtere Anwendung gestatten, wie die Formeln, welche auf
Betrachtung besonderer Coordinatensysteme auf
der Fläche, als Krümmungslinien, asymptotische
Linien, geodätische Linien u. a. basirt sind.

64

I.

Auf einer Fläche werde eine beliebige Curve angenommen; die Coordinaten x, y, z eines Punktes derselben sehe man als Functionen einer Variabelen s an, wo ds das Bogenelement der Curve bezeichnet. Die Winkel, welche die Normale zur Fläche in dem bemerkten Puncte mit den Coordinatenaxen bildet, seien a, b und c. Die Differentialquotienten von x, y, z in Beziehung auf s mögen nach der Art von Lagrange bezeichnet werden, so dass also:

$$\frac{dx}{ds} = x', \quad \frac{d^2x}{ds^2} = x'' \text{ etc.}$$

Man hat dann die folgenden Gleichungen:

1) $\qquad x'^2 + y'^2 + z'^2 = 1,$

2) $\qquad x' \cos a + y' \cos b + z' \cos c = 0,$

3) $\qquad \cos^2 a + \cos^2 b + \cos^2 c = 1.$

Bezeichnet man durch R den Krümmungshalbmesser des Normalschnitts, dessen Ebene durch die Tangente zur Curve im Punkte (x, y, z) geht, so ist:

4) $\qquad -\frac{1}{R} = x' \frac{d\cos a}{ds} + y' \frac{d\cos b}{ds} + z' \frac{d\cos c}{ds}.$

Die abwickelbare Fläche, gebildet aus den berührenden Ebenen zur gegebenen Fläche längs der Curve, werde in einer Ebene ausgebreitet, wodurch die primitive Curve in eine plane Curve übergeht. Dem Punkte (*x*, *y*, *s*) der primitiven Curve entspricht ein bestimmter Punct der planen Curve, bezeichnet man durch T den Krümmungsradius der planen Curve in diesem Puncte, so ist:

5)
$$\frac{1}{T} = \begin{vmatrix} x', & y' & s' \\ x'', & y'' & s'' \\ \cos a, & \cos b, & \cos c \end{vmatrix}.$$

Ist $d\sigma$ der Contingenzwinkel der planen Curve in dem bemerkten Puncte, so ist bekanntlich:

6)
$$d\sigma = \frac{ds}{T}.$$

Zur Abkürzung setze man:

7)
$$\frac{1}{S} = \begin{vmatrix} \dfrac{d\cos a}{ds}, & \dfrac{d\cos b}{ds}, & \dfrac{d\cos c}{ds} \\ x', & y', & s' \\ \cos a, & \cos b, & \cos c \end{vmatrix}.$$

Es lässt sich S auf folgende Weise geometrisch deuten. Die Hauptkrümmungshalbmesser der gegebenen Fläche im Puncte (*x*, *y*, *s*) seien r' und r''. Die Tangente zum Hauptschnitt mit dem Krümmungshalbmesser r' bilde den Winkel φ mit der Tangente zur Curve. Es ist dann:

8)
$$\frac{1}{S} = -\left(\frac{1}{r'} - \frac{1}{r''}\right) \sin\varphi \cos\varphi.$$

64*

Nach dem Theorem von Euler ist bekanntlich:

9)
$$\frac{1}{R} = \frac{\cos^2\varphi}{r'} + \frac{\sin^2\varphi}{r''}.$$

Durch Elimination von φ zwischen den Gleichungen 8) und 9) folgt:

10)
$$\frac{1}{S^2} = -\left(\frac{1}{R} - \frac{1}{r'}\right)\left(\frac{1}{R} - \frac{1}{r''}\right).$$

Die Richtungen, bestimmt durch die Cosinus:

$$x', \qquad y', \qquad s';$$
$$\cos a, \quad \cos b, \quad \cos c;$$
$$y'\cos c - s'\cos b, \; s'\cos a - x'\cos c, \; x'\cos b - y'\cos a;$$

sind gegenseitig zu einander orthogonal. Die Differentialquotienten dieser Cosinus nach s lassen sich durch Einführung von R, S, T auf sehr einfache Formen bringen. Die Gleichung 4) lässt sich nach 2) ersetzen durch:

$$\frac{1}{R} = x''\cos a + y''\cos b + s''\cos c.$$

Aus dieser Gleichung, der Gleichung 5) und $x'x'' + y'y'' + s's'' = 0$ folgt:

11)
$$\begin{cases} x'' = \dfrac{\cos a}{R} - \dfrac{y'\cos c - s'\cos b}{T}, \\[2ex] y'' = \dfrac{\cos b}{R} - \dfrac{s'\cos a - x'\cos c}{T}, \\[2ex] s'' = \dfrac{\cos c}{R} - \dfrac{x'\cos b - y'\cos a}{T}. \end{cases}$$

Die Gleichung 3) nach s differentiirt gibt in Verbindung mit den Gleichungen 4) und 7):

$$12) \quad \begin{cases} \dfrac{d\cos a}{ds} = -\dfrac{x'}{R} + \dfrac{y'\cos c - z'\cos b}{S}, \\[2ex] \dfrac{d\cos b}{ds} = -\dfrac{y'}{R} + \dfrac{z'\cos a - x'\cos c}{S}, \\[2ex] \dfrac{d\cos c}{ds} = -\dfrac{z'}{R} + \dfrac{x'\cos b - y'\cos a}{S}. \end{cases}$$

Aus den Gleichungen 11) und 12) findet man:

$$13) \quad \begin{cases} \dfrac{d(y'\cos c - z'\cos b)}{ds} = \dfrac{x'}{T} - \dfrac{\cos a}{S}, \\[2ex] \dfrac{d(z'\cos a - x'\cos c)}{ds} = \dfrac{y'}{T} - \dfrac{\cos b}{S}, \\[2ex] \dfrac{d(x'\cos b - y'\cos a)}{ds} = \dfrac{z'}{T} - \dfrac{\cos c}{S}. \end{cases}$$

Bezeichnet man durch ϱ den Krümmungshalbmesser der Curve im Puncte (x, y, z) so ist:

$$14) \qquad \frac{1}{\varrho} = \sqrt{\frac{1}{R^2} + \frac{1}{T^2}}.$$

Der Radius der zweiten Krümmung der Curve, der sogenannte Torsionsradius, sei r. Man hat dann:

15)
$$\frac{1}{r} = \frac{\dfrac{1}{R}\dfrac{d}{ds}\dfrac{1}{T} - \dfrac{1}{T}\dfrac{d}{ds}\dfrac{1}{R}}{\dfrac{1}{R^2} + \dfrac{1}{T^2}} - S.$$

Die Cosinus der Winkel, welche die Tangente zur Curve mit den Coordinatenaxen bildet, sind:

$$x', \quad y', \quad z'.$$

Die Hauptnormale ist durch folgende Cosinus bestimmt:

$$\varrho x'', \quad \varrho y'', \quad \varrho z''.$$

Die Gerade, welche im Puncte (x, y, z) auf der Tangente und der Hauptnormalen senkrecht steht, welche die Binormale genannt wird, bildet mit den Axen der x, y und z Winkel, deren Cosinus folgende sind:

$$\varrho(y'z'' - z'y''), \quad \varrho(z'x'' - x'z''), \quad \varrho(x'y'' - y'x'').$$

In diesen Ausdrücken sind x'', y'', z'' und ϱ durch die Gleichungen 11) und 14) bestimmt.

II.

Durch die Curve auf der Fläche werde ein System von Geraden gelegt, welche nach einem beliebigen Gesetze stetig auf einander folgen mögen, also eine windschiefe Fläche bilden. Hierzu ist nur nöthig, dass die Cosinus der Winkel f, g, h, welche die Gerade (Generatrix) durch den Punct (x, y, z) mit den Coordinatenaxen bildet, stetige Functionen von s sind. Bezeichnet man durch ψ den Winkel, welchen die bemerkte Generatrix mit der Normalen zur Fläche bildet, ferner durch w den Winkel, welchen die Projection der Generatrix auf die berührende Ebene mit der Tangente zur gegebenen Curve einschliesst, so finden folgende Gleichungen statt:

$$1)\quad\begin{cases} \cos a \cos f + \cos b \cos g + \cos c \cos h = \cos \psi, \\[2mm] x' \cos f + y' \cos g + z' \cos h = \cos w \sin \psi, \\[2mm] (y' \cos c - z' \cos b) \cos f + (z' \cos a - x' \cos c) \cos g \\[2mm] + (x' \cos b - y' \cos a) \cos h = \sin w \sin \psi. \end{cases}$$

Mit Hülfe der in I. aufgestellten Formeln lassen sich die Differentialquotienten von $\cos f$, $\cos g$, $\cos h$ nach s darstellen, wobei ψ und w als Functionen von s anzusehen sind. Setzt man zur Vereinfachung:

$$2)\quad\begin{cases} p = \left(\dfrac{1}{T} - \dfrac{dw}{ds}\right)\sin\psi - \left(\dfrac{\sin w}{R} + \dfrac{\cos w}{S}\right)\cos\psi, \\[4mm] q = \dfrac{\cos w}{R} - \dfrac{\sin w}{S} - \dfrac{d\psi}{ds}, \end{cases}$$

so findet man:

$$3)\quad\begin{cases} x'\dfrac{d\cos f}{ds} + y'\dfrac{d\cos g}{ds} + z'\dfrac{d\cos h}{ds} = \\[2mm] -q\cos w\cos\psi + p\sin w, \\[3mm] \cos a\,\dfrac{d\cos f}{ds} + \cos b\,\dfrac{d\cos g}{ds} + \cos c\,\dfrac{d\cos h}{ds} = p\sin\psi, \\[3mm] (y'\cos c - z'\cos b)\dfrac{d\cos f}{ds} + (z'\cos a - x'\cos)\dfrac{d\cos g}{ds} \\[2mm] + (x'\cos b - y'\cos a)\dfrac{d\cos h}{ds} = -q\sin w\cos\psi - p\cos w. \end{cases}$$

Legt man durch die Projection der Generatrix
auf die berührende Ebene und die Normale zur
Fläche im Puncte (x, y, z) eine Ebene, so wird
die Fläche in einer planen Curve geschnitten,
deren Bogenelement durch ds_0 und deren Krümmungshalbmesser durch R_0 bezeichnet werde.
Es ist dann:

$$\frac{dx}{ds_0} = x'\cos w + (y'\cos c - z'\cos b)\sin w,$$

$$\frac{dy}{ds_0} = y'\cos w + (z'\cos a - x'\cos c)\sin w,$$

$$\frac{dz}{ds_0} = z'\cos w + (x'\cos b - y'\cos a)\sin w.$$

Mittelst dieser Gleichungen lässt sich R_0 darstellen in Function von R, r', r'' und w, wenn
man eine analoge Definition zu Grunde legt,
wie die Gleichung 4) in I. für R. Die auszuführende Rechnung ist indessen ziemlich complicirt, man gelangt auf folgende Art rascher
zum Ziele. Die Tangenten zu den Normalschnitten mit den Krümmungsradien R und R_0 schliessen den Winkel w ein. Analog der Gleichung
9) von I. hat man die beiden folgenden:

$$\frac{1}{R} = \frac{\cos^2\varphi}{r'} + \frac{\sin^2\varphi}{r''} = \frac{1}{2}\left(\frac{1}{r'} + \frac{1}{r''}\right) + \frac{1}{2}\left(\frac{1}{r'} - \frac{1}{r''}\right)\cos 2\varphi,$$

$$\frac{1}{R_0} = \frac{\cos^2(\varphi - w)}{r'} + \frac{\sin^2(\varphi - w)}{r''} = \frac{1}{2}\left(\frac{1}{r'} + \frac{1}{r''}\right)$$

$$+ \frac{1}{2}\left(\frac{1}{r'} - \frac{1}{r''}\right)(\cos 2\varphi \cos 2w + \sin 2\varphi \sin 2w).$$

Aus diesen Gleichungen erhält man unmittelbar:

$$\frac{1}{R_0} - \frac{\cos w}{R} = (\frac{1}{r'} + \frac{1}{r''})\sin^2 w + (\frac{1}{r'} - \frac{1}{r''})\sin\varphi\cos\varphi\sin 2w.$$

Unter Zuziehung der Gleichung 8) von I. folgt:

4) $\quad \frac{1}{R_0} - \frac{\cos 2w}{R} = (\frac{1}{r'} + \frac{1}{r''})\sin^2 w - \frac{\sin 2w}{S}.$

Diese einfache Relation zwischen den Krümmungshalbmessern zweier Normalschnitte scheint bisher noch nicht bemerkt zu sein.

Sei (x_1, y_1, z_1) ein Punkt der windschiefen Fläche, auf der Generatrix bestimmt durch die Winkel f, g, h; ferner t seine Distanz vom Puncte (x, y, z) also:

5) $x_1 = x + t\cos f, \; y_1 = y + t\cos g, \; z_1 = z + t\cos h.$

Die Winkel, welche die Normale zur windschiefen Fläche mit den Coordinatenaxen im Puncte (x_1, y_1, z_1) bildet, seien a_1, b_1, c_1, ferner die die Hauptkrümmungshalbmesser in diesem Puncte derselben Fläche r''_1 und r'_1. Setzt man zur Abkürzung:

6) $\quad M = pt + \sin w, \quad N = qt - \cos w \cos \psi,$

so ist:

$$\cos a \cos a_1 + \cos b \cos b_1 + \cos c \cos c_1 = \frac{-M\sin\psi}{\sqrt{M^2 + N^2}}$$

$$x'\cos a_1 + y'\cos b_1 + z'\cos c_1 =$$

$$\frac{M\cos\psi\cos w + N\sin w}{\sqrt{M^2 + N^2}},$$

$$\begin{vmatrix} \cos a_1, & \cos b_1, & \cos c_1 \\ x', & y', & z' \\ \cos a, & \cos b, & \cos c \end{vmatrix} = \frac{M \cos \psi \sin w - N \cos w}{\sqrt{M^2 + N^2}}.$$

Mittelst dieser Gleichungen findet man ferner:

7) $$\left[\frac{p \cos w \cos \psi + q \sin w}{M^2 + N^2}\right]^2 = -\frac{1}{r'_1 r''_1}.$$

8) $$t\left(N\frac{dp}{ds} - M\frac{dq}{ds}\right)$$

$$-t(pM+qN)\left[\left(\frac{1}{T} - \frac{dw}{ds}\right)\cos\psi\right.$$

$$+\left(\frac{\sin w}{R} + \frac{\cos w}{S}\right)\sin\psi\right]$$

$$-\frac{M\cos\psi\sin w - N\cos w}{T} - \frac{M\sin\psi}{R}$$

$$+2(p\cos w\cos\psi + q\sin w)\sin\psi\cos w =$$

$$\left(\frac{1}{r'_1} + \frac{1}{r''_1}\right)(M^2+N^2)^{\frac{3}{2}}.$$

Für $t=0$ reduciren sich diese Gleichungen auf:

9) $$\left(\frac{p\cos\psi\cos w + q\sin w}{\sin^2 w + \cos^2\psi\cos^2 w}\right)^2 = -\frac{1}{r'_1 r''_1}.$$

10) $$-\frac{\cos\psi}{T} - \frac{\sin\psi\sin w}{R}$$

$$+ 2(p \cos w \cos \psi + q \sin w) \sin \psi \cos w$$

$$= \left(\frac{1}{r'_1} + \frac{1}{r''_1}\right)(\sin {}^2w + \cos {}^2\psi \cos {}^2w)^{\frac{3}{2}}.$$

Durch die vorstehenden Gleichungen sind die Hauptkrümmungshalbmesser der windschiefen Fläche im Puncte $(x,\ y,\ z)$ der gegebenen Curve bestimmt. Sieht man in den Gleichungen 5) t als Function von s an, so ist (x_1, y_1, z_1) ein Punct einer Curve auf der windschiefen Fläche. Für die Strictionslinie hat t folgenden Werth:

11) $$t = \frac{q \cos w \cos \psi - p \sin w}{p^2 + q^2}.$$

Für diesen Werth von t giebt die Gleichung 7):

12) $$\left(\frac{p^2 + q^2}{p \cos w \cos \psi + q \sin w}\right)^2 = -\frac{1}{r'_1 r''_1}.$$

Mit Hülfe dieser Gleichungen lassen sich leicht theils bekannte, theils neue Relationen herleiten. Die bemerkenswerthesten Fälle entsprechen folgenden besonderen Werthen von ψ und w. Für $\psi = 0$ ist die windschiefe Fläche gebildet aus den Normalen zur Fläche längs der gegebenen Curve. Dem Falle von $\cos \psi = 0$ entspricht eine windschiefe Fläche, welche der gegebenen Fläche längs der gegebenen Curve umschrieben ist. Für $w = 0$ liegen die Generatricen der windschiefen Fläche in der Ebene, welche die Tangente zur Curve und die Normale zur Fläche enthält. Für $\cos w = 0$ liegt die Generatrix in der Normalebene der gegebenen Curve, nimmt man:

$$\frac{\sin \psi}{R} \pm \frac{\cos \psi}{T} = 0,$$

so fällt die Generatrix mit den Hauptnormalen, für:

$$\frac{\sin \psi}{T} \pm \frac{\cos \psi}{R} = 0$$

fällt dieselbe mit der Binormalen der gegebenen Curve zusammen. Soll die Generatrix in der Krümmungsebene oder in der rectificirenden Ebene der gegebenen Curve liegen, so ist:

$$\frac{\cos \psi}{T} + \frac{\sin \psi \sin w}{R} = 0,$$

oder:

$$\frac{\cos \psi}{R} - \frac{\sin \psi \sin w}{T} = 0.$$

Nimmt man in der Gleichung 11) $\psi = 0$, so folgt nach 2):

$$t = \frac{\dfrac{1}{R}}{\dfrac{1}{R^2} + \dfrac{1}{S^2}}.$$

Mittelst der Gleichung 10) von L reducirt sich die vorstehende Gleichung auf:

13) $$\frac{1}{t} = \frac{r' + r'' - R}{r' r''}.$$

Mittelst dieser Relation lässt sich ein Satz allgemeiner auffassen, der sich auf pag. 307 in

Band V. der Mathematischen Annalen mitgetheilt findet. Längs der gegebenen Curve mögen sich zwei Flächen berühren. Für die zweite Fläche seien im Puncte (x, y, z) $r'_0 r''_0$ die beiden Hauptkrümmungshalbmesser. Da sich beide Flächen berühren, so haben für die zweite Fläche t und R genau dieselben Bedeutungen und Werthe wie für die erste Fläche. Analog wie 13) ist dann:

$$\frac{1}{t} = \frac{r'_0 + r''_0 - R}{r'_0 r''_0}.$$

Die rechte Seite dieser Gleichung mit der rechten Seite der Gleichung 13) verglichen führt zu einem allgemeinen Theorem in Beziehung auf den Contact zweier Flächen längs einer Curve.

Geht die windschiefe Fläche in eine developpabele Fläche über, so ist nach 7):

14) $\qquad p \cos w \cos \psi + q \sin w = 0.$

Ist die developpabele Fläche umschrieben, also $\cos \psi = 0$, so ist $q \sin w = 0$. Der Fall $w = 0$ entspricht der Tangentenfläche der gegebenen Curve. Nimmt man $q = 0$, so ist nach 2):

15) $\qquad \dfrac{\cos w}{R} - \dfrac{\sin w}{S} = 0.$

Bezeichnet man den endlichen Hauptkrümmungshalbmesser der developpabelen Fläche im Puncte x, y, z) der Curve durch r'_1, so geht die Gleichung 10) für $\cos \psi = 0$, $\sin \psi = -1$, $q = 0$ und $r'_1 = \infty$:

$$\frac{1}{r'_1} = \frac{1}{R \sin^2 w},$$

d. i. nach 15):

$$\frac{1}{r'_1} = R \left(\frac{1}{R^2} + \frac{1}{S^2} \right),$$

oder mit Zuziehung der Gleichung 10) von I;

16) $$\frac{1}{r'_1} = \frac{r' + r'' - R}{r' r''}.$$

Die Gleichung 4) geht mittelst der Gleichung 15) und der Gleichung 10) von L über in.

$$R_0 = r' + r'' - R.$$

Die Gleichung 16) lässt sich also auch schreiben:

17) $$\frac{1}{r'_1} = \frac{R_0}{r' r''}.$$

Mit Hülfe dieser Gleichung lässt sich leicht ein Resultat wiederfinden, welches in den Nachrichten v. d. K. Gesellsch. d. Wissensch. vom Jahre 1869 auf pag. 213 mitgetheilt ist. Sei P ein Punct einer developpabelen Fläche, welcher mit dem Puncte P_0 der Wendecurve auf derselben Generatrix liegt. Es ist dann allgemein die Distanz D der Puncte P und P_0 dividirt durch den endlichen Hauptkrümmungshalbmesser im Puncte P für dieselbe Generatrix constant, nämlich gleich dem Krümmungsradius dividirt durch den Torsionsradius der Wendecurve im Puncte

P_0. Dieses constante Verhältniss lässt sich also nach 17) darstellen durch:

$$\frac{D R_0}{r' r''},$$

wo nun R_0 der Krümmungshalbmesser des Normalschnitts im Puncte P der gegebenen Fläche ist, dessen Ebene durch die Verbindungslinie der Puncte P und P_0 geht.

Nimmt man in den Gleichungen 9) und 10) $\psi = 0$, so folgt nach 2):

$$\frac{1}{S^2} = -\frac{1}{r'_1 r''_1}, \quad \frac{1}{T} = -(\frac{1}{r'_1} + \frac{1}{r''_1}),$$

durch welche Gleichungen S und T sehr einfach geometrisch definirt sind. Für $\cos\psi = 0$ geben die Gleichungen 9) und 10):

$$(\frac{1}{R}\cot w - \frac{1}{S})^2 = -\frac{1}{r'_1 r''_1}.$$

$$[-\frac{1}{R} + \frac{1}{R}\cot^2 w - \frac{2}{S}\cot w]^2 = (\frac{1}{r'_1} + \frac{1}{r''_1})^2.$$

Durch Elimination von $\cot w$ zwischen diesen Gleichungen folgt, wenn $\sin\psi = 1$ gesetzt wird:

$$\frac{1}{R}(\frac{1}{r'} + \frac{1}{r''}) - \frac{1}{r' r''} + \frac{1}{r'_1 r''_1} = \frac{1}{R}(\frac{1}{r'_1} + \frac{1}{r''_1}),$$

welche Gleichung einen speciellen Fall eines schon bemerkten allgemeinern Theorems über den Contact zweier Flächen bildet.

Für $w = 0$ gaben die Gleichungen 2), 9) und 10):

$$\left(\frac{\tan\psi}{T} - \frac{1}{S}\right)^2 = -\frac{1}{r'_1 r''_1},$$

$$\left(\frac{\tan\psi}{T} - \frac{1}{S}\right)^2 - \frac{1}{T^2} - \frac{1}{S^2} = \frac{1}{T}\left(\frac{1}{r'_1} + \frac{1}{r''_1}\right),$$

folglich:

$$\frac{1}{S^2} = -\left(\frac{1}{T} + \frac{1}{r'_1}\right)\left(\frac{1}{T} + \frac{1}{r''_1}\right).$$

Setzt man den Werth von T aus 11) in 6) und 7), so folgt:

$$\left(\frac{p^2 + q^2}{p\cos w\cos\psi + q\sin w}\right)^2 = -\frac{1}{r'_1 r''_1}.$$

Durch diese Gleichung ist das Krümmungsmaass der windschiefen Fläche in dem Puncte (x_1, y_1, z_1) der Strictionslinie bestimmt, welcher dem Puncte (x, y, z) entspricht. Der Kürze halber sollen einige naheliegende Consequenzen, welche sich aus der vorstehenden Gleichung ziehen lassen, hier übergangen werden.

Ist die Curve auf der Fläche selbst Strictionslinie der windschiefen Fläche bestimmt durch die Gleichungen 5), so verschwindet die rechte Seite der Gleichung 11). Mit Rücksicht auf die Werthe von p und q aus 2) erhält man die folgende Bedingungsgleichung:

18) $\left(\dfrac{1}{R} - \cos w\dfrac{d\psi}{ds}\right)\cos\psi = \left(\dfrac{1}{T} - \dfrac{dw}{ds}\right)\sin w\sin\psi.$

Diese Gleichung führt in folgenden Fällen zu sehr einfachen Resultaten. Ist die windschiefe Fläche aus den Normalen zur gegebenen Fläche längs der Curve gebildet, so hat man $\psi = 0$. Nach 18) ist dann $R = \infty$, d. h. die Curve auf der Fläche ist eine asymptotische Linie. Berührt die windschiefe Fläche die gegebene Fläche, so hat man $\cos \psi = 0$. Sieht man von $w = 0$ ab, d. h. von der Tangentenfläche der gegebenen Curve, so ist:

$$19) \qquad \frac{1}{T} - \frac{dw}{ds} = 0,$$

oder nach der Gleichung 6) von L. ist $dw = d\sigma$. Für $w = 0$ reducirt sich die Gleichung 18) auf:

$$20) \qquad \frac{1}{R} - \frac{d\psi}{ds} = 0.$$

Für $\cos w = 0$ ist:

$$\frac{\cos \psi}{R} = \pm \frac{\sin \psi}{T}.$$

Die windschiefe Fläche ist in diesem Falle aus den Binormalen der gegebenen Curve gebildet. Nimmt man allgemeiner die Generatricen in den rectificirenden Ebenen der gegebenen Curve an, so ist:

$$\frac{\cos \psi}{R} = \frac{\sin w \sin \psi}{T}.$$

Die Gleichung 18) reducirt sich dann auf:

$$\cos w \cos \psi \, \frac{d\psi}{ds} = \sin w \sin \psi \, \frac{dw}{ds}$$

d. h. $\cos w \sin \psi = k$, wo k eine Constante bedeutet. Die Gleichungen 19) und 20) geben noch besondere Sätze, wenn T und R keine

endlichen Werthe haben. Nimmt man z. B. in
19) $T = \infty$, so ist w constant. Es folgt hieraus:

Die Geraden, welche in den berührenden Ebenen längs einer geodätischen Linie einer Fläche liegen und mit der geodätischen Linie einen constanten Winkel einschliessen, bilden eine
windschiefe Fläche, deren Strictionslinie die
geodätische Linie ist.

Zu einem ähnlichen Satze giebt die Gleichung
20) Veranlassung. Für eine orthogonale Trajectorie der Generatricen der windschiefen Fläche ist in den Gleichungen 5) t bestimmt durch:

21) $$\frac{dt}{ds} + \cos w \cdot \sin \psi = 0.$$

Ist die Curve selbst orthogonale Trajectorie, so
ist $\psi = 0$ oder $\cos w = 0$. Der zweite Fall
welcher besagt, dass die Generatricen in der
Normalebene der Curve liegen müssen, schliesst
den ersten Fall ein, wenn nämlich die Generatricen die Normalen zur Fläche längs der gegebenen Curve sind.

Sind die Generatricen die Hauptnormalen der
orthogonalen Trajectorie, so muss neben der
Gleichung 21) nach einem bekannten Theorem
noch eine Gleichung stattfinden, welche ausdrückt
dass in jedem Puncte der orthogonalen Trajectorie die Summa der Hauptkrümmungshalbmesser der windschiefen Fläche verschwindet. In
der Gleichung 8) muss die linke Seite verschwinden. Man gelangt einfacher zu der bemerkten
Bedingungsgleichung mittelst der Gleichungen
5) und 21). Es ergeben sich dann folgende Gleichungen:

$$\frac{dx_1}{ds} \cos a + \frac{dy_1}{ds} \cos b + \frac{dz_1}{ds} \cos c = N \sin \psi,$$

$$\frac{dx_1}{ds}\cdot x' + \frac{dy_1}{ds}\, y' + \frac{ds_1}{ds}\cdot s' =$$

$$- N\cos\psi\cos w + M\sin w.$$

$$\begin{vmatrix} \dfrac{dx_1}{ds} & \dfrac{dy_1}{ds} & \dfrac{ds_1}{ds} \\[2mm] x' & y' & s' \\[2mm] \cos a & \cos b & \cos c \end{vmatrix} =$$

$$- N\cos\psi\sin w - M\cos w.$$

Durch weitere Bildung der zweiten Differentialquotienten von x_1, y_1, s_1 nach s ergiebt sich als
gesuchte Bedingung:

$$\left(\frac{1}{T} - \frac{dw}{ds}\right)\cos\psi + \left(\frac{\sin w}{R} + S\cos w\right)\sin\psi$$

$$+ \frac{M\dfrac{dN}{ds} - N\dfrac{dM}{ds}}{M^2 + N^2} = 0.$$

Für $\psi = 0$ reducirt sich diese Gleichung mittelst der Gleichungen 2) und 6) auf:

$$\frac{\left(1 - \dfrac{t}{R}\right)\dfrac{d}{ds}\dfrac{t}{S} - \dfrac{t}{S}\dfrac{d}{ds}\left(1 - \dfrac{t}{R}\right)}{\left(1 - \dfrac{t}{R}\right)^2 + \left(\dfrac{t}{S}\right)^2} = \frac{1}{T}.$$

Mit Rücksicht auf die Gleichung 6) von I. folgt
durch Integration:

$$\frac{t}{S} = \left(1 - \frac{t}{R}\right)\tan(\sigma - \tau),$$

wo t und τ Constanten sind.

Sind die Generatricen die Binormalen der orthogonalen Trajectorie, so findet man aus:

$$\frac{d^2 x_1}{ds^2} \cos f + \frac{d^2 y_1}{ds^2} \cos g + \frac{d^2 z_1}{ds^2} \cos h = 0$$

die einfache Bedingung $p M + q N = 0$ d. i.:

22) $(p^2 + q^2) t + p \sin w - q \cos w \cos \psi = 0,$

wo t durch die Bedingung 21) bestimmt ist. Die Gleichung 22) enthält gleichzeitig die Bedingung, dass die Generatricen der windschiefen Fläche von ihrer Strictionslinie orthogonal geschnitten werden. Für $\psi = 0$, geben die Gleichungen 2), 21) und 22):

$$\frac{d}{ds} \frac{\dfrac{1}{R}}{\dfrac{1}{R^2} + \dfrac{1}{S^2}} = 0$$

oder auch:

23) $\dfrac{d}{ds}\left(\dfrac{1}{r'} + \dfrac{1}{r''} - \dfrac{R}{r' r''}\right) = 0.$

Sieht man die Coordinaten eines Punctes ei-Fläche als Functionen zweier Variabeln u und v an, so giebt die weitere Ausführung der Gleichung 23) eine Differentialgleichung zwischen u und v, durch welche eine Curve der Art bestimmt ist, dass die Normalen längs derselben eine windschiefe Fläche mit orthogonaler Strictionslinie bilden.

Eine weitere Ausführung der Gleichung 23), welche im allgemeinen Falle etwas complicirt ist, soll den Gegenstand einer folgenden Mittheilung bilden.

Nachrichten

von der Königl. Gesellschaft der Wissenschaften und der G. A. Universität zu Göttingen.

---

10. December.   № 29.   1873.

Königliche Gesellschaft der Wissenschaften.

Oeffentliche Sitzung am 6. December.

Ewald, über den sogenannten orientalischen Redeschwulst.
Benfey, Einleitung in die Grammatik der vedischen
Sprache. (Erscheint in den Abhandlungen).
Reinke, über die Function der Blätterzähne und die
morphologische Werthigkeit einiger Laubblatt-Nectarien.
(Vorgelegt von Wöhler).

Am heutigen Tage feierte die K. Gesellschaft d. W. ihren Stiftungstag zum zwei und zwanzigsten Mal in dem zweiten Jahrhundert ihres Bestehens. Nachdem die obigen Vorträge gehalten waren, erstattete der Secretair den folgenden Bericht:

Das unter den drei ältesten Mitgliedern der K. Societät jährlich wechselnde Directorium ist zu Michaelis d. J. von dem Hrn. W. Weber in der mathematischen Classe auf Hrn. H. Ewald in der historisch-philologischen Classe übergegangen.

Von ihren Ehrenmitgliedern verlor die K. Societät in diesem Jahre durch den Tod:

Den Präsidenten der K. K. Akademie d. Wiss.

in Wien Theodor Georg von Karajan. Er starb am 28. April im 64. Lebensjahre.

Von ihren auswärtigen Mitgliedern verlor sie

den Vorstand der K. Akademie der Wiss. in München Justus von Liebig. Er starb am 18. April im 70. J.;

den Geheimen Regierungsrath Gustav Rose, Professor der Mineralogie in Berlin, gestorben am·15. Juli im 76. J.;

den Professor der Mathematik Christoph Hansteen in Christiania, gestorben am 15. April, im 89. J.;

den Geheimen Bergrath Carl Friedrich Naumann in Dresden, früher Professor der Mineralogie in Leipzig, gestorben am 26. November im 77. J.;

den Professor der Physik August De la Rive in Genf, gestorben am 27. November im 72. J;

den Oberbibliothekar Christoph Friedrich von Stälin in Stuttgart, gestorben am 12. August, im 68. J.

Von ihren Correspondenten verlor die Societät

den Oberbergrath August Breithaupt, Professor der Mineralogie in Freiberg, gestorben am 22. September im 83. J.;

den Kabinetsrath Ihr. Majestät der Kaiserin Augusta Dr. Johannes Brandis in Berlin, gestorben am 8. Juli im 43. J.

Einem Rufe nach Wien folgend ist Hr. Professor C. Claus aus der Reihe der hiesigen ordentl. Mitglieder ausgeschieden.

Die von der K. Societät neu erwählten Mitglieder sind folgende:

Zu Ehrenmitgliedern wurden erwählt:

Hr. Joachim Barrande in Prag,

Hr. Giuseppe Fiorelli in Neapel.

Zu auswärtigen Mitgliedern:

Hr. Eduard Frankland in London,

Hr. Otto Hesse in München.   Zuvor Corresp. seit 1856.

Zu Correspondenten:

Hr. Jean Servais Stas in Brüssel.

Hr. C. A. Bjerknes in Christiania.

Hr. J. Thomae in Halle.

Zum Assessor in der mathematischen Classe:

Hr. Dr. B. Minnigerode.

Bezüglich der für dieses Jahr von der mathematischen Classe gestellten Preisfrage ist zu berichten, dass sie keinen Bearbeiter gefunden hat.

Für die nächsten 3 Jahre werden von der K. Societät folgende Preisaufgaben gestellt:

Für den November 1874 von der historisch-philologischen Classe:

Für die weitere Fortbildung der Sprachwissenschaft sind jetzt zwei Momente von besonderer Erheblichkeit. Zunächst gilt es das Spiel und die Wechselwirkung der sprachschaffenden und -entwickelnden Kräfte, deren Wirkungen in der Analyse der alten erstorbenen Sprachen erkannt sind, in den lebendigen Sprachen zur vollen Anschauung zu bringen. Dazu werden diejenigen lebenden Sprachen die besten Dienste leisten, welche mit alten, sorgfältig durchforschten, eng verwandt sind. Ferner gilt es seine ganze Auf-

66*

merksamkeit auf die Erforschung des Verhältnisses zu wenden, in welchem die Sprachen eines Astes, oder Stammes, zu einander stehen, was sie von der ihnen zunächst zu Grunde liegenden Sprache bewahrt, was eingebüsst, was neugestaltet, welchen Mitteln und Einflüssen diese Neugestaltungen verdankt werden, mit einem Worte: was allen Sprachen eines Astes, den Aesten eines Stammes, gemeinsam und was den besonderten besonders eigen sei, was auf dem Grunde der gemeinsamen Unterlage die besondre Eigenthümlichkeit der Aeste und ihrer Sprachen bilde. Dadurch wird es möglich zu bestimmen, welche Stelle jede der besonderten Sprachen in dem Sprachkreis einnimmt, zu welchem sie gehört.

Zu derartigen Forschungen scheint die Sprache der Kurden besonders geeignet zu sein. Sie ist mit den übrigen eranischen Sprachen so eng verschwistert, dass sie nicht allein fähig ist, Licht von ihnen zu empfangen, sondern auch auf sie zurückzuwerfen; zugleich wird es möglich sein durch eingehende Vergleichung mit den verwandten Sprachen die Stelle zu bestimmen, welche sie im Kreise derselben einzunehmen berechtigt ist.

Diese Erwägungen haben die Königl. Ges. d. Wiss. bewogen, aufzufordern zu der Bearbeitung einer:

Grammatik der Kurdischen Sprache in Vergleich mit dem Altbactrischen und den persischen Sprachen (dem Altpersischen der Keilinschriften, dem Mittelpersischen [Pâzendischen] und Neupersischen sammt dessen schon bekannten Dialekten), insbesondre um die Stellung derselben im eranischen Sprachkreise genauer zu be-

*stimmen. Gewünscht wird auch die Be-
rücksichtigung des Armenischen, doch wird
diess nicht als unumgänglich gefordert.*

Für den November 1875 von der physikalischen Classe:

*Um der Lösung der Frage näher zu kommen,
unter welchen Bedingungen die in den Erz-
gängen vorkommenden krystallisirten Schwefel-
und Fluor-Verbindungen entstanden sind, wünscht
die K. Societät über die künstliche Darstellung
solcher krystallisirter Mineralien, wie
lichtes und dunkles Rothgitigerz, Sprödglaserz,
Fahlerz, Bleiglanz, Flussspath, Versuche angestellt zu sehen.*

Für den November 1876 von der mathematischen Classe:

Nachdem die von Siemens dargestellten Widerstandsmaasse und Widerstandsskalen allgemeinere Verbreitung und Anwendung gefunden, und dieselben von Kohlrausch mit grosser Sorgfalt und Genauigkeit auf absolutes Maass zurückgeführt worden sind (siehe Poggendorffs Annalen 1873. Supplementband VI), ist es möglich geworden, auch die Stromarbeit nach absolutem Maasse genau zu bestimmen.

*Die Königliche Societät verlangt nun eine
Untersuchung über Stromarbeit,
d. i. über die von den elektromotorischen
Kräften durch ihre Wirkung auf die strö-
mende Elektricität geleistete Arbeit, insbesondre über das Verhältniss und den Zusammenhang derselben mit der vom Strome
erzeugten Wärme, und über die von ihr
unmittelbar in der strömenden Elektricität
oder mittelbar in andern im Leiter enthaltenen beweglichen Theilchen erzeugte lebendige Kraft.*

Die Concurrenzschriften müssen vor Ablauf
des September s der bestimmten Jahre an die
K. Gesellschaft der Wissenschaften portofrei eingesandt sein, begleitet von einem versiegelten
Zettel, welcher den Namen und Wohnort des
Verfassers enthält und auswendig mit dem Motto
zu versehen ist, welches auf dem Titel der Schrift
steht.

Der für jede dieser Aufgaben ausgesetzte
Preis beträgt f u n f z i g   D u c a t e n.

Ueber den sogenannten Orientalischen Redeschwulst.

Von

H. Ewald.

Am vorigen Jahreswechsel unserer K. Ges.
der Wissenschaften trug ich eine längere Abhandlung vor »zur Zerstreuung der Vorurtheile
über das alte und, neue Morgenland«: doch
konnte schon diese Ueberschrift welche ich ihr
gab, dárauf hinweisen dass es nicht meine Absicht war alle solche Vorurtheile ohne Ausnahme
in ihr zu widerlegen. Die Menge solcher Vorurtheile wie sie sich seit langen Zeiten unter
uns angesammelt und, was man früher am wenigsten hätte erwarten sollen, in der neuesten
Zeit sich statt gemindert nur vermehrt haben,
ist in der That só gross, ihre Bedeutung só
weittragend und ihre Wucht só schwer, dass
man unmöglich auch in einer längeren Abhandlung sie alle berühren und hinreichend widerlegen kann. Es kann vorläufig genügen damit
einen richtigen Anfang zu machen: und einige

der am weitesten verbreiteten und schädlichsten
Vorurtheile sind dort so widerlegt dass man
darauf zurückzukommen wie ich hoffe nicht nöthig
hat. Wenn ich nun heute einen kleinen Nachtrag dazu gebe indem ich das Vorurtheil über
den sogenannten Orientalischen Redeschwulst in Betracht ziehe, so veranlasst mich
zunächst dazu eine besondere Erfahrung welche
ich im Laufe dieses Jahres zu erleben hatte.
Als nämlich diesen Sommer in der 57sten
Sitzung des Reichstages zu Berlin ein mit Persien
abgeschlossener Freundschafts-, Handels- und
Schiffahrtsvertrag in Französischer und Deutscher
Sprache zur Berathung gelangte, hatte niemand
bemerkt wie völlig unpassend ja unsinnig der
Persische Herrscher in ihm bloss nach dem
Missverstande eines Persischen Ausdruckes »Kaiser
der Kaiser« genannt ward. Diese Uebersetzung
des Persischen war ursprünglich von der St.
Petersburger Diplomatie ausgegangen, dann von
dort der Berliner zugekommen, und hatte hier
mehrere Tage dem Reichstage vorgelegen ohne
dass entweder in St. Petersburg oder in Berlin
irgend einer der Diplomaten und Gelehrten
daran Anstoss genommen hatte; später erfuhr
ich dass die unrichtige Uebersetzung auch zu
Paris in hohen Staatsacten gebraucht war.
Wenn die Persischen Gelehrten und Diplomaten
in Teherân und St. Petersburg daran keinen
Anstoss genommen hatten, so ist das leicht zu
entschuldigen: sie verstehen von den heutigen
Europäischen Dingen und Sprachen und Ausdrücken noch immer viel zu wenig. Wenn
aber unsre Gelehrten und Diplomaten darüber
so glatt weggehen, so können sie es nur thun
weil sie meinen das sei Orientalischer Redeschwulst, und den müsse man als etwas ganz

bekanntes überall ertragen wo er sich finde.
Indessen fand ich es doch eines Reichstages in
welchem Deutsche Gelehrte sitzen unwürdig so
hohen Unsinn zu ertragen und berichtigte in
öffentlicher Sitzung die Sache [1]), hatte nun aber
ein neues Beispiel welche ungeheure Vorurtheile
wie sonst über das Morgenland so insbesondere
über das noch immer herrschen was man den
Orientalischen Schwulst nennt und ihm zutrauen
zu dürfen meint. Nicht einmahl soviel Ueberlegung zeigte sich dass, wenn auch sonst genug
viele schwülstige Wortmacher im Morgenlande
seyn mögen, doch der seit Jahrtausenden fest-
stehende Name eines Herrschers selbst nicht
unsinnig seyn könne.

Schwulst grenzt in menschlicher Rede an
Unsinn, und ist dies bisweilen wirklich: das
schlimmste ist aber wenn man diesen oder
jenen da sieht wo er gar nicht ist, oder wenn
man etwas so Tadelswerthes als Schwulst der Rede
mit recht gilt bloss deswegen fremden Völkern
und Ländern zuschiebt weil man diese für
schlecht genug dazu, sich selbst aber für zu gut
dazu hält. Wer nun das alte und neue Morgenland ebenso wohl wie unser altes und neues
Schriftthum in Europa kennt, der begreift dass
Schwulst der Rede mit allen übrigen Auswüchsen
und Fehlern das gemein hat dass er weder aus
einem Volke noch aus einem Lande sondern aus
Ursachen entspringt die in jedem Volke und Lande
ganz gleichmässig wiederkehren können und
schon oft wiedergekehrt sind. Will man aber

1) Vgl. die Stenogr. Berichte der Verhandlungen des
D. Rs. 1878 S. 1264 f. und 1808. Was Herr Schleiden
mir dort erwiederte, zeigt nur wie tief eingerostet in
Deutschland das Vorurtheil ist von dem ich hier rede.

begreifen wie dieses Vorurtheil entstehen und
sich so zähe erhalten konnte, so müssen wir die
eben erwähnten Ursachen mit der Geschichte
der gesammten Redekünste und des Schriftthumes
in den Völkern des weiten Morgenlandes zusammen halten.

Schwulst der Rede kann wol unter den ersten
Anfängen und Versuchen des Schriftthumes
bei einem Volke sich zeigen, wenn es das schöne
Mass in jeder Art von Rede zu finden noch nicht
gelernt hat. Dies wäre einst bei allen den
ältesten Völkern des Morgenlandes um so leichter
möglich gewesen, je mehr sie nicht so wie die
Europäischen schon von viel früher ausgebildeten
Völkern zu lernen hatten sondern selbst alles
erfinden mussten. Sollte es nun bei den Morgenländischen Völkern solche uralte schwülstige
Reden und Schriften wirklich gegeben haben,
so müssten sie früh untergegangen seyn: allein
da man in den ältesten Zeiten nur das Noth-
wendigste schrieb, so ist sogar diese Vorstellung
unwahrscheinlich. In der That zeigen uns die
ältesten Schriften welche sich bei allen diesen
Völkern erhalten haben, vielmehr die höchste
Einfachheit und Geradheit der Rede, wenn man
nur nicht manches Zeichen überschwellender
Jugend in der Rede für Schwulst hält. Man
nehme die ältesten Aegyptischen, Hebräischen,
Indischen, Sinesischen Schriften: nirgends wird
man in ihnen das finden was wir Schwulst
nennen. Viele unsrer heutigen sei es das Ungerade Schiefe Schillernde oder auch das Schwülstige Uebertreibende oder auch das Kriechende der
Rede liebenden Redner und Schriftsteller könnten
wahrhaft gesunden, wenn sie sich jene ältesten
Morgenländischen Stücke zum Vorbilde nehmen
wollten. — Oder nehmen wir die ältesten grossen

Stücke Arabischer Rede, welche von jenen dárin
sehr verschieden sind dass sie erst den lezten
Jahrhunderten vor dem Entstehen des Islâm's
und den Geburtszeiten dieses selbst entstammen:
wie weit liegen diese Zeiten von dem hohen
Alterthume ab welches uns den Ursprung jener
frühesten Schriftthümer des ganzen Menschen-
geschlechts aufschliesst! Und doch treffen wir
bei diesen ältesten Stücken Arabischer Rede,
obgleich es nur Lieder und der Qor'ân damit
aber Stoffe sind welche leicht auch im Ausdrucke
allerlei Ueberschwängliches und Massloses enthalten könnten, nirgends auf Schwulst der
Rede! Der eine jener ältesten Dichter ist allerdings einfacher und nüchterner als der andere;
und die späteren Stücke des Qor'ân's zeigen
einen mehr in den einmahl gegebenen Weg ein-
gezwängten schwerfälligen als einen freien Redefluss. Allein von dem was wir mit recht
Schwulst nennen, ist da kein wirklicher Anfang.
Beachten wir vielmehr näher wo und wie sich
dieses Stelzengehen der menschlichen Rede im
Morgenlande deutlich zu erkennen gebe, so können
wir den sichersten geschichtlichen Zeugnissen
nach nur folgendes sagen.

Eine nächste Veranlassung zum Ausbilden
schwülstiger Rede liegt in der verkehrten Anwendung einer zuerst aus reiner und unschuldi-
ger Begeisterung hervorgegangenen Redeweise
höheren Schwunges. Es gibt solche Redewei-
sen: sie bilden sich zunächst ganz aus dem freien
Zuge des Geistes und seiner Schöpferkraft: aber
haben sie einmal in einem Volke oder einer
sonstigen Gemeinschaft den Zauber eines hohen
Ansehens erlangt, so werden sie nur zu leicht
künstlich wiederholt und dahin übergetragen
wohin sie nicht gehören. Dieser Anlass zur

Ausbildung schwülstiger Rede und zur Liebe für
sie hat nun freilich im Morgenlande nirgends
so verhängnissvoll eingewirkt als im Islâm, weil
der Qor'ân mit seiner hohen Rede allein das
Vorbild der Rede für ihn wurde. Es muss schon
sehr einseitig und schädlich wirken wenn die besonderen Farben der Redeweise nur éines Menschen
zur allgemeinen Vorbilde werden sollen, wie hier
die Muhammeds im Qor'ân'e: wieviel grösser
muss die Einseitigkeit werden wenn diese dann
von einem Gebiete der Rede wo sie ganz passend
ist, auf alle andern so weit es nur geht übergetragen wird! Aber im Islâm hat sich eine
solche zwischen der dichterischen und gemeinen
in der Mitte schwebende und leicht immer in
jene übergebende Redeweise aufs Kunstvollste
ausgebildet, welche sich überall einzudrängen
sucht und mit ihrem verführerischen Reize noch
heute dort gewaltig nachwirkt. Sie machte sich
im Islâm umso beliebter, je übernüchterner er
sonst ist: aber der Schwulst der Rede dessen
Wesen Aufbauschung und Aufschwellung am unnöthigen und unpassenden Orte ist, liegt hier
überall nahe. Wenn z. B. Ibn-'Arabschâh in
seinem Werke „Geschenk für hohe Fürsten" welches als eine Art von Fürstenspiegel an sich
wol eine höhere Sprache duldet, auch die einfach
geschichtlichen Stücke, oder wenn er gar seine
Geschichte Timûrs rein in dieser höhern Sprache
abfasst, so kann man die hohe Kunst der
Rede dabei bewundern, ihr Schwulst aber liegt
da überall in dichten Haufen vor. Dennoch ist
dieses Stelzengehen in allen Islâmischen Schrift-
thümern, auch in dem Persischen, Türkischen
und Indischen sehr gewöhnlich geworden: auch
bei Werken deren Inhalt es am wenigsten ver-
trägt, sucht man gerne wenigstens die Worte

der Vorrede zu ihm hinaufzuschwindeln, und
nur sehr wenige Bücher hielten sich ganz frei
davon. Ja aus dem Islâmischen Schriftthume ist
diese hochrothe Farbe dann auch in Bücher der
äthiopischen Christen eingedrungen.

Ein ganz anderer Anlass zum Redeschwulste
entspringt aus der öffentlichen Rede wie sie bei
den Alten vor den Gerichten oder in den Volksversammlungen zu führen war. Hier wurde die
wirkliche oder in vielen Zeiten die bloss scheinbare öffentliche Freiheit missbraucht um durch
allerlei üble Redekünste und vorzüglich auch
durch schwülstige Schmeicheleien die Richter
und Fürsten zu überreden. Aber in jenen Zeiten wo die Griechen u. Römer im Morgenlande
herrschten, verbreitete sich die Lust an diesen
Künsten vielmehr von jenen zu diesem hin: und
es ist denkwürdig genug dass ein kleines Beispiel von diesem Schwulste sogar in die Apostel-
geschichte des N. Ts. [1]) gekommen ist, selbstverständlich nicht zum Vorbilde sondern zur
Kennzeichnung dieser Entartung. Aber auch
schon im Alexandrinischen Zeitalter nahm diese
schwülstige Redeweise sehr zu und drang von
dort her z. B. in den Haupttheil des zweiten
Makkabäerbuches ein.

Einen dritten Anlass zu diesem Missbrauche
des menschlichen Wortes giebt die Willkürherr-
schaft, wenn sie in einer Zeit und einem Volk
übermächtig wird und die Schmeichelei der
Menschen begünstigt. Zerstreut trat das nun
zwar im Morgenlande ebenso wie im Abendlande
schon in den Jahrhunderten um Chr. Geb. ein:

1) AG. 24, 3 f. Man muss diese Rede jedoch im
Griechischen selbst lesen, und beachten wie weit sie von
aller übrigen Sprachfarbe der AG. und von der Wahrheit
selbst absticht.

aber auch hier ist wiederum erst im Islâm aus den in meiner grössern Abhandlung erörterten Ursachen seit vielen Jahrhunderten jene und mit ihr die schwülstige Rede so eingerissen dass sie noch heute dort unvertilgbar scheint. Doch beachtet man zu wenig dass die höfische Rede, je schwülstiger sie auf ihren Stelzen einhertritt, desto sorgfältiger sich hüten muss in solchen reinen Unsinn zu fallen vor welchem ein gemeiner Schriftsteller sich weit weniger zu hüten braucht. Von Stelzen herabzufallen ist an gewissen Stellen nur zu schmerzlich: und keine Rede muss sich so sehr wie die höfische davor hüten. Wirklich ist mancher solcher Ausdrücke der uns in solchen Reden und Schriften überaus schwülstig ja sinnlos scheint, näher betrachtet gar nicht so schlimm. Die z. B. von der Astrologie entlehnten Bilder sind bei uns seit zweihundert Jahren immer seltener geworden, im Morgenlande dagegen noch sehr beliebt: führt man sie aber auf ihren wirklichen Sinn zurück, so wird man bei uns in der höfischen Redeweise vieles finden was obwohl ohne den Schmuck Astrologischer Bilder hingestellt doch dem Sinne nach durchaus ebenso schwülstig ist; und es zeigt sich dass vieles bei uns nur deswegen für unerträglich gehalten wird weil es in anderen Bildern erscheint als die wir heute unter uns gewohnt sind. Wirklichen Unsinn wird auch die blumigste Rede einer Morgenländischen Staatsschrift heute nicht enthalten. Hiermit sind wir denn auf die Behauptung zurückgekommen von welcher wir oben ausgingen. Schwülstige Rede findet sich leider auch bei uns noch immer nur zu häufig: aber sie dem Morgenlande im allgemeinen als eine Eigenthümlichkeit zuzuschreiben, ist so verkehrt als möglich. Man kann nur behaupten sie sei dort durch den mächtigen Einfluss des Islâm's, je länger dieser dauert, desto weiter und desto schädlicher ausgebildet.

Aber dieses Vorurtheil hat uns, seitdem es in neueren Zeiten die Geister ganz überwältigt hat, nach einer besonderen Seite hin bereits so ungemein geschadet dass vor diesem wirklichen grossen Schaden jene kleine Erfahrung von welcher ich eben ausging ganz verschwindet; und gerne gestehe ich dass ich jene kaum berührt hätte, gäbe sie mir nicht eine gerechte Veranlassung diesen unvergleichlich schwereren Schaden zu erwähnen welcher wie ein verheerender Sturm in alle unsere heutige Bildung eingedrungen ist. Klebt dem Morgenlande überhaupt die unüberwindliche Lust und Liebe zum Schwulste an, so muss dieser Vorwurf ja auch die Bibel treffen: und dieser Einbildung überliess man sich um so lieber, je mehr in neueren Zeiten sonst schon so vielerlei böse Antriebe herrschend wurden an deren Ansehen zu zerren und ihre Hoheit zu erniedrigen. Stiess man auf irgend etwas in der Bibel was dem oberflächlichen Denken zu seltsam und dem sinnlichen Begehren zu hinderlich war: sogleich war man mit der Ausflucht bei der Hand das sei Orientalisch, also schwülstig, also unsinnig! Was hat man nun unter diesem Vorwande nicht aus ihr als sei es unsinnig ausstreichen wollen, und wie verdächtigten nun viele das Beste in ihr! Das Schlimmste ist dabei dass auch ganze lange Reihen von Bibelerklärern und Theologen von diesem gelehrten Wahne angesteckt wurden; und leider sind so viele auch der neuesten Gelehrten sogar beim Herausgeben der Biblischen Schriften und der Feststellung ihres Wortgefüges von dieser Verirrung noch nicht befreit. Denn nimmt man einmahl án die Sprache

der Bibel sei als eine Orientalische schwülstig, was
höchstens ausnahmsweise wie bei dem zweiten
Makkabäerbuche richtig ist, so löst man sich
schon dadurch von der Verbindlichkeit in ihr von
Grund aus überall einen gesunden Sinn zu suchen: und wie weit kann das führen! Man
sollte daher sogar bei der Herausgabe und Erklärung der Apokryphen des A. T. hierin viel
vorsichtiger verfahren. Es erschien z. B. erst
so eben 1871 zu Leipzig eine neue vielfach ver-
mehrte und mit mancherlei Erläuterungen bereicherte Ausgabe dieser Bücher von einem mit
der Untersuchung der LXX (wozu ja auch diese
Apokryphen gehören) früher vielbeschäftigten
Gelehrten [1]). Man sehe nun wie der Herausgeber die Worte Sir. 48, 8—10 herausgibt und
demnach auch erklären muss, um zu begreifen
dass höchstens ein schwülstiger oder vielmehr
ein ganz stumpf denkender Mann so schreiben
konnte wie jene Worte hier gedruckt sind.

Uebrigens würde dies Vorurtheil, sollte es
begründet sein, nothwendig voraussetzen dass
die Völker des Morgenlandes immer nur mit einer sehr geringen Gabe von Urtheilskraft begabt gewesen und das noch seien. Das mag
vielen der heutigen Europäer schmeicheln, welche
ja überhaupt die entfernter wohnenden Völker
nicht genug als Leute geringeren Geistes sich

1) Libri apocryphi Veteris Testamenti graece. Recen-
suit et cum commentario critico edidit Otto Fridolinus
Fritzsche. Accedunt libri Veteris Testamenti pseudepi-
graphi selecti. Lipsiae, F. A. Brockhaus, 1871. Wir führen
dieses neue werk auch deswegen hier an weil seiner in den
Gel. Anzeigen nicht gedacht ist. Der Herausgeber hat auch
die Lehrbücher dieser Sammlung in dichterische Zeilen
abgetheilt: allein ob dabei nach richtigen Grundsätzen
verfahren sei, ist sehr die Frage: wie sogar die oben er-
läuterte Stelle beispielsweise beweisen kann.

denken mögen: sodass es nur auffallend ist warum sie sich denn noch immer soviel mit ihnen beschäftigen wollen. Allein könnte uns nicht Alles was wir genauer wissen von dem Gegentheile überzeugen, so würde schon eins was ganz unmittelbar hierher gehört uns auf gesundere Ansichten bringen müssen. Wir wissen nämlich dass unter jenen Völkern einst auch eine solche Wissenschaft blühete wie die welche wir heute Aesthetik nennen: und sie blühete dort unter den Arabern und Indern weit früher als irgend jemand bei uns daran dachte sie zu gründen. Schon dieses kann beweisen dass sie sehr wohl wussten was eine schwülstige und nicht schwülstige Rede sei. Solche Morgenländische Aesthetiker sind unter uns nur noch immer zu wenig allgemein bekannt und wohlgeschätzt, obwohl sie das in vieler Hinsicht verdienten.

Um die obengenannte Stelle im Sirachbuche hier anhangsweise etwas näher zu erläutern, ist es schon bei dem ersten Worte auffallend dass der neueste Herausgeber Ἰεζεκίηλος lesen will: denn Fl. Josephos liebte es zwar zu seiner Zeit, weil er seine Werke zunächst für Griechich-Römische Leser bestimmte, alle die biblischen Namen in ein solches Griechisch-Römisches Gewand sauber einzukleiden, die früheren Hellenistischen Schriftsteller aber sind darin noch viel einfacher; und unsere Griechische Uebersetzung des Sirachbuches entstammt noch dem zweiten Jahrh. vor Chr. Das Schlimmste ist aber dabei dass diese Gestalt des Namens sich in keiner Handschrift findet und das Wörtchen ὅς nach dem richtigen Sinne des ganzen langen Sazes vielmehr einen bezüglichen Saz einschalten muss. Ebenso willkürlich ist es wenn der Herausgeber die beiden

Hälften des V. 10 umsetzt: dazu hatte allerdings einst schon Bretschneider in seiner Bearbeitung des Buches gerathen, allein dieser hatte offenbar dabei sich nicht recht bedacht. Denn erst dann wird der Sinn des ganzen vielverschlungenen Sazes vollkommen dunkel. Wir wollen hier nur an das eine erinnern dass es sich hier gar nicht schicken würde die bekannten Segensworte „die Gebeine der Seligen mögen von ihrem Orte aus (bei der Auferstehung) wieder aufblühen!" welche wir geschichtlich zuerst im Sirachbuche dann bei Späteren mehr oder weniger verkürzt wiederfinden, von den Zwölf Propheten allein für sich hinzustellen, ohne wie es sich in einer Lobrede ziemt auch deren Lob zu erwähnen. Was der Herausgeber ferner über ὄμβρος V. 9 sagt, trifft nicht zu: das Wort soll offenbar Uebersetzung des סְעָרָה Hez. 1,4 sein. Doch um hier nicht weiter viel zu reden, wollen wir lieber hier sogleich die besten handschriftlichen Lesarten voraussezend den vielverschlungenen Saz so wörtlich als möglich wiedergeben: "Hézeqiél's, welcher ein Gesicht von Herrlichkeit (göttlicher Majestät) hatte, welches er (Gott) ihm auf dem Kerûbimwagen zeigte (erinnerte er (Gott) sich doch der Feinde im Sturmwetter (kommend) und wie er den aufrichtig Lebenden wohlthun wolle), und der Zwölf Propheten Gebeine blühen aus ihrem Orte (dem Grabe) wieder auf! Denn sie (Hézeqiel und die Zwölfe) ermahnten Jacob und erlösten sie durch den Glauben an Hoffnung (die Messinische nämlich)!„ Die Worte sind so weder schwülstig noch sonst unklar; und würden sich wol Deutsch noch besser übersetzen lassen, wenn wir die Hebräische Urschrift besässen. Hézeqiel aber und die Zwöfe können nicht besser als so zusammengefasst werden. Die alte Syrische

Uebersetzung gibt alles viel zu frei wieder, und setzt V. 9 den Ijob ein als hätte jener Uebersetzer noch in einer Hebräischen Handschrift ביא für אברים gelesen: allein sie lässt doch wenigstens die Zwölfe noch mit allen übrigen Handschriften an ihrem rechten Orte stehen. Möge man denn dieses Beispiel sich nicht umsonst gegeben sein lassen!

Ueber die Function der Blattzähne und die morphologische Werthigkeit einiger Laubblatt-Nectarien.

Von

J. Reinke.

Man gewöhnt sich mehr und mehr daran, die an einer Pflanze vorkommenden Bildungen als für dieselbe biologisch nothwendig oder doch nützlich anzusehen; dem entsprechend soll in dieser kurzen, vorläufigen Mittheilung gezeigt werden, dass auch die Sägezähnung, welche wir am Rande der Blätter so vieler Gewächse wahrnehmen, nicht als blosse Verzierung der Pflanze aufgefasst werden darf, sondern bei der Mehrzahl der vegetabilischen Typen jedenfalls ihre physiologische Bedeutung besitzt.

Die diesen Gegenstand betreffenden Untersuchungen erstrecken sich bereits auf eine grosse Zahl verschiedenen Familien angehöriger Gewächse und sollen noch weiter ausgedehnt werden; hier werde ich mich auf die Mittheilung einiger Beispiele beschränken.

Zunächst mag als allgemeine Regel hervorgehoben werden, dass die functionelle Thätigkeit der Blattzähne in die embryonale und Jugend-Periode des Blattes fällt, mit einem Worte, in die Knospe. Es eilen hier die Zähne im Allgemeinen dem Haupttheil der Spreite in ihrer Entwicklung voraus; dabei liegen sie nicht in einer Ebene mit dem Theil der Spreite, welchem sie aufsitzen, sondern krümmen sich krallenartig nach einwärts, legen sich also auf die spätere Blattoberseite, und verhindern dadurch ein hermetisches Aneinanderschliessen der zusammengefalteten Blatthälften. Vielleicht ist dies wichtig, um den nothwendigen Gas-Austausch in der sich entwickelnden Knospe nicht ins Stocken gerathen zu lassen.

Viel evidenter ist jedoch eine andere Function der Sägezähne: dieselbe stellen nämlich in ihrem Jugendzustande Harz oder Schleim absondernde Organe vor.

Ich wähle als erstes Beispiel Prunus avium. Der Rand der Laubblätter ist unregelmässig gezahnt; im Hochsommer erscheinen die Spitzen der einzelnen Zähne gebräunt und vertrocknet, während an einem jungen, erst eben der Knospe entstiegenen Blatte jeder Zahn ein deutlich abgesetztes, glänzendes, rothgefärbtes, conisches Spitzchen trägt; diese Spitzen der Blattzähne sind Secretionsorgane, welche bei Prunus die Colleteren vertreten und eine reichliche Menge von Harz aussondern. Ein Längsschnitt durch die Spitze eines solchen Zahns senkrecht zur Spreite geführt zeigt Folgendes. Ein in den Blattzahn eingetretener Fibralsalstrang endet blind gegen die Mitte desselben; der Gegensatz zwischen dem Parenchym der Ober- und Unterseite schwindet, die Zellen werden gleichartig,

ohne jedoch selbst in der Spitze des Zahnes irgend
welche bemerkenswerthe Eigenthümlichkeiten zu
zeigen. Um so charakteristischer ist das Verhalten der Epidermis. Die sonst kubischen Zellen
derselben strecken sich an dem aufgesetzten
Spitzchen und theilen sich durch eine grosse
Zahl radialer Wände in zahlreiche, sehr schmale,
prismatisch keilförmige Zellen, die sich in
radialer Richtung noch verlängern: dann spaltet sich die ganze Schicht durch tangentiale
Scheidewände in zwei Schichten. Diese Doppel-
schicht prismatischer Zellen ist der eigentliche
Heerd der Secretion, der Zellinhalt besteht aus
einem hellen, stark lichtbrechenden feinkörnigen
Plasma; nach Aussen ist die Oberfläche zu einer Cuticula verdickt und diese verhält sich wie
die Cuticula der Trichom-Zotten, von denen
sich diese Blattzähne überhaupt nur durch ihre
verschiedene morphologische Werthigkeit unterscheiden, indem sie wirkliche Glieder des
Blattes sind. — Aber auch in einem noch
früheren Knospenzustande, wo die soeben beschriebene Differenzirung in der Structur der
Zähne sich noch gar nicht vollzogen hat, bemerken wir eine Secretion; hier secernirt aber
nicht nur der Blattzahn. sondern die gesammte
Oberfläche des jungen Blattes, und zwar nicht
Harz. sondern Schleim; auch hier ist bereits
eine Cuticula gebildet, deren innere Schichten
verschleimen und an der ganzen Blattoberfläche
die Cuticula blasenförmig auftreiben.

Eine ganz ähnliche Structur wie bei Prunus
avium zeigen die Spitzen der Blattzähne bei
den meisten Amygdalaceen, bei Cydonia. Pirus,
Crataegus, Rosa, Cunonia. Escallonia, Myrsine,
Salix, Alnus, Carpinus, Viola, Ricinus und vielen anderen. Dabei kommen manchfache Mo-

dificationen vor, so z. B. kann die prismatische
Schicht ungetheilt sein, so kann das darunter
liegende Parenchym ganz schwinden, es kann
Schleim an der Stelle von Harz secernirt werden, z. Th. nur in geringer Menge, wie bei Ricinus.

In anderen Fällen, wo eine Secretion von
Schleim vorkommt, geht die Differenzirung der
Spitzen der Zähne nicht so weit; so z. B. bei
Kerria, wo die Epidermiszellen nur wenig ge-
streckt sind, aber nebst den darunter liegenden
Parenchymzellen von stark lichtbrechender Sub-
stanz erfüllt; ähnlich bei Alchemilla, Poterium,
Spiraea, Rubus, Vitis, Acer, Fraxinus, Ulmus,
Viburnum, Impatiens und sehr vielen anderen.
Oft ist hier die Secretion eine nur geringe, es
kommen häufig an demselben Blatte auch Tri-
chom-Zotten vor, sogar, wie bei Poterium, an
der Spitze der Blattzähne.

Endlich sind als dritter Typus die Fälle zu
nennen, wo die Zähne des Blattrandes sich
stachelartig ausbilden, z. B. Ilex, Mahonia, Ber-
beris, Proteaceen, Prunus Carolinensis etc. etc.
Gerade das letzte Beispiel beweist, dass die
Beschaffenheit der Blattzähne für einzelne Gat-
tungen nicht constant ist: alle Arten von Prunus
die ich untersuchte, selbst der nahe verwandte
Pr. Laurocerasus folgen sonst dem Typus von
Pr. avium. Bei diesen Stachelzähnen ist nun
auch im Jugendzustande keine weitere Differenzirung nachweisbar,

Den metamorphosirten Blattzähnen des ersten Typus schliessen sich morphologisch ganz
nahe an manche nectarabsondernde Organe von
Laubblättern. Nectarien an Laubblättern werden meines Wissens zuerst bei Caspari erwähnt, welcher angiebt, durch Treviranus

darauf aufmerksam gemacht zu sein. Doch sind die Structurverhältnisse dieser Gebilde bei Caspari äusserst mangelhaft dargestellt.

Es finden sich solche Nectarien z. B. an den Blattstielen von Prunus avium und anderen Arten, von Impatiens, Ricinus und Viburnum Opulus, auf der Rückseite der Blätter von Pr. Laurocerasus und Carolinensis, von Clerodendron und Bignonia.

Am Stiel des Blattes von Pr. avium finden sich, bald ganz nahe an die Lamina hinangerückt, bald einige Millimeter von derselben entfernt, eigenthümliche, röthliche, fleischige Warzen: sie stehen an den Rändern der Rinne, die den Blattstiel durchzieht, in der Regel zu zweien und dann einander gerade oder schräg gegenüber, seltener zu drei oder gar zu vieren. An ihrer Oberfläche sammelt sich ein klarer Flüssigkeitstropfen, den schon die Zunge als Nectar zu erkennen giebt. An älteren Blättern vertrocknen diese Drüsen, an ganz jungen bereits aus der Knospe hervorgegangenen, sind sie noch nicht entwickelt. Ein Längsschnitt durch eine solche Drüse ergiebt, dass dieselbe aus lückenlosem parenchymatischem Gewebe besteht, durchzogen von einem blind endigenden Fibrovasalstrang. Die Epidermis verhält sich ganz ebenso, wie an den Spitzen der Blattzähne; ihre anfangs kubischen Zellen theilen sich durch radiale Wände und gehen allmählig in schmale, wenig keilförmige Prismen über; dann spaltet sich diese Prismenschicht durch tangentiale Wände. Diese Zellen, deren Inneres von gleichmässigem, stark lichtbrechendem Plasma erfüllt sind, bereiten den Nectar, welcher die Cuticula auftreibt und schliesslich sprengt. Diese Drüsen entstehen aus dem Periblem des jungen Petiolus und

sind den Spitzen der Zähne der Blattspreite
morphologisch völlig gleichwertbig, was abgesehen
von der gleichen Structur noch besonders bestätigt
wird durch die Uebergangsformen zwischen beiden, die sich an den meisten Blättern finden,
indem die Spitzen der untersten Blattzähne etwas fleischiger sind und Nectar anstatt Harz
secerniren. Die Mehrzahl der Amygdaláceen
besitzen derartige Nectarien häufig am Rande
des untersten Theils der Spreite; ganz ebenso
gebaut sind die von Ricinus, während diejenigen
von Viburnum Opulus und Impatiens nur eine
einschichtige Epidermis aufweisen.

Die Nectarien von Pr. Laurocerasus und Carolinensis sind rundliche, aus dem Periblem her-
vorgegangene Anschwellungen auf der Mitte der
Unterseite der Blätter; die Epidermis verhält
sich hier wie bei Pr. avium. Bei Clerodendron
dagegen findet keine Betheiligung subepidermа-
len Parenchyms an der Bildung der Nectarien
statt. Die Epidermis spaltet sich in zwei
Schichten und nur die obere dieser beiden
Schichten, eine circumscripte Platte, theilt
sich in schmale Prisma-Zellen. Bei Bignonia
Catalpa endlich bestehen die secernirenden
Flecke aus zahlreichen scheibenförmigen, aus
prismatischen Zellen zusammengesetzten Tri-
chomen, die je aus einer einzigen Epidermiszelle
hervorgingen.

Verzeichniss der bei der Königl. Gesellschaft der Wissenschaften eingegangenen Druckschriften.

August, September, October 1873.

(Fortsetzung.)

J. C. Noll, der zoologische Garten. Jahrg. XIV. 1873. Nr. 1—6. Frankfurt a/M. 1873.

Berichte des naturwiss.-medicinischen Vereins in Innsbruck. III. Jahrg. 2. u. 3. Hft. 1873.

Bulletin de la Société Imp. des Naturalistes de Moscou. Anneé 1873. Nr. 1. Moskau. 1873.

Vierteljahrsschrift der Astronom. Gesellschaft. VIII. Jahrg. Hft. 2. Leipzig. 1873.

J. C. Donders en Th. W. Engelmann, Onderzoekingen gedaan in het physiologisch Laboratorium der Utrechter Hoogeschool. Derde Reeks. I. Utrecht. 1872.

Sitzungsberichte der k. böhm. Gesellsch. der Wiss. in Prag. 1873. Nr. 5.

Publications de l'Institut roy. grand-ducal de Luxembourg. T. XIII. Luxembourg. 1873.

Nature. 206. 207. 208.

Jahresbericht der naturf. Gesellsch. in Emden. Nr. 58. 1872. Emden. 1873.

Dritter Jahresbericht der Akademischen Lesehalle in Wien. 1873.

Jahresbericht des Lesevereins der deutschen Studenten Wiens. 1872—1873.

Volkmann, über die näheren Bestandtheile der menschl. Knochen. Leipzig 1873.

Derselbe, über die relativen Gewichte der menschl. Knochen. Leipzig. 1873.

Neues Oberlausitzisches Magazin. Bd. 50. Hft. 1.

Philosophical Transactions of the R. Soc. of London. Vol. 162. P. 2. London. 1872.

Proceedings of the R. Soc. Vol. 21. N. 139—145. London. 1872—1873.

Fellows of the R. Society. November 1872.

Indische Studien, Bd. XI u. XII. 1871 u. 1873.

Nachrichten

von der Königl. Gesellschaft der Wissenschaften und der G. A. Universität zu Göttingen.

17. December.　　№ 30.　　　　1873.

Königliche Gesellschaft der Wissenschaften.

Verallgemeinerung des Problems von den Bewegungen, welche in einer ruhenden, unelastischen Flüssigkeit die Bewegung eines Ellipsoids hervorbringt.

Von

C. A. Bjerknes.

(Vorgelegt von Prof. Schering.)

Erster Aufsatz.

Nachdem wir in einem früheren Aufsatze eine Verallgemeinerung des Problems von dem ruhenden Ellipsoid in einer bewegten, unendlichen und unelastischen Flüssigkeit gegeben haben, nehmen wir uns jetzt vor, auf ähnliche Weise auch den zweiten Dirichletschen Fall, die Bewegung des Ellipsoids in einem ruhenden Medium zu behandeln. Es besitze das Ellipsoid des generalisirten Raumes R_n, dessen Anzahl der Dimensionen n gleich oder grösser als 2 ist, die allgemeinste Bewegung,

68

die mit der Erhaltung einer ellipsoidischen Form vereinbar ist; es ändert mithin seine Gestalt, indem die Axen variiren, zu derselben Zeit wie es eine beliebige, translatorisch - rotatorische Bewegung in dem verallgemeinerten Raume ausführt.

1. Mittelst n translatorischer Bewegungen, wodurch schliesslich der Mittelpunkt des Ellipsoids mit dem Anfangspunkte eines geradlinigen, orthogonalen Axensystems zusammenfällt, können die n linearen Coefficienten der Flächen - Gleichung weggeschafft werden. Die gegen einander orthogonal stehenden Axen des Ellipsoids werden ferner, wie wir uns ausdrücken wollen, nach $\frac{n(n-1)}{2}$ Drehungen, wenn sie gehörig gewählt sind mit den Axen desselben Systems den Richtungen nach zusammenfallen; die rektangulären Glieder werden somit verschwinden. Durch die Aenderungen der Axenlängen wird man endlich die n Coefficienten der quadratischen Glieder beliebig verändern, nur dass sie immer, nach Wegschaffung der früher genannten Glieder, als positive Grössen auftreten müssen; und namentlich würde man das Ellipsoid in eine Kugel überführen können, die selbstverständlich in sich selbst übergeht, wenn man eine beliebige othogonale Drehungstransformation ausführen liesse.

Die verschiedenen Bewegungen, die wir eben betrachtet haben, werden nun wohl nicht ausschliesslich auf bestimmte, zugehörige Klassen von Coefficienten einwirken; es ist doch aber insofern eine Verbindung, dass die Coefficienten in einer gewissen Ordnung ausfallen oder beliebige Werthe annehmen müssen, wenn die Bewegungen in einer entsprechenden Ordnung und in gehöriger Ausdehnung zur Ausführung gebracht werden. In diesem Sinne können wir deswegen die linearen Coefficienten in der Gleichung des Ellipsoids als den translatorischen Bewegungen entsprechend ansehen, während die $\frac{n(n-1)}{2}$ Coefficienten der rektangulären und die n Coefficienten der quadratischen Glieder zu den $\frac{n(n-1)}{2}$ Drehungen und den n Formänderungen mittelst Variation der Axenlängen gehören sollen. — Genauer würden sie einander, im Falle einer unendlich kleinen Bewegung, entsprechen, wenn das Ellipsoid zur Zeit t, wie es also immer möglich ist, auf seinen Mittelpunkt und seine Hauptaxen bezogen wäre, und seine Gleichung also die Form $E_0 = 1$ annähme, wo dann die Flächenfunktion E_0 durch die Gleichung

$$E_0 = \sum_{1,n}^{k} \frac{x^2_k}{a^2_k}$$

bestimmt sei. Wenn die Coordinatenaxen ungeändert bleiben, so würde, in Folge der Bewegung und der hierin eingeschlossenen Formänderung des Ellipsoids, die Flächenfunktion E_0 in dem Zeitelemente dt in $E_0 + \delta E_0$ übergehen; und wird dann die Variation δE_0 auf solche Weise zusammengesetzt sein, dass die Coefficienten der quadratischen Glieder nur von den Aenderungen der Axenlängen herrühren, die Coefficienten der rektangulären Glieder nur von den Drehungen, und schliesslich die Coefficienten der linearen Glieder nur von den fortschreitenden Bewegungen im Raume R_n. Die Variation δE_0 wird ausserdem eine lineare Funktion der n translatorischen Geschwindigkeiten u_k, der $\dfrac{n(n-1)}{2}$ Geschwindigkeiten u_{kl}, die hier als Drehungsgeschwindigkeiten parallel den $\dfrac{n(n-1)}{2}$ Coordinatenplanen $(x_k\, x_l)$ aufgefasst werden sollen, und der n Geschwindigkeiten v_k, womit die Halbaxen α_k in Verhältniss zu sich selbst zunehmen. Es muss übrigens k und l gleich 1, 2, 3 .. n sein, und $k \gtrless l$.

In genauer Uebereinstimmung mit der in Folge der Bewegungen gebildeten Variation der Flächenfunktion E_0 steht nun auch der Potentialausdruck, der die Bewegungen der umgebenden Flüssigkeit bestimmt: seine Theilung in eine Anzahl von partiellen, den verschiedenen Bewegungen des Ellipsoids entsprechenden, Geschwindigkeitspotentialen; und seine Herleitung aus einer einzigen Fundamentalfunktion ψ_σ, die selbst übrigens die Eigenschaften eines Potentials besitzt. Es werden sich nämlich die folgenden Sätze, unter der Voraussetzung, dass das verallgemeinerte Ellipsoid während seiner Bewegungen stets auf seinen Mittelpunkt und seine Hauptaxen bezogen wird, als gültig erweisen:

Das Geschwindigkeitspotential φ, für einen beliebigen Punkt des äusseren Flüssigkeitsraumes, wird sich als eine lineare und homogene Funktion von den Grössen

$$\mu_k, \; \mu_{kl}, \; \nu_k$$

darstellen lassen; deren Coefficienten auf ähnliche Art aus einem Grundintegrale ψ_σ zu bilden sind, wie in der (negativ genommenen) Variation der Flächenfunktion E_0 die Coefficienten der

$$u_k, \; u_{kl}, \; v_k,$$

abgesehen von einem gemeinschaftlichen Faktor dt.

Es treten hierbei die $\mu_k, \; \mu_{kl}, \; \nu_k$ als lineare, homogene Funktionen respective von den $u_p, \; u_{pq}, \; v_p$ auf; und insbesondere werden die μ_k und μ_{kl} den entsprechenden u_k und u_{kl} proportional sein.

2. Zur Zeit t soll das lineare und orthogonale Axensystem ξ, welches mit dem Ellipsoid unveränderlich verbunden ist, mit dem Systeme x zusammenfallen. Nach dem Verlaufe eines Zeitelements hat indessen das bewegliche Axensystem seine Stelle im Raume R_n geändert (ξ'); es hat eine fortschreitende sowohl als eine drehende Bewegung ausgeführt. Es wird sodann, weil an der Grenze x_k und ξ'_k identisch sind:

$$x_k = r_k + \sum_{1,n}^{p} \epsilon_{pk} \, \xi'_p; \qquad (k = 1, 2, 3, \ldots n)$$

wo dann mit Vernachlässigung der Grössen zweiter Ordnung

$$s_{kk} = 1$$

ist, und die γ wie die übrigen s unendlich klein von erster Ordnung sein müssen. Wegen der Orthogonalitätsbedingungen muss ferner

$$s_{lk} = - s_{kl},$$

wenn ebenso $l = 1, 2, 3, \ldots n$ und $k \gtrless l$. Die Bedingungen $\overset{p}{\underset{1,n}{\Sigma}} s_{kp}^{\,2} = 1$ werden nämlich un-

mittelbar erfüllt, weil die Grössen zweiter Ordnung vernachlässigt werden; und die übrigen

$\dfrac{n(n-1)}{2}$, die durch die Gleichung $\overset{p}{\underset{1,n}{\Sigma}} s_{kp} s_{lp} = 0$

repräsentirt sind, werden dann die obige Gleichung geben, da nur die Glieder, welche den Werthen $p = k$ und $p = l$ entsprechen, von erster Ordnung sind, und ausserdem $s_{kk} = 1$ und $s_{ll} = 1$.

Wegen derselben Orthogonalitätsbedingungen, und indem man wie früher die Grössen zweiter Ordnung ausser Betracht setzt, leitet man nun umgekehrt ab, dass

$$\xi'_k = - \gamma_k + \overset{p}{\underset{1,n}{\Sigma}} s_{kp} \, x_p.$$

In den obigen Gleichungssystemen soll nun

$$\gamma_k = u_k dt, \quad s_{kl} = u_{kl} dt$$

gesetzt werden. u_k soll dann als die Geschwindigkeitscomponente nach der Richtung der positiven Halbaxe x_k betrachtet werden, und u_{kl} als eine Drehungsgeschwindigkeit parallel dem Coordinatenplane (x_k, x_l), positiv genommen von x_k zu x_l. — Es giebt hiernach n fortschreitende Bewegungen, parallel den n Halbaxen, und $\dfrac{n(n-1)}{2}$

. . . .

drehende Bewegungen, parallel den $\dfrac{n(n-1)}{2}$

Coordinatenplanen. Denn was die doppelt vorkommenden Combinationen (k, l) betrifft, werden wir immer annehmen können dass $k < l$; wobei ausserdem die positive Drehungsrichtung so zu wählen ist, dass man von dem kleineren zu dem höheren Index geht.

Weil nun $\xi'_k - \xi_k$ gleich $\dfrac{d\xi_k}{dt}\, dt$ und $x_k = \xi_k$ ist, so wird man, um die relative Geschwindigkeit in einem festen Punkte M oder $(x_1, x_2, \ldots x_n)$ zu bestimmen, mittelst der fortschreitenden und drehenden Bewegungen des Axensystems zur Zeit t in Beziehung auf dasselbe System, wenn es als fest betrachtet wird, die folgenden Gleichungen aufzustellen haben:

$$\frac{d\xi_k}{dt} = -u_k + \sum_{1,n}^{p} u_{kp}\, \xi_p\, ; \quad (k = 1, 2, \ldots n)$$

wo dann $u_{kp} = -u_{pk}$, mithin auch $u_{kk} = 0$. In entwickelter Form hat man also:

$$\frac{d\xi_1}{dt} = - u_1 + * + u_{12}\,\xi_2 + u_{13}\,\xi_3 + \ldots + u_{1n}\xi_n$$

$$\frac{d\xi_2}{dt} = - u_2 - u_{12}\,\xi_1 + * + u_{23}\,\xi_3 + \ldots + u_{2n}\xi_n$$

$$\frac{d\xi_3}{dt} = - u_3 - u_{13}\,\xi_1 - u_{23}\,\xi_2 + * + \ldots + u_{3n}\xi_n$$

. . . .

$$\frac{d\xi_n}{dt} = - u_n - u_{1n}\,\xi_1 - u_{2n}\,\xi_2 - u_{3n}\xi_3 - \ldots + *$$

Wenn n gleich 3 ist, so kann man statt u_{-2}, u_{13}, u_{23} zu benutzen auch u_{12}, u_{23}, u_{31} als Drehungscomponenten auffassen, indem man die Drehungsrichtungen $(\xi_1\,\xi_2)$ $(\xi_2\,\xi_3)$ $(\xi_3\,\xi_1)$ als die positiven definirt. Unter dieser Voraussetzung würde man dann für den genannten Fall die obigen Gleichungen auf folgende Weise schreiben müssen :

$$\frac{d\xi_1}{dt} = - u_1 + u_{12}\,\xi_2 - u_{31}\,\xi_3$$

$$\frac{d\xi_2}{dt} = - u_2 + u_{23}\,\xi_3 - u_{12}\,\xi_1$$

$$\frac{d\xi_3}{dt} = - u_3 + u_{31}\,\xi_1 - u_{23}\,\xi_2 ;$$

wo dann u_{23}, u_{31}, u_{12} dieselben Bedeutungen haben wie die gewöhnlich benutzten Buchstaben p, q, r, sofern ξ_1, ξ_2, ξ_3 als die ξ, η und ζ zu verstehen sind.

3. Die hydrodynamischen Gleichungen lassen sich jetzt mit Leichtigkeit umformen, indem

man sie auf ein bewegliches Axensystem bezieht, dessen Anfangspunkt der Mittelpunkt des Ellipsoids ist, und dessen Axen, den Richtungen nach, zu jeder Zeit mit den Hauptaxen des genannten Ellipsoids zusammenfallen.

Die Continuitätsgleichung nimmt die folgende Form an:

$$(1) \qquad \overset{k}{\underset{1,n}{\Sigma}} \frac{d^2\varphi}{d\xi_k^{\,2}} = 0,$$

oder, wie wir auch schreiben können, $\varDelta^2\varphi = 0$; denn wie früher hat man ein lineares, orthogonales Axensystem ξ. Es wird ebenso die Geschwindigkeitscomponente in einem Punkte M oder $(\xi_1 \xi_2 .. \xi_n)$ nach der Richtung der positiven Halbaxe $\xi_k \dfrac{d\varphi}{d\xi_k}$. Es bedeutet φ selbstverständlich das Geschwindigkeitspotential, dessen Existenz also vorausgesetzt wird.

Die Bedingung in Bezug auf die Oberfläche des Ellipsoids: $E_0 = 1$, (wo jetzt übrigens ξ statt x geschrieben wird, und folglich

$$E_0 = \overset{k}{\underset{1,n}{\Sigma}} \frac{\xi_k^{\,2}}{\alpha_k^{\,2}}$$

ist) wird sich ebenso transformieren lassen. — In der Gleichung

$$(2) \qquad \overset{k}{\underset{1,n}{\Sigma}} \frac{dE_0}{d\xi_k} \frac{d\varphi}{d\xi_k} = -\frac{dE_0}{dt}$$

geht das Glied auf der rechten Seite des Gleichheitszeichens, $-\dfrac{dE_0}{dt}$, erstens in

$$-\sum_{1,n}^{k}\frac{dE_0}{da_k}\frac{da_k}{dt}-\sum_{1,n}^{k}\frac{dE_0}{d\xi_k}\frac{d\xi_k}{dt}$$

über; und folglich, nachdem man statt $\dfrac{da_k}{dt}$ $a_k v_k$ geschrieben, und ferner an der Stelle von $\dfrac{d\xi_k}{dt}$ ihren eben gefundenen Werth eingesetzt hat, ausgedrückt mittelst der fortschreitenden und drehenden Geschwindigkeiten des Axensystems, in diesen neuen Ausdruck über:

$$(2b)\quad -\sum_{1,n}^{k}v_k\cdot a_k\frac{dE_0}{da_k}-\Sigma\Sigma u_{kl}\left(\xi_l\frac{dE_0}{d\xi_k}-\xi_k\frac{dE_0}{d\xi_l}\right)$$

$$+\sum_{1,n}^{k}u_k\cdot\frac{dE_0}{d\xi_k}.$$

Die doppelte Summation wird ferner stets, wenn nicht anders bestimmt wird, über die $\dfrac{n(n-1)}{2}$ Combinationen (k, l) auszudehnen, die den Bedingungen $k=1,2,3,\ldots n$, $l=1,2,3,\ldots n$ und $k < l$ genügen. — Nehmen wir schliesslich an, wie wir es in dem vorigen Aufsatz gethan haben, dass φ nicht bloss die ξ explicite enthält, sondern auch implicite in σ, wo σ als die positive Wurzel der Gleichung

$$E_\sigma = 1$$

zu verstehen ist, und E_s oder

$$E = \sum_{1,n}^{k} \frac{\xi_k^2}{a_k^2 + s},$$

so wird sich das Glied an linker Seite der Bedingungsgleichung in Beziehung auf der Oberfläche ($E_s = 1$ oder $\sigma = 0$) in

$$(2a) \qquad \sum_{1,n}^{k} \frac{dE_0}{d\xi_k} \frac{d\varphi_0}{d\xi_k} + 4 \left(\frac{d\varphi}{d\sigma}\right)_0$$

transformiren. Es bezeichnet dann φ_0 eine neue Function, die man aus φ ableiten kann, indem man Null an die Stelle von σ setzt.

4. Indem man auf die oben erwähnte Weise φ als Funktion von σ und von den ξ ausdrückt, so zeigt uns die Continuitätsgleichung, in Verbindung mit der transformirten Bedingungsgleichung in Beziehung auf die Oberfläche, dass das Potential sich als eine Summe von drei Potentialen darstellen lässt.

Werde jedes von diesen, der Einfachheit wegen, wieder mit φ bezeichnet, so muss erstens $\varDelta^2\varphi = 0$ sein, andererseits muss auf der Oberfläche des Ellipsoids der Ausdruck (2a) in einen von den drei in (2b) enthaltenen Ausdrücken übergehen

$$\Sigma u_k \cdot \frac{dE_0}{d\xi_k}, \quad -\Sigma\Sigma u_{kl}\left(\xi_l \frac{dE_0}{d\xi_k} - \xi_k \frac{dE_0}{d\xi_l}\right), \quad -\Sigma v_k \cdot \alpha_k \frac{dE_0}{da_k}.$$

Das erste Problem wird dann das Problem von
der translatorischen Bewegung des Ellipsoids
sein, das zweite das von seiner drehenden Bewegung; das dritte Problem endlich, welches
wir hier auch als ein Bewegungsproblem auffassen, bezieht sich auf die Aenderung der
Form, indem die Axen unter Beibehaltung
ihrer Richtungen ihre Längen verändern.

5. Wir führen jetzt, wie bei der Verallgemeinerung des Problems von dem ruhenden El-
lipsoid, die Funktion ψ_σ ein, wo ψ_s oder ψ
durch die Gleichung

$$(3) \qquad \psi = \int\limits_s^c \frac{ds}{D} - \int\limits_s^\infty E\, \frac{ds}{D}$$

zu bestimmen ist. D_s oder D ist durch die
Gleichung

$$D = \prod\limits_{1,n}^{k} \sqrt{1 + \frac{s}{a_k^2}}$$

gegeben.

Die Funktion ψ_σ genügt der partiellen Differentialgleichung $\Delta^2 \varphi = 0$. Dasselbe wird also
auch der Fall sein mit den drei abgeleiteten
Funktionen

$$\frac{d\psi_\sigma}{d\xi_k}, \quad \xi_l \frac{d\psi_\sigma}{d\xi_k} - \xi_k \frac{d\psi_\sigma}{d\xi_l}, \quad \frac{d\psi_\sigma}{da_k},$$

wie leicht zu erkennen ist. — Wir bemerken

daneben gelegentlich, dass, wenn man von einer
andern Funktion, die der Differentialgleichung
$\Delta^2\varphi =$ Const. genügt, auf ähnliche Weise drei
neue Funktionen abgeleitet hätte, diese ebenso
der Gleichung $\Delta^2\varphi = 0$ Genüge leisten würden, vorausgesetzt dass die Constante unabhängig von den Grössen α_k sei. Es würde dies
zum Beispiel stattfinden, wenn man als Grundfunktion die Funktion ψ_0 gewählt hätte; in
welchem Fall die genannten Constante gleich
— 4 ist. Von dieser Bemerkung werden wir
auch später Gebrauch machen.

In Uebereinstimmung mit dem, was wir in
Nr. 1 bemerkt haben, können wir deswegen
versuchen, um die drei partiellen Probleme zu
behandeln, den drei φ Funktionen die folgenden
Formen zu geben:

$$\text{(I)}\quad \Sigma\mu_k\cdot\frac{d\psi_\sigma}{d\xi_k},\; -\Sigma\Sigma\mu_{kl}(\xi_l\frac{d\psi_\sigma}{d\xi_k}-\xi_k\frac{d\psi_\sigma}{d\xi_l}),\; -\Sigma\nu_k\cdot\alpha_k\frac{d\psi_\sigma}{d\alpha_k},$$

den drei Theilfunktionen entsprechend:

$$\text{I}^1)\quad \Sigma u_k\frac{dE_0}{d\xi_k},\; -\Sigma\Sigma u_{kl}(\xi_l\frac{dE_0}{d\xi_k}-\xi_k\frac{dE_0}{d\xi_l}),\; -\Sigma v_k\cdot\alpha_k\frac{dE_0}{d\alpha_k},$$

in welche sich die Funktion $-\dfrac{dE_0}{dt}$ auf dem
Wege der Summation zerlegen lässt. Da $E_\sigma = 1$
ist, nehmen übrigens die erwähnten Potentiale,
wenn sie entwickelt werden, die neuen Formen
an:

$$(\text{II}_1) \qquad \varphi = -\, \Sigma \mu_k \int\limits_\sigma^\infty \frac{dE}{d\xi_k}\, \frac{ds}{D},$$

$$(\text{II}_2) \qquad \varphi = \Sigma\Sigma \mu_{kl} \int\limits_\sigma^\infty \left(\xi_l\, \frac{dE}{d\xi_k} - \xi_k\, \frac{dE}{d\xi_l}\right) \frac{ds}{D},$$

$$(\text{II}_3) \qquad \varphi = -\,\Sigma \nu_k \left(\int\limits_\sigma^c \alpha_k \frac{d}{d\alpha_k}\left(\frac{1}{D}\right)ds - \int\limits_\sigma^\infty \alpha_k \frac{d}{d\alpha_k}\left(\frac{E}{D}\right)ds\right);$$

und es fragt sich sodann, ob man die Constanten μ_k, μ_{kl}, ν_k so wird bestimmen können, dass an der Oberfläche des Ellipsoids

$$\Sigma\, \frac{dE_0}{d\xi_k}\, \frac{d\varphi_0}{d\xi_k} + 4\left(\frac{d\varphi}{d\sigma}\right)_0$$

die Werthe der obenstehenden 3 Theilfunktionen annehmen wird.

6. Wir werden nun zeigen, dass die erste φ Funktion dem Probleme von der translatorischen Bewegung des verallgemeinerten Ellipsoids entspricht. Es wird nämlich

$$\left(\frac{d\varphi}{d\sigma}\right)_0 = \Sigma \mu_k\, \frac{dE_0}{d\xi_k};$$

ebenso findet man, indem man φ_0 bildet, und nachher in Beziehung auf ξ_k differentiirt,

$$\frac{d\varphi_0}{d\xi_k} = - \mu_k \int_0^\infty \frac{d^2 E}{d\xi_k^2} \frac{ds}{D};$$

was offenbar von den ξ unabhängig ist. Es folgt hieraus, dass der Coefficient von $\dfrac{dE_0}{d\xi_k}$ in

dem Ausdrucke (2a) gleich $- \mu_k \displaystyle\int_0^\infty \frac{d^2 E}{d\xi_k^2} \frac{ds}{D} + 4\mu_k$

wird, während der entsprechende Coefficient von $\dfrac{dE_0}{d\xi_k}$ in der Entwicklung von $- \dfrac{dE_0}{dt}$ gleich u_k ist. Der Bedingung in Beziehung auf die Oberfläche wird also genügt werden, indem man μ_k durch die Gleichung

$$(\text{III}_1) \qquad \mu_k = \frac{u_k}{4 - 2\displaystyle\int_0^\infty \frac{ds}{(\alpha_k^2 + s)\,D}}$$

sich bestimmen lässt.

7. **Die zweite φ Funktion wird ebenso das gesuchte Potential sein, wenn die Bewegung des verallgemeinerten Ellipsoids in einer Drehung besteht, welche durch die $\dfrac{n(n-1)}{2}$ Drehungsgeschwindigkeiten u_{kl} bestimmt ist.**

Es wird nämlich

$$\left(\frac{d\varphi}{d\sigma}\right)_0 = - \Sigma\Sigma \, \mu_{kl} \left(\xi_l \frac{dE_0}{d\xi_k} - \xi_k \frac{dE_0}{d\xi_l} \right).$$

Ferner lassen sich die Glieder in den Entwick-
lungen von $\dfrac{d\varphi_0}{d\xi_k}$ und $\dfrac{d\varphi_0}{d\xi_l}$, welche μ_{kl} enthalten,
auf folgende Weise schreiben:

$$\mu_{kl}\,\xi_l\int\limits_0^\infty\left(\frac{d^2E}{d\xi_k^2}-\frac{d^2E}{d\xi_l^2}\right)\frac{ds}{D},$$

$$\mu_{kl}\,\xi_k\int\limits_0^\infty\left(\frac{d^2E}{d\xi_k^2}-\frac{d^2E}{d\xi_l^2}\right)\frac{ds}{D};$$

und es ergiebt sich hieraus, dass

$$\Sigma\frac{dE_0}{d\xi_p}\frac{d\varphi_0}{d\xi_p}=\Sigma\Sigma\mu_{kl}\Big(\xi_l\frac{dE_0}{d\xi_k}+\xi_k\frac{dE_0}{d\xi_l}\Big)\int\limits_0^\infty\left(\frac{d^2E}{d\xi_k^2}-\frac{d^2E}{d\xi_l^2}\right)\frac{ds}{D}.$$

Weil nun

$$\xi_l\frac{dE_0}{d\xi_k}+\xi_k\frac{dE_0}{d\xi_l}\ \text{und}\ \xi_l\frac{dE_0}{d\xi_k}-\xi_k\frac{dE_0}{d\xi_l}$$

mit

$$\alpha_l^2+\alpha_k^2\ \text{und}\ \alpha_l^2-\alpha_k^2$$

proportional sind, so wird geschlossen, dass der
Coefficient von $\xi_l\dfrac{dE_0}{d\xi_k}-\xi_k\dfrac{dE_0}{d\xi_l}$ in dem Ausdrucke (2a) gleich

$$\mu_{kl}\cdot\frac{\alpha_l^2+\alpha_k^2}{\alpha_l^2-\alpha_k^2}\int\limits_0^\infty\left(\frac{d^2E}{d\xi_k^2}-\frac{d^2E}{d\xi_l^2}\right)\frac{ds}{D}-4\,\mu_{kl}$$

ist; während der entsprechende Coefficient in der Entwicklung von $-\dfrac{dE_0}{dt}$, wie aus dem früheren erhellt, den Werth $-u_{kl}$ hat. Der Bedingungsgleichung in Beziehung auf die Oberfläche wird somit genügt werden, wenn man die Coefficienten μ_{kl} durch die Gleichung

$$(\text{III}_3) \qquad \mu_{kl} = \cfrac{u_{kl}}{4 - 2 \displaystyle\int_0^\infty \frac{\alpha_k^2 + \alpha_l^2}{(\alpha_k^2 + s)(\alpha_l^2 + s)} \cdot \frac{ds}{D}}$$

bestimmt. Es soll übrigens k und l gleich 1, 2, 3, .. n sein und $k < l$.

8. **Die dritte und letzte von den in Nr. 5 erwähnten φ Funktionen wird schliesslich dem Falle entsprechen, wo das Ellipsoid seine Form verändert ohne Aenderungen in den Richtungen seiner Axen.**

Es wird erstens

$$\left(\frac{d\varphi}{d\sigma}\right)_0 = -\,\Sigma\,\nu_k \cdot \alpha_k \frac{dE_0}{d\alpha_k}$$

Es wird ferner

$$\frac{d\varphi_0}{d\xi_k} = \overset{p}{\Sigma}\,\nu_p \int_0^\infty \alpha_p \frac{d}{d\alpha_p}\left(\frac{1}{D}\frac{dE}{d\xi_k}\right) \cdot ds,$$

und somit auch, weil $\xi_k \dfrac{dE_0}{d\xi_k}$ gleich $-\,\alpha_k \dfrac{dE_0}{d\alpha_k}$

69

und $\dfrac{dE}{d\xi_k}$ gleich $\xi_k \dfrac{d^2E}{d\xi_k^2}$ ist,

$$\frac{dE_0}{d\xi_k}\frac{d\varphi_0}{d\xi_k} = -\alpha_k\frac{dE_0}{d\alpha_k}\cdot\overset{p}{\underset{p}{\Sigma}}\nu\int\limits_0^\infty \alpha_p\frac{d}{d\alpha_p}\Big(\frac{1}{D}\frac{d^2E}{d\xi_k^2}\Big)ds.$$

Der Coefficient von $\alpha_k\dfrac{dE_0}{d\alpha_k}$ in dem Ausdrucke (2a) wird sodann

$$-\overset{p}{\underset{p}{\Sigma}}\nu\int\limits_0^\infty \alpha_p\frac{d}{d\alpha_p}\Big(\frac{1}{D}\frac{d^2E}{d\xi_k^2}\Big)\,ds - 4\nu_k;$$

während der entsprechende Coefficient in der Entwicklung von $-\dfrac{dE_0}{dt}$ (2b) gleich $-\nu_k$ ist. Um die Coefficienten ν_k zu bestimmen, stellt man also die folgende Gleichung auf:

$$(\text{III}_s)\quad \overset{p}{\underset{p}{\Sigma}}2\nu\int\limits_0^\infty \alpha_p\frac{d}{d\alpha_p}\Big(\frac{1}{(\alpha_k^2+s)D}\Big)\,ds + 4\nu_k = \nu_k;$$

aus welcher sich dann n Gleichungen bilden lassen, indem man k die Werthe 1, 2, 3, ... n beilegt.

9. Dass die Coefficienten μ_k und $\mu_{k'}$ sofern $n \leqq 2$ ist, bestimmte und endliche Werthe annehmen werden, erkennt man mit Leichtigkeit, wenn man sich der Gleichung

$$(4) \qquad \sum_{1,n}^{p} \int_0^\infty \frac{ds}{(a_p^2 + s)D} = \frac{2}{D}$$

für den besonderen Fall $s = 0$ bedient. Die Richtigkeit der genannten Gleichung haben wir übrigens in einem früheren Aufsatze schon dargethan.

In der Gleichung (III_1), die den Coefficient μ_k bestimmt, lässt sich dadurch der Nenner in die folgende Form bringen

$$\sum_{1,n}^{p}(k) \int_0^\infty \frac{2ds}{(a_p^2 + s)D};$$

wo der Index (k) bezeichnen soll, dass in der Summe der Werth $p = k$ ausgeschlossen werden muss. Ebenso geht in der Gleichung (III_2), welche μ_{kl} bestimmt, der Nenner in den Ausdruck

$$\sum_{1,n}^{p}(kl) \int_0^\infty \frac{2ds}{(a_p^2 + s)D} + \int_0^\infty \frac{4sds}{(a_k^2 + s)(a_l^2 + s)D}$$

über; wo der Index (kl) ähnlicherweise bezeichnen soll, dass die Werthe $p = k$ und $p = l$ bei der Summation auszuschliessen sind. — Aus dem Obigen erhellt, dass die beiden Nenner unter der gegebenen Voraussetzung positive Werthe erhalten werden, die auch von Null verschieden sind.

10. Untersuchen wir zuletzt auch die Eigenschaften des Systems von linearen Gleichun-

69*

gen (III₃), mittelst welcher die Coefficienten ν_k sich bestimmen lassen. Drei Fälle werden wir dann besonders hervorheben: den Fall dass die Summe von den v gleich Null sei, und ferner dass die v oder die α alle gleich seien.

Wie im Falle des gewöhnlichen Ellipsoids nehmen wir an, dass das Volum mit dem Produkte der Halbaxen proportional ist. Es folgt hieraus, dass das Volum ungeändert bleibt, wenn die Axen auf solche Weise variiren, dass $\sum\limits_{1,n}^{k} \dfrac{d\alpha_k}{\alpha_k}=0$,

das heisst, dass $\sum\limits_{1,n}^{k} v_k = 0$ ist. Giebt man nun in der Gleichung (III₃) dem k die Werthe $1, 2, 3, \ldots n$ und nimmt die Summe, so findet man einfach, wegen der Gleichung (4), dass

$$\sum\limits_{1,n}^{k} \nu_k = 0;$$

denn der Werth der Integralsumme (4) wird für $s = 0$ gleich 2, und sodann von den α unabhängig. Wenn also bei der Variation der Axen das Volum sich ungeändert erhält, mit andern Worten, wenn $\sum\limits_{1,n}^{k} v_k = 0$, so wird auch die Summe der Coefficienten ν_k den Werth Null erhalten.

Wenn die α alle gleich sind, das heisst: in einem Augenblicke, wo das Ellipsoid eine ver-

allgemeinerte Kugel ist, die wieder in ein
Ellipsoid übergeht, werden die Coefficienten ν
durch die Gleichungen

$$\nu_k = \tfrac{1}{4}\, v_k$$

bestimmt. In diesem Falle wird nämlich das
Integral

$$\int\limits_0^\infty \frac{ds}{(\alpha_k^2 + s)D}$$

gleich $\dfrac{2}{n}$ und mithin von α unabhängig sein;

die Integralsummen in der Gleichung (III₈) werden somit wieder herausfallen, und es reducirt
sich die dem Index k entsprechende Gleichung
des Systemes zu $4\nu_k = v_k$.

In dem Falle der gleichförmigen
Erweiterung des Ellipsoids müssen die
ν alle gleich sein. Es lässt sich dann
zeigen, dass die Coefficienten ν auch
gleiche Werthe erhalten werden, und
dass besonders

$$\nu = \tfrac{1}{4}v.$$

Um dies zu verificiren, genügt es offenbar die
Gleichung

$$\sum_{1,n}^p \int\limits_0^\infty \alpha_p \frac{d}{d\alpha_p} \left(\frac{1}{(\alpha_k^2 + s)D} \right) ds = 0$$

zu beweisen. Es ist aber

$$(5) \quad \alpha_p \frac{d}{d\alpha_p}\left(\frac{1}{(\alpha_k{}^2+s)D}\right) = \alpha_k \frac{d}{d\alpha_k}\left(\frac{1}{(\alpha_p{}^2+s)D}\right),$$

sowohl wenn $p = k$ ist, was unmittelbar einleuchtet, als wenn $p \gtrless k$. Der gegebene Summenausdruck lässt sich mithin auch

$$\alpha_k \frac{d}{d\alpha_k} \overset{p}{\underset{1,n}{\Sigma}} \int_0^\infty \frac{ds}{(\alpha_p{}^2+s)D}$$

schreiben, dessen Werth gleich Null sein muss, weil die Integralsumme, wie wir schon wissen, von den α unabhängig ist. Die Gültigkeit der obigen Behauptung ist somit bewiesen.

11. Wir haben zuvor gezeigt, dass im Falle der Aehnlichkeit die v, und ebenso die Coefficienten ν, gleiche Werthe erhalten werden; es war ferner $\nu = \frac{1}{4}v$. Das Geschwindigkeitspotential nimmt sodann die folgende Form an:

$$\varphi = -\tfrac{1}{4}v \overset{k}{\underset{1,n}{\Sigma}} \left(\int_\sigma^c \alpha_k \frac{d}{d\alpha_k}\left(\frac{1}{D}\right) ds - \int_\sigma^\infty \alpha_k \frac{d}{d\alpha_k}\left(\frac{E}{D}\right) ds \right).$$

Dieser Ausdruck lässt sich indessen vereinfachen, wie wir jetzt zeigen werden.

Wegen den Gleichungen (5) und (4) findet man erstens

$$\overset{k}{\underset{1,n}{\Sigma}} \int_\sigma^\infty \alpha_k \frac{d}{d\alpha_k}\left(\frac{1}{(\alpha_p{}^2+s)D}\right) ds = \alpha_p \frac{\partial}{\partial\alpha_p}\left(\frac{2}{D}\right)_s;$$

wo dann an rechter Seite σ unter der Differentiation in Beziehung auf α_p als eine Constante aufgefasst werden muss. Es ist aber

$$\alpha_p \frac{\partial}{\partial \alpha_p} \left(\frac{1}{D_\sigma}\right) = \frac{\sigma}{(\alpha_p^2 + \sigma)D_\sigma};$$

und man schliesst sodann, da $E_\sigma = 1$, dass die Summe

$$(6) \qquad \overset{k}{\underset{1,n}{\Sigma}} \int_\sigma^\infty \alpha_k \frac{d}{d\alpha_k} \left(\frac{E}{D}\right) ds = \frac{2\sigma}{D_\sigma}$$

ist. Es wird andererseits

$$\overset{k}{\underset{1,n}{\Sigma}} \alpha_k \frac{d}{d\alpha_k} \left(\frac{1}{D}\right) = -2s \frac{d}{ds} \left(\frac{1}{D}\right),$$

und folglich durch Einsetzung und theilweise Integration:

$$(6^1) \qquad \overset{k}{\underset{1,n}{\Sigma}} \int_\sigma^c \alpha_k \frac{d}{d\alpha_k} \left(\frac{1}{D}\right) ds = -2\frac{c}{D_c} + 2\frac{\sigma}{D_\sigma} + 2\int_\sigma^c \frac{ds}{D}.$$

Indem man jetzt die Werthe der zwei Integralsummen (6) und (6^1) in der Potentialgleichung substituirt, findet man endlich als Geschwindigkeitspotential im Falle der Aehnlichkeit:

$$(\text{II}_4) \qquad \varphi = \tfrac{1}{2} v \left(\frac{c}{D}_c - \int\limits_\sigma^\infty \frac{ds}{D} \right).$$

Wenn man hier schliesslich die willkührliche Additions-Constante entfernt, wird man noch einfacher

$$(\text{II}_4{}^1) \qquad \varphi = - \tfrac{1}{2} v \int\limits_\sigma^\infty \frac{ds}{D}.$$

erhalten. Dasselbe Resultat wird übrigens entstehen, wenn man dem c den Werth ∞ beilegt, und wenn zugleich $n \gtreqless 3$ ist.

12. Wir haben oben das Geschwindigkeitspotential in dem Falle der Aehnlichkeit aus dem allgemeineren Potential abgeleitet, welches der Formveränderung des verallgemeinerten Ellipsoids entspricht. Dieser Fall ist aber als der einfachste anzusehen, obschon wir erst durch den angegebenen Umweg das Resultat gefunden haben; weil er auch, wie wir glauben, von besonderer Wichtigkeit ist, werden wir hier den aufgestellten Potentialausdruck mehr unmittelbar verificiren.

Wir stellen erst den Satz auf, dessen Gültigkeit sich übrigens leicht erkennen lässt: dass, wenn ω der partiellen Differentialgleichung $\varDelta \omega$ $= $ Const. genügt, die hieraus abgeleitete neue Funktion

$$\chi = \tfrac{1}{2} \sum\limits_{1,n}^{k} \xi_k \frac{d\omega}{d\xi_k}$$

derselben Differentialgleichung $\varDelta^2\chi = $ Const.
Genüge leisten wird.

Dies vorausgesetzt, leitet man aus ψ_σ mit
Hülfe der angegebenen Operation, als Integral
der partiellen Differentialgleichung $\varDelta^2\varphi = 0$
die folgende neue Funktion ab:

$$-\int_\sigma^\infty E\,\frac{ds}{D}.$$

Man schliesst sodann, dass auch das erste in ψ_σ
enthaltene Integral

$$\int_\sigma^\infty \frac{ds}{D}$$

derselben Differentialgleichung Genüge leisten
wird; dass also die beiden Theile, aus welchen
ψ_σ zusammengesetzt ist, Integrale der genannten Differentialgleichung sind.

Die in voriger Nr. aufgestellte φ Function
genügt also der gegebenen partiellen Differentialgleichung. Sie befriedigt ausserdem der Bedingungsgleichung, die sich auf die Oberfläche
bezieht. Weil nämlich hier, im Fall der Aehnlichkeit, $-\dfrac{dE_0}{dt}$ gleich

$$-v\sum_{1,n}^k \alpha_k\,\frac{dE_0}{d\alpha_k} = 2vE_0 = 2v$$

ist, und weil auch die gewählte φ Funktion von den ξ und von σ abhängt, lässt sich die Bedingungsgleichung auf folgende Weise schreiben:

$$\sum_{1,n}^{k} \frac{d\varphi_0}{d\xi_k} \frac{dE_0}{d\xi_k} + 4\left(\frac{d\varphi}{d\sigma}\right)_0 = 2v.$$

Der Summenausdruck wird nun verschwinden, weil φ_0 von den ξ unabhängig ist. Man sieht ferner unmittelbar, dass $\left(\frac{d\varphi}{d\sigma}\right)_0$ den Werth $\frac{v}{2}$ erhalten wird, und die Bedingung in Beziehung auf die Oberfläche ist somit erfüllt.

Zweiter Aufsatz.

1. Von einer einzigen Funktion ψ_σ haben wir in dem Vorhergehenden die Potentiale in den drei Fällen abgeleitet, die sich auf die besondere Bewegung und die Formänderung eines in einem unelastischen und unbegrenzten ruhenden Medium eingesenkten Ellipsoids beziehen. Es lässt sich ferner hieraus das Geschwindigkeitspotential in dem allgemeinsten Falle der Bewegung eines veränderlichen Ellipsoids des Raumes R_n bilden, indem man die partiellen Potentiale auf dem Wege der Summation zusammensetzt.

Auf ähnliche Weise wird man auch von einer einzigen Funktion ψ_0 die Potentiale für ei-

nen inneren ellipsoidischen Raum ableiten können, wenn die Bewegung der umgebenden, ellipsoidisch geformten Hülle entweder
eine fortschreitende oder eine drehende ist, oder
endlich wenn sie stetig ihre Gestalt verändert
ohne Aenderung des eingeschlossenen Flüssigkeitsraumes, mit anderen Worten, ohne Aenderung der Funktion V oder

$$\frac{\Gamma(\tfrac{1}{2})^n}{\Gamma(1+\tfrac{n}{2})} \cdot \alpha_1\, \alpha_2 \ldots \alpha_n.$$

Aus dieser letzten Bedingung, die mit der Incompressibilität des flüssigen Mediums in Verbindung steht, wird übrigens auch geschlossen,

dass $\displaystyle\sum_{1,n}^{k} \frac{1}{\alpha_k} \frac{d\alpha_k}{dt} = 0$, das heisst, dass

$$\sum_{1,n}^{k} v_k = 0$$

ist, sofern überhaupt eine Aenderung der Form
angenommen werden soll.

Aus den drei partiellen Potentialen lässt sich
ferner auch hier das Geschwindigkeitspotential
in dem allgemeinsten Falle der Bewegung auf
dem Wege der Summation zusammensetzen, wenn
nur die obenstehende Bedingung in Beziehung
auf die Aenderung der Form erfüllt ist.

Auch in dem Falle eines inneren ellipsoidischen Raumes wird sich die früher gegebene
Regel für die Bildung der die partiellen Potentiale ausdrückenden Integrale aus einer einzigen

Grundfunktion als noch gültig bestätigen. Jeder von den entsprechenden Potentialen, welche die Flüssigkeitsbewegungen in dem inneren Raume ausdrücken, wird eine lineare und homogene Funktion von den Grössen m_k oder m_{kl} oder n_k sein, deren Coefficienten auf ähnliche Weise aus einem gemeinschaftlichen Integrale ψ_0 gebildet werden, wie in der negativ genommenen Variation von E_0, $-\delta E_0$, die Coefficienten von u_p, u_{kl} und v_k, abgesehen von dem hier vorkommenden Faktor dt. Die m_k, m_{kl}, n_k treten ferner als lineare und homogene Funktionen respective von den u_p, u_{pl}, v_p auf, und insbesondere wird m_k mit u_k und m_{kl} mit u_{kl} proportional sein.

Was das Grundintegrale ψ_0 betrifft, so genügt es der partiellen Differentialgleichung $\varDelta\psi_0$ = Const., wo der Werth der Constante doch nicht Null ist, wie vorher, sondern von Null verschieden, gleich — 4; die daraus gebildeten partiellen Potentiale werden dagegen der Gleichung $\varDelta\varphi = 0$ Genüge leisten, welche nothwendig erfüllt werden muss, wenn die Bedingung der Inkompressibilität bestehn, zugleich auch ein Geschwindigkeitspotential angenommen werden soll.

2. Weil in den drei partikulären Fällen φ von einer Function ψ_0 abgeleitet werden soll, die nicht von σ abhängt, so wird jetzt φ mit φ_0 identisch sein. Das linke Glied der Bedingung

gleichung in Beziehung auf die Oberfläche lässt sich dann einfacher durch

$$\sum_{1,n}^{k} \frac{dE_0}{d\xi_k} \frac{d\varphi_0}{d\xi_k}$$

darstellen, während das Glied an rechter Seite des Gleichheitszeichens, wie früher, je nach dem Falle gleich

$$(\text{I}^1) \quad \Sigma u_k \frac{dE_0}{d\xi_k}, \; -\Sigma\Sigma u_{kl}\left(\xi_l \frac{dE_0}{d\xi_k} - \xi_k \frac{dE_0}{d\xi_l}\right), \; -\Sigma v_k.\alpha_k \frac{dE_0}{d\alpha_k}$$

ist, wo dann $\Sigma v_k = 0$.

Der aufgestellten Regel gemäss würde man die gesuchten Potentiale auf folgende Weise bestimmen. Es werden die φ gleich

$$(\text{I}) \quad \Sigma m_k \frac{d\psi_0}{d\xi_k}, \; -\Sigma\Sigma m_{kl}\left(\xi_l \frac{d\psi_0}{d\xi_k} - \xi_k \frac{d\psi_0}{d\xi_l}\right), \; -\Sigma n_k.\alpha_k \frac{d\psi_0}{d\xi_k};$$

wo die Doppelsumme über jede von den $\frac{n(n-1)}{2}$ Combinationen (k, l) auszudehnen ist, welche der Bedingung $k < l$ genügt. Die zwei ersten φ Funktionen werden offenbar der gegebenen Differentialgleichung $\varDelta^2\varphi = 0$ Genüge leisten, weil $\varDelta^2\psi_0 = $ Const., gleich -4; dasselbe wird auch mit der letzten Funktion der Fall sein, weil die Constante von den α unabhängig ist.

Die drei Potentiale dürften mithin in entwickelter Form die folgenden Werthe annehmen:

$$(\text{II}_1) \qquad \varphi = -\Sigma m_k \int_0^\infty \frac{dE}{d\xi_k} \frac{ds}{D},$$

$$(\text{II}_2) \qquad \varphi = \Sigma\Sigma m_{kl} \int_0^\infty \left(\xi_l \frac{dE}{d\xi_k} - \xi_k \frac{dE}{d\xi_l}\right) \frac{ds}{D},$$

$$(\text{II}_3) \quad \varphi = -\Sigma n_k \left(\int_0^c \alpha_k \frac{d}{d\alpha_k}\left(\frac{1}{D}\right) ds - \int_0^\infty \alpha_k \frac{d}{d\alpha_k}\left(\frac{E}{D}\right) ds\right);$$

wo dann m_k mit u_k und m_{kl} mit u_{kl} proportional sind, während die n_k als lineare Funktionen von den v_p auftreten würden.

3. Weil in der Bedingungsgleichung das Glied $4\left(\frac{d\varphi}{d\sigma}\right)_0$ hier fehlt, leitet man aus der Gleichung, welche μ_k bestimmt, die entsprechenden Werthe von den Coefficienten m_k ab:

$$(\text{III}^1) \qquad m_k = -\frac{u_k}{2\int_0^\infty \frac{ds}{(\alpha_k{}^2+s)D}};$$

was übrigens auch unmittelbar mit Leichtigkeit zu erkennen ist. Durch Einsetzung findet man

also im Falle der fortschreitenden Bewegung.

$$(\text{II}_1{}^1) \qquad \dot{\varphi} = \overset{k}{\underset{1,n}{\Sigma}} u_k \, \xi_k.$$

Es darf dieses auch erwartet werden, weil jetzt im Inneren der Flüssigkeit jeder Punkt dieselbe durch die Geschwindigkeiten u_k bestimmte Bewegung annehmen muss, wie die ellipsoidische Fläche, welche sie umschliesst.

4. Auf ähnliche Weise wird man im Falle der Drehung

$$(\text{II}_2) \qquad m_{kl} = - \cfrac{u_{kl}}{2 \displaystyle\int_0^\infty \cfrac{(\alpha_k{}^2 + \alpha_l{}^2) ds}{(\alpha_k{}^2 + s)(\alpha_k{}^2 + s)\overline{D}}}$$

erhalten; die Einsetzung gibt folglich

$$(\text{II}_2{}^1) \qquad \varphi = \Sigma\Sigma u_{kl} \frac{\alpha_k{}^2 - \alpha_l{}^2}{\alpha_k{}^2 + \alpha_l{}^3} \cdot \xi_k \, \xi_l,$$

wo die doppelte Summation über alle $\dfrac{n(n-1)}{2}$ Combinationen (k, l) auszudehnen ist, in welchen $k < l$. Wenn $n = 3$ wäre, und man als Drehungscomponenten u_{12}, u_{23}, u_{31}, angenommen hätte statt u_{12}, u_{23}, u_{13}, so müsste man auch in der obigen Formel $(k\,l)$ gleich 12, 23, 31 setzen.

Die durch die Drehung der ellipsoidischen Hülle in der inneren, anfänglich ruhenden, Flüssigkeit hervorgerufene Bewegung ist jetzt nicht selbst als eine Drehung anzusehen, was mit einer Potentialbewegung unvereinbar wäre. Sie ist als eine oscillatorische Bewegung aufzufassen, indem die fluiden Massen von einigen Stellen weggedrängt werden, nach anderen wegen des äusseren Druckes zurückströmen müssen: während die umgebende Hülle eine wirkliche Rotation ausführt, wird die Bewegung der flüssigen Oberfläche nur eine scheinbare Rotation sein, indem sie allein in einer fortschreitenden Wellenbewegung besteht. Im Falle der verallgemeinerten Kugel, zum Beispiel des cirkulären Cylinderschnittes ($n = 2$), nimmt die Funktion φ den Werth Null an, dass heisst, die eingeschlossene Flüssigkeit wird sich unter den Umdrehungen stets in Ruhe erhalten.

Dass die Bewegung möglich ist, ohne Einführung von beschleunigenden Kräfte, wenn infolge des äusseren, von der umgebenden Hülle aus wirkenden, Druckes der Druck im Mittelpunkte hinlänglich grosse Werthe erhalten wird, geht mit Leichtigkeit aus der Druckgleichung hervor. In dieser Gleichung:

$$(1) \qquad \frac{p}{q} = T - \tfrac{1}{2}\varDelta\varphi^2 - \frac{d\varphi}{dt},$$

in welcher T nur von der Zeit abhängt, wird erstens $\varDelta\varphi^2$ eine homogene Funktion zweiter Ordnung von den ξ sein; weil ferner

$$\frac{d\varphi}{dt} = \frac{\partial\varphi}{\partial t} + \varSigma\frac{\partial\varphi}{\partial\xi_k}\frac{d\xi_k}{dt},$$

oder anders geschrieben (vorig. Aufs. Nr. 2)

$$\frac{d\varphi}{dt} = \frac{\partial\varphi}{\partial t} - \Sigma\Sigma\, u_{kl}\,(\xi_l\,\frac{d\varphi}{d\xi_k} - \xi_k\,\frac{d\varphi}{d\xi_l}),$$

so wird auch $\dfrac{d\varphi}{dt}$ eine homogene Funktion von den ξ sein und von zweiter Ordnung. Wenn also im Mittelpunkte der Werth von p, infolge des äusseren Druckes, gleich P ist, so wird man T gleich $\dfrac{P}{q}$ finden, und es ergibt sich sodann, dass auch die Druckdifferenz

$$p - P$$

durch eine homogene Funktion zweiter Ordnung von den ξ dargestellt werden wird. Wenn also P hinlänglich gross genommen werden kann, so wird überall im Innern der Flüssigkeit, die in einem endlichen ellipsoidischen Raume einge-schlossen ist, der Druck p positive Werthe er-halten, und die oscillatorische Bewegung infolge der Rotation zeigt sich mithin als möglich.

5. Wenn schliesslich die ellipsoidisch geformte Hülle ihre Form verändert, indem die Richtungen der Axen dieselben bleiben und der Unzusammendrückbar-keit wegen das Volum sich erhält, so sind die Coefficienten n durch die Gleichungen

$$\text{III}_8)\qquad \underset{p}{\Sigma}\,2n_p\int_0^\infty \alpha_p\,\frac{d}{d\alpha_p}\left(\frac{1}{(\alpha_k{}^2+s)D}\right)ds = v_k$$

zu bestimmen, indem man dem k die Werthe 1,2,3,..n beilegt. Auch werden diese Gleichungen in der That nicht für endliche Werthe von den n befriedigt, wenn nicht $\Sigma v_k = 0$; denn die Summe der linken Glieder für $k = 1,2,3,..n$ wird infolge des Nr. 10 des ersten Aufsatzes eine lineäre Funktion von den n sein, dessen Coefficienten die Werthe Null erhalten.

Statt hieraus die n mittelst eines beliebigen von ihnen, der auch gleich Null gesetzt werden konnte, zu bestimmen, wird es bequemer sein. die Funktion φ zu bilden, nachdem man erst aus der obenstehenden Gleichung die folgende abgeleitet hat

$$\overset{p}{\underset{p}{\Sigma}} 2n_p \int_0^\infty \alpha_p \frac{d}{d\alpha_p} \left(\frac{E}{D}\right) ds = \Sigma v_k \xi_k^2,$$

deren Gültigkeit übrigens sehr leicht zu erkennen ist. Man findet sodann:

$$(\text{II}_3{}^1) \quad \varphi = - \overset{k}{\underset{k}{\Sigma}} n_k \int_0^c \alpha_k \frac{d}{d\alpha_k} \left(\frac{1}{D}\right) ds + \tfrac{1}{2} \Sigma v_k \xi_k^2,$$

oder endlich, indem man c gleich 0 wählt,

$$(\text{II}_3{}^2) \quad \varphi = \tfrac{1}{2} \overset{k}{\underset{k}{\Sigma}} v_k \xi_k^2, \quad \overset{k}{\underset{k}{\Sigma}} v_k = 0.$$

Auch in diesem Falle wird es sich ergeben, dass die Druckdifferenz

$$p - P$$

durch eine homogene Funktion zweiter Ordnung von den ξ sich darstellen lässt, wenn keine beschleunigende Kräfte wirken, und P der Druck im Mittelpunkte ist. Wenn dieser hinlänglich gross ist, wird der Druck p überall im inneren Raume positiv sein, und die Bewegung ist sodann auch möglich.

---

6. Die verschiedenen einfachen Probleme, welche mit dem zusammengesetzten Probleme von den Bewegungen einer incompressiblen Flüssigkeit in einem inneren ellipsoidischen Raume in Verbindung stehen, hängen somit in ganz ähnlicher Weise mit einer Funktion ψ_0 zusammen, wie die entsprechende Reihe von Problemen, die sich auf den äusseren Raum beziehen, mit der Funktion ψ_σ; in der früher behandelten Aufgabe, welche die Verallgemeinerung des ersten Dirichletschen Falles, das ruhende Ellipsoid in der bewegten, unendlichen Flüssigkeit umfasst, treten aber die beiden ψ Funktionen zu gleicher Zeit auf.

In der Problemenreihe, deren Gegenstand der innere, ellipsoidische Raum ist, zeigt sich ausserdem eine gewisse Unvollständigkeit, die aus der bis jetzt aufgestellten Bedingung der Incompressibilität und aus der Endlichkeit des eingeschlossenen Raumes herrührt; die aber im Falle des äusseren Raumes nicht zum Vorschein kommen wird, weil man sich die in unendlicher Ferne unendlich wenig bewegte Flüssigkeit durch eine geschlossene Fläche begrenzt denken kann, die gleichzeitig mit dem Ellipsoid ihre Form wird ändern können. Es besteht sodann auch eine Unvollständigkeit in dem gegenseitigen Entsprechen zwischen den zwei Reihen von Problemen, die sowohl mit den Grundbedingungen als mit der Wahl der Funktion ψ und der Bildungsweise der abgeleiteten Funktionen in dem genauesten Zusammenhang steht.

7. Die Probleme, die sich auf den innern Raum beziehen, könnten mit Aufgebung der Bedingung der Incompressibilität für jede Bewegung des Ellipsoids, die mit der Erhaltung der ellipsoidischen Form vereinbar ist, mit Leichtigkeit behandelt werden, wenn man nur die Absicht hätte, die genannte Reihe der Probleme mit entsprechender Vollständigkeit, aber ohne Verbindung mit der andern, zu untersuchen. Wir denken uns dann die Dichtigkeit der eingeschlossenen unelastischen Flüssigkeit, wie früher, von dem Drucke unabhängig; sie ist aber entweder konstant oder wenigstens nur mit der Zeit, zum Beispiel mit der Erhöherung der Temperatur, veränderlich; eine Aenderung des Volumes wird somit erlaubt sein, ohne Aufhebung der Continuität in dem flüssigen Inneren zu veranlassen.

Infolge der fortschreitenden Bewegung wird der Zuwachs der Funktion E_0, abgesehen von einem Faktor dt, eine beliebige lineare homogene Funktion von den ξ sein; die Funktion φ wird ebenso, wie wir gesehen haben, eine lineare und homogene Funktion, deren Coefficienten ferner zu bestimmen sind, und übrigens beliebige Werthe werden annehmen können. — Der Zuwachs im Falle einer drehenden Bewegung nimmt die Form einer mit dem Elemente dt multiplicirten homogenen Funktion zweiter Ordnung an, die nur die rectangulären Glieder enthält, wie früher aber mit beliebigen Coefficienten. Das entsprechende Potential φ wird eben dieselbe Form besitzen, wie aus dem Früheren hervorgeht; und auch hier werden die Coefficienten ganz beliebige Werthe annehmen können. — Wenn schliesslich eine Formänderung stattfindet, wird der Zuwachs im Zeitelemente das Produkt von dt und eine beliebige homogene Funktion zweiter Ordnung mit quadratischen Gliedern sein. Wir haben ausserdem gesehen, dass in dem besonderen Falle, wo das Volum sich unter den Aenderungen erhält, die Funktion φ ebenso durch eine ähnliche Funktion von den ξ wird dargestellt werden, nur dass die Allgemeinheit, der gestellten Bedingung wegen, die Beschränkung erleidet, dass die Summe der Coefficienten gleich Null sei. Wir werden nun zeigen, dass wenn die Bedingung der Unveränderlichkeit des Volumens und der Incompressibilität der Flüssigkeit, so wie oben angegeben, aufgehoben wird, diese letzte Beschränkung in der Allgemeinheit zu gleicher Zeit wegfällt.

Während also die Variation der Funktion E_0 infolge der allgemeinsten Bewegung des Ellipsoids, welche mit der Erhaltung der ellipsoidischen Form vereinbar ist, abgesehen von dem Faktor dt, die allgemeinste Funktion zweiter Ordnung repräsentiren wird, welche kein von den ξ unabhängiges Glied enthält, so wird ebenso das entsprechende Potential durch die allgemeinste Funktion zweiter Ordnung ohne das letzte Glied dargestellt werden können. Und in den zwei Funktionen werden die Summe der linearen Glieder, die Summe der rektangulären, und die Summe der quadratischen, wenn die Coefficienten gehörig gewählt werden, einander entsprechen; wie sie die Translationen, die Drehungen und die Formänderungen des verallgemeinerten Ellipsoids bezeichnen, und die daraus hervorgehenden Flüssigkeitsbewegungen in dem inneren Raume.

8. Um die Gültigkeit des oben Behaupteten zu beweisen, haben wir nur die Gleichung

$$(\text{II}_4{}^1) \qquad \varphi = \tfrac{1}{2} \Sigma v_k \xi_k{}^2$$

zu untersuchen, wo die Beschränkung, dass $\Sigma v_k = 0$ sei, hier aufgegeben wird.

Es ist dann erstens

$$\varDelta^2\varphi = \Sigma v_k = \frac{1}{V}\frac{dV}{dt};$$

wenn man mit V das Volum des verallgemeinerten Ellipsoids bezeichnet (Nr. 1). Andererseits wird die Continuitätsgleichung, wenn die Geschwindigkeitscomponenten durch die partiellen Dirivirten einer einzigen Funktion φ dargestellt werden können, und die Dichtigkeit q nur mit der Zeit veränderlich ist,

$$(2) \qquad \varDelta^2\varphi = -\frac{1}{q}\frac{dq}{dt}.$$

Es kommt sodann

$$q\,V = \text{Const.},$$

das heisst, es muss die Dichtigkeit der Flüssigkeit nur so geändert werden, dass die eingeschlossene Masse dieselbe bleibt.

Weil ferner

$$\Sigma \frac{d\varphi}{d\xi_k} \frac{dE_0}{d\xi_k} = -\Sigma v_k \cdot \alpha_k \frac{dE_0}{d\alpha_k},$$

indem die beiden Glieder gleich $\Sigma 2 v_k \dfrac{\xi_k^2}{\alpha_k^3}$ sind,

so ist auch die Bedingung, die sich auf die Oberfläche bezieht, erfüllt, und **die gegebene φ Gleichung (II$_4$^{1}) entspricht somit der allgemeinen Formänderung des verallgemeinerten Ellipsoids.**

Infolge der Voraussetzung, dass die Dichtigkeit q von dem Drucke unabhängig sei, wird man, um den Druck im Inneren zu bestimmen, die in Nr. 4 aufgestellte Gleichung, ganz wie in den übrigen Fällen, zu benutzen haben. Und es ergiebt sich sodann, dass auch in diesem Falle die Druckdifferenz $p - P$ als eine homogene Funktion von dem ξ von zweiter Ordnung dargestellt werden wird; woraus wieder geschlossen wird, dass der Druck in jedem Punkte der Flüssigkeit positive Werthe erhalten kann.

Verzeichniss der bei der Königl. Gesellschaft der Wissenschaften eingegangenen Druckschriften.

November 1873.

Nature. Nr. 209—213.

R. Wolf, Astronomische Mittheilungen. XXXIII.

Don Cecilio Pujazon, Anales del Observatorio de Marina de San Fernando. Seccion 2a. Observaciones meteorologicas. Anno 1871. San Fernando. 1871 fol. Resumen anual 1870 u. Prológo. fol.

G. van der Mensbrugghe, sur la tension superficielle des liquides, etc. Second mémoire. Bruxelles. 1873. 4.

Astronomical Observations and Researches. Observatory of Trinity College. II. Part. Dublin. 1873. 4.

Monatsbericht der Berliner Akademie. Juni, Juli, August 1873. Abhandlungen der Berliner Akademie 1872. Berlin. 1873. 4.

Alfred Clebsch. Versuch einer Darlegung und Würdigung seiner wissenschaftlichen Leistungen von einigen seiner Freunde. Leipzig. 1873. 8.

Sitzungsberichte der physikalisch-medicinischen Societät zu Erlangen. Hft. 5. Nov. 1872 bis August 1873. Erlangen. 1873. 8.

Società R. di Napoli:
Atti dell' Accademia delle Scienze fisiche e matematiche. Vol. V. Napoli. 1873. 4.
Rendiconto dell' Accademia. Anno IX. Fasc. 1—12. 1870. Anno X. Fasc. 1—12. 1871. Anno XI. Fasc. 1—12. 1872. 4.

G. F. Schoemann, griechische Alterthümer. Bd. 2. Berlin. 1873. 8.

A. Kölliker, die normale Resorption des Knochengewebes und ihre Bedeutung für die Entstehung der typischen Knochenformen. Leipzig. 1873. 4.

Archiv für schweizerische Geschichte. Bd. 18. Zürich. 1873. 8.

C. W. Borchardt, über Deformationen elastischer isotroper Körper, etc. Berlin. 1873. 8.

Annales de l'Observatoire R. de Bruxelles. Bogen 5. 1873.

Sitzungsberichte der philosophisch-philologischen und historischen Classe der k. bayerischen Akademie der Wiss. zu München. 1872. Hft. IV. V. 1873. Hft. I. II. III. der mathematisch-physikalischen Classe. 1871. Hft. III. 1873. Hft. I. München. 1872. 73. 8.

W. Beets, der Antheil der königl. b. Akad. d. Wiss. an der Entwickelung der Electricitätslehre. Ebd. 1873. 4.

Verzeichniss der Mitglieder der k. b. Akademie. 1873.

K. v. Prantl, Gedächtnisrede auf Fr. Ad. Trendelenburg. München 1873. 4.

J. v. Döllinger, Rede am 25. Juli 1873. München 1873. 4.

ТРУДЫ. Т. II ВЫПУСКЪ II. САНКТПЕТЕРБУРГЪ. 1873. 8.

The Transactions of the Linnean Society of London. Vol. XXVIII. P. 3. Vol. XXIX. Part 2. London 1873. 4.

Journal of the Linnean Soc. Botany. Vol. XIII. No. 68—72. — Zoology. Vol. XI. No. 55. 56. Ebd. 1872. 73. 8.

Proceedings of the Linnean Soc. Session 1872—73. 8.

List of the Linnean Soc. 1872. 8.

Progress Reports and final Report of the Exploration Committee of the R. Society of Victoria. 1872. Fol.

Mittheilungen der deutschen Gesellsch. für Natur und Völkerkunde Ostasiens, herausg. von dem Vorstande. Hft. 2. Juli 1873. Yokohama. 8. Fol.

Daily Bulletin of Weather-Reports, Signal-Service U. S. Army, with the synopses, probabilities, and facts for the month of September 1872. Washington 1873. 4.

Mémoires de la Société Nationale des Sciences Naturelles de Cherbourg. T. XVII. (Deuxième Série. T. VII.) Paris, Cherbourg 1873. 8.

Catalogue de la Bibliothèque de la Société N. des Sciences Nat. de Cherbourg. Deuxième Partie. 1re Livraison. 31 Dec. 1872. Ebd. 1873. 8.

Verhandlungen des naturf. Vereines in Brünn. Bd. XI. 1872. Brünn 1873. 8.

IV. Bericht der naturwiss. Gesellsch. zu Chemnitz. Vom 1. Jan. 1871 — 31. Dec. 1872. Chemnitz 1873. 8.

Bulletin de l'Acad. R. des Sciences, des Lettres, et des Beaux-Arts de Belgique. 42e année, 2e série, tome 36. Nr. 9 et 10. Bruxelles 1873. 8.

M. Albert Lancaster, note sur le tremblement de terre ressenti le 22. Oct. 1878 dans la Prusse Rhénane et en Belgique.

Astronomische Bestimmungen für die Europäische Grad-messung aus den Jahren 1857—1866. Herausg. von Dr. J. J. Baeyer. Leipzig 1878. 4.

Proceedings of the London mathematical Society. Nos. 62, 63. 8.

Hermann von Schlagintweit-Sakünlünski, über Nephrit nebst Jadeït and Saussurit im Künlün-Gebirge. München 1878. 8.

Die Meteoriten

der Universitäts - Sammlung zu Göttingen
Januar 1874.

I. Meteorsteine.

	Fall-Zeit		Localität	Gewicht in Grm.*)	
	Datum	Jahr		Haupt-Stück	Zahl der Exempl.
1	7. Nov.	1492	Ensisheim, Elsass	106	4
2	13. Sept.	1766	Albareto bei Modena	—	1
3	20. Nov.	1768	Mauerkirchen, Oestreich. . .	1927	2
4	19. Febr.	1785	Eichstädt, Bayern	26	1
5	13. Oct.	1787	Charkow, Russland	32	1
6	24. Juli.	1790	Barbotan, Frankreich	95	2
7	16. Juni.	1794	Siena, Toscana	17	1
8	13. Dec.	1795	Wold Cottage, England . . .	130	2
9	12. März.	1798	Salles, Frankreich	1	1
10	13. Sept.	1798	Benares, Indien.	4	2
11	26. April.	1803	L'Aigle, Frankreich	230	1
12	13. Dec.	1803	Mässing, Bayern	4	1
13	5. April.	1804	Glasgow (High Possil), Schottland	1,5	1
14	15. März.	1806	Alais, Frankreich	1,5	1
15	13. März.	1807	Timochin (Smolensk), Russland	10	2
16	14. Dec.	1807	Weston, Connecticut V. St. . .	10	5
17	19. April.	1808	Casignano bei Parma, Italien .	—	3
18	22. Mai.	1808	Stannern, Mähren	249	3
19	3. Sept.	1808	Lissa, Böhmen	5	1
20	Aug.	1810	Tipperary, Irland	18	1
21	23. Nov.	1810	Charsonville, Frankreich. . .	2	2
22	12. März.	1811	Kuleschowka, Russland . . .	2	2
23	8. Juli.	1811	Berlanguillas, Spanien . . .	2	1
24	15. April.	1812	Erxleben, Preussen	295	2
25	5. Aug.	1812	Chantonnay, Frankreich . . .	201	3
26	10. Sept.	1813	Limerik, Irland	105	3
27	15. Febr.	1814	Bachmut, Jekaterinoslaw, Russland	82	1
28	5. Sept.	1814	Agen, Frankreich	26	1
29	18. Febr.	1815	Duralla, Indien.	17	1
30	3. Oct.	1815	Chassigny (Langres), Frankreich	5	1
31	Juni.	1818	Seres, Macedonien	85,5	3

*) Gewichte unter 1 Gramm sind meist nicht angegeben.

Fall-Zeit		Localität	Gewicht in Grm.	
Datum	Jahr		Haupt-Stück	Zahl der Exempl.
82 13. Juni.	1819	Jonzac, Frankreich	—	1
33 13. Oct.	1819	Politz (Gera, Köstritz), Reuss .	5	2
34 12. Juli.	1820	Lixna (Dünaburg), Russland . .	140	2
35 15. Juni.	1821	Juvinas, Frankreich	151	1
36 30. Nov.	1822	Allahabad, Indien	6	1
37 10. Febr.	1825	Nanjemoy, Maryland V. S. . .	5	4
38 14. Sept.	1825	Honolulu, Sandwich-Inseln . .	3,5	1
39 9. Mai.	1827	Nashville, Tennesee, V. St.. .	5	1
40 5. Oct	1827	Bialystock, Russland	—	1
41 14. Juni.	1828	Richmond, Virginien, V. St. .	6	1
42 8. Mai.	1829	Forsyth, Georgia, V. St. . . .	1,5	1
43 18. Juli.	1831	Vouillé, Frankreich	21	2
44	1832	Umbala, Indien.	1,5	1
45 11. Nov.	1836	Macao, Brasilien	10	1
46 18. April.	1838	Akbupore, Indien	9	1
47 6. Juni.	1838	Chandakapoor, Indien	2,5	1
48 13 Oct.	1838	Capland (Cold Bokkeveld), Afrika	5,5	6
49 13. Febr.	1839	Little Piney, Missouri, V. St. .	1,5	1
50 12. Juni.	1840	Uden, Holland	—	1
51 22. März	1841	Grüneberg, Schlesien	1	2
52 12. Juni	1841	Chateau-Renard, Frankreich .	324	1
53 26 April.	1842	Milena, Croatien	11	2
54 25 März.	1843	Bishopville, Süd-Carolina, V. St.	4	2
55 2. Juni.	1843	Utrecht, Holland	1	1
56 16. Sept.	1843	Klein Wenden (Nordhausen), Pr.	2	3
57 29. April.	1844	Killiter, Irland	—	1
58 21. Oct	1844	Favars, Frankreich.	2	1
59 Gefunden	1846	Assam, Asien	—	1
60 25. Febr.	1847	Jowa, Linn County, V. St. . .	48	4
61 20. Mai.	1848	Castine, Maine, V. St. . . .	—	1
62 31. Oct.	1849	Cabarras County, Nd.-Car., V. St.	30	3
63 30 Nov.	1850	Shalka, Indien	1	2
64 17. April.	1851	Gütersloh, Westphalen . . .	1,5	1
65 23. Jan	1852	Nellore, Indien	36	2
66 4. Sept.	1852	Mezö-Madaras, Siebenbürgen .	37	2
67 Gefunden	1852	Mainz, Hessen	43	3
68 2. Dec.	1852	Busti, New Gorakpur, Indien. .	1	1
69 10. Febr.	1853	Girgenti, Sicilien	29	1
70 6. März.	1853	Segowlee, Indien	1	1
71 13. Mai.	1855	Bremervörde, pr. Pr. Hannover	2755	3

Fall-Zeit		Lócalität.	Gew. in Grm.	
Datum	Jahr		Haupt-Stück	Zahl d. Expl.
12 11. Mai.	1855	Insel Oesel, Russland. . . .	14	1
13 7. Juni.	1855	St. Denis-Westrem, Belgien .	50	1
14 5. Aug.	1855	Petersburg, Tennesee, V. St. .	9	3
15 *)	1856?	Durango, Mexico	145	1
16 Gefunden	1856	Hainholtz, Westphalen . . .	73	4
17 12. Nov.	1856	Trenzano, Lombardei	2,5	1
18 28. Febr.	1857	Parnallee, Indien	80	3
19 1. April.	1857	Heredia, San José, Costa Rica.	449	1
30 15. April.	1857	Kaba, Ungarn	1	2
31 10. Oct.	1857	Ohaba, Siebenbürgen	9	2
32 27. Dec.	1857	Pegu, Indien.	21	1
33 19. Mai.	1858	Kakova, Siebenbürgen. . . .	14	1
34 9. Dec.	1858	Ausson (Montrejeau), Frankreich	49	2
35 26. Marz.	1859	Harrison County, Indiana, V. St.	17	1
36 1. Mai.	1860	New Concord, Ohio, V. St. .	199	2
37 14. Juli.	1860	Dhurmsala, Indien.	52	1
38 7 Oct.	1862	Meno, Neu Strelitz.	35	2
39 2. Juni	1862	Buschhof, Curland.	47	1
30 8. Aug.	1862	Pilistfer (Aukoma), Livland. .	53	1
31 11. Aug.	1863	Dacca, Bengalen	3,75	1
32 7. Dec.	1863	Turinnes-la-Grosse, Belgien. .	57	1
33 22. Dec.	1863	Manbhoom, Bengalen	3.5	1
34 12. April	1864	Nerft, Curland	32	1
35 14. Mai	1864	Orgueil, Frankreich	5	3
36 26. Juni	1864	Dogaja Wolja, Vollhynien . .	34	1
37 21. Juli	1865	Aumale, Algerien	2	1
38 25. Aug.	1865	Shergotty, Behar, Indien. . .	1,5	2
39 21. Sept.	1865	Muddoor, Mysore, Indien . .	1	1
30 30. Mai	1866	St. Mesmin, Frankr.	0,6	1
31 9. Juni	1866	Knyahinya, Ungarn	154	5
32 30. Jan.	1868	Pultusk, Warschau.	302	2
33 22. Mai	1868	Slavetic, Croatien	4	2
34 Nov.	1868	Danville, Alab., V. St. . . .	5,5	2
35 5. Dec.	1868	Frankfort, Alab., V. St. . . .	4	1
36 1. Jan.	1869	Hessle bei Upsala, Schweden .	174	2
37 5. Mai	1869	Krähenberg, Pfalz	3	2
38 6. Oct.	1869	Stewart County, Georgia, V. St.	5,5	3
39 17. Juni	1870	Ibbenbühren, Westphalen . .	12	2

*) Nachrichten 1867 S. 57.

II. Meteoreisen.

	Fundort.	Gewicht in Grm.	
		Haupt-Stück	Zahl der Exempl.
1	Agram, Croatien, gefallen am 26. Mai 1751 .	10	4
2	Augusta County, Virginien, 1871	218	4
3	Braunau, Böhmen, gefallen am 14. Juli 1847 .	108	4
4	Bonanza, Mexico	1,3	1
5	Arva, Ungarn, gefunden 1844	425	7
6	Ashville, Nord-Carolina, V. St., 1839	0,5	2
7	Atakama, Imilac, Chili, 1827	1840	6
8	Auburn, Alabama . . . . . . , . . .	4	1
9	Bahia (Bemdegó), Brasilien, 1816	257	4
10	Bohumilitz, Böhmen, 1829	31	1
11	Brahin, Russland, 1822	17	1
12	Breitenbach, Böhmen, 1861	111	2
13	Brasilien (Buenos-Ayres?)	18	1
14	Burlington, New-York, V. St., 1819	62	1
15	Caille, Frankreich, 1828	47	1
16	Capland, Afrika, vom grossen Fischfluss 1837?	14	1
17	Capland, Afrika, 1801	181	4
18	Carthago, Smith County, V. St., 1840 . . .	22	1
19	Chesterville, Süd-Carolina, V. St., 1849 . . .	115	1
20	Claiborne, Alabama, V. St., 1838	2,5	1
21	Colorado, Russel Goulch, V. St., 1863 . . .	398	2
22	Colorado, Bear Creek, V. St.	301	2
23	Copiapo, Chili, 1863	11	1
24	Cosby, Cook C., V. St., 1840 (Sevier-Eisen) .	25	2
25	Cranbourne, Australien, 1861	206	3
26	Dacotah, Indian Territory, V. St., 1863 . . .	58	1
27	Denton County, Texas, 1856	26,5	1
28	Durango, Mexico, 1811	50	1
29	Elbogen, Böhmen, 1811	35	4
30	Franklin County, V. St.	56	1
31	Green County, Tennesee, V. St., 1818 . . .	69	2
32	Grönland, Baffinsbay, 1819 (von Capt. Sabine) .	0,4	1

	Fundort.	Gewicht in Grm.	
		Haupt-Stück	Zahl der Exempl.
3	Grönland, Jacobshavn	1,2	1
4	Grönland, Ovifak, 1870	2100	6
5	San Gregorio, Chihuahua, Mexico	0,5	6
6	Guilford, Nord-Carolina, V. St., 1830 . .	8,5	1
7	Jewell Hill, Madison, N. C.. V. St., 1856 . .	40	2
8	Krasnojarsk, Sibirien, 1776	223	12
9	Lagrange, Oldham C., Kentucky, V. St., 1860.	383	1
10	Lenarto, Ungarn, 1815	51	4
11	Löwenfluss, Süd-Afrika, 1853	5	1
12	Lockport, New-York, V. St., 1845	43	1
13	Madoc, Canada, 1854	19	1
14	Marshall C., Kentucky, V. St., 1856 . . .	142	1
15	Milwaukee, Wisconsin, V. St., 1858	25	1
16	Nebraska, V. St., 1856	28	2
17	Nelson, C., Kentucky, V. St., 1856 . . .	358	2
18	Nevada, V. St.	6	1
19	Newton, C. Arkansas, V. St., 1860	22	1
50	Oaxaca, Mexico, 1843	3,75	1
51	Obernkirchen, Schaumburg, Preussen, 1863 .	180	2
52	Oktibeha, Mississippi, V. St., 1857	1,5	1
53	Orange River, Süd-Afrika, 1856	31	1
54	Paraguay, Paranafluss (Tucuman?)	5	1
55	Petropawlowsk, Sibirien, 1841	7	1
56	Pohlen? aus Berzelius Sammlung	4	1
57	Pittsburg, Pensylvanien, V, St., 1850 . . .	104	2
58	Puttnam C., Georgia, V. St., 1854	33	1
59	Rasgata, Neu-Granada, 1823	12	1
60	Red River (Louisiana), Texas 1808	8	2
61	Rittersgrün, Sachsen, 1861	63	1
62	Robertson C., Tennesee, V. St., 1861 . . .	46	2
63	Rockingham, N.-Carolina, V. St.	—	1
64	Ruffs Mountain, Süd-Carolina, V. St., 1850 .	36	2
65	Salt River, Kentucky, V. St., 1851	14	1
66	Santa Rosa, Mexico	50	2
67	Sarepta, Saratow, Russland, 1854.	20	1
68	Schwetz, Preussen, 1850	48	1
69	Scriba, Oswego C., V. St., 1814	17	3
70	Seeläsgen, Brandenburg, Preussen, 1847 . . .	26	3
71	Sierra de Chaco, Atakama, 1862.	12	1
72	Senaca-See, New-York, V. St., 1851.	121	1

	Fundort.	Haupt-Stück	Zahl der Exempl.
73	Senegal, Bambuk, Afrika, 1763	1	2
74	Smithland, Livingston C., Kentucky, V. St., 1840	8	1
75	Steinbach, Sachsen, 1751	10	1
76	Tabarz, Thüringen, 1854	20	1
77	Tazewell, Tennesee, 1854	198	2
78	Toluca, Mexico, 1784—1856	2025	9
79	Tucuman, Süd-Amerika, 1783	0,5	1
80	Tuczon, Mexico, 1850	17	1
81	Tula, Russland, 1857.	7	1
82	Union C, Georgia, V. St., 1853	14	1
83	Virginien, aus einer Petroleumquelle	1,7	1
84	Wayne, Ohio, V. St, 1859.	1,5	1
85	Werknoi-Udinsk, Sibirien, 1854	15	1
86	Zacatecas, Mexico, 1792.	58	3

Zweifelhafte.

Grönland (Niakornak?)		34	1
Hemalga, Chili, 1840		31	2
Hommoney Creek, Nord-Car., V. St., 1845 .		195	1
Newstead, Shottland, 1861		68	2

Geschmiedete.

Bitburg		361	2
Schwetz		256	1
Bemdego		22	1
Fundort unbekannt		370	1

Wöhler.

Register

über die

Nachrichten

von der

königl. Gesellschaft der Wissenschaften

und der

Georg - Augusts - Universität

aus dem Jahre 1873.

E. Frankland, auswärtiges Mitglied 807.
F. Frerichs s. *Hübner.*

Göttingen:
 I. Königl. Gesellschaft der Wissenschaften.
  A. Feier des Stiftungstages 805.
  B. Jahresbericht, erstattet vom Sekretär 805.
  C. Vorlesungen und Abhandlungen:
 H. Ewald, Erwerbung und Herausgabe Orientalischer Werke durch d. K. Soc. d. W. 1.
 H. v. Ihering, Beitrag zur Entwicklungsgeschichte des menschl. Stirnbeins 5.
 M. Réthy, Ueber ein Dualitätsprincip in der Geometrie 6.
 E. Schering, Linien, Flächen und höhere Gebilde in mehrfach ausgedehnten Gaussischen und Riemannschen Räumen 13.
 G. Quincke, Ueber die Beugung des Lichts 22.
 J. B. Listing, Ueber unsere jetzige Kenntniss von der Gestalt und Grösse der Erde 33.
 B. Tollens und *R. Wagner*, Ueber Parabansäurehydrat 101.
 B. Tollens, Notiz zur Auffindung von Schwefelverbindungen mittelst des Löthrohres 106.
 H. Grenacher, zur Entwicklungsgeschichte und Morphologie der Cephalopoden 107.
 A. Brill und *M. Nöther*, über die algebraischen Functionen und ihre Anwendung in der Geometrie 116.
 E. Schering, Die Schwerkraft in mehrfach ausgedehnten Gaussischen und Riemannschen Räumen 149.
 B. Minnigerode, Ueber die Vertheilung der quadratischen Formen mit complexen Coefficienten und Veränderlichen in Geschlechter 160.

R. Wagner, *O. Philippi* und *B. Tollens*, Untersuchungen über die Allylgruppe 754.

G. Waitz, Verlorne Mainzer Annalen 388.

— Ueber die Annales Sithienses 587.

F. Wieseler, Beiträge zur Symbolik der Griechen und Römer 363.

— Ueber einige im Orient erworbene Bildwerke und Altertbümer 522.

F. Wöhler, Die Meteoriten der Universitäts-Sammlung zu Göttingen, Jan. 1874. 871.